D1202817

HISTORIA Y CRÍTICA
DE LA
LITERATURA HISPANOAMERICANA

III
ÉPOCA CONTEMPORÁNEA

PÁGINAS
DE
FILOLOGÍA
Director: FRANCISCO RICO

CEDOMIL GOIC

HISTORIA Y CRÍTICA DE LA LITERATURA HISPANOAMERICANA

I

ÉPOCA COLONIAL

II

DEL ROMANTICISMO AL MODERNISMO

III

ÉPOCA CONTEMPORÁNEA

CEDOMIL GOIC

HISTORIA Y CRÍTICA DE LA LITERATURA HISPANOAMERICANA

III

ÉPOCA CONTEMPORÁNEA

EDITORIAL CRÍTICA
Grupo editorial Grijalbo
BARCELONA

Coordinación
de
MERCEDES QUÍLEZ

Diseño de la cubierta:
Enric Satué

ISBN: 84-7423-368-2
Depósito legal: B. 28.367 - 1988
Impreso en España
1988. — Hurope, S. A., Recaredo, 2, 08005 Barcelona

Para Maggie

HISTORIA Y CRÍTICA DE LA LITERATURA HISPANOAMERICANA

INTRODUCCIÓN

I

Historia y crítica de la literatura hispanoamericana responde al mismo plan, diseñado por Francisco Rico, para la *Historia y crítica de la literatura española* y, *mutatis mutandis*, quiere ser, como ella en su campo, una historia nueva de la literatura hispanoamericana. Una historia que no se conforme con resúmenes y catálogos, sino que considere las contribuciones más importantes que la crítica de más calidad y desde los más variados puntos de vista ha dedicado a diversos aspectos de las obras, autores, géneros y períodos y a los problemas fundamentales de las letras hispanoamericanas. En casi quinientos años de literatura en lengua española en América —serán quinientos en 1992 y ya nos preparamos para celebrarlos—, creación e investigación y crítica literaria corren parejas ofreciendo su realidad mudable al lector. He tomado la tarea de llevar a cabo estos propósitos casi exclusivamente sobre mis hombros e intentado, por una parte, proveer la mejor y más actual información hoy día a nuestra disposición, y, por otra, justipreciar y rendir tributo a quienes han contribuido más significativamente en cada asunto a enriquecer la comprensión de nuestra historia literaria y de sus grandes autores y obras. En la selección de artículos, ensayos, o fragmentos de libros, he intentado proporcionar una imagen adecuada y actual de las grandes cumbres y momentos de la historia de la literatura hispanoamericana y dar cabida a una variedad de enfoques diferentes. El lector podrá beneficiarse de su lectura para una visión de conjunto o para la consulta útil sobre un asunto particular. Conseguir esto en la literatura hispanoamericana no es siempre fácil, aparte de las limitaciones obvias, por la falta en varios dominios de materiales adecuados para esa construcción. En ediciones futuras, contando con la buena acogida de los lectores, podríamos acercarnos a una meta de mejor y más completa elaboración de las diversas partes de esta obra.

Por ahora, *Historia y crítica de la literatura hispanoamericana* (*HCLH*) intenta concertar dos tipos de elementos:

1. Por un lado, una selección de textos que se ordenan cronológica y temáticamente para trazar la trayectoria histórica de la literatura hispanoamericana, en una visión centrada en los grandes géneros, autores y obras, épocas y cuestiones principales, de acuerdo a la crítica de mayor solvencia. Esos textos, además de ordenarse en una secuencia histórica, constituyen una verdadera antología de los estudios más valiosos en torno a la literatura hispanoamericana realizados en los últimos años.

2. Por otro, los capítulos en que esos textos se distribuyen se abren con una introducción y un registro bibliográfico pertinente al asunto. La introducción pasa revista a los escritores, obras o temas correspondientes; y, ya sea simultáneamente o a continuación, ofrece un panorama selectivo del estado actual de los trabajos sobre el asunto en cuestión, señalando los problemas más debatidos y las respuestas que proponen los más diversos estudiosos y escuelas, las aportaciones más destacadas, las tendencias y criterios en auge... Como norma general, la bibliografía —nunca exhaustiva, antes cuidadosamente elegida— no pretende tener entidad propia, sino que ha de manejarse con la guía de la introducción, que la clasifica, criba y evalúa.

II

Entre los destinatarios posibles y esperados de este libro está el estudiante de Letras de España y en especial el de Filología Hispánica, quien tendrá acaso la oportunidad de seguir junto con sus cursos de literatura española algún curso de literatura hispanoamericana. O si no ha tenido esa oportunidad, es bien posible que su curiosidad y apetito de saber le lleven a preguntarse y a conocer algo de la literatura en lengua castellana al otro lado del océano, especialmente a propósito de un gran autor o de una obra recientemente leída.

Pero hay que pensar, principalmente, en el estudiante hispanoamericano de Letras que toma, además de la literatura española, toda una secuencia de cursos de literatura hispanoamericana y de su literatura nacional. La exigencia de lectura será, de seguro, considerable, y difícil o imposible pedirle que, además de leer los textos primarios, se familiarice con la bibliografía básica. Por otra parte, sería perjudicial dirigirlo a un manual para que busque los datos y las referencias imprescindibles con las que no es posible agobiarlo. Equidistante entre los extremos del manual y de la bibliografía básica, *HCLH* es útil y provechosa para el estudiante en esta etapa de sus estudios. Encontrará en ella secciones que abordan los textos primarios y variada información que puede usar de modo gradual y selectivo.

El estudiante de un nivel más avanzado ya no se matriculará en cursos tan amplios o panorámicos como «Literatura hispanoamericana colonial», o «Literatura moderna» o «contemporánea», sino presumiblemente en otros de objeto más reducido y atención más intensa: «La poesía épica», «El Modernismo», «Rubén Darío», «Borges», «Pablo Neruda» o «La novela contemporánea». En este caso, los capítulos correspondientes de *HCLH* le permitirán entrar con facilidad en la materia monográfica de su interés con el apoyo de los textos críticos y la reseña del estado de la cuestión. Encontrará, además, en el resto del volumen un contexto que le ayudará, sin el esfuerzo de tener que procurárselo por sí mismo, a situar el asunto estudiado.

Para el estudiante titulado o licenciado, que va a enseñar como profesor de lengua y literatura en la enseñanza media o en un nivel docente similar, que ya no tiene el tiempo que quisiera para preparar sus clases, lejos de una biblioteca mediana o mínima y sin recursos económicos para adquirir nuevos libros, *HCLH* le ayudará a resolver las dificultades de decidir por dónde abordar una explicación o una lectura en forma adecuada para futuros bachilleres. El joven profesor encontrará en *HCLH* incitaciones y apoyos para enseñar literatura de una manera más atractiva y adecuada que la usual. El mismo profesor veterano encontrará en ella la oportunidad de refrescar ciertos temas o enriquecer su experiencia explorando nuevos caminos. El estudiante que sigue una maestría o un doctorado sabrá sacar partido de introducciones, bibliografías y textos críticos para orientar sus investigaciones.

El estudiante norteamericano de pregrado en español, que toma un *survey* o un curso avanzado, acostumbrado al empleo de un *course pack*, encontrará los materiales, la orientación general y la información bibliográfica que le permitirán el uso gradual y selectivo de los textos críticos y de la biblioteca universitaria generalmente bien provista. Para el estudiante de la maestría o que debe escribir un trabajo o preparar una *reading list* para el examen de grado, y el de doctorado que se prepara para sus exámenes preliminares y aun el que escribe su *prospectus* para una tesis doctoral y quiere dedicarse a la docencia universitaria, hallarán de qué beneficiarse en *HCLH*.

El especialista de un área particular encontrará en esta obra la oportunidad de informarse sobre la situación de los estudios en otro campo y beneficiarse de la información o la comparación. Y no le faltará en las introducciones, al lado del comentario de los aportes ajenos, observaciones y juicios de valor propio que pueden ser la oportunidad de acceso a investigaciones originales y anticipación de investigaciones inéditas.

Esperamos que para el especialista *HCLH* será una incitación a meditar sobre la situación de la disciplina que cultiva; una oportunidad para apreciarla en su conjunto con sus logros y sus lagunas, sus protagonistas individuales y colectivos, en un cuadro que difícilmente encontrará compendiado en otro lugar. No sólo la síntesis ofrecida por las introducciones, sino también los textos críticos seleccionados marcan ciertas instancias definidas de la crítica hispanoamericana o hispanoamericanista y pueden abrir nuevas perspectivas.

Por último, no es absolutamente impensable la posibilidad de que *HCLH* llegue a lectores ajenos al *curriculum*, pero que hombres o mujeres cultos de formación universitaria compartan con los anteriores el interés por la literatura. Ni lo es que tras disfrutar de la lectura de algunas de las grandes obras de la literatura hispanoamericana —*La Araucana*, *Martín Fierro*, *La Vorágine* o *Cien años de soledad*, la poesía de Neruda o un cuento de Borges o Cortázar o de asistir a una función de teatro— se sienta movido a saber más sobre el autor o la obra y confrontar su opinión con la de los expertos.

A un público así de variado y amplio aspira *HCLH* a alcanzar y servir.

III

1. El núcleo de *HCLH* son las obras, autores, movimientos, tradiciones... de primera magnitud y mayor vigencia para el lector de

hoy. No hemos escatimado, sin embargo, referencias a escritores, obras, géneros o movimientos relativamente menores, pero se hace hincapié siempre en los mayores, y a la dirección que ellos desarrollan se confía la organicidad del conjunto. No siempre fue fácil compaginar la importancia de las obras y autores con el volumen y valor de la bibliografía existente. En algunos casos obras de importancia han sido objeto de escaso estudio, mientras otras de relieve secundario han merecido una atención mayor. Esto es particularmente notorio en la literatura colonial, donde encontramos obras de importancia carentes de estudios, y lo es también en la contemporánea, donde la falta de discriminación de los valores de primer rango entre las promociones más jóvenes los muestra sin estudios de importancia, mientras tanta figura secundaria aparece largamente estudiada. Estudiada o no, hemos concedido más espacio a la figura de mayor magnitud. Del mismo modo, en ocasiones había que distinguir si el relieve regional del autor se correspondía con su estimación en el nivel continental. Cuando ha parecido necesario hemos dejado constancia, en las introducciones, de estas diferencias y procurado realizar una cuidadosa selección de textos.

2. La materia se ha distribuido en tres volúmenes, de 10 y 12 capítulos que no van titulados con un concepto único y sistemático. Epígrafes como *Época colonial*, *Del Romanticismo al Modernismo* o *Época contemporánea* no son muy satisfactorios y rompen la pertinencia objetiva con criterios desigualmente políticos, artístico-literarios o puramente cronológicos, que son, por lo demás, la plaga universal de la historiografía literaria. Pero nos han parecido preferibles a otros de mera indicación cronológica. En todo caso, los problemas de «épocas», «períodos» y «generaciones» se consideran en detalle en cada tomo y capítulo donde parece necesario. En los títulos de los capítulos me he contentado con identificar *grosso modo* el ámbito de que tratan, en la esperanza de que sean juzgados más por el contenido que por el título mismo, necesariamente limitado.

3. Para resolver en qué volumen insertar ciertos temas o autores o cómo representar su ubicación propia o la multiplicidad de su obra hemos decidido con criterio flexible. Por una parte, hemos incluido en el tomo I la disolución de la época colonial y el comienzo de la época nacional, dejando la consideración de los antecedentes románticos para el tomo II. Esto ha significado separar, por ejemplo, a Andrés Bello del tomo y del capítulo en que se estudian sus compañeros de genera-

ción. En este caso, la trascendencia de la obra de Bello después de 1830, y prolongada hasta 1865 —fecha en que muere—, dictaba la posibilidad y la conveniencia de tratarlo en el tomo II. También era objeto de consideración la posibilidad de tratar a autores como Balbuena o Sor Juana, o Borges por los géneros que cultivan y dividir su tratamiento en varios capítulos o estudiar en uno de ellos el conjunto de su producción. De acuerdo a la norma, hemos preferido, por una parte, conceder un capítulo a las *opera omnia* de cada escritor de importancia y situarlo en el volumen o capítulo correspondiente a los años decisivos, y, por otra, no dejar de hacer referencia a sus contribuciones al hablar del género correspondiente. El Modernismo, a su vez, no dejaba de tener las dificultades más que conocidas para su delimitación; en este caso hemos dejado la traza de su tratamiento por la crítica como época, pero lo hemos abordado con la más ceñida distinción de las generaciones. En este sentido hemos optado por poner a Del Casal y J. A. Silva en una primera generación, en consideración a que su obra comprende los años de iniciación, pero no la vigencia de la generación de Darío. A Herrera y Reissig, por otro lado, epígono del Modernismo, lo hemos situado en su generación a pesar de su muerte temprana. ¿Dónde situar al sorprendente Macedonio Fernández? Lo más adecuado parecía tratarlo en los años correspondientes a su difusión y a su recepción tardía. Hemos tratado, en cada caso, de dar la visión más amplia posible, aunque ciertas limitaciones eran necesarias para dar cuenta, en una visión coherente, sin caer en la confusión ni el fárrago, de las múltiples direcciones y niveles de la historia de la literatura.

4. Los trabajos históricos y críticos examinados en las introducciones, registrados en las bibliografías y antologados en el cuerpo de cada capítulo no abarcan, desde luego, el curso entero, a través de los siglos, de los estudios en torno a la literatura hispanoamericana. Aunque se encontrarán las referencias generales, no se discutirán ni se incluirán aquí las opiniones de Cervantes o Lope, o de unos poetas o escritores hispanoamericanos sobre otros, como Darío sobre Martí o Neruda sobre Huidobro. Aunque sí, inevitablemente, algo de Medina sobre literatura colonial, y de Menéndez Pelayo sobre ésta y la literatura del siglo XIX. Para la mayoría de las cuestiones abordadas en los tomos I y II, la *vulgata* de la historia literaria ha sido establecida por la obra crítica e historiográfica de P. Henríquez Ureña, J. Leguizamón, A. Torres Rioseco, L. A. Sánchez, E. Anderson Imbert y J. J. Arrom.

Su contribución ha orientado primero la selección de los valores literarios de Hispanoamérica, los autores y las obras de mayor magnitud, y luego la comprensión de tendencias y sus principales corrientes literarias, su periodización y sus problemas. A partir del contexto historiográfico que han elaborado, la crítica ha trasladado su énfasis en nuevas direcciones que intentamos ilustrar parcialmente en la presente obra. En la literatura hispanoamericana la línea que demarca lo actual de lo pasado se inicia merced a la importancia adquirida por la estilística romance y la obra personal de Amado Alonso —especialmente su estudio sobre Neruda, el primero sobre un poeta contemporáneo— y su gestión en la dirección del Instituto de Filología de la Universidad de Buenos Aires, hace unos cincuenta años. Las tendencias estructuralistas de los años sesenta, con su crítica de la estilística romance, y, más tarde, las distintas tendencias caracterizadoras del postestructuralismo, constituyen las nuevas orientaciones contemporáneas. En general, estas nuevas orientaciones marcan un énfasis en el estudio de la obra particular, que ha caracterizado visiblemente los estudios literarios dentro de una gran variedad de enfoques. Sin embargo, el viejo y constante interés en la comprensión de la obra y de la literatura situada en el contexto social, conserva un lugar permanente en la crítica y se deja modificar por nuevas orientaciones teóricas y metodológicas.

Hemos prescindido de la crítica impresionista y de los abundantes testimonios anecdóticos en favor de una crítica de contribución documental o de análisis o interpretación significativa. Al seleccionar los textos hemos puesto el acento dominante en esta crítica. Por otra parte, acogiendo en parte una sugerencia de Francisco Rico, en los capítulos 5 y 9 del tomo I, el lector encontrará una síntesis de la poética colonial; mientras en los capítulos 11, del tomo II, y 12, del tomo III, se encontrará la presentación de la crítica literaria junto con el ensayo. En esta parte el lector tendrá oportunidad de conocer el desarrollo de las principales tendencias y de las figuras sobresalientes de la crítica hispanoamericana de la época correspondiente.

5. En las introducciones, al esbozar el estado actual de los trabajos sobre cada asunto, he procurado mantener el número de referencias dentro de los límites estrictamente imprescindibles. He citado los principales estudiosos y tendencias y realzado los libros y artículos de mayor valor insistiendo en lo positivo. Aunque era conveniente reducirse a un número limitado, a un centenar de entradas, me he excedido en algunos casos con el afán de dar una visión más completa y variada

allí donde no es fácil encontrar bibliografías organizadas sobre determinados asuntos o autores. Es posible que el lector se sienta desilusionado aun en el caso de los autores a quienes dedicamos un capítulo entero y donde debían ser aplicados los mismos criterios señalados. El establecimiento de una bibliografía fundamental era nuestro objetivo. En las introducciones he puesto, por otra parte, cierto énfasis, que me pareció necesario y espero que no resulte ni excesivo ni desprovisto de interés para el lector, en el registro de la producción del autor con el máximo de precisión para identificar primeras ediciones y otras significativas. Las limitaciones para procurarse esta información son casi insalvables, y al mismo tiempo nada parece tan importante como determinar con detalle el corpus literario de un autor de relieve.

6. En cuanto a la selección de textos, el ideal era que ésta formara un conjunto bien armado que pudiera leerse como un todo y para la consulta de algún asunto particular. He tratado, donde esto ha sido posible, de reunir en cada capítulo trabajos que proporcionaran una visión de conjunto, con otros de análisis de obras particulares y trabajos de fina erudición. No siempre ha sido posible, no sólo debido a inhabilidad, sino por las considerables lagunas que existen en la bibliografía hispanoamericana y por la dificultad, muchas veces, de aislar dentro de una obra de importancia un fragmento que conservara la necesaria coherencia interna. Espero que la selección tal como queda hecha sirva a los propósitos enunciados. El estado actual de la bibliografía en cuestión en cada caso es el que ha dictado la forma de cada capítulo. En cada uno de ellos he intentado incluir diversas orientaciones sin excluir deliberadamente ninguna.

7. *HCLH* es una primera aproximación a una meta ambiciosa y nace con la promesa de renovarse cada pocos años, si es posible, en ediciones íntegramente rehechas. Para este objeto, será inestimable para mí recibir la ayuda que se me preste para este fin en la forma de comentarios, referencias, publicaciones...

IV

Esta obra no habría sido posible sin la generosa invitación de Francisco Rico ni sin la orientación y el concepto general del tipo de libro concebido por él para esta serie de *Historia y crítica*, que él diseñó para el caso de la literatura española, *HCLE*, y que ha servido de modelo para nuestra *HCLH*. He seguido con la máxima fidelidad que me era posible las instrucciones generales impartidas para la serie. En la determinación preliminar del número, contenido y designación de los volúmenes y de los capítulos y la discusión de ellos, mi trabajo encontró en Francisco Rico la colaboración necesaria y la oportunidad de un diálogo productivo. De la confrontación del hispanoamericanista y el especialista peninsular —hemos coincidido en algunas cosas y en otras discrepado— espero que el beneficiado sea el lector. Pero debo señalar sin equívoco que la responsabilidad intelectual de los tres volúmenes de la obra y de la redacción de los capítulos, la elaboración de las bibliografías y la selección de textos críticos que acompañan a cada capítulo es enteramente mía.

Aunque sujeta a error como toda obra humana y de cierta envergadura, espero que esta obra, a pesar de su extensión y del número y la variedad de la información manejada, resulte bien defendida en lo fundamental tanto en la interpretación —ciertamente la parte más vulnerable—, cuanto en la información, la bibliografía y la selección de textos. Las imperfecciones que el lector perciba en cualesquiera de estos aspectos de *HCLH* son debidas a mis limitaciones y de mi sola y entera responsabilidad.

Este trabajo se redactó entre mayo de 1983 y diciembre de 1985; durante este tiempo y el tiempo corrido hasta la publicación de la obra, han aparecido varios trabajos de importancia que enriquecen el campo de la investigación y los estudios de la literatura hispanoamericana. De esta manera el cuadro de cada capítulo se ve afectado por los nuevos aportes de la crítica en algunos aspectos de su actualidad. En relación a diversos temas no he vacilado en considerar trabajos en prensa, cuyos textos me eran conocidos y cuya importancia me pareció cierta. De las publicaciones que hayan escapado a mi atención daré cuenta en publicaciones posteriores de estos volúmenes, si el público lector los acoge como deseamos. Agradezco a los colegas y amigos que me facilitaron sus obras, artículos y manuscritos y agradeceré cumplidamente en el futuro a quienes me remitan sus obras y sus observaciones para mejorar este trabajo.

Debo y doy especiales gracias a los autores que han accedido a la reproducción de sus textos seleccionados en las condiciones que imponía el carácter de esta obra. Agradezco a Walter D. Mignolo, colega y amigo, su valiosa colaboración en parte del tomo III de esta obra preparando el capítulo 6 dedicado a Borges. Mi gratitud va una vez más a Francisco Rico por el generoso ofrecimiento que me hizo de confiar a mi cargo esta tarea y a Gonzalo Pontón, por el diálogo constructivo que ha hecho posible llevarla a buen fin. Debo dar gracias también a la Editorial Crítica por su decisión de emprender este proyecto hispanoamericano. Finalmente, estoy en deuda con Mercedes Quílez, Anna Prieto y M.ª Paz Ortuño, quienes han corregido las pruebas con implacable rigor.

Considerando la extensa elaboración de esta obra y el largo tiempo invertido en ella, no puedo dejar de agradecer aquí a mi familia, que soportó con paciencia y amor la alteración de la vida doméstica que significó. Agradezco especialmente a Maggie, mi mujer, su ayuda en la corrección de las erratas del manuscrito de esta obra; a mi hijo Jorge, quien facilitó con sus conocimientos técnicos y su consejo el procesamiento del original de esta obra en la computadora electrónica; y a mi hijo Nicolás, su entusiasmo y su espontánea y constante ayuda en la recolección de materiales para los diversos volúmenes.

Cedomil Goic

The University of Michigan, Ann Arbor

NOTAS PREVIAS

1. A lo largo de cada capítulo (y particularmente en la introducción), cuando el nombre de un autor va asociado a un año entre paréntesis rectangulares, [ ], debe entenderse que se trata del envío a una ficha de la bibliografía correspondiente, donde el trabajo así aludido figura bajo el nombre en cuestión y en la entrada de la cual forma parte el año indicado.* En la bibliografía, las publicaciones de cada autor se relacionan cronológicamente; si hay varias que llevan el mismo año, se las identifica, en el resto del capítulo, añadiendo a la mención del año una letra (*a*, *b*, *c*...) que las dispone en el mismo orden adoptado en la bibliografía. Igual valor de remisión a la bibliografía tienen los paréntesis rectangulares cuando encierran referencias como *en prensa* o análogas. El contexto aclara suficientemente algunas minúsculas excepciones o contravenciones a tal sistema de citas. Las abreviaturas o claves empleadas ocasionalmente se resuelven siempre en la bibliografía.

2. En muchas ocasiones, el título de los textos seleccionados se debe a mí o al responsable del capítulo; el título primitivo, en su caso, se halla en la ficha que, a pie de la página inicial, consigna la procedencia del fragmento elegido. Si lo registrado

* Normalmente ese año es el de la primera edición o versión original (regularmente citadas en la mayoría de los casos, en la bibliografía), pero a veces convenía remitir a la reimpresión dentro de unas obras completas, a una edición revisada (o más accesible), a una traducción notable, etc., y así se ha hecho.

en esa ficha es un artículo (o el capítulo de un libro, etc.), se señalan las páginas que en el original abarca todo él y a continuación, entre paréntesis, aquellas de donde se toman los pasajes reproducidos. En el presente tomo III, cuando no se menciona una traducción española ya publicada o no se especifica otra cosa, los textos originariamente en lengua extranjera han sido traducidos por mí.

3. En los textos seleccionados, los puntos suspensivos entre paréntesis rectangulares, [...], denotan que se ha prescindido de una parte del original. Corrientemente, sin embargo, no ha parecido necesario marcar así la omisión de llamadas internas o referencias cruzadas («según hemos visto», «como indicaremos abajo», etc.) que no afecten estrictamente el fragmento reproducido.

4. Entre paréntesis rectangulares van asimismo los cortos sumarios con que los responsables de *HCLH* han suplido a veces párrafos por lo demás omitidos. También de ese modo se indican pequeños complementos, explicaciones o cambios del editor (traducción de una cita o substitución de ésta por sólo aquella, glosa de una voz arcaica, aclaración sobre un personaje, etc.). Sin embargo, con frecuencia hemos creído que no hacía falta advertir el retoque, cuando consistía sencillamente en poner bien explícito un elemento indudable en el contexto primitivo (copiar entero un verso allí aludido parcialmente, completar un nombre o introducirlo para desplazar un pronombre en función anafórica, etc.).

5. Con escasas excepciones, la regla ha sido eliminar las notas de los originales (y también las referencias bibliográficas intercaladas en el cuerpo del trabajo). Las notas añadidas por los responsables de la antología —a menudo para incluir algún pasaje procedente de otro lugar del mismo texto seleccionado— se insertan entre paréntesis rectangulares.

VOLUMEN III

ÉPOCA CONTEMPORÁNEA

1. TEMAS Y PROBLEMAS DE LA LITERATURA CONTEMPORÁNEA

La literatura contemporánea en Hispanoamérica muestra claros rasgos de mayor cohesión y de crecimiento en relación a la época anterior: más escritores escriben más en todas y cada una de las naciones del continente, y, al mismo tiempo, destaca en el marco internacional un número creciente de grandes escritores. También es más claro que en el siglo XIX el puesto del escritor en la sociedad, más diferenciada su función y más prestigiosa su actividad y su significación social. Es de destacar que este fenómeno que ha asegurado la presencia hispanoamericana en el mundo junto a la de grandes artistas, se da en un momento de la historia literaria de reconocido antirrealismo en su modo de representación y dentro de lo que se ha considerado a grandes rasgos una crisis de la literatura y de la obra literaria. Esta crisis real o supuesta no ha impedido la creación de algunas de las obras más notables de nuestra literatura, obras de extraordinaria imaginación, de notable originalidad, productos de un diálogo sin barreras con la literatura universal. Para el crédito hispanoamericano este reconocimiento viene de europeos y norteamericanos y va acompañado de la autoconciencia hispanoamericana de vivir un momento excepcional de su historia literaria. Ha favorecido esta situación el que desde los primeros decenios de este siglo la literatura hispanoamericana, a través de varias de sus figuras prominentes y en el proceso de gregarización de las nuevas formas de la literatura, se hizo sincrónica con la europea con la cual guardó regularmente durante los siglos pasados cierta discronía negativa, un cierto retraso en la lectura de las tendencias vigentes.

Antes de la clasificación de los críticos, contribuyeron a la comprensión de la nueva literatura las formulaciones expresas del concepto de la literatura y de la poesía por los escritores. Los manifiestos (1925) de Huidobro, los escritos «poetológicos» de Vallejo ordenados por Ballón Aguirre [1984], las meditaciones de Paz [1956] y las formulaciones de Parra en torno a la «antipoesía» tienen su equivalente en los escritos de Carpentier [1949], sobre «lo real maravilloso americano», los de Cortázar, en

Collazos [1970], en torno a la libertad creadora; las consideraciones de Fuentes [1967], sobre la nueva novela; y las más elaboradas nociones del barroco de Lezama Lima [1957], del neobarroco de Sarduy [1972] y, por último, de la nueva escritura hispanoamericana de Libertella [1977]. La crítica hispanoamericana por su parte ha elaborado las nociones de literatura fantástica, Barrenechea [1972] y Mignolo [1983], y la de «realismo mágico», sometida a las críticas de Anderson Imbert [1976, 1978], abundantemente discutida en Rodríguez Monegal [1975] y Yates [1975]; mientras Zeitz y Seybolt [1981] han ordenado la bibliografía sobre el tema. Una tendencia secundaria corre paralelamente a lo largo de la literatura contemporánea poniendo el acento en la cercanía del contexto histórico, político, económico y social en oposición a la dominante antirrealista de la literatura contemporánea. El neorrealismo de esa tendencia debe comprenderse como inevitablemente modificado por la dominante, pero incomprensivo frente a su nueva visión. El indigenismo continúa siendo, en las regiones demográficamente marcadas, una tendencia constante de la literatura hispanoamericana. Su discusión mantiene un relieve permanente en el Perú. La tendencia dominante en las generaciones recientes es irrealista, inclinada a la negación escéptica de la representación, irónica y lúdicamente envuelta en la dispersión del narrador y la multiplicación de las situaciones narrativas con sus factores constantemente variados o sucesivamente cancelados. Entre los determinantes estilísticos se extrema la cita de textos preexistentes y la autocita, la repetición textual que crea ritmos regulares o desconcertantes; la parodia, el *pastiche*; la mezcla de lenguajes, los metaplasmos verbales, las jitanjáforas, las jergas inventadas. Para la satisfacción de la actitud crítica ante el poder y el estado de cosas, la destrucción de los modos convencionales de representación y de configuración de la obra y del discurso literarios es interpretada ideológicamente como escritura equivalente a la posición crítica frente al estado político-social o como discurso subversivo. No pocos pretenden ver en ello un rasgo distintivo de una escritura hispanoamericana que excede los límites de la época contemporánea para extenderse hasta los orígenes de la literatura hispanoamericana colonial. Los conceptos controvertidos contemplan las nociones de nueva novela, antipoesía, nueva escritura, teatro del absurdo, teatro de la crueldad, grotesco criollo, matizados con frecuencia con determinantes ideológicos.

El contexto histórico y cultural de la época contemporánea ha sido un factor informante muchas veces objetivado en la literatura, especialmente en la novela y el teatro, pero no ausente de la poesía. Algunos grandes acontecimientos histórico-políticos del siglo XX, comenzando con la revolución mexicana en su aspecto beligerante (1910-1920) y su largo proceso de construcción, perturbado por la «guerra cristera» (1926-1929), generan una larga y variada literatura desarrollada en torno a ellos. La guerra del

Chaco (1931-1933) entre Bolivia y Paraguay, no sin intervención extranjera, da contenido a un ciclo literario más reducido. Aunque ajena al continente, la guerra civil española (1936-1939) produjo diversos efectos en la vida histórica hispanoamericana. Escritores hispanoamericanos, como Huidobro, Neruda, Guillén, Paz y otros, participaron en el Segundo Congreso Internacional de Intelectuales de Valencia (1937), véase Schneider [1978 *b*]. Por una parte, Hispanoamérica acogió en el exilio fraterno a miles de españoles y, por otra, se benefició de la inteligencia y la acción docente de Amado Alonso, Américo Castro, J. Ferrater Mora, José Gaos, J. M. Ots Capdequí, Jiménez de Azúa, C. Sánchez Albornoz, Ramón Iglesia; de poetas como J. R. Jiménez, León Felipe, Rafael Alberti, Luis Cernuda, Juan Larrea; narradores como Max Aub y R. Sender; dramaturgos como Alejandro Casona; actrices como Margarita Xirgu. La adhesión a la causa republicana dio lugar a diversos homenajes poéticos como *Madre España* (Santiago de Chile, 1939) y a notables poemas de Vallejo, Neruda, Guillén y Huidobro entre muchos otros. El triunfo de la revolución cubana (1959) constituye otro hito significativo en la historia de este siglo, que genera un ciclo literario local y produce algunos ecos más amplios. La muerte del Che en Bolivia provoca diversas reacciones en la literatura y suscita la publicación de sus escritos. Nuevas resonancias contextuales se dan con la revolución sandinista en Nicaragua (1979). Los ecos literarios de este contexto confirman, en general, la inadecuación de las formas tradicionales de la literatura, particularmente de la novela, para representar el mundo de la guerra o de la revolución. Bajo los regímenes de fuerza de Paraguay, Argentina, Uruguay y Chile, debieron salir al exilio numerosos escritores, o sufrir formas degradantes de la represión o de la censura. De este contexto surge una vasta literatura documental de variada significación y valor. La literatura recogió también la información de la dictadura y del dictador en novelas extraordinariamente construidas que encontraban sus antecedentes en el contexto hispanoamericano y, los literarios, en *Nostromo* de Joseph Conrad y en *Tirano Banderas* de R. del Valle Inclán. Los novelistas de las generaciones contemporáneas, sin distinción de edad, han abordado este ciclo. Así Asturias, en *El señor Presidente* (1946), Roa Bastos, en *Yo el supremo* (1974), Carpentier, en *El recurso del método* (1974), García Márquez, en *El otoño del patriarca* (1975). Ciclo que han abordado en diversos aspectos y momentos Menton [1960], Benedetti [1981] y Rama [1982].

La economía hispanoamericana de la época aparece afectada inicialmente por diversos acontecimientos de significación internacional. La presencia del capital internacional activada por la política norteamericana del *New Deal* favoreció la explotación de las materias primas minerales —en Perú, Bolivia y Chile—, del petróleo —México, Perú, Bolivia, Ecuador, Venezuela, Argentina— y dio comienzo a la industrialización. Entre 1935 y 1950 el orden neocolonial entra en crisis debido a las limitaciones del mercado interno y al carácter unilateral de la economía de exportación. La politización de las masas obreras hace durante el período todavía más perceptibles los desequilibrios sociales. La novela del período adquiere un fuerte carácter ideológico y de denuncia de los desequilibrios sociales y del imperialismo extranjero, perceptible, especialmente, en el ciclo bananero de la obra de Asturias, en Jorge Icaza y Ciro Alegría, en la novela del «grupo de Guayaquil» y en el neorrealismo chileno. El *Canto general* de Neruda cierra este período con su síntesis enciclopédica. Después de la segunda guerra mundial, entre 1950 y 1965, se desarrolla un gran optimismo que toma la forma del neoliberalismo económico. La creación del Fondo Monetario Internacional (1959), de la Comisión Económica para la América Latina (CEPAL) y, más tarde, la iniciativa de la administración Kennedy de la Alianza para el Progreso, se proponen remediar los desequilibrios económicos y sociales, y crear nuevas condiciones para el desarrollo. Como resultado de ello se generan nuevas tensiones económicas y sociales. Diversos proyectos de integración regional y subregional comprenden la Agencia Latino Americana de Libre Comercio (ALALC) y los fallidos mercados comunes andino y centroamericano. Al mismo tiempo Hispanoamérica se identifica con el Tercer Mundo y participa en algunos casos en los cárteles del cobre y del petróleo. Entre 1965 y 1980, la agudización de las tensiones sociales da lugar a los regímenes de fuerza, a la neutralización de los esfuerzos integracionistas y el traslado del énfasis a la economía privada y al consumo. La década de 1980 comienza con el endeudamiento colosal y una nueva depresión económica, que ha acentuado gravemente los desequilibrios económicos y sociales. Una nueva comprensión de los términos de la división internacional del trabajo surge paralelamente con Furtado [1970], interpretados como desiguales. Los economistas desarrollan las tesis de la dependencia económica, Frank [1967], Cardoso y Falleto [1970], que el propio Frank [1977] ha evaluado. Estas tesis alcanzan rápidamente una reducción que tiende a homologar los cambios de la economía y la cultura y a servir de instrumento para la lucha ideológica. Un ensayo de Galeano [1971] deriva de este planteamiento. El subdesarrollo ha sido abordado por Léon [1969] y Stein y Stein [1970] como legado colonial hispánico, y por Sunkel y Paz [1970] en un enfoque histórico y estructural. Una guía de valiosa orientación histórica y bibliográfica es la de Cortés y Stein [1977]. Para una visión multidisciplinaria véase Halperin Donghi [1970] y para un panorama general, Crow [1980]. Entre los ensayos se pueden consultar Lambert [1963] y Beyhaut [1964]. La literatura ha ficcionalizado las experiencias del efecto devastador de la presencia del capital que levanta imperios de un día y deja un paisaje degradado y desierto, y suspende en el tiempo pueblos fantasmas y monumentos de hierro y escoria. Véase Morales Padrón [1983].

En la literatura hispanoamericana contemporánea, los movimientos de gregarización o asociación literaria son de naturaleza precaria. O son postulaciones individuales de una concepción poética articulable en una tradición o corriente espiritual o son asociaciones juveniles de carácter transitorio e inestable. Creacionismo, ultraísmo, estridentismo, invencionismo, antipoesía, exteriorismo, responden más a lo primero; martinfierrismo, piedracielismo, runrunismo, nadaísmo, techo de la ballena, mandrágora, más bien a lo segundo; cuando no se unen ambas características en una misma tendencia. La asociación juvenil en torno a una revista es el fenómeno de mayor significación e interés. El fuerte individualismo de nuestros escritores es en el fondo, cuando va acompañado de un poder seductor e influyente, la sola causa aparente de gregarización de la literatura. En el contexto vanguardista, las relaciones entre Europa y América han sido abordadas por De Torre [1925, 1965], Larrea [1944, 1967], Paz [1956], Videla [1963], Schneider [1978], sobre la presencia de los surrealistas en México; Baciu [1974] con la atribución de una excesiva importancia al surrealismo francés. Faltan estudios sobre los determinantes europeos y norteamericanos del canon hispanoamericano contemporáneo. Salvo las escasas monografías de Alegría [1947], sobre Whitman, y de Irby [1956], sobre Faulkner, y las discusiones de Bary [1971], sobre Huidobro y Reverdy o Apollinaire, y las de X. Abril [1963], sobre Mallarmé en Vallejo y algunos otros, se carece de estudios comparativos ambiciosos y de valor. Entre las lecturas canónicas de la época contemporánea se cuentan Proust, Joyce, Kafka, Mann, Breton; H. James y la novela norteamericana de Dos Passos y Faulkner; Sartre, Camus, que ha abordado Vargas Llosa [1981]; el *nouveau roman* francés estudiado por Pollmann [1968].

Los problemas de periodización son múltiples. La atención se ha volcado en particular en el momento de ruptura, pero no ha abundado en la consideración de la larga duración del concepto de época, ni en los niveles que pueden reconocerse en las duraciones medias y cortas. Esta dificultad ha sido abordada por Goic [1975] e implicada en Arrom [1963, 1977] sin distinción de niveles. El cambio en el modo de representación, la cancelación del realismo por el antirrealismo sistemático de nuestro tiempo se extiende al presente por más de medio siglo. La superposición de la larga duración (una adivinación) y de la duración media, es decir, la comprensión de la época, en su generalidad, y del período, en sus variaciones más concretas, plantea sin duda una dificultad. Falta para ambas una discusión informada. La consideración de las generaciones como duraciones cortas —de variada extensión para cada investigador y de redes disímiles— iniciada por P. Henríquez Ureña [1949], continuada por Anderson Imbert [1954], alcanza su desarrollo más ambicioso en el esquema crítico de Arrom [1963, 1977]. Para la teoría y crítica del método véase, junto con los anteriores, a Portuondo [1948, 1958], Goic [1975] y Orjuela [1980]. El método ha sido aplicado a la historia de un género por Goic [1960, 1968,

1972, 1973]. En las literaturas nacionales ha sido aplicado por Carilla [1954], en Argentina; y Portuondo [1958], en Cuba.

El siglo XX trae cambios fundamentales que significan la modificación del sistema entero de la literatura y no un cambio dentro del sistema. La avanzada de estos cambios corresponde a la poesía lírica en un proceso que va de 1916 a 1935, marcado por la obra de Vicente Huidobro, César Vallejo, Jorge Luis Borges y Pablo Neruda; y por antologías como el *Índice de poesía americana nueva* (El Inca, Buenos Aires, 1926). La nueva imagen transforma el mundo de la poesía con su alejamiento de las normas del lenguaje usual. La creación verbal y la selección léxica abandonan las limitaciones impuestas por el buen gusto y la belleza convencionales e incorporan al texto poético los motivos de las esferas mecánicas y tecnológicas de la realidad; el lenguaje de los avisos publicitarios; y los procedimientos de superposición de la pintura. El poema adquiere relieve gráfico; disemina sus líneas en la página, emplea blancos y espacios y adopta el diseño de figuras en los caligramas y poemas pintados. La representación se hace ambigua, la poesía incluye la instancia narrativa o productiva en el poema como medio de conducción, interpretación, corrección tentativa, juego inconsecuente o destructivo. Huidobro, poeta de dos mundos, establece el contacto entre la vanguardia europea, España y América. Su acción personal y su obra contribuyen a desatar los ismos hispanoamericanos del ultraísmo, estridentismo y otros ismos. En la narrativa, Borges produce gradual y firmemente una revolución que alcanza a toda la literatura contemporánea y que no hace perder al gran autor ni un ápice de su originalidad inconfundible. El énfasis irrealista de su narración, el escepticismo en relación a las posibilidades de la invención, proponiendo la lectura de textos preexistentes, comentándolos, problematizando la axiomática de las posibilidades de repetir lo narrado, jugando a los ecos, inversiones y reversiones de la disposición proponen nuevos términos para la literatura. Define con claridad y anticipa posibilidades que el *nouveau roman* francés y la «nueva novela» hispanoamericana de los años sesenta harán suyas, pero que antes, en los años treinta y cuarenta, encontraron sus justas anticipaciones en las obras de Bombal, Onetti y Bioy Casares. La difusión de la obra de Neruda por una parte y de Borges por otra es inconmensurable. Sus traducciones exceden cuanto puede decirse antes o después de ellos.

En los años sesenta el fenómeno externo de la expansión editorial, dentro del mundo hispánico y del más amplio marco internacional a través de nutridas traducciones, presta fundamentalmente su significación a lo que Rodríguez Monegal [1972] llamó el *boom* de la novela hispanoamericana y administró con acierto publicitario desde la revista *Mundo Nuevo* (1967-1971), publicada en París. Esta significativa expansión editorial, algo engañosa en sus términos reales en cuanto a las traducciones, constituye un auténtico crecimiento histórico, un verdadero salto cualitativo. El concepto de Rodríguez Monegal [1972], es debatido por Donoso [1972, 1983] —cuyo libro analiza Joset [1982]—, y Sosnowsky [1981], que aborda su superación. Otro de los factores de la expansión editorial que experimenta la literatura hispanoamericana contemporánea se debe a los premios literarios. Borges comparte con Samuel Beckett el Premio Internacional Formentor (1961). Los premios de novela breve de la editorial Seix Barral comienzan con el premio a Vargas Llosa en 1962; seguido por Leñero, en 1963; Cabrera Infante, en 1965; Fuentes, en 1967; González León, en 1968. El premio Rómulo Gallegos recae en Vargas Llosa, en 1967 y en García Márquez, en 1972. El Premio Cervantes es otorgado a Carpentier, en 1977; a Onetti, en 1980; a Paz, en 1981; a Sábato, en 1984; a Uslar Pietri, en 1987. Trascendiendo el mundo hispánico, escritores hispanoamericanos han obtenido el Premio Nobel de Literatura: Gabriela Mistral, en 1945; Miguel Ángel Asturias, en 1967; Pablo Neruda, en 1971 y Gabriel García Márquez, en 1982. Más allá de los premios destaca por encima de todo la estatura internacional de Borges, reconocida universalmente por la crítica y por los grandes escritores contemporáneos.

La institución literaria experimenta más significativamente una transformación interna que está más allá de la eventual expansión de las ediciones de novelas y de su acogida por el público de habla hispana e internacional. Una crisis de la noción de literatura y de los géneros en particular afecta a las letras hispanoamericanas de este siglo. Poesía nueva y antipoesía, novela nueva, antiteatro, teatro del absurdo, son categorías que dejan entrever una alteración definida de los géneros y de los modos de representación del realismo decimonónico. Campos [1972], Adoum [1972], Jitrik [1972] y en general la compilación de Fernández Moreno [1972], en que sus trabajos se recogen, intentan comprender las formas de transformación interna de la literatura hispanoamericana contemporánea. Fundada en la idea de Sartre, renovada por Kristeva, está extendida en el medio hispanoamericano la opinión de que la actitud progresista o revolucionaria, que repudia el régimen burgués, encuentra correspondencia en la destrucción de la institución literaria tradicional o decimonónica. Esto ha tenido por consecuencia el rechazo de la noción de literatura en favor de un relativismo histórico extraordinariamente marcado que olvida las tensiones entre continuidad y discontinuidad histórica. El hecho se ve favorecido porque la época contemporánea aparece con clara evidencia como un momento de ruptura o mejor como una fractura que parece indicar el origen de una nueva época. La percepción de que la obra que surge en estas condiciones es una «nueva escritura» es atinada, pero su riesgo está en el extravío que afirma la destrucción de las condiciones de existencia de la obra, lingüísticas, retóricas y poéticas, que lleva encerrado en sí su autoaniquilamiento. Sobre la nueva escritura hispanoamericana, véase Libertella [1977].

Los géneros literarios tradicionales son objeto de una destrucción (véase Campos [1972]); se mezclan los aspectos tipológicos y modales de variados discursos; el énfasis se traslada sobre su interacción bajo los nombres de la intertextualidad, la carnavalización, el inclusionismo. El grotesco moderno (W. Kayser) y el grotesco realista (M. Bajtín) proponen nuevos términos para la ambigüedad y la visión contradictoria del mundo. La antipoesía reduce la distancia entre la dicción poética y la lengua natural. Para la poesía concreta, el caligrama, la poesía pintada, el trazo gráfico y el espacio cobran una importancia decisiva. Las posibilidades de la novela lírica y de la novela dramática adquieren dimensiones inéditas. La dicción está gobernada por el ascendiente fundamental de la poesía contemporánea y afecta a la narrativa y a la dramaturgia por igual. El teatro se hace lírico o épico, desarrollando nuevas posibilidades funcionales; o bien, explicativo y narrativo por efectos del ensayismo de G. B. Shaw, de la concepción épica de Brecht y de los modelos americanos de Thorton Wilder y otros. Por otra parte, la dicción poética se contagia de elementos prosaicos, narrativos. Se admiten géneros de decir como el discurso periodístico, publicitario, científico, y otras modalidades discursivas que van a dar en parodia; cita de crónicas en la poesía de Cardenal; de textos de carteles, botones, camisetas; de lemas de la propaganda política ordinaria. Se imita la tira cómica y los dibujos animados cinematográficos. Se rompe con los modelos discursivos prestigiosos regularmente imitados, los de la historia, de la ciencia, de la psicología, que habían a su vez sustituido al antiguo sermón, exemplo, caso, o leyenda.

La veta popularizante atribuye hasta el presente una gran significación a la literatura oral. Merced al modelo de García Lorca, el romancero fertilizó la poesía culta y más tarde el teatro. En el mundo hispanoamericano y aun en el hispanonorteamericano subsiste un teatro popular, pastorelas, romances, cuentos folklóricos (véase Acuña [1979]). Mientras, gana cuerpo, cada vez más importante, la creación verbal en lenguas en contacto —español e inglés— de chicanos, puertorriqueños y cubanos y otros grupos hispanohablantes. Para la literatura chicana, véase la bibliografía de Tatum [1979] y la antología de Villanueva [1980]. El cuento folklórico se cita en la literatura culta en el caso de las novelas, desde la literatura mundonovista y sus precedentes románticos; mientras ritos, creencias, tradiciones hispánicas o indígenas resuenan en obras como *Pedro Páramo, Cien años de soledad*, *La casa verde*, *Pantaleón y las visitadoras*, *La guerra del fin del mundo, Warma Kuyay, Los ríos profundos*. Contactos de particular relieve de la poesía culta y popular son los de Nicanor Parra en *La cueca larga*, los «sermones» del Cristo de Elqui; los de Neruda en las «cuecas» de *Canto general*. Los «artefactos» y «chistes» de Nicanor Parra, los «boleros» de Cobo Borda traen nuevos ecos de la cultura popular a la literatura. Borges ha traspuesto mucho antes el *Martín Fierro* y los mitos del arrabal.

Para el conocimiento del folklore hispanoamericano se cuenta con la bibliografía general de Boggs [1940]. Las bibliografías regionales han sido ordenadas por Ángeles Caballero [1952] y Arguedas [1960], del folklore peruano; del folklore ecuatoriano, por Carvalho [1964]; Paredes [1961], del boliviano; Pereira Salas [1952], del chileno; Ángeles Caballero [1953], Cortázar [1942, 1959], Becco [1960], de la literatura folklórica argentina; y Carvalho [1958-1959], del folklore uruguayo. La historia del folklore iberoamericano ha sido hecha por Carvalho Neto [1968]. El cuento folklórico de Argentina tiene la bibliografía de Chertudi [1960, 1962]. Excelentes compilaciones de cuentos folklóricos de Chile se deben a Pino Saavedra.

Los métodos positivistas que dominan la teoría y la crítica literarias el primer tercio del siglo XX dan paso a la estilística romance que se difunde gracias a la obra de A. Alonso a través de las publicaciones del Instituto de Filología de la Universidad de Buenos Aires. La crítica de las limitaciones teóricas de esa tendencia por F. Martínez Bonati en *La estructura de la obra literaria* (Ediciones de la Universidad de Chile, Santiago de Chile, 1960) marca una etapa fenomenológica y condiciona la apertura hacia el estructuralismo que caracteriza a la crítica chilena. La obra de Martínez Bonati es la única obra de carácter teórico producida en Hispanoamérica que ha alcanzado difusión y ha sido traducida al inglés. W. Mignolo [1978] produce con *Elementos para una teoría del texto literario* (Crítica, Barcelona, 1978) la primera obra atenta a los nuevos planteamientos de la semiótica y la teoría del texto. Los enfoques del marxismo y de la llamada teoría de la dependencia tienen en Rincón [1978] y Fernández Retamar [1975] sus representantes más destacados y en las actividades del Instituto para el Estudio de las Ideologías y la Literatura, de la Universidad de Minnesota, y la revista *I&L*, su centro más caracterizado.

La teología de la liberación de Gustavo Gutiérrez [1971] ha afectado a la poesía de Ernesto Cardenal y tiene una considerable influencia en sectores políticos y sociales de Hispanoamérica. Sus alcances literarios no han sido investigados. La pedagogía de concientización de Paulo Freire ha ejercido un influjo importante en el teatro de intención social y de carácter popular y colectivo que acompaña el proceso de politización de las masas. Faltan trabajos sustantivos sobre la significación del existencialismo de Kierkegaard, Unamuno, Sartre, Camus, en la literatura hispanoamericana. El psicoanálisis y la psicología profunda de Freud, Jung, Campbell, Ferenczi, Lacan, no han sido abordados en sus alcances literarios y la significación de su influjo. El estructuralismo: la antropología estructural de Lévy-Strauss, divulgada por Paz [1973], y el pensamiento de Derrida y Lacan necesitan ser evaluados en la importancia y el modo de su asunción en Hispanoamérica.

En cuanto a la lengua literaria, Amado Alonso [1940, 1951] produce el primer estudio sobre un poeta contemporáneo en su notable libro sobre poesía y estilo de Pablo Neruda, dentro de los límites bien definidos de la estilística romance. Yolando Pino [1932] había avanzado el método en su estudio de la poesía de Herrera y Reissig. Los estudios de Magis [1978], sobre la poesía de Octavio Paz; Dehennin [1973], sobre J. Gorostiza; Meo Zilio [1960], sobre Vallejo, renuevan el método estilístico. Rosenblat [1969] ha abordado las relaciones de la lengua literaria y la lengua popular en América. Lagmanovich [1979] ensaya los límites entre gramática, estilo y lengua poética de Macedonio. Yurkievich plantea las limitaciones generales del estudio lingüístico de la poesía [1978]. Se encontrará una información general en la bibliografía de Hatzfeld [1955].

Para el estudio de la lengua española en América se cuenta con las bibliografías de Serís [1964], Avellaneda [1966, 1967] y de la más especializada de Woodbridge [1960] y la más completa de Solé [1970, 1972]. El *Handbook of Latin American Studies*, desde 1935, provee bianualmente una bien clasificada y comentada bibliografía, corrientemente ordenada por Canfield. Entre los estudios generales se cuenta con los panoramas de Wagner [1949], Lope Blanch [1968] y Malkiel [1972]. Ordenaciones generales se encuentran también en la obra de Zamora [1960] y, más significativamente, en la historia de Lapesa [1981]. La geografía lingüística se inicia con los trabajos y el cuestionario de Navarro [1943], y es seguida por las observaciones metodológicas de Rabanales [1954] y Rona [1958]. Entre los atlas lingüísticos, el de Puerto Rico, de Navarro [1948], es el único completo hasta el presente. Proyectos importantes en marcha son los de Colombia, con el *Atlas lingüístico-etnográfico de Colombia* (*ALEC*) de Flórez [1981-1984], 6 vols., y el *Manual del ALEC* del mismo Flórez [1983]. El proyecto de Agüero [1964], de Costa Rica, y el de Chile, de Araya, no han sido completados. La primera serie de estudios dialectológicos fue compilada en la Biblioteca de Dialectología Hispanoamericana (BDH), publicada por Alonso [1930-1949]. Estudios dialectales de particular interés son los de Alonso [1961], Boyd-Bowman [1960], sobre el habla de Guanajuato; los estudios de Canfield [1962], sobre pronunciación; Resnick sobre fonología dialectal [1975]; Roma sobre la geografía y morfología del «voseo» [1967]; Kany [1945, 1960 *a*, 1960 *b*] sobre sintaxis, semántica y eufemismos hispanoamericanos. Temas especiales se desarrollan en los dos volúmenes de *Presente y futuro de la lengua española* (1964, 2 vols.) de OFINES. La reunión de OFINES (1963) dio principio a una serie de trabajos sobre la norma culta de las ciudades, esfuerzo común que se comenta es el Programa Interamericano de Lingüística y Enseñanza de Idiomas (PILEI). Compilaciones de importancia son el vol. 4 de *Current Trends in Linguistics* (Mouton, La Haya, 1968), las *Actas de ALFAL* (1975, 1978); las de Aid [1975], Scavnicky [1980] y las del *Colloquium on Hispanic Linguistics*. Revistas de estudios lingüísticos y filológicos son *Boletín de Filología* (Santiago de Chile, a partir de 1934), *Thesaurus* (Bogotá, a partir de 1945), *Nueva Revista de Filología Hispánica* (México, a partir de 1947),

Filología (Buenos Aires, a partir de 1949), *Anuario de Letras* (México, a partir de 1961), *Estudios Filológicos* (Valdivia, Chile, a partir de 1965) y, entre las publicaciones más recientes, debe destacarse *Lexis* (Lima, a partir de 1976).

Los diccionarios de americanismos así como los estudios del léxico constituyen la producción más saliente en este campo. Los americanismos del Diccionario de la Real Academia Española han sido escrupulosamente examinados por Ferreccio [1978]. Los diccionarios generales de americanismos se deben a Frederici [1926], Santamaría [1942-1943, 3 vols.], Malaret [1946] y Morínigo [1966]. A Buesa Oliver [1965], el de indoamericanismos. El de mexicanismos, a Santamaría [1959]; de peruanismos, a Hildebrandt [1969]. Diccionarios etimológicos son el de chilenismos, de Rodolfo Lenz, reeditado por Ferreccio, el de Frederici [1947, 1960], y el léxico de la delincuencia de Trejo [1968].

Estudios nacionales sobre el español de Puerto Rico, de Del Rosario [1955], Álvarez [1957, 1974]; de Cuba, López Morales [1971]; de México, Lope Blanch [1963, 1972, 1979]; sobre fonética y fonología, Matluck [1952], Boyd-Bowman [1960] y Malmberg [1966]. El de Costa Rica, por Agüero [1960, 1964]; el español de Colombia, por Flórez [1951, 1975]. El español de Venezuela es abordado por Rosenblat [1956, 1960]; el de Ecuador, por Toscano [1956]. Para el español en el Perú, se cuenta con la excelente bibliografía de Carrión y Stegmann [1973]; Escobar [1978] aborda el español del Perú en toda su rica problemática desde un punto de vista sociolingüístico. El español de Paraguay es abordado por Malmberg [1966]. Sobre Argentina el estudio general más importante es el de Vidal de Battini [1964]; la discusión sobre el rehilamiento porteño, animada por Zamora Vicente, fue efectuada por Alonso, Boyd Bowman, Malmberg (véase Barrenechea-Guitarte [1955]). Barrenechea [1979] aborda la norma culta. Entre los estudios subregionales, Vidal de Battini [1949] ha abordado el habla rural de San Luis. En Uruguay, Rona [1958, 1964, 1967] lleva a cabo un estudio de lenguas en contacto en el dialecto fronterizo del norte del país. Sobre el español de Chile, la introducción de Rabanales [1954] y el estudio de Oroz [1966], el más completo. Sobre el argot merecen señalarse los trabajos de Gobello [1960] sobre el lunfardo argentino; de Wagner [1950], sobre el caló bogotano; de Bonilla [1956], sobre el hampa de Lima; de Chabat [1960], sobre el caló mexicano. Para la versificación y la métrica se debe recurrir a los trabajos de Navarro Tomás [1956], abundantes en ejemplos hispanoamericanos. Entre los americanos los trabajos de Henríquez Ureña [1933], sobre la versificación irregular, y los de Saavedra Molina, no encuentran seguidores. Para la historia de la métrica debe recurrirse a Carballo Picazo [1956], y para la versificación del siglo XX a López Estrada [1969].

La bibliografía de fuentes secundarias para el estudio de la literatura hispanoamericana cuenta con las fuentes de consulta generales de Sánchez [1955-1969], con cinco tomos y varios fascículos, ordenadas por países y cuidadosamente comentadas, y con la guía de Rela [1971], entre las más ambiciosas. Manuales extremadamente útiles son el de Becco [1968] y el de la UNESCO, con la parte contemporánea de la bibliografía preparada por Becco [1972]. Más elaborados son los de Bleznick [1974] y de Woodbridge [1983]. De gran provecho son también las bibliografías de escritores de Flores [1975]; la guía de reseñas de Matos [1976-1979]; la bibliografía de bibliografías de Bryant [1976]. Un trabajo importante, de Buxó y Melis [1973], que no ha sido continuado, registra, con comentarios, las historias de la literatura hispanoamericana; hay un anticipo de esta tarea en Mead [1959] y una bibliografía ordenada por Payró [1950]. Las bibliografías sobre géneros particulares presentan buenos trabajos en relación a la novela, teatro y ensayo, pero no en el mismo grado en relación a la poesía. Repertorios generales de obras importantes son los de Ocampo [1971-1981] y Coll [a partir de 1974], para la novela, y de Horl [1980] y de Becco [1981] para el ensayo. Sobre antologías del cuento hay las bibliografías de Matlowsky [1950], J. Foster [1977] y Becco [1980]. Neglia [1980] ordena el repertorio del teatro contemporáneo. Nada semejante se ha emprendido en relación a la poesía. D. Foster [1975] y Becco y Foster [1976] abordan la nueva novela. Las fuentes para el estudio del teatro de Hebblethwaite [1969] y Becco [1977] son contribuciones considerables. Para la poesía faltan trabajos semejantes, pero pueden emplearse las bibliografías de Stimson [1970] y en especial la más extensa de Forster [1981]. Sobre el ensayo, las obras de Horl [1980] y Becco [1981] son contribuciones importantes. La información bibliográfica más completa y razonada se encuentra en las entregas bianuales del *Handbook of Latin American Studies* [desde 1935] que ofrece una bibliografía general y clasificada por regiones y géneros; sin razonar, la *PMLA* ofrece una bibliografía anual meticulosamente clasificada; esta información periódica se completa con la *Revista Interamericana de Bibliografía*. Hasta 1969 es útil la bibliografía de la *Revista Hispánica Moderna* (1934-1969), sección lamentablemente suspendida después de esa fecha. *Revista Iberoamericana* y otras publicaciones proveen bibliografías con frecuencia. La hemerografía hispanoamericana cuenta con los trabajos de Carter [1959], Leavitt [1960] y Englekirk [1963].

La primera de las historias generales es la de Coester [1916]; Sánchez [1937, 1950, 1973-1976], que culmina en una historia comparada de las literaturas americanas; Englekirk [1941, 1965], importante por la determinación de los autores significativos; Leguizamón [1945], Henríquez Ureña [1949], Torres Rioseco [1945, 1966], Anderson Imbert [1954, 1970], Valbuena Briones [1962, 1965], Arrom [1963, 1977], Lazo [1965], Franco [1980]. Compilaciones destacables son las de Montezuma de Carvalho

[1958-1959] y Fernández Moreno [1972]. Entre las obras de conjunto que estudian la literatura hispanoamericana contemporánea o le dan cabida debe destacarse aquellas que por su organización y su ambición informativa tienen el carácter de manuales efectivamente útiles: no se conforman con proveer el necesario catálogo de autores y obras significativas sino que cuentan además con método e interpretación de alguna sustancia. Debe reconocerse a los manuales de Anderson Imbert [1954] y al «esquema generacional» de Arrom [1963, 1977] esta virtud. Para una revisión crítica y bibliográfica de las obras de este grupo véase Buxó y Melis [1973]. Estos mismos autores pueden consultarse para la revisión de las historias regionales. En cuanto a los estudios de conjunto sobre los diversos géneros literarios hay un acento extremadamente marcado en los estudios de la novela, Zum Felde [1964], Schwartz [1971-1972] y Goic [1972]; Gertel [1970] y Brushwood [1975], en un marco más restringido, han abordado esta tarea con diferentes métodos, pero igual ambición de comprender el fenómeno en toda su amplitud. Leal [1966] es autor de una historia del cuento hispanoamericano. Estudios de conjunto sobre el cuento contemporáneo de calidad son los libros de D. Foster [1979], Lagmanovich [1985] y las compilaciones de estudios de Minc [1979] y Pupo-Walker [1980]. En total contraste, no existe un estudio de conjunto en relación a la poesía hispanoamericana salvo la limitada de Ferro [1964] y Brotherston [1975]. Pero sí hay estudios que abordan el fenómeno de la vanguardia, como los de Stimson [1970] y Forster [1981], y ensayos de importancia como los de Cohen [1963], Yurkievich [1971], Xirau [1972] y Sucre [1975]. Varios estudios se han desarrollado últimamente en torno al teatro; así los de Jones [1966], Dauster [1966, 1973], Rojo [1972], Neglia [1975] y Giordano [1982]. Sobre el ensayo hispanoamericano, Zum Felde [1954], Mead [1956], Stabb [1967] y Skirius [1981]. Antologías de la poesía contemporánea de importancia comienzan con la de Onís [1934] que postula el esquema de modernismo, postmodernismo y ultramodernismo, que todavía encuentra resonancias en algunos estudiosos; otras de importancia son las de Ferro [1965], Caillet-Bois [1965], a pesar de la grave omisión de Huidobro, Jiménez y Florit [1968] y Jiménez [1971]. Entre las históricamente significativas, las de Hidalgo, Huidobro y Borges, *Índice de la poesía americana nueva* (El Inca, Buenos Aires, 1926), que proporcionan un cuadro extraordinariamente claro de la poesía de los años veinte en Hispanoamérica; Villaurrutia, Paz, *et al.* [1941]. Para los aspectos conceptuales hay que partir de Onís [1934]. Antologías del cuento hispanoamericano son las de Latcham [1962], Sanz y Díaz [1964] y Menton [1964]. Antologías del teatro hispanoamericano contemporáneo son las de Solórzano [1964, 1972], Rodríguez Sardiñas y Suárez [1971], Dauster y Lyday [1979]. Del ensayo, existen las antologías de Ripoll [1966], Mejía Sánchez y Guillén [1971] y Molina [1974].

Un rubro importante, que no siempre se ha desarrollado con el mismo rigor, es el de los diccionarios de literatura. El *Diccionario de la literatura latinoamericana* de la Unión Panamericana ha publicado los fascículos de Argentina (1960-1961), 2 vols., América Central (1951), Bolivia (1957), Colombia (1959), Chile (1958) y Ecuador (1962). Diccionarios menos ambiciosos son los de Foster [1975] y de Shimose [1982], con el acento puesto en las figuras contemporáneas y más recientes. Entre los extranjeros destaca el diccionario de autores hispanoamericanos de Reichardt [1972]. Cabida creciente encuentran los escritores hispanoamericanos contemporáneos en los diccionarios hispánicos; se puede ver en los de Bleiberg [1972], Sáinz de Robles [1953], y en *The Oxford Companion to Spanish Literature* (Clarendon Press, Oxford, 1978; trad. cast.: *Diccionario Oxford de literatura española e hispanoamericana,* Crítica, Barcelona, 1984), de P. Ward.

En el plano nacional, las bibliografías generales de las literaturas contemporáneas han sido elaboradas por Becco [1968, 1972] y Foster [1982], para Argentina; Silva Castro [1933], Sánchez [1962], en el tomo III de su *Repertorio,* y Foster [1978], para Chile; por Orjuela [1968], para Colombia; Foster [1981], para México; Tauro [1959] y el mismo Foster [1981], para Perú; Foster [1982], para Puerto Rico; Rela [1969], para Uruguay, y Becco [1978], para Venezuela. Bibliografías especiales de carácter nacional sobre novela y cuento, poesía, teatro y ensayo, pueden verse en los capítulos correspondientes en este mismo volumen. Entre las historias nacionales puede destacarse el tomo IV de la obra dirigida por Arrieta [1958-1960], para Argentina; Remos [1945] y Portuondo [1960], para la cubana; Silva Castro [1961], para la chilena; el tomo IV de Barrera [1960], sobre la ecuatoriana; González Peña [1966] y Martínez [1949], para la mexicana; Sánchez [1966] y Núñez [1963], para la peruana; Díez de Medina [1959], para la boliviana; Rodríguez Monegal [1966], para la uruguaya. Las posibilidades de desarrollo de los estudios de conjunto dependen absolutamente de los estudios regionales.

El desarrollo de los diccionarios de literaturas nacionales es otra vez de extraordinaria significación. Son destacables los de Prieto [1968] y Orgambide y Yahni [1970], de Argentina; Ocampo y Prado [1967], de México; Romero [1966] y Arriola [1968], del Perú; Rivera [1974-1979, 3 vols.], de Puerto Rico. En Cuba, el Instituto de Literatura y Lingüística de la Academia de Ciencias, ha comenzado la publicación del *Diccionario de la literatura cubana* (Editorial Letras Cubanas, La Habana, 1980). Cardozo y Pinto [1974] han elaborado el de Venezuela. Entre las hemerografías regionales son contribuciones importantes el «índice» de Forster [1966] de periódicos literarios mexicanos; las de Lafleur y Provenzano [1962] y Lafleur [1968], sobre las revistas literarias argentinas. Ha habido un interesante programa de reedición de colecciones de revistas contemporáneas así como antologías de las mismas. Entre las más notables de la hemerografía hispanoamericana se encuentra la emprendida en México: *Contemporáneos* (Fondo de Cultura Económica, México, 7 vols.), *El hijo pródigo* (Fondo de Cultura Económica, México, 7 vols.), *Taller* (Fondo de Cultura Económica, México, 2 vols.), y otras; y en Argentina, *Martín Fierro*.

La supervivencia del espíritu de vanguardia se percibe en el continuo proceso de innovación y de destrucción del realismo tradicional. Reconocible en las tres oleadas vanguardistas en que se ordenan tendencias como el creacionismo, ultraísmo, estridentismo; seguidas de antipoesía y surrealismo; y, luego, de exteriorismo, irrealismo y nueva escritura. La proyección de los escritores contemporáneos alcanza características nunca antes conocidas. El más reconocido de los escritores hispanoamericanos de este siglo es Borges. El ascendiente de su obra se puede percibir en la literatura universal. La figura más difundida y contagiosa es posiblemente Neruda, traducido a todos los idiomas. Huidobro actúa sobre la poesía hispánica, al decir de Paz, como el oxígeno en el aire que respira. Vallejo influye poderosamente sobre la poesía hispánica posterior; Parra sobre la poesía de lo cotidiano española y sobre el exteriorismo de Cardenal; Rulfo sobre García Márquez. En un plano gregario, los novelistas del *boom* atraen a los lectores europeos y norteamericanos e influyen sobre la novela española.

BIBLIOGRAFÍA

Abril, Xavier, *César Vallejo o la teoría poética*, Taurus, Madrid, 1963.

Acuña, René, *El teatro popular en Hispanoamérica. Una bibliografía anotada*, UNAM, México, 1979.

Adoum, Jorge Enrique, «El realismo de la otra realidad», en C. Fernández Moreno, ed., *América Latina en su literatura*, UNESCO/Siglo XXI, México, 1972, pp. 204-216.

Agüero Chaves, Arturo, *El español en Costa Rica*, San José, 1960.

—, «El español en Costa Rica y su Atlas lingüístico», en *Presente y futuro de la lengua española*, I, Madrid, 1964, pp. 135-152.

Aid, Frances M., *et al.*, *1975 Colloquium on Hispanic Linguistics*, Georgetown University Press, Washington, D.C., 1975.

Alegría, Fernando, *Walt Whitman en Hispanoamérica*, De Andrea, México, 1954. 1.ª ed. de 1947.

Alonso, Amado, *Castellano, español, idioma nacional*, Losada, Buenos Aires, 1938; 1949[3].

—, *Poesía y estilo de Pablo Neruda*, Losada, Buenos Aires, 1940; Sudamericana, Buenos Aires, 1951[2].

—, *Estudios lingüísticos. Temas hispanoamericanos*, Gredos, Madrid, 1961.

Álvarez Nazario, M., *El arcaismo vulgar en el español de Puerto Rico*, Mayagüez, Puerto Rico, 1957.

—, *El elemento afronegroide en el español de Puerto Rico*, Instituto de Cultura Puertorriqueña, San Juan, 1974.

Anderson Imbert, Enrique, *La crítica literaria contemporánea*, Buenos Aires, 1957.
—, *Crítica interna*, Taurus, Madrid, 1960.
—, *Historia de la literatura hispanoamericana*, Fondo de Cultura Económica, México, 1965, 2 vols.; otra ed., 1970.
—, *El realismo mágico y otros ensayos*, Monte Ávila, Caracas, 1976; otra ed., 1978.
Ángeles Caballero, César A., *Bibliografía del folklore peruano. Primera contribución*, Rimac, Lima, 1952.
—, «Bibliografía folklórica de la Argentina», *Folklore Americano*, 1:1 (1953), pp. 316-322.
Arguedas, José María, ed., *Bibliografía del folklore peruano*, Instituto Panamericano de Geografía e Historia, México-Lima, 1960.
Armand, Octavio, *Toward an Image of Latin American Poetry*, Logbride-Rhodes, Durango, 1981.
Arrieta, Luis A., ed., *Historia de la literatura argentina*, Peuser, Buenos Aires, 1958-1960, 6 vols.
Arriola Grande, Maurilio, *Diccionario literario del Perú*, Barcelona, 1968.
Arrom, José Juan, *Esquema generacional de las letras hispanoamericanas*, Publicaciones del Instituto Caro y Cuervo, Bogotá, 1963; 1977[2].
Avellaneda, María R., *et al.*, «Contribución a una bibliografía de dialectología española y especialmente americana», *Boletín de la Real Academia Española*, 46 (1966), pp. 335-369, 525-555; y 47 (1967), pp. 125-156, 311-342.
Baciu, Stefan, *Antología de la poesía surrealista latinoamericana*, Joaquín Mortiz, México, 1974.
Ballagas, Emilio, *Mapa de la poesía negra*, Pleamar, Buenos Aires, 1947.
Ballón Aguirre, Enrique, *Poetología y escritura. Las crónicas de César Vallejo*, UNAM (Coordinación de Humanidades), México, 1984.
Barrenechea, Ana María, «La crisis del contrato mimético en los textos contemporáneos», *Revista Iberoamericana*, 118-119 (1982), pp. 377-381.
—, *et al.*, *Estudios lingüísticos y dialectológicos. Temas hispánicos*, Hachette, Buenos Aires, 1979.
—, «Ensayo de una tipología de las literaturas fantásticas», *Revista Iberoamericana*, 80 (1972), pp. 391-403.
—, y Guillermo L. Guitarte, «El ensordecimiento del zeismo porteño. Fonética y fonología», *Revista de Filología Española*, 39 (1955), pp. 261-283.
Barrera, Isaac, J., *Historia de la literatura ecuatoriana*, Editorial Ecuatoriana, Quito, 1953-1955, 4 vols.; otra ed., 1960.
Bary, David, «Apollinaire y Huidobro: dos extranjeros en París», *Ínsula*, 291 (1971), pp. 1, 12-13.
—, «Reverdy on Huidobro: 1917 versus 1953», *Hispanic Review*, 48:3 (1980), pp. 335-339.
Becco, Horacio Jorge, *Lexicografía religiosa de los afroamericanismos*, Buenos Aires, 1952.
—, «Contribución a la bibliografía folklórica argentina. Poesía tradicional argentina: antologías y estudios», *Cuadernos del Instituto Nacional de Investigaciones Folklóricas*, 1 (1960), pp. 247-277.

—, *Fuentes para el estudio de la literatura hispanoamericana*, CEAL (Enciclopedia Literaria, 24), Buenos Aires, 1968.
—, *Fuentes para el estudio de la literatura argentina*, CEAL, Buenos Aires, 1968.
—, *et al.*, *Bibliografía general de la literatura latinoamericana*, UNESCO, 1972.
—, *et al.*, *Bibliografía de bibliografías literarias argentinas*, Washington, D.C., 1972.
—, *Bibliografía general de las artes del espectáculo en América Latina*, UNESCO, París, 1977.
—, *Fuentes bibliográficas para el estudio de la literatura venezolana*, Ediciones Centauro, Caracas, 1978, 2 vols.
—, «Antologías del cuento hispanoamericano: notas para una bibliografía», en *Narradores latinoamericanos 1929-1979*, Centro de Estudios Latinoamericanos Rómulo Gallegos, Caracas, 1980, pp. 290-327.
—, *Contribución para una bibliografía de las ideas latinoamericanas*, UNESCO, París, 1981.
—, y Foster, D. W., *Nueva narrativa hispanoamericana*, Casa Pardo, Buenos Aires, 1976.
Benedetti, Mario, *El recurso del supremo patriarca*, Nueva Imagen, México, 1981.
Beyhaut, Gustavo, *Raíces contemporáneas de América Latina*, EUDEBA, Buenos Aires, 1964.
Bleiberg, G., *Diccionario de literatura*, Revista de Occidente, México, 1972.
Bleznick, Donald W., *A Source Book for Hispanic Literature and Language*, Temple University Press, Filadelfia, 1974.
Boggs, Ralph S., *Bibliography of Latin American Folklore*, H. W. Wilson Co., Nueva York, 1940; otra ed., Blaine Ethridge, Detroit, 1971.
Bonilla Amado, José, *Jerga del hampa*, Lima, 1956; otra ed., 1957.
Boyd Bowman, Peter, *El habla de Guanajuato*, UNAM, México, 1960.
Brotherston, Gordon, *Latin American Poetry*, Cambridge University Press, Cambridge, 1975.
Brushwood, John S., *The Spanish American Novel. A Twentieth-Century Survey*, University of Texas Press, Austin, 1975.
Bryant, Shasta M., *A Selective Bibliography of Bibliographies of Hispanic American Literature*, The University of Texas, ILAS, Austin, 1976.
Buesa Oliver, Tomás, *Indoamericanismos léxicos en español*, CSIC, Madrid, 1965.
Buxó, José P., y A. Melis, *Apuntes para una bibliografía crítica de la literatura hispanoamericana*, I: *Historias literarias*, Valmartina Editore, Florencia, 1973.
Caillet-Bois, Julio, *Antología de la poesía hispanoamericana*, Aguilar, Madrid, 1965.
Campos, Haroldo de, «Superación de los lenguajes exclusivos», en C. Fernández Moreno, ed., *América Latina en su Literatura*, UNESCO/Siglo XXI, México, 1972, pp. 279-300.
Canfield, Delos Lincoln, *La pronunciación del español en América. Ensayo histórico-descriptivo*, Instituto Caro y Cuervo, Bogotá, 1962; trad. inglesa: *Spanish Pronunciation in the Americas*, University of Chicago Press, Chicago, 1981.
Carballo Picazo, Alfredo, *Métrica española*, Instituto de Estudios Madrileños, Madrid, 1956.

Cardoso, Fernando Henrique, y Enzo Falleto, *Dependencia y desarrollo en América Latina; ensayo de interpretación sociológica*, Siglo XXI, México, 1970.

Cardozo, Lubio, y Juan Pinto, eds., *Diccionario general de la literatura venezolana (Autores)*, Universidad de los Andes, Mérida, Venezuela, 1974.

Carilla, Emilio, *Literatura argentina, 1800-1950 (Esquema generacional)*, Universidad Nacional de Tucumán, Tucumán, 1954.

Carpentier, Alejo, «De lo real-maravilloso americano», en *El reino de este mundo*, Ediapsa, México, 1949; otra ed., en *Tientos y diferencias*, UNAM, México, 1964; otra ed., Arca, Montevideo, 1967.

—, *La novela latinoamericana en víspera de un nuevo siglo y otros ensayos*, Siglo XXI, México, 1981.

Carrión Ordóñez, Enrique, y Tilbert Diego Stegmann, *Bibliografía del español en el Perú*, Max Niemeyer Verlag, Tubinga, 1973.

Carter, Boyd G., *Las revistas literarias de Hispanoamérica. Breve historia y contenido*, De Andrea, México, 1959; otra ed., *Historia de la literatura hispanoamericana a través de sus revistas*, De Andrea, México, 1968.

Carvalho Neto, Paulo de, «Bibliografía del folklore uruguayo», *Boletín Bibliográfico de Antropología Americana*, 21-22:1 (1958-1959), pp. 162-180.

—, «Bibliografía del folklore ecuatoriano», *Anales de la Universidad Central del Ecuador*, 348 (1964), pp. 113-168.

—, *Historia del folklore Iberoamericano*, Editorial Universitaria, Santiago de Chile, 1968.

Coester, Alfred, *The Literary History of Spanish America*, MacMillan Co., Nueva York, 1928[2]; 1916[1].

Cohen, J. M., *Poesía de nuestro tiempo*, Fondo de Cultura Económica, México, 1963.

Coluccio, Félix, *Folklore de las Américas*, Buenos Aires, 1949.

—, *Diccionario de voces y expresiones argentinas*, Plus Ultra, Buenos Aires, 1979.

Coll, Edna, *Índice informativo de la novela hispanoamericana. Antillas*, Universidad de Puerto Rico, Río Piedras, 1974; Centro América, 1977; Venezuela, 1978. 3 vols.

Collazos, Óscar, Julio Cortázar, y Mario Vargas Llosa, *Literatura en la revolución y revolución en la literatura*, Siglo XXI, México, 1970.

Corominas, Joan, *Diccionario etimológico*, Gredos, Madrid, 1957.

Cortázar, Raúl H., *Guía bibliográfica del folklore argentino*, Instituto de Literatura Argentina, Buenos Aires, 1942.

—, «Bibliografía de folklore literario y literatura folklórica», en R.A. Arrieta, ed., *Historia de la literatura argentina*, Peuser, Buenos Aires, 1959, vol. V, pp. 433-452.

Cortés, Roberto, y Stanley J. Stein, *Latin America. A Guide to Economic History, 1830-1930*, University of California Press, Berkeley, Los Ángeles/Londres, 1977.

Crow, John A., *The Epic of Latin America*, 3.ª ed. ampliada y puesta al día, The University of California Press, Berkeley, Los Ángeles/Londres, 1980.

Chabat, Carlos G., *Diccionario de caló*, Guadalajara, 1956; otra ed., 1960.

Chertudi, Susana, «Bibliografía del cuento folklórico en la Argentina», *Cuadernos del Instituto Nacional de Investigaciones Folklóricas*, 1 (1960), pp. 247-258.

—, «El cuento folklórico y literario regional», *Bibliografía Argentina de Artes y Letras*, 16 (1962), pp. 5-35.

Dauster, Frank N., *Historia del teatro hispanoamericano*, De Andrea, México, 1966; 2.ª ed. muy ampliada, 1973.

—, y W. Lyday, *Antología del teatro hispanoamericano contemporáneo*, Ediciones del Norte, New Haven, 1979.

Dehennim, Elsa, *Antithèse, oxymore et paradoxisme: approches rhétoriques de la poésie de José Gorostiza*, Didier, París, 1973.

Díez de Medina, Fernando, *Literatura boliviana*, Aguilar, Madrid, 1959.

Donoso, José, *Historia personal del boom*, Anagrama, Barcelona, 1972; otra ed., Seix Barral, Barcelona, 1983.

Englekirk, John E., «La literatura y la revista literaria en Hispanoamérica», *Revista Iberoamericana de Literatura*, 29 (1963), pp. 9-66.

—, *et al.*, *An Outline History of Spanish American Literature*, Appleton Century-Crofts, Nueva York, 1965[3]; 1941[1].

Escobar, Alberto, *Lenguaje y discriminación social en América Latina*, Carlos Milla Batres, Lima, 1972.

—, *El reto del multilingüismo en el Perú*, Instituto de Estudios Peruanos (Perú Problema, 9), Lima, 1972.

—, *Variaciones sociolingüísticas del castellano en el Perú*, Instituto de Estudios Peruanos (Perú Problema, 18), Lima, 1978.

Fernández Moreno, César, ed., *América Latina en su literatura*, Siglo XXI, México, 1972.

Fernández Retamar, Roberto, *Para una teoría de la literatura hispanoamericana y otras aproximaciones*, La Habana, 1975.

Ferreccio Podestá, Mario, *El diccionario académico de americanismos. Pautas para un examen integral del Diccionario de la Lengua Española de la Real Academia Española*, Seminario de Filología Hispánica, Santiago de Chile, 1978.

Ferro, Helen, *Historia de la poesía hispanoamericana*, Las Américas, Nueva York, 1964.

—, *Antología comentada de la poesía hispanoamericana. Tendencias, temas, evolución*, Las Américas, Nueva York, 1965.

Flores, Ángel, *Bibliografía de escritores hispanoamericanos, 1609-1974*, Las Américas, Nueva York, 1975.

Flórez, Luis, *La pronunciación del español en Bogotá*, Bogotá, 1951.

—, *Habla y cultura popular en Antioquia*, Bogotá, 1957.

—, *Del español hablado en Colombia: seis muestras de léxico*, Instituto Caro y Cuervo (Series minor, 20), Bogotá, 1975.

—, *Atlas lingüístico-etnográfico de Colombia*, Instituto Caro y Cuervo, Bogotá, 1981-1983, 6 vols.

—, *Manual del atlas lingüístico-etnográfico de Colombia*, Bogotá, 1983.

Forster, Merlin H., *An Index to Mexican Literary Periodicals*, Scarecrow Press, Metuchen, 1966.

—, *Historia de la poesía hispanoamericana*, The American Hispanist, Clear Creek, 1981.

Foster, David William, *Dictionary of Contemporary Latin American Authors*, Center for Latin American Studies, Arizona State University, Tempe, 1975.

—, *Chilean Literature. A Working Bibliography of Secondary Sources*, G. K. Hall & Co., Boston, 1978.
—, *Studies in the Contemporary Spanish-American Short Story*, University of Missouri Press, Columbia, 1979.
—, *Mexican Literature. A Bibliography of Secondary Sources*, The Scarecrow Press, Metuchen, N.J./Londres, 1981.
—, *Peruvian Literature: A Bibliography of Secondary Sources*, Greenwood Press, Westport, 1981.
—, *Puerto Rican Literature: A Bibliography of Secondary Sources*, Greenwood Press, Westport, 1982.
—, *Argentine Literature. A Research Guide*, 2.ª ed. revisada y ampliada, Garland Publishing Inc. (Garland Reference Library of the Humanities, 338), Nueva York/Londres, 1982.
—, y Virginia Ramos Foster, *Research Guide to Argentine Literature*, Scarecrow Press, Metuchen, 1970.
Foster, Jerald, «Towards a Bibliography of Latin American Short Story Anthologies», *Latin American Research Review*, 12:2 (1977), pp. 103-108.
Franco, Jean, *Historia de la literatura hispanoamericana a partir de la Independencia*, Ariel (Letras e Ideas, Instrumenta, 7), Barcelona, 1980.
Frank, André Gunder, *Capitalism and Underdevelopment in Latin America: historical studies of Chile and Brazil*, Monthly Review Press, Nueva York, 1967.
—, «Dependence is dead, long live dependence and the class struggle: an answer to critics», *World Development*, 5:4 (1977), pp. 355-379.
Frederici, Georg, *Hilfsworterbuch für den Amerikanisten. Lehnworter aus Indianer Sprachen und Erklarungen Altertumlicher Ausdrucke. Deutsch-Spanisch, Englisch*, La Haya, 1926; otra ed., Hamburgo, 1947; *Amerikanistisches Worterbuch und Hilfsworterbuch für den Amerikanisten*, Hamburgo, 1960.
Fuentes, Carlos, *La nueva novela hispanoamericana*, J. Mortiz, México, 1967.
Furtado, Celso, *La economía latinoamericana desde la conquista ibérica hasta la revolución cubana*, Editorial Universitaria, Santiago de Chile, 1970.
—, *A economia latinoamericana: formaçao histórica e problemas contemporáneos*, 2.ª ed. revisada, Companhia Editora Nacional, São Paulo, 1976; trad. inglesa: *Economic Development of Latin America*, Cambridge University Press, Cambridge, 1976.
Galeano, Eduardo, *Las venas abiertas de América Latina*, Siglo XXI, México, 1971.
Gertel, Zunilda, *La novela hispanoamericana contemporánea*, Editorial Columba (Nuevos Esquemas, 25), Buenos Aires, 1970.
Giordano, Enrique, *La teatralización de la obra dramática de Florencio Sánchez a Roberto Arlt*, Premiá Editora, México, 1982.
Gobello, José, *Breve diccionario lunfardo*, A. Peña Lillo, Buenos Aires, 1959; otra ed., 1960.
Goic, Cedomil, «La novela chilena actual. Tendencias y generaciones», *Anales de la Universidad de Chile*, 119 (1960), pp. 250-258; reimpreso también en *Estudios de Lengua y Literatura como Humanidades*, Seminario de Humanidades, Santiago de Chile, 1960.
—, *La novela chilena. Los mitos degradados*, Editorial Universitaria, Santiago de Chile, 1968.

—, *Historia de la novela hispanoamericana*, Ediciones Universitarias de Valparaíso, Chile, 1972; 1980[2].

—, *La novela hispanoamericana. Descubrimiento e invención de América*, Ediciones Universitarias de Valparaíso, Valparaíso, Chile, 1973.

—, «La périodization dans l'histoire de la littérature hispano-américaine». *Études littéraires*, 3 (1975), pp. 269-284.

González Peña, Carlos, *Historia de la literatura mexicana desde los orígenes hasta nuestros días*, Porrúa, México, 1966.

Gutiérrez, Gustavo, *Teología de la liberación. Perspectivas*, CEP, Lima, 1971.

Halperin Donghi, Tulio, *Historia contemporánea de América Latina*, Alianza, Madrid, 1970.

Hatzfeld, Helmut A., *Bibliografía crítica de la nueva estilística aplicada a las literaturas románicas*, Gredos, Madrid, 1955.

Hebblethwaite, Frank P., *A Bibliographical Guide to the Spanish American Theatre*, Pan American Union, Washington, D.C., 1969.

Henríquez Ureña, Pedro, *Las corrientes literarias en la América hispana*, Fondo de Cultura Económica, México, 1949.

—, *La versificación española irregular*, Centro de Estudios Históricos, Madrid, 1933.

Hildebrandt, Martha, *Peruanismos*, Moncloa-Campodónico, Lima, 1969.

Horl, Sabine, *Der Essay als literarische Gattung in Lateinamerika. Eine Bibliographie*, Verlag Peter D. Lang, Frankfurt, 1980.

Irby, James E., *La influencia de William Faulkner en cuatro narradores hispanoamericanos*, México, 1956.

Jackson, Richard L., *The Afro-American Author: An Annotated Bibliography of Criticism*, Garland, Nueva York, 1980.

Jiménez, José Olivio, *Antología de la poesía hispanoamericana contemporánea, 1914-1970*, Alianza, Madrid, 1971.

—, y E. Florit, *La poesía hispanoamericana desde el modernismo. Antología, estudio preliminar y notas críticas*, Appleton-Century-Crofts, Nueva York, 1968.

Jitrik, Noé, «Destrucción y formas en las narraciones», en C. Fernández Moreno, ed., *América Latina en su literatura*, UNESCO/Siglo XXI, México, 1972, pp. 219-242.

Jones, Willis Knapp, *Behind Spanish American Footlights*, University of Texas Press, Austin, 1966.

Joset, Jacques, «El imposible *boom* de José Donoso», *Revista Iberoamericana*, 118-119 (1982), pp. 91-101.

Kany, Charles E., *American Spanish Syntax*, University of Chicago Press, Chicago, 1945.

—, *American Spanish Semantics*, University of California Press, Berkeley, 1960.

—, *American Spanish Euphemisms*, University of California Press, Berkeley, 1960.

Lafleur, Héctor R., *Las revistas literarias argentinas, 1893-1967*, Ediciones Culturales Argentinas, Buenos Aires, 1968.

—, y S. D. Provenzano, *Las revistas literarias argentinas, 1893-1960*, CEAL, Buenos Aires, 1962.

Lagmanovich, David, *Gramática, estilo y lengua. A propósito de un poema de Macedonio Fernández*, Universidad Nacional del Comahue, Neuquén, 1979.

—, *Estructuras del cuento hispanoamericano*, en prensa.
Lambert, Jacques, *Amérique Latine. Structures sociales et institutions politiques*, Presses Universitaires de France, París, 1963.
Lapesa, Rafael, «América y la unidad de la lengua española», *Revista de Occidente*, 12 (1966), pp. 300-310.
—, *Historia de la lengua española*, Gredos, Madrid, 1981[9].
Larrea, Juan, *El surrealismo entre viejo y nuevo mundo*, Ediciones Cuadernos Americanos, México, 1944; otra ed., *Del surrealismo a Machu Picchu*, Mortiz, México, 1967.
Latcham, Ricardo A., *Antología del cuento hispanoamericano*, Zig-Zag, Santiago de Chile, 1962.
Lazo, Raimundo, *La literatura cubana*, UNAM, México, 1965.
Leal, Luis, *Historia del cuento hispanoamericano*, De Andrea, México, 1966.
Leavitt, Sturgis E., Madeline W. Nichols, y J. R. Spell, *Revistas hispanoamericanas. Índice Bibliográfico, 1843-1935*, Santiago de Chile, 1960.
Leguizamón, Julio A., *Historia de la literatura hispanoamericana*, Editoriales Reunidas, Buenos Aires, 1945, 2 vols.
Léon, Pierre, *Économies et sociétés de l'Amérique latine; essai sur les problèmes du développement à l'époque contemporaine, 1815-1967*, Société d'Édition d'Enseignement Supérieur, París, 1969.
Lévy, Kurt L., ed., *El ensayo y la crítica literaria en Iberoamérica*, Toronto, 1970.
Lezama Lima, José, *La expresión americana*, La Habana, 1957.
Libertella, Héctor, *Nueva escritura en Latinoamérica*, Monte Ávila, Caracas, 1977.
Lope Blanch, Juan M., *Vocabulario mexicano relativo a la muerte*, México, 1963.
—, *El español de América*, Ediciones Alcalá (Colección Aula Magna, 10), Madrid, 1968.
—, *Estudios sobre el español de México*, UNAM, México, 1972.
—, ed., *Estudios sobre el español hablado en las principales ciudades de América*, UNAM, México, 1977.
—, *Investigaciones sobre dialectología mexicana*, UNAM (Publicaciones del Centro de Lingüística Hispánica, 8), México, 1979.
—, «Estudios generales sobre el español de América», *Cuadernos del Sur*, 16 (1983), pp. 17-26.
López Estrada, Francisco, *Métrica española del siglo XX*, Gredos, Madrid, 1969.
López Morales, H., *Estudios sobre el español de Cuba*, Las Américas/Anaya, Nueva York, 1971.
Magis, C. H., *La poesía hermética de Octavio Paz*, El Colegio de México, 1978.
Malaret, Augusto, *Diccionario de americanismos*, Emecé, Buenos Aires, 1946.
Malkiel, Yakov, *Linguistics and Philology in Spanish America. A Survey, 1925-1970*, Mouton, La Haya, 1972.
Malmberg, Bertil, *La América hispanohablante*, Ediciones Istmo (Colección Fundamentos, 3), Madrid, 1966.
Martínez, José Luis, *Literatura mexicana. Siglo XX*, Robredo, México, 1949, 2 vols.
Matlowsky, Bernice D., *Antologías del cuento hispanoamericano: guía bibliográfica*, Unión Panamericana, Washington, D.C., 1950.

Matluck, Joseph H., «Rasgos peculiares de la ciudad de México y el Valle», *Nueva Revista de Filología Hispánica*, 6 (1952), pp. 109-120.

Matos, Antonio, *Guía a las reseñas de libros de y sobre Hispanoamérica*, Blaine Ethridge, Detroit, 1976-1979.

Mead, Robert G., *Breve historia del ensayo hispanoamericano*, De Andrea, México, 1956.

—, «Historiografía reciente de la literatura hispanoamericana», *Temas hispanoamericanos*, De Andrea, México, 1959, pp. 128-136.

—, y Peter Earle, *Historia del ensayo hispanoamericano*, De Andrea, México, 1973.

Mejía Sánchez, E., y P. Guillén, *El ensayo actual latinoamericano*, México, 1971.

Menton, Seymour, «La novela experimental y la república comprensiva de Hispanoamérica: estudio analítico y comparativo de *Nostromo, Le Dictateur, Tirano Banderas* y *El señor Presidente*», *Humanitas*, 1 (1960), pp. 409-446.

—, *El cuento hispanoamericano*, Fondo de Cultura Económica, México, 1964, 2 vols.

Meo Zilio, Giovanni, *Stile e poesia in Cesare Vallejo*, Liviana Editrice, Padua, 1960.

Mignolo, Walter, *Elementos para una teoría del texto literario*, Editorial Crítica (Filología, 3), Barcelona, 1978.

—, *Literatura fantástica y realismo maravilloso*, La Muralla (Literatura Hispanoamericana en Imágenes, 21), Madrid, 1983.

Milan, William G., *et al.*, eds., *1974 Colloquium on Spanish and Portuguese Linguistics*, Georgetown University Press, Washington, D.C., 1974.

Minc, Rose, ed., *The Contemporary Latin American Short Story*, Senda Nueva de Ediciones, Nueva York, 1979.

Molina, Alonso, *Antología del ensayo revolucionario de América Latina*, Nueva York, 1974.

Montezuma de Carvalho, Joaquín de, *Panorama das literaturas das Americas*, Nueva Lisboa, Angola, 1958-1959, 3 vols.

Morales Padrón, Francisco, *América en sus novelas*, Ediciones Cultura Hispánica, Madrid, 1983.

Morínigo, Marcos A., *Diccionario manual de americanismos*, Muchnik, Buenos Aires, 1966.

Navarro Tomás, Tomás, *El cuestionario lingüístico hispanoamericano*, I: *Fonética, Morfología, Sintaxis*, Instituto de Filología, Buenos Aires, 1943; 1945².

—, *Manual de entonación española*, Hispanic Institute, Nueva York, 1944; otra ed., 1948.

—, «Atlas lingüístico de Hispanoamérica», *Bulletin of the American Council of Learned Society*, 34 (1948), pp. 71-74.

—, *El español en Puerto Rico*, San Juan, 1948.

—, *Métrica española*, Las Américas, Nueva York, 1956; otras eds.: 1966; Syracuse University Press, Syracuse, 1972.

—, *La voz y la entonación en los personajes literarios*, Málaga, México, 1976.

Neglia, Erminio G., *Aspectos del teatro moderno hispanoamericano*, Stella, Bogotá, 1975.

—, y Luis Ordaz, *Repertorio selecto del teatro hispanoamericano contemporáneo*,

2.ª ed. revisada y ampliada, Center of Latin American Studies, Arizona State University, Tempe, 1980.

Núñez, Estuardo, *La literatura peruana del siglo XX (1900-1965)*, Editorial El Sol, Lima, 1963; otra ed., Editorial Pormaca, México, 1965.

Ocampo, Aurora M., *Novelistas iberoamericanos contemporáneos: obras y bibliografía crítica*, UNAM (Cuadernos del Centro de Estudios Literarios, 2, 4, 6, 10, 11), México, 1971-1980.

—, y Ernesto Prado Velásquez, *Diccionario de escritores mexicanos*, UNAM, México, 1967.

Onís, Federico de, *Antología de la poesía española e hispanoamericana, 1882-1932*, Madrid, 1934; reimpresión facsimilar, Las Américas, Nueva York, 1961.

Orgambide, Pedro G., y Roberto Yahni, *Enciclopedia de la literatura argentina*, Sudamericana, Buenos Aires, 1970.

Orjuela, Héctor H., *Fuentes generales para el estudio de la literatura colombiana: guía bibliográfica*, Instituto Caro y Cuervo, Bogotá, 1968.

—, *Literatura Hispanoamericana. Ensayos de interpretación y de crítica* (Publicaciones del Instituto Caro y Cuervo, 56), Bogotá, 1980.

Oroz, Rodolfo, *El español de Chile*, Editorial Universitaria, Santiago de Chile, 1966.

Paredes Candia, Antonio, *Bibliografía del folklore boliviano*, E. Burillo, La Paz, 1961.

Payró, Roberto P., *Historia de la literatura americana: Guía bibliográfica*, Unión Panamericana, Washington, D.C., 1950.

Paz, Octavio, *El laberinto de la soledad*, Fondo de Cultura Económica, 1950.

—, *El arco y la lira*, Fondo de Cultura Económica, México, 1956; 1967².

—, *Lévy-Strauss o el nuevo festín de Esopo*, Mortiz, México, 1967; otra ed., 1973.

Pereira Salas, Eugenio, *Guía bibliográfica para el estudio del folklore chileno*, Instituto de Investigaciones Musicales, Santiago de Chile, 1952.

Pino Saavedra, Yolando, *La poesía de Julio Herrera y Reissig*, Universidad de Chile, Santiago, 1932.

Pollmann, Leo, *La «nueva novela» en Francia e Iberoamérica*, Gredos, Madrid, 1971.

Portuondo, J. A., «Períodos y generaciones en la historiografía literaria hispanoamericana», *Cuadernos Americanos*, 7:3 (1948), pp. 231-252.

—, *La historia y las generaciones*, Santiago de Cuba, 1958.

—, *Bosquejo histórico de las letras cubanas*, Ministerio de Relaciones Exteriores, Depto. de Asuntos Culturales, La Habana, 1960.

Prieto, Adolfo, *Diccionario básico de literatura argentina*, CEAL, Buenos Aires, 1968.

Pupo-Walker, Enrique, *El cuento hispanoamericano ante la crítica*, Castalia, Madrid, 1980.

Rabanales, Ambrosio, *Introducción al estudio del español en Chile*, Universidad de Chile, Santiago, 1954.

Rama, Ángel, *La ciudad letrada*, Ediciones del Norte, Hanover, New Hampshire, 1984.

—, *Los dictadores latinoamericanos*, Fondo de Cultura Económica, México, 1976;

reimpreso en *La novela hispanoamericana. Panoramas, 1920-1980*, Colcultura, Bogotá, 1982, cap. VIII, pp. 361-379.

Reichardt, Dieter, *Lateinamerikanische Autoren. Literaturlexikon und Bibliographie der deutschen ubersetzungen*, Krst Erdmann Verlag, Tubinga/Basilea, 1972.

Rela, Walter, *Fuentes para el estudio de la literatura uruguaya, 1835-1968*, Ediciones de la Banda Oriental, Montevideo, 1969.

—, *Guía bibliográfica de la literatura hispanoamericana desde el siglo XIX hasta 1970*, Casa Pardo, Buenos Aires, 1971.

Remos y Rubio, J. J., *Historia de la literatura cubana*, Cárdenas, La Habana, 1945.

Resnick, Melvyn C., *Phonological variants and dialect identification in Latin American Spanish*, Mouton, La Haya, 1975.

—, *Introducción a la historia de la lengua española*, Georgetown University Press, Washington, 1981.

Rincón, Carlos, *El cambio en la noción de literatura*, Instituto Colombiano de Cultura (Colección Autores Nacionales), Bogotá, 1978.

Ripoll, *Conciencia intelectual de América, Antología del ensayo hispanoamericano (1836-1959)*, Las Américas, Nueva York, 1966.

Rivera de Álvarez, Josefina, *Diccionario de la literatura puertorriqueña*, Instituto de Cultura Puertorriqueña, San Juan, Puerto Rico, 1974-1979, 3 vols.

Rodríguez Monegal, Emir, *Literatura uruguaya de medio siglo*, Alfa, Montevideo, 1966.

—, *El boom de la novela latinoamericana*, Monte Ávila, Caracas, 1972.

—, «Realismo mágico versus literatura fantástica: un diálogo de sordos», en D. A. Yates, ed., *Otros mundos, otros fuegos. Fantasía y realismo mágico en Iberoamérica*, Michigan State University (Memoria del XVI Congreso del Instituto Internacional de Literatura Iberoamericana), 1975.

Rodríguez Sardiñas, y C. M. Suárez Radillo, *Teatro selecto contemporáneo hispanoamericano*, Escalicer, Madrid, 1971, 3 vols.

Rojo, Grínor, *Orígenes del teatro hispanoamericano contemporáneo*, Ediciones Universitarias de Valparaíso (Aula Abierta), Chile, 1972.

Romero de Valle, Emilia, *Diccionario manual de literatura peruana*, Universidad Nacional Mayor de San Marcos, Lima, 1966.

Rona, José Pedro, *Aspectos metodológicos de la dialectología hispanoamericana*, Montevideo, 1958.

—, *Algunos aspectos metodológicos de la dialectología hispanoamericana*, Montevideo, 1958.

—, «El problema de la división del español americano en zonas dialectales», en *Presente y futuro de la lengua española*, Madrid, 1964, tomo I, pp. 215-226.

—, *Geografía y morfología del voseo*, Pontificia Universidade Catolica do Rio Grande, Porto Alegre, 1967.

Rosario, Rubén del, *La lengua en Puerto Rico*, Instituto de Cultura Puertorriqueña, San Juan, 1955; otra ed., 1960; Las Américas, Nueva York, 1962.

Rosenblat, Ángel, *La lengua y la cultura de Hispanoamérica*, París, 1951.

—, *El mestizaje y la población de América*, Buenos Aires, 1954, 2 vols.

—, *Lengua y cultura de Venezuela*, Caracas, 1956.

—, *Buenas y malas palabras en el castellano de Venezuela*, Caracas/Madrid, 1960[2], 2 vols.

—, *Lengua literaria y lengua popular en América*, Universidad Central de Venezuela, Caracas, 1969.

Sainz de Robles, *Ensayo de un diccionario de literatura*, Aguilar, Madrid, 1953.

Sánchez, L. A., *Nueva historia de la literatura americana*, Guarania, Buenos Aires, 1950[2]; otra ed., *Historia comparada de las literaturas americanas*, Losada, Buenos Aires, 1973-1976, 4 vols.

—, *Repertorio bibliográfico de la literatura latinoamericana*, III, Universidad de Chile, Santiago de Chile, 1962.

—, *La literatura peruana; derrotero para una historia cultural del Perú*, Ediciones Adiventas, Lima, 1966, 5 vols.

Santamaría, Francisco J., *Diccionario general de americanismos*, Pedro Robredo, México, 1942-1943, 3 vols.

—, *Diccionario de mejicanismos*, México, 1959; Porrúa, México, 1974[2].

Sanz y Díaz, J., *Antología de cuentistas hispanoamericanos*, Aguilar, Madrid, 1964.

Sarduy, Severo, «El barroco y el neobarroco», en C. Fernández Moreno, ed., *América en su literatura*, Siglo XXI/UNESCO, México, 1972, pp. 167-184; reimpreso en S. Sarduy, *Barroco*, Sudamericana, Buenos Aires, 1974, pp. 99-104.

Scavnicky, Gary E., ed., *Dialectología hispanoamericana. Estudios actuales*, Georgetown University Press, Washington, 1980.

Schneider, Luis Mario, *México y el surrealismo, 1925-1950*, Artes y Libros, México, 1978.

—, *Inteligencia y guerra civil española*, Laia, Barcelona, 1978.

Schwartz, Kessel, *A New History of Spanish American Fiction*, University of Miami Press, Coral Gables, 1971-1972, 2 vols.

Serís, Homero, *Bibliografía de la lingüística española* (Publicaciones del Instituto Caro y Cuervo, 19), Bogotá, 1964.

Shimose, Pedro, ed., *Diccionario de autores iberoamericanos*, Ministerio de Asuntos Exteriores, Madrid, 1982.

Silva Castro, Raúl, *Fuentes bibliográficas para el estudio de la literatura chilena*, Prensas de la Universidad de Chile, Santiago, 1933.

—, *Prensa y periodismo en Chile, 1812-1956*, Editorial del Pacífico, Santiago de Chile, 1958.

—, *Panorama literario de Chile*, Editorial Universitaria, Santiago de Chile, 1961.

—, ed., *La literatura crítica de Chile*, Santiago de Chile, 1969.

Skirius, J., ed., *El ensayo hispanoamericano del siglo XX*, Fondo de Cultura Económica, México, 1981.

Solé, Carlos A., *Bibliografía sobre el español en América, 1920-1967*, Georgetown University Press, Washington, 1970.

—, *Bibliografía sobre el español en América, 1967-1971*, The University of Texas Press, Austin, 1972.

Solórzano, Carlos, *El teatro hispanoamericano contemporáneo*, Fondo de Cultura Económica, México, 1964, 2 vols.

Sosnowski, Saúl, *et al.*, eds., *Más allá del boom. Literatura y mercado*, Marcha Editores, México, 1981.

Stabb, Martin S., *In Quest of Identity: Patterns in the Spanish American Essay of Ideas, 1890-1960*, University of North Carolina Press, Chapell Hill, 1967.
Stein, Stanley, y Barbara H. Stein, *The colonial heritage of Latin America*, Oxford University Press, Nueva York, 1970.
Stimson, Frederick S., *The New Schools of Spanish American Poetry*, Castalia (Estudios de Hispanófila/Department of Romance Languages, University of North Carolina, 13), Madrid, 1970.
Sucre, Guillermo, *La máscara y la transparencia*, Monte Ávila, Caracas, 1975.
Sunkel, Osvaldo, y Pedro Paz, *El subdesarrollo latino-americano y la teoría del desarrollo*, Siglo XXI, México, 1970.
Tatum, Charles M., *A Selected bibliography of Chicano Studies*, University of Nebraska, Lincoln, 1979[2].
Tauro, Alberto, *Bibliografía peruana de literatura, 1931-1958*, Lima, 1959.
Teruggi, Mario E., *Panorama del lunfardo: génesis y esencia de las hablas coloquiales urbanas*, Sudamericana, Buenos Aires, 1978[2].
Torre, Guillermo de, *Literaturas europeas de vanguardia*, Caro Raggio, Madrid, 1925.
—, *Historia de las literaturas de vanguardia*, Guadarrama, Madrid, 1965.
Torres Rioseco, Arturo, *Nueva historia de la gran literatura iberoamericana*, Las Américas, Nueva York, 1966; 1945[1].
Toscano Mateus, Humberto, *El español en el Ecuador*, CSIC, Madrid, 1956.
Trejo, Arnulfo D., *Diccionario etimológico latino-americano del léxico de la delincuencia*, UTEHA, México, 1968.
Valbuena Briones, Ángel, *La literatura hispanoamericana*, G. Gili, Barcelona, 1962, tomo IV de Á. Valbuena Prat, *Historia de la literatura española*, G. Gili, Barcelona, 1962; otra ed., 1965.
Vargas Llosa, Mario, *Entre Sartre y Camus*, Huracán, San Juan, 1981.
Vidal de Battini, Berta Elena, «Voces marineras en el habla rural de San Luis», *Filología*, I (1949), pp. 105-150.
—, *El español de la Argentina*, Buenos Aires, 1964.
Videla, Gloria, *El ultraísmo*, Gredos, Madrid, 1963.
Villanueva, Tino, ed., *Chicanos. Antología histórica y literaria*, Fondo de Cultura Económica, México, 1980.
Villaurrutia, Xavier, Octavio Paz, *et al.*, *Laurel. Antología de la poesía moderna en lengua española*, Séneca, México, 1941.
Viñas, David, *Literatura y exilio*, Ediciones del Norte, 1982.
Wagner, Max Leopold, *Lingua e dialetti dell'America Spagnola*, Le Lingue Estere, Florencia, 1949.
—, «Apuntaciones sobre el caló bogotano», *Thesaurus*, 6 (1950), pp. 181-213.
Woodbridge, Hensley C., «An annotated bibliography of publications concerning the Spanish of Bolivia, Cuba, Ecuador, Paraguay and Perú for the years 1940-1957», *Kentucky Foreign Language Quarterly*, 7 (1960), pp. 37-54.
—, *Spanish and Spanish-American Literature. An Annotated Guide to Selected Bibliographies*, The Modern Language Association of America, Nueva York, 1983.
Xirau, Ramón, *Poesía iberoamericana*, Secretaría de Educación Pública (SepSetentas, 15), México, 1972.

Yates, Donald A., ed., *Otros mundos, otros fuegos. Fantasía y realismo mágico en Iberoamérica*, Michigan State University, 1975.
Yurkievich, Saúl, *Fundadores de la nueva poesía latinoamericana*, Barral Editores, Barcelona, 1971.
—, *La confabulación con la palabra*, Taurus, Madrid, 1978.
—, «Los avatares de la vanguardia», *Revista Iberoamericana*, 118-119 (1982), pp. 358-366.
Zamora Vicente, Alonso, *Dialectología española*, Gredos, Madrid, 1960.
Zea, Leopoldo, *Dependencia y liberación en la cultura iberoamericana*, Joaquín Mortiz, México, 1974.
Zeitz, E. M., y Richard A. Seybolt, «Hacia una bibliografía del realismo mágico», *Hispanic Journal*, 3:1 (1981), pp. 159-167.
Zum Felde, Alberto, *Índice crítico de la literatura hispanoamericana*, I: *Los ensayistas*, Guarania, México, 1954.
—, *La narrativa en Hispanoamérica*, Aguilar (Ensayistas hispánicos), Madrid, 1964.

Saúl Yurkievich

LOS AVATARES DE LA VANGUARDIA

[No obstante su multiplicidad enmarañada, se entreven tres dominantes, tres directrices que permiten una distribución ordenadora de las manifestaciones de la modernidad, como si las trazas o marcas que la inscriben literariamente se dejasen conectar y articular a lo largo de estos ejes:]

a) *Directriz realista/historicista.* La vanguardia concibe la modernidad como culto a la novedad, como afán de participar en el progreso y la expansión provocados por la revolución industrial, como empeño en manifestar el contacto con la historia inmediata, con la microhistoria personal y la macrohistoria colectiva, unánime, como voluntad de gestar una literatura abierta al mundo, capaz de registrar la cambiante realidad en toda su extensión y en todos sus niveles, que tenga el temple, el ritmo, el nervio de un presente en rápida transformación. El *Esprit Nouveau* de Apollinaire inspira la poética del creacionismo de Huidobro y de su secuela hispanoamericana (ultraísmo, estridentismo, martinfierrismo, nadaísmo, etc.). El culto a la novedad impone al movimiento vanguardista un curso cambiante que se caracteriza por la proliferación de episódicas tendencias. Todas ellas manifiestan su fervor por un presente prospectivo, radicalmente divorciado del pasado próximo y remoto, presente compulsado hacia una futuridad en perpetuo adelanto. Las prédicas vanguardistas preconizan un antipasatismo reacio a cualquier restauración, un antiacademismo opuesto a todo renacimiento. En sus posiciones extremas, la vanguar-

Saúl Yurkievich, «Los avatares de la vanguardia», *Revista Iberoamericana*, 118-119 (1982), pp. 358-366.

dia se presenta como instauración a partir de cero, como inauguración *ex nihilo* nacida de la *ruptura* de todos los continuos. [...]

La vanguardia opera según una doble estrategia, la una futurista y la otra agonista. La una, afirmativa, exalta los logros del siglo mecánico, los avances en la era de las comunicaciones, las excitaciones de la urbe tecnificada, multitudinaria y babélica, el vértigo y la pujanza de lo moderno, de una actualidad mundialmente acompasada que ha roto los confinamientos regionales e idiomáticos para imponerse por doquier. La vanguardia es un fenómeno de las capitales relacionadas con el intercambio internacional. La modernolatría es una devoción ciudadana. La vanguardia aparece como índice de actualidad generado por los centros metropolitanos en su proceso de modernización; refleja el anhelo de concertar el arte local con el internacional.

La otra estrategia está presidida por una visión apocalíptica que pretende instaurar la tabla rasa, por el rechazo contundente de todo modelo tradicional, de las concepciones y formalizaciones vigentes. Se expresa a través de los códigos negativos que le imprimen ese carácter subversivo de contracultura, cultura adversaria, antiarte, antiforma (secuela del dadaísmo y del surrealismo), que va a constituir una de las bases principales de su estética. Afecta a la noción de activismo, de militancia, que pone el acento en los valores voluntaristas y energéticos; la acción de la vanguardia es en gran parte labor de zapa. [...]

La modernolatría futurista y el vitalismo primitivista generan ambos una vanguardia expansiva, exultante. Imbuidos del culto al cambio que la aceleración tecnológica provoca, anexados a la cultura del consumo que suplanta constantemente sus productos, prosélitos del progreso, metropolitanos e internacionalistas, los modernólatras diseminan en sus textos ostentosos índices de actualidad. En su vislumbre y en su instrumentación del texto tratan de entablar correspondencias con la racionalidad tecnológica. Extienden a las prácticas estéticas la noción científica de experimentación. Instauran la era de los manifiestos, muestran una franca propensión programática, cultivan la disquisición teórica, la conciencia analítica, gustan de las formulaciones axiomáticas y en su deontología literaria tratan de aproximarse al empirismo y al objetivismo de los discursos científicos. A su vez, el vitalismo vigorizador postula la invalidez de la cultura letrada, reacciona contra el exceso inhibidor de la acumulación sapiente y se propone descalabrar el orden represivo a través de la barbarie liberadora, de una regresión genética que permita recuperar los poderes primigenios, la naturalidad perdida.

A la vanguardia exultante, que se prolongará a través de variantes tecnocráticas y formalistas como la del movimiento concreto, sucede una segunda época (¿cómo fecharla?, la cronología es móvil, escurridiza) en que los desajustes, las disritmias, las disrupciones se interiorizan intensificándose, en que la exaltación optimista frente a la sociedad industrial, a la cual nunca tuvimos completo acceso, se vuelve disfórica desolación, reificación, angustioso vacío, quebranto existencial con la consiguiente carencia ontológica. *Trilce*, *Residencia en la tierra* y *Altazor* son a la vez configuraciones poéticas de experiencias abismales y reflejos de la marginación del escritor latinoamericano en sociedades o demasiado arcaicas o de un capitalismo grosero en permanente crisis. Figuran una existencia despeñada al abismo de la nada, la de un ser en soledad cada vez más absoluta e incompartible, sujeto a una doble carencia que lo condiciona negativamente: la imposibilidad de hallar un principio de conexión, de razón suficiente y la irreversibilidad de un tiempo signado por la merma. Las probabilidades de dotar a su vivir de un sentido positivo le están vedadas: un trabajo que le permita mancomunarse productivamente con la comunidad o una adecuada inserción en la historia colectiva, en la historia con perspectiva de futuro reparador; carece de la posibilidad de trascendencia, de ese sentido teleológico capaz de infundir significación al presente discontinuo; carece de una dirección que pueda transformar su temporalidad en valor histórico, suprapersonal, que pueda convertir al ser individual en comunitario.

La escritura solitaria que rechaza la falsa integración social propuesta por el régimen opresivo y unificador se entrega a su propia inmanencia, acentuando, por el ejercicio de la arbitrariedad, el desatino y la desmesura, el divorcio entre palabra poética y discursos socializados. Incorpora esa tensión disonante a su propia textura y se vuelve sismógrafo de intensidades contrastantes y de choques traumáticos. [...]

El deseo de inscribir lo real actúa como impulsor de innovación, porque la realidad es un cúmulo móvil que exige una constante adecuación de la visión, de los módulos de percepción y de los instrumentos de transcripción. La vanguardia se encarga periódicamente de restablecer el vínculo entre concepción y representación del mundo entre la actualidad cognoscitiva y la representación artística.

b) *Directriz formalista.* A la par que se empeñan en inscribirse como contemporáneos del siglo mecánico, los vanguardistas acrecientan la autonomía poética. Desarrollando las potencialidades específicas al arte verbal y poniendo en práctica todas las libertades textuales —de asociación, de dirección, de extensión, de disposición, de referencia— bregan por crear entidades estéticas autosuficientes, autorreferentes, autotélicas. Abolidas las restricciones empíricas, retóricas e imaginativas, se proponen dotar al poema de una forma y un sentido propios no restringidos por subordinaciones externas.

Semejante trastocamiento prosódico, tamaña transformación del lenguaje, tan enorme ampliación de lo decible y, por ende, de lo concebible provocan no sólo un corte radical en el plano estético, también un corte de orden mental, epistémico: prefiguran otra conciencia posible y, en última instancia, otra factualidad presumible, proponen otros modos de percibir, de idear y de representar el mundo. Este libre arbitrio es una conquista progresiva que llega a explayarse plenamente en *Altazor.* Allí se procede por progresión metafórica a desmantelar en todas sus instancias la lengua sujeta al orden objetivo y a la razón de uso para que la palabra recobre la plenitud de su potencia. [...]

En contraposición al absurdo negativo de la vanguardia pesimista que convulsa y angustiosamente dice el sinsentido de la existencia y la sinrazón del mundo, en contraste con el absurdo deprimente que agrava y desagrega, con el desintegrador que disocia mente y mundo y que desgarra la conciencia, la vanguardia optimista, desembarazada de las vedas realistas, goza con el ejercicio del absurdo positivo, con el poder demiúrgico de anular toda distinción separadora, de provocar en el poema la convergencia de lo más distinto con lo más distante, de restablecer el vínculo deseado del figurador con sus figuraciones, de devolverlo todo a la unidad original.

La metáfora radical es el principal agente de la imaginación sin ataduras, el recurso privilegiado para dotar al texto de la máxima autonomía. Operador imaginante, suscita una transgresión categorial creadora de sentido inédito. Con sus desconcertantes encrucijadas, sus insólitos choques y explosiones expansivas, anula el determinismo empírico y el contrasentido lógico. Experiencia visionaria, al extremarse, deshace el mundo literal para sustituirlo por otro regido por la causalidad hilozoísta de lo metafórico. Se abre al despliegue mítico, formula lo informulable, postula entidades e identidades desconocidas: inaugura otros mundos, otras existencias posibles. Generalizada, la proliferación metafórica permite recuperar la energía originaria de la imagen, reinstala el dinamismo fundamental de la vida psíquica, la polución del comienzo, prelógica, el gran semantismo primordial que es la matriz procreadora de nuevas atribuciones significativas, de futuras pertinencias.

[La vanguardia desmantela el discurso instaurado, lo convierte en un transcurso de desarrollo imprevisible que conecta por relaciones aleatorias los componentes más disímiles; vuelve el poeta excéntrico, polimorfo, politonal, polifónico, plurívoco. El texto multiplica sus convocaciones arbitrarias que desbaratan la previsibilidad y proyectan al lector fuera de las orientaciones usuales. Los marcos y las escalas de referencia se diversifican, los materiales congregados tienden al máximo de heterogeneidad. El texto se convierte en una estructura abierta, establece conexiones multivalentes, una indeterminación que multiplica la significancia y torna plural la lectura. El poema acrecienta su poder inventivo, su incitación fermentadora, su embate provocador: requiere, más que un receptor, un operador casi tan activo como el productor.]

Muestra de alarde instrumental e icónico, el poema se constituye como objeto suntuario, superfluo en relación con los valores de uso. Se convierte en un puro dispositivo placentero: se desrealiza para procurar al deseo su realización imaginaria. Artificio seductor, absuelve de las censuras realistas, del sentido común y del sentido práctico. Por su carácter de objeto lúdico, implica estado de excepción, interregno festivo. Intermediario onírico, posibilita una conducta emancipada. Negación del orden imperante, desconocimiento de todo orden represivo, se desconecta por completo de lo circunstancial y circundante para preservar una libertad que sólo puede darse en la dimensión estética.

c) *Directriz subjetivista.* Ya con los modernistas aparece en la escena textual la noción y los módulos de representación de la subjetividad tal cual la concebimos y la figuramos nosotros. El texto registra las perturbaciones de la conciencia, se deja cautivar por lo psicótico, explaya los estados mórbidos, las angustias desorganizadoras, el dislocamiento provocado por una espontaneidad descontrolada, el desvarío fantasmal, las alteraciones de los lazos objetuales, el irreprimible autismo que lo retrotrae y lo avasalla al cohabitante insondable: el inconsciente. El texto se desmide, se convulsiona, se desquicia para decir las acometidas desatinadas del yo recóndito, las insumisas emergencias del fondo entrañable.

Afluyen al texto las fuerzas oscuras, las del fondo imperioso y confuso que pugnan por romper las represas de la conciencia emitiendo señales disparatadas, erráticas, una turbamulta de significantes refractarios al significado y que el lenguaje, agente del orden censorio, no puede fijar, no puede alinear, no puede formular. Ya desde *Cantos de vida y esperanza*, el sujeto constituido a través de una interacción reglada entre cuerpo, psique, lengua, naturaleza y sociedad no consigue o no quiere contener el estallido de una subjetividad que desborda el discernimiento y sobrepasa los límites ideológicos de la racionalidad, que perturba la conducción lingüística porque no se deja asignar, no se deja distribuir en los sintagmas lineales, no se deja representar. Pujos psicosomáticos dispares impulsan en múltiples direcciones, compelen a desgarrar la textura, la textualidad del continuo consciente, a desbarajustar las posiciones y disposiciones del entendimiento discursivo. La irrupción discordante de ese colmo de heterogeneidad, de alteridad inasible, descoyunta la comunicación sensata, subvierte la conducta sociable e impone un descenso por debajo del orden simbólico hacia la base preverbal, hacia la intimidad donde se engendra el sujeto y se genera la significancia. La pujanza de ese exceso no codificable, centrífugo, entrópico, repulsa las significaciones estatuidas, provoca una inadecuación de los signos que descoloca y desperdiga al sujeto unitario de la lengua lineal, que remueve, atraviesa y desmembra el sistema textual.

A partir de Darío, el sujeto palpitante, opaco, del revoltijo corporal, el sujeto carnal, se enfrentará con el impasible, transparente, abstracto sujeto gramatical para movilizarlo, afantasmarlo, diversificarlo. El poema, de Darío a Vallejo, reflotará en lugar del sujeto constituido, un sujeto en proceso, representado en el removimiento que lo engendra o lo disuelve [no un sujeto presupuesto en conexión con una realidad preconcebida, sino un sujeto genético que promueve la figuración de relaciones inusitadas entre el consciente, el inconsciente, los objetos naturales y los aparatos sociales]. La subjetividad rebelde, abatiendo sus bloqueos, se inscribirá como transversalidad negativa que descompone y recompone del dispositivo poético para manifestar su capacidad de transmutación y de conmutación: ruptura, labilidad, movilidad, ubicuidad, simultaneidad. Desarticulará la organización del texto basada en ese consenso naturalizado que prejuzga que el lenguaje debe enunciar la afectación corriente de sujetos y de objetos, la desmantelará incluso a riesgo de amenazar el funcionamiento social del lenguaje por exceso de significantes erráticos. La descodificará para reintroducirle la pluralidad pulsional, la materia impaciente, la carga corpórea de las heterogeneidades. El poema provocará el desbarajuste del discurso normativo para hacer estallar el sujeto convencional, para transgredir sus represiones, contravenir sus censuras, abolir sus límites nocionales. El proceso, reactivado por la «Psicologación morbo-panteísta» de Herrera y Reissig, reventará con la revulsiva revuelta de Vallejo.

ENRIQUE ANDERSON IMBERT

EL «REALISMO MÁGICO» EN LA FICCIÓN HISPANOAMERICANA

El término «realismo mágico» apareció primero en la crítica a las artes plásticas y sólo después se extendió a las artes literarias. Lo lanzó en 1925 el crítico alemán Franz Roh para caracterizar a un grupo de pintores alemanes.

Según Roh los pintores impresionistas pintaron lo que veían, fieles a la índole natural de los objetos y a sus propias sensaciones cromáticas (*v. gr.* Camille Pissarro). Como reacción, los pintores expresionistas se rebelaron contra la naturaleza pintando objetos inexistentes o tan desfigurados que parecían extraterrestres (*v. gr.* Marc Chagall). Y lo que Roh descubrió en 1925 fue que pintores postexpresionistas (Max Beckmann, Georges Grosz, Otto Dix) estaban pintando otra vez objetos ordinarios, sólo que lo hacían con ojos maravillados porque, más que regresar a la realidad, contemplaban el mundo como si acabara de resurgir de la nada, en una mágica re-creación. O sea, que los postexpresionistas, después del fantástico Apocalipsis de los expresionistas, veían las cosas envueltas en la luz matinal, inocente, de un segundo Génesis. Arte de realidad y de magia, Franz Roh lo bautizó como «realismo mágico». Es verdad que años más tarde, en 1958, al referirse a los mismos pintores, reemplazó el término «realismo mágico» con el de «nueva objetividad». Para entonces, sin embargo, el término «realismo mágico» había sido adoptado por el lenguaje de la crítica literaria.

Enrique Anderson Imbert, *El realismo mágico y otros ensayos*, Monte Ávila, Caracas, 1976, pp. 7-16 (7-13).

[Franz Roh vio, en el proceso histórico de la pintura, una dialéctica que le hubiera complacido a Hegel: una tesis: «impresionismo»; una antítesis: «expresionismo»; y una síntesis: «realismo mágico».

Quien guste de estos juegos críticos podría llevarlos de la pintura a la literatura y decir que en el proceso histórico del arte narrativo la dialéctica de Roh se logra a través de tres categorías: una tesis: la categoría de lo verídico, que da el «realismo»; una antítesis: la categoría de lo sobrenatural, que da la «literatura fantástica»; y una síntesis: la categoría de lo extraño, que da la literatura del «realismo mágico».]

Un narrador realista, respetuoso de la regularidad de la naturaleza, se planta en medio de la vida cotidiana, observa cosas ordinarias con la perspectiva de un hombre del montón y cuenta una acción verdadera o verosímil. Un narrador fantástico prescinde de las leyes de la lógica y del mundo físico y sin darnos más explicaciones que la de su propio capricho cuenta una acción absurda y sobrenatural. Un narrador mágico-realista, para crearnos la ilusión de irrealidad, finge escaparse de la naturaleza y nos cuenta una acción que por muy explicable que sea nos perturba como extraña.

Por si acaso esta clasificación en lo verídico, lo sobrenatural y lo extraño suene demasiado abstracta voy a ilustrarla con ejemplos concretos. Sean las tres maneras con que Alejo Carpentier nos narra un viaje:

a) *Categoría de lo verídico*: el viaje de Sofía, contado muy realistamente en *El siglo de las luces*, capítulo VI, sección XLIII.

b) *Categoría de lo sobrenatural*: el fantástico «Viaje a la semilla», donde un viejo se hace niño, entra en la placenta de su madre y desaparece.

c) *Categoría de lo extraño*: el viaje que, en *Los pasos perdidos*, emprende un músico cubano, de Nueva York a la selva venezolana. Es un viaje real, por la geografía, pero también es un viaje mágico, por la historia, pues el protagonista desanda etapas y se traslada a redrotiempo del siglo XX a la época romántica, al renacimiento, a la Edad Media, a la antigüedad, al paraíso perdido ... Este viaje por un tiempo reversible suscita un sentimiento de extrañeza que es característico del «realismo mágico».

El término «realismo mágico» se ha puesto de moda, hasta el punto de que sería raro que en una revista dedicada al estudio de nuestra literatura no se publicara un artículo sobre el «realismo mágico» de García Márquez o de algún contemporáneo suyo. A veces me digo en voz baja (claro: sin creérmelo) que acaso fui el primero en asociar a Roh, que lo lanzó hace medio siglo, con el «realismo mágico» de un escritor hispanoamericano. Permítaseme contar cómo fue.

En 1927 Ortega y Gasset hizo traducir el libro de Franz Roh para su *Revista de Occidente*; y entonces lo que en alemán era un mero subtítulo —*Nach-Expressionismus (Magischer Realismus)*— en español fue ascendido a título: *Realismo mágico*. Este término era, pues, muy conocido en las tertulias literarias de Buenos Aires que yo frecuentaba en mi adolescencia. La primera vez que lo oí aplicado a una novela fue en 1928, cuando mi amigo Aníbal Sánchez Reulet —de mi misma edad— me recomendó que leyera *Les enfants terribles* de Jean Cocteau: «puro realismo mágico», me dijo. En el círculo de mis amistades, pues, se hablaba del «realismo mágico» de Jean Cocteau, G. K. Chesterton, Franz Kafka, Massimo Bontempelli, Benjamín Jarnés, *et al.* Yo, que desde 1927 estaba publicando cuentos antirrealistas, era muy consciente de los grados de verosimilitud que van desde lo improbable hasta lo imposible. Nunca se me hubiera ocurrido confundir el «realismo mágico» de mi cuento «Luna de la ceniza» (1934) —que es explicable por las leyes fisiconaturales y, sin embargo, sugiere un posible fin del mundo— con el «cuento fantástico» «El leve Pedro» (1938), donde el protagonista, inexplicablemente liberado de la ley gravitacional, sube por el aire y se pierde en el espacio. Porque yo estaba acostumbrado a tales distingos fue que en 1956, cuando apliqué el término «realismo mágico» a un escritor hispanoamericano, lo hice respetando el sentido que Roh le había dado. Me estaba refiriendo entonces a los cuentos de Arturo Uslar Pietri [...]

Sospecho que en estos últimos años hay quienes no asocian el término «realismo mágico» con Roh, y cuando lo hacen no siempre distinguen entre «realismo mágico» y «literatura fantástica». Arturo Uslar Pietri, por lo pronto, no mencionó a Franz Roh cuando en 1948 señaló, en cuentos venezolanos, un sentido misterioso «que a falta de otra palabra podía llamarse un realismo mágico». Tampoco Ángel Flores, en 1955, mencionó a Franz Roh en su artículo, «Magical Realism in Spanish American Fiction»; y en 1959 reemplazará el término «realismo mágico» por el de «literatura fantástica» pues para él eran equivalentes.

SEVERO SARDUY

BARROCO Y NEOBARROCO

¿Qué significa hoy en día una práctica del barroco? ¿Cuál es su sentido profundo? ¿Se trata de un deseo de oscuridad, de una exquisitez? Me arriesgo a sostener lo contrario: ser barroco hoy significa amenazar, juzgar y parodiar la economía burguesa, basada en la administración tacaña de los bienes, en su centro y fundamento mismo: el espacio de los signos, el lenguaje, soporte simbólico de la sociedad, garantía de su funcionamiento, de su comunicación. Malgastar, dilapidar, derrochar lenguaje únicamente en función de placer —y no, como en el uso doméstico, en función de información— es un atentado al buen sentido, moralista y «natural» —como el círculo de Galileo— en que se basa toda la ideología del consumo y la acumulación. El barroco subvierte el orden supuestamente normal de las cosas, como la elipse —ese suplemento de valor— subvierte y deforma el trazo, que la tradición idealista supone perfecto entre todos, del círculo.

El espacio barroco es pues el de la superabundancia y el desperdicio. Contrariamente al lenguaje comunicativo, económico, austero, reducido a su funcionalidad —servir de vehículo a una información—, el lenguaje barroco se complace en el suplemento, en la demasía y la pérdida parcial de su objeto. O mejor: en la búsqueda, por definición frustrada, del *objeto parcial*. El «objeto» del barroco puede precisarse: es ese que Freud, pero sobre todo Abraham, llaman *objeto parcial*: seno materno, excremento —y su equivalencia metafórica: *oro, materia* constituyente y soporte simbólico de todo barroco—, mirada, voz, *cosa* para siempre extranjera a todo lo que el hombre puede comprender, asimilar(se) del otro y de sí mismo, residuo que podríamos describir como la (a)lteridad, para marcar en el concepto el aporte de Lacan, que llama a ese objeto precisamente (a).

El objeto (a) en tanto que cantidad residual, pero también en tanto que caída, pérdida o desajuste entre la realidad y la imagen fantasmática que la sostiene, entre la obra barroca visible y la saturación sin límites, la

Severo Sarduy, *Barroco*, Sudamericana, Buenos Aires, 1974, pp. 99-104.

En su casi totalidad, este texto se encuentra, a modo de conclusión provisional, en otro trabajo, mucho más regionalizado —se limita a América Latina— sobre el barroco. Cf.: Severo Sarduy, «Barroco y neobarroco», en *América Latina en su literatura*, Siglo XXI, México, 1973.

proliferación ahogante, el horror vacui, preside el espacio barroco. El suplemento —otra voluta, ese «otro ángel más» de que habla Lezama— interviene como constatación de un fracaso: el que significa la presencia de un objeto no representable, que resiste a franquear la línea de la Alteridad: *(a)licia* que irrita a *Alicia* porque esta última no logra hacerla pasar del otro lado del espejo.

La constatación del fracaso no implica la modificación del proyecto, sino al contrario, la repetición del suplemento; esta repetición obstinada de una cosa inútil —puesto que no tiene acceso a la entidad simbólica de la obra—, es lo que determina al barroco en tanto que *juego* en oposición a la determinación de la obra clásica en tanto que *trabajo*. La exclamación infalible que suscita toda capilla de Churriguera o del Aleijadinho, toda estrofa de Góngora o de Lezama, todo acto barroco, ya pertenezca a la pintura o a la repostería —«¡Cuánto trabajo!»—, implica un apenas disimulado adjetivo: ¡Cuánto trabajo *perdido*, cuánto juego y desperdicio, cuánto esfuerzo sin funcionalidad! Es el superyó del homo faber, el ser-para-el-trabajo el que aquí se enuncia impugnando el regodeo, la voluptuosidad del oro, el fasto, la desmesura, el placer.

Juego, pérdida, desperdicio y placer: es decir, erotismo en tanto que actividad puramente lúdica, que parodia de la función de reproducción, transgresión de lo útil, del diálogo «natural» de los cuerpos.

En el erotismo la artificialidad, lo cultural, se manifiestan en el juego con el objeto perdido, juego cuya finalidad está en sí mismo y cuyo propósito no es la conducción de un mensaje —el de los elementos reproductores en este caso—, sino su desperdicio en función del placer.

Como la retórica barroca el erotismo se presenta en tanto que ruptura total del nivel denotativo, directo y «natural» del lenguaje —somático—, como la perversión que implica toda metáfora, toda figura. No es un azar histórico si en nombre de la moral se ha abogado por la exclusión de las figuras en el discurso literario.

Si en cuanto a su utilidad el juego barroco es nulo, no sucede así en cuanto a su estructura. Ésta no es un simple aparecer arbitrario y gratuito, una sinrazón que no expresa más que su demasía, sino al contrario, un reflejo reductor de lo que la envuelve y trasciende; reflejo que repite su intento —ser a la vez totalizante y minucioso—, pero que no logra, como el espejo que centra y resume el retrato de los esposos Arnolfini, de Van Eyck, o como el espejo gongorino «aunque cóncavo fiel», captar la vastedad del lenguaje que lo circunscribe, la organización del universo: algo en ella le resiste, le opone su opacidad, le niega su imagen.

Esta incompletud de todo barroco a nivel de la sincronía no impide —sino al contrario, por el hecho de sus constantes reajustes, facilita— a la diversidad de los estilos barrocos funcionar como reflejo significante de cierta diacronía: así el barroco europeo y el primer barroco latinoamericano se dan como imágenes de un universo móvil y descentrado, pero aún armónico; se constituyen como portadores de una consonancia: la que tienen con la homogeneidad y el ritmo del logos exterior que los organiza y precede, aun si ese logos se caracteriza por su infinitud, por lo inagotable de su despliegue. La *ratio* de la ciudad leibniziana está en la infinitud de puntos a partir de los cuales se le puede mirar; ninguna imagen agota esa infinitud, pero una estructura puede contenerla en potencia, *indicarla* como potencia, lo cual no quiere decir aún soportarla en tanto que residuo.

Ese logos marca con su autoridad y equilibrio los dos ejes epistémicos del siglo barroco: el dios —el verbo de potencia infinita— jesuita, y su metáfora terrestre, el rey.

Al contrario, el barroco actual, el neobarroco, refleja estructuralmente la inarmonía, la ruptura de la homogeneidad, del logos en tanto que absoluto, la carencia que constituye nuestro fundamento epistémico. Neobarroco del desequilibrio, reflejo estructural de un deseo que no puede alcanzar su objeto, deseo para el cual el logos no ha organizado más que una pantalla que esconde la carencia. La mirada ya no es solamente infinito: en tanto que objeto parcial se ha convertido en objeto perdido. El trayecto —real o verbal— no salta ya solamente sobre divisiones innumerables, sabemos que pretende un fin que constantemente se le escapa, o mejor, que este trayecto está dividido por esa misma ausencia alrededor de la cual se desplaza.

Neobarroco: reflejo necesariamente pulverizado de un saber que sabe que ya no está apaciblemente cerrado sobre sí mismo. Arte del destronamiento y la discusión.

Sintácticamente incorrecta a fuerza de recibir incompatibles elementos alógenos, a fuerza de multiplicar hasta «la pérdida del hilo» el artificio sin límites de la subordinación, la frase neobarroca —la de Lezama, por ejemplo— muestra en su incorrección —falsas citas, malogrados «injertos» de otros idiomas, etc.—, en su no «caer sobre sus pies» y su pérdida de la concordancia, nuestra pérdida del *ailleurs* único, armónico, conforme a nuestra imagen, teológico en suma.

Barroco que en su acción de bascular, en su caída, en su lenguaje *pinturero* a veces estridente, abigarrado y caótico, metaforiza la impugnación de la entidad logocéntrica que hasta entonces lo estructuraba desde su lejanía y su autoridad; barroco que recusa toda instauración, que metaforiza al orden discutido, al dios juzgado, a la ley transgredida. Barroco de la Revolución.

Ana María Barrenechea

LA CRISIS DEL CONTRATO MIMÉTICO EN LOS TEXTOS CONTEMPORÁNEOS

Algunos críticos proponen la interpretación de la crisis del personaje en la novela como espejo de la crisis de la persona en la sociedad de masas. Esto implica creer que la literatura es un reflejo de la sociedad en que se produce y que tal tipo de relación debe entenderse como nexo causal entre la vida del hombre en la sociedad de masas y la llamada disolución del personaje.

La relación sociedad-obra literaria es muy compleja y podrían ofrecerse otras interpretaciones. Citaré como ejemplo sólo dos entre muchas. Una es la que atiende a la repercusión de los cambios que se han dado en el proceso de producción, comercialización y distribución del libro. Con ello ha variado la imagen que el artista se ha hecho de su función social, su diferente resistencia a ser incluido en una clase ocupacional, los signos o indicios de esa posición en su obra. Otra sería la que recuerda que la quiebra de los códigos y la articulación de nuevos

Ana María Barrenechea, «La crisis del contrato mimético en los textos contemporáneos», *Revista Iberoamericana*, 118-119 (1982), pp. 377-381.

Se cita por las ediciones siguientes: Severo Sarduy, *Escrito sobre un cuerpo*, Sudamericana, Buenos Aires, 1968; Paul Ricoeur, *La métaphore vive*, Seuil, París, 1975; Salvador Elizondo, *El hipogeo secreto*, Joaquín Mortiz, México, 1968; José María Arguedas, *El zorro de arriba y el zorro de abajo*, Losada, Buenos Aires, 1971. El número de las páginas va entre paréntesis.

códigos en el arte contemporáneo son paralelas a la revolución en la física actual (teoría de la relatividad, teoría cuántica, aceptación de las relaciones de indeterminación), todo lo cual modifica la concepción de los nexos del hombre y la naturaleza.

Por ahora me limitaré a un hecho significativo en el fenómeno literario de nuestro siglo. A todos llama la atención que en la ficción actual ha habido, por una parte, cambios de estructura novelesca que replantean las relaciones literatura-mundo, y por otra, que se ha agudizado la tematización de esas relaciones. Me refiero a la crisis del *contrato mimético*, que afecta: 1) a los nexos entre obra y referente (relaciones extratextuales); 2) a las interconexiones de los distintos niveles y componentes de la novela (relaciones intratextuales), y 3) al realce del diálogo con otras obras (relaciones intertextuales).

Se han disuelto los componentes tradicionales: escenario, personajes, acciones. También son cada vez más ambiguos los espacios de la enunciación y lo enunciado: narrador, narratario, historia contada. Esta redistribución topológica interna de la obra tiene su paralelo en las entidades externas: disolución de la imagen del escritor, abolición del referente, existencia pura del texto o nueva función del lector como infinito decodificador de la escritura.

Esta ruptura del contrato mimético para un grupo de obras (y de críticos) bloquea el proceso de reconocimiento y de lectura en el que la obra remite al mundo y el mundo a la obra. Entonces se fuerza a leer el texto como un objeto verbal autónomo.

Para citar a un escritor hispánico embarcado en esta corriente hasta sus extremas consecuencias, recordaré opiniones de Severo Sarduy: «El hombre se adentra en el plano de la literalidad que hasta ahora se había vedado, formulando esa pregunta sobre su propio ser, sobre su *humanidad*, que es ante todo la del ser de su escritura» (30).

Si lo único seguro que poseen los hombres es el texto que tejen durante su vida, lo único válido de la obra será el texto, y no su supuesta analogía con ese correlato exterior a ella que es «el mundo que nos rodea» (47). Por eso dice, parafraseando a Jean-Louis Baudry, que el texto es una máscara que nos engaña, «ya que si hay máscara no hay nada detrás; superficie que no esconde más que a sí misma, ... la máscara simula la disimulación para disimular que no es más que disimulación» (48); más adelante insiste: «Nada evoca, ni siquiera para reírse de él, un referente exterior al libro mismo» (49).

Frente a la corriente anterior, cabría otra que mantiene la relación obra-mundo (el texto como mensaje, con un referente y un destinatario externos), repiensa sus conexiones con el contexto en que le toca vivir, se pregunta sobre la función social del arte (y a veces sobre el sentido que tiene ser escritor dentro del circuito de producción y comercialización del libro). No se trata de una vuelta a la novela decimonónica, sino de una obra altamente innovadora que también busca un nuevo lenguaje apropiado a sus interrogantes y también los tematiza. Su replanteo de la relación obra-mundo podría compararse a la concepción de la *metáfora* como entidad de *referencia desdoblada*, según Paul Ricoeur.

Cualquiera que lee una metáfora advierte un contrasentido entre la palabra foco y el marco o contexto, si se la toma en sentido literal. El enunciado metafórico obliga a regirse por el concepto de referencia desdoblada, que consiste en «hacer surgir una nueva pertinencia semántica sobre las ruinas del sentido literal» con el poder de reorganizar la visión de las cosas y proponer una redescripción de ellas. La metáfora ofrece simultáneamente una tensión en el enunciado (entre foco y marco), una tensión entre dos interpretaciones: literal (contrasentido) y metafórica (que hace sentido por medio del no sentido), y una tensión (radicada en la cópula expresa o tácita) entre la identidad y la diferencia en el juego de la semejanza (311).

Planteo, pues, dos tendencias contemporáneas: la que anula el referente y se autoabastece, y la que postula «rabiosamente» un referente, establece una tensión dialéctica con él (identidades y diferencias en el juego de la semejanza), ofreciendo la lucha eterna del texto por producir una metáfora del referente. Se sobrentiende que estas dos corrientes que esbozo son los polos opuestos de un amplio abanico y no una clasificación binaria y maniquea.

Sólo daré dos ejemplos, uno de cada tendencia. De la primera comentaré *El hipogeo secreto*, de Salvador Elizondo, y me concentraré en los personajes (y en los narradores, que considero un tipo particular de personaje).

Se diría que la única diferenciación concreta que *El hipogeo secreto* ofrece al lector es la de poder clasificarlos como seres masculinos o femeninos. En seguida se destaca la manera de nombrarlos: o con pronombres personales (yo, tú, él, etc.), o con pronombres indefinidos (Alguien, el Otro), o con letras (T, X, E, H), es decir, con signos que son al mismo tiempo móviles (de significación ocasional) y no descriptivos. A veces emplea también nombres propios que son conversión de nombres comunes y conservan, por tanto, una sombra de su capacidad descriptiva (el Imaginado, el Sabelotodo, el Pantokrator, la Perra, Herminester el Exhumado,

Meneur inquietante, la Flor de Fuego, Mía, etc.), pero sin la verdadera capacidad de individuación del nombre propio. Junto a ellos figura el nombre del autor, aparentemente bien individuado pero tan engañoso como los otros, al ponerlo en el mismo nivel que los otros, incluirlo como en cajas chinas en la «vida», «historia», «mundo imaginario» de los otros, y aun desdoblarlo con un pseudo-Elizondo (48-49).

El yo, el tú, etc., practican una danza de instancias pronominales, señales indéxicas que cambian constantemente de referente. Cada vez que aparecen resulta dudosa la atribución a cualquiera de los personajes cuya mínima identidad va intentando elaborar el lector como proyecto factible con el recurso de otros indicios (lugares, acciones, en general predicados). Por su parte, los nombres propios son también incapaces de constituirse en vehículos de identidad: cuando el lector se confía a su función de etiqueta fija —característica del nombre propio—, muy pronto descubre la falacia y empieza a sospechar, de modo nunca seguro, que varios nombres recubren a un solo personaje.

Igual juego ambiguo ocurre con los espacios y con las acciones, repetidas sin correlación temporal y causal. Al notar su recurrencia el lector intenta asociar espacios y acciones a cada personaje construyendo predicados constantes que los individualicen, pero esa sombra de identidad se desvanece también. Tanto las acciones como los espacios tienen una estructura topológica de inclusiones y reversiones, como la tira de Möbius o las cajas chinas, con perspectivas infinitas en abismo.

Como muchas novelas contemporáneas, ésta contiene constantes autoreferencias, muestra internamente el modelo que la origina y además propone interpretaciones que a la vez son múltiples y contradictorias. En una página se dice que el personaje de la novela es la «materialización de un mito cuyo origen está en mi propia vida cotidiana» (54); en otras, que Elizondo tiene la fantasía morbosa de «concebirse a sí mismo y al mundo como un hecho narrado» (55), o que la novela es «una crónica banal», o que tiene «un fondo secreto de la vida» (37), o que las palabras son los «héroes del libro» (47), entre otras claves posibles (36, 40, 58-60, 99, 149, 159, etc.). En síntesis, el texto se presenta como una máquina productora que funciona en el vacío, como una agresiva destrucción de la referencialidad por el choque de sus contradicciones. No es ya todo para todos (como le gusta decir a Borges con frase de san Pablo), es un mecanismo que dice infinitamente «Nada para nadie», sólo la inscripción del grafo.

El ejemplo de la otra tendencia que quiero mencionar es *El zorro de arriba y el zorro de abajo*, de José María Arguedas. *Los zorros* tienen tres componentes: los «Diarios» del autor, la novela de Chimbote y los diálogos del Zorro de arriba y del Zorro de abajo. El libro es un caso extremo de afirmación del nexo de la obra con el referente, del autor con la obra y con la encrucijada histórica y personal que le tocó vivir. Esto se subraya al incorporar un elemento no fictivo: el diario en que Arguedas expone la crisis que lo lleva al suicidio y el proceso de composición de la novela. Pero el texto se despliega con una libertad imaginativa que permite el paso del estrato mítico de los diálogos entre los zorros a la novela del puerto pesquero (a la vez ficción pseudomimética de la vida de Chimbote y metáfora narrativa del mundo contemporáneo), y de ellos dos a los fragmentos explícitamente autobiográficos sobre su crisis psíquica y la elaboración de la propia novela que los incluye.

Lo que me interesa destacar también es que esta obra se focaliza en el enfrentamiento entre grupos centrales y grupos marginales, sean éstos clases sociales, grupos étnicos o naciones enteras. No es el caso del individuo que pierde su personalidad en la masa, que tanto preocupa a algunos críticos contemporáneos, sino el de entidades étnico-sociales (los indígenas) y una entidad nacional (el Perú), que luchan por conservar su autonomía de decisión y su identidad, sus posibilidades de desarrollo económico-político-cultural con capacidad de elegir el signo que tendrá su futuro.

Ante la crisis del contrato mimético, los escritores pueden inclinarse a la antirreferencialidad o bien decidirse por una suprarreferencialidad que, cuestionando la mímesis novecentista y la confianza que su realismo tenía en las relaciones lenguaje-literatura-mundo, no abandona el diálogo con el referente, sino que lo realza hasta exasperarlo.

ÁNGEL ROSENBLAT

LENGUA LITERARIA Y LENGUA POPULAR EN AMÉRICA

Paulatinamente, la literatura hispanoamericana ha ido pasando de la sujeción colonial a ocupar un puesto de avanzada, con personalidad propia y original, dentro de la literatura española y del mundo. ¿No ha sucedido lo mismo con la literatura brasileña y la norteamericana? Todavía Alfonso Reyes podía decir: «Llegamos siempre con cien años de retraso a los banquetes de la civilización». Hoy Octavio Paz afirma:

Ángel Rosenblat, *Lengua literaria y lengua popular en América*, Universidad Central de Venezuela, Caracas, 1969, pp. 124-128.

«Somos por primera vez contemporáneos de todos los hombres». Esta contemporaneidad —el estar a tono con la literatura mundial—, conquistada, como hemos visto, por el aporte sucesivo de las generaciones, ¿no nos autoriza a concebir grandes esperanzas sobre el porvenir de nuestras letras? ¿No anuncia además la madurez de nuestro mundo hispanoamericano, o iberoamericano, tan subdesarrollado en otros órdenes?

El escritor hispanoamericano, cohibido ante el lenguaje, oscilaba entre el academicismo y el barbarismo. Hoy se ha soltado el pelo. Su lengua es propia, y no subsidiaria de ninguna parte. Y como es propia, procede con ella libremente, combina palabras, inventa palabras, juega con la sacrosanta sintaxis, rehabilita palabras condenadas antes al subsuelo de la lengua —se ponían a veces con la letra inicial y puntos suspensivos—, pero ya no reniega de ella, como en la época de Sarmiento, sino que se siente comprometido con ella y la trata con amor entrañable. Le ha dado así varias obras de primer orden. ¿No hay que esperar mucho más?

Es verdad que voces agoreras anuncian la muerte de la literatura ante el avance de otros medios —el cine, la televisión—, dotados de los recursos cada vez más portentosos de la técnica moderna. Los recursos de la literatura, en cambio, siguen siendo sustancialmente los mismos desde hace unos tres mil años. Sin embargo, nunca se ha escrito tanto, con tal ansia de captar las pulsaciones de la vida y del mundo. Y aunque siempre se ha hablado mucho de universalismo, lo cierto es que por primera vez en la historia se está llegando realmente a él. La literatura se ha vuelto planetaria, como la política, como la técnica. Y ahora todo puede entrar en la literatura y la literatura puede entrar en todo.

¿Y la lengua hablada? La lengua hablada es por naturaleza individual o dual, y se desenvuelve en toda su plenitud entre un yo y un tú. Pero también es por naturaleza —y cada vez más— social. Y la sociedad del hombre es cada día más amplia. El habla familiar o el habla local tienen sus fueros, y era una aberración del viejo purismo haber pretendido someterla a leyes extrañas. También el habla regional o nacional ha ganado prerrogativas, el derecho a sus legítimas diferencias: se está generalizando un consenso a favor de la pluralidad de normas cultas. Pero por encima del habla familiar, local, regional o nacional, con sus inevitables particularidades, nos preside —como arquetipo ideal— una lengua hablada y escrita común a todos, que permite que chilenos, mexicanos o españoles nos entendamos plenamente en nuestros escritos y en nuestros coloquios, y nos sintamos, por igual, partícipes de una de las comunidades más grandes y más originales del mundo. Ya se ve que por todos los caminos, los de la lengua hablada y de la lengua escrita, el signo de nuestra época es el universalismo.

Además, también nuestra lengua hablada está perdiendo su viejo complejo de inferioridad. Hace años decía Borges: «He viajado por Cataluña, por Alicante, por Andalucía, por Castilla; he vivido un par de años en Valldemosa y uno en Madrid; tengo gratísimos recuerdos de esos lugares; no he observado jamás que los españoles hablaran mejor que nosotros...». Cortázar, en *Rayuela*, reaccionaba contra la idea general de que el habla de Buenos Aires es incorrecta y pobre, y exaltaba «nuestro hermoso, inteligente, rico y hasta deslumbrante estilo oral». Ya antes, Juan Ramón Jiménez se había sentido seducido por el castellano de Buenos Aires. Y escribía Alejo Carpentier: «aunque la afirmación puede parecer osada, el latinoamericano habla, por lo general, un castellano mejor que el que se habla en España».

La lengua común nos gobierna a todos. Decía Heidegger: «El hombre se comporta como si fuera el creador y el dueño del lenguaje, cuando es éste, por el contrario, su morada y su soberano. Cuando esta relación de soberanía se invierte, extrañas maquinaciones vienen al espíritu del hombre».

Yo no sé si entre esas extrañas maquinaciones hemos visto pasar el letrismo —la pretensión de expulsar de la literatura la palabra, precisamente por su significación, considerada impureza—, ciertas formas de surrealismo, que querían además descoyuntar la sintaxis, cierto juego arbitrario con las formas, las significaciones y las imágenes. La revolución romántica había intentado romper todos los moldes, pero tuvo una actitud reverencial hacia la lengua. No ha faltado en los últimos tiempos la tentativa de sobrepasar toda limitación. Pero no parece que haya motivo de alarma. La lengua ha salido no sólo indemne, sino enriquecida, fortalecida. «El lenguaje —decía mi maestro, don Miguel de Unamuno— ha de ser futurista, y el mejor escritor será el que acierte a acercarse a lo que será el castellano del siglo XXI, o del XXV.»

JUAN M. LOPE BLANCH

EL ESPAÑOL DE AMÉRICA

No es corto el camino recorrido por la dialectología hispanoamericana durante las dos últimas décadas, especialmente en algunas zonas. Pero, a poco que abramos los ojos, advertiremos que es muchísimo más largo y difícil el camino que falta por recorrer. Ignoramos casi por completo cómo es realmente el español hablado en no pocas regiones de América. De otras zonas poseemos datos dispersos y no siempre fidedignos; noticias equivocadas o inexactas se repiten —a falta de investigaciones rigurosas— de libro en libro. A la dialectología hispanoamericana le aguardan tareas inmensas y de urgente realización, que exigirán el esfuerzo mancomunado de muchos investigadores.

Quizá habría que empezar por conocer detalladamente el estado verdadero actual del español hablado en los grandes núcleos urbanos de América; es decir, de los grandes centros de irradiación lingüística, en donde se gestan las modalidades fundamentales del habla de cada país y desde donde se extienden las normas idiomáticas sobre las hablas regionales, sofocándolas o encauzándolas hacia una nivelación nacional. Buenos Aires, Bogotá, Santiago, México, La Habana, Montevideo, Caracas, Lima y otras capitales son otros tantos focos de efervescencia lingüística, cuyas tendencias evolutivas pueden no coincidir entre sí, ni con el ideal general de lengua. Ellas suelen dar la norma expresiva al resto del país y ellas representan las principales modalidades del «español americano». Esas modalidades básicas de la totalidad lingüístico-cultural que es Hispanoamérica deben ser estudiadas urgentemente —descritas sistemáticamente— en su integridad (fonética, gramatical y léxica), como punto de partida para estudios de carácter regional dentro de cada país y como partes fundamentales integrantes del mosaico lingüístico hispanoamericano.

También con gran urgencia habría que delimitar exactamente las distintas zonas dialectales de cada uno de los países americanos. Y ello,

Juan M. Lope Blanch, *El español de América*, Ediciones Alcalá (Colección Aula Magna, 10), Madrid, 1968, pp. 123-128.

naturalmente, no basándose en razones impresionistas —como a veces se ha hecho—, sino mediante la exploración directa de cada territorio nacional. Habría que trazar las fronteras dialectales después de hacer un estudio de las realidades fundamentales, tanto fonéticas como léxicas y aun gramaticales de cada región. Con la ayuda de cuestionarios básicos, planeados cuidadosamente, no sería labor de realización difícil, ni la enorme extensión territorial de alguno de los países hispanoamericanos resultaría obstáculo insalvable. La delimitación de esas áreas dialectales dentro de cada país, permitiría iniciar los trabajos de levantamiento de los atlas lingüísticos regionales, empresa prácticamente irrealizable por el momento en la mayor parte de América.

Es obvio que la dialectología hispánica progresaría con mayor rapidez si existiese alguna coordinación entre los diversos esfuerzos individuales. Sería sumamente beneficioso que cada investigador procurara orientar sus trabajos —por mínimos y particulares que fuesen— hacia una finalidad común, como parte integrante de un todo superior. Para ello habría que uniformar la metodología y proponerse fines concretos de interés general. Resulta imprescindible «modernizar» los estudios lingüísticos en Hispanoamérica, adoptando procedimientos de trabajo de bondad ampliamente comprobada en Europa. Habrá que dar también una orientación estructural a las investigaciones, sin limitarse a proporcionar observaciones sueltas, inconexas, en torno a tal o cual problema particular. Los análisis fonéticos —fundamentales en todo estudio dialectal— deberán completarse con la consideración fonológica de los elementos del sistema. Sería necesario que los trabajos léxicos fuesen algo más que una simple catalogación alfabética de voces o expresiones y que se tratara de establecer el valor delimitador —geográfico, histórico, sociocultural— de cada término dentro del campo semántico a que pertenezca. Hay que tratar de llegar, en suma, a la forma interna de cada modalidad lingüística hispanoamericana.

Por supuesto que sería de desear que se prestara mayor atención de la que se les ha concedido hasta ahora a los fenómenos gramaticales. En muchos de los trabajos publicados últimamente se atiende sólo a los hechos fonéticos y léxicos del idioma, en tanto que la estructura gramatical, columna vertebral de la lengua, queda en el olvido. Durante siglos, la gramática se ha hecho exclusivamente sobre la lengua escrita. La cambiante realidad de la lengua hablada parecía imposible de asir. Cierto que la compilación y el estudio de los fenómenos gramaticales —especialmente del habla— requieren más esfuerzo, dada la complejidad superior de ciertas construcciones; pero hoy disponemos de medios adecuados para fijar materialmente la lengua hablada y para reproducirla en toda su complicada realidad. Una sola peculiaridad sintáctica puede resultar más significativa que toda una serie de particularidades léxicas.

Es preciso también huir de las generalizaciones simplificadoras, que tanto pueden deformar la realidad de un habla. En un área como la de Hispanoamérica, de intensa efervescencia idiomática, donde el polimorfismo lingüístico es evidente en casi todos los aspectos, cualquier juicio preconcebido escolarmente puede resultar nefasto para la exactitud y rigor de la investigación, y cualquier simplificación de esa compleja inestabilidad puede deformar esencialmente la realidad. De ahí que, junto a los estudios generales de alcance continental, sean imprescindibles las monografías minuciosas, detalladas, sobre las hablas de pequeñas regiones o de localidades concretas; monografías sin las cuales cualquier síntesis global no pasará de ser una intuición más o menos acertada, una aventura más o menos peligrosa.

Otra de esas grandes tareas comunes de la dialectología hispanoamericana considero que debería ser el análisis desapasionado del problema de los sustratos. Las modificaciones experimentadas por el español en América y sus rasgos distintivos deben tratar de explicarse dentro del sistema íntimo de la lengua, siempre que ello sea posible. El achacar cualquier peculiaridad del español americano a la influencia de las lenguas de sustrato —cuya estructura suele desconocerse— es solución cómoda y fácil, pero enteramente gratuita si no queda bien justificada. La postura —para algunos extrema— adoptada por Bertil Malmberg [1966] a este respecto, parece muy razonable. Inclusive en el dominio lexicográfico hay que actuar con prudencia. La simple catalogación de voces prehispánicas —en su mayoría topónimos o términos de la flora y fauna peculiar de cada país— conduce a muy poca cosa. Es necesario aquilatar la vitalidad de esas voces indígenas, sopesar su importancia dentro de la estructura interna de la lengua. Habría que procurar asimismo la colaboración de los indigenistas en esta tarea de dilucidación de la verdadera influencia del sustrato, para trabajar con verdadero conocimiento de causa y evitar así las afirmaciones gratuitas en uno u otro sentido.

Sería conveniente aclarar hasta qué punto la simplificación de, al menos, algunos aspectos del sistema lingüístico castellano obedece a la condición de lengua periférica o de lengua de colonización que tiene el español de América. Simplificación o reducción morfológica que se compensa, por otra parte, mediante el crecimiento de las formas analíticas, perifrásticas. Los reajustes del sistema morfosintáctico podrían confrontarse con los reajustes realizados en las diferentes regiones dentro del sistema léxico, es decir, con los cambios semánticos nacionales. Tal vez en esa condición de lengua periférica se halle la explicación del carácter arcaizante de algunas hablas hispanoamericanas, así como del ímpetu con que se han desarrollado en ellas algunas de las tendencias evolutivas inherentes al sistema castellano.

También debe ser labor de interés común la investigación histórico-documental a la par que lingüística de las posibles áreas de influencia dialectal española, debidas al distinto origen regional de los colonizadores del Nuevo Mundo. El andalucismo de la zona antillana parece ser ya cosa segura; la relación de determinadas áreas hispanoamericanas con el habla canaria no parece menos probable; los rasgos occidentales del español americano han sido ya revelados por Corominas. Valdría la pena insistir en estos problemas de manera sistemática. El estudio histórico y documental arrojaría quizá nueva luz sobre otras muchas cuestiones del habla hispánica. [...] La filología histórica de Hispanoamérica está aún por realizarse.

2. VICENTE HUIDOBRO, CÉSAR VALLEJO Y LA POESÍA CONTEMPORÁNEA

Una generación de grandes poetas innovadores, nacidos entre 1890 y 1904, da comienzo a una nueva época y al período superrealista. La poesía contemporánea tiene sus primeras manifestaciones hacia 1915 o 1916 con una dirección mantenida y consciente en la obra de Vicente Huidobro publicada en América, en Francia y en España y difundida con eficacia a lo largo de los años veinte en todo el mundo hispánico. Lo personal y lo gregario de la «poesía nueva» se unen en Huidobro para sincronizar el momento de la poesía hispánica con el momento de la vanguardia europea. Entre 1920, aproximadamente, y 1935, se extiende el período en el cual las nuevas voces de la poesía hispanoamericana se inician y se hacen oír con acentos inconfundibles. *El espejo de agua* (1916), *Ecuatorial* (1918), *Poemas árticos* (1918), *Altazor* (1931), *Temblor de cielo* (1931), de Huidobro; *Los heraldos negros* (1918), *Trilce* (1922), de César Vallejo y su obra póstuma, publicada en 1939; los libros ultraístas de Borges, *Fervor de Buenos Aires* (1923), *Luna de enfrente* (1925), *Cuaderno San Martín* (1929); *Veinte poemas de amor y una canción desesperada* (1924), *Tentativa del hombre infinito* (1925), *Residencia en la tierra* (1933-1935), de Neruda; *Veinte poemas para ser leídos en el tranvía* (1922), *Calcomanías* (1925), *Espantapájaros* (1932), de Oliverio Girondo, ilustran una cronología de cambio y ruptura con la poética anterior. Rubén Darío es la figura admirada e influyente cuyos prestigiosos motivos son transformados junto a lo más importante de la poesía hispánica de siempre. El modernismo de Lugones y de Herrera y Reissig y Tablada; y luego el mundonovismo de López Velarde, Eguren, Valdelomar y Güiraldes, concurren en la etapa formativa, junto con la simpatía por Gómez de la Serna. Rimbaud, Mallarmé, Lautréamont, entre los postsimbolistas, y Apollinaire, Blaise Cendrars, Reverdy entre los poetas de *Nord-Sud*, influyen en intercambio frecuente. Los viajes mexicanos de Benjamin Peret, André Bréton, Pierre Mabille; la Exposición Internacional del Surrealismo en México (1938), y en general las exposiciones internacionales del surrealismo, atraen la participación hispanoamericana. Huidobro se incorpora ocasionalmente al dadaísmo, colaborando en sus publicaciones y aceptando una de las presidencias que el movimiento prodigaba. Este período de cambio y rebeldía cristaliza en la experiencia juvenil de los ismos a partir del creacionismo huidobriano, de 1916, de su presencia en París y en Madrid (1918) y del ultraísmo español y americano de 1919, de *Proa* (1922-1923, 1924-1926) y *Martín Fierro* (1924-1949) (véase Videla [1963]); del estridentismo mexicano (1921-1927), historiado por Germán List Arzubide (*El movimiento estridentista*, México, 1926) y estudiado por Schneider [1970] y el grupo, más moderado, de *Contemporáneos*. El grupo *Minorista* y *Revista de Avance* (1927-1930) (véase Ripoll [1964]) encarnan la vanguardia en Cuba. Mientras *Amauta* (1928-1930), en el Perú, dio cabida a las manifestaciones de la poesía nueva. Huidobro atribuía a Gabriel Alomar y su auguralismo, y a Armando Vasseur, en América, la anticipación del futurismo de Marinetti. En todo caso el futurismo —su preferencia por los motivos mecánicos, la energía y el culto de la velocidad— resulta encapsulado en las formas de la nueva poesía pero transformado por las nuevas tendencias como otros datos preexistentes. Otro tanto acontece con sus ataques a la gramática usual y particularmente a la grafía convencional y a la tipografía. La presencia de Marinetti en Buenos Aires (1926) estimula, pero en breve cierra la significación específica del futurismo. Sobre el futurismo, véase De Torre [1965] y más recientemente Osorio [1982]. El creacionismo ha recibido variado tratamiento en la bibliografía de Huidobro que puede verse más adelante. El ultraísmo ha sido abordado por De Torre [1925, 1965] y Videla [1963]; el estridentismo, por Leal [1965], Schneider [1970] y Meyer-Minnemann [1982]; el simplismo de Hidalgo, por Monguió [1954]. Derivados del espíritu de la primera vanguardia y de la carnavalización de la literatura fueron otros movimientos juveniles que se desarrollaron a partir de los años treinta y que comprenden: el runrunismo (véase Videla [1981]) y el decorativismo chilenos; el invencionismo argentino de Bayley (véase Fernández Moreno [1967]); el surrealismo de la Mandrágora, en Chile; de *El uso de la palabra* (1939) de César Moro y Westphalen, en el Perú; de *A partir de 0*, en Argentina; de *Taller* y *Estaciones*, en México. El grupo *Piedra y cielo*, en Colombia, es renovador pero se orienta hacia la poesía española y se inspira en Juan Ramón Jiménez. En Venezuela, *Viernes* juega el mismo papel descontento y renovador, y, luego, *Techo de la ballena*.

Un aspecto vinculado al espíritu nuevo, al descubrimiento del arte negro, y, por consiguiente, a la dignificación cultural del negro, es la poesía negra afroamericana, llamada también con diversidad: mulata, negrista, negroide —ligada, más tarde, al concepto culturalista de *négritude* (Aimé Césaire), difundido por Sartre—, y, finalmente, al de una comprensión social del negro. La poesía de imitación del español de los negros y de elementos de su lenguaje se cultivó en España y América desde el Siglo de

Oro. En la vanguardia hispanoamericana Nicolás Guillén, el más notable, Luis Palés Matos, Zacarías Tallet, Emilio Ballagas, prestan cuerpo con su producción a esta significativa parte de la poesía del período. Poética de vanguardia y función social y política de la literatura confluyen en esta poesía. El fenómeno no se reduce al Caribe, sino que se extiende también a Sudamérica (véase Lewis [1983]). Al estudio de la poesía negrista, después de los trabajos de Ramón Guirao, *Órbita de la poesía afrocubana* (Ucar García, La Habana, 1938), de J. A. Fernández de Castro, *Tema negro en las letras de Cuba* (Mirador, La Habana, 1943), y de Arrom [1950], deben agregarse I. Pereda Valdés, *Lo negro y lo mulato en la poesía cubana* (Ediciones Ciudadela, Montevideo, 1970), Valdés Cruz [1970], Mansour [1973]; Rogmann [1966], en las literaturas romances; Cobb [1979] abarca en un conjunto a Langston Hughes, Jacques Roumain y Guillén; Fernández de la Vega y Alberto N. Pamies [1973] y Lewis [1983], abordan la poesía negra y la «negritud» en la América del Sur. No deben olvidarse las antologías que inauguraron este campo, como las de Pereda Valdés [1936, 1953] y Ballagas [1944, 1946]. La poesía negra encuentra sus representantes en Colombia en la obra de Juan Zapata Olivella (1920), Jorge Artel (1905) y Hugo Salazar Valdés; en Ecuador, Antonio Preciado, Adalberto Ortiz (1914) y Nelson Estupiñán (1912); en Perú, en la obra de Nicomedes Santa Cruz; en Pilar Barrios (1889) y Virginia Brindis de Salas (1920), en Uruguay.

La definida vigencia de la poesía nueva puede fijarse hacia 1935. Las voces principales que caracterizan esta vigencia y sus rasgos gregarios y que a la vez se levantan como voceros de individualidad inconfundible, son las de Huidobro, Vallejo y Neruda. En un plano diverso la poesía de Nicolás Guillén y, en otro, Borges y Girondo, Molinari y J. L. Ortiz; algo aislado León de Greiff; y en un ámbito propio moderado y afinado los mexicanos Gorostiza, Pellicer, Owen, Novo, Villaurrutia, Ortiz de Montellano. Vinculados directamente a algunos grupos de vanguardia acaso deban mencionarse César Moro (1903-1956) —véase su *Obra poética* (Instituto Nacional de Cultura, Lima, 1980)—, estudiado por Coyné [1980], relacionado con Breton y el surrealismo en Perú, México y París; y el ecuatoriano Alfredo Gangotena (1904-1944) —véase hoy día su *Poesía completa* (Casa de la Cùltura Ecuatoriana, Quito, 1956)—, asociado a la vanguardia francesa en París. Ambos escribieron en español y francés sin alcanzar la resonancia de Huidobro, el más notable de los poetas bilingües. La representación poética extrae sus motivos del mundo contemporáneo con total desinterés por el canon tradicional. Éste omitía, hasta la generación anterior, los motivos extraídos del mundo ordinario, publicitario, mecánico y actual, y se remitía esencialmente a los motivos considerados poéticos. Pero la poesía nueva no se conforma con reproducirlos ni comentarlos, sino que los transforma mediante los recursos desviatorios que alejan el lenguaje poético del valor de uso de la lengua. La visión del mundo representa una trascendencia vacua. La poesía se convierte en objeto de la poesía. Se desarrolla una escatología de resonancias apocalípticas. Se reactiva el mito. Representaciones de la revolución, del carnaval, del fin del mundo, apuntan igualmente al mundo aludido y representado como a la transformación de la poesía. El hablante lírico se caracteriza por la despersonalización del yo, por la dispersión y multiplicidad contradictoria del yo. La dicción poética se constituye como lenguaje poético por sus desviaciones de la lengua usual y del sistema de la lengua. En el plano de sonido y léxico se despliega una gran creación verbal: metaplasmos, o jitanjáforas (Mariano Brull, Alfonso Reyes), que Huidobro llama palabras creadas —*portmanteau words* para Lewis Carrol, glosolalias, para el lingüista (Otto Jespersen)—; en el plano de la morfosintaxis se dan: epíteto impertinente, indicador verbal de la imagen; predicación verbal de impertinencia semántica, situación creada o visión, y predicación nominal impertinente o concepto creado. Figuras de contradicción, todas ellas, de grado fuerte, que van a parar a la postulación de un mundo autónomo. Los símiles o comparaciones se construyen con impertinencia semántica; la coordinación oracional y extraoracional o textual es inconsecuente y tiene la yuxtaposición como su método dominante. La versificación (véase Navarro Tomás [1966, 1972] y López Estrada [1969]) da lugar al verso libre o amétrico, al versículo; a una nueva disposición de las líneas, continuas, quebradas, escalonadas, nuevos blancos y espacios, nuevas sangrías de variada extensión; ya sea como mera dispersión, ya como poemas figurados (*carmina figurata*), ideogramas, caligramas, poemas pintados, poesía concreta. Prosa y poesía dejan de ser términos opuestos.

Una metapoesía, conciencia de la poesía en los poetas, se desarrolla en los casos de Huidobro, Vallejo y Borges, lúcidos y contrarios, y, a pesar de la declarada inhabilidad teórica, en el caso de Neruda, en *Sobre una poesía sin pureza* como poética del nuevo canon contemporáneo y como particularidad de Neruda. El grotesco realista (Bajtín), en la fusión de los aspectos orgánicos, y el grotesco moderno trasgresor de órdenes de realidad distintos (Kayser), vienen a concurrir en todos los ismos. Confusión que matizan futurismo, creacionismo, ultraísmo, estridentismo, simplismo y surrealismo.

Entre los primeros estudios sobre la poesía de vanguardia se cuentan los de Guillermo de Torre, *Literaturas europeas de vanguardia* (Caro Raggio, Madrid, 1925), Francisco Donoso, *Al margen de la poesía* (París, Agencia Mundial de Librería, 1927). Una visión más elaborada puede hallarse en De Torre [1965], Bajarlía [1946, 1957, 1964], Stimson [1970], quienes abordan las escuelas de vanguardia. Entre los ensayos de importancia destacan los de Yurkievich [1971, 1984], en una determinación prudente de «los fundadores», Paz [1974], Sucre [1975], Forster [1981], en el plano de las cronologías, han abordado la comprensión de la vanguardia en sus diferentes aspectos y principales representantes. Compilaciones de estudios son las de Collazos [1970], *Movimientos literarios de vanguardia en Iberoamérica, Memoria del XI Congreso del IILI* (Universidad de Texas, México, 1965), *Revista Iberoamericana,* 106-107 (1979) y 118-119 (1982), *Revista de Crítica Literaria Latinoamericana,* 15 (1982). Estudios nacionales se deben a Ghiano [1957], de la poesía argentina; Monguió [1954], de la peruana; Santana [1976], de la chilena; todos requieren ser puestos al día en nuevas investigaciones. Antología que recoge las primeras expresiones de la poesía nueva, anticipación, en alguna medida de la de Gerardo Diego, *Antología de la poesía española* (Madrid, 1934), es la de Borges, Hidalgo y Huidobro, *Índice de la poesía americana nueva* (El Inca, Buenos Aires, 1926). La mayor parte de los poetas importantes de esta generación ya aparecen antologados en la obra de Federico de Onís, *Antología de la poesía española e hispanoamericana* (Madrid, 1934). La antología *Laurel* (México, 1941) y la colección de *Índices de la poesía* (Ercilla, Santiago de Chile, 1937) son inapreciables contribuciones para el conocimiento de la poesía hispanoamericana. Entre las más modernas debe destacarse la de Aldo Pellegrini [1966], la de Stefan Baciu [1974] merece serios reparos por sus postulados selectivos. Antologías nacionales de particular valor histórico son las de Néstor Ibarra, *La nueva poesía argentina: ensayo crítico sobre el ultraísmo, 1921-1929* (Molinari, Buenos Aires, 1930), Eduardo Anguita y Volodia Teitelboim, *Antología de poesía chilena nueva* (Zig-Zag, Santiago de Chile, 1935); J. E. Eielson, S. Salazar Bondy y J. Sologuren, *La poesía contemporánea del Perú* (Cultura Antártica, Lima, 1946). Y entre las más modernas las de Paz *et al.* [1966], Monsiváis [1966], de México; Escobar [1973], de Perú; Elliott [1957], Scarpa y Montes [1968] y Calderón [1970], de Chile; Fernández Moreno [1968], Urondo [1968] y Aguirre [1952], de Argentina. La bibliografía, auxiliar indispensable para consolidar estos estudios, está todavía en ciernes. Stimson [1970] y Forster [1981], han hecho una contribución parcial.

Los rasgos fundamentales de la vanguardia van a proyectarse sobre la segunda y la tercera vanguardias que se identifican con la serie de las generaciones contemporáneas condicionando su desarrollo con una influencia que los mueve a liberarse y destruir preferencias y modalidades de la poesía nueva. La poesía como conocimiento, la antipoesía, el construccionismo encuentran sus antecedentes en ella y su condición de posibilidad. El coloquialismo, el exteriorismo, la destrucción de la poesía, el placer lúdico, el debate de poesía e ideología, poesía y compromiso se proyectan sobre todo el período. El surrealismo —rechazado por Huidobro y Vallejo; Neruda, rechazado por el surrealismo— será acogido por la generación joven de Paz y befado por la de Lihn. Vallejo será la gran voz oída y repetida en su coloquialismo o en su contenido escatológico y profético. Huidobro

—Vicente vidente— será, al decir de Octavio Paz, el oxígeno en el aire de la poesía hispanoamericana contemporánea. Neruda producirá la imitación masiva, el tono whitmaniano, la dicción comunicativa y verbosa. Las transformaciones que la poesía experimenta en los años siguientes se realizan en el contexto establecido por la generación de los grandes poetas de vanguardia. Aunque los nuevos poetas de la segunda vanguardia conservan su impulso liberador y destructor, su punto de partida, su horizonte y contexto literario fundamental son los que la poesía nueva ha establecido. Pero es a partir de la destrucción de esa influencia y, en particular, de la destrucción del lenguaje poético anterior, de la alquimia verbal, de la destrucción de la representación y la dispersión del hablante; del rescate, más que generoso, del surrealismo en sus aspectos mitológicos, eróticos, y psicológicos, que éstos afirman su singularidad. Los poetas dominantes: Paz, Lezama Lima, Parra, Abril, Girri, diversamente abordan nuevas posibilidades. En su aislamiento, Lezama se mantiene más rezagado y afín a la primera vanguardia; Paz más innovador recorre toda la gama de la novedad hasta la poesía concreta; Girri despoja la poesía de sus atavíos para hacerla medio de conocimiento desnudo; Parra, antipoeta, rompe el engolamiento de la poesía vigente, coloquializa y oraliza el lenguaje poético, cotidianiza el contenido, trivializa la dignidad de la poesía en el «artefacto» y la «postal», carnavaliza la poesía; Abril juega con festivo popularismo y también ahonda en la poesía con inclinación metafísica oscilando libremente entre la tradición y la ruptura.

La generación siguiente, de Belli, Cardenal, Juarroz y Lihn, enfatiza la desacralización y destrucción de la poesía. Parte y se aparta de la antipoesía, invierte el sentido de géneros de decir cristalizados, entreteje registros y géneros de decir de variado origen textual (publicitario, periodístico, académico, cinematográfico; salmos, odas, elegías, oraciones) con énfasis contemporáneo y cotidiano. También ensancha el tiempo del diálogo textual atrayendo la poesía del Siglo de Oro y aun la medieval y acrecentando el intercambio —cita, versión, traducción— con otros dominios lingüísticos y poetas extranjeros de antes y ahora. Al mismo tiempo acentúa el irrealismo radicalizando la destrucción de cada uno de los factores de la situación comunicativa que imita, duplicándola en autorreferencias, comentarios autodestructivos, que mantienen la situación en transformación constante y por consiguiente en la contradicción o la ambigüedad. Algo de Huidobro, de Girondo, de Vallejo, de Parra anima en esta poesía. Los más jóvenes poetas, Pacheco, Hahn, Cobo Borda, Cisneros, poseídos del espíritu de autodestrucción oscilan entre la poesía concreta, el juego, la poesía elemental y el desafío del orden, sin consignas ni sujeciones.

Vicente Huidobro (1893-1948) nació en Santiago de Chile, el 10 de enero de 1893. Hijo de padres aristocráticos de tradición intelectual y política en el país. La madre, María Luisa Fernández Bascuñán, es una influencia decisiva en su vida literaria. Se educa en el colegio de los jesuitas, en Santiago. En 1911, publica su primer libro *Ecos del alma* (Imprenta y Encuadernación Chile, Santiago, 1911), y al año siguiente, la revista *Musa Joven* (1912) y luego *Azul* (1913). En 1913, contrae matrimonio con Manuela Portales Bello. Ese año publica *Canciones en la noche: libro de modernas trovas* (Imprenta y Encuadernación Chile, Santiago, 1913) y *La gruta del silencio* (Imprenta Universitaria, Santiago de Chile, 1913). Luego publica *Las pagodas ocultas* (Imprenta Universitaria, Santiago de Chile, 1914), libro de prosa poética y un polémico libro de ensayos, *Pasando y pasando* (Imprenta y Encuadernación Chile, Santiago, 1914). A los 23 años se cierra esta primera etapa de la vida de Huidobro con su libro *Adán* (Imprenta Universitaria, Santiago de Chile, 1916). La siguiente etapa está marcada por el viaje del poeta a París y la publicación de su libro *El espejo de agua, 1915-1916* (Biblioteca Orión, Buenos Aires, 1916), con que se inicia su poesía creacionista. El poeta arriba a París a fines de 1916 y publica versiones francesas de poemas de ese libro en la revista *Nord-Sud*, perteneciente al grupo cubista. Esas versiones más nuevos poemas formarán parte de su primer libro francés y del amplio bilingüismo de la poesía de Huidobro, *Horizon carré* (Éditions Paul Birault, París, 1917). En 1918, viaja a Madrid llevando la novedad de la poesía nueva y cuatro libros, dos franceses y dos en español, *Tour Eiffel* (Imprenta Pueyo, Madrid, 1918), *Hallali, poème de guerre* (Ediciones Jesús López, Madrid, 1918), *Ecuatorial* (Imprenta Pueyo, Madrid, 1918) y *Poemas árticos* (Imprenta Pueyo, Madrid, 1918). Una antología, *Saisons choisies* (Éditions Le Cible, París, 1921), completa este período de intensa actividad creadora. La difusión de la poesía de Huidobro en este período se realiza a través de la actividad personal y de la publicación en *Cervantes* y *Cosmópolis* de sus poemas, de traducciones de ellos, y de comentarios sobre su obra. Los jóvenes poetas españoles le rodean y dos de ellos principalmente le brindan amistad y reconocimiento constantes, Juan Larrea y Gerardo Diego. Este es un período decisivo en la transformación de la poesía española por la generación joven abierta al nuevo espíritu y a la poesía de vanguardia. La forma española de esta transformación tomó el nombre de ultraísmo sin que esto tuviera una decisiva fuerza innovadora en comparación con la acción de Huidobro. Una nueva etapa en este período se completa con los libros franceses *Automne régulier* (Librairie de France, París, 1925) y *Tout à coup* (Au sans pareil, París, 1925), en los que la poesía de Huidobro alcanza una forma más personal y diferenciada en las peculiaridades de su dicción. En 1925, regresa a Chile, publica el periódico *Acción* y es candidato a la presidencia de la república. En 1927, regresa a Europa y, luego, viaja a los Estados Unidos donde permanece hasta 1929. Un nuevo período comienza con la publicación de *Altazor* (Compañía Ibero Americana de Publicaciones, Madrid, 1931) y de *Temblor de cielo* (Plutarco,

Madrid, 1931), seguida de su traducción francesa un año más tarde, *Tremblement de ciel* (Éditions de l'As de Coeur, París, 1932), tal vez las expresiones más notables de su poesía. En 1933, retorna a Chile y se transforma en un mentor de la generación joven. En 1937, participa en el Congreso de Intelectuales en Valencia. A partir de 1938, publica activamente en *Multitud*, la revista de Pablo de Rokha que concierta a los intelectuales simpatizantes del Frente Popular, y en el diario *La Opinión*. La etapa final de su obra poética está formada por *Ver y palpar* (Ercilla, Santiago de Chile, 1941) y *El ciudadano del olvido* (Ercilla, Santiago de Chile, 1941). Durante la segunda guerra mundial participa como oficial en el ejército del general Delatre de Tassigny con quien entra en Berlín en 1944. Durante los últimos años de su vida vive retirado en sus tierras de la costa. Falleció de un derrame cerebral el 2 de enero de 1948. Ese mismo año se publica la edición póstuma de *Últimos poemas* (Talleres Gráficos Ahués Hnos., Santiago de Chile, 1948). Entre 1929 y 1938, Huidobro desarrolló paralelamente a su poesía una intensa producción narrativa que comprende la «hazaña» *Mio Cid Campeador* (Compañía Ibero Americana de Publicaciones, Madrid, 1929; otras eds., Ercilla, Santiago de Chile, 1942; 1949; Andrés Bello, Santiago de Chile, 1976), *La próxima (Historia que pasó en un tiempo más)* (Ediciones Walton, Santiago de Chile, 1934), *Papá o el diario de Alicia Mir* (Ediciones Walton, Santiago de Chile, 1934), *Cagliostro (novela-film)* (Editorial Zig-Zag, Santiago de Chile, 1934; otra ed., 1942), *Tres novelas ejemplares* (Zig-Zag, Santiago de Chile, 1935), en colaboración con el poeta alemán Hans Arp, y *Sátiro o el poder de las palabras* (Zig-Zag, Santiago de Chile, 1939). Escribió dos obras dramáticas de diverso carácter: una obra guiñolesca, *En la luna* (Ercilla, Santiago de Chile, 1934) y una obra en francés, *Gilles de Raiz* (Éditions Totem, París, 1932). Sus ensayos literarios comprenden sus libros *Pasando y pasando* (Imprenta y Encuadernación Chile, Santiago, 1914), *Manifestes* (Éditions de la Revue Mondiale, París, 1925) y *Vientos contrarios* (Nascimento, Santiago de Chile, 1926). *Finis Britannia* (Éditions Fiat Lux, París, 1923), es un ensayo profético de condenación del imperialismo inglés. Entre las revistas editadas por Huidobro se cuentan *Création* (1922-1924, 4 números), *Ombligo* (1934), *Vital* (1935, un número), *Total* (1936-1938, 2 números), *Actual* (1944).

De Vicente Huidobro existen dos ediciones de *Obras completas* (Zig-Zag, Santiago de Chile, 1964; Andrés Bello, Santiago de Chile, 1976). Las antologías de su obra poética más estimables son las de Anguita (Zig-Zag, Santiago de Chile, 1945), Undurraga (Aguilar, Madrid, 1957), Montes (Editorial del Pacífico, Santiago de Chile, 1957), Lihn (Casa de las Américas, La Habana, 1968) y Scarpa (Santillana, Madrid, 1975). De sus libros principales se han hecho ediciones modernas, por lo general sin mayor aparato crítico. Hay edición moderna facsimilar de *El espejo de agua*, presentada por De Costa [1975], *Poemas árticos* (Nascimento, Santiago de Chile, 1972), *Ecuatorial* (Nascimento, Santiago de Chile, 1980); de *Altazor* (Cruz del Sur, Santiago de Chile, 1949, con alguna errata significativa); otras eds.: Ediciones Universitarias de Valparaíso, 1972, edición de Cedomil Goic; Alberto Corazón, Madrid, 1973; Visor, Madrid, 1973, Colección Visor de Poesía, 41, 1978, 1981; Cátedra, Madrid, 1981, edición de René de Costa; Revista de la Universidad de México, 1974; UNAM, México, 1974, y la edición facsimil de Premiá, México, 1986. De *Temblor de cielo* hay reedición (Cruz del Sur, Santiago de Chile, 1942; Editorial del Pacífico, Santiago de Chile, 1960; y Cátedra, Madrid, 1981, que incluye *Altazor*).

La bibliografía de y sobre Vicente Huidobro ha sido ordenada por Goic [1956, 1974] y Hey [1975, 1979]. Los estudios de conjunto de mayor interés son los de Goic [1956, 1974], el primero en ordenar los temas fundamentales de la vida, teoría y obra del poeta, Bary [1963], Yúdice [1978], que pone el énfasis en la interpretación de la obra poética, Concha [1980], estudio lleno de méritos pero escrito con antipatía declarada por la persona, y Costa [1984]. Libros que abordan aspectos parciales son los de Bajarlía [1964], Pizarro [1971], Caracciolo Trejo [1974], Camurati [1980], Costa [1980, 1984], Mitre [1981] y Bustos [1983]. Hay una utilísima compilación de Costa [1975]. La crítica ha prestado atención a las obras particulares con variado énfasis; sobre *El espejo de agua* han escrito, Admussen y Costa [1972], y Cúneo [1977]. Sobre *Ecuatorial*, Hahn [1984]; y sobre *Poemas árticos*, Valdés [1975], Invernizzi [1977] y Yúdice [1978]. Entre los libros de Huidobro, *Altazor* es el que ha concitado el mayor número de trabajos y encontradas interpretaciones de sus variados aspectos. Falta a la fecha, sin embargo, un estudio acabado y completo del poema. Holmes [1934], Goic [1956, 1974, 1979], Bary [1963, 1978, 1979], Concha [1965, 1980], Yurkievich [1978, 1979, 1984], Cortanze [1976], Forster [1970], Yúdice [1978], Hey [1979], Osgood [1974], Schweitzer [1971], Sucre [1975], Costa [1981], Larrea [1979], Lihn [1970]. Lefebvre [1958] aborda el canto III sobre el que abunda Goic [1979] en relación al símil creacionista. *Temblor de cielo* ha sido abordado por Gutiérrez [1983]. Poemas de *Ver y palpar* han sido analizados por Yúdice [1978]. El creacionismo de Huidobro ha sido abordado por Goic [1956, 1974], Wood [1978], Camurati [1980]; estudiado en relación al ultraísmo por Videla [1963], y a las tendencias de vanguardia por Caracciolo Trejo [1974]. Se ha puesto el acento sobre la relación con el futurismo (Concha [1965, 1980], Caracciolo Trejo [1974], Yúdice [1978]), pero se ha descuidado su asociación con el dadaísmo. La relación con el ultraísmo español ha sido desarrollada en los trabajos de Torre [1925, 1946, 1965], Bajarlía [1946, 1957, 1964, 1970] y Videla [1963]. La supuesta polémica con Reverdy ha sido abordada por Bajarlía [1964],

Bary [1963, 1971, 1980] y zanjada, en cierta manera, por éste en su último artículo. Los motivos de la poesía de Huidobro han sido señalados por Goic [1956, 1974] y elaborados recientemente por Yúdice [1978]. Análisis del hablante lírico pueden hallarse en Goic [1972] y Yúdice [1978]. El lenguaje poético y las imágenes y otros recursos han sido analizados por Valdés [1974-1975], Cúneo [1977], e Invernizzi [1977]; el *nonsense*, por Hey [1979]; la comparación creacionista o símil de impertinencia por Goic [1979]. El análisis semiótico de poemas ha sido abordado con acierto por Yúdice [1978]. Sobre Huidobro y Reverdy ha escrito Bary [1980] y, en torno a Apollinaire y Huidobro, el mismo Bary [1971]. Sobre Huidobro y Cendrars escriben Lihn [1979] y Concha [1980]. La proyección de Huidobro ha sido definida como omnipresente —el oxígeno en el aire de la poesía hispanoamericana contemporánea— por Paz. Undurraga [1957] exagera la influencia concreta de unas imágenes de Huidobro en otras de sus contemporáneos. Neruda [1974] da testimonio de la significación de Huidobro. Gerardo Diego [1968] y Larrea [1944] consideran su influjo semejante al de la llegada de Darío a España.

César Vallejo (1892-1938) nació en Santiago de Chuco, Perú, el 16 de marzo de 1892. Fue el menor de doce hijos. Hizo sus estudios primarios en su pueblo natal y los secundarios en Huamachuco. En 1911, se dirige a Lima para iniciar estudios de Medicina en los que no persevera. Se emplea como preceptor en Ambo y luego como ayudante de cajero en una hacienda. En 1913, se matricula en la Escuela de Letras de la Universidad la Libertad, de Trujillo. En 1915, recibe el grado de bachiller. Su tesis versó sobre *El romanticismo en la poesía castellana* (Tipografía Olaya, Trujillo, 1915). Enseña como profesor en la escuela primaria e inicia estudios de Derecho. La determinación de su vocación literaria se consolida en el grupo de jóvenes intelectuales de Trujillo encabezado por Antenor Orrego y al que pertenecían también Alcides Spelucín, el poeta Juan Parra del Riego, y Raúl Haya de la Torre. Publica en el periódico *La Reforma* varios poemas que luego recogerá en su primer libro. A fines de 1917, se embarca con destino a Lima. En 1918, publica *Los heraldos negros* (Editorial de Souza Ferreira, Lima, 1918), que no saldrá a la venta hasta mediados del año siguiente. Se emplea en el colegio Barrós como profesor y en el Instituto Nacional que lo continúa y en el que trabaja hasta 1919. Este año ingresa al curso de doctorado en Letras en la Universidad de San Marcos. En 1920, retorna a Trujillo y a Santiago de Chuco. Ciertos desórdenes en la ciudad, en los que Vallejo toma la parte conciliadora, le valen la persecución y la cárcel en la que permanece por ciento doce días. Allí escribe numerosos poemas de su libro *Trilce* y prosas de *Escalas melografiadas*, caracterizados por el contexto del encierro. En 1921, regresa a Lima. Al año siguiente publica su libro *Trilce* (Talleres Tipográficos de la Penitenciaría, Lima, 1922), con prólogo de Antenor Orrego. El libro obtiene una recepción negativa, el poeta lo reconoce al tiempo que afirma la necesidad interior de su libertad creadora. Un año después, publica sus prosas y cuentos de *Escalas melografiadas* (Talleres Tipográficos de la Penitenciaría, Lima, 1923) y su novela *Fabla salvaje* (La novela peruana, 1:9, Lima, 1923). En junio de este año viaja a Europa. Arriba a París en julio de 1923. Vive con gran dificultad durante los dos primeros años en Europa. Cae enfermo en 1924 y pasa un mes en el hospital. Su situación mejora más tarde gracias a la ayuda del escultor costarricense Max Jiménez. Por este tiempo se vincula con Vicente Huidobro y Juan Larrea. En 1925, consigue un trabajo estable como secretario del Bureau des Grands Journaux Ibéro-Américains y corresponsal de las revistas *Mundial* y *Variedades* de Lima, que perdurará hasta 1930. Viaja con frecuencia a España gracias a una beca. En 1926, edita con Juan Larrea la revista *Favorables-París-Poema* (1926, 2 números). Por este tiempo Vallejo se mueve en un círculo que comprende al chileno Vicente Huidobro, a Larrea y a los peruanos Ernesto y Gonzalo More y a Percy Gibson. Hacia 1927-1928 experimenta una crisis moral que lo conduce a un sentido renovado de responsabilidad social. Se interesa en el marxismo y su visión de los problemas políticos y sociales. Enferma seriamente en 1928. Después de su convalescencia en las afueras de París decide viajar a Rusia. Hace luego un segundo viaje en 1929. A esta altura se ha convertido en un militante comunista. A causa de su filiación es expulsado del país en 1930. En 1929, se había casado con Georgette Philippart. Se dirige a Madrid donde vive con su esposa en condiciones muy difíciles que no le impiden una gran actividad política y literaria. En 1930, se publica la segunda edición de *Trilce* (Compañía Ibero-americana de Publicaciones, Madrid, 1930), con prólogo de José Bergamín y un poema de Gerardo Diego. Publica la novela *Tungsteno* (Editorial Cenit, Madrid, 1931) y un recuento de sus viajes a Rusia, *Rusia en 1931. Reflexiones al pie del Kremlin* (Ediciones Ulises, Madrid, 1931). En octubre de 1931 hace su tercer viaje a Rusia. En febrero de 1932, regresa a París admitido a condición de no participar en actividades políticas. Vuelve a escribir poesía y una variedad de otros trabajos que no se publican sino póstumamente. Carente de un trabajo estable vive con grandes penurias económicas. Al comenzar la guerra civil española Vallejo reactiva su militancia política. Viaja a España a comienzos de 1937. De regreso a Francia luego del breve viaje participa en la organización del Comité Iberoamericano para la defensa de la República y del órgano de ese comité, la revista *Nuestra España.* En julio de 1937, participa en el Segundo Congreso Internacional de Escritores para la Defensa de la Cultura, en Valencia. De retorno de su último viaje, concluye *Poemas humanos* y *España, aparta de mí este cáliz.* Su salud se resiente gravemente. Cae enfermo en marzo de 1938 y fallece en la clínica Villa Arago, del Boulevard Arago 95, por causas desconocidas, el 15 de abril de 1938. Póstumamente se publicaron *Poemas humanos, 1923-*

1928 (Les Éditions des Presses Modernes, Au Palais Royal, París, 1939), edición a cargo de Raúl Porras Barrenechea. *España, aparta de mí este cáliz* (Ediciones Séneca, México, 1940), era considerada la primera edición independiente de este libro. Larrea, su editor, daba por perdida una edición impresa por los combatientes del frente de Aragón, en 1938, que no llegó a ser distribuida. Gilabert [1979, 1984] nos da noticia de un ejemplar de esta edición. Vélez y Merino [1984] resumen la historia de la edición impresa en el Monasterio de Montserrat en Barcelona de la cual existen cuatro ejemplares en el lugar. La edición tiene la siguiente portada: César Vallejo (1894-1938), *ESPAÑA, aparta de mí este cáliz. Poemas (Prólogo de Juan Larrea. Dibujo de Pablo Picasso). Soldados de la República fabricaron el papel, compusieron el texto y movieron las máquinas. Ediciones Literarias del Comisariado. Ejército del Este, Guerra de Independencia. Año de 1939.* Ediciones de su obra han renovado el estudio de la poesía y de otros géneros cultivados por Vallejo. *Poesía completa* (Barral, Barcelona, 1978), presentada como edición crítica y exegética por Juan Larrea (véanse los estudios de Bary [1979]), en discrepancia con la edición de *Obra Poética completa* (Francisco Moncloa Editores, Lima, 1968), edición con facsímiles dirigida por Georgette de Vallejo, y examinada por Larrea en *Aula Vallejo*, 11-12-13 (1974). A esta edición siguen en lo sustancial las ediciones de *Obras completas* (Mosca Azul Editores, Lima, 1973, tomo III) y las *Obras completas* (Editorial Laia, Ediciones de Bolsillo, Barcelona, 1978), la presentada por Ferrari [1982] (Alianza Tres, Madrid, 1982), y la que Enrique Ballón Aguirre presenta en su edición de *Obras poéticas completas* (Biblioteca Ayacucho, 58, Caracas, 1979) con un *addendum*. El mismo Ballón Aguirre ha editado el *Teatro completo* (Universidad Católica del Perú, Lima, 1979). Mientras Georgette de Vallejo ha editado los volúmenes de ensayos *Contra el secreto profesional* (Mosca Azul Editores, Lima, 1973) y *El arte y la revolución* (Mosca Azul Editores, Lima, 1973). Las *Novelas* (Francisco Moncloa Editores, Lima, 1968). El epistolario de Vallejo ha sido recogido en *Cartas* (Mejía Baca, Lima, 1975), 114 cartas de Vallejo a Pablo Abril de Vivero, y en *Epistolario general* (Pre-Textos, Valencia, 1982). Vélez y Merino [1984] recogen la presencia de España en la poesía y la prosa de Vallejo. Antología de su obra poética digna de destacarse es la de Higgins (Pergamon Press, Oxford, 1970).

La bibliografía de Vallejo ha sido preparada por Monguió [1952], Foti [1967], Villanueva de Puccinelli [1969] y Flores [1971, 1982]. Los estudios de conjunto de mayor importancia son los de Monguió [1952, 1960], Coyné [1958, 1978], Larrea [1957, 1962, 1980], Escobar [1973], Higgins [1970] y Ferrari [1974]. Para su biografía, véanse los trabajos de Espejo Asturrizaga [1965], Spelucín [1962], Coyné [1949, 1958, 1978] y Samaniego [1954] que inician la investigación biográfica del período peruano renovando la información de Monguió [1952, 1960]. Para la parte europea debe seguirse la polémica de Georgette de Vallejo [1968, 1978] y Larrea [1957, 1962, 1980]. Sobre el conjunto de la obra poética, véanse Coyné [1958, 1978], Abril [1958, 1962], Larrea [1958, 1961, 1962], Yurkievich [1958], Higgins [1970], Escobar [1973], Ferrari [1974], Franco [1976] y Martínez García [1976]. Compilaciones importantes son las de *Visión del Perú*, Flores [1971], Ortega [1975], Beutler [1981], Bernu [1972, 1973], y la serie de *Aula Vallejo*, publicada por Larrea. Sobre Vallejo y el surrealismo, Larrea [1969, 1971] y Coyné [1971]. Sobre *Los heraldos negros*, Espejo Asturrizaga [1965]. Los aspectos estilísticos han sido abordados por Abril [1958], Debicki [1970]; los semióticos, por Ballón Aguirre [1974, 1976, 1984]; el lenguaje poético como desviación, por Vega García [1982]; desde el punto de vista de los *speech acts*, por Rodríguez [1980]. *Trilce* ha sido abordado por Abril [1958], Ibérico [1963], Neale-Silva [1975] en un libro fundamental, Ortega [1970, 1971] y Vega García [1982]. Balart [1979] escribe sobre el poema LX, Ballón Aguirre [1976, 1984], sobre lectura del poema V en polémica con Pérez Firmat [1977], McDuffie [1970, 1975, 1978], Wing [1969], sobre el poema I. Sobre *Poemas humanos*, Salomon [1967], Higgins [1970], Ferrari [1974] y Paoli [1981]. Sobre *España, aparta de mí este cáliz*, Meo Zilio [1960], Paoli [1964, 1981]. Sobre el significado religioso de la visión vallejiana véase, desde el punto de vista de una teleología de la cultura, Larrea [1962]; desde el punto de vista de una ontología, Ferrari [1974]; y desde nuevos puntos de vista, Higgins [1970] y Escobar [1973]. Mientras sobre el marxismo de Vallejo puede verse McDuffie [1975, 1978]. Sobre la dialéctica en Vallejo, González Vigil [1981]. El tiempo ha sido abordado en particular por Ibérico [1965] y Caviglia [1972]. Los antecedentes mallarmeanos son explorados por Abril [1958]. El erotismo es objeto de estudio de Escobar [1965] y Larrea [1980]. La proyección de Vallejo en la poesía hispanoamericana y española se puede medir en su temprana presencia en el *Índice de poesía americana nueva* (El Inca, Buenos Aires, 1926) y en la antología de Onís (Madrid, 1934). Su resonancia internacional con la edición y traducción de *The Complete Posthumous poems* (University of California Press, Berkeley, 1980), edición crítica y anotada de Clayton Eshleman y José Rubia Barcia. No puede encubrirse el hecho de que los estudios de Larrea [1976, 1980] ponen a Vallejo en una dimensión de universalidad significativa.

Nicolás Guillén (1902) nació en Camagüey, Cuba, el 10 de julio de 1902. Hijo de un periodista y senador. A los catorce años ya se ha revelado su vocación poética. En 1917 queda huérfano con cinco hermanos a cargo de su madre. Comienza a trabajar como tipógrafo y realiza sus estudios de noche. Completa su bachillerato en 1919. Ese año publica en la revista *Camagüey Gráfico* sus primeras composiciones. En 1920, obtiene el grado de bachiller e ingresa en la Escuela de Derecho en La Habana. Después del primer año regresa a Camagüey. Publica sus primeros versos en revistas de Camagüey, Manzanillo y La Habana. Retorna a sus estudios en La Habana, en 1921, pero un año después los deja definitivamente. En 1923, edita la revista quincenal *Lis* (18 números). Después de un silencio de cuatro años publica algunos poemas en *Orto.* En 1930, publica su primer libro, *Motivos de son* (Imprenta y Papelería de Rambla, Bouza y Cía., La Habana, 1930). Un año después publica *Sóngoro cosongo, poemas mulatos* (Ucar García y Cía., La Habana, 1931). En 1934, publica *West Indies, Ltd.* (La Habana, 1934). Dirige la revista *Mediodía.* Viaja a México invitado por la Liga de Escritores y Artistas Revolucionarios de México, en 1937. Publica *Cantos para soldados y sones para turistas* (Editorial Masas, México, 1937) y *España, poema en cuatro angustias y una esperanza* (México Nuevo, México, 1937). Viaja a España como delegado al Segundo Congreso de Intelectuales para la Defensa de la Cultura, de Valencia. Allí se edita una segunda edición de *España, poema en cuatro angustias y una esperanza* (Nueva Colección Héroe, Valencia, 1937). Ingresa en el Partido Comunista. Regresa a Cuba en junio de 1938. Publica *Sóngoro cosongo y otros poemas* (La Verónica, La Habana, 1942). Viaja extensamente por Sudamérica entre 1945 y 1948. Publica *El son entero* (Pleamar, Buenos Aires, 1947). De regreso a Cuba publica *Elegía a Jacques Roumain en el cielo de Haití* (La Habana, 1948). Visita Europa Oriental y la Unión Soviética. En 1951, publica *Elegía a Jesús Menéndez* (Páginas, La Habana, 1951). Nuevos viajes por Europa Oriental y Oriente durante 1951 y 1952. Regresa a Cuba y emprende viaje a Chile. El asalto al cuartel Moncada lo encuentra en el extranjero. En 1954, recibe el Premio Internacional Lenin de la Paz. Edición bilingüe de *Chansons cubaines et autres poèmes* (Seghers, París, 1955) y de *Elégies antillaines* (Seghers, París, 1955). En Buenos Aires, donde se ha refugiado, aparece *La paloma de vuelo popular. Elegías* (Losada, Buenos Aires, 1958). Después de seis años de ausencia regresa a Cuba el 23 de enero de 1959, luego del triunfo de la revolución. En 1961, es designado presidente de la Unión de Escritores y Artistas de Cuba. Embajador extraordinario y plenipotenciario de Cuba. Publica *Poemas de amor* (La Tertulia, La Habana, 1964) y *Tengo* (Universidad Central de las Villas, 1964). Marcando una nueva dimensión de su poesía aparece *El gran zoo* (Unión, La Habana, 1968; 1971²). Un año más tarde publica *Cuatro canciones para el Che* (Consejo Nacional de Cultura, La Habana, 1969). En 1972, publica *La rueda dentada* (UNEAC, Contemporáneos, La Habana, 1972) y *El diario que a diario* (UNEAC, Cuadernos Girón, La Habana, 1972). *El corazón con que vivo* (UNEAC, La Habana, 1975) y *Poemas manuables* (UNEAC, La Habana, 1975), *Por el mar de las Antillas anda un barco de papel* (UNEAC, La Habana, 1977), *Música de cámara* (Ediciones Unión, La Habana, 1979), *El libro de las décimas* (Ediciones Unión, La Habana, 1980), completan su obra poética. Sus artículos han sido recogidos en *Prosa de prisa* (Editorial Arte y Literatura, La Habana, 1975-1976, 3 volúmenes). Entre las ediciones de sus obras completas destacan: *Obra poética 1920-1972* (Editorial de Arte y Literatura, La Habana, 1974, 2 vols.), *Antología mayor* (Bolsilibros de UNIÓN, La Habana, 1965; Instituto del Libro, La Habana, 1969[2]; *Antología mayor*, Diógenes, México, 1971); *Antología clave* (Nascimento, Santiago de Chile, 1971), *Summa poética* (Cátedra, Letras Hispánicas, Madrid, 1976), preparadas por L. Iñigo-Madrigal; *Cuba: amor y revolución* (Ediciones Causachun, Lima, 1972), editada por Winston Orillo con prólogo de A. Augier.

Entre los estudios de conjunto sobre Nicolás Guillén deben destacarse los libros de Augier [1962-1964], Martínez Estrada [1966, 1977], Tous [1971], Ruscalleda [1975], Williams [1982], Ellis [1984] y las compilaciones de Morejón [1974] y del *Coloquio Internacional sobre Nicolás Guillén* (Leiden, 1983). La bibliografía ha sido elaborada por Augier [1964], Morejón [1974], Antuña y García Carranza [1975, 1977] y León [1978]. La crítica de Vitier [1958, 1970], Fernández Retamar [1979], Iñigo-Madrigal [1964, 1968, 1976] pone al día las visiones de conjunto adelantadas por Boti y Hays y limitadas por el tiempo. Los aspectos lúdicos son abordados por Davis-Lett [1980]. Sobre las elegías discurre Iñigo-Madrigal [1968]. Análisis de poemas particulares, se deben a Le Bigot [1977]. Los aspectos políticos y sociales antiimperialistas, Rivera-Rodas [1980]. Los aspectos negristas, afrocubanos y de negritud, los aborda Cobb [1979].

Oliverio Girondo (1891-1967) nació en Buenos Aires. Hizo sus estudios secundarios en Inglaterra y en Francia. Estudió Derecho en Argentina y se recibió de abogado. Viajó extensamente por Europa y África. Mantuvo contacto con los movimientos de vanguardia en Francia. En 1922, publica por su cuenta *Veinte poemas para ser leídos en el tranvía* (París, 1922; otra ed., Martín Fierro, Buenos Aires, 1925). Desde 1924, en unión con Evar Méndez y Samuel Glusberg, renueva la revista *Martín Fierro*, donde publica sus manifiestos y aforismos de vanguardia. En 1925, publica *Calcomanías* (Calpe, Buenos Aires, 1925). Su tercer libro de poesía será *Espantapájaros* (Buenos Aires, 1932). Luego vendrán *Interlunio* (Sur, Buenos Aires, 1937), *Persuasión de los días* (Losada, Buenos Aires, 1942), *Campo nuestro* (Buenos Aires, 1946), *En la masmédula* (Losada, Buenos Aires, 1956) y *Topatumba* (Buenos Aires, 1958). Girondo murió en Buenos Aires, en 1967. Hay edición de sus *Obras completas* (Losada, Buenos Aires, 1968). La bibliografía de Girondo ha sido ordenada por Salvador y Ardissone [1978]. El estudio de su obra se debe a Pellegrini [1964], Scrimaglio [1964], Nóbile [1972], del Corro [1976], Yurkievich [1971, 1984] y Schwartz [1983]. Artículos de interés son los de Neruda [1974], Sucre [1975] y Kamenszain [1983]. Otros poetas argentinos destacados por la crítica son Ricardo E. Molinari (1898) a quien elige Cohen [1959, 1963] entre los «poetas de nuestro tiempo» y en los años recientes, J. L. Ortiz (1897). Otros poetas de relieve de esta generación son el ecuatoriano Jorge Carrera Andrade (1902-1978); el colombiano León de Greiff (1895-1976) —vinculado a la revista *Los Nuevos*, junto con Rafael Maya, Jorge Zalamea Borda y Germán Pardo García—, ha sido estudiado por Hernández de Mendoza [1974], Rodríguez Sardiñas [1975] y Mohler [1975].

La crítica ha dado relieve a los poetas del grupo «Contemporáneos», estudiados en su conjunto por Dauster [1963] y Forster [1964]. Recientemente se ha reeditado la colección de la revista y M. Durán ha editado una *Antología de la revista «Contemporáneos»* (Fondo de Cultura Económica, 1973). José Gorostiza (1901-1973) nació en Villahermosa, Tabasco, México, el 10 de noviembre de 1901. Completó su bachillerato en letras en México, en 1920. Ingresó como funcionario a la Secretaría de Relaciones. En 1927, comienza su carrera de diplomático como canciller de primera en la embajada mexicana en Londres. Representó a su país en Holanda, Italia, Guatemala, Cuba, Brasil y Francia, entre otros países; y en conferencias internacionales y en las Naciones Unidas. Perteneció al grupo de la revista *Contemporáneos* (1928-1931). En 1929, fue profesor de literatura en la UNAM y de historia moderna en la Escuela Nacional de Maestros, en 1932. Ese año fue designado jefe del departamento de Bellas Artes. Sirvió como subsecretario de la Secretaría de Relaciones entre 1958 y 1963 y como secretario en 1964. Miembro de la Academia Mexicana de la Lengua. Es autor de *Canciones para cantar en las barcas* (Cultura, México, 1925), *Muerte sin fin* (Cultura, México, 1929; 2.ª ed. ilustrada, Imp. Universitaria, México, 1952) y *Poesía* (Fondo de Cultura Económica, México, 1964; otra ed., 1971), que recoge sus obras anteriores y su poesía dispersa. Su obra literaria se completa con *Teatro, 1960-1963* (México, 1963). La bibliografía de José Gorostiza ha sido ordenada por Debicki [1962] y Foster [1981]. La obra poética es abordada en su conjunto en los libros de Debicki [1962], Rubin [1966], Elsa Dehennim [1973] y Gelpi [1984]. *Muerte sin fin* atrae vivamente el interés de Xirau [1961, 1972], Dauster [1963] y Sucre [1975].

Al estudio de la poesía de Carlos Pellicer (1899-1977) dedica un libro Melnykovich [1979]. Xavier Villaurrutia (1903-1950) es objeto de estudios de Moretta [1976], Forster [1976] y Paz [1978]. Gilberto Owen (1905-1952) ha sido estudiado por T. Segovia, *Poesía y alquimia. Los tres mundos de Gilberto Owen* (Era, México, 1980) y C. Montemayor, *Tres «contemporáneos»: Jorge Cuesta, José Gorostiza, Gilberto Owen* (UNAM, México, 1981).

BIBLIOGRAFÍA

Abril, Xavier, *Vallejo. Ensayo de aproximación crítica*, Front, Buenos Aires, 1958.

—, *César Vallejo o la teoría poética*, Taurus, Madrid, 1962.
Admussen, Richard L., y René de Costa, «Huidobro, Reverdy and the *editio princeps* of *El espejo de agua*», *Comparative Literature*, 24:2 (1972), pp. 163-175.
Aguirre, Raúl Gustavo, *Antología de una poesía nueva*, Poesía de Buenos Aires, Buenos Aires, 1952.
Ángeles Caballero, César A., *César Vallejo. Su obra*, Minerva, Lima, 1964.
Antuña, Ana María, y Josefina García Carranza, *Bibliografía de Nicolás Guillén*, La Habana, 1975.
—, *Bibliografía de Nicolás Guillén: suplemento 1972-1977*, Biblioteca Nacional José Martí, La Habana, 1977.
Arenas, Braulio, «Vicente Huidobro y el creacionismo», prólogo a V. Huidobro, *Obras completas*, Zig-Zag, Santiago de Chile, 1964, 2 vols., I, pp. 15-42.
Arévalo, Guillermo Alberto, *César Vallejo/Poesía en la historia*, Carlos Valencia Editores, Colombia, 1977.
Arrom, José Juan, *Certidumbre de América*, Anuario Bibliográfico Cubano, La Habana, 1950.
Augier, Ángel, *Nicolás Guillén. Notas para un estudio biográfico-crítico*, Universidad Central de las Villas, Santa Clara, 1962-1964, 2 vols.
—, «Alusiones africanas en la poesía de Nicolás Guillén», *Islas*, 39/40 (1971), pp. 127-137.
—, «Prólogo» a Nicolás Guillén, *Prosa de prisa, 1929-1972*, Instituto Cubano del Libro, La Habana, 1975, 2 vols.
Baciu, Stefan, *Antología de la poesía surrealista latinoamericana*, J. Mortiz, México, 1974.
Bajarlía, Juan Jacobo, *Literatura de vanguardia, del Ulises de Joyce y las escuelas poéticas*, Editorial Araujo, Buenos Aires, 1946.
—, *El vanguardismo poético en América y en España*, Perrot, Buenos Aires, 1957.
—, *La polémica Reverdy-Huidobro. Origen del ultraísmo*, Editorial Devenir, Buenos Aires, 1964.
—, «La leyenda negra sobre Huidobro», en O. Collazos, ed., *Los vanguardismos en la América Latina*, Casa de las Américas, La Habana, 1970, pp. 90-119.
Balart, Carmen, «Análisis del poema LX de *Trilce*, de César Vallejo», *Revista Chilena de Literatura*, 13 (1979), pp. 51-76.
Ballagas, Emilio, *Antología de la poesía negra hispanoamericana*, Aguilar (Col. Crisol, 20), Madrid, 1944.
—, *Mapa de la poesía negra americana*, Pleamar, Buenos Aires, 1946.
Ballón Aguirre, Enrique, *Vallejo como paradigma: un caso especial de escritura*, Instituto Nacional de Cultura, Lima, 1974.
—, «Textología y metafrasis», *Dispositio*, 1:1 (1976), pp. 4-19.
—, *Poetología y escritura. Las crónicas de César Vallejo*, UNAM, México, 1984.
Bary, David, *Huidobro o la vocación poética*, Universidad de Granada (CSIC, Colección Filológica, 21), Granada, 1963.
—, «Apollinaire y Huidobro: dos extranjeros en París», *Ínsula*, 291 (1971), pp. 1, 12, 13.
—, «El *Altazor* de Huidobro según un texto inédito de Juan Larrea», *Revista Iberoamericana*, 102-103 (1978), pp. 165-182.

—, «Sobre los orígenes de *Altazor*», *Revista Iberoamericana*, 106-107 (1979), pp. 111-116.
—, «Vallejo's *Obras poéticas completas* and the technical critique of Juan Larrea», *Hispanic Review*, 47:4 (1979), pp. 425-440.
—, «Reverdy on Huidobro: 1917 versus 1953», *Hispanic Review*, 48:3 (1980), pp. 335-339.
—, *Nuevos estudios sobre Huidobro y Larrea*, Pre-Textos, Valencia, 1984.
—, «La dadora de infinito de Altazor», en *Lo que va de siglo*, Pre-Textos, Valencia, 1987, pp. 75-82.
Bazán, Armando, *César Vallejo: dolor y poesía*, Mundo América, Buenos Aires, 1958.
Bernu, Michèle, *et al.*, *Séminaire César Vallejo. Poitiers, France, 1971-1972*, I: *Analyses de textes*, Université de Poitiers, Centre de Recherches Latino-Américaines, Poitiers, 1972.
—, *Séminaire César Vallejo, Poitiers, France, 1971-1972*, II: *Travaux de Synthèse*, Université de Poitiers, Centre de Recherches Latino-Américaines, Poitiers, 1972-1973.
Beutler, Gisela, *et al.*, *César Vallejo: Actas del Coloquio Internacional, Freie Universitat Berlin 7-9 Junio 1979*, Niemeyer, Berlín, 1981.
Brotherston, Gordon, *Latin American Poetry*, Cambridge University Press, Cambridge, 1975.
Bustos Ogden, Estrella, *El creacionismo de Vicente Huidobro en sus relaciones con la estética cubista*, Playor, Madrid, 1983.
Calderón, Alfonso, *Antología de la poesía chilena contemporánea*, Editorial Universitaria, Santiago de Chile, 1970.
Campos, Haroldo de, «Superación de los lenguajes exclusivos», en César Fernández Moreno, ed., *América Latina en su literatura*, Siglo XXI, México, 1972, pp. 279-300.
Camurati, Mireya, *Poética y poesía de Vicente Huidobro*, Fernando García Cambeiro, Buenos Aires, 1980.
Caracciolo Trejo, E., *La poesía de Vicente Huidobro y la vanguardia*, Gredos, Madrid, 1974.
Caviglia, John, «Un punto entre cero: el tema del tiempo en *Trilce*», *Revista Iberoamericana*, 80 (1972), pp. 405-429.
Cesare, G. B. de, «Analisis delle varianti nella poesia giovanile di César Vallejo», *Studi di letteratura ispano-americana*, 4 (1974).
Cobb, Martha, *Harlem, Haiti and Havana: A Comparative Critical Study of Langston Hughes, Jacques Roumain and Nicolás Guillén*, Three Continent Press, Washington, 1979.
Colomer, Jeannette, *Les poètes ibéro-américains et la guerre civile espagnole (1936-1939)*, Imprimerie Graphic Eclair, Villemomble, 1980.
Collazos, Óscar, ed., *Los vanguardismos en la América latina*, Casa de las Américas (Serie Valoración Múltiple), La Habana, 1970.
Concha, Jaime, «*Altazor*, de Vicente Huidobro», *Anales de la Universidad de Chile*, 133 (1965), pp. 113-136.
—, *Vicente Huidobro*, Ediciones Júcar (Colección Los Poetas), Madrid, 1980.
Córdova Iturburu, Cayetano, *La revolución martinfierrista*, Ediciones Culturales Argentinas, Buenos Aires, 1962.

Corro, Gaspar Pío del, *Oliverio Girondo: los límites del signo*, Francisco García Cambeiro (Colección Estudios Latinoamericanos, 22), Buenos Aires, 1976.
Cortanze, Gérard de, *Vicente Huidobro, Altazor, Manifestes, Transformations Biobibliographiques*, Éditions Champ Libre, París, 1976.
Costa, René de, *Huidobro y el creacionismo*, Taurus, Madrid, 1975.
—, *En pos de Huidobro: siete ensayos de aproximación*, Editorial Universitaria, Santiago de Chile, 1980.
—, «On Huidobro», *Review*, 30 (1981), pp. 38-59.
—, «Huidobro en el más allá de la vanguardia: París (1920-1925)», *Revista Chilena de Literatura*, 20 (1982), pp. 5-25.
—, *Vicente Huidobro. The Careers of a Poet*, Clarendon Press, Oxford, 1984; trad. cast., *Huidobro: las carreras del poeta*, Fondo de Cultura Económica, México, 1984.
Coyné, André, «Apuntes biográficos de César Vallejo», *Mar del Sur*, 8 (1949), pp. 45-70.
—, «César Vallejo y el surrealismo», *Revista Iberoamericana*, 71 (1970), pp. 243-301; también *Aula Vallejo*, 8-9-10 (1971), pp. 171-218.
—, *César Vallejo y su obra poética*, Letras Peruanas, Lima, 1958; Nueva Visión, Buenos Aires, 1978².
—, «César Moro entre Lima, París y México», «Prefacio» a César Moro, *Obra poética*, Instituto Nacional de Cultura, Lima, 1980, pp. 11-23.
Cúneo, Ana María, «Análisis de "El espejo de agua", poema de Vicente Huidobro», *Revista Chilena de Literatura*, 8 (1977), pp. 67-82.
Chirinos Soto, Enrique, *César Vallejo, poeta cristiano y metafísico*, Librería Editorial Juan Mejía Baca, Lima, 1969.
Dauster, Frank, *Ensayos sobre poesía mexicana. Asedio a los «Contemporáneos»*, De Andrea (Colección Studium, 41), México, 1963.
Davis-Lett, Stephanie, «Literary Games in the Works of Nicolás Guillén», *Perspectives on Contemporary Literature*, 6 (1980), pp. 135-142.
—, «Revisando a Nicolás Guillén», *Explicación de Textos Literarios*, 10:1 (1981), pp. 87-94.
Debicki, Andrew P., *La poesía de José Gorostiza*, De Andrea, México, 1962.
—, «C. Vallejo's speaker and the poetic transformation of commonplace themes», *Kentucky Romance Quarterly*, 17:3 (1970), pp. 247-258.
—, *Poetas hispanoamericanos contemporáneos*, Gredos, Madrid, 1976.
Dehennim, Elsa, *Antithèse, oxymore et paradoxisme: approches rhétoriques de la poésie de José Gorostiza*, Didier, París, 1973.
Diego, Gerardo, «Poesía y creacionismo de Vicente Huidobro», *Cuadernos hispanoamericanos*, 222 (1968), pp. 528-544.
Elliott, Jorge, *Antología crítica de la nueva poesía chilena*, Universidad de Concepción, Santiago de Chile, 1957.
Ellis, Keith, *Cuba's Nicolás Guillén. Poetry and Ideology*, University of Toronto Press, Toronto, 1984.
Enzensberger, Hans Magnus, *César Vallejo Gedichte. Ubertragung und Nachwort*, Suhrkamp Verlag, Frankfurt del Main, 1963; epílogo reimpreso en «Vallejo, víctima de sus presentimientos», *Visión del Perú*, 4 (1969), pp. 132-134.
Escobar, Alberto, «Símbolos en la poesía de César Vallejo», *Patio de letras*, El Caballo de Troya, Lima, 1965, pp. 258-281.

—, «La perspectiva personal de *Los heraldos negros*», *Amaru*, 6 (1968), pp. 36-39.
—, *Cómo leer a Vallejo*, PLV Editor, Lima, 1973.
Espejo Asturrizaga, Juan, *César Vallejo. Itinerario del hombre*, Mejía Baca, Lima, 1965.
Fernández de la Vega, Óscar, y Alberto N. Pamies, *Iniciación a la poesía afroamericana. Bibliografía de Alberto Herrera Pamies*, Ediciones Universal (Ébano y Canela, 1), Miami, 1973.
Fernández Moreno, César, *La realidad y los papeles. Panorama y muestra de la poesía argentina contemporánea*, Aguilar, Madrid, 1967.
—, *Antología de la poesía argentina*, Gredos, Buenos Aires, 1968.
—, *¿Poetizar o politizar?*, Losada (Biblioteca de Estudios Literarios), Buenos Aires, 1973.
Fernández Retamar, Roberto, «Para leer a Vallejo», *Ensayo de otro mundo*, Editorial Universitaria, Santiago de Chile, 1969, pp. 82-92.
—, *El son de vuelo popular*, La Habana, 1979.
Ferrari, Américo, «Sobre algunos procedimientos estructurales en *Poemas humanos*», *Amaru*, 13 (1970), pp. 57-65.
—, «Intuición y escritura poética en *Poemas humanos*», en Á. Flores, ed., *Aproximaciones a César Vallejo*, Las Américas, Nueva York, 1971, pp. II, 231-251.
—, *El universo poético de César Vallejo*, Monte Ávila (Colección Prisma), Caracas, 1974.
—, «César Vallejo entre la angustia y la esperanza», introducción a César Vallejo, *Obras poéticas completas*, Alianza Tres, Madrid, 1982, pp. 9-55.
—, y Georgette Vallejo, *César Vallejo*, Pierre Seghers (Poètes d'aujourd'hui, 168), París, 1967.
Flores, Ángel, *Aproximaciones a César Vallejo*, Las Américas Publishing Co., 1971, 2 vols.
—, *César Vallejo, Síntesis biográfica, bibliografía e índice de poemas*, Premiá, México, 1982.
Forster, Merlin H., *Los contemporáneos, 1920-1932. Perfil de un experimento vanguardista mexicano*, De Andrea (Colección Studium, 46), México, 1964.
—, «Vicente Huidobro's *Altazor*: a re-evaluation», *Kentucky Romance Quarterly*, 17 (1970), pp. 297-307.
—, *Fire and Ice: The Poetry of Xavier Villaurrutia*, University of North Carolina (North Carolina Studies in the Romance Languages and Literatures. Essays, 11), Chapell Hill, 1976.
—, *Historia de la poesía hispanoamericana*, The American Hispanist, Clear Creek, Indiana, 1981.
Foster, D. W., *Mexican Literature: A Bibliography of Secondary Sources*, The Scarecrow Press, Metuchen, N.J., 1981.
Foti, Luis J., «Bibliografía vallejiana», *Aula Vallejo*, 5-6-7 (1967), pp. 444-497.
Franco, Jean, *César Vallejo. The Dialectics of Poetry and Silence*, Cambridge University Press, Nueva York, 1976.
Gelpi, Juan, *Enunciación y dependencia en José Gorostiza. Estudio de una máscara poética*, UNAM, México, 1984.

Ghiano, Juan Carlos, *Poesía argentina del siglo XX*, Fondo de Cultura Económica (Tierra Firme, 65), México-Buenos Aires, 1957.

Gilabert, Joan, «La primera edición de *España, aparta de mí este cáliz*», *Revista de Crítica Literaria Latinoamericana*, 5:10 (1979), pp. 111-112.

—, «Arte e historia de la poesía de Vallejo ante la guerra civil española», *Revista de Crítica Literaria Latinoamericana*, 20 (1984), pp. 243-256.

Goic, Cedomil, *La poesía de Vicente Huidobro*, Ediciones AUCh (Serie Roja, 2), Santiago de Chile, 1956; Ediciones Nueva Universidad, Santiago de Chile, 1974[2].

—, «Prólogo» a V. Huidobro, *Altazor*, Ediciones Universitarias de Valparaíso, Chile, 1974, pp. 7-17.

—, «El surrealismo y la literatura iberoamericana», *Revista Chilena de Literatura*, 8 (1977), pp. 5-34.

—, «La comparación creacionista: canto III de *Altazor*», *Revista Iberoamericana*, 106-107 (1979), pp. 129-139.

González Vigil, Ricardo, «La espuma dialéctica en un poema de Vallejo», *Lexis*, 5:1 (1981), pp. 133-146.

Gutiérrez Mouat, Ricardo, «El *Temblor de cielo* de Huidobro», *Hispanófila*, 78 (1983), pp. 61-76.

Hahn, Óscar, *Texto sobre texto. Aproximaciones a Herrera y Reissig, Borges, Cortázar, Huidobro, Lihn*, UNAM, México, 1984.

Hernández de Mendoza, Cecilia, *La poesía de Greiff*, Instituto Colombiano de Cultura, Bogotá, 1974.

Hey, Nicholas, «Bibliografía de y sobre Vicente Huidobro», *Revista Iberoamericana*, 41:91 (1975), pp. 293-353; «Adenda a la bibliografía de y sobre Vicente Huidobro», *Revista Iberoamericana*, 106-107 (1979), pp. 387-398.

—, «Nonsense en *Altazor*», *Revista Iberoamericana*, 106-107 (1979), pp. 149-156.

Higgins, James, *Visión del hombre y de la vida en las últimas obras poéticas de César Vallejo*, Siglo XXI, México, 1970.

—, «Introduction» a *César Vallejo. An Anthology of his poetry*, Pergamon Press, Oxford, 1970, pp. 1-84.

—, *The Poet in Peru. Alienation and the Quest for a Super-Reality*, Francis Cairns, Liverpool, 1982.

Holmes, Henry Alfred, *Vicente Huidobro and Creationism*, Columbia University (Publications of the Institute of French Studies), Nueva York, 1934.

Ibarra, Néstor, *La nueva poesía argentina. Ensayo crítico sobre el ultraísmo, 1921-1929*, Imp. Viuda de Molinari e hijos, Buenos Aires, 1930.

Ibérico, Mariano, «El sentido del tiempo en la poesía de César Vallejo», *Revista de Cultura Peruana*, 4 (1965), pp. 47-63; reimpreso en *La aparición histórica*, Universidad Nacional Mayor de San Marcos, Lima, 1971.

—, *et al.*, *En el mundo de Trilce*, Facultad de Letras, Universidad Nacional Mayor de San Marcos, 1963; separata de *Letras*, 70-71 (1963), pp. 5-52.

Invernizzi, Lucía, «Las figuras de disyunción en el poema "Sombra", de *Poemas árticos*, de Vicente Huidobro», *Revista Chilena de Literatura*, 8 (1977), pp. 83-107.

Iñigo-Madrigal, Luis, «Poesía última de Nicolás Guillén», *Revista del Pacífico*, 1:1 (1964), pp. 73-82.

—, «Las *Elegías* de Nicolás Guillén», *Cuadernos de Filología*, 1 (1968), pp. 47-58.

—, «Introducción» a Nicolás Guillén, *Summa Poética*, Cátedra, Madrid, 1976, pp. 15-48.

—, «Teoría y práctica de una poesía popular», en *Coloquio Internacional sobre Nicolás Guillén* (Leiden, 1983).

Jackson, Richard, *The Black Image in Latin American Literature*, University of New Mexico Press, Albuquerque, 1976.

—, *Black Writers in Latin America*, University of New Mexico Press, Albuquerque, 1979.

Jahn, Jahnheinz, *A History of Neo-African Literature*, Faber & Faber, Londres, 1968.

Kamenszain, Tamara, «Doblando a Girondo», *El texto silencioso. Tradición y vanguardia en la poesía sudamericana*, UNAM, México, 1983, pp. 13-24.

Laffranque, Marie, «Aux sources de la poésie espagnole contemporaine: la querelle du créationnisme», *Bulletin Hispanique*, 64 bis (1962), pp. 479-489.

Larrea, Juan, *El surrealismo entre viejo y nuevo mundo*, Ediciones Cuadernos Americanos, México, 1944.

—, *Del surrealismo a Machu Picchu*, Joaquín Mortiz, México, 1967.

—, *César Vallejo o Hispanoamérica en la cruz de su razón*, Centro de Estudiantes de Filosofía y Letras, Universidad Nacional de Córdoba, Córdoba, Argentina, 1958.

—, «Claves de profundidad», *Aula Vallejo*, 1 (1961), pp. 62-94.

—, «Significado conjunto de la vida y la obra de César Vallejo», *Aula Vallejo*, 2-3-4 (1962), pp. 231-263.

—, «Voy a hablar de la esperanza...», *Aula Vallejo*, 8-9-10 (1967), pp. 20-37.

—, *César Vallejo frente a André Breton*, Universidad Nacional de Córdoba, Córdoba, Argentina, 1969.

—, «Respuesta diferida», *Aula Vallejo*, 8-9-10 (1971), pp. 313-513.

—, *César Vallejo, héroe y mártir indo-hispánico*, Biblioteca Nacional, Montevideo, 1973.

—, *César Vallejo y el Surrealismo*, Visor, Madrid, 1976.

—, «Vicente Huidobro en vanguardia», *Revista Iberoamericana*, 106-107 (1979), pp. 213-273.

—, *Al amor de Vallejo*, Pre-Textos (Pre-Textos, 29), Valencia, 1980.

—, *Torres de Dios: Poetas*, Editora Nacional (Libros de Poesía, 1), Madrid, 1982.

Leal, Luis, «El movimiento estridentista», en *Movimientos literarios de vanguardia en Hispanoamérica (Memoria del Undécimo Congreso del IILI)*, Universidad de Texas, México, 1965; reimpreso en Ó. Collazos, ed., *Los vanguardismos en la América Latina*, Península, Barcelona, 1977, pp. 105-116.

Le Bigot, Claude, «"Yanqui con soldado" de Nicolás Guillén essai d'analyse», *Les Langues Modernes*, 71 (1977), pp. 585-593.

Lefebvre, Alfredo, *Poesía española y chilena*, Editorial del Pacífico (Studium), Santiago de Chile, 1958.

León, René, «Nicolás Guillén. Bibliografía», *Explicación de textos literarios*, 7:1 (1978), pp. 109-113.

Lewis, Marvin A., *Afro-Hispanic Poetry, 1940-1980. From Slavery to «Negritud» in South American Verse*, University of Missouri Press, Columbia, 1983.
Lihn, Enrique, «El lugar de Huidobro», prólogo a V. Huidobro, *Poesías*, Casa de las Américas, La Habana, 1968; reimpreso en Ó. Collazos, ed., *Los vanguardismos en la América Latina*, Casa de las Américas, La Habana, 1970, pp. 82-104.
López Estrada, Francisco, *Métrica española del siglo XX*, Gredos, Madrid, 1969.
López Soria, José Ignacio, «Vallejo en el II Congreso Internacional de Escritores», *Revista de Crítica Literaria Latinoamericana*, 11 (1980), pp. 109-116.
Lora Risco, Alejandro, *Hacia la voz del hombre: ensayo sobre César Vallejo*, Andrés Bello, Santiago de Chile, 1971.
Mansour, Mónica, *La poesía negrista*, Ediciones Era, México, 1973.
Martínez Estrada, Ezequiel, *La poesía afrocubana de Nicolás Guillén*, Arca, Montevideo, 1966; otra ed., *La poesía de Nicolás Guillén*, Calicanto Editorial, Buenos Aires, 1977.
Martínez García, Francisco, *César Vallejo. Acercamiento al hombre y al poeta*, Colegio Universitario de León, León, 1976.
Martos, Marco, y Elsa Villanueva, *Las palabras de «Trilce»*, Tiposcrito, Lima, 1978.
McDuffie, Keith, «*Trilce* I y la función de la palabra poética de César Vallejo», *Revista Iberoamericana*, 71 (1970), pp. 165-204.
—, «Todos los ismos el ismo: Vallejo rumbo a la utopía socialista», *Revista Iberoamericana*, 91 (1975), pp. 177-202.
—, «El *logos* vallejiano entre lo dialéctico y lo trílcico», *Revista Iberoamericana*, 102-103 (1978), pp. 147-155.
Melnykovich, George, *Reality and expression in the poetry of Carlos Pellicer*, University of North Carolina Press (North Carolina Studies in the Romance Languages and Literatures, 211), Chapell Hill, 1979.
Meo Zilio, Giovanni, *Stile e poesia in César Vallejo*, Liviana Editrice, Padua, 1960.
—, «Un poema de César Vallejo. Apuntes estilísticos», *Aula Vallejo*, 2-3-4 (1962), pp. 340-351.
Meyer-Minnemann, Klaus, «Der Estridentismus», *Iberoamericana*, 6:1 (1982), pp. 31-42.
Mignolo, Walter D., «La dispersión de la palabra: aproximación lingüística a poemas de Vallejo», *Nueva Revista de Filología Hispánica*, 21:2 (1972), pp. 399-411.
—, «La figura del poeta en la lírica de vanguardia», *Revista Iberoamericana*, 118-119 (1982), pp. 131-148.
Miller, Beth, ed., *Ensayos contemporáneos sobre Jaime Torres Bodet*, UNAM, México, 1976.
Mitre, Eduardo, *Huidobro, hambre de espacio y sed de cielo*, Monte Ávila, Caracas, 1981.
Mohler, Stephen Charles, *El estilo poético de León de Greiff*, Ediciones del Tercer Mundo, Bogotá, 1975.
Monguió, Luis, *César Vallejo (1892-1938). Vida y obra. Bibliografía. Antología*,

Hispanic Institute in the United States, Nueva York, 1952; otra ed., Editora Perú Nuevo, Lima, 1960.
—, *La poesía postmodernista peruana*, Fondo de Cultura Económica, México, 1954.
—, «La muerte y la esperanza en la poesía última de Vallejo», en *Visión del Perú*, 4 (1969), pp. 29-32.
Monsiváis, Carlos, *La poesía mexicana del siglo XX*, Empresas Editoriales, México, 1966.
Montes, Hugo, «Nota sobre un poema de Huidobro», *Romance Notes*, 11:2 (1969), pp. 272-277.
More, Ernesto, *Vallejo en la encrucijada del drama peruano*, Librería y Distribuidora Bendezú, Lima, 1968.
Morejón, Nancy, *Recopilación de textos sobre Nicolás Guillén*, Casa de las Américas (Valoración Múltiple), La Habana, 1974.
Moretta, Eugene Lawrence, *La poesía de Xavier Villaurrutia*, Fondo de Cultura Económica, México, 1976.
Movimientos literarios de vanguardia en Iberoamérica, Universidad de Texas (Memoria del Undécimo Congreso del Instituto Internacional de Literatura Iberoamericana), México, 1965.
Navarro Tomás, T., *Métrica española*, Las Américas, Nueva York, 1966; otra ed., Syracuse University Press, Syracuse, 1972.
Neale-Silva, Eduardo, *César Vallejo en su fase trílcica*, The University of Wisconsin Press, Madison, 1975.
Neruda, Pablo, *Confieso que he vivido*, Seix Barral, Barcelona, 1974.
Nóbile, Beatriz de, *El acto experimental: Oliverio Girondo y las tensiones del lenguaje*, Losada (Biblioteca de Estudios Literarios), Buenos Aires, 1972.
Orjuela, Héctor H., *Bibliografía de la poesía colombiana*, Instituto Caro y Cuervo, Bogotá, 1971.
Orrego, Antenor, «César Vallejo, el poeta del solecismo», *Cuadernos Americanos*, 1 (1957), pp. 209-216.
—, «El sentido americano y universal de la poesía de César Vallejo», *Aula Vallejo*, 2-3-4 (1962), pp. 213-226.
Ortega, Julio, «Lectura de *Trilce*», *Revista Iberoamericana*, 71 (1970), pp. 165-189.
—, *Figuración de la persona*, Edhasa, Barcelona, 1971.
—, ed., *César Vallejo*, Taurus, Madrid, 1975.
—, «Vallejo: la poética de la subversión», *Hispanic Review*, 50:3 (1982), pp. 267-296.
Osgood, Eugenia, «Two Journeys to the End of the Night: Tzara's *L'Homme Approximatif* and Vicente Huidobro's *Altazor*», *Dada/Surrealism*, 4 (1974), pp. 57-61.
Osorio Tejeda, Nelson, *El futurismo y la vanguardia literaria en América Latina*, Centro de Estudios Literarios Rómulo Gallegos, Caracas, 1982.
Oviedo, José Miguel, *César Vallejo*, Editorial Universitaria (Biblioteca Hombres del Perú, 10), Lima, 1964.
—, «*Trilce* II: clausura y apertura», *Revista Iberoamericana*, 106-107 (1979), pp. 67-75.

Paoli, Roberto, ed., «Prólogo» a *Poesie di César Vallejo*, Lerici, Milán, 1964.
—, «España, aparta de mí este cáliz», en A. Flores, ed., *Aproximaciones a César Vallejo*, Las Américas, Nueva York, 1971, II, pp. 349-370.
—, *Mapas Anatómicos de César Vallejo*, Casa editrice D'Anna, Messina, Florencia, 1981.
Paz, Octavio, *Los hijos del limo*, Seix Barral, Barcelona, 1974.
—, *Xavier Villaurrutia en persona y en obra*, Fondo de Cultura Económica, México, 1978.
—, *et al.*, *Poesía en movimiento*, Siglo XXI, México, 1966.
Pellegrini, Aldo, *Oliverio Girondo*, Ediciones Culturales Argentinas (Colección Antologías), Buenos Aires, 1964, pp. 7-36.
—, *Antología de la poesía viva latinoamericana*, Seix Barral, Barcelona, 1966.
Pereda Valdés, Idelfonso, *Antología de la poesía negra americana*, Ercilla, Santiago de Chile, 1936; BUDA, Montevideo, 1953[2].
Pérez Firmat, Gustavo, «Relectura de *Trilce 5*», *Dispositio*, 4 (1977), pp. 67-79.
Pizarro, Ana, *Vicente Huidobro, un poeta ambivalente*, Universidad de Concepción, Concepción, Chile, 1971.
Prieto, Adolfo, *El periódico «Martín Fierro»*, Galerna (Colección Las Revistas, 1), Buenos Aires, 1968.
Queiroz, María José de, *César Vallejo. Ser y existencia*, Coimbra, 1971.
Reverte, Concepción, «*Sobre Los Ángeles*, de Rafael Alberti, y *Altazor*, de Vicente Huidobro», en Lola Bermúdez, *et al.*, *Dada-Surrealismo-Precursores-Marginales-Heterodoxos*, Universidad de Cádiz, Cádiz, 1986, pp. 81-85.
Ripoll, Carlos, «La *Revista de Avance* (1927-1930)», *Revista Iberoamericana*, 30 (1964), pp. 261-282.
—, *La generación del 23 en Cuba y otros apuntes sobre el vanguardismo*, Las Américas, Nueva York, 1968.
Rivera-Rodas, Óscar, «La imagen de los Estados Unidos en la poesía de Nicolás Guillén», *Casa de las Américas*, 120 (1980), pp. 154-160.
Rodríguez, Virgilio, «Teoría de los actos de habla y análisis literario. Aspectos interpretativos en "Nómina de huesos"», *Lexis*, 4:2 (1980), pp. 121-138.
Rodríguez Chávez, Iván, *La ortografía poética de Vallejo*, Lima, 1973.
Rodríguez Sardiñas, Orlando, *León de Greiff: una poética de vanguardia*, Playor (Nova Scholar), Madrid, 1975.
Rogmann, Horst J., *Die Thematik der Negerdichtung in spanischer und französischer und portugiesischer Sprache*, Munich, 1966.
Roselli, Ferdinando, *Elementi cromatici e fotocromatici nella poesia di César Vallejo*, Florencia, 1976.
—, «Su alcune immagini oggetuali nella poesia di César Vallejo. Analisis quantitativa premessa allo studio critico», en *Studi di lingua straniere*, 1 (Florencia, 1978), pp. 163-221.
—, «Immagini tematiche antagoniste nella prima e nella ultima poesia di César Vallejo», en *Saggi e ricerche ispanoamericani*, 1 (1980), pp. 5-142.
—, Alessandro Finzi, y Antonio Zampolli, *Diccionario de concordancias y frecuencias de uso en el léxico poético de César Vallejo*, Florencia, 1977.
Rubin, Mordecai, *Una poética moderna: «Muerte sin fin» de José Gorostiza. Análisis y comentario*, UNAM, México/University of Alabama Press, 1966.

Ruscalleda Bercedóniz, Jorge M., *La poesía de Nicolás Guillén (cuatro elementos sustanciales)*, Universidad de Puerto Rico, Río Piedras, 1975.

Rutter, Frank P., «Vicente Huidobro and Futurismo. Convergences and Divergences (1917-1918)», *Bulletin of Hispanic Studies*, 58:1 (1981), pp. 55-72.

Salomon, Noël, «Sur quelques aspects de "Lo humano", dans *Poemas humanos* et *España, aparta de mí este cáliz*, de C. Vallejo», *Caravelle*, 8 (1967), pp. 97-133; reimpreso en Á. Flores, *Aproximaciones a Vallejo*, tomo II, pp. 191-230.

Salvador, Nélida, *Revistas argentinas de vanguardia (1920-1930)*, Universidad de Buenos Aires, Buenos Aires, 1962.

—, y Elena Ardissone, «Contribución a la bibliografía de Oliverio Girondo», *Revista Iberoamericana*, 102-103 (1978), pp. 187-219.

Samaniego, Antenor, *César Vallejo, su poesía*, Mejía Baca, Lima, 1954.

Sánchez, Luis Alberto, *Escritores representativos de América*, Gredos, Madrid, 1957.

Santana, Francisco, *Evolución de la poesía chilena*, Nascimento, Santiago de Chile, 1976.

Scarpa, Roque E., y H. Montes, *Antología de la poesía chilena*, Gredos, Madrid, 1968.

Scrimaglio, Marta, *Oliverio Girondo*, Universidad Nacional del Litoral (Cuadernos del Instituto de Letras), Santa Fe, 1964.

Schneider, Luis Mario, *El estridentismo o una literatura de la estrategia*, Instituto Nacional de Bellas Artes, México, 1970; otra ed., UNAM, México, 1985.

—, *Inteligencia y guerra civil española*, Laia, Barcelona, 1978.

Schwartz, Jorge, «Vicente Huidobro o la cosmópolis textualizada», *Eco*, 202 (1978), pp. 1.009-1.035.

—, *Vanguarda e cosmopolitismo na década de 20. Oliverio Girondo e Oswald de Andrade*, Editora Perspectivas, São Paulo, 1983.

Schweitzer, Alan, «*Altazor*, de Huidobro: poema en paracaídas», *Revista Chilena de Literatura*, 4 (1971), pp. 55-77; otra versión, «Cosmovisión y mito en el *Altazor* de Huidobro», *Hispania*, 57:3 (1974), pp. 413-421.

Sicard, Alain, «Sur le poème de César Vallejo "Los desgraciados"», *Caravelle*, 8 (1967), pp. 79-95.

Smulewicz, Efraín, *Vicente Huidobro: biografía emotiva*, Editorial Universitaria, Santiago de Chile, 1979.

Sobejano, Gonzalo, «Poesía del cuerpo en *Poemas humanos*», en Á. Flores, ed., *Aproximaciones a Vallejo*, Las Américas, Nueva York, 1971, pp. 181-190.

Sobrevilla, David, «La investigación peruana sobre la poesía de Vallejo», *Revista de Crítica Literaria Latinoamericana*, 1:1 (1975), pp. 99-150.

—, «Una lectura estructuralista de Vallejo», *San Marcos*, 12-13 (1975), pp. 57-154.

—, «Un diccionario y algunos estudios vallejianos», *Revista de Crítica Literaria Latinoamericana*, 8:15 (1982), pp. 211-216.

—, «La crítica vallejiana: el aporte de Paoli», *Revista de Crítica Literaria Latinoamericana*, 18 (1983), pp. 115-127.

Sola, Graciela de, *Proyecciones del surrealismo en la literatura argentina*, Ediciones Culturales Argentinas (Colección Movimientos Literarios), Buenos Aires, 1967.

Spelucín, Alcides, «Contribución al conocimiento de César Vallejo y de las primeras etapas de su evolución poética», *Aula Vallejo*, 2-3-4 (1962), pp. 29-104.

Stimson, Frederick S., *The New Schools of Spanish American Poetry*, Castalia, Madrid, 1970.

Sucre, Guillermo, *La máscara y la transparencia*, Monte Ávila, Caracas, 1975.

Torre, Guillermo de, *Literaturas europeas de vanguardia*, Caro Raggio, Madrid, 1925.

—, *Guillaume Apollinaire*, Poseidón, Buenos Aires, 1946.

—, «Reconocimiento crítico de César Vallejo», *Revista Iberoamericana*, 49 (1960), pp. 45-58; reimpreso en *Aula Vallejo*, 2-3-4 (1962), pp. 319-332, y en *Tres conceptos de la literatura hispanoamericana*, Losada, Buenos Aires, 1963, pp. 162-178.

—, *Historia de las literaturas de vanguardia*, Guadarrama, Madrid, 1965.

Tous, Adriana, *La poesía de Nicolás Guillén*, Ediciones Cultura Hispánica, Madrid, 1971.

Undurraga, Antonio de, «Teoría del creacionismo», prólogo a V. Huidobro, *Poesía y prosa, antología*, Aguilar, Madrid, 1957, pp. 15-186.

Urondo, Francisco, *Veinte años de poesía argentina, 1940-1960*, Galerna, Buenos Aires, 1968.

Valdés, Adriana, «La coordinación en *Poemas árticos*, de Vicente Huidobro», *Taller de Letras*, 4-5 (1974-1975), pp. 37-60.

Valdés Cruz, Rosa E., *La poesía negroide en América*, Las Américas, Nueva York, 1970.

Vallejo, Georgette de, «Apuntes biográficos de César Vallejo», en César Vallejo, *Los heraldos negros*, Editora Perú Nuevo, Lima, 1959.

—, *Apuntes biográficos sobre «Poemas en prosa» y «Poemas humanos»*, Moncloa Editores, Lima, 1968.

—, *¡Vallejo: allá ellos, allá ellos, allá ellos!*, Distribuidora Editorial Zalvac, Lima, 1978.

Vega García, Irene, *Trilce, estructura de un nuevo lenguaje*, Pontificia Universidad Católica del Perú, Lima, 1982.

Vélez, J., y A. Merino, *España en César Vallejo*, Editorial Fundamentos, Madrid, 1984, 2 vols.

Verani, Hugo J., *Las vanguardias literarias en Hispanoamérica (Manifiestos, proclamas y otros escritos)*, Bulzoni, Roma, 1986.

Videla, Gloria, *El ultraísmo. Estudios sobre movimientos poéticos de vanguardia en España*, Gredos, Madrid, 1963.

—, «El runrunismo chileno, 1927-1934. El contexto literario», *Revista Chilena de Literatura*, 18 (1981), pp. 73-87.

—, «Las direcciones hispanoamericanas del ultraísmo», *Revista Chilena de Literatura*, 27-28 (1986), pp. 189-196.

Villanueva, Elsa, *La poesía de César Vallejo*, Compañía de Impresiones y Publicidad, Lima, 1951.

—, «Bibliografía selectiva de César Vallejo», *Visión del Perú*, 4 (1969), pp. 58-65.

Vitier, Cintio, *Lo cubano en la poesía*, Ucar García, La Habana, 1958; otra ed., Instituto del libro (Letras cubanas), La Habana, 1970.

—, «Vallejo y Martí», *Revista de Crítica Literaria Latinoamericana*, 7:13 (1981), pp. 95-98.

Wilson, Leslie N., *La poesía afroantillana*, Universal, Miami, 1979.

Williams, Lorna V., *Self and Society in the Poetry of Nicolás Guillén*, The Johns Hopkins University Press, Baltimore, 1982.

Wing, George Gordon, «*Trilce* I: a second look», *Revista Hispánica Moderna*, 35:3 (1969), pp. 268-284.

Wood, Cecil, *The Creacionismo of Vicente Huidobro*, York Press, Frederickton, 1978.

Xirau, Ramón, *Poesía hispanoamericana y española*, Imprenta Universitaria, México, 1961.

—, *Poesía iberoamericana. Doce ensayos*, Secretaría de Educación Pública (SepSetentas, 15), México, 1972.

Yúdice, George, *Vicente Huidobro y la motivación del lenguaje*, Galerna, Buenos Aires, 1978.

Yurkievich, Saúl, *Valoración de Vallejo*, Universidad Nacional del Nordeste, Resistencia, Chaco, Argentina, 1958.

—, «Realidad y poesía (Huidobro, Vallejo, Neruda)», *Humanidades*, 35 (1960), pp. 251-277; reimpreso en Óscar Collazos, *Recopilación de textos sobre los vanguardismos en la América Latina*, Casa de las Américas (Serie Valoración Múltiple), La Habana, 1970, pp. 211-235.

—, «Una pauta de *Trilce*», *Aula Vallejo*, 1 (1961), pp. 52-68.

—, «En torno de *Trilce*», *Revista Peruana de Cultura*, 9-10 (1966), pp. 79-91.

—, «*Altazor* o la rebelión de la palabra», en *Actes du Quatrième Congrés des Hispanistes Français*, Poitiers, 1968, pp. 119-127.

—, *Fundadores de la nueva poesía latinoamericana: Vallejo, Huidobro, Borges, Girondo, Neruda, Paz*, Barral (Biblioteca de Respuesta, 10), Barcelona, 1971.

—, *La confabulación con la palabra*, Taurus (Colección Persiles), Madrid, 1978.

—, «*Altazor*, la metáfora deseante», *Revista Iberoamericana*, 106-107 (1979), pp. 141-147.

—, *A través de la trama. Sobre vanguardias literarias y otras concomitancias*, Muchnik Editores, Barcelona, 1984.

EDUARDO NEALE-SILVA

VISIÓN DE LA VIDA Y LA MUERTE EN UN POEMA TRÍLCICO DE CÉSAR VALLEJO

Nos proponemos determinar los supuestos en que se basa el concepto vallejiano de la existencia, y ver qué relación establece el poeta entre la vida y la muerte. ¿Veía Vallejo la muerte como trance final y definitivo, o como constituyente de la vida misma? ¿Tenía el poeta alguna convicción salvadora que le permitiese concebir una supervivencia en el más allá? ¿Admite Vallejo la posibilidad de momentos trascendentes en los cuales el artista logre sobreponerse al continuo del tiempo y a su destino de caducidad? Veamos:

Trilce LXXV

1. Estáis muertos.

Qué extraña manera de estarse muertos. Quienquiera
diría que no lo estáis. Pero, en verdad, estáis
muertos.

5. Flotáis nadamente detrás de aquesa membrana
que, péndula del zenit al nadir, viene y va de crepúsculo a crepúsculo, vibrando ante la sonora caja
de una herida que a vosotros no os duele. Os digo,
pues, que la vida está en el espejo, y que vosotros
10. sois el original, la muerte.

Eduardo Neale-Silva, *César Vallejo en su fase trílcica*, The University of Wisconsin Press, Madison, 1975, pp. 258-262.

Mientras la onda va, mientras la onda viene,
cuán impunemente se está uno muerto. Sólo cuando
las aguas se quebrantan en lo bordes enfrentados y
se doblan y doblan, entonces os transfiguráis y cre-
15. yendo morir, percibís la sexta cuerda que ya no es
vuestra.

Estáis muertos, no habiendo antes vivido jamás.
Quienquiera diría que, no siendo ahora, en otro tiempo fuisteis. Pero, en verdad, vosotros sois los cadáve-
20. res de una vida que nunca fue. Triste destino el
no haber sido sino muertos siempre. El ser hoja seca
sin haber sido verde jamás. Orfandad de orfandades.

Y sin embargo, los muertos no son, no pueden ser
cadáveres de una vida que todavía no han vivido.
25. Ellos murieron siempre de vida.

Estáis muertos.

Este poema en prosa es un conjunto de proyecciones metafóricas que buscan penetrar el enigma del destino humano. Una primera lectura nos permite ver con relativa facilidad que Tr. LXXV contiene varias estructuras poéticas plurivalentes en que se hermanan dos procesos paralelos: *a*) insistencia en tres grupos de imágenes cósmicas (de luz, movimiento y vibración) y *b*) contraste entre la vida consciente y la existencia vegetativa, señalándose en particular la ausencia de lo que caracteriza la dinámica del hombre. La mayor parte del poema nos dirá, pues, por qué la vida letárgica es un modo de estar muerto.

a) *Luz.* En los versos 6 y 7 se adivina la presencia del sol en la alusión al espejo: *la vida está en el espejo*, dice el poeta. Vivir es participar de la energía solar o ser reflejo de ella. El hombre traspasa la frontera del no-ser y se convierte en ente activo en virtud de un contagio cósmico, pero lo hace siempre bajo el signo de la muerte. Su auténtica realidad es, pues, su destino mortal. De aquí que diga el poeta: *vosotros sois el original, la muerte.*

En *Trilce*, el espejo es símbolo positivo —fuerza cósmica, hálito suprahumano, amor, o simple presencia reconfortante; en el presente poema es la contraparte de las sombras, las mismas que quedan implícitas en la frase *de crepúsculo a crepúsculo*, y que constituyen el ámbito del hombre elemental y rutinario.

b) *Movimiento.* Fuera del desplazamiento del sol, implícito en la alusión al *zenit* y al *nadir*, se representa el dinamismo de la existencia a través de aguas que *se quebrantan* y *doblan* (versos 12-13). La vida es un nadar, un «no quedarse», como dijo Vallejo en Tr. XLVII. Muy sugestivo es el adverbio *nadamente*, en que se funden el *nadar* y la negación *nada*, esto es, el contraste entre activismo e inercia que da carácter y significado al poema.

En Tr. LXXV aparece el agua como elemento amenazante. Las aguas turbulentas son, como la vida, el elemento móvil y traicionero en que el hombre no halla punto de apoyo; en contraste con ellas están las ondas de la vida rutinaria: *Mientras la onda va, mientras la onda viene.* Para un espíritu serrano, como era el de Vallejo, el choque de las aguas, especialmente las del mar, debió de configurarse en su mente como símbolo de la existencia humana. No extraña, pues, que sea expresión de desgaste y anuncio de muerte, tal como se insinúa al final de la tercera estrofa. Los *bordes enfrentados* no son dos lados, opuestos el uno al otro, sino todo aquello que es barrera y se opone al embate del mar.

c) *Vibración.* El hombre vivo, dice Vallejo, es el ser sensible. El «muerto» es, por el contrario, el que ve el dolor humano, representado aquí por *la herida* del verso 8, y no lo siente. Sólo en la agonía llega éste a comprender la existencia de la *sexta cuerda.* Los «muertos» han vivido con un instrumento vibrador —su propio ser— que está representado aquí por una guitarra. Sólo en presencia de la muerte descubren tales hombres la cuerda intocada. El no haber jamás vibrado esa cuerda es como no haber vivido nunca. La cuerda intocada podría asociarse al llamado «sexto sentido», que nos comunica todo lo que no captan las cinco vías perceptivas del cuerpo humano.

La vibración aparece en el poema en otras formas. La *membrana* del verso 5 se refiere a la piel que cubre un parche o tambor, como el que se adivina en Tr. XLI. Dice este poema: *En tanto el redoblante policial / ... se desquita y nos tunde a palos, / dale y dale, / de membrana a membrana, tas / con / tas,* y que aquí es el elemento sensible en que repercute el dolor del hombre. Si la membrana *péndula* es la atmósfera vital, la *caja sonora* es la humanidad, en cuyo seno flotan *nadamente* los hombres que viven ajenos a toda conmoción espiritual. Nada de esto es mera conjetura, pues el poeta mismo emplea el verbo *vibrar* en el verso 7.

Hasta aquí hemos señalado tres contrastes que representan en el poema la vida y la muerte: *a*) luz y sombras; *b*) turbulencia y quietud; *c*) vibración y mudez. Detrás de estas contraposiciones se advierte un orden cíclico, un eterno retorno, que el poeta expresa indirectamente:

5. aquesa membrana / ... viene y va...

Este retorno trae a la mente el concepto nietzscheano del mundo, con el cual concuerda Vallejo enteramente. La vida consciente es un estar dentro de un patrón eterno de alternancias, quizá de raíz oriental, a la par que la vida vegetativa es no tener conciencia de esta voluntad cósmica.

También está subentendido en Tr. LXXV el continuo temporal. Lo hallamos en varias sugerencias poéticas, algunas de ellas muy sutiles. Aparece primero en los versos 6 y 7: *viene y va de crepúsculo a crepúsculo*; vuelve a insinuarse en el *Mientras* del verso 11, y se hace por fin patente hacia el final en el *ahora* y el *otro tiempo*, de los versos 18 y 19. El transcurso del tiempo está también subentendido en esa *vida que nunca fue* y en el *no haber sido* (versos 20-21). Vivir es para Vallejo estar inserto en el continuo del tiempo.

En resumen: el hombre es mortal en dos sentidos: 1) por ser originalmente, como hemos visto, concreción de mortalidad (verso 10), idea reforzada por el verso 25, en el cual la vida se concibe como causa del morir, y 2) por sustraerse al dinamismo del cosmos, con la consiguiente merma de su hombredad (verso 12). *Triste destino*, este último —nos dice el poeta— aun siendo un modo de evitar la angustia del diario vivir. Vallejo cree, pues, que el hombre ha de elegir el camino de la vida consciente, aun sabiendo que lleva inevitablemente al dolor.

La primera mitad del poema es expositiva (versos 2-10); las dos estrofas siguientes (versos 11-22) son de tono reflexivo, pero el final es una dubitación que nos hace entrar en el ámbito paradójico.

La estructura intelectual vallejiana típica es, como la presente, la que lleva a la duda. Este es el sentido de la suposición implícita en *cualquiera diría* y en la contrarréplica introducida por el *sin embargo*, del verso 23. Estas expresiones añaden al poema, primero, una incertidumbre y, luego, una certeza: *Estáis muertos.* Todo esto demuestra que la disposición de las partes constitutivas del poema responde a un movimiento interior en que se entrelazan intuiciones, enfoques aproximativos, racionalizaciones y dudas. Este tipo de estructura denotativa, que se halla en varios poemas trílcicos, es uno de los recursos de que se valió Vallejo para hacer partícipe al lector de los distintos momentos gestativos de su creación. El poema no se da como un todo ya elaborado, sino como un proceso de configuración, con avances y retrocesos, evidencias y dudas.

Si apuramos un poco más el análisis, vemos que el poema es un conjunto de intuiciones y una meditación. Por esto Tr. LXXV es búsqueda y aseveración al mismo tiempo. En esta doble urdimbre se enlazan imágenes de dos mundos: el exterior (cielo, tierra, aguas, costas) y el interior (dolor, transfiguración, ser). Hay, pues, en el poema, grandeza espacial y hondura psíquica, que transmiten al lector un aliento cósmico y un íntimo sentido de la vida, todo ello expresado en lenguaje taumatúrgico. La voz del poeta creador resuena en muchas ocasiones como la de un profeta. Así lo demuestra el empleo de la segunda persona del plural en dieciséis ocasiones: *estáis* muertos, a *vosotros* no *os* duele, *os* digo, *vosotros sois* el original, en otro tiempo *fuisteis*, etc. El formalismo de estas construcciones está muy en armonía con la solemnidad del poema.

Tr. LXXV se destaca por su estilo reiterativo: el «estar muerto», que abre y cierra el poema sirviéndole de marco, se repite, con algunas variantes, un total de seis veces, por lo cual el poema se desenvuelve como insistencia, como expresión de una idea fija. A este psicologismo poético se suma el tono sentencioso de oraciones apodícticas: *sois los cadáveres de una vida que nunca fue; vosotros sois el original, la muerte*, etc. En el fondo de estas afirmaciones, y de otras, se advierte, además, un contraste de conceptos a través de los verbos «ser» y «no ser», o bien, «ser» y «estar», pero sin que por esto se desvirtúe el clima poético, el cual se mantiene a lo largo de toda la composición.

Tr. LXXV es un poema de refrenada emotividad y de vuelo filosófico, cuya estructura total y lenguaje están en perfecta consonancia con la intención que en él se encierra.

Roberto Paoli

«ESPAÑA, APARTA DE MÍ ESTE CÁLIZ»

«La sensibilidad artística del artista se produce ... creando inquietudes y nebulosas políticas ... suscitando grandes y cósmicas urgencias de justicia humana ... Si el artista renunciase a crear lo que podríamos llamar la nebulosa política ... ¿a quién le tocaría aquella gran tauma-

Roberto Paoli, «*España, aparta de mí este cáliz*», en J. Ortega, ed., *César Vallejo*, Taurus, Madrid, 1974, pp. 347-349.

turgia del espíritu?» La «nebulosa» constituye el concepto fundamental de la poética vallejiana. De aquí se deriva que la poesía de Vallejo, teniendo por objeto inmediato la tal «nebulosa», se funda como una Profecía y Mesianismo. No es poesía como acción, sino como vaticinio y videncia. Los elementos bélicos o, también, épico-líricos, a diferencia de Alberti (*Capital de la Gloria, Cantata de los héroes*) o de Hernández (*Viento del pueblo*) o de Neruda (*España en el corazón*) —ha de observarse bien— son secundarios en Vallejo. Más cerca del afán escriturístico de León Felipe, pero con menos *ego*, con menos Whitman —aunque Whitman es el primer poeta moderno de una tal nebulosa.

Vallejo sugiere el recuerdo de dos momentos fácilmente discernibles de la Profecía de Isaías: aquellos en que se profetizan respectivamente la pasión de Cristo (Isaías, 53) y la nueva Jerusalén (Isaías, 54; 55; 61; 62; 65). Del primer pasaje bíblico deriva la transfiguración tipológica y simbólica del redentor-oprimido; del segundo recibe una más precisa, aunque mítica y poética, conformación de la «nebulosa» del futuro para cuya exploración no bastaba el telescopio marxista. El profundo significado de la visión bíblico-cristiana no ha sido superado, sino incorporado profundamente al cuerpo del humanismo marxista. Es la aportación espiritual, hispánica, a una adhesión materialista. Es la hispanización del materialismo histórico y de la revolución marxista. Todo, naturalmente, bajo un plano de transfiguración poética.

El título del penúltimo de los quince poemas de que consiste el poemario, sirve también de título al volumen. Con la sustitución del vocativo «España» en vez del «Pater» evangélico, se repiten las palabras de Cristo en el huerto de los olivos: «Pater mi ... transeat a me calix iste» (Mateo, 26, 39); «Abba Pater ... transfer calicem hunc a me» (Marcos, 14, 36); «Pater ... transfer calicen istum a me» (Lucas, 22, 42). En el poema «Ello es que el lugar donde me pongo», la residencia anónima en París está suplementada por una dosis de España, tierra y alma, reliquia de la tierra del alma en la tierra del exilio. España es la última estación venerada del vía crucis interior del «hogar» de Vallejo, también la proyección, en la colectividad protectora, de su antiguo culto familiar a la madre. En la trinidad «a lo humano» de Vallejo, a la persona teológica del Padre la sustituye la de la madre social, «hogar» universal que acoge bajo su amparo a todos los pobres, los afligidos y huérfanos de esta tierra. Si el huérfano solitario clamaba en vano la protección de su propia madre, los huérfanos, en cuanto colectividad, en cuanto masa, clamarán —pero no en vano en virtud de que la unión es fuerza taumatúrgica— y, por ende, crearán su propia madre colectiva. El poeta siente ahora su propia desgracia «en plural», en proyección colectiva, así la idea de la madre se amplía hasta llegar a tener proporciones cósmicas y ser ella misma el símbolo de la sociedad nueva, del «hogar de los hogares», de la tierra prometida.

España era para el poeta, en el año 1936, antes de la agresión fascista, aquella nueva e ideal sociedad que estaba apenas naciendo. Por eso, España es, aquí, madre, la primera persona de la trinidad humana de Vallejo; una trinidad más francamente humana y, así como lo divino en Vallejo es propiamente lo interhumano, tal trinidad es sentida y tratada en proporción a una dimensión divina. La segunda persona de esta trinidad, correspondiente al Hijo, está representada por el operario-redentor que, como Cristo, derrama su sangre por la redención de sus semejantes: no el hombre de conciencia individual, sino el hombre de conciencia colectiva, el Hombre-Masa, el hombre en cuanto «todos los hombres de la tierra», el «Cristo» Alfa que es el arquetipo ideal al cual habían de imitar los hombres del futuro («Cristo» Omega). Él —camino, verdad y vida— testifica *ante rem*, la humanidad futura, encarna el «deber ser» para todos los hombres. Con todo, antes del sacrificio, no pudo dejar de estar triste, aunque nada más aquello haya sido llamado («sed propterea veni in horam hanc», Juan, 12, 27). De aquí la plegaria: «España, Madre, si es posible, sálvame de este sacrificio. Mas, si no es posible, si —como dice la Escritura política, la Profecía marxista— sólo por medio del sacrificio de mi persona se puede producir la Redención de la Humanidad, *ut sint unum* (Juan, 17, 11), hágase no mi voluntad de hombre particular, mas tu voluntad universal de Madre y de Maestra». «Quoniam necesse est impleri omnia quae scripta sunt ...» (Lucas, 24, 44); «Quoniam sic scriptum est, et sic oportebat Christum pati ...» (Lucas, 24, 46). Y, el espíritu santo de esta nueva trinidad será análogamente a Aquél de la primera, doctrina de verdad, justicia y amor, o sea, el espíritu comunista de la nueva sociedad-Iglesia.

Todo en Vallejo se ejemplifica aquí sobre el Nuevo Testamento: la contraposición del hombre viejo y el hombre nuevo es sanjuanista y paulina; el comunismo, como lo siente Vallejo, es, a imitación del cristianismo, un renacer a la vida del Hombre que muere a la vida de la carne —el egoísmo— y resucita en el espíritu de verdad, justicia y amor (el espíritu de Masa); el vínculo común de la segunda, como el de la primera Iglesia, es el amor; así como Cristo es el nuevo Adán, o sea, fundador espiritual, mientras que Adán es el fundador físico, así el voluntario-bolchevique, el Hombre-Masa, es el fundador de la nueva humanidad.

Cedomil Goic

ALTAZOR DE VICENTE HUIDOBRO

Altazor enuncia un viaje en paracaídas cuyo sentido es multívoco como es multívoca la representación de la figura de Altazor. Es un viaje en paracaídas (*Altazor o el viaje en paracaídas, poema en VII cantos* es el título original del poema), homologado a la vida humana: «la vida es un viaje en paracaídas y no lo que tú quieres creer». Es traslación de un planeta desde su punto más alto dentro de su órbita inevitable, hasta el punto más bajo; movimiento regido por una cosmología negativa que arrastra todo lo existente hacia su aniquilamiento y muerte, por una ley de gravitación universal poderosa y mortal, inescapablemente destructora. El viaje es también penetración reveladora en la conciencia del existir para la muerte, lúcida entrega a esta conciencia trágica que se acompaña con una dolorosa rebeldía ante el destino miserable y su carácter fatal. En estos variados sentidos, el viaje es siempre caída, peregrinaje, desde una plenitud inicial hacia un aniquilamiento total y desesperanzado. Como movimiento contrario, el viaje es también ascenso, aspiración a un absoluto desacralizado, a la experiencia de lo maravilloso al otro lado del mundo; es vuelo chamánico ritual de subida al cielo y de lucha con él a través de diversos peldaños o escalones celestes de creciente enrarecimiento atmosférico y, en este sentido, rito verbal que acompaña y da expresión al ascenso y la extrañeza de la experiencia mágica. Se trata, pues, de un doble peregrinaje: ascendente y descendente a la vez. Es muerte y es anhelo de absoluto al mismo tiempo.

Desde el punto de vista de su estructura, *Altazor* ofrece varios

Cedomil Goic, «Prólogo» a Vicente Huidobro, *Altazor*, Ediciones Universitarias de Valparaíso, Chile, 1974, pp. 7-17 (11-17).

aspectos de interés. Tratándose de un extenso poema de siete cantos, es perfectamente comprensible que, al lado de la enunciación lírica del viaje, determinante del género épico del poema con toda su complejidad significativa, sea posible encontrar también las formas líricas del apóstrofe (singularmente en el canto I y, con otro signo, en el canto II y en parte del IV) y, por cierto, de la canción (en diversos momentos y especialmente en los últimos dos cantos), integradas en la forma general de la enunciación lírica. Cada canto, por su parte, admite una variedad considerable y pueden observarse grados diversos de unidad en cada uno de ellos y distinto grado de independencia o integración. El canto I tiene la forma de la confesión y se apoya sostenidamente en el gesto verbal que proclama la identidad personal («Soy yo», «Yo estoy aquí», «Soy», «Yo»), presenta su situación personal, el despertar a la conciencia dolorosa de existir, la voluntad de caer lúcidamente, la rebeldía frente a las limitaciones humanas, la promesa de sobrepasar la condición humana por la poesía o la magia. El canto II es una auténtica oda, la alabanza de la mujer, una mujer cósmica que entra en el plano celeste del ente complejo que es Altazor, una figura compuesta de planos superpuestos. La intensidad y el encanto de la alabanza hacen de este fragmento una página de excepción de la lírica contemporánea. Para la angustia del peregrino, la mujer es refugio, descanso, gracia, belleza, «dadora de infinito», misterio, fecundidad, es decir, se trata de la multívoca construcción de una imagen mítica de la mujer.

El canto III castiga la poesía tradicional en su aspecto exterior, en favor de un arte espagírica, de transmutaciones mágicas. La renovación necesita de la locura y del juego bellos y formula, en consecuencia, la nueva poética que es también el programa del desarrollo ulterior del poema como rito verbal que acompaña el ascenso, la lucha con el cielo y la final penetración en la nada que se expresa en la disolución de la sintaxis y de la palabra:

Un ritual de vocablos sin sombra
Juego de ángel allá en el infinito
Palabra por palabra
Con luz propia de astro que un choque vuelve vivo
Saltan chispas del choque y mientras más violento
Más grande es la explosión
Pasión del juego en el espacio
Sin alas de luna y pretensión

Combate singular entre el pecho y el cielo
Total desprendimiento al fin de voz de carne
Eco de luz que sangra aire sobre el aire
Después nada nada
Rumor aliento de frase sin palabra

El comienzo del canto IV nos retrotrae a la actitud ódica del canto II, pero la abandona rápidamente para desplegar una variedad confusa de juegos verbales y de violentas transformaciones ordenadas en doce fragmentos mediante el estribillo: «No hay tiempo que perder». Con él se expresa la urgencia del anhelo por arribar al cielo de lo maravilloso. Se enuncia aquí la promesa de una visión maravillosa, «más allá del último horizonte». Con humor trágico anticipa visiones, juega con los planos del sonido, de la palabra, de la frase, de la oración y el período, para conjugar nuevos significados, nuevas situaciones creadas o imaginarias en puridad. Los juegos verbales utilizan de preferencia palabras creadas —llamadas también *jitanjáforas* (Alfonso Reyes), o *glosolalias* (O. Jespersen) por los lingüistas, palabras soldadas, o *portmanteau words* (Lewis Carroll)—, epitafios imaginarios y otras formas lúdicas o de *nonsense*. La situación límite alcanzada en la aventura se expresa hacia el final del canto IV, como sigue:

La eternidad quiere vencer
Y por lo tanto no hay tiempo que perder

Entonces
Ah entonces
Más allá del último horizonte
Se verá lo que hay que ver [...]

El pájaro traladí canta en las ramas de mi cerebro
Porque encontró la clave del eterfinifrete
Rotundo como el unipacio y el espaverso
Uiu uiu
Tralalí tralalá
Aia ai ai aaia i i

«Eterfinifrete» es palabra creada, como una palabra compuesta y su imagen inversa en el espejo, palabra que puede leerse igual hacia atrás que hacia adelante, es decir, es un palíndromo (eter+fi+n+if+rete). Por las resonancias precedentes puede reducirse la ambigüedad de esta voz vinculada a las palabras *eter* y *fin* —la segunda edición (Cruz del Sur, Santiago, 1948) del poema cae en la errata «eternifrete», que sugiere otras relaciones, pero es infiel al texto—. La referencia específica está dirigida a la zona límite que aborda Altazor en su aventura celeste, entre dos realidades contrarias, más allá de la cual se abre un nuevo mundo donde reina lo sorprendente.

El canto V empieza con las palabras «Aquí comienza el campo inexplorado». Es de inmediato un mundo de sueños pesadillescos y de terrores, cuya superación conduce a la sorprendente maravilla de la visión nocturna.

Se abre la tumba y al fondo se ve el mar

El día cambia el signo de la realidad y de la palabra. Ésta abandona el plano visionario por el lúdico de series asociativas o sintagmáticas que conforman una dinámica plasmación del monótono paso del tiempo. Enseguida da lugar a las mágicas transformaciones del poeta shamán que cambia para identificarse con múltiples seres y objetos de la realidad. El canto concluye con nuevos juegos verbales que incluyen jitanjáforas, aliteraciones, paronomasias y nuevas series de transformaciones maravillosas. Las visiones luctuosas, lúgubres y espantables ponen rasgos de prueba iniciática a este paso. La contemplación de la maravilla nocturna, al otro lado del mundo, equivale a un descenso a los infiernos. El canto VI es ya la apoteosis de una visión poco menos que inefable, «trino de gloria», en que las palabras en gran libertad, es decir, libres de determinaciones, desatan todo su poder sugerente. El lenguaje es fuertemente inconexo y el número de las palabras y de sus combinaciones, reducido. La impresión visual, plástica (tipográfica) y el sentido son de una realidad transparente, ligera, apenas consistente, como la atmósfera poco respirable a fuerza de ser el aire de la altura tan enrarecido. El canto VII tiene ya un lenguaje desusado, en el que apenas es posible reconocer sentido alguno a través de los residuos de las palabras soldadas que ahora se combinan de a dos o de a tres, dando lugar a palabras enteramente creadas. Aquí, Altazor, en una zona solar, después de la precedente nocturna y lunar, habla un nuevo lenguaje y canta ante el portento contemplado o experimentado inventando un canto que quiere traducir la inefabilidad del fenómeno. *Aeronauta*, *eternauta*, *infinauta*, peregrino o navegante de la eternidad, Altazor, entona en puro movimiento lírico una jitanjáfora que termina en la penosa onomatopeya del dolor humano:

Auriciento auronida
Lalalí
Io ia
i i i o
Ai a i ai a i i i i o ia

La desarticulación progresiva que hemos ilustrado en su forma concreta tiene más de un significado. O valdrá la pena distinguir entre significado y sentido, observando que mucho de todo este aparato verbal carece de significado —como *oraneva yu yu yo*, junto al residual *lalalí* o *tralalí*, o el compuesto *Mitrapausa Mitralonga Matrisola*— y que, sin embargo, en el conjunto del canto y del poema no carecen de sentido. Diremos, entonces, que esas voces y sintagmas carecen de significado en sí mismos, están desprovistos de valor referencial o de representación para nosotros, pero no carecen de sentido. Tienen el sentido que les confiere el contexto de lenguaje imaginario del poema. De esta manera tienen sentido, y aun sentidos, porque se trata de más de uno. Observando nuevamente el desarrollo de los siete cantos, se puede comprobar que la aventura narrada encuentra correspondencia en su desenvolvimiento con la estructura verbal. Así, a la plenitud de la conciencia de existir, la de su descubrimiento perplejo, se corresponde una gran plenitud verbal y un discurso sintácticamente rico y articulado. Lo mismo puede decirse todavía, acrescentado el plano visionario, del canto II. Pero luego, y gradualmente, así como la aventura celeste es más alta y más aguda la distorsión de las formas ordinarias de la experiencia, el lenguaje se altera, se desarticula, pierde significado, pero conserva un sentido merced a la correspondencia señalada. Esto es, así como la experiencia mágica se hace difícil de comunicar, mientras más inefable es, más inadecuados son los medios ordinarios de expresión. Entonces, aparece un lenguaje inventado, nuevo, no conocido, hasta el anonadamiento y el silencio final.

LUIS IÑIGO-MADRIGAL

RECURSOS ESTILÍSTICOS EN LA POESÍA DE NICOLÁS GUILLÉN

[Es en *Motivos de son* en donde la crítica ha querido descubrir la presencia de «un dialecto negro» en la obra de Guillén. Sin embargo, las alteraciones fonéticas presentes en *Motivos de son* corresponden no a un inexistente dialecto negro, sino a las características del español cubano popular en general.] Desde hace siglos no existe una fonética negra diferente de la del resto de los cubanos. Un adstrato negro sólo podría rastrearse (en el español de Cuba y en la obra de nuestro poeta) en elementos léxicos asimilados; pero en Guillén esos elementos son siempre recursos estilísticos (jitanjáforas, onomatopeyas). [...] También (tanto en el español de Cuba como en la obra de Guillén) es posible advertir la presencia de indigenismos en el léxico; así podemos sorprender en diferentes poemas vocablos provenientes del taíno arawako, como: ajíaco, güiro, jícara, mamey, maraca, majagua, etc. Tales indigenismos están incorporados al habla de todos los cubanos y han encontrado gran difusión en el resto de Hispanoamérica. La presencia de elementos léxicos negros (con valor extralingüístico) e indígenas (de extensión americana) es, no obstante, irrelevante cuantitativamente en la obra del poeta cubano. Tal obra está escrita en un español cuyas diferencias diatópicas corresponden al español cubano general.

Como recursos estilísticos típicamente negristas se han señalado las onomatopeyas, las jitanjáforas y la rima aguda. Observemos, en primer lugar, que tales recursos tienen una antigua tradición poética y que, más aún, son abundantemente cultivados por las corrientes vanguardistas del siglo XX. Onomatopeyas aparecen frecuentemente en la obra del fundador del futurismo, el italiano Marinetti, así como en los poemas del poeta ruso de la época, Maiakovsky, y en otros muchos. La jitanjáfora es creada, justamente, por un poeta vanguardista cubano, de ninguna inclinación negrista: Mariano Brull. La rima aguda, en la poesía española, se conoce desde los primeros tiempos.

Luis Iñigo-Madrigal, «Introducción» a Nicolás Guillén, *Summa poética*, Cátedra, Madrid, 1976, pp. 25-31.

Pero, anotemos también, los recursos indicados adquieren especiales características en la «poesía negra». Las onomatopeyas suelen tratar de reproducir el sonido de los instrumentos de percusión empleados en los bailes negros; la rima aguda, según el poeta negrista Adalberto Ortiz, cumple parecida función; las jitanjáforas suelen consistir en voces afronegroides, o en topónimos africanos, que funcionan como significantes carentes de significado, pero que otorgan cierto «sabor» negro al conjunto.

En Guillén los recursos anotados revisten características muy definidas, y se aúnan a otros, patrimonio de la poesía occidental culta.

De los primeros recursos, los «negristas», ninguno más significativo, en la obra de nuestro poeta, que la jitanjáfora, que suele comprender incluso a los otros dos. Alfonso Reyes enumeró diversas posibilidades de esta figura. De todas ellas se encuentran ejemplos en la obra de Guillén:

1) Pretendidas onomatopeyas, siempre ilusorias, como: «El fusil, acero malo; / chilla si la luz le da; / sobre las piedras el palo / gruñe, ¡tra, tra!».

2) Jitanjáforas, puras, onomatopéyicas, repetidas a modo de estribillo: «¡Chin! ¡Chin! ¡Chin! / Aquí va el soldado muerto / ¡Chin! ¡Chin! ¡Chin! / De la calle lo trajeron».

3) Jitanjáforas de la cuna: «Coco, cacao, / cacho, cachaza, / ¡Upa, mi negro / que el sol abrasa!».

Los tipos de jitanjáforas anotadas son eminentemente folklóricas, colectivas y su presencia en la poesía de Guillén afirma justamente el carácter popular de ella. Otro tipo de esta figura es ya más literario, sirviendo de estribillo al poema, como en «Barlovento» (Dorón dorando, Dorón dorendo, Dorón dorindo, Dorón dorondo), o de soporte rítmico, como en «El secuestro de la mujer de Antonio»: «repique, pique, repique, / repique, repique, pique, / pique, repique, repique, / ¡po!», y en «Canto negro», «Sóngoro Cosongo», etc.

Muy importantes son aquellos tipos de jitanjáforas en las que lo que cuenta es el valor acústico de la lengua ajena y sus implicaciones evocativas o rítmicas. Así funcionan a menudo voces negras (o pseudonegras) en los poemas de Guillén: «Yoruba soy, lloro en yoruba / lucumí. / ... / Yoruba soy, soy lucumí, / mandinga, congo, carabalí» en el «Son n.º 6»; y en «Ébano real», «Sensemayá», «Ácana», etc. Dentro del mismo grupo se encuentran jitanjáforas de origen no negro: «En Chile hallé palabras / de lluvia y nieve intacta, / mas ninguna tan clara / ... / —Panimávida».

De este tipo son también otras muestras del recurso, en que el idioma extranjero contribuye a subrayar el contenido del poema. Así, por ejemplo, en «El apellido»: «¡Gracias! / ¡Os lo agradezco! / ¡Gentiles gentes, thank you! / Merci! / Merci bien! / Merci beaucoup!» en donde el contenido general del poema (racial) se contrapone al uso de voces de idiomas de larga tradición esclavista en las Antillas. El uso de vocablos ingleses en numerosos poemas, «Canción puertorriqueña», «Ciudades», «Elegía a Jesús Menéndez», etc., y especialmente el «West Indies Ltd.», tiene igual sentido.

El abundante uso de la jitanjáfora en la obra de Guillén, si bien en ocasiones es negrista, está ligado fundamentalmente a otras funciones; es más, la jitanjáfora negrista aparece en los primeros libros del poeta (hasta en *El son entero*), pero a partir de allí desaparece.

Otra figura muy abundante en la poesía de Guillén es la repetición. Recurso antiguo en la poesía occidental, sobre todo en la de tipo popular, la anáfora reviste diversas formas en la obra del poeta cubano. Desde la repetición de versos completos, como en la «Elegía a Emmett Till»: «Ven y en la noche iluminada, / ven y en la noche iluminada,» hasta la de una palabra en un mismo verso, con intención reiterativa o intensificativa, cual en «Barlovento»: «¡Qué cosa cosa / más triste triste, / más lastimosa!», la repetición, en forma de complexiones, conversiones, epanalepsis, epíforas, etc., sirve a menudo en Guillén a propósitos rítmicos, tanto en la construcción del verso (repetición de palabras), como en la de la estrofa (repetición de versos). Este último tipo adquiere especial importancia en sus primeros libros, muchos de cuyos poemas responden a la fórmula: A-a-A-b-A-c-A ... n.A, en la que las minúsculas representan variantes sobre el tema general del poema, en tanto que A está formada por una palabra, o varias, relacionadas también con el tema, pero que se repite sin cambios. La presencia de esta estructura (que tiene variantes menores) en los cantos de trabajo de los negros, podría marcar los poemas que la emplean como «negristas». Sin embargo, ella se encuentra también (con el mismo origen) en una de las formas musicales más populares en Cuba: el son, ritmo de raíces hispanoafricanas cuya tradición se remonta al siglo XVI, de donde lo toma Guillén.

Muy ligado al anterior recurso se encuentra el uso del estribillo, de larga trayectoria en la poesía popular de todos los tiempos. El estribillo en Guillén suele señalar la primera intuición poética del tema, configurándose la composición como variaciones sobre él. Así en «La canción del bongó»: «Aquí el que más fino sea, / responde, si llamo yo», y en «Elegía a Jesús Menéndez», «Velorio de Papá Montero», etcétera.

Si todos los recursos estilísticos señalados hasta el momento pueden calificarse como populares (más que negristas), en la obra del cubano abundan también otros de carácter decididamente culto.

Así sucede por ejemplo con el paralelismo o la bimembración, presentes en numerosos poemas. Valga de ejemplo «Un largo lagarto verde».

> ....
> batida por olas duras
> y ornada de espumas blandas,
> bajo el sol que la persigue
> y el viento que la rechaza,
> cantando a lágrima viva,
> navega Cuba en su mapa.
> ....
> reina del manto hacia afuera,
> del manto adentro, vasalla,
> ....
> o en las puntas de las lanzas
> y en el trueno de las olas
> y en el grito de las llamas
> y en el lagarto del tiempo.

También de raigambre culta es la enumeración, recurso que Guillén emplea con frecuencia en estrofas que retratan grupos humanos multifacéticos, pero unitarios. Así, refiriéndose a los negros haitianos, en la «Elegía a Jacques Roumain»:

> Jean,
> Pierre,
> Victor,
> Candide,
> Jules,
> Charles,
> Stephen,
> Raymond,
> André,

o en las largas enumeraciones de «West Indies Ltd.», variaciones sobre dos grupos sociales definidos: dominados y dominadores. Por otra parte, las aparentes enumeraciones caóticas de Guillén sólo lo son en cuanto retratan una realidad ciertamente desmembrada y caótica ella misma, cuando no absurda. Así, con tono satírico, en «West Indies Ltd.»: «Coroneles de terracota, / políticos de quita y pon, / café con pan y mantequilla / ¡que siga el son!».

ALDO PELLEGRINI

LA POESÍA DE OLIVERIO GIRONDO

[En *Persuasión de los días* aparece un nuevo tono, más austero, más profundo, con una desgarrada penetración en la raíz humana, casi sin concesiones a lo anecdótico, más ceñido y sobrio que nunca, aunque a veces aparezca como reposo alguna leve intención cantarina, como algunos de los poemas agrupados con el subtítulo de «Embelecos».]

Todas las angustias por las que pasa el hombre, que alcanzan un nivel de interrogación metafísica, se encuentran en este libro. Así, la angustia de no haber tenido un norte: «No estaba / Me he perdido». La angustia que da la certidumbre de participar en el drama del mundo: «Me derrumbé / caía / entre astillas y huesos». La angustia de considerarse inútil y sin sentido: «saber que sólo somos un pálido excremento / del amor / de la muerte».

La infinita postergación, la carencia de sentido, el enfrentamiento con un mundo absurdo, en oposición a la esperanza del artista, se concretan en una espera desesperada: «¡Ah!, el hartazgo y el hambre de seguir esperando».

Y definitivamente una gran fatiga que sucede a la espera: «Cansado, / sí, / cansado». Para concluir en un canto a la fugacidad, a lo efímero, al minuto único que incluye todos los minutos posibles: «Nada ansío de nada, / Mientras dure el instante de eternidad que es todo».

El hartazgo de la espera adquiere su máximo furor en *En la Masmédula*, libro que significa un vuelco total. De la burla del hombre-

Aldo Pellegrini, *Oliverio Girondo*, Ediciones Culturales Argentinas (Colección Antologías), Buenos Aires, 1964, pp. 7-36 (30-35).

espectador frente a la extravagante perspectiva de las cosas, que encontramos en los primeros libros, pasamos a la exposición poética de un estado de espíritu negativo en *Persuasión de los días*, y de aquí desembocamos en la ruptura completa que abarca el contenido y el lenguaje a la vez. La imagen se vuelve exclamación, grito; lo expresado ya no es anécdota sino esencialidad: todo confluye para manifestar un estado en que el destino del hombre está en crisis. En *En la Masmédula* asistimos a un hurgar desesperado en el espíritu del hombre, y a un paralelo esfuerzo por expresar esa situación del espíritu mediante la poesía en estado naciente.

La exposición poética no resiste el grado de tensión a que está sometida, y la palabra se destroza, se coagula, se transforma. Acaba así con la rigidez del lenguaje, último resorte del autoengaño del hombre.

Utiliza entonces en su poesía un mecanismo por el que obtiene una especie de policondensación de las palabras, igual al proceso químico de condensación de moléculas diferentes. Continuando con el símil pareciera que el peso energético de las palabras (como sucede con el peso molecular en el ejemplo químico) se acrecienta: «junto a las musaslianas chupaporos pulposas y los no menos pólipos hijos del hipo lutio» (al gravitar rotando) al mismo tiempo que las palabras se atraen y se asocian, por su similitud fonética.

Este mecanismo conduce a una verdadera búsqueda de la palabra informal (en el sentido que se da a los resultados de la pintura informal) mediante la ruptura de los límites entre las palabras y su aglutinación o deformación posterior. Por este procedimiento la palabra pierde su uniformidad de significado, la fría vaciedad que se produce por el desgaste del uso cotidiano, para lograr una violencia de contenido, una renovación de sus potenciales mágicos como signo.

El gran drama de la incomunicación hace que las palabras, en lugar de constituirse en puente entre los hombres, se conviertan en barrera. Las palabras, manejadas como signos convencionales, momifican las ideologías, esquematizan y encierran el pensamiento, y se revelan impotentes para expresar la necesidad de acercamiento, la amistad o el amor. Estas graves responsabilidades que deberían incumbir al lenguaje la realizan mejor otras señales que el hombre emite hacia sus semejantes: una mirada, un gesto, una actitud apenas esbozada desarrollan en general una elocuencia superior a la del lenguaje común. En la palabra sólo queda como validez la connotación latente que le proporciona la boca de quien la pronuncia, dejando las huellas de la pasión o del estado de ánimo del instante. Así, cada palabra cambia de boca en boca y cobra todos los fulgores de un espíritu particular.

En Girondo esa connotación personal es tan intensa que quiebra la forma misma del vocablo: a veces con la herida de un mordisco, o con la desgarradura producida por el furor o la desesperación. Las palabras llevan las señales de una lucha por la expresión, y dejan de ser la cosa inerte con la que se construye nuestro lenguaje común y que no dice nada de lo que realmente afecta al hombre. Esas palabras se pasean entre las gentes como viejos esqueletos de museo, hasta que llega el poeta y les confiere vida, su propia vida.

En Girondo hay una verdadera sensualidad de la palabra como sonido, pero más que eso todavía, una búsqueda de la secreta homología entre sonido y significado. Esta homología supone una verdadera relación mágica, según el principio de las correspondencias, que resulta paralela a la antigua relación mágica entre forma visual y significado.

Pero a pesar de esa violenta ruptura formal con el lenguaje corriente, la poesía de Girondo se apoya en una trama rítmica absolutamente clásica. Pareciera como una catástrofe ferroviaria que desintegrara el aspecto exterior de los trenes sin que éstos perdieran su marcha serena y segura por los rieles. Los rieles que Girondo utiliza en su poesía están dados por el empleo casi permanente del metro heptasílabo. El heptasílabo forma, por duplicación, la estructura básica del alejandrino, el metro más solemne con que cuenta la poesía castellana, y esta solemnidad es la que se descubre en el amplio y regular desarrollo de la cadencia en Girondo. Con ligeras alteraciones, a veces con cortes tipográficos (el heptasílabo resulta de la unión de dos versos cortos que deben ir juntos en el recitado), este metro recorre con su ritmo preciso y uniforme casi todo el texto. Evidentemente ha encontrado Girondo en este tejido rítmico la base para el cambio de tono de su poesía, pues es el metro que domina en *Persuasión de los días* y *En la Masmédula.* En esa tendencia a encontrar una relación entre forma sonora y sentido, no hay duda de que el heptasílabo constituye con su andar pausado el receptáculo rítmico adecuado a la expresión de esa poesía angustiante y desolada que nos ofrece Girondo en su último período.

Una irrenunciable sed vital anima con su soplo este libro apasionado y duro, unida a la dolorosa convicción de la inutilidad de todo, a la obsesionante frecuentación de la nada. Así, en el poema «Nochetótem» leemos: «los atónitos yesos de lo inmóvil ante el refluido herido interrogante», y más adelante, en el mismo poema: «las agrinsomnes dragas hambrientas del ahora con su limo de nada».

En el poema «El puro no» define esa sensación obsesionante de la nada como: «el puro no / sin no». A veces el poema adquiere la característica de un balbuceante diálogo con poderes ocultos, como en el titulado «Yolleo»: «di / no me oyes / tataconco / soy yo sin vos / sin voz».

En ese océano de exclamaciones que constituye *En la Masmédula* no hay nada caótico. Además de la base rítmica absolutamente regular, cada poema tiene un tema que se desarrolla según una construcción geométricamente barroca. El poema constituye entonces una arquitectura sólida y firme en que todo parece perfectamente calculado. Pero la totalidad de ese edificio sin grietas está soportando tensiones de una presión fabulosa, que se sienten como centellas, como gritos, o como repentinos y pavorosos silencios.

Y en ese grado de alta tensión rehuye la imagen concreta para recurrir al impacto de la imagen amorfa, determinada por los conglomerados sonoverbales. Nos encontramos entonces como ante una música que abandonara la melodía para ofrecernos la más rica sugestión de los timbres, con una orquestación en que la dulzura de las cuerdas es sustituida por la violencia y la fuerza de los cobres y la batería.

RAMÓN XIRAU

«MUERTE SIN FIN» O EL POEMA-OBJETO

Tanto si nos atenemos a la estructura exterior de «Muerte sin fin» como si penetramos en su organización formal, la impresión que sacamos de la lectura es de que se trata de un poema-río, un poema que crece y progresa con el tiempo. Pero si analizamos las metáforas y nos atenemos más al significado que a la forma externa, «Muerte sin fin»

Ramón Xirau, *Poesía iberoamericana. Doce ensayos*, Secretaría de Educación Pública (SepSetentas, 15), México, 1972, pp. 63-70.

niega la temporalidad, niega el cambio, se afirma en su permanente de objeto lúcido.

El universo metafórico de Gorostiza —rico como muy pocos en la poesía mexicana de este siglo— se desprende de unas cuantas metáforas centrales. A una serie de temas vienen a engarzarse multiplicadas variaciones. Las dos metáforas centrales del poema se organizan en torno a dos palabras: «agua», «vaso». Desde la primera estrofa el tema se define en tres versos: «No obstante —¡oh paradoja!— constreñida / en el rigor del vaso que la aclara / el agua toma forma».

¿Qué significan estas dos metáforas erigidas en símbolos? El agua, en cuya imagen, el poeta, nuevamente Narciso, se descubre, significa, de manera general, lo informe, lo móvil, lo vital. También en Heráclito el agua —el río— era portadora de movilidad. El vaso, molde posible de las aguas, significa, alternativamente, forma, esencia, inteligencia. Entre estas dos metáforas se sitúa el vaivén de imágenes de «Muerte sin fin». El agua quiere llegar a ser el vaso («atada allí gota con gota»), cree haber llegado a identificarse con el vaso que la contiene; pero el agua no es nunca el vaso; la existencia no alcanza nunca a ser una esencia acabada, plena, hecha y derecha.

[Los tres versos citados constituyen el nudo temático del poema.] En la segunda parte de «Muerte sin fin», Gorostiza regresa a este tema inicial y lo desarrolla en cuatro variaciones. Esta segunda parte del poema se inicia con los versos: «En el rigor del vaso que la aclara / el agua toma forma / ciertamente».

En efecto, el poeta reitera su tema inicial. En la estrofa que estos tres versos inician se muestra que el agua nunca acaba de adquirir la forma que pretende alcanzar. El agua que «trae una sed de siglos en los belfos» no tiene verdadera sed de amor, verdadera sed de unión y de identidad. El deseo de convertirse en vaso no pasa de ser «idolatría» (¿de la misma manera que es idolatría la tentativa del hombre para ser su propio dios?); idolatría, autoadoración y narcisismo. En su identidad consigo misma, el agua —es decir, la conciencia, la existencia, la vida— cree mentidamente haber encontrado su unidad. Pronto nos desengañan las palabras del poeta. Un viejo tema de la mística renovado y alterado hasta la angustia y el dolor por Nietzsche, aparece aquí claramente. Dios ha muerto «siglos de edades arriba», y el vaso «providente» se reduce a una mera imagen, una idea humana pasajera y momentánea, una nueva forma de la ilusión.

Anulada la divinidad, el mundo se entrega a un «frenesí de muerte».

Tal es el tema de la regresión que se anuncia ya cuando Gorostiza —reducido el mundo al sueño— afirma que este sueño: «presume pues su término inminente / y adereza en el acto / el plan de su fatiga, / su justa vocación».

Apenas comenzado, el sueño penetra por la vía de los regresos que han de llevarlo hasta la nada inicial. Estamos en el «leve instante del quebranto»; asistimos a la reducción de todos los seres al no-ser, «cuando los seres todos se repliegan / hacia el sopor primero»: «los peces todos, / deshacen el camino hacia las algas»; «el tigre que huella / la castidad del musgo» ... «el bóreas de los ciervos presurosos», «el cordero Luis XV, gemebundo», el «león babilónico», regresan a sus orígenes en una suerte de evolución invertida, en una suerte de involución, para alcanzar «los mudos letargos vegetales».

De manera similar, las plantas, sean «sauce», «álamo temblón de encanecida barba», «cerezo» o «durazno», «heroico roble» o «menta de boca helada», vuelven a sus raíces y «presas de un absurdo crecimiento / se desarrollan hacia la semilla». Los seres inanimados, «raro metal o piedra rara», «roca escueta», vuelven al origen, al «semen», a la «palabra sangrienta», exacta imagen de este frenético parto del desnacer.

La nada, «siniestro pájaro de humo», domina el mundo; un mundo gobernado por la muerte.

En este no-mundo, carece de sentido la inteligencia que se convierte en «páramo de espejo», «soledad en llamas». Carece también de sentido la palabra —aun cuando recobre sentido en el mismo poema objeto donde la no-palabra se realiza. Y el poema que Gorostiza ha escrito acerca del mundo-ilusión quiere convertirse también en ilusión tan sólo: «Porque el hombre descubre en sus silencios / que su hermoso lenguaje se le agosta / en el minuto mismo del quebranto».

La palabra, anulada por la muerte como por la muerte se ha anulado el mundo, es puro silencio. El poema todo de Gorostiza quiere determinar un instante de vida, fijarlo para mostrar que este instante, este «minuto» tantas veces repetido en varios versos, no es sino la imagen de la nada.

Muchas son las formas que Gorostiza emplea para describir su propia y personal anulación del mundo; anulación de la cual surge la permanencia misma del poema anulador. A la escasez de símbolos descriptivos se oponen un sinnúmero de imágenes que tienen por tema lo fluido del agua, lo invisible del viento, lo traslúcido, lo incorpóreo de la luz.

A lo largo de «Muerte sin fin» no ha pasado nada precisamente porque nada existe para poder pasar. Varias veces repetidos, dos versos nos entregan el sentido radicalmente estático de «Muerte sin fin»: «no ocurre nada, no, sólo esta luz, / esta febril diafanidad tirante».

Poema del movimiento —progreso, sobre todo regresivo—, «Muerte sin fin» perdura como imagen lúcida y precisa. Por el poema, por la palabra, mundo y no-mundo adquieren sentido. [...] «Muerte sin fin» niega el mundo, niega la vida, niega la existencia, niega en el cuerpo mismo de la palabra, el valor de la palabra. Pero «Muerte sin fin» es, precisamente, un poema-milagro: milagro de la permanencia. Es, en suma, aquel poema que el poeta, hombre de Dios, ha «cantado» milagrosamente, ha «fundado», ha «establecido» para que, cristalinamente, nos ponga, frente a frente, ante el creador Desconocido —ante el origen del poema, el origen mismo de la Palabra.

3. PABLO NERUDA (1904-1973)

En Parral, Chile, nació Ricardo Neftalí Eliecer Reyes Basoalto, el 12 de julio de 1904. Su madre falleció a los dos meses de haber nacido el niño. La influencia formadora la recibió de su madrastra, Trinidad Candia Marverde. El padre fue conductor de trenes y hombre de empresas comerciales y agrícolas poco fructuosas. La infancia y juventud del poeta transcurren en Temuco, en el sur lluvioso del país. A los trece años comienza a escribir y publicar en los periódicos de la región. Conoce a Gabriela Mistral, directora del Liceo de Temuco. En 1920 usa por primera vez el seudónimo Pablo Neruda, que legalizará luego en 1947. En 1921 abandonará la provincia para estudiar en la Universidad de Chile, en Santiago. Ese año gana el concurso literario de la fiesta de primavera con *La canción de la fiesta* («Juventud», Santiago, 1921), su primera publicación. En los años siguientes publica sus primeros libros que le traen rápidamente la fama: *Crepusculario* (Nascimento, Santiago de Chile, 1923), *Veinte poemas de amor y una canción desesperada* (Nascimento, Santiago de Chile, 1924), *Tentativa del hombre infinito* (Nascimento, Santiago de Chile, 1926). Poemas de ese libro aparecen al mismo tiempo en *Favorables-París-Poema*, 2 (1926) y en el *Índice de poesía americana nueva* (El Inca, Buenos Aires, 1926), de Hidalgo, Borges y Huidobro, seguramente por intervención de este último. Corresponde a un período anterior de su producción *El hondero entusiasta* (Nascimento, Santiago de Chile, 1933), escrito bajo la influencia del poeta uruguayo C. Sabat Ercasty. Estos libros significan, por una parte, la asunción de diversos aspectos de la poesía modernista y principalmente mundonovista, con resonancias de López Velarde, Gabriela Mistral, Pedro Prado, sometidos a transformación ironizante, y, por otra, la franca asunción de las formas de la poesía nueva a través de Huidobro y de la lectura directa de los poetas franceses de vanguardia. En 1926, publica, junto con Tomás Lago, *Anillos* (Nascimento, Santiago de Chile, 1926), libro de prosa poética, y en un retiro en el sur austral de Chiloé escribe el relato *El habitante y su esperanza* (Nascimento, Santiago de Chile, 1926). Son años de descontento y crisis juvenil. Desde el punto de vista de su poesía corresponde a una etapa de asimilación y formación en la que pueden reconocerse los primeros indicios de su poética ulterior en un proceso de gradual individualización y consciente orientación creadora. A los veintitrés años Neruda abandona sus estudios universitarios e inicia una carrera consular por el Asia suroriental —Rangún (1927-1928), Colombo (1928-1930), Batavia (1930-1932)—, que se cierra con su regreso a Chile en abril de 1932. El poeta ha trabajado consciente y pacientemente en la construcción de una visión y de un lenguaje poéticos propios. Una parte considerable de los poemas de *Residencia en la tierra* se escriben durante esta estancia. Su correspondencia con el intelectual argentino Héctor Eandi ilumina la concepción poética, la producción y la vida del poeta de 1927 a 1932. Luego, en 1933, sirve un cargo consular en Argentina. Conoce a Federico García Lorca en Buenos Aires. En 1933, publica la primera parte de *Residencia en la tierra* (Nascimento, Santiago de Chile, 1933) que tendrá su primera edición completa en España (Cruz y Raya, Madrid, 1935, 2 vols.). En 1934, viaja para hacerse cargo de un consulado en Barcelona y poco después en Madrid. Edita la revista *Caballo verde para la poesía* (Madrid, 1935-1936, 4 números; reimpresión anastática, Verlag Detlev Auvermann KG Glashutten im Taunus/Kraus Reprint, Biblioteca del «36», 3, Nendeln-Liechtenstein, 1974). Su primer número se abre con el manifiesto «Sobre una poesía sin pureza». Como consecuencia de un conflicto con el poeta Vicente Huidobro recibe, a manera de desagravio, un *Homenaje a Pablo Neruda de los escritores españoles* en el folleto que edita *Tres cantos materiales* (Editorial Plutarco, Madrid, 1935). A fines de 1936 pasó a Francia. En 1937, participa en el Segundo Congreso de Intelectuales para la Defensa de la Cultura, de Valencia. Desde París, en 1939, designado cónsul encargado de la inmigración española por el gobierno chileno, ayuda a los refugiados de la guerra civil y a los que salen al exilio hacia América. En 1937, se publica *España en el corazón* (Ercilla, Santiago de Chile, 1937; 1938; otra ed., Ejército del Este, Ediciones Literarias del Comisariado, 1938; 1939) que pasará a formar parte de *Tercera residencia* (Losada, Buenos Aires, 1947). Con este libro se cierra la etapa residenciaria, que ha definido la voz del poeta con rasgos inconfundibles, le ha valido la consagración y el reconocimiento en la poesía de la lengua y, a la vez, le muestra reorientado hacia el compromiso social que marcará el nuevo rumbo de su poesía. De regreso a América comienza a escribir el *Canto general*. En 1940, es cónsul en Ciudad de México. Viaja por el continente americano y las islas del Caribe. En 1943, visita Machu Picchu. Dos años más tarde, escribe *Alturas de Machu Picchu* en Isla Negra. El poema se publicará por primera vez en la revista *Expresión* (1, 1946), y en libro un año después (Ediciones Librería Neira, Santiago de Chile, 1947). En 1945, recibe el Premio Nacional de Literatura. Ese año ingresa en el Partido Comunista. Su actividad política comienza con su elección a senador por las provincias de Tarapacá y Antofagasta, por el período 1945-1948. Una nueva etapa de determinación política y social y una nueva forma de su poesía, alejada de la dicción y de la visión residenciaria, se inicia en estos años. Dirige la revista *Aurora de Chile.* En 1948, es perseguido políticamente por el gobierno de González Videla. Consigue salir clandestinamente al exilio a México. Allí publica *Canto general* (México, 1950, edición especial en folio ilustrada por Diego Rivera y David Alfaro Siqueiros; otra ed., facsimilar de la anterior, en octavo menor, Ediciones Océano, México, 1950; 1952; ed. clandestina, Santiago de Chile, 1950, falso pie de imprenta: Imprenta Juárez, Ciudad de México, 1950). Realiza extensos viajes por Europa Oriental. El propósito consciente de conducir su poesía hacia formas más simples de expresión y animadas por un espíritu constructivo, marca una nueva etapa, que va acompañada de una imaginería más libre y fresca que la de su poesía anterior. La nueva etapa de su obra va a comenzar con la publicación anónima de *Versos del capitán* (Imprenta L'Arte Tipografica, Nápoles, 1952; otra ed., Losada, Biblioteca Contemporánea, 250, Buenos Aires, 1953). Mientras *Las uvas y el viento* (Nascimento, Santiago de Chile, 1954) prolonga una parte militante de su obra sin mayor trascendencia. En cambio la modalidad renovadora y de brillante metaforismo y novedosa disposición se consolida con el primero de sus volúmenes de *Odas elementales* (Losada, Buenos Aires, 1954), al que siguen *Nuevas odas elementales* (Losada, Buenos Aires, 1956), *Tercer libro de las odas* (Losada, Buenos Aires, 1957) y *Navegaciones y regresos* (Losada, Buenos Aires, 1959), cuarto libro de las odas que cierra el ciclo. En 1955, publica *Viajes* (Nascimento, Santiago de Chile, 1955), que incluye el anterior *Viajes: Al corazón de Quevedo y por las costas del mundo* (Ediciones de la Sociedad de Escritores de Chile, Santiago de Chile, 1947), importante para los antecedentes quevedianos de su poesía. En un diálogo textual con la antipoesía escribe con humor su *Estravagario* (Losada, Buenos Aires, 1958), libro que confirma su versatilidad durante este período. En un nuevo giro temáticamente relacionado con *Los versos del capitán*, publica *Cien sonetos de amor* (Prensas de la Editorial Universitaria, Santiago de Chile, 1959; otra ed., Losada, Poetas de España y América, Buenos Aires, 1960). Como celebración de la revolución cubana escribe *Canción de gesta* (Casa de las Américas, La Habana, 1960; otra ed., Editorial Austral, Santiago de Chile, 1961). Los años siguientes muestran al poeta en una retrospección memorialística que modifica el autobiografismo y autorreferencialidad del hablante poético de su obra. Esta nueva etapa comprende *Cantos ceremoniales* (Losada, Buenos Aires, 1961), *Plenos poderes* (Losada, Buenos Aires, 1962), *Sumario* (Tallone, Alpignano, 1963) que anticipa el primer volumen —*Donde nace la lluvia*— de los cinco que comprende *Memorial de Isla Negra* (Losada, Buenos Aires, 1964). En 1964, traduce *Romeo y Julieta* de Shakespeare. Recibe un doctorado *honoris causa* por la Universidad de Oxford.

Este mismo año publica en la revista brasileña *O Cruzeiro* (a partir del 16 de junio: 10 números) «Las vidas del poeta. Memorias y recuerdos de Pablo Neruda». Publica algunos libros de poemas y fotografías de arte, *Las piedras de Chile* (Losada, Poetas de Ayer y Hoy, Buenos Aires, 1961), *Una casa en la arena* (Lumen, Barcelona, 1966), que viene a ser su primer libro publicado en España desde 1938, y el precioso libro, ilustrado por notables pintores, *Arte de pájaros* (Lord Cochrane, Santiago de Chile, 1966; otra ed., Losada, Buenos Aires, 1973). En 1967, se estrena la que será su única pieza dramática, *Fulgor y muerte de Joaquín Murrieta* (Zig-Zag, Santiago de Chile, 1967; otra ed., Losada, Buenos Aires, 1974). Ese año se publica también *La Barcarola* (Losada, Buenos Aires, 1967), de uno de cuyos episodios sale el título y el asunto de su obra dramática mencionada. Mientras su poema inicial se desprende del último poema de *Memorial de Isla Negra.* Luego publica *Las manos del día* (Losada, Buenos Aires, 1968), *Aún* (Nascimento, Santiago, 1969; otra ed., Lumen, Barcelona, 1971), *Fin de mundo* (Sociedad de Arte Contemporáneo, Santiago de Chile, 1969; otra ed., Losada, Buenos Aires, 1969), libros de adivinación de la muerte y de decepción del ensueño de un mundo que el poeta no llegará a ver. Nuevos libros orientan los años finales del poeta, *La copa de sangre. Poemas en prosa* (Tallone, Alpignano, Italia, 1969), *Maremoto* (Sociedad de Arte Contemporáneo, Santiago de Chile, 1969), *La espada encendida* (Losada, Buenos Aires, 1970), versión nerudiana de un nuevo Génesis después de las devastaciones que terminaron con la humanidad. Un nuevo temple se revela a partir de *Las piedras del cielo* (Losada, Buenos Aires, 1970). En 1971, es designado embajador en Francia por el gobierno de Salvador Allende. Poco después recibe el Premio Nobel de Literatura de 1971. En Francia concluye *La rosa separada* (Éditions du Dragon, París, 1972; otra ed., Losada, Buenos Aires, 1973), en que canta a la Isla de Pascua, y *Geografía infructuosa* (Losada, Buenos Aires, 1972). En una vena secundaria y nada lograda escribe *Incitación al nixonicidio y alabanza de la revolución chilena* (Quimantú, Santiago de Chile, 1973), libro en el que Neruda intenta castigar poéticamente las tentativas desestabilizadoras de la situación chilena por el gobierno de Nixon. A fines de 1972, regresa a Chile, después de dos años de servir en el exterior. La salud del poeta se ha resentido, sin embargo permanece activo escribiendo ocho diversos volúmenes de poesía y sus memorias personales. Dos generaciones después de cumplida la vigencia de su generación el poeta muestra una productividad sin igual. No sólo es incomparable la cantidad sino la variedad de temas que cumulativamente van destruyendo la idea de las etapas sucesivas y diferenciadas y construyendo la imagen de una poesía enciclopédica de amplia universalidad, variedad de tono, lenguaje y especie poéticos. Después del golpe militar su salud se agrava. Muere a causa de un cáncer el 23 de septiembre de 1973. Meses después comienzan a publicarse sus libros póstumos, *El mar y las campanas* (Losada, Buenos Aires, 1973) y *Elegía* (Losada, Buenos Aires, 1974), en la línea de decepciones y desconsuelos de *Fin de mundo*; *2.000* (Losada, Buenos Aires, 1974), en la familia de libros de carácter cíclico o argumental como *La rosa separada* o *La espada encendida*; *Jardín de invierno* (Losada, Buenos Aires, 1974), libro de meditaciones y adivinación de la muerte; *El corazón amarillo* (Losada, Buenos Aires, 1974) está escrito en la vena de *Estravagario* con irónica antipoesía; en *Libro de las preguntas* (Losada, Buenos Aires, 1974) la poesía alcanza la invención, el juego verbal y la imaginería eufórica de *Arte de pájaros* o *Las piedras del cielo*; el último libro de su obra poética es *Defectos escogidos* (Losada, Buenos Aires, 1974), libro de tono humorístico y satírico. El poeta había anticipado en vida los títulos de sus últimos libros y entre ellos *El libro de los Guzmanes*, en el que renovaba su amor a España. No hay noticias aún de su publicación. También de publicación póstuma fueron sus memorias *Confieso que he vivido* (Seix Barral, Barcelona, 1974), editadas por Matilde Urrutia y Miguel Otero Silva.

A estas obras han seguido diversos volúmenes de compilaciones de su prosa dispersa, *Para nacer he nacido* (Seix Barral, Barcelona, 1978), *El río invisible. Poesía y prosa de juventud* (Seix Barral, Barcelona, 1980). Una parte importante de su correspondencia ha sido publicada: *Cartas de amor* (Editorial Rodas, Madrid, 1975), edición de S. Fernández Larraín, significativas para el contexto de *Veinte poemas*; *Cartas a Laura* (Ediciones Cultura Hispánica, 1978), presentadas por H. Montes, y *Pablo Neruda, Héctor Eandi: correspondencia durante «Residencia en la tierra»* (Sudamericana, Buenos Aires, 1980), parcialmente adelantada por la autora de la edición en sus libros anteriores, Aguirre [1964, 1967, 1973], de extraordinaria importancia para la historia de las *Residencias* y de la concepción poética de Neruda. La edición de las *Obras completas* (Losada, Buenos Aires, 1973^4, 3 vols.) es la mejor, con excelente cronología y bibliografías; deja fuera sólo los libros póstumos. Hay una edición de *Poesía* (Noguer, Barcelona, 1974, 2 vols.) y *Poesías escogidas* (Aguilar, Madrid, 1980), que reúne seis de sus libros más importantes. *Libro de las odas* (Losada, Buenos Aires, 1972) recoge sus cuatro libros de odas. Un número considerable de antologías han organizado temáticamente algunos ciclos extensos y característicos de la poesía nerudiana, entre ellos, *Todo el amor* (Nascimento, Santiago de Chile, 1953; 1960; otra ed., Losada, Buenos Aires, 1968; 1971); *Poesía política* (Editora Austral, Santiago de Chile, 1953), seleccionada por Aguirre. Un carácter general tiene la *Antología* (Nascimento, Santiago de Chile, 1957), preparada por A. Aldunate Phillips, M. Aguirre y Homero Arce. Entre las excelentes debe destacarse las dos selecciones preparadas por Hernán Loyola, *Antología esencial* (Losada, Biblioteca Clásica y Contemporánea, 373, Buenos Aires, 1971) y la más acabada *Antología poética* (Alianza, El Libro de Bolsillo, Literatura, 862-863, Madrid, 1981, 2 vols.); *Obras escogidas* (Andrés Bello, Santiago de Chile, 1972, 2 vols.) es interesante por los preliminares, pero su selección revela un criterio poco seguro.

Faltan ediciones críticas, particularmente de los primeros libros de Neruda. *Crepusculario* es una obra que ciertamente la necesitaba, dadas las discrepancias de las ediciones de la misma editorial en ediciones hechas todas en vida del poeta. La edición de Nascimento (Biblioteca Popular Nascimento, Santiago, 1971) es una de las más fidedignas. Otro tanto puede decirse de *Tentativa del hombre infinito* y entre las obras de mayor importancia *Residencia en la tierra* y *Canto general.* Recientemente se ha publicado una edición crítica de *Veinte poemas de amor y una canción desesperada* (Clásicos Castalia, 160, Madrid, 1978), al cuidado de H. Montes. La biografía de Pablo Neruda ha encontrado estudios de variado mérito y signo: Aguirre [1964, 1967, 1973], Rodríguez Monegal [1966, 1977], la más completa y elaborada, y Loyola [1967, 1971] han hecho las contribuciones más importantes. Las colecciones, ya mencionadas, de *Cartas* y las memorias son fuentes imprescindibles. Sobre estas últimas y su edición, véase el libro de Bizzarro [1979] y la reseña de Pring-Mill en *Review, 29* (1981, pp. 75-76). Para una etapa parcial de la vida y obra del poeta, los años 1904-1936, Concha [1972] ha propuesto un enfoque singular.

Sanhueza [1962, 1964], Escudero [1964, 1968, 1972], Loyola [1968, 1969, 1971, 1973], Flores [1975] y Becco [1975] han ordenado cuidadosamente la copiosa bibliografía nerudiana. En dominios lingüísticos particulares, Morelli [1973] reúne la bibliografía italiana, Volek [1973], la de la URSS y Checoslovaquia. La recepción de la obra nerudiana en Alemania Oriental es estudiada en el libro de Beckett [1981]. Los estudios de conjunto tienen un comienzo notable en el de Amado Alonso [1940, 1951], el primer estudio de la estilística romance sobre un poeta moderno. Limitado por su fecha a una parte de la obra del poeta no ha encontrado otro que cubra la obra ulterior del poeta con la misma ambición interpretativa y de análisis estilístico. A la obra de Alonso siguieron las de Marcenac [1954], Lellis [1957], Salama [1957], Silva Castro [1964]. De mayor interés y rigor son las obras de Alazraki [1965] y Loyola [1967]; menos elaborados son los libros de Carson [1971], Melis [1970], Gatell [1971], Hamilton [1972], Bellini [1973], Camacho Guizado [1978] y Cousté [1979]. Sicard [1977, 1981] escribe uno de los libros más sólidos y ambiciosos. Excelentes los libros de Costa [1979], Durán y Safir [1981] y Santí [1982], particularmente este último. Compilaciones de estudios de gran utilidad son los de Flores [1974], Levy y Loveluck [1975] y Rodríguez Monegal y Santí [1980], el *Coloquio Internacional sobre Pablo Neruda (la obra posterior al «Canto general»)* (Poitiers, 1979). Ciertos números de revistas en homenaje al poeta reúnen valiosos trabajos, *Mapocho*, 2:3 (1964), *Anales de la Universidad de Chile*, 157-160 (1971), *Atenea*, 425 (1972), *Taller de Letras*, 2 (1972), *Revista Iberoamericana*, 82-83

(1973), *Cuadernos Hispanoamericanos*, 257 (1974), *Quaderni di Letteratura Americane*, 1 (1976), y el número de homenaje a Neruda de *Revista de Crítica Literaria Latinoamericana*, 21-22 (1985), especialmente. La parte negativa de la crítica ha corrido a manos de Jiménez [1942], modificada ulteriormente (véase Gullón [1970]), De Rokha [1955], Panero [1953], Paseyro [1958], Larrea [1967] y Espinoza [1969].

Los críticos se han concentrado variadamente en los diversos libros de Neruda y en especial en los de sus etapas iniciales. Sobre *Crepusculario*, Rodríguez Fernández [1962] aborda la imagen de la mujer; Loyola [1967], las etapas de composición; Concha [1965, 1972, 1973], el contexto biográfico, político y social. *Veinte poemas* ha merecido una atención especial en los trabajos de Concha [1972], Ellis [1970], sobre el «Poema 20», Lozada [1970], sobre la amada crepuscular, Santander [1971], en un espléndido estudio de conjunto; Loyola [1975], Loveluck [1975]; Morelli [1979] ha dedicado un libro a la estructura y léxico de la obra; y Araya [1982]. Sobre el contexto biográfico es imprescindible ver *Cartas de amor de Pablo Neruda* y *Confieso que he vivido*, que no resuelve la identidad de las figuras femeninas invocadas —les da solamente nombres simbólicos: Marisol y Marisombra—, pero propone dos series de poemas ordenados por ellas. Véase también el «Álbum Terusa» del poeta, presentado por Loyola [1971]. Teresa Vásquez y Albertina Rosa Azócar componen el contexto biográfico, pero la correspondencia textual es más complicada, pues en el análisis de los textos surgen otros tipos femeninos que los contrastados por Neruda en sus memorias como observan Santander [1971] y Concha [1972]. *Tentativa del hombre infinito* ha sido abordado por Alazraki [1972], en lo que considera sus aspectos surrealistas; y también por Yurkievich [1971, 1973], Costa [1975, 1979], Gadea-Oltra [1974], por Loyola [1975], quien ha puesto énfasis en la segmentación del poema, y por Sicard [1977], Camacho Guizado [1978] y González-Cruz [1978, 1979].

Residencia en la tierra es el tema central del libro de Alonso [1940, 1951], quien interpreta esta poesía como expresión personal de carácter eruptivo y por ello como una inadecuación de sentimiento e intuición. Lozada [1971] aborda en su libro el monismo agónico de esta poesía. Schwartzmann [1953] ha escrito con extraordinaria lucidez sobre la poesía de Neruda como voluntad de vínculo humano. Concha [1963, 1972, 1973] hace una contribución fundamental a la interpretación de esta poesía. Otras contribuciones sobre este libro son las de Simonis [1967], Tolman [1968] y Sicard [1983]. Cortínez [1973, 1975, 1978, 1979] analiza diversos poemas de la *Residencia I*. El mismo Cortínez [1985] reúne en un libro de extraordinario rigor y en muchos aspectos ejemplar, el análisis de los diez primeros poemas de aquella sección de *Residencia.* Sobre «Ausencia de Joaquín» escribe Himmelblau [1973]. Otros poemas particulares de este libro son analizados por Schopf [1971], «El fantasma del buque de carga»; Bennet [1975], «Galope muerto»; «Josie Bliss», por Carrillo y Pieper [1981]; «Sólo la muerte», por Lefebvre [1958], Himmelblau [1969] y Méndez-Faith [1981]; y «Alberto Rojas Jiménez viene volando», por Loveluck [1974]. En cuanto al lenguaje poético, Lora Risco [1959] ha planteado algunos problemas estéticos. Foxley [1975] ha estudiado la impertinencia predicativa; Mignolo [1975] aborda la conexión textual en «Barcarola». Sobre *Tercera residencia* y el contexto de la guerra civil española escriben Peralta [1968], Gottlieb [1967], Warner [1980]. Siefer [1970], Riess [1972], Villegas [1976] y Sola [1980] han escrito libros ambiciosos y variados sobre *Canto general.* Pontes [1955] advierte los silencios del poema; Giordano [1972] y Camurati [1972] analizan la significación del poema en la obra de Neruda; Karsen [1978] aborda su contexto histórico; Puccini [1950, 1971], Salomon [1974] y Yurkievich [1973, 1975] determinan mito e historia como dos generadores y estudian las visiones cosmogénicas en tres cantos del poema. Algunos cantos de la obra han merecido particular atención de la crítica. Sobre el canto I, «La lámpara en la tierra», escriben Yurkievich [1975] y Rodríguez Fernández [1980]; II, «Alturas de Machu Picchu», ha concentrado el mayor interés de la crítica con variados enfoques e interpretaciones, Schwartzmann [1953], Loyola [1967, 1981], Rodríguez Fernández [1964], Stackelberg [1965], Pring-Mill [1967], Goic [1971], Cros [1971], Felstiner [1980], Pérus [1972], Engler [1974], Franco [1975], Loveluck [1973], Yurkievich [1975], Gómez Paz [1976], Jitrik [1976] y Saalmann [1977]. La lengua poética del poema es abordada por Carrillo [1967, 1970]. Sobre XIV, «El Gran Océano», discurren Polt [1961] y Yurkievich [1975]. Las *Odas elementales* han sido abordadas por García Abrines [1959], Babilas [1967], Arrigoitia [1972], Bratosevich [1973], Alazraki [1974], Holzinger [1971] y Pring-Mill [1970], éste sobre la elaboración de la «Oda a la cebolla», y Willard [1969], sobre la «Oda al hombre invisible». De *Estravagario,* han tratado Bellini [1966], Johnson [1975], Foxley [1977] y Rhoades [1983]. *Memorial de Isla Negra* ha concitado los libros de Bellini [1966] y González-Cruz [1972]. *Sumario* es abordado por Terracini [1965]; *La barcarola,* por Alegría [1973]; *La espada encendida,* por Suárez Rivero [1975]; *La rosa separada,* por Rivero [1976]; *Fin de mundo,* por Bellini [1973]. Los libros póstumos son analizados por Alazraki [1976] y Bellini [1976]. *Fulgor y muerte de Joaquín Murrieta* tiene su primer análisis en el ensayo de Droguett [1968].

La concepción poética de Neruda ha sido abordada por Juan Ramón Jiménez [1942] con ásperas reservas; y la noción de poesía impura, por Cano Ballesta [1971, 1973] y Ellis [1972]. Rodríguez Monegal [1973] escribe en torno al sistema del poeta. Sobre Neruda y la vanguardia ha tratado Forster [1978]. Sobre autorreferencia y autoexégesis han escrito

Loyola [1964, 1981], con creciente rigor y penetración en el análisis de la representación del yo, y Alazraki [1978]. Lo escatológico y profético ha preocupado a Santí [1982]. Tavani [1976] escribe en torno a una lectura ritmémica. Las relaciones intertextuales entre Neruda y Quevedo preocupan a Bellini [1967, 1973, 1974]; entre Sabat Ercasty y Neruda, a Meo Zilio [1959]; entre Vallejo y Neruda también a Meo Zilio [1981]; Whitman y Neruda, a Alegría [1947] y Stone [1979]; Rilke y Neruda, a Saalmann [1974]. Estancias, amistades, influencias completan este cuadro de relaciones: Neruda y México, presentado por Lerín [1975]; Neruda y De Rokha, por De Rokha [1955]; Neruda y Miguel Hernández, por Cano Ballesta [1968]. De Neruda y su influencia en España se ocupan Ley [1970] y Luis [1974].

BIBLIOGRAFÍA

Agosin, Marjorie, *Pablo Neruda,* Twayne Publisher (TWAS, 769), Boston, 1986.

Aguirre, Margarita, *Genio y figura de Pablo Neruda,* EUDEBA, Buenos Aires, 1964.

—, *Las vidas de Pablo Neruda,* Zig-Zag, Santiago de Chile, 1967; otra ed., Grijalbo, Barcelona, 1973.

Alazraki, Jaime, *Poética y poesía de Pablo Neruda,* Las Américas Publishing Co., Nueva York, 1965.

—, «El surrealismo de *Tentativa del hombre infinito*», *Hispanic Review,* 40 (1972), pp. 31-39.

—, «Poética de la penumbra en la poesía más reciente de Neruda», *Revista Iberoamericana,* 82-83 (1973), pp. 263-291.

—, «Observaciones sobre la estructura de las *Odas elementales*», *Mester,* 4 (1974), pp. 94-102.

—, «Para una poética de la poesía póstuma de Pablo Neruda», en Isaac J. Levy, y Juan Loveluck, *Simposio Neruda: Actas,* Las Américas Publishing Co., Nueva York, 1976, pp. 41-73.

—, «Punto de vista y recodificación en los poemas de autoexégesis de Pablo Neruda», *Symposium,* 32 (1978), pp. 184-197.

Alegría, Fernando, *Walt Whitman en Hispanoamérica,* De Andrea, México, 1954; 1947[1].

—, «La *Barcarola*: barca de la vida», *Revista Iberoamericana,* 82-83 (1973), pp. 73-98.

Alonso, Amado, *Poesía y estilo de Pablo Neruda. Interpretación de una poesía hermética,* Losada, Buenos Aires, 1940; Sudamericana, Buenos Aires, 1951[2].

Araya, Guillermo, «Veinte poemas de amor y una canción desesperada», *Bulletin Hispanique,* 84:1-2 (1982), pp. 145-186.

Arrigoitia, Luis de, «Las *Odas elementales,* de Pablo Neruda», *Sin Nombre,* 3 (1972), pp. 31-43.

Babilas, Wolfgang, «Die Oden Pablo Nerudas», *Archiv für das Studium der neueren Sprachen und Literaturen,* 204:3 (1967), pp. 161-179.

Becco, Horacio Jorge, *Pablo Neruda. Bibliografía*, Casa Pardo, Buenos Aires, 1975.

Beckett, Bonnie A., *The Reception of Pablo Neruda's Works in the German Democratic Republic*, Peter Lang (Germanic Studies in America, 42), Berna-Frankfurt del Main-Las Vegas, 1981.

Bellini, Giuseppe, *La poesia di Pablo Neruda da «Estravagario» a «Memorial de Isla Negra»*, Liviana Editrice, Padua, 1966.

—, *Quevedo nella poesia ispano-americana del '900*, Editrice Viscontea, Milán, 1967; trad. cast., *Quevedo y la poesía hispanoamericana del siglo XX (Su influencia en César Vallejo, Jorge Carrera Andrade, Octavio Paz, Pablo Neruda y Jorge Luis Borges)*, Eliseo Torres & Sons, Nueva York, 1973.

—, «*Fin de mundo*: Neruda entre la angustia y la esperanza», *Revista Iberoamericana*, 82-83 (1973), pp. 293-300.

—, *Neruda*, Accademia, Milán, 1973.

—, *Quevedo in America*, Cisalpino-Goliardica, Milán, 1974.

—, «Introduzione», a Pablo Neruda, *Opere postume*, Accademia, Milán, 1974-1976, 2 vols.

—, «La continuità e noveltà nella poesia postuma di Pablo Neruda», *Quaderni di Letteratura Americane*, 1 (1976), pp. 25-49.

—, «*Residencia en la tierra*: algunas variantes», *Revista Iberoamericana*, 135-136 (1986), pp. 509-519.

Bennet, John M., «Estructuras antitéticas en "Galope muerto", de Pablo Neruda», *Revista Hispánica Moderna*, 38 (1974-1975), pp. 103-114.

Bizzarro, Salvatore, *Pablo Neruda: All Poets the Poet*, Scarecrow Press, Metuchen, N.J., 1979.

Bratosevich, Nicolás, «Análisis rítmico de "Oda con un lamento"», *Revista Iberoamericana*, 82-83 (1973), pp. 227-244.

Camacho Guizado, Eduardo, *Pablo Neruda. Naturaleza-historia y poética*, Sociedad General Española de Librería, Madrid, 1978.

Camurati, Mireya, «Significación del *Canto general* en la obra de Neruda», *Revista Interamericana*, 2:2 (1972), pp. 210-222.

Cano Ballesta, Juan, «Miguel Hernández y su amistad con Neruda», *La Torre*, 60 (1968), pp. 101-141.

—, «Pablo Neruda y los ideales de la poesía impura», *La poesía española entre pureza y revolución (1930-1936)*, Gredos, Madrid, 1971, pp. 201-212.

—, «Pablo Neruda and the Renewal of Spanish Poetry during the Thirties», en Jaime Ferrán, y Daniel P. Testa, *Spanish Writers of 1936*, Tamesis Books, Londres, 1973, pp. 94-106.

Cardona Peña, Alfredo, *Pablo Neruda y otros ensayos*, De Andrea, México, 1955.

Carrillo, Gastón, «La lengua poética de Pablo Neruda», *Boletín de Filología*, 19 (1967), pp. 133-164.

—, «La lengua poética de Pablo Neruda: Análisis de *Alturas de Machu Picchu*», *Boletín de Filología*, 21 (1970), pp. 293-332.

—, y Anette Pieper, «"Josie Bliss", de Pablo Neruda: Un análisis estilístico», *Archiv für das Studium der Neueren Sprachen und Literaturen*, 218:2 (1981), pp. 355-371.

Carson, Morris E., *Pablo Neruda: regresó el caminante*, Plaza Mayor, Madrid, 1971.

Concha, Jaime, «Interpretación de *Residencia en la tierra*, de Pablo Neruda», *Mapocho*, 2 (1963), pp. 5-39; reimpreso en *Atenea*, 425 (1972), pp. 41-81.
—, «Proyección de *Crepusculario*», *Atenea*, 408 (1965), pp. 188-210.
—, *Neruda, 1904-1936*, Editorial Universitaria, Santiago de Chile, 1972.
—, «Sexo y pobreza», *Revista Iberoamericana*, 82-83 (1973), pp. 135-158.
Cortínez, Carlos, «Interpretación de *El habitante y su esperanza*», *Revista Iberoamericana*, 82-83 (1973), pp. 159-173.
—, «Análisis de "Madrigal escrito en Invierno"», *Taller de Letras*, 3 (1973), pp. 13-16.
—, *Tres estudios sobre Pablo Neruda*, The University of South Carolina (Hispanic Studies), Columbia, S.C., 1974: «Proyección de *Crepusculario*» (1965); «Interpretación de *Residencia en la tierra*» (1963); «El descubrimiento del pueblo en la poesía de Neruda» (1964).
—, «Fidelidad de Neruda a su visión residenciaria», en Donald A. Yates, ed., *Otros mundos, otros fuegos. Memoria del XV Congreso del Instituto Internacional de Literatura Iberoamericana*, Michigan State University, 1975, pp. 177-183.
—, «Introducción a la muerte en *Residencia en la tierra* (Ausencia de Joaquín)», *Explicación de Textos Literarios*, 7:1 (1978), pp. 93-99.
—, «Un autorretrato espiritual del joven Neruda», *Diálogos*, 81 (1978), pp. 4-9; reimpreso en *Revista Chilena de Literatura*, 13 (1979), pp. 143-157.
—, *Pablo Neruda: Poemas I-X de «Residencia en la tierra». Comentario crítico*, Editorial Andrés Bello, Santiago de Chile, 1985.
Costa, René de, «Pablo Neruda's *Tentativa del hombre infinito*: Notes for a Reappraisal», *Modern Philology*, 73 (1975), pp. 136-147.
—, *The Poetry of Pablo Neruda*, Harvard University Press, Cambridge, 1979.
Cousté, Alberto, *Conocer a Neruda y su obra*, Dopesa, Barcelona, 1979; otra ed., *Neruda*, Barcanova (El autor y su obra), Barcelona, 1981.
Cros, Edmond, «Análisis del poema IX del canto II del *Canto general*», *Anales de la Universidad de Chile*, 161-163 (1971), pp. 167-175.
De Cesare, Giovanni Battista, «Il primo libro delle *Odas elementales*: una svolta nella poetica di Pablo Neruda», *Studi di letteratura ispano-americana*, 6 (1975), pp. 41-54.
Debicki, Andrew P., «La realidad concreta en algunos poemas de Pablo Neruda», en Andrew Debicki, y Enrique Pupo Walker, eds., *Estudios de literatura hispanoamericana en honor de José J. Arrom*, University of North Carolina Press, Chapel Hill, 1975, pp. 179-192.
—, *Poetas hispanoamericanos contemporáneos*, Gredos, Madrid, 1976.
Díaz, Ramón, «Pasos entre las dos *Residencias* de Neruda», *Papeles de Son Armadans*, 54 (1969), pp. 229-242.
Droguett, Iván, «Apuntes sobre *Fulgor y muerte de Joaquín Murrieta*, de Pablo Neruda», *Latin American Theatre Review*, 2:1 (1968), pp. 39-48.
Durán, Manuel, y Margery Safir, *Earth Tones. The Poetry of Pablo Neruda*, Indiana University Press, Bloomington, 1981.
Ellis, Keith, «*Poema veinte*: A Structural Approach», *Romance Notes*, 11 (1969-1970), pp. 507-517.
—, «Change and Constancy in Pablo Neruda's Poetic Practice», *Romanische Forschungen*, 4 (1972), pp. 1-17.

Engler, Kay, «Image and Structure in Neruda's "Alturas de Machu Picchu"», *Symposium*, 27 (1974), pp. 130-145.

Escudero, Alfonso M., «Fuentes para el conocimiento de Pablo Neruda», *Mapocho*, 2:3 (1964), pp. 249-279.

—, «Fuentes para el conocimiento de Pablo Neruda», en P. Neruda, *Obras completas*, Losada, Buenos Aires, 1968³, tomo II, pp. 1.504-1.598.

—, «Repertorio bibliográfico de Pablo Neruda», *Letras*, 2 (1972), pp. 173-196.

Espinoza, Enrique, *Tres epístolas a Pablo Neruda, González Vera y Manuel Rojas*, Babel, Santiago de Chile, 1969.

Felstiner, John, *Translating Neruda. The Way to Machu Picchu*, Stanford University Press, Stanford, California, 1980.

Ferraresi, Alicia C. de, «La relación yo-tú en la poesía de Pablo Neruda», *Revista Iberoamericana*, 82-83 (1973), pp. 205-226.

Figueroa, Esperanza, «Pablo Neruda en inglés», *Revista Iberoamericana*, 82-83 (1973), pp. 301-348.

Flores, Ángel, ed., *Aproximaciones a Pablo Neruda*, Las Américas, Nueva York, 1974.

—, *Bibliografía de Escritores Hispanoamericanos, 1609-1974*, Las Américas, Nueva York, 1975.

Forster, Merlin H., «Pablo Neruda and the Avant-Garde», *Symposium*, 32 (1978), pp. 208-220.

Foxley, Carmen, «La impertinencia predicativa. Una figura del lenguaje en *Residencia en la tierra*», *Taller de Letras*, 4 (1975), pp. 9-35.

—, «La ironía, fundamentos de una figura literaria», *Revista de Literatura Chilena*, 9-10 (1977), pp. 5-20.

Franco, Jean, «Orfeo en utopía», *Simposio Pablo Neruda. Actas*, University of South Carolina/Las Américas, Nueva York, 1975, pp. 269-289.

Gadea-Oltra, Francisc, «Interpretación surrealista y romántica de *Tentativa del hombre infinito*», *Cuadernos Hispanoamericanos*, 287 (1974), pp. 329-345.

García Abrines, Luis, «La forma de la última poesía de Neruda», *Atenea*, 386 (1959), pp. 95-107.

Gatell, Angelina, *Neruda*, EPESA, Madrid, 1971.

Giordano, Jaime, «Introducción a *Canto general*», *Mapocho*, 2 (1964), pp. 210-226; reimpreso en *Atenea*, 425 (1972), pp. 84-103.

Goic, Cedomil, «"Alturas de Machu Picchu": la torre y el abismo», *Anales de la Universidad de Chile*, 157-160 (1971), pp. 222-244.

Gómez Paz, Julieta, «Aproximación al poema de Neruda "Alturas de Machu Picchu"», *Sin Nombre*, 7 (1976), pp. 57-70.

González-Cruz, Luis F., *«Memorial de Isla Negra»: Integración de la visión poética de Pablo Neruda*, Ediciones Universal, Miami, 1972.

—, *Pablo Neruda, César Vallejo y Federico García Lorca: Microcosmos poéticos. Estudios de interpretación crítica*, Las Américas, Nueva York, 1975.

—, «El viaje trascendente de Pablo Neruda: una lectura de *Tentativa del hombre infinito*», *Symposium*, 32 (1978), pp. 197-207.

—, *Neruda: de «Tentativa» a la totalidad*, Ediciones Abra, Nueva York, 1979.

Gottlieb, Marlene, «Pablo Neruda, poeta del amor», *Cuadernos Americanos*, 149 (1966), pp. 211-221.

—, «La guerra civil española en la poesía de Pablo Neruda y César Vallejo», *Cuadernos Americanos*, 54 (1967), pp. 189-200.

Gullón, Ricardo, «Relaciones Neruda-J. R. Jiménez», *Hispanic Review*, 39 (1970), pp. 141-166.

Hamilton, Carlos D., *Pablo Neruda, poeta chileno universal*, Lord Cochrane, Santiago de Chile, 1972.

Himmelblau, Jack, «Poesía de Pablo Neruda: "Sólo la muerte"», *La Torre*, 64 (1969), pp. 93-100.

—, «"Ausencia de Joaquín": An Analysis», *Norte*, 14:1 (1973), pp. 9-13.

Holzinger, Walter, «Poetic Subject and Poetic Form in the *Odas elementales*», *Revista Hispánica Moderna*, 36 (1970-1971), pp. 41-49.

Jiménez, Juan Ramón, *Españoles de tres mundos*, Losada, Buenos Aires, 1942; otra ed., 1958.

Jitrik, Noé, «"Alturas de Machu Picchu": una marcha piramidal a través de un discurso poético incesante», *Nueva Revista de Filología Hispánica*, 26 (1976), pp. 510-555.

Johnson, Samuel, «Tiempo y memoria en el *Estravagario*, de Pablo Neruda», en Jaime Alazraki, Roland Grass, y Russell O. Salmon, *Homenaje a Andrés Iduarte*, American Hispanist, Clear Creek, 1975, pp. 187-200.

Karsen, Sonja, «Neruda's *Canto general* in Historical context», *Symposium*, 32 (1978), pp. 220-235.

Larrea, Juan, *Del surrealismo a Machu Picchu*, Joaquín Mortiz, México, 1967.

Lechner, J., *El compromiso en la poesía española del siglo XX*, Universidad de Leiden, Leiden, 1968.

—, «Nota preliminar» a reimpresión anastática de *Caballo verde para la poesía*, Verlag Detlev Auvermann KG Glashutten im Taunus/Kraus Reprint (Biblioteca del «36»), Nendeln-Liechtenstein, 1974.

Lefebvre, Alfredo, «Sólo la muerte», *Poesía española y chilena. Análisis e interpretación de textos*, Editorial del Pacífico, Santiago de Chile, 1958, pp. 148-162; reimpreso en *Atenea*, 425 (1972), pp. 19-28.

Lellis, Mario J., *Pablo Neruda*, La Mandrágora, Buenos Aires, 1957; 1959[2].

Lerín, Manuel, *Neruda y México*, Costa-Amic, México, 1975.

Lerner, Vivianne, «Réalité profane, réalité sacré dans les *Odas elementales* de Pablo Neruda», *Bulletin de la Faculté de Lettres de Strasbourg*, 44 (1966), pp. 759-776.

Lévy, Isaac J., y Juan Loveluck, eds., *Simposio Pablo Neruda: Actas*, Las Américas, Nueva York, 1975.

Ley, C. D., «Influencia de Neruda y otros en la moderna poesía de España», *Actas del Tercer Congreso Internacional de Hispanistas*, México, 1970, pp. 543-552.

Lora Risco, Alejandro, «Problemas estéticos en torno al lenguaje de *Residencia en la tierra*», *Atenea*, 384 (1959), pp. 101-120.

—, *Crítica de la poesía mestiza. Una incursión en la memoria colectiva del hombre hispanoamericano*, Academia Superior de Ciencias Pedagógicas, Santiago de Chile, 1982.

Loveluck, Juan, «Alturas de Machu Picchu, cantos I-IV», *Revista Iberoamericana*, 82-83 (1973), pp. 175-188.

—, «La sintaxis de la desintegración: sobre una elegía de Pablo Neruda», *Cuadernos Hispanoamericanos*, 287 (1974), pp. 361-380.

—, «El navío de Eros», en Isaac J. Lévy, y Juan Loveluck, eds., *Simposio Pablo Neruda: Actas*, Las Américas, Nueva York, 1975, pp. 217-231.

—, «*Crepusculario* en su medio siglo», en Donald A. Yates, ed., *Otros mundos, otros fuegos. Memoria del XV Congreso del Instituto Internacional de Literatura Hispanoamericana*, Michigan State University, 1975, pp. 167-176.

Loyola, Hernán, *Los modos de autorreferencia en la obra de Pablo Neruda*, Ediciones de la Revista Aurora, Santiago de Chile, 1964.

—, *Ser y morir en Pablo Neruda*, Editora Santiago, Santiago de Chile, 1967.

—, «Guía bibliográfica de Pablo Neruda», en Pablo Neruda, *Obras completas*, II, Losada, Buenos Aires, 1968[3], pp. 1.317-1.501; III, Losada, Buenos Aires, 1973[4], pp. 911-1.106.

—, «El ciclo nerudiano 1958-1967: tres aspectos», *Anales de la Universidad de Chile*, 157-160 (1971), pp. 235-253.

—, «Lectura de *Veinte poemas de amor*», en Isaac J. Lévy, y Juan Loveluck, eds., *Simposio Pablo Neruda: Actas*, Las Américas, Nueva York, 1975, pp. 339-353.

—, «*Tentativa del hombre infinito*, 50 años después», *Acta Litteraria*, 17:1-2 (Budapest, 1975), pp. 111-123.

—, «*El habitante y su esperanza*, relato de vanguardia», *Actas del Simposio Internacional de Estudios Hispánicos*, Akademiai Kladó, Budapest, 1976; reimpreso en *Cuadernos para Investigación de la Literatura Hispánica*, 2-3 (Madrid, 1980), pp. 213-222.

—, «Neruda y América Latina», *Cuadernos Americanos*, 3 (1978), pp. 175-197.

—, «Prólogo» a Pablo Neruda, *Antología poética*, Alianza Editorial (El Libro de Bolsillo, 862-863), Madrid, 1981, 2 vols.

Lozada, Alfredo, «Rodeada está de ausencia: la amada crepuscular de *Veinte poemas de amor y una canción desesperada*», en Kurt Lévy, y Keith Ellis, eds., *El ensayo y la crítica literaria. Memoria del Congreso del Instituto Internacional de Literatura Iberoamericana*, Toronto, 1970, pp. 239-248.

—, *El monismo agónico de Pablo Neruda: Estructura, filiación y sentido de «Residencia en la tierra»*, B. Costa Amic, México, 1971.

—, «Pablo Neruda: Cartas a una amada ausente», *Symposium*, 32 (1978), pp. 235-253.

Luis, Leopoldo de, «La poesía de Neruda y España», *Cuadernos Hispanoamericanos*, 287 (1974), pp. 312-328.

Marcenac, Jean, *Pablo Neruda*, Éditions Pierre Seghers (Poètes d'aujourd'hui, 40), París, 1954.

Melis, Antonio, *Neruda*, La Nuova Italia (Il Castoro, 38), Florencia, 1970.

Méndez-Faith, Teresa, «Algunas observaciones en torno a "Sólo la muerte", de Pablo Neruda», *Cuadernos Americanos*, 257:4 (1981), pp. 195-200.

Meo Zilio, Giovanni, «Influencia de Sabat Ercasty en Pablo Neruda», *Revista Nacional* (Montevideo, 1959).

—, «Vallejo y Neruda: Posibles influencias nerudianas en Vallejo», en Giuseppe Bellini, ed., *Aspetti e problemi delle letterature iberiche: Studi offerti a Franco Meregalli*, Bulzoni, Roma, 1981, pp. 251-265.

Mignolo, Walter D., «Algunos aspectos de la coherencia del discurso», en Mary

Ann Beck, Lisa E. Davis, José Hernández, Gary D. Keller, e Isabel C. Tarán, *The Analysis of Hispanic Texts: Current Trends in Methodology*, Bilingual Press, York College, Jamaica, 1975, pp. 273-299.

Mistral, Gabriela, «Recado sobre Pablo Neruda», *Repertorio Americano* (S. José, Costa Rica, 23 abril, 1936); reimpreso en *Recados contando a Chile*, Editorial del Pacífico, Santiago de Chile, 1957, pp. 165-169.

Montes, Hugo, *Para leer a Neruda*, Francisco de Aguirre, Buenos Aires, 1975.

Moody, Michael, «Neruda's "Arrabales (Canción triste)": The Poetic Transformations of Ideology», *Romance Notes*, 20 (1979), pp. 11-16.

Morelli, Gabriele, «Bibliografía de Neruda en Italia», *Revista Iberoamericana*, 82-83 (1973), pp. 369-371.

—, *Strutture e lessico nei Veinte poemas de amor*, Cisalpino-Goliardica, Milán, 1979.

Panero, Leopoldo, *Canto personal. Una carta perdida a Pablo Neruda*, Introducción de Dionisio Ridruejo, Ediciones Cultura Hispánica, Madrid, 1953.

Paseyro, Ricardo, «The dead world of Pablo Neruda», *Triquarterly*, 15 (1969), pp. 202-227.

—, Arturo Torres Rioseco, y Juan Ramón Jiménez, *Mito y verdad de Pablo Neruda*, Asociación Mexicana por la Libertad de la Cultura, México, 1958; trad. fr.: *Le Mythe Neruda*, L'Herne, París, 1965, 1971².

Peralta, Jaime, «España en tres poetas hispanoamericanos: Neruda, Guillén, Vallejo», *Atenea*, 421-422 (1968), pp. 37-49.

Pérus, Francoise, «Arquitectura poética de "Alturas de Machu Picchu"», *Atenea*, 425 (1972), pp. 104-130.

Polt, J. H. R., «Elementos gongorinos en "El Gran Océano", de Pablo Neruda», *Revista Hispánica Moderna*, 27 (1961), pp. 25-31.

Pontes, Joel, «O *Canto general* de Neruda», *O aprendiz de Critica*, Recife, Pernambuco, Brasil, 1955, vol. I, pp. 35-67; reimpreso en *Dos poetas de América*, Fondo de Editores Indoamericanos, Bogotá, 1955.

Pring-Mill, Robert, «Preface» a Pablo Neruda, *The Heights of Machu Picchu*, trad. de Nathaniel Tarn, Farrar, Strauss & Giroux, Nueva York, 1967, pp. vii-xix.

—, «La elaboración de la "Oda a la cebolla"», en *Actas del Tercer Congreso Internacional de Hispanistas*, México, 1970, pp. 739-751.

—, «Introduction» a Pablo Neruda, *A Basic Anthology*, The Dolphin Book, Londres, 1975, pp. xv-lxxxi.

Puccini, Dario, «Lettura del *Canto Generale*», *Società*, 6:4 (1950), pp. 585-619.

—, «Introduzione» a Pablo Neruda, *Canto Generale*, Sansoni-Accademia, Milán, 1971.

Rhoades, Duane, «*Estravagario*: Neruda frente al otoño», *Revista de Estudios Hispánicos*, 17:2 (1983), pp. 199-211.

Riess, Frank, *The Word and the Stone. Language and Imagery in Neruda's «Canto General»*, Oxford University Press (Oxford Modern Languages and Literature Monographs), Oxford, 1972.

Rincón, Carlos, «Zu Pablo Nerudas einziger Novelle "Der Bewohner und seine Hoffnung"», en Gregor Laschen y Manfred Schlosser, eds., *Der zerstuckte Traum: Für Erich Arendt zum 75. Geburtstag*, Agora, Berlín, 1978, pp. 254-256.

Rodríguez Fernández, Mario, «Imagen de la mujer y el amor en un momento de la poesía de Pablo Neruda», *Anales de la Universidad de Chile*, 125 (1962), pp. 74-80.

—, «El tema de la muerte en "Alturas de Machu Picchu"», *Anales de la Universidad de Chile*, 131 (1964), pp. 23-50.

—, «Expulsión de una escritura y promesa del canto: Dos instancias básicas en "Amor América"», *Estudios Filológicos*, 15 (1980), pp. 127-144.

Rodríguez Monegal, Emir, *El viajero inmóvil. Introducción a Pablo Neruda*, Losada, Buenos Aires, 1966.

—, *Neruda: el viajero inmóvil. Nueva versión ampliada*, Monte Ávila (Colección Estudios), Caracas, 1977.

—, «Pablo Neruda: el sistema del poeta», *Revista Iberoamericana*, 82-83 (1973), pp. 41-71.

—, «Pablo Neruda: las *Memorias* y las vidas del poeta», en Isaac J Lévy, y Juan Loveluck, eds., *Simposio Pablo Neruda*, Las Américas, Nueva York, 1975, pp. 189-207.

—, y Enrico Mario Santí, eds., *Pablo Neruda*, Taurus (Serie el Escritor y la Crítica, Persiles, 121), Madrid, 1980.

Rokha, Pablo de, *Neruda y yo*, Editorial Multitud, Santiago de Chile, 1955.

Saalmann, Dieter, «Der Tod als Sinnbild Aesthetischer Affinitat zwischen Rainer Maria Rilke und Pablo Neruda», *Deutsche Vierteljahrsschrift für Literaturwissenschaft und Geistesgeschichte*, 48 (1974), pp. 197-227.

—, «The Role of Time in Neruda's *Alturas de Machu Picchu*», *Romance Notes*, 18 (1977), pp. 169-177.

Salama, Roberto, *Para una crítica a Pablo Neruda*, Cartago, Buenos Aires, 1957.

Salomon, Noël, «Un événement poétique: Le *Canto General* de Pablo Neruda», *Bulletin Hispanique*, 76 (1974), pp. 92-124.

Sánchez, Luis Alberto, «Comentarios extemporáneos: Neruda y el Premio Nobel», *Revista Iberoamericana*, 82-83 (1973), pp. 27-39.

—, «El secreto amor de Neruda», *Revista Iberoamericana*, 42 (1975), pp. 19-29.

Sanhueza, Jorge, «Cronología de Pablo Neruda y bibliografía», en P. Neruda, *Obras completas*, Losada, Buenos Aires, 1962[2].

—, *Catálogo de la Exposición Bibliográfica de Pablo Neruda*, Editorial Universitaria, Santiago de Chile, 1964.

Santander, Carlos, «Amor y temporalidad en *Veinte poemas de amor*», *Anales de la Universidad de Chile*, 157-160 (1971), pp. 91-105.

Santí, Enrico Mario, «Neruda: la modalidad apocalíptica», en Emir Rodríguez Monegal, y E. M. Santí, eds., *Pablo Neruda*, Taurus, Madrid, 1980, pp. 265-275.

—, *Pablo Neruda. The Poetics of Prophecy*, Cornell University Press, Ithaca y Londres, 1982.

Schopf, Federico, «Análisis de "El fantasma del buque de carga"», *Anales de la Universidad de Chile*, 157-160 (1971), pp. 117-127.

Schwartzmann, Félix, «El mundo poético de Pablo Neruda como voluntad de vínculo», *El sentimiento de lo humano en América*, Universidad de Chile, Santiago de Chile, 1953, vol. II, pp. 63-80.

—, «Silencio y palabra en la poesía de Neruda», *Teoría de la expresión*, Ediciones de la Universidad de Chile, Santiago de Chile, 1967, pp. 47-49.

Sicard, Alain, *La pensée poétique de Pablo Neruda*, Université de Lille, Lille/ Librairie Honoré Champion, París, 1977; trad. cast.: *El pensamiento poético de Pablo Neruda*, Gredos, Madrid, 1981.
—, ed., *Coloquio internacional sobre Pablo Neruda (la obra posterior al «Canto General»)* (Publications du Centre de Recherches Latinoaméricaines), Poitier, 1979.
—, «À propos de *Residencia en la tierra*, de Pablo Neruda», *Les Langues Neo-Latines*, 246 (1983), pp. 23-31.
Siefer, Elisabeth, *Epische Stilelemente im «Canto General de Pablo Neruda»*, Whilhelm Fink Verlag, Munich, 1970.
Silva Castro, Raúl, *Pablo Neruda*, Editorial Universitaria, Santiago de Chile, 1964.
Simonis, Ferdinand, «Pablo Neruda fruhe Lyrik und die *Residencias:* Wege der Wandlung», *Neophilologus*, 51 (1967), pp. 15-31.
Sola, María Magdalena, *Poesía y política en Pablo Neruda (Análisis de «Canto General»)*, Editorial Universitaria (Colección Mente y Palabra), Río Piedras, Puerto Rico, 1980.
Soublette, Gastón, *Pablo Neruda, profeta de América*, Ediciones Nueva Universidad, Santiago de Chile, 1980.
Stackelberg, Jurgen von, «Ein Kommentar zur Dichtung», prólogo a Pablo Neruda, *Die Hohen von Machu Picchu*, trad. de Rudolf Hagelstange, Hoffmann & Campe, Hamburgo, 1965, pp. 21-26.
Stimson, Frederick, *The New Schools of Spanish American Poetry*, Castalia, Madrid, 1970.
Stone, Larry, «The Continental Voice: Whitman's Influence on Pablo Neruda», *Papers in Romance*, 2:1 (1979), pp. 1-13.
Suárez Rivero, Eliana, «Fantasía y mito en la obra de Pablo Neruda: *La espada encendida*», en Donald A. Yates, ed., *Otros mundos, otros fuegos. Fantasía y realismo mágico en Hispanoamérica*, Michigan State University, East Lansing, 1975.
—, «Análisis de perspectivas y significación en *La rosa separada*, de Pablo Neruda», *Revista Iberoamericana*, 96-97 (1976), pp. 459-472.
Tavani, Giuseppe, «Per una lettura ritmemica di una poesia de Neruda», *Quaderni di Letteratura Americane*, 1 (1976).
Teitelboim, Volodia, *Pablo Neruda*, Ediciones Michay, Madrid, 1984; otra ed., Losada (Cristal del Tiempo), Buenos Aires, 1985.
Terracini, Lore, «Il "Sumario" di Neruda e la poesia della memoria», *Paragone*, 6:186 (1965), pp. 37-56.
Tolman, John M., «Death and Alien Environment in Pablo Neruda's *Residencia en la tierra*», *Hispania*, 51:1 (1968), pp. 79-85.
Urrutia, Matilde, *Mi vida junto a Pablo Neruda (Memorias)*, Seix Barral, Barcelona, 1986.
Villegas, Juan, *Estructuras míticas y arquetipos en el «Canto General» de Pablo Neruda*, Planeta, Barcelona, 1976.
Volek, Emil, «Pablo Neruda y algunos países socialistas de Europa», *Revista Iberoamericana*, 82-83 (1973), pp. 349-368.
Warner, Robin, «The Politics of Pablo Neruda's *España en el corazón*», en John England, ed., *Hispanic Studies in Honour of Frank Pierce*, University of Sheffield, Sheffield, 1980, pp. 169-180.

Willard, Nancy, *Testimony of the Invisible Man: William Carlos Williams, Francis Ponge, Rainer Maria Rilke, Pablo Neruda*, University of Missouri Press, Columbia, 1969.

Yurkievich, Saúl, «Realidad y poesía (Huidobro, Vallejo, Neruda)», *Humanidades*, 35 (1960), pp. 251-277; reimpreso en Óscar Collazos, *Los vanguardismos en la América Latina*, Casa de las Américas (Serie Valoración Múltiple), La Habana, 1970, pp. 211-235.

—, «La imaginación mitológica de Pablo Neruda», *Los fundadores de la nueva poesía latinoamericana*, Barral, Barcelona, 1971, pp. 139-200; 1973².

—, «Mito e historia: dos generadores del *Canto general*», *Revista Iberoamericana*, 82-83 (1973), pp. 198-213.

—, «El génesis oceánico», en Isaac J. Lévy y Juan Loveluck, eds., *Simposio Pablo Neruda: Actas*, Las Américas, Nueva York, 1975, pp. 383-399.

—, «Residencia en la tierra, paradigma de la primera vanguardia», *A través de la trama*, Muchnik Editores, Barcelona, 1984, pp. 46-57.

Zagury, Eliane, *Tradução e leitura de Pablo Neruda*, Sabiá, Río de Janeiro, 1968.

Carlos Santander

VEINTE POEMAS DE AMOR Y UNA CANCIÓN DESESPERADA

En la proclamación de su temple, el poeta se muestra en un estado de soledad y abandono. El campo semántico asociado a esta situación alcanza a aspectos que dicen relación con el desfallecimiento y la fatiga, el dolor («agrio vino mío»), la desesperación, el acoso y la desventura. En un ser sombrío, presa de inciertas inquietudes, a las que define como «agua devorante», aludiendo a un obscuro proceso inconsciente —«agua»— de autoagresión.

En esta determinación de la situación del hablante se pueden distinguir cuatro formas de autodefinición. En primer lugar, la autorreferencia en cuanto ser en sí mismo. En este sentido, es un ser solo, indeciso, fatigado, desesperado, desventurado y sombrío. Pero este ser en sí guarda relaciones con el mundo o consigo mismo. En este segundo aspecto, se define como un ser prisionero, acosado, acorralado entre el mar y la tristeza. El sujeto se convierte en objeto invadido. Los agentes de la invasión o el acoso pueden ser externos o internos.

Cuando son externos, pertenecen al orden de lo natural: la noche y el mar: «y en mí entraba *la noche* su invasión poderosa» (Poema 1); «acorralado entre *el mar* y la tristeza» (Poema 13). Cuando son internos dicen relación con una inquietud propia, indefinida, perteneciente al dominio de las zonas profundas del ser: «acorralado entre el mar y la *tristeza* / amarrado a *mi agua devorante*».

Un tercer aspecto, proviene de un movimiento *ad extra*, partiendo

Carlos Santander, «Amor y temporalidad en *Veinte poemas de amor y una canción desesperada*», *Anales de la Universidad de Chile*, 157-160 (1971), pp. 91-105 (94-95).

del estado de carencia. Se define como una búsqueda de lo satisfactorio, de los elementos que pudieran saciar la gran sed interior.

«Hoguera de estupor en que mi *sed* ardía» (Poema 6); «donde mis besos anclan y mi húmeda ansia anida» (Poema 3). Es el impulso de salvación, que denota el estado de carencia, pero al mismo tiempo, la conciencia de la necesidad del otro, de la necesidad de ruptura con la realidad que lo cerca, con los muros, las paredes, los horizontes demasiado próximos. El afán de trascenderse a sí mismo lo lleva a autodefinirse en relación con oficios ligados a lo elemental. El poeta ya ha dicho que su ser primero es primitivo y salvaje, es decir, natural: «Mi cuerpo de *labriego salvaje* te socava» (Poema 1); «Cuánto te habrá dolido acostumbrarte a mí, / a *mi alma sola y salvaje*» (Poema 14).

Comoquiera que el ser presocial es insostenible en el tiempo, el poeta, en cuanto es frente a otros, requiere de oficios, un matiz de civilización. Esta actividad —desde luego, a nivel de lo poético— mantiene el rastro de los momentos primeros por su vinculación a la naturaleza y a sus símbolos fundantes: el mar, el cielo, la tierra. Por eso o es labriego (tierra); pescador (agua): «En la red de mi música estás presa» (Poema 16); «Inclinado en las tardes echo mis tristes redes / a ese mar que sacude tus ojos oceánicos» (Poema 7).

U hondero y arquero (aire): «Para sobrevivirme te forjé como un arma, / como una flecha en mi arco, como una piedra en mi honda» (Poema 1); «Márcame mi camino en tu arco de esperanza / y soltaré en delirio mi bandada de flechas» (Poema 3); «Pálido buzo ciego, desventurado hondero» (La Canción Desesperada).

En estos oficios, cuarto momento de autorreferencia, se perfila el modo de prolongación que tiene la naturaleza pura en la actividad del hablante y su relación con los cuatro elementos. Los oficios recién señalados se sitúan en el campo de la actividad manual: pescador, labriego, hondero. Pero esta praxis del poeta no tiene un destino objetivamente productivo, destinado a una especial sociedad de consumo. Es decir, no tiene un fin social amplio. Antes que nada hay que decir que se desarrollan en el campo de las imágenes y no de una praxis a la que se hiciera referencia desde el acto poético. Y estas imágenes que hacen alusión a una actividad del espíritu al modo de las parábolas (porque la sed y el hambre son apetencias del otro y no un hambre o una sed fisiológica) son el modo de referencia a una relación no social, sino personal, la relación poeta-amada. Es sobre ella, donde el poeta ejecuta y cumple su función productora. Y como lo que produce son imágenes, es decir, poesía, resulta que el oficio más propio, el oficio excelente del hablante es el hablar, el ser poeta. Y así como la mano es la posibilidad material del ser pescador o labriego, así la boca es la base material del hablar, del decir, de la palabra y su variante silenciosa, que es el beso. A los tres elementos señalados más arriba —aire, agua y tierra— y sus correspondientes oficios, hay que agregar ahora el cuarto, que es el fuego, vinculado al beso, a la palabra y al poema.

El fuego aparece asociado al crepúsculo («esta hora de muertes y llena de las vidas del fuego» [Poema 2]). Pero el crepúsculo está vinculado a la palabra: «Historias que contarte a la orilla del crepúsculo» (Poema 13); y al canto: «muñeca triste y dulce, para que no estuvieras triste» (Poema 13); «oh segadora de *mi canción* de atardecer» (Poema 16); como el fuego expresa al beso: «hacia donde emigraban mis profundos anhelos / y caían mis *besos alegres* como brasas» (Poema 6); «He ido marcando con *cruces de fuego* / el atlas blanco de tu cuerpo» (Poema 13); «Cementerio de besos, aún hay *fuego* en tus tumbas» (La Canción Desesperada).

Es decir, el fuego es un elemento activo, creador, fecundo en la simbología del poeta. Está siempre presente como actitud interior del hablante en su relación con la amada o como enmarcamiento natural de estas relaciones. En el poemario que analizamos, el apóstrofe se hace siempre a una amada inmediata cuando el contorno es crepuscular. Los fuegos del crepúsculo son el modo de participar que tiene el cosmos en los sentimientos del poeta. En cambio, cuando el apóstrofe es a una amada ausente, lejana o perdida, la ambientación es nocturna. No olvidemos, sí, que el crepúsculo exaspera sus luces por el advenimiento de las sombras. Con éstas se aleja la amada: «en tus ojos de luto comienza el país del sueño» (Poema 16).

El crepúsculo es la hora de la consumación del amor. La noche, la hora de cantar esa experiencia perdida: «Mi hastío forcejea con los lentos crepúsculos. / Pero la noche llega y comienza a cantarme» (Poema 18). Un buen ejemplo de esta relación *fuego-besos-palabras* está dado en el poema 14 donde arden y brillan ternuras y crepúsculos, luceros y caricias, en un incendio personal y cósmico: «Hemos visto arder tantas veces el *lucero besándonos* los ojos / y sobre nuestras cabezas destorcerse los *crepúsculos* en abanicos girantes. / Mis *palabras* llovieron sobre ti acariciándote» (Poema 14).

Los cuatro estados del hablante —ante sí mismo, ante los otros, su búsqueda y oficios— germinan un campo fértil en imágenes correspondientes. [En relación con su estado de soledad y abandono, es frecuente la simpatía del poeta por los pájaros. Todo un campo de imágenes gira en torno a esta asociación fraterna. Las aves pueblan de canto y vida lo que habitan. Su alejamiento hace más relevante y dolorosa la soledad.]

JAIME CONCHA

INTERPRETACIÓN DE *RESIDENCIA EN LA TIERRA* DE PABLO NERUDA

En *Residencia en la tierra* percibimos una honda resonancia metafísica. Por encima de adolescentes delicuescencias, más allá de las erupciones pasionales impúdicamente exteriorizadas, esta poesía contiene una singular energía que objetiva el flujo lírico, ofreciéndonos una meditación de la totalidad de la vida. La mirada del poeta no es nunca subjetiva, y su yo no permanece clausurado en una seudointerioridad hermética, antes bien, su intimidad está poblada por las fuerzas de la naturaleza, y es su comunión con ellas lo que da a su canto el valor de fulgurante revelación que posee. La infinitud del sistema estelar, nuestro planeta y la emanación de la vida desde los fondos marinos o el centro terrestre, el paraíso perdido de la América precolombina, la aparición del ser humano en el mundo, en fin, todo lo que constituye la vasta cosmogonía de *El Gran Océano* o *La lámpara en la tierra*, necesita y se apoya en la privilegiada vivencia metafísica que las Residencias nos entregan.

En su temple expresivo, uno de los más característicos y originales de la poesía contemporánea, en la plástica idolátrica que domina las actitudes y gestos dramáticos de su personaje, en su sintaxis descoyuntada, donde la libertad artística despliega vuelos de elevada jerarquía, en la general desesperación de la forma, podemos advertir ya el ánimo básico que preside su canto: la vehemencia por el Fundamento. Desde

Jaime Concha, «Interpretación de *Residencia en la tierra* de Pablo Neruda», *Mapocho*, 2 (1963), pp. 5-39 (5-14).

nuestro punto de vista, *Residencia en la tierra* se presenta como una obsesiva y patética búsqueda de los estratos creadores del ser.

Con todo, el hecho decisivo para que pretendamos efectuar un análisis de esta metafísica, ha sido la rigurosa lógica de la imaginación que la articula. Neruda posee lo que Bachelard denominaría una perfecta «unidad de imaginación». Bajo este régimen de discurso poético, los procedimientos significantes mayores —imágenes y símbolos— nunca pierden su peculiar irradiación sensible, deslumbradora en esta poesía; pero, a su vez, poseen una sistemática coherencia que la hace sumamente rica en posibilidades intelectivas. Y esto, pese al irracionalismo de su cosmovisión, y a su hermetismo —de hecho inexistente, o sólo condensación del misterio consubstancial al poema—, atributos ambos tan halagadores para la gente sensitiva, que sólo gusta de permanecer en el estadio de recepción emotiva de una poesía. [...]

Amado Alonso [1951] describe la visión del mundo y de la vida, raíz de la poesía de las Residencias, en el primer capítulo de su importante estudio dedicado a Neruda:

Los ojos del poeta, incesantemente abiertos, como si carecieran del descanso de los párpados («Como un párpado atrozmente levantado a la fuerza»), ven la lenta descomposición de todo lo existente en la rapidez de un gesto instantáneo, como las máquinas cinematográficas que nos describen en pocos segundos el lento desarrollo de las plantas. Ven en una luz fría de relámpago paralizado el incesante trabajo de zapa de la muerte, el suicida esfuerzo de todas las cosas por perder su identidad, el derrumbe de todo lo existente, el desvencijamiento de las formas, la ceniza del fuego. La anarquía vital y mortal, con su secreto y terrible gobierno. El deshielo del mundo. La angustia de ver a lo vivo muriéndose incesantemente: los hombres y sus afanes, las estrellas, las olas, las plantas en su movimiento orgánico, las nubes en su volteo, el amor, las máquinas, el desgaste de los inmuebles, y la corrupción de lo químico, el desmigamiento de lo físico, todo, todo lo que se mueve como expresión de vida, es ya un estar muriendo... (p. 18).

Pablo Neruda ve cada cosa del mundo en una disgregación incontenible (p. 19).

... No hay página de *Residencia en la tierra* donde falte esta terrible visión de lo que se deshace. Es lo *invenciblemente* intuido por el poeta, visto, contemplado (p. 30). Es la visión alucinada de la destrucción, de la desintegración y de la forma perdida, la visión *omnilateral* que se expresa como en amontonado relampagueo recosiendo sobre cada cosa que se deforma y desintegra otras deformaciones y desintegraciones (p. 20).

Esta es, sin duda, la impresión más inmediata y evidente que suministra la lectura de las Residencias. Hemos destacado adrede las palabras *invenciblemente* y *omnilateral*, que quieren precisar el carácter definitivo de esta visión de la realidad. Sin embargo, lo que sigue quizá logre añadir algo substancial, olvidado por las descripciones citadas.

Comencemos mirando la secuencia de los poemas, circunscribiéndonos, por el momento, al grupo de la primera sección. [La *Residencia* I consta de cuatro secciones. La primera sección contiene veinte poemas.] Los títulos ya nos dan un indicio. El primero es «Galope muerto», cuyo motivo, resumido conceptualmente, es el continuo movimiento destructivo de todas las cosas, su constante pulverización:

> Como cenizas, como mares poblándose
> en la sumergida lentitud, en lo informe,
> o como se oyen desde el alto de los caminos
> cruzar las campanadas en cruz,
> teniendo ese sonido ya aparte del metal,
> confuso, pesando, haciéndose polvo,
> en el mismo molino de las formas demasiado lejos,
> o recordadas o no vistas,
> y el perfume de las ciruelas que rodando a tierra
> se pudren en el tiempo, infinitamente verdes.

«Galope muerto» participa, pues, sin reservas, de los motivos característicos que, según Alonso, constituyen la imagen del mundo de Neruda.

A este poema sigue «Alianza (sonata)», de significativo nombre: es un sustantivo abstracto (análogo a «residencia», por ejemplo) que conlleva el sentido militar de «pacto entre beligerantes», junto a un huidizo matiz erótico proveniente de su alusión nupcial. Los versos que continúan están acordes con la sensibilidad expresada en el título: apaciguamiento de su angustiada visión del cambio destructor y sentimiento erótico encauzado al destinatario del poema. Ahora bien, ¿quién es éste? Alonso piensa sin vacilación en una «mujer». Dice, en efecto: «El poeta puede dejarse asaltar de imágenes que le hacen ver a la mujer ...» (p. 25). Para él lo que diferencia precisamente las dos épocas de *Residencia en la tierra* es la persistencia en la primera del amor, como única forma de escapar el poeta a la angustia que le corroe, y de salvarse el mundo del derrumbe que lo acosa. «En muchos poemas, el oscuro instinto amoroso es todavía el espinazo que mantiene desde dentro a un mundo que se quiere deshacer» (p. 24). La distinción no parece exacta si se tiene en cuenta, ya desde el comienzo, que después de su patética sonata «No hay olvido», el poeta establece «el azul material vagamente invencible» de los recuerdos amorosos en el último poema del libro, «Josie Bliss». Pero ahora nos importa señalar que una lectura atenta de «Alianza» nos manifiesta directamente a la Noche, y no a la mujer, como el objeto erótico cantado. [Lo cual no impide que la Noche conserve muchos elementos femeninos entre sus atributos imaginarios. Es la Noche la que trae paz al angustiado corazón del poeta. De ahí que se cante como amada.]

En *Residencia en la tierra*, asumida ya como verdad definitiva la lúgubre tiranía del tiempo y de la muerte, se produce correlativamente una poderosa profundización del erotismo. La amada, antes mujer natural, cobra ahora una dimensión cósmica, metafísica. La sensibilización simbólica de esta amada de gran presencia es la Noche. De hecho, este magno símbolo impregna totalmente *Tentativa del hombre infinito.* Esta obra, inmediatamente anterior a las Residencias, es pura poesía nocturna: el hombre infinito es el hombre nocturno.

En la elección de la imagen pesan, sin duda, algunos antecedentes gratos a toda hermenéutica psicologista. En primer lugar, los recuerdos infantiles de las noches del sur, dispersos en innumerables versos primerizos, y que se condensan unitariamente en la *rêverie Soledad de los pueblos.* Pero además es posible indicar una explicación obvia, casi trivial, en el hecho de que, precisamente, el sueño nocturno libera al poeta de su conciencia de lo terrible, cerrando por lapsos intermitentes el que durante el día fuera «párpado atrozmente levantado». En el mismo poema «Alianza» se da pie a esta interpretación: «Oh dueña del amor, en tu descanso / fundé mi sueño, mi actitud callada. / ... / siento arder tu regazo y transitar tus besos / haciendo golondrinas frescas en mi sueño».

Sin embargo, constatamos en el flujo imaginativo de esta poesía un motivo que parece contradecir la última observación. En efecto, repetidas veces alude el poeta a la fuente onírica de las revelaciones de su fantasía. Así en «Colección nocturna», donde el tema poetizado, por lo menos hasta el último verso citado, es la llegada del sueño, se dice: «He vencido al ángel del sueño, el funesto alegórico / ... / su substancia sin ruido equipa de pronto, / *su alimento profético* propaga tenazmente».

Encontramos en el último verso «lo profético» de que también nos habla en su *Arte poética.* El poeta se ve, pues, sobrecogido durante el sueño nocturno de una penetrante videncia que parece dar pábulo a su angustia aperceptiva de vigilia, intensificándose hasta los límites de alucinada pesadilla. No queremos con esto establecer que el proceso creador encuentre su savia inspiradora en un trabajo nocturno de puro onirismo. Sin duda, todo el tesoro de imágenes que hallamos en esta poesía, reliquias maravillosas del alma mítica, proceden de su rica fantasía inconsciente, pero ésta no es necesariamente onírica; con todo, en cuanto esa inspiración, esa capacidad profética reside en los fondos inconscientes del alma, es *poéticamente identificada,* es decir, imaginada en el poetizar como flujo onírico. De aquí también la peculiar naturaleza del símbolo nerudiano, que no posee un carácter metafórico, mediante el cual, por un juego alegórico del espíritu, un elemento simboliza un valor que lo trasciende; antes bien, en esta poesía el símbolo mismo es una realidad, un hecho, y tiene, por tanto, una consistencia casi corpórea. [...]

La Noche no es solamente la dulce amada que pacifica al poeta; en el umbral de toda noche nerudiana está siempre «el ángel del sueño, el funesto alegórico». Esta doble condición, que hace a la Noche dionisíacamente catártica, está captada con toda lucidez en «La noche del soldado»: «Ahora bien, dónde está esa curiosidad profesional, esa ternura abatida que sólo con su reposo abría brecha, esa conciencia resplandeciente cuyo destello me vestía de ultra-azul».

[Las determinaciones poéticas de la Noche tienen notables implicaciones. En el poema «Alianza» la Noche es psicológicamente vivida como lapso de apaciguamiento, como tregua y descanso en la fatalidad del acaecer. En este sentido, se preludiaba ya en el poema mencionado la contraposición del Día y de la Noche. Esta contraposición se persigue con un ritmo alternativo de gran exactitud a lo largo de toda la primera sección. Apréciense los títulos y léanse los poemas «Débil del alba», «Diurno doliente» y «Sistema sombrío». Se alude en ellos explícitamente al miembro diurno de la pareja de contrarios. En el primero, por ejemplo, se poetiza la instauración, en los comienzos del día, del cambio y movimiento destructivos, de la sustitución mortal de las cosas. El otro término del par contrapuesto, la Noche, es objeto de una línea aún más reiterada de títulos: «Unidad», «Tiranía» y «Serenata». En este último poema se individualiza con toda claridad a la Noche, por si todavía quedaran dudas sobre su identidad. Pero es sobre todo en «Unidad» donde percibimos algo importantísimo]: «Hay algo denso, unido, sentado en el fondo, / repitiendo su número, su señal idéntica».

Frente a las zonas últimas de la realidad, el lenguaje del poeta adquiere una balbuceante certidumbre. Indica temblorosamente una provincia soterrada del ser, que contrasta con el acontecer y sus atributos definitorios. Lo que existe allí es lo «denso», por oposición a lo raro. Raros son, por ejemplo, la ceniza y el polvo, elementos en que se hace sensible la disgregación de las cosas. Este «algo» subyacente posee, por el contrario, plenitud de consistencia. De ahí que también sea lo «unido», en contraste con el espectáculo de las formas finitas desintegradas. Es, por último, lo «sentado en el fondo». Con esto se significa la presencia inmóvil de lo que aquí se intuye, frente al movimiento y al cambio que imperan en nuestro mundo cotidiano. Ese reino inmóvil se ubica «en el fondo», es decir, en un plano inferior del espacio total, en que se concentran valores máximos de profundidad vertical. En una palabra, la intuición a la que asistimos es la intuición del Fundamento, o permanencia que funda la existencia.

Pero más adelante, en el andar del poema, el «fondo» de la realidad se vincula a la Noche, con exactitud que garantiza su naturaleza simbólica: «Me rodea una misma cosa, un solo movimiento: / el peso del mineral, la luz de la piel, / *se pegan al sonido de la palabra noche* ...».

Así, pues, la calma y la quietud que la Noche representaba para el poeta no son un espejismo subjetivo de su ánimo, sino algo efectivamente existente, cuyos predicados son plenitud real, consistencia unitaria, inmovilidad y profundidad. Permanencia, en suma. Con estas determinaciones la intuición metafísica aprehende el Fundamento de lo existente, la unidad que subyace a todas las manifestaciones precarias de las formas individuales, es decir, la realidad en su sentido más eminente.

Tenemos entonces que la asombrada experiencia del mundo a que asistimos en *Residencia en la tierra* se arquitectura poéticamente en la alternancia del Día y de la Noche, y sus variantes correspondientes Luz-Oscuridad. Día y Noche, en cuanto símbolos poéticos de órdenes metafísicos, son las formas mayores de sentido que encontramos en las Residencias, y como tales, constituyen un tema insistente y primordial que es desarrollado con perfecta coherencia. El Día, a pesar de la luz solar que lo constituye, es el reino de la destrucción, el hábitat de la caducidad y la muerte; se lo imagina entonces como una atmósfera de sombras. En lenguaje literalmente nerudiano, la clara presencia del Día «significa sombras»; en verdad, es un «sistema sombrío». De ahí que el poeta se refiera a él acentuando la contradicción. [La Noche, en cambio, en virtud de sus atributos descritos, aparece amorosamente luminosa. Como es de sospechar, estos oxímora van más allá de un mero valor retórico, y adquieren su pleno sentido en función de las estructuras metafísicas a que sirven de signos.]

Se inaugura la *Residencia* II con «Un día sobresale». La dualidad óptica Día y Noche, con el sentido que le atribuimos, es en ese poema sobremanera evidente. Pero, sobre su trasfondo, percibimos una nueva imagen, también doble, aunque de naturaleza auditiva. Se trata de la oposición Silencio-Sonido, que es explícitamente congruente con la anterior. [El origen de esta nueva pareja de contrarios reside, sin duda, en la representación sensorial-realista de que el Día se inicia con un conjunto de ruidos que irrumpen en el alba.] De modo que, mientras la Noche es el recinto del silencio, el Día arraiga precisamente en los ruidos primeros de la mañana: «De lo sonoro sale el día ...».

Conviene acaso aclarar que el par Silencio-Sonido no sustituye, sino se superpone a la dualidad ya analizada. Sin embargo, quizá por su influencia, la Noche pierde en la *Residencia* II su poderosa dimensión simbólica, y adquiere su lúgubre sentido natural: «...¿Por qué una negra noche / se acumula en la boca? ¿Por qué muertos?» («No hay olvido»).

En síntesis, la gigantesca sinestesia complementaria Día-Sonido y Noche-Silencio preside la bifronte estructura de la realidad que Neruda poetiza. La descripción de Amado Alonso, citada al comienzo, resulta, si no inexacta, por lo menos incompleta y unilateral. Se contenta con señalar el estado «diurno y sonoro», podríamos decir, pero olvida otra capital instancia metafísica, el fondo unitario subyacente. Es preciso, pues, meditar el nuevo semblante que otorga a la cosmovisión nerudiana esta silenciosa Noche de las Residencias. [...]

El objeto de la experiencia metafísica es doble: por una parte, el doloroso devenir de los seres, la incontenible destrucción de las formas y de la vida; por otra, el centro misterioso de la existencia, la esfera inmóvil que reúne lo múltiple y cambiante. He aquí el Fundamento de la totalidad del mundo. Sus predicados poéticos tratan de ser lo más omnicomprensivos. El Fundamento es lo oscuro, con la oscuridad de la Noche; el Fundamento es lo silencioso. «Y luego esa condensación, esa unidad de elementos de la Noche, esa suposición puesta detrás de cada cosa.» La Noche recuerda a los seres terrestres las fuentes maternas de su existencia; es ella la reliquia intermitente de la sustancia original, que hace siempre presente a las cosas su dependencia de la materia elemental.

Para nuestro sentido natural, la noche no es sino tiempo, una medida que los astros imponen a nuestro planeta. La noche, para nosotros, individuos de vigilia, es apenas un lapso de oscuridad en la atmósfera. Pero el poeta no hace caso de su carácter temporal, antes bien, vimos que categóricamente lo negaba. En cambio, la Noche es sentida como espacio; es la óptima configuración que el espacio puede adoptar, el lugar de la felicidad. En la Noche el mundo se aboveda, recuperando su intimidad primordial, manifestando una esférica plenitud. La Noche entonces se convierte, en su valoración más intensa, en el vientre cósmico. [En la Noche habita la esperanza de la creación; allí se fragua la vida silenciosamente.]

CARLOS CORTÍNEZ

INTRODUCCIÓN A LA MUERTE EN *RESIDENCIA EN LA TIERRA*

Para el lector atento de *Residencia en la tierra* no es un secreto que los poemas no han sido dispuestos en el libro de un modo arbitrario. No se ordena la colección cronológicamente (sabemos, por ejemplo, que «Madrigal escrito en invierno» fue publicado en 1926 y, sin embargo, se ubica a continuación de «Ausencia de Joaquín», escrito en 1929) sino temática y dramáticamente.

La ubicación de «Ausencia de Joaquín» inmediatamente después de «Sabor» viene a contradecir brutalmente las afirmaciones finales de ese poema en las que el poeta participa el hallazgo de una zona interna, noble e incorruptible:

Carlos Cortínez, «Introducción a la muerte en *Residencia en la tierra* (Ausencia de Joaquín)», *Explicación de Textos Literarios*, 7:1 (1978), pp. 93-99.

En mi interior de guitarra hay un aire viejo,
seco y sonoro, permanecido, inmóvil,
como una nutrición fiel, como humo:
un elemento en descanso, un aceite vivo:
un pájaro de rigor cuida mi cabeza:
un ángel invariable vive en mi espada.

Aunque «Ausencia de Joaquín» no tratará todavía de la muerte propia, es la de un amigo querido y su destrucción absoluta alcanza a contaminar al hablante.

Joaquín es el primer nombre propio que aparece en *Residencia en la tierra.* Corresponde a una persona real: el poeta chileno Joaquín Cifuentes Sepúlveda nacido en 1900 y muerto en Buenos Aires en 1929. Hay testimonios que afirman la amistad de Neruda y Joaquín Cifuentes Sepúlveda, compañeros de generación, de afanes poéticos y de vida bohemia. La noticia de la muerte le llega a Neruda a Ceylán, donde escribe este poema. Luego recordará este momento en sus Memorias: «Pasan los años. Uno se gasta, florece, sufre y goza. Los años lo llevan y le traen a uno la vida. Las despedidas se hacen más frecuentes; los amigos entran o salen de la cárcel; van y vuelven de Europa; o simplemente se mueren. Los que se van cuando uno está muy lejos del sitio donde mueren, parece que se murieron menos; continúan viviendo dentro de uno, tal como fueron. Un poeta que sobrevive a sus amigos se inclina a cumplir en su obra una enlutada antología. Yo me abstuve de continuarla por temor a la monotonía del dolor humano ante la muerte. Es que uno no quiere convertirse en un catálogo de difuntos, aunque éstos sean los muy amados. Cuando escribí en Ceylán, en 1928, «Ausencia de Joaquín», por la muerte de mi compañero el poeta Joaquín Cifuentes Sepúlveda, y cuando más tarde escribí «Alberto Rojas Jiménez viene volando», en Barcelona, en 1931, pensé que nadie más se me iba a morir. Se me murieron muchos». [Pablo Neruda, *Confieso que he vivido,* Losada, Buenos Aires, 1974, p. 401.]

Todos los idiomas tienen fórmulas eufemísticas para referirse a la muerte de una persona. Para titular este poema Neruda no acude a ninguna en uso, sino que crea una *mot juste* insólita. Es, también, paradójica, pues la ausencia del amigo ya existía para Neruda desde su traslado al Este. (Más adelante, en «Estatuto del vino», volverá Neruda a utilizar la expresión «los ausentes» para referirse a los muertos.)

La primera imagen es una visión del momento en que el amigo muere. Es la situación elemental de la que parte el poema: el hablante está lejos y al saber la muerte del amigo, desde el Oriente donde él está, lo ve morir, lo ve caer en la muerte, en la acción de morir. Es una visión a la distancia.

1 Desde ahora, como una partida verificada lejos,
2 en funerales estaciones de humo o solitarios malecones,
3 desde ahora lo veo precipitándose en su muerte,
4 y detrás de él siento cerrarse los días del tiempo.

Aunque lo que se subraya al comienzo del poema es la idea de la distancia física entre el suceso acaecido y la visión del hablante, la fórmula inicial, que adquiere luego valor de anáfora, es «desde ahora», en vez de la más apropiada «desde aquí». Hay una especie de sustitución metonímica en esta expresión que, en realidad, abarca tanto la distancia temporal como la geográfica. Pero la intención inicial es realzar el hecho de que, aunque hay espacio y tiempo entre lo acaecido y la recepción de la noticia, el hablante lo ve como si ocurriese en ese momento, como si estuviese presente.

En el verso 2: «en funerales estaciones de humo o solitarios malecones» se completa la idea de la partida ocurrida en lugar distante e impreciso. Esta mención a los «solitarios malecones» es un término ambivalente que sirve de puente para pasar de la imagen de la partida del viaje mortuorio al de la caída fatal.

El verso siguiente es importante por varias razones. Comienzan las repeticiones que se acentuarán en la segunda estrofa. El verbo «ver» describe crudamente el rol de espectador del hablante. El gerundio «precipitándose», que es semánticamente ambiguo y opera aquí en su acepción de «caída», conserva un matiz de voluntariedad, dado por su connotación de «apresuramiento» que se corresponde con la corta vida del amigo. Contribuye, unido a los dos gerundios del verso final, a dar a la escena una sensación de progresión. Y, finalmente, el verso permite la idea de que se trate de una muerte personal: Joaquín no se precipita en *la* muerte, sino en *su* muerte.

En el último verso de la estrofa hay una transformación de la imagen tópica del cerrarse tras alguien las puertas de la muerte. En el poema hay una combinación de esa imagen con otra, también muy corriente, del fin de sus días. Se da en el verso, pues, un cruce original de imágenes tradicionales de la muerte. Importa notar, asimismo, que aquí el tiempo se identifica muy inequívocamente con la muerte.

5 Desde ahora, bruscamente, siento que parte,
6 precipitándose en las aguas, en cierto océano,

7 y luego, al golpe suyo, gotas se levantan, y un ruido,
8 un determinado, sordo ruido siento producirse,
9 un golpe de agua azotada por su peso,
10 y de alguna parte, de alguna parte siento que saltan y salpican estas [aguas,
11 sobre mí salpican estas aguas, y viven como ácidos.

El adverbio «bruscamente» al inicio de la estrofa no alude a una muerte repentina sino al hecho de que toda muerte, por lenta que sea, representa un brusco cambio de situación.

Es verdad que, como lo señala A. Alonso [1951], las repeticiones en esta estrofa van marcando un ritmo, pero hemos de entenderlas como justificadas por el esfuerzo del poeta que aparece como luchando por imponer coherencia a lo que expresa. Como si el dolor lo hiciera repetir innecesariamente, y como si buscase, por otra parte, un modo de ordenar esta experiencia. Las reiteraciones de «aguas», «siento», «alguna parte», dan un tipo de vacilación, como un balbuceo incierto, inseguro: la voz de llanto. Las repeticiones han de considerarse, pues, antes elementos de la representación del dolor de quien describe una visión penosa, que recurso retórico para conferir ritmo al poema.

La imagen de las aguas es la sobresaliente de esta estrofa. Es un tema tradicional el de la asociación de las aguas con la vida y la muerte. Hay una gradación que deja en suspenso al lector. Primero el hablante relata la visión de la muerte del amigo, luego éste toma la forma de una caída al agua, pero sólo al final (v. 15) se nos descubrirá la totalidad del horror cuando se nos dice qué mar es aquel al que el amigo cae.

Ahora bien, la caída metafórica en el agua, no obstante su naturaleza visionaria, produce gotas reales que contaminan de muerte al poeta. En la expresión que cierra la estrofa «viven [arden] como ácidos» opera una metáfora sobrepuesta a la comparación.

12 Su costumbre de sueños y desmedidas noches,
13 su alma desobediente, su preparada palidez
14 duermen con él por último, y él duerme,
15 porque al mar de los muertos su pasión desplómase,
16 violentamente hundiéndose, fríamente asociándose.

[En los dos primeros versos de la estrofa final se nos proporciona la única información sobre la persona de Joaquín Cifuentes Sepúlveda, y ella da la imagen del poeta bohemio, soñador. Con la expresión «su alma desobediente» nos dice Neruda que Joaquín Cifuentes Sepúlveda era un hombre díscolo, ajeno a normas y convenciones. También anota que era pálido en vida. Su palidez física era semejante a la palidez cadavérica. Es dudoso que se pretenda con estos dos versos dar algo más, como creen algunos críticos, que una descripción del carácter del amigo. La palidez es un rasgo físico que adquiere un matiz premonitorio cuando se le agrega lo de «preparada». Así toma el aspecto de una anticipación de la muerte y sirve de enlace con la idea que sigue.]

En el verso 14 viene a añadirse el tópico de la muerte como un sueño, pero además transmite la sensación de que ese carácter vivo e inquieto que han retratado los dos versos precedentes fuese algo independiente de la persona de Joaquín Cifuentes Sepúlveda, y que sólo ahora, muerto, él recogiese esas cualidades en una fusión última.

En el verso siguiente se intensifica la gravedad de la caída, porque no se cae a un mar cualquiera, sino al de los muertos (símbolo expresivo). Lo que se desploma es Joaquín, caracterizado en este momento mediante una sinécdoque, por su pasión.

El verso 16 remata un final desolador. No da la impresión de una nueva etapa, sino la de una aniquilación terrible, total. Los gerundios actualizan y demoran la visión. La fórmula «asociándose» mueve a error si se la toma como significadora de una cierta solidaridad *post-mortem*. Hay una integración en la nada, una pérdida de la individualidad. Se es uno más entre los muertos. No hay en este poema ninguna ilusión de vida ultraterrena.

La actitud verbal es descriptiva. Se describe una experiencia propia: el efecto de una noticia fatal. La dicción repetitiva señala propósito y fracaso de imponer expresión coherente al discurso emprendido bajo un sentimiento de aflicción.

El poema utiliza varias imágenes tradicionales de la muerte. Adquiere preponderancia el motivo de la muerte como agua y como caída al agua, cuya tradición se remonta a la literatura griega. También están presentes los motivos de la muerte como viaje y como sueño, de antigüedad comparable con el anterior.

Aparecen implícitos los motivos de la amistad y el de la muerte personal. La muerte como culminación y explicación de rasgos vitales que la prefiguraban. También se sugiere que sea la temporalidad atributo exclusivamente otorgado a lo viviente.

En resumen: el poeta recibe la noticia de la muerte de su amigo Joaquín y es poseído por la visión de esa muerte como si fuese un proceso presente ante sus ojos —un precipitarse de Joaquín en el agua de la muerte; pero, a la vez, sabe y siente que eso que ve ante sí sucedió ya antes y es cosa del pasado, irremediable.

En la trayectoria de la lectura de *Residencia en la tierra*, «Ausencia de Joaquín» aparece vinculada temáticamente a los dos poemas anteriores («Unidad» y «Sabor») y al posterior («Madrigal escrito en invierno»). La *unidad* que el poeta veía en las cosas y cuya falta en sí mismo lamentaba, tiene aquí una respuesta al morir su amigo, quien sólo ahora, merced a su muerte, por decirlo así, se unifica. Respecto a «Sabor», es un contraste violento: en tal poema descubría el poeta cierta permanencia intemporal, salvadora; ahora, en «Ausencia de Joaquín» la muerte del amigo lo devuelve a la realidad: nadie escapa de la ley de la vida: contrario al mito clásico, se aniquilan también los poetas.

Si consideramos el poema como una elegía, debemos notar la ausencia de dos elementos tradicionales: la expresión del dolor equivalente a la magnitud del afecto por el ser que muere y la enumeración de las virtudes del desaparecido. En el modo en que Neruda resuelve estas demandas naturales de toda poesía elegíaca, apreciamos la originalidad del poema. Porque, como se ha repetido, las imágenes de que se vale el autor para metaforizar la muerte no son nada nuevas.

CEDOMIL GOIC

«ALTURAS DE MACHU PICCHU»: LA TORRE Y EL ABISMO

«Alturas de Machu Picchu», poema elegíaco, cuenta con las partes distinguidas tradicionalmente en la elegía. Pero su disposición no es la ordenación lineal corriente en el género, sino otra disposición a modo de secuencia. Los motivos que definen cada parte de la elegía se repiten, siendo retomados en aparente desorden o libre disposición, con distaxia muy característica, que en el caso favorece la expresión

Cedomil Goic, «"Alturas de Machu Picchu": la torre y el abismo», *Anales de la Universidad de Chile*, 157-160 (1971), pp. 222-244 (222-228).

del temple confundido del hablante. Así, no es legítimo consignar, como se hace regularmente, que los cantos I a V constituyen una serie de consideraciones sobre la muerte, pues éstas se prolongan más allá hasta el canto VIII, por lo menos. Lo mismo puede decirse de la lamentación del hablante, que centrada en el canto VI prolonga sus motivos hasta el canto XII y final. Otro tanto acontece con el panegírico que se desarrolla especialmente en el canto IX, pero que es patente en los cantos VI o X. La consolación, por su parte, se anticipa en el canto VII y en el VIII y se desarrolla finalmente en los cantos XI y XII con que termina el poema. Este entrelazamiento de los motivos que son retomados una y otra vez es un rasgo fuertemente caracterizador de esta elegía. Teniendo presente esta disposición secuencial, cada una de las series puede ser contemplada en su coherencia interior y en los efectos de su trenzado disponerse.

El hablante se nos aparece desde los cantos iniciales como un peregrino que se refiere a un pasado de ceguera e inconsciente existir. Confiesa el carácter natural de su existencia desprovista de reflexión, ciega en la marcha de sus impulsos y dilapidadora inconsciente de sus dones más preciados. Esa existencia se representa aérea y vacua, sin arraigo terrestre ni contenido de conciencia. En la temporalidad sin fin de esa existencia ciega, amor es pura disolución, desgaste y daño. La enunciación sentenciosa se refiere al pasado con el saber seguro de una perspectiva que ha superado la limitación de antaño [vv. 1-6].

Una primera superación del extravío se presenta en la forma de una revelación que abre la conciencia del hablante hacia una nueva experiencia y conocimiento del ser, de la naturaleza y del hombre. Este primer despertar de la conciencia adopta la forma de una revelación poética y queda emblematizada en la imagen doble de «la torre y el abismo» [vv. 12-23]. En esta imagen están ya prefiguradas otras dos experiencias reveladoras que se concretan en diversos planos que, en definitiva, conducirán a la significativa ascensión a las alturas de Machu Picchu. [...]

Estos momentos tienen en común el configurarse como formas de iniciación, como experiencias transformadoras del ser. En el caso concreto que examinamos, se trata de una revelación hallada en el reino de la poesía o en la experiencia poética. Es el conocimiento poético, esta vía de acceso al ser, el que ha revelado al hablante un mundo como una construcción elevada que se funda en las profundidades de la tierra. La visión poética de la torre y el abismo mueve al hablante a descender en afán de conocimiento de las profundidades. La acción de la mano representa en la visión el acto de conocimiento mismo del fundamento profundo. El regreso enceguecido por la luz deslumbradora del conocimiento alcanzado le devuelve al mundo externo que aparece inmediatamente con signos de degradación en su manifestación más perfecta. A partir de este instante revelador y de esta iniciación visionaria, en que el poeta experimenta las pruebas del descenso y del ascenso renovado en un nuevo ser sapiente con lucidez sobrenatural, la experiencia del mundo dará lugar a una representación dominada por el deterioro y la temporalidad desintegradora y condicionará las ulteriores meditaciones sobre la muerte.

La ambigüedad del mundo revelado, hecho de profundidad y altura encuentra su primer eco en el canto VI, desplegadas ya las meditaciones sobre la muerte [vv. 87-102]. La visión poética adquiere aquí una precisión particular en la experiencia metafísica del poeta. Se recurre a la misma imagen para representar en la ocasión una experiencia límite que revela al hablante la ambigua condición de la existencia. Su contemplación revela otra cualidad que la de la ordinaria temporalidad o fugacidad de las cosas. Se trata de la visión metafísica que ofrece a la contemplación la total ambigüedad de vida y muerte, que encuentra su representación adecuada en la *coincidentia oppositorum* que designa su extrañeza a la vez que su verdadera entidad. La visión metafísica como la anterior visión poética se representan como experiencias visionarias de muerte iniciática, de agónicas ordalías, que devuelven al poeta renovado en sus aptitudes de conocimiento.

El tercer paso lo constituye una experiencia existencial del poeta. No son ya las visiones, sino la personal experiencia de la muerte que devuelve al hablante renovado en su ser para el verdadero nacimiento a una nueva vida. Este momento, como los anteriores, acrecienta y depura el conocimiento del poeta revelándole el carácter aparente e inesencial de la muerte individual [vv. 112-117].

Los versos iniciales del canto V revelan el desengaño y la esencia vacua de esa muerte [vv. 127-130]. Es de esta muerte personal, que desengaña al hablante, que se descubre la verdadera muerte en la contemplación de Machu Picchu, en el hallazgo real de una torre erigida sobre un fundamento, un abismo de muerte colectiva, que revela al ser renacido el nuevo sentido de lo originario. Por una serie de iniciaciones que van ganando en profundidad, descubriendo velos de ilusión o engaño por virtud de la visión poética, primero, de la metafísica, después, de la experiencia existencial y de la contemplación de Machu

Picchu, de la caída y del ascenso reales y vividos se conquista el sentido revelador de la existencia, finalmente.

Apoyada en las tres iniciaciones apuntadas y en la imagen de la muerte —y de la vida— que se afianza en la ambigüedad de «la torre y el abismo» se desarrolla a partir del canto III y hasta el canto V, en una primera parte, prolongándose, en una segunda etapa decisiva hacia el canto VIII, una variada meditación sobre la muerte. En verdad, son varias meditaciones condicionadas por estadios diversos de ahondamiento en la esencia de la muerte. Entre confesiones y alternadas formulaciones y proclamaciones de esencias luctuosas se desarrolla esta etapa del poema.

La muerte es concebida desde un punto de vista social, primero, como la *pequeña muerte*. Esta concepción aparece fundada en la nueva aptitud cognoscitiva adquirida por el poeta en la primera iniciación que le permite percibir la erosión constante, la desintegración de las cosas y también la muerte cotidiana que padecen los hombres, esa temporalidad de su existencia que los desgasta y secretamente los aniquila. Es una muerte concebida a la medida de la sociedad en cuya esencia domina el hambre y el abuso y en la que el hombre alienado está sujeto a la angustia y al terror miedoso [vv. 76-86]. El rechazo de esta forma de la muerte se produce en el canto IV, siguiente, luego de penetrar en la visión metafísica la esencia real de la muerte y su ambigüedad fundamental de «torre y abismo» [vv. 103-105].

La *poderosa muerte*, luego, levantada en oposición con la anterior trae los signos de la fecundidad, de lo total, abarcador y grande, inexistente sin su contrapartida dialécticamente ambigua de arraigo terrestre y vuelo airoso que el texto reitera con énfasis:

era como la sal invisible en las olas,
y lo que su invisible sabor diseminaba
90 era como mitades de hundimiento y altura
o vastas construcciones de viento y ventisquero.

Y en otros significativos momentos de *coincidentia oppositorum*: *altos enterrados, claridad nocturna, agricultura y piedra.*

De esta visión, como de la anterior revelación, se desprende un nuevo movimiento que el nuevo conocimiento posibilita. Este movimiento toma la forma de una aspiración al vínculo humano más amplio en correspondencia con la visión totalizadora ya conquistada, pero la aspiración que se formula no encuentra eco entre los hombres y el yo padece un violento y radical rechazo sobre sí mismo. Esta reducción a la propia soledad es representada como caída y como privación creciente hasta descender en la experiencia personal a lo que puede considerarse para el desarrollo de esta estructura el nadir, el punto más bajo, en la experiencia de la muerte por el poeta. Se formula de esta manera la concepción de la *muerte propia*, como una imagen deteriorada de la muerte, en consonancia con la precariedad social del individuo y la alienación a que es arrojado por la colectividad.

La experiencia existencial de la caída y de la muerte personal como prueba de iniciación y como revelación del ser conduce a rechazar también la imagen de esta muerte que aparece ligada en su deformación y esterilidad a la pequeña muerte. Pero lo que en este último reducto se sorprende en la misma fórmula sistemática del rechazo que el gesto lingüístico adopta: una decepción en el último hallazgo de su oculto y vacío ser:

No eras tú, muerte grave, ave de plumas férreas,
la que el pobre heredero de las habitaciones
120 llevaba entre alimentos apresurados, bajo la piel vacía:
era algo, un pobre pétalo de cuerda exterminada:
un átomo del pecho que no vino al combate
o el áspero rocío que no cayó en la frente.
Era lo que no pudo renacer, un pedazo
125 de la pequeña muerte sin paz ni territorio:
un hueso, una campana que morían en él.
Yo levanté las vendas del yodo, hundí las manos
en los pobres dolores que mataban la muerte,
y no encontré en la herida sino una racha fría
130 que entraba por los vagos intersticios del alma.

Ahora bien, las meditaciones sobre la muerte no concluyen aquí. Los actos iniciáticos se completan con la subida a Machu Picchu y la nueva visión reveladora de «la torre y el abismo». Será necesario pasar por la contemplación de las ruinas y por el sacudimiento revelador, de dimensiones cataclísmicas, de la muerte histórica y social, para que de las modificaciones experimentadas por el hablante brote la nueva comprensión de la *verdadera muerte*.

[Hasta aquí pues se trazan tres oposiciones: 1, entre *pequeña muerte* y *muerte propia* que pertenecen a un mismo género caracterizado por su falta de arraigo, esterilidad, su puro miedo y angustia cobarde; la *differentia* la da la última que aparece, en su individualidad frente a lo social de la primera, como *un pedazo de la pequeña muerte*; 2, entre *poderosa muerte* y *verdadera muerte*, como dimensión metafísica, una, omniabarcante, que penetra todo lo existente, objeto de meditación finalmente rechazado; como arraigo histórico y social, otra, en la colectividad enterrada de los obreros de Machu Picchu; el género común de ambas es la fecundidad, totalidad y grandeza; 3, por último, la oposición entre los dos grupos anteriores: como estériles, falsas, pequeñas, decepcionantes, unas, y como fecundas, verdaderas, grandes y fascinantes, las otras.]

SAÚL YURKIEVICH

MITO E HISTORIA: DOS GENERADORES DEL *CANTO GENERAL*

Dos poéticas coexisten en el *Canto general* de Pablo Neruda, dos conformaciones verbales diferentes, quizás antagónicas; provienen de dos distintas visiones del mundo que condicionan dos percepciones y dos expresiones disímiles. Son como polos opuestos de atracción, dos extremos entre los cuales rota y se traslada el mundo poético de Neruda.

Neruda es un poeta visionario, es decir, movido por una voluntad de representación, de figuración, por un afán icónico, afán de transmitir imágenes. La poesía no constituye para él un objeto y objetivo autónomos, una entidad autosuficiente, autorreferente, sino un medio para comunicar mensajes que nos remiten a instancias no textuales. Neruda no es un formalista, nunca se detiene demasiado en lo verbal intrínseco. Siempre apunta a realidades, es decir, evidencias subjetivas u objetivas, personales, naturales, sociales, de las cuales su palabra es signo, signo que significa en función de su proximidad o fidelidad con respecto a lo significado.

El mensaje de Neruda informa no sólo sobre el mundo, también sobre el acto de percibirlo y sobre el instrumento de percepción. La poesía de Neruda se quiere *realista* (en tanto pretende transmitir un

Saúl Yurkievich, «Mito e historia: dos generadores del *Canto general*», *Revista Iberoamericana*, 82-83 (1973), pp. 198-203.

cierto conocimiento sobre ese vasto acaecer que someramente llamamos realidad), *personal* (en tanto expresa un yo que no se despersonaliza, que quiere conservar la impronta subjetiva, la vibración emotiva, volitiva, patética, egocéntrica aunque sea equívoca, enrarecedora, perturbadora de lo cognoscitivo, factor de entropía; para Neruda, ese yo patético es garante de autenticidad, contrario a la neutralidad abstracta, a la clasificación categorial, a la causalidad científica, a la concatenación lógica, sinónimos de artificio, de desvirtuación de la percepción original, oscura, intuitiva, espontánea, caótica); la poesía de Neruda se quiere *estética* (en tanto sujeta a una formalización gráfica, rítmico-sonora, léxica, sintáctica, a una funcionalidad especial tendiente a comunicar información intrínsecamente poética). Realidad, percepción y expresión cambian de una poética a otra. La una presenta un mundo permanente, natural a través de una visión mítica, primitiva, arcaizante y mediante un lenguaje metafórico, oscuro, oracular; la otra presenta un mundo histórico, social, progresivo, a través de una visión no personal, que se quiere objetiva, y mediante un lenguaje claro y unívoco.

Existe en el *Canto general* un sustrato poético basamental, correspondiente a la personalidad profunda del poeta. No ignoro los implícitos psicológicos de esta afirmación, pero la creo adecuada a una poesía reveladora de los abismos de la conciencia, una poesía rapsódica, cuyo movimiento predominante es el descendimiento hacia lo oscuro, hacia lo entrañable, hacia lo preformal, hacia lo preverbal o por lo menos preoral, tal como lo expresa insistentemente el mismo Neruda en múltiples textos. Ya me he ocupado en cercar, definir e interpretar esta poética mítico-metafórica, desde los poemas iniciales hasta *Residencia en la tierra.* Ella se prolonga, invade el *Canto general* y continúa subyacente o aflorada, a lo largo de toda la obra nerudiana.

El otro generador es el de la poética militante-testimonial, regida por una voluntad política, ideológica, pedagógica que lo mueve a emprender una crónica de América para exaltar sus grandezas y condenar sus lacras, reseñar su historia como enfrentamiento permanente entre opresores y liberadores, reivindicar, iluminar y coaligar a los oprimidos, incitarlos a la definitiva conquista de su independencia, vaticinar el porvenir.

En primer abordaje, desde la lectura inicial, comprobamos en el *Canto general* que la escritura alterna entre poemas herméticos, muy plurivalentes, de gran densidad metafórica, de intrincada tesitura semántica, cuya sugestión proviene en gran parte de su agitada indeterminación [y otros que se aproximan al máximo a la elocución prosaria, donde el lenguaje se simplifica, se vuelve directo, discursivo, verista, fáctico, referencial (es decir, destinado ante todo a comunicar hechos verificables, extratextuales, con el mínimo de estilo, de expresividad, de perturbaciones subjetivas o formales)].

Las dos poéticas priman alternativamente en uno u otro canto, o dentro de cada canto, en uno u otro poema. A veces alternan en un mismo poema. Otras veces, las menos, se produce la amalgama, el intento de conciliar ensoñación cosmogónica con el realismo historicista.

Aunque es uno de los pocos libros programáticos de Neruda, producido no sólo aluvionalmente por la acumulación de poemas que corresponden a un registro o a una época, el *Canto general* carece de articulación rigurosa, de ordenamiento simétrico razonadamente articulado (cronológico, anecdótico o temático), que disponga el material concatenándolo en función de un desarrollo, de un despliegue progresivo, de un continuo lógico. Es a la vez cosmogénesis, geografía, rito, crónica, panfleto, fabulación, arenga, sátira, autobiografía, rapto, alucinación, profecía, conjuro, testamento. Responde a una estructura abierta, multiforme, politonal, proclive a las mezclas, a las superposiciones y reiteraciones.

Creo que la dificultad de fusionar ambas poéticas proviene de su oposición irreconciliable. La una, la mítica, postula un retroceso, un regreso al útero, una vuelta al origen que privilegia el pasado; es una versión nostálgica, alimentada por el deseo de recobrar la plenitud del comienzo; nos sitúa en el tiempo natural, cíclico, sin progreso, el del eterno retorno, donde todo es transferible, reversible, recuperable, donde nacimiento y muerte son intercambiables. La otra, la poética historicista, presupone un tiempo prospectivo, de continuo avance, vectorial, dirigido a un futuro donde se sitúa la plenitud; la edad de oro no está al principio, sino al final, una vez consumada la revolución social. La historia es un motor que puja, a través de una empedernida y accidentada superación de obstáculos, hacia la consecución de ese objetivo venturoso.

Una poética ensalza la vida natural, la plenitud del adamita armónicamente integrado al universo que prolonga el seno materno, protector, nutricio; pondera la visión elemental, virginal, infantil, ingenua, totalizadora (ni diferenciadora ni objetivadora); menosprecia la ciencia abstracta, la cultura libresca, el desarrollo tecnológico, la civilización urbana. La otra poética es voluntarista; celebra el trabajo humano por dominar la naturaleza; el avance industrioso, las modificaciones del hábitat del hombre aportadas por la acumulación de experiencia técnica, la comprensión científica, la máxima inteligibilidad del universo, la planificación a escala planetaria, la práctica lúcida asentada en un continuo esclarecimiento teórico, la muerte de la metafísica, el fin de los dogmas y de las supersticiones, la utopía racionalista.

Por un lado, el discurso mítico-metafórico, intrincado, exuberante, caótico, librado a la energía metamórfica de una imaginación naturalizante, penetrante, materializante, orgiástica, que a todo dota de animación biológica, que ansía concordar a través de la fabulación turbulenta, del ritual rapsódico con las fuerzas genésicas del cosmos; que alucinadamente, activada al máximo de su potencia verbal, sueña con captar por salto simpático, por inmersión *in medias res*, por instalación en el núcleo primordial, en el centro energético, las creaciones y destrucciones de la tierra y el mar en el pináculo de su mutabilidad:

Aquí estoy, aquí estoy,
boca humana entregada al paso pálido
de un detenido tiempo como copa o cadera,
central presidio de agua sin salida,
árbol de corporal flor derribada,
únicamente sorda y brusca arena.
Patria mía, terrestre y ciega como
nacidos aguijones de la arena, para ti toda
la fundación de mi alma, para ti los perpetuos
párpados de mi sangre, para ti de regreso
mi plato de amapolas.

Dame de noche, en medio de las plantas terrestres,
la huraña rosa de rocío que duerme en tu bandera,
dame de luna o tierra tu pan espolvoreado
con tu temible sangre oscura:
bajo tu luz de arena
no hay muertos, sino largos cielos de sal, azules
ramas de misterioso metal muerto.

(*Canto general de Chile*, X)

Por otro lado, el discurso político, prosario, de máxima determinación semántica, unívoco, la poética de denuncia, explicitud y aplanamiento, simplificación, despojamiento, retórica de lo directo para corresponder a las urgencias de la historia inmediata, para extraer fogosidad del presente candente. Poesía combativa, utilitaria, es arma y herramienta. El medio se neutraliza en función de la trascendencia del mensaje; la palabra debe ser cristal que transparente con nitidez lo que se mire. La poesía se pone al servicio de una verdad externa. Su mérito está en relación directa con la veracidad, con la gravitación de la realidad representada:

> En Lota están las bajas minas
> del carbón: es un puerto frío,
> del grave invierno austral, la lluvia
> cae y cae sobre los techos, alas
> de gaviotas color de niebla,
> y bajo el mar sombrío el hombre
> cava y cava el recinto negro.
> La vida del hombre es oscura
> como el carbón, noche andrajosa,
> pan miserable, duro día.
>
> Yo por el mundo anduve largo,
> pero jamás por los caminos
> o las ciudades nunca vi
> más maltratados a los hombres.
> Doce duermen en una pieza.
> Las habitaciones tienen
> techos de restos sin nombre:
> pedazos de hojalata, piedras,
> cartones, papeles mojados.
> Niños y perro, en el vapor
> húmedo de la estación fría,
> se agrupan hasta darse el fuego
> de la pobre vida que un día
> será otra vez hambre y tinieblas.
>
> (*La arena traicionada*, IV)

Una y otra poética se explicitan en múltiples pasajes del *Canto general*, en los que la poesía se vuelve sobre sí misma. Neruda poetiza sobre el acto de poetizar. A través de este metalenguaje (lenguaje autorreflexivo), se nota bien la disyunción del *Canto* en dos estéticas.

ENRICO MARIO SANTÍ

NERUDA: LA MODALIDAD APOCALÍPTICA

Una de las frases más célebres que la crítica ha dedicado a *Residencia en la tierra* la formuló Amado Alonso [1940] en su conocido estudio sobre este libro: «Un apocalipsis sin Dios. Un apocalipsis perpetuo en la raíz de la vida...». A pesar de toda la visión negativa que contiene esta poesía —ya exagerada en la lectura de Alonso— es claro que la frase del crítico español fue de intención metafórica. Y sin embargo, nunca llegó a saber él cuán literalmente supo predecir la modalidad apocalíptica que Pablo Neruda adoptaría treinta años más tarde. *Fin de mundo* (1969), *La espada encendida* (1970) y *2000* (1974) ilustran ese «apocalipsis sin Dios» que invocó Alonso, un ciclo nietzscheano que se complace en recrear un «ocaso de los dioses», pero que aún depende, en plena paradoja, de patrones literarios derivados de la tradición bíblica. Neruda los escribió hacia el final de su vida, aunque es probable que haya escrito *2000* mucho antes de su publicación póstuma. Según Robert Pring-Mill, su amigo y editor, las respectivas composiciones de *Fin de mundo* y *La espada encendida* fueron casi, si no de hecho, simultáneas, a pesar de que todo un año separa sus fechas de publicación. Pero no obstante esa simultaneidad de escritura, no podrían haber sido dos libros más distintos. Es como si Neruda se hubiese propuesto explorar la misma modalidad profética, simultáneamente, desde polos radicalmente opuestos: el uno, histórico y satírico, y el otro mítico y solemne. El resultado es que los dos libros son como dos caras de una misma moneda, y que *2000*, el pequeño volumen póstumo y uno entre ocho que dejó Neruda al morir, está más cerca de *Fin de mundo* que de *La espada encendida*. [...]

Como ya sugiere el título, en *Fin de mundo* la postura crítica traza un patrón apocalíptico. Según Hernán Loyola, Neruda hasta tuvo en mente titularlo *Juicio Final*. Acaso el mejor índice de este patrón no sea sino «La puerta», el primer poema, cuyo símbolo titular alude a aquellos pasajes

Enrico Mario Santí, «Neruda: la modalidad apocalíptica», en Emir Rodríguez Monegal, y E. M. Santí, eds., *Pablo Neruda*, Taurus, Madrid, 1980, pp. 265-275 (265, 268-272).

del Apocalipsis bíblico en que aparece el Hijo del Hombre. En el poema este símbolo indica el espacio privilegiado del hablante: «Yo estoy en la puerta partiendo y recibiendo a los que llegan» (III, 359). Y un poco después agrega: «Por eso en la puerta espero / a los que llegan a este fin de fiesta: / a este fin de mundo» (III, 359). El contexto general, en efecto, recuerda las palabras de Cristo en Apocalipsis 3:20: «He aquí, yo estoy en la puerta y llamo: si alguno oyere mi voz y abriere la puerta, entraré a él, y cenaré con él, y él conmigo». El mismo tono mesiánico, por cierto, aparece en los últimos versos del poema: «Entro con ellos pase lo que pase. / Me voy con los que parten y regreso» (III, 360). Aunque no idéntica, la reminiscencia sí es sospechosa en el contexto de un libro que desde el título se anuncia como apocalíptico. Y esta sospecha se acrecienta aún más si tomamos en cuenta las otras once estrofas que contienen una larga meditación sobre las guerras y desastres que han ocurrido a todo lo largo del siglo.

El hablante lo describe como «un siglo permanente» que, no obstante, está a punto de desaparecer con la llegada del nuevo milenio. Si su conclusión traerá o no una «revolución idolatrada» o «la definitiva mentira patriarcal» (III, 357), sigue siendo una incógnita. El siglo ha traído consigo repetidas expectaciones frustradas: «esperábamos la paz / y llegaba la guerra» (III, 358). La enajenación moderna recrea toda una escena babélica: «se hicieron tan diferentes los idiomas / que terminaron por callarse todos o por hablarse todos a la vez» (III, 358). El balance entre la coexistencia pacífica y la agonía de la destrucción siempre surge a favor de ésta: «nos libertaba un preso y cuando / lo levantábamos sobre los hombros / se tragaba un millón el calabozo» (III, 358). La larga cadena de desastres culmina en la era nuclear que postula la aniquilación del planeta, pero ni siquiera la acumulación masiva de armas atómicas es suficiente para derrotar las esperanzas de este hablante, quien después de atravesar múltiples crisis todavía puede declarar: «Si se ha resuelto gracias: / nos queda la esperanza» (III, 359). No es enteramente casual que sus palabras estén situadas entre las dos significativas alusiones al Apocalipsis bíblico, pues ellas resumen el carácter apocalíptico del libro. Éste aparece forjado por la confianza en una futura redención y el deseo de impartir esperanza y seguridad para el futuro. En *Fin de mundo*, sin embargo, este rasgo predominante también está dialectizado dentro de un simultáneo movimiento de esperanza redentora y destrucción aniquiladora, y el primer poema no hace más que anticipar muchas de las resoluciones ambiguas que resultan de esta dialéctica.

La imaginación apocalíptica de Neruda identifica de muy cerca el fin del siglo XX y el comienzo de un nuevo milenio con la inminencia de un holocausto nuclear, y hay muchos pasajes en *Fin de mundo* que reflejan esta aguda conciencia escatológica. En «El siglo muere», por ejemplo, una simbología explícitamente apocalíptica describe el reconocimiento del fin del siglo: «Treinta y dos años entrarán / trayendo el siglo venidero, / treinta y dos trompetas heroicas, / treinta y dos fuegos derrotados, / y el mundo seguirá tosiendo / envuelto en su sueño y su crimen» (III, 382).

A mediados de la sección VI, una serie de tres poemas aclara aún más el carácter de los acontecimientos que llevarán a cabo el agotamiento final. En «Se llenó el mundo», una visión sombría de la sociedad tecnológica se refiere a «limones de aluminio» e «intestinos eléctricos» de una pesadilla moderna que incluye un «Niágara sintético» (III, 413), una inversión total de la visión sublime de José María Heredia. Aún las lágrimas que suscita esta elegía patética se ven extrañamente sintetizadas en otra sustancia artificial: «Y recordándolo derramo —confiesa el hablante— lágrimas de penicilina» (III, 414). Un humor negro es evidente en este comentario satírico, lo cual reduce en algo el sentido de urgencia del poemario. Pero no encontramos el mismo alivio en el siguiente texto titulado «Bomba» (I), uno de dos poemas explícitamente dedicados al tema de la amenaza nuclear. La bomba es vista como «la usina total de la muerte», con alarmantes parecidos a una versión moderna de la espada de Damocles, «colgando sobre la cabeza del mundo» (III, 414). Las nuevas espadas son, en efecto, «largos dedos de la cohetería» que serán responsables por el suicidio cósmico. Adoptando un papel profético, el hablante mismo predice la inminencia de un mundo en ruinas: «un planeta de humo nos espera a todos los hombres» (III, 415). A su vez, la visión pesimista no es tan lúgubre en el siguiente poema «Muerte de un periodista», en el que notamos la recurrencia del mismo tono satírico. La noticia de la muerte de un periodista bajo las ruedas de un tanque ruso durante la primavera de Praga (mayo de 1968), suscita una meditación apocalíptica. Al igual que aquél fue comido por un tanque, también nosotros seremos devorados por los nuevos monstruos de acero. Mientras que, inicialmente, el hablante extrae una reacción satírica de esta circunstancia («Debo cumplir con mi deber: / hacerme aceitoso y sabroso / para que me coma una máquina ...», III, 416), pronto reconoce el sentido simbólico de estos trágicos acontecimientos. Fuera del sugestivo título del libro, sus palabras marcan el reconocimiento más abierto de la modalidad profética que Neruda estaba explorando: «Es nuestra época pesada, / la edad de las patas de fierro, / el siglo sangriento y redondo, / y debemos reconocer / las ruedas del Apocalipsis» (III, 416).

Pero *Fin de mundo* es toda esta visión apocalíptica y algo más, pues, siendo la crónica de una época, trata de una extensa lista de tópicos, desde la política internacional («En Cuba», III, 384-387), a la nueva novela latinoamericana («Escritores», III, 449-450), a las obsesiones más personales del poeta («La soledad», III, 391-392). Y precisamente porque el texto se ofrece como una crónica, como *Canto general* se convierte en una suerte de libro sagrado, en un Libro del Siglo, para ser más exacto, una versión más de la analogía que Neruda había ensayado veinte años antes. No obstante, las diferencias entre los dos libros también son evidentes a este respecto, pues ahora el programa textual ha dejado de depender de un pasado de carácter maniqueísta y lo reemplaza la conciencia trágica del futuro desastroso que aguarda tanto a los buenos como a los malos. Dentro de este mismo tema hay en *Fin de mundo* toda una serie de textos que identifican al hablante, como al de *Canto general*, como un escriba. Es decir, como aquel profeta que se responsabiliza con una sagrada misión textual: reproducir en su libro el manuscrito del mundo y así revelar la ley sagrada. Dicho rasgo dramático no podría ser más evidente en un poema como «Libro» (III, 460-462), uno de los últimos de *Fin de mundo*, aunque también podemos reconocer el mismo *topos* en «Tristísimo siglo»:

> El siglo de los desterrados,
> el libro de los desterrados,
> el siglo pardo, el libro negro,
> esto es lo que debo dejar
> escrito y abierto en el libro,
> desenterrándolo del siglo
> y desangrándolo en el libro (III, 458).

La impresión es la de una crónica explícita de la época, una especie de cápsula de tiempo o compendio de información sobre las ansiedades del siglo para futuras generaciones de lectores. En esto la comparación con *Canto general* es, una vez más, inevitable, pues la idea del libro como entidad privilegiada justamente define al hablante como cronista o testigo de su época turbulenta. En cierto momento, él revela que, en efecto, su escritura es un testimonio de connotaciones legales: «Esto pasó. Yo lo atestiguo» (III, 371). Al aclarar su función en otro poema también revela aquellas implicaciones proféticas: «Yo soy el cronista abrumado / por lo que puede suceder y lo que debo predecir...» (III, 388). Y en los últimos poemas el hablante se llama a sí mismo tanto «un centinela secreto» como «el hombre sonoro / testigo de las esperanzas / en este siglo asesinado» (III, 464).

Hacia el final, cuando el hablante invoca los sombríos años del siglo, parece incluir una nota optimista en cuanto a la preservación del planeta, pero pronto descubrimos que el futuro augurado no es ningún milenio redentor, sino todo lo contrario. La supervivencia del hombre nada tiene que ver con la del planeta que está condenado a una inminente destrucción. El «fin de mundo» no es el fin del hombre, cuyo futuro depara una serie de migraciones interplanetarias. Pronunciadas como acto después del holocausto final, las últimas palabras no podrían reconfortar a ningún sobreviviente:

> cansados de ir y volver
> encontramos la alegría
> en el planeta más amargo.
> Tierra, te beso y me despido (III, 456).

Esta lectura de *Fin de mundo* sugiere dos observaciones. En primer lugar, es patente que al igual que en *Canto general* tampoco existe en este libro una presentación dramática de un apocalipsis explícito. Aunque el anuncio de un inminente desastre nuclear es uno de los motivos recurrentes del libro, no figura ninguno de los acontecimientos destructores que tradicionalmente asociamos con este tipo de visión. Interesa notar, precisamente, que la situación dramática de los últimos poemas sugiere que el hablante está situado en un verdadero «fin de mundo», y sin embargo ningún holocausto precede a sus aseveraciones. Tal parece como si el libro se hubiese «saltado» el esperado apocalipsis. La extraña conclusión, pues, se relaciona con la ausencia de una redención auténtica que postula el libro. Según esta versión apocalíptica, ni habrá ni podrá haber una tierra renovada después de un desastre nuclear, y el hombre queda así condenado a emigrar al «planeta más amargo» en busca de otro milenio más. Estos dos rasgos, que se podrían considerar como defectos parciales que debilitan la configuración de una modalidad apocalíptica, sugieren una visión pesimista del futuro que rechaza la más mínima posibilidad de renovación. Y bien pueden haber sido estos defectos los que hicieron que Neruda escribiese la versión tan diferente que ofrece *La espada encendida.*

HERNÁN LOYOLA

LOS ÚLTIMOS LIBROS

Deshabitación/rehabitación. El autodiseño ficticio-mítico del yo en *La espada encendida* representa la forma fuerte o acentuada del *retorno.* Su forma atenuada o declinante se manifiesta en los libros finales de Neruda (desde *Las piedras del cielo* hasta *El mar y las campanas*) a través de una autorrepresentación que llamaremos realista sólo para distinguirla de la anterior. Hay entre ambas formas del retorno una homogeneidad sustancial. Si en *La espada encendida* el hablante instaura una figura fundacional que pugna todavía por la exaltación y final rescate de la propia identidad, no es menos admirable su esfuerzo por establecer en los últimos libros una autorrepresentación erecta, digna y discreta frente al pavor, a veces irónica o sarcástica, otras veces sufriente o desengañada, pero en fin de cuentas positiva y siempre fiel a sí misma y a su empeño. En suma, es una imagen ambivalente y contradictoria del propio yo, y por ello *realista* de verdad, la que nos propone el hablante en la fase final del autorretrato.

La clave del retorno es la *rehabitación* del deshabitado. En *La espada encendida*, la función del Volcán es justamente la de impedir el desplazamiento (regreso) de Rhodo y Rosía desde la región de la muerte hacia la reinstauración de la vida: «Porque cuando fundaron el amor / y se extendieron como vegetales / sobre la tierra natural, llegó / la ley del fuego con su espada / para vencerlos, para incinerarlos. / Pero ya habían aprendido el oficio / de metal y madera, eran divinos: / el primer hombre era el primer divino, / la primera mujer su rosa diosa: / ya no tenían por deber morir / sino multiplicarse sobre el mar» (LXXXIV, «El pasado»). Y más adelante: «Dice Rosía: Rompimos la cadena. / Dice Rhodo: Me darás cien hijos. / ... / Dice Rosía: Desde toda la muerte / llegamos al comienzo de la vida» (LXXXVII, «Dicen y vivirán»).

Yo soy / yo eres. En los libros postreros la rehabitación se proyecta a la figura del hablante como final redimensión de todas sus antiguas

Hernán Loyola, «Pablo Neruda 1968-1973», en Pablo Neruda, *Antología poética*, Alianza Editorial (El Libro de Bolsillo, 863), Madrid, 1981, vol. II, pp. 433-448 (444-448).

pretensiones oraculares, de voz privilegiada, y como reaceptación de una humanidad compartida con todos los hombres del tiempo presente: «*Yo eres* el resumen / de lo que viviré, garganta o rosa», declara el hablante en *Geografía infructuosa* («Ser»), y agrega: «Hombres: nos habitamos mutuamente / y nos gastamos unos a los otros» («Sucesivo»). A partir de aquí el término *hombres* adquiere un persistente valor autoalusivo, repitiéndose en los títulos de varios poemas de *La rosa separada* y de *2000*, fragmentándose en variantes al interior de esos textos: por ejemplo, «los transeúntes», «culpables», «los equivocados de estrella» (*La rosa separada*), «el humano», «los invitados», «los escalonados en el tiempo», «nosotros, diputados de la muerte» (*2000*), etcétera.

Tal coparticipación del destino humano no deja de suscitar protestas del yo individuo: «yo me llamo trescientos, / cuarenta y seis, o siete»; protestas que, sin embargo, a verso seguido se resuelven en aceptación: «con humildad voy arreglando cuentas / hasta llegar a cero, y despedirme» (*Geografía infructuosa*, «A numerarse»). Con más frecuencia la inmersión del *yo* en el *todos* se textualiza en esta etapa final como voz del conjunto, como tentativa de expresión de un sentir, sufrir o protestar común, pero modulada a neta y significativa distancia del antiguo portavoz oracular.

Así, en *La rosa separada* el hablante comienza por definirse peregrino de la Isla de Pascua: pero sólo «uno más» entre «los otros pesados peregrinos»; sólo un turista más, «igual a la profesora de Colombia, / al rotario de Filadelfia, al comerciante / de Paysandú...» (*La rosa separada*, I, II). El parámetro de comparación es deliberadamente inusual en nuestro hablante. A diferencia del contemplador privilegiado de las ruinas de Machu Picchu, este yo turista enfrentado a los vestigios y al silencio de Rapa Nui se confiesa tan incapaz como los otros turistas de aprehender el misterio, se reconoce uno más entre los invasores inútiles del espacio sagrado de las estatuas y del «oxígeno total».

De modo similar, el sujeto lírico de *2000* habla a nombre de «nosotros, / los fallecidos antes de esta estúpida cifra / en que ya no vivimos», manifiesta la frustración de prematuros y olvidados que reclaman el derecho a participar de los festejos, de la paz, de la construcción instalada en el futuro: «y nosotros, diputados de la muerte, / queremos existir un solo minuto florido / cuando se abran las puertas del honor venidero!» (*2000*, «Los invitados»). Este «yo, Pedro Páramo, Pedro Semilla, Pedro Nadie» que protesta a nombre de todos el derecho a las cuatro cifras del año 2000 y a la resurrección, representa al mismo tiempo la negación y la continuidad de aquel antiguo yo que instaba a Juan Cortapiedras, a Juan Comefrío, y a Juan Piesdescalzos a resucitar a través de «esta nueva vida» suya. Ahora el hablante es uno más entre los muertos de Machu Picchu, de la plaza Bulnes, de Almería, de Stalingrado, de Hiroshima, del mil novecientos que no logró ser dos mil.

Pero a través de esta nueva identificación (como a través del renacer adánico en *La espada encendida*), el hablante *rehabita* su conciencia histórica. Ello establece una importante diferencia entre las respectivas figuras del hablante en dos compilaciones que a primera vista parecen muy afines y que en realidad se oponen: *Fin de mundo* y *2000*. En un nuevo giro de la espiral el testigo de cargo (*Fin de mundo*) deviene todavía en *2000*, y definitivamente, testigo manifestante de la Vida: «Sube y baja el fulgor de la tierra a la boca / y el humano agradece la bondad de su reino: / alabada sea la vieja tierra color de excremento» (*2000*, «La tierra»). Hasta en los últimos poemas de *El mar y las campanas* Neruda reafirmará con insistencia este autorreconocerse, su criatura hablante, en las grandezas y en las miserias del *otro*, en la estupidez y en la esperanza de los demás hombres, de ese *todos* en que con final orgullo-humildad se incluye: «porque soy tanto y tan poco, / tan multitud y tan desamparado» (*El mar y las campanas*, «Yo me llamaba Reyes»); «entonces comprendí que él era yo, / que éramos un sobreviviente más / ...» (*El mar y las campanas*, «Conocí al mexicano Tihuatín»).

Yo prisionero / tú transeúnte. Al interior de la cuenta regresiva de sus últimos textos (ese afanoso «ir arreglando cuentas / hasta llegar a cero»), hay un momento en *Elegía* en que el hablante se autodiseña identificando representaciones de Moscú y del propio yo, situando a ambas «en el límite / del mundo antiguo y de los mundos nuevos» (*Elegía*, XXVII). Aparte la reafirmación calibrada y nada triunfalista de sus preferencias ideológicas, *Elegía* implica una autodefinición del hablante en dos sentidos: 1) como poeta de frontera —así como Moscú es ciudad de frontera en el espacio y en el tiempo históricos— entre escrituras encontradas: «clásico de mi araucanía, / castellano de sílabas», «yo, hijo de Apollinaire o de Petrarca, / y también yo, pájaro de San Basilio» (*Elegía*, XXVII); 2) como voz consciente de cantar, aún, en el límite mismo que separa a su vida de su muerte. Esta *Elegía* de los amigos soviéticos fallecidos esconde así, también, una subterránea autoelegía.

Tanta vitalidad final en la línea de autorrepresentación que hemos esbozado, refuerza y acentúa la eficacia poética de otra línea más directamente personal que se desgrana, hasta apagarse, en los textos postreros. Es la línea en cuyo avanzar el enfermo y el sobreviviente diseñan el progresivo deterioro físico, la propia extinción. Aquí el hablante se autodefine «el cobarde» frente al mal sin remedio (*Geografía infructuosa*); el «prisionero» que reclama ayuda a su mar chileno (*Jardín de invierno*, «Llama el océano») o que envidia la despreocupada existencia del *otro* transeúnte, del *tú* vivo y activo, reflejos de su propio pasado (*El corazón amarillo*, «Mañana con aire»), y también «animal de luz acorralado» (*Jardín de invierno*); el inconcluso «que no alcanzó a llegar al bosque» (*Jardín de invierno*); el inmóvil a pesar suyo, abandonado hasta por los pájaros (*Jardín de invierno*, «Los triángulos»), o el soberano-esclavo, viejo Prometeo encadenado a su roca (*Jardín de invierno*, «La estrella»).

Autorrepresentaciones indirectas o veladas, metáforas intensas y pudorosas al mismo tiempo, escanden los hitos de la impotencia y de la angustia finales: «la sal y el viento borran la escritura / y el alma ahora es un *tambor callado* / a la orilla de un río, de aquel río / que estaba allí y allí seguirá siendo» (*Defectos escogidos*, «Otro castillo»); «un *animal pequeño* / ... / oí toda la noche, / afiebrado, gimiendo / ... / contra la noche inmensa del océano» (*El mar y las campanas*); «*esta campana rota*, / ... / campana verde, herida, / hunde sus cicatrices en la hierba» (*El mar y las campanas*); «*puerto puerto* que no puede salir / a su destino abierto en la distancia / y aúlla / solo / como un tren de invierno / hacia la soledad, / hacia el mar implacable» (*El mar y las campanas*).

4. OCTAVIO PAZ, NICANOR PARRA, EL SURREALISMO Y LA ANTIPOESÍA

La segunda vanguardia se desarrolla, inicialmente, a imitación y luego en rechazo de la primera y de sus grandes poetas, Huidobro, Neruda, Vallejo. La generación de los nacidos de 1905 a 1919 realiza su gestación histórica entre 1935 y 1949, paralelamente al más activo período de vigencia vanguardista. A partir de 1935, aproximadamente, se definen ya rasgos de disidencia en los grupos juveniles frente a la primera vanguardia que toman diversas formas. Una es la adhesión al surrealismo en el período aspirante. Su manifestación más importante fue la del grupo Mandrágora de Chile, con Braulio Arenas (1915), Enrique Gómez Correa (1913), Jorge Cáceres (1923-1949), Teófilo Cid (1914-1964), Gonzalo Rojas (1917) y que contó con el venezolano Juan Sánchez Peláez (1922) y la cercanía de Humberto Díaz Casanueva (1906) y Rosamel del Valle (1900-1963). Sus órganos de expresión fueron las revistas *Mandrágora* (1938-1941, 6 números) y *Leit Motiv* (1941-1943, 3 números). Arenas dejó en *El AGC de la Mandrágora* (Mandrágora, Santiago de Chile, 1957) y en *Actas surrealistas* (Nascimento, Santiago de Chile, 1974) la historia positiva del movimiento, mientras Teófilo Cid traza la crítica en *¡Hasta Mapocho no más!* (Santiago, Nascimento, 1976). El surrealismo en Hispanoamérica constituyó un modo más de escapar a la influencia y al poder seductor de la poesía de la generación anterior, de poetas admirados y respetados —cuando no vilipendiados, como Neruda—, pero con los cuales, poéticamente, se guardaba una distancia declarada. El surrealismo sin embargo no dejaba de acentuar —salvo la significación otorgada a los automatismos verbales que habían entrado en crisis para el tiempo en que el surrealismo era asumido en Hispanoamérica— las conquistas de la poesía precedente; la postulación enfática de amor, libertad y poesía, sólo llevaba al extremo los rasgos fundamentales de la primera vanguardia. Otras manifestaciones de la vanguardia en Chile fueron el runrunismo (véase Videla [1981]) y el decorativismo y *David* del poeta Eduardo Anguita (1914), autor con V. Teitelboim de la *Antología de poesía chilena nueva* (Zig-Zag, Santiago de Chile, 1935). Pero la actividad innovadora de mayor efectividad en la transformación de la dicción poética es la antipoesía de Nicanor Parra, que ejerció un extenso influjo en la poesía hispánica en general. Su tendencia es buscar en la lengua natural las fuentes de la antipoesía acercando el lenguaje poético a la lengua usual y rehuyendo la alquimia verbal. En México, destacan los poetas de la revista *Taller Poético* (1939-1941), con Octavio Paz; *Tierra Nueva* (1940-1942), con Alí Chumacero; y *Estaciones* (1956-1960, 20 números) importante en la difusión, primero, y cancelación, después, del surrealismo (véase Carter [1962], Nandino [1964], Wilson [1973], y Pacheco [1975]). En Argentina, Enrique Molina y Aldo Pellegrini con las revistas *Qué* (1928-1930, 2 números), *A partir de 0* (1952-1956, 3 números) y *Letra y Línea* (1953-1954, 4 números), las dos primeras más estrictamente surrealistas. Otra tendencia argentina fue el invencionismo de *Arturo* (1944) y *Poesía Buenos Aires* (1950-1960, 30 números), que dirige Raúl Gustavo Aguirre y renueva el espíritu de la vanguardia junto a los poetas invencionistas E. Bayley (1919) y J. J. Bajarlía (1914). En Nicaragua, los poetas de *Vanguardia* (1928) P. A. Cuadra (1912), J. Coronel Urtecho (1906) y J. Pasos (1915-1947). En Venezuela, el grupo *Viernes* de Queremel, Otto de Sola (1912) y V. Gerbasi (1913). En Colombia, más cerca de los poetas españoles, *Piedra y cielo* de Jorge Rojas (1911) y E. Carranza (1913), inicialmente inspirado en Juan Ramón Jiménez, el más moderado de todos. En Cuba, los poetas de *Verbum* (1937), *Espuela de Plata* (1939-1941), *Nadie parecía* (1942-1944) y de la revista *Orígenes* (1944-1956), encabezados por Lezama Lima (1910-1976), seguido de Eliseo de Diego (1920) y Cintio Vitier (1921). En el Caribe, el negrismo caracteriza la obra de E. Ballagas (1910-1954) y del abundante Manuel del Cabral (1907). En el Perú, se distinguen César Moro (1903-1956), de surrealismo militante, Xavier Abril (1905), Oquendo de Amat (1905-1936), que preceden a E. A. Westphalen (1911), editor de *Las Moradas* (1947-1949, 7 números) y Martín Adán (1907-1985), el de obra más perdurable, acogido en *Amauta* (1926-1930) por Mariátegui. Al relajarse la comunidad juvenil de estos grupos, que la activa pero breve vida de las revistas permite reconocer, el carácter personal de la obra acentúa sus rasgos propios y deja en claro la vitalidad de su creación. Hubo otras tendencias de intensa pero breve influencia como el neopopularismo garcilorquiano de extensa difusión, pero rápidamente olvidado en los años de vigencia. De 1950 en adelante, se reúne lo más significativo en la producción de estos poetas. Paz publica *Libertad bajo palabra* (1949), *¿Águila o sol?* (1951), *Piedra de sol* (1957) y su obra adquiere un gran prestigio y extensa difusión; Lezama Lima, *La fijeza* (1949), *Dador* (1960), alcanza estatura continental tardíamente; Parra modifica con *Poemas y antipoemas* (1954) y *Versos de salón* (1962) la dicción poética de la vanguardia; Girri con *El tiempo que destruye* (1951) y *Escándalos y soledades* (1952) trae un nuevo tono y una nueva densidad ética a la poesía. La obra de estos poetas se impone como vigencia efectiva de allí en adelante. Hacia mediados de los sesenta, cuando, hacia 1965, se hace presente con ímpetu renovador la generación siguiente, la poesía hispanoamericana habrá tomado un nuevo rumbo modificada por estas voces de excepción.

Los poetas y las tendencias que se manifestaron luego pueden caracterizarse en tres órdenes o direcciones diferentes. 1) Poesía como conocimiento o revelación. La dimensión representativa de la poesía adquiere una dimensión especial conforme nuevas esferas de experiencia se despliegan: la existencia, el erotismo, el onirismo, el mito, la simbología o emblemática alquímica, el punto del espíritu, en donde los contrarios dejan de serlo, la percepción extrasensorial, el azar objetivo dominan una poesía confiada en sus posibilidades reveladoras y visionarias. 2) Poesía como creación o construcción de un objeto nuevo y autónomo. Aspecto implicado en la adhesión a la imagen de impertinencia y a los procedimientos de desviación lingüístico-semánticos, poesía que permanece en firme, después de la crítica del automatismo verbal, en el propio surrealismo, que la había adoptado de Pierre Reverdy aunque acentuaba su arbitrariedad. Diversas modalidades gráficas y pictóricas del poema dan forma a los llamados poemas pintados, a la poesía figurada (*carmina figurata*) o caligramas, y a la poesía concreta. 3) Poesía como destrucción, humor negro, ironía, sátira, destrucción de la poesía o antipoesía, componente dadaísta de la poesía que se prolonga en el surrealismo más allá de ser su estigma inicial. Aunque estos tres aspectos no se dan necesariamente separados, su predominio permite distinguir ciertas tendencias y diferenciar unos poetas de otros. Estos mismos aspectos nos aseguran la continuidad de la vanguardia ya que están dados en el período anterior y modificados por la generación presente. Los poetas fundamentales que la crítica ha destacado en este momento de la poesía hispanoamericana son Octavio Paz, Nicanor Parra y José Lezama Lima. En un plano de menos relieve: Pablo A. Cuadra (1912), Alberto Girri (1919) y Martín Adán.

Faltan estudios de conjunto sobre la poesía de esta generación pero pueden hallarse contribuciones importantes en los ensayos de Jiménez [1968], Xirau [1972], Benedetti [1972], Paz [1974], Sucre [1975], Yurkievich [1971, 1978] y Brotherston [1975]. Estudios especiales sobre el surrealismo en Hispanoamérica son los de Larrea [1944, 1967], Baciu [1974, 1979], Balakian [1975] y Goic [1977]. Entre los estudios regionales, Lauer [1973], sobre el Perú; Fernández Moreno [1967], Urondo [1968], Ghiano [1957], Ceselli [1967] y Sola [1967] contemplan las diversas manifestaciones de la generación del cuarenta en Argentina. En torno al surrealismo y México puede verse el libro de Schneider [1978], que registra el impacto de México en los surrealistas europeos, y los trabajos de Paz [1974] y Pacheco [1975]. Para la recepción del surrealismo deben verse los trabajos sobre el tema de Huidobro, Vallejo, Borges. Antologías de la poesía surrealista hispanoamericana pueden encontrarse en las obras de Pellegrini *Antología de la poesía surrealista hispanoamericana* (Sudamericana, Buenos Aires, 1972), y la de Baciu *Antología de la poesía surrealista latinoamericana* (Mortiz, México, 1974), que ha suscitado, no sin razón, algunos reparos. Compilaciones de estudios se encuentran en *Movimientos literarios de vanguardia en Iberoamérica. Memoria del Undécimo Congreso del IILI* (Universidad de Texas, México, 1965), *Surrealismo/Surrealismos* de Earle [1975] y en los números especiales de *Revista Iberoamericana*, 106-107 (1979) y *Revista de Crítica Literaria Latinoamericana*, 15 (1982).

Octavio Paz (1914) nació en Ciudad de México, el 31 de marzo de 1914. Durante la revolución mexicana la familia se refugia en los Estados Unidos. Entre 1931 y 1934, publica sus primeros poemas en las revistas *Barandal* y *Cuadernos del Valle de México. Luna silvestre* (Fábula, México, 1933) es su primer libro. En 1937, en España, toma partido por la República y participa en el Segundo Congreso de Intelectuales para la Defensa de la Cultura, en Valencia. Encuentros con Huidobro, Vallejo y Neruda. Publica *¡No pasarán!* (Simbad, México, 1937), *Bajo tu clara sombra y otros poemas sobre España* (Ediciones Españolas, Valencia, 1937; otra ed., Tierra Nueva, México, 1938?) y *Raíz del hombre* (Simbad, México, 1937). En 1938, en México, contribuye a la publicación de las revistas *Taller* y *El hijo pródigo*. En 1941, publica *Entre la piedra y la flor* (Nueva Voz, México, 1941; otra ed., Ediciones Asociación Cívica Yucatán, México, 1956) y al año siguiente compila su obra anterior con un nuevo libro, *A la orilla del mundo y Primer día, Bajo tu clara sombra, Raíz del hombre, Noche de resurrecciones* (Compañía Editora y Librera ARS, México, 1942). Conoce, en México, a Victor Serge y Benjamin Péret. De 1944 a 1945, viaja y estudia en los Estados Unidos con una beca Guggenheim. Reside en San Francisco y luego en Nueva York. Enseña en Middlebury. Ingresa en el servicio diplomático y viaja a París, en 1945. Participa en el movimiento surrealista: contactos con André Breton y Benjamin Péret. Al año siguiente ingresa en el servicio exterior y sirve en cargos diplomáticos en San Francisco, Nueva York, París, Tokio, Ginebra. Publica la primera edición de *Libertad bajo palabra* (Tezontle, México, 1949; *Libertad bajo palabra. Obra poética, 1935-1957*, Fondo de Cultura Económica, México, 1960^2; 1968^3). Publica su importante libro de ensayos *El laberinto de la soledad* (Cuadernos Americanos, México, 1950; otra ed., Fondo de Cultura Económica, México, 1959; numerosas otras ediciones). Aparece *¿Águila o sol?* (Tezontle, México, 1951). En 1952, hace su primera visita a la India y a Japón. En 1953, retorna a México donde realiza una activa vida literaria. Publica *Semillas para un himno* (Tezontle, México, 1954). Funda la

Revista Mexicana de Literatura y el grupo «Poesía en voz alta», con Leonora Carrington y Juan Soriano. Estrena *La hija de Rapaccini* (*Revista Mexicana de Literatura*, 2:7, 1956, pp. 3-26), su única obra dramática. Publica *El arco y la lira* (Fondo de Cultura Económica, 1956; 1967²). Aparece *Piedra de sol* (Tezontle, México, 1957), incluida al año siguiente en *La estación violenta* (Fondo de Cultura Económica, México, 1958). Ese mismo año publica sus ensayos de *Las peras del olmo* (UNAM, México, 1957; 1965²). En 1959, viaja nuevamente a París. Se publica *Salamandra, 1958-1961* (Joaquín Mortiz, México, 1962). De 1962 a 1968 ocupa el cargo de embajador en la India. En 1963, recibe el Grand Prix International de Poésie. Publica *Viento entero* (Delhi, 1965) y sus ensayos de *Cuadrivio* (Joaquín Mortiz, México, 1965; 1969²). Otro de sus libros de ensayos sale a la luz con un nuevo *adynaton* como título, *Puertas al campo* (UNAM, México, 1966; 1967²). En un nuevo giro de su poesía publica *Blanco* (Joaquín Mortiz, México, 1967) y *Discos visuales* (Era, México, 1968). Paralelamente realiza una divulgación del estructuralismo en *Claude Lévi-Strauss o el nuevo festín de Esopo* (Joaquín Mortiz, México, 1967; 1969²). En 1968, como protesta por la masacre de Tlatelolco en víspera de la Olimpíada de México, renuncia a su embajada. Publica *Marcel Duchamp o el castillo de la pureza* (Joaquín Mortiz, 1968). Ocupa la cátedra Simón Bolívar de estudios hispanoamericanos en la Universidad de Cambridge, en Inglaterra, en 1968. Publica *Ladera este, 1962-1968* (Joaquín Mortiz, México, 1969) y la antología poética *La centena, Poemas 1935-1968* (Barral Editores, Barcelona, 1969). *Conjunciones y disyunciones* (Joaquín Mortiz, México, 1969), interpretación de aspectos de la India; *Posdata* (Siglo XXI, México, 1970; cuatro ediciones en el mismo año), sobre la crisis de la ideología revolucionaria institucionalizada; *Los signos en rotación y otros ensayos* (Sur, Buenos Aires, 1965; Alianza, Madrid, 1971), recopilan una gran actividad productiva dispersa en revistas. Otro ensayo es *Traducción: literatura y literalidad* (Tusquets, Barcelona, 1971). Durante los años siguientes dicta conferencias en las universidades de Texas y Pittsburgh. Regresa a México en 1971. Edita la revista *Plural* (1971-1973). Publica *Topoemas* (Era, México, 1971). En colaboración con Jacques Roubaud, Edoardo Sanguinetti y Charles Tomlinson publica *Renga* (Gallimard, París, 1971). Al año siguiente aparece *Le singe grammarien* (Skira, París, 1972); trad. castellana, *El mono gramático* (Seix Barral, Barcelona, 1974). En *Versiones y diversiones* (1973; otra ed., Mortiz, México, 1978) recoge sus traducciones poéticas. Invitado como Charles Eliot Norton Professor of Poetry por la Universidad de Harvard dicta las conferencias reunidas en *Children of the Mire. Modern Poetry from Romanticism to the Avant-Garde* (Harvard University Press, Cambridge, 1974); trad. castellana, *Los hijos del limo* (Seix Barral, Barcelona, 1974). Viaja como invitado de los Regentes de la Universidad de California, San Diego, en 1973. En 1975, se publica su libro de poemas *Pasado en claro* (Fondo de Cultura Económica, México, 1975). Su próximo libro de poemas será *Vuelta* (Seix Barral, Barcelona, 1976; 1981^{2}). Publica junto con Charles Tomlinson la colección bilingüe de sonetos *Airborn/Hijos del aire* (Anvil Press Poetry. Londres, 1981). Después de once años publica un nuevo libro de poesía, *Árbol adentro* (Seix Barral, Barcelona, 1987). Obtiene el premio Cervantes de Literatura, en 1981. Edita la revista *Vuelta* (1976). También publicará diversos volúmenes de ensayos (véase capítulo 12 de este volumen) que comprenden *Xavier Villaurrutia en persona y en obra* (Fondo de Cultura Económica, México, 1978), *Avances* (Espiral, serie Revistas, Madrid, 1978), *In/mediaciones* (Seix Barral, Barcelona, 1979), *El ogro filantrópico. Historia y política, 1971-1978* (Seix Barral, Barcelona, 1979), *La búsqueda del comienzo (Escritos sobre el surrealismo)* (Fundamentos, Madrid, 1981), *Sor Juana Inés de la Cruz o las trampas de la fe* (Seix Barral, Barcelona, 1982), *Tiempo nublado* (Seix Barral, Barcelona, 1983), *Sombras de obras* (Seix Barral, Barcelona, 1983), *Hombres en su siglo* (Seix Barral, Barcelona, 1984), *Pasión crítica* (Seix Barral, Barcelona, 1985). En 1986, el gobierno español le concede la Gran Cruz de Alfonso X, el Sabio. Da un recital en los Reales Alcázares de Sevilla donde anticipa su primer libro de poemas de los últimos diez años (un ave revolotea por el interior de la sala durante la lectura del poeta). En 1987, preside la conmemoración del 50 aniversario del Segundo Congreso de Intelectuales para la Defensa de la Cultura, de Valencia (1937). Recibe el Premio Menéndez Pelayo 1987, que se otorga por primera vez. Ediciones de su obra poética completa son *Poemas, 1935-1975* (Seix Barral, Colección Summa, Barcelona, 1979) y la edición bilingüe *The Collected Poems of Octavio Paz* (New Directions, Nueva York, 1987), de E. Weinberger.

A través de varias etapas de transformación, la poesía de Octavio Paz, una de las grandes voces poéticas de nuestra literatura contemporánea, muestra una considerable diversidad y una versatilidad extraordinaria. Poemas mayores, por una parte, de notable configuración en los que tiene lugar la destrucción de la poesía tradicional y la postulación de una representación ambigua que el símbolo surrealista de Melusina, la mujer-serpiente, contribuye a hacer evidente, pero que afecta igualmente a la desintegración o cuestionamiento del principio de identidad del hablante lírico. Tiempo, libertad, amor y poesía, son motivos fundamentales, que afectan permanentemente los diversos momentos de su obra. Breves poemas de violencia verbal, géneros tradicionales alterados significativamente, formas métricas y amétricas, caracterizan distintas etapas. Otra variedad da lugar a la poesía colectiva, «renga», o al caligrama, al ideograma, al «disco visual» y a la poesía concreta. En todas las etapas y en particular en la postrera, la actitud metapoética, vuelta reflexiva sobre la poesía y su sentido, adquiere profundidad y sabiduría. El diálogo con todas las tradiciones literarias:

española e hispanoamericana, antigua y contemporánea, norteamericana, europea y oriental, singularizan su obra poética y la destacan como una expresión universal en la poesía de hoy. Poesía y meditación ilustran a través de la obra poética y el ensayo de Paz, la asunción, proceso y liquidación anticipada de la Modernidad, noción ésta de Modernidad que ha contribuido a esclarecer en reiterados esfuerzos.

La bibliografía de Octavio Paz ha sido elaborada por Roggiano [1971], Ivask [1973], Flores [1974], Valencia y Coughlin [1975], Verani [1979, 1982] y Juzyn [1982]. Varios libros de importancia han sido dedicados al estudio del conjunto de la obra de Paz comenzando con Céa [1965], Xirau [1970], Phillips [1972], que analiza los modos poéticos, Aguilar Mora [1976], Magis [1978], Martínez Torrón [1979] y Wilson [1979], particularmente importante por el estudio de la lengua poética. Compilaciones de estudios de extrema utilidad son los de Ivask [1973], Flores [1974], Varela [1974], Roggiano [1979] y Gimferrer [1982]. Es importante la *causerie* con Julián Ríos, *Solo a dos voces* (Lumen, Barcelona, 1973). Números de revistas dedicados a su estudio son los de *Revista Iberoamericana*, 74 (1971), *Review 72* (1972), *Cuadernos Hispanoamericanos*, 343-344-345 (1979), y *World Literature Today*, 56 (1982). Aspectos generales de su obra son abordados por Cohen [1959, 1964], Larrea [1964], Souza [1964], Yurkievich [1971], Maliandi [1972] y Sucre [1975]. En su obra poética merece particular atención de la crítica el poema *Piedra de sol*. Fein [1956, 1957, 1972], Durán [1962], Nugent [1966], Bernard [1967], Nelken [1969], Pacheco [1971], Dehennim [1973], Borello [1979] han contribuido al análisis de este poema. Sobre sus ideas estéticas y poéticas, escriben Fuente [1972] y Perdigó [1975]; y en torno del surrealismo, King [1969] y Pacheco [1975].

Nicanor Parra (1914) nació en San Fabián de Alico, Chillán, Chile, el 5 de septiembre de 1914. Hijo de un maestro primario. Pasó su infancia en Santiago y en el sur de Chile, Lautaro, Ancud, Chillán. Cursa el último año de estudios secundarios en Santiago. Sirve como Inspector en el Instituto Barros Arana, donde había estudiado, mientras sigue cursos de Física y Matemáticas en la Universidad de Chile. Con Jorge Millas y Luis Oyarzún edita la *Revista Nueva* (1935). En 1937, obtiene el Premio Municipal de Poesía con su primer libro, *Cancionero sin nombre* (Nascimento, Santiago de Chile, 1937), cercano al popularismo de Alberti y García Lorca. Completa sus estudios en 1938 y enseña hasta 1943 en la educación secundaria. En 1943, viaja a Estados Unidos para hacer estudios graduados de Mecánica en la Brown University, donde permanece hasta 1945. De regreso en Chile, es nombrado Director de la Escuela de Ingeniería de la Universidad de Chile, donde ocupa la cátedra de Mecánica Racional. En 1948, aparecen sus primeros antipoemas en la revista *Pro-Arte*. En 1949, se dirige a Inglaterra con una beca del British Council para estudiar Cosmología en Oxford, donde permanece por dos años. Regresa en 1952, para ocupar la cátedra de Física Teórica. En 1954, publica *Poemas y antipoemas* (Nascimento, Santiago de Chile, 1954; 1956²; 1967³; otra ed., Nascimento, Biblioteca Popular, 1971), premio del Sindicato de Escritores y de la Municipalidad de Santiago, 1955. Durante 1957, publica el diario mural *El quebrantahuesos*, junto con Enrique Lihn, *collages* de encabezamientos e ilustraciones periodísticos de humorística intención, que componen dentro del espíritu surrealista o de su antecedente dadaísta. Pueden verse hoy en día en *Manuscrito*, 1 (1975). Publica *La cueca larga* (Editorial Universitaria, Santiago de Chile, 1958; otra ed., EUDEBA, Buenos Aires, 1964). En 1960, aparece en inglés, traducido por Jorge Elliott, *Antipoems* (City Light Books, The Pocket Poets Series, 12, San Francisco, 1960). Contactos de Ferlinghetti y los *beatniks* con Parra. En 1962, aparecen *Versos de salón* (Nascimento, Santiago de Chile, 1962; 1971) y un volumen de *Discursos* (Nascimento, Santiago de Chile, 1962) con Pablo Neruda, que corresponden a la recepción de éste como miembro académico de la Facultad de Filosofía de la Universidad de Chile. Publica *Manifiesto* (Nascimento, Santiago de Chile, 1963). En 1963, visita la URSS y China. Aparece *Dos poemas/Deux poèmes* (Éditions Librairie Rousseau, París, 1963). En 1966, enseña como profesor visitante en la Louisiana State University. Lectura de su antipoesía en Lima, Perú. En 1967, publica *Canciones rusas* (Editorial Universitaria, 1967), que constituye un paréntesis por la llaneza del hablante y de su temple de ánimo. Lectura de su antipoesía en Venezuela, con Robert Lowell; y luego, en Ecuador. Antología de su obra en inglés *Poems and Antipoems* (New Directions, Nueva York, 1967), con agregado de una sección inédita. Lectura en el Lincoln Center, Nueva York. Sus poesías completas se publican con el título de *Obra gruesa* (Editorial Universitaria, 1969; otra ed., Andrés Bello, Santiago de Chile, 1983). El volumen excluye su primer libro y agrega una sección de poemas inéditos: «La camisa de fuerza». Recibe el Premio Nacional de Literatura 1969. En 1970, recibe el repudio de los intelectuales cubanos por su visita a la Casa Blanca. Lecturas de antipoesía en Arizona e Indiana. En 1971, es invitado por las universidades de Nueva York, Columbia y Yale con el fin de participar en seminarios y recitales. Publica *Los profesores* (Ediciones de la Librería, Nueva York, 1971). En 1972, publica en versión bilingüe *Emergency Poems* (New Directions, Nueva York, 1972). Ese año aparece también una colección de tarjetas postales con sus *Artefactos* (Ediciones Nueva Universidad, Santiago de Chile, 1972), que venían apareciendo en revistas desde 1967. Se estrena *Todas las colorinas tienen pecas* (*Revista EAC*, 2, 1972, pp. 80-108) por el Teatro de Ensayo de la Universidad Católica, obra en tres actos basada en los poemas de *Obra gruesa.* Lectura de su poesía en la Universidad de Puerto Rico. En 1974, deja la enseñanza de la Física por la de la poesía en el departamento de Estudios Humanísticos de la Universidad de Chile. Se traduce al italiano *Antipoesie* (Einaudi, Turín, 1974) Publica «News from Nowhere» en *Manuscrito*, 1 (1975, pp. 89-116). En 1977, publica *Sermones y prédicas del Cristo de Elqui* (Estudios Humanísticos, Santiago de Chile, 1977; otra ed., Ganymedes, Valparaíso, 1979), seguido de *Nuevos sermones y prédicas del Cristo de Elqui* (Ganymedes, Valparaíso, 1979). Produce una serie de pequeñas hojas literarias, *Paloma de poesía, Pájaro de cuentas, Hojas de Parra*, que reproducen, por lo general, un poema manuscrito por el poeta. Aparece *Poema y antipoema a Eduardo Frei* (Editorial América del Sur, Santiago de Chile, 1982). Comienza a publicar sus primeros «ecopoemas», que ironizan la situación ecológica. En 1983, expone las postales *Chistes para despistar a la (~~policía~~) poesía* (Ediciones Galería Época, Santiago de Chile, 1983), ilustradas por destacados pintores. Publica *Hojas de Parra* (Ganymedes, Santiago de Chile, 1985) y *Poesía política* (Ganymedes, Santiago de Chile, 1985). En 1985, viaja a los Estados Unidos, invitado por la Universidad de Nueva York. Ecopoemas, chistes, tarjetas de Pascua, postales son extensiones de los artefactos, adaptadas a nuevas circunstancias y diversos géneros gráficos. Aparte de *Obra gruesa* falta una edición de las obras de Parra que abarque los libros posteriores a 1969. Entre las antologías vale la pena destacar las presentadas por Ibáñez, *Antipoemas* (Seix Barral, Barcelona, 1972), Rodríguez Rivera, *Poemas* (Casa de las Américas, La Habana, 1969) y *Poems and Antipoems* (New Directions, Nueva York, 1967), de Miller Williams y, más recientemente, *Antipoems: new and selected* (New Directions, Nueva York, 1985), editada por David Unger, recoge su obra de los últimos años y algunos poemas inéditos.

La bibliografía de Parra ha sido ordenada por Escudero [1970], Flores [1974], y Fernández [1980, 1984]. Estudios de conjunto son los libros de Rein [1970], Rodríguez Fernández y Montes [1970, 1974] y Brons [1972], que abren el camino. Morales [1972] aborda temas y recursos estilísticos, pero es más importante por las «conversaciones» con el poeta. Grossman [1975], Salvador Jofre [1976], Gottlieb [1977] y Yamal [1985], sobre todo, hacen contribuciones de importancia. Una compilación de estudios ha sido presentada por Flores [1973]. Visiones de conjunto pueden encontrarse en Rodríguez Monegal [1963, 1968], Rodríguez Rivera [1969], Goic [1970, 1973], Ibáñez-Langlois [1972] y Debicki [1976]. Sobre *Poemas y antipoemas* ha escrito Schopf [1971]; sobre antipoemas particulares, véase «Hay un día feliz», Lefebvre [1958], Schopf [1970], Solotorewsky [1975], Carrasco [1978]; Lihn [1952], sobre «Soliloquio del individuo»; sobre «La víbora», Goic [1973]; sobre «Padre nuestro», Carrasco [1982]. *Versos de salón* ha sido abordado por Xirau [1961]. Los *Artefactos*, por Silva Cáceres [1969] y Benedetti [1972]. El concepto de la antipoesía ha sido discutido por Goic [1970, 1973], Schopf [1971] y

Melnykovich [1975]. Sobre el antipoema escribe Schopf [1963], y Carrasco [1978], como escritura transgresora; y atendiendo a sus aspectos genéricos y sus modalidades discursivas, Goic [1970, 1973] y Carrasco [1982]. Lenguaje hablado y lenguaje poético en comparación con Cardenal, lo analizan Fernández Retamar [1969] y Borgeson [1982]. Goldenberg [1970] discute el antihéroe. El humor es objeto de la consideración de Sucre [1976]. Entre las figuras antipoéticas, la ironía es abordada por Yamal [1983], la paradoja, por Ortega [1971]. Las relaciones entre Neruda y Parra son enfocadas por Morales [1970]. Para las relaciones entre Parra, Whitman, Kafka y el surrealismo, véase Morales [1972].

José Lezama Lima (1910-1976) nació en el campamento de Columbia, La Habana, el 19 de diciembre de 1910. Crece en un medio marcial debido a que su padre es director de la Academia Militar del Morro. A partir de 1917, hace sus estudios primarios en Marinao. El padre muere en 1919 y el niño, que padece de asma desde los seis meses, ve agravarse su mal y cambiar el mundo en que ha vivido. Pasa largos períodos postrado en cama, leyendo. A los diez años tiene la reveladora lectura del *Quijote*. En 1920, ingresa en el colegio Mimó, de La Habana. Terminados sus estudios primarios ingresa en el Instituto de La Habana, en 1926. Dos años después se gradúa como Bachiller en Ciencias y Letras. En 1929, ingresa en la Universidad y comienza el estudio de la carrera de Leyes. Ese año la familia se traslada a Trocadero 162 donde el poeta vivió hasta su muerte. Participa en la lucha estudiantil contra la dictadura de Machado. El cierre de la Universidad lo empuja a los libros y a las lecturas de clásicos y modernos. Lectura de Góngora, Mallarmé, Valéry, Rimbaud, Lautréamont, Proust. El encuentro con el poeta Ángel Gaztelu le abre el mundo de las lecturas teológicas que combina con las obras del misticismo oriental. En 1933, reanuda sus estudios universitarios. En 1936, la presencia de Juan Ramón Jiménez es importante para el joven lector, escribe un *Coloquio con Juan Ramón Jiménez* (La Habana, Secretaría de Educación, Dirección de Cultura, 1938). En torno a la revista universitaria *Verbum* (1937, 3 números), se agrupan con Lezama Lima, Ángel Gaztelu y Cintio Vitier. En 1937, publica su primer poema, «Muerte de Narciso», y un año después el libro del mismo nombre, *Muerte de Narciso* (Ucar, García y Cía., La Habana, 1938). En 1938, se licencia como abogado y comienza a trabajar en su bufete. Cerrada la etapa universitaria edita con sus compañeros de generación la revista *Espuela de plata* (1939-1941, seis números). En 1941, recoge sus poemas en *Enemigo rumor* (Ucar, García y Cía., Ediciones La Espuela de Plata, La Habana, 1941). Con Gaztelu edita otra revista de poesía, *Nadie parecía* (La Habana, 1942-1944, 10 números). En 1944, comienza a publicarse la revista más importante de la generación, *Orígenes* (La Habana, 1944-1957, 40 números). A ella se vinculan los jóvenes poetas

Eliseo de Diego (1920) y Cintio Vitier (1921). En 1940, había dejado el ejercicio liberal de su profesión e ingresado en el Consejo Superior de Defensa Social. Su obra poética continúa con *Aventuras sigilosas* (Ediciones Orígenes, La Habana, 1945), *La fijeza* (Ediciones Orígenes, La Habana, 1949). En 1949, aparecen los primeros capítulos de *Paradiso* en *Orígenes.* Viaja a México y luego a Jamaica, en 1950. Reúne sus ensayos en *Analecta del reloj* (Ediciones Orígenes, La Habana, 1953), entre los que destacan «Las imágenes posibles» y «Sierpe de Don Luis de Góngora». A este volumen sigue *La expresión americana* (Instituto Nacional de Cultura, La Habana, 1957; otras eds., Editorial Universitaria, Santiago de Chile, 1969; Alianza Editorial, El Libro de Bolsillo, Madrid, 1969); *Tratados en La Habana* (Universidad Central de las Villas, Santa Clara, 1958; otras eds., Ediciones de la Flor, Buenos Aires, 1969; Editorial Orbe, Santiago de Chile, 1970), en el que hay que destacar su ensayo «Introducción a un sistema poético». Después de la revolución cubana dirige el Departamento de Literatura y Publicaciones del Consejo Nacional de Cultura. Publica un nuevo libro de poesía, *Dador* (La Habana, 1960). Es designado uno de los seis vicepresidentes de la Unión de Escritores y Artistas de Cuba y asesor del Centro Cubano de Investigaciones Literarias. Sus hermanas Eloísa y Rosa abandonan Cuba. El poeta queda solo con su madre. En 1963, deja el Consejo Nacional de Cultura por la Biblioteca de la Sociedad Económica de Amigos del País. En 1964, muere su madre, con la que lo unía una estrecha relación. El poeta sufre una paralizante conmoción. Se casa con su secretaria, María Luisa Bautista. En los años siguientes reanuda su actividad al tiempo que la publicación de *Paradiso* (Ediciones Unión, La Habana, 1966; otras eds., Ediciones de la Flor, Buenos Aires, 1968; Ediciones Era, México, 1968, revisada y al cuidado de Julio Cortázar y Carlos Monsiváis; Ediciones Paradiso, Lima, 1968, 2 vols.; Fundamentos, Madrid, 1974; Cátedra, Madrid, 1980) pone su nombre en un nuevo plano de universal difusión. En 1972, muere su hermana Rosa. En 1974, invitado al Congreso de la Narrativa Hispanoamericana de Cali, Colombia, se le niega el permiso para salir del país. Lezama Lima murió en La Habana el 9 de agosto de 1976. Su última obra novelística, incompleta, se publicará póstumamente: *Oppiano Licario* (Ediciones Era, México, 1977; otra ed., Editorial Arte y Literatura, La Habana, 1977). Póstumamente, como ésta, se publica su libro de poesía *Fragmentos a su imán* (Editorial Arte y Literatura, La Habana, 1977; otras eds., Ediciones Era, México, 1978; Lumen, Barcelona, 1978). Sus ensayos se completan con *La cantidad hechizada* (UNEAC, La Habana, 1970; otra ed., Júcar, Madrid, 1974), seguido de *Esferaimagen* (Tusquets, Barcelona, 1970), *Las eras imaginarias* (Fundamentos, Madrid, 1971) e *Introducción a los vasos órficos* (Barral Editores, Barcelona, 1971). Una colección de sus *Cartas, 1939-1976* (Ediciones Orígenes, Madrid, 1979) ha sido seleccionada por su hermana, Eloísa Lezama Lima. Las ediciones de su *Poe-*

sía completa (Instituto del Libro, La Habana, 1970; otra ed., Barral Editores, Barcelona, 1975) no incluyen *Fragmentos a su imán*, y sus *Obras completas* (Aguilar, México, 1975-1977, 2 vols.) no incluyen *Fragmentos a su imán* ni *Oppiano Licario.* Entre las antologías, J. A. Goytisolo ha editado *Posible imagen de Lezama Lima* (Ocnos, Barcelona, 1969) y Julio Ortega una antología abarcadora, *El reino de la imagen* (Biblioteca Ayacucho, 83, Caracas, 1981). Álvarez Bravo [1964, 1968] ha contribuido de un modo importante a la difusión de la vida y obra de Lezama Lima.

La bibliografía de y sobre Lezama Lima ha sido bien elaborada por Ulloa [1979], Araceli García Carranza, en Simón [1970], Flores [1975], y Junco Fazzolari [1979]. Obras de conjunto sobre la poesía del poeta cubano son las de Fernández Sosa [1976], Junco Fazzolari [1979] y Souza [1983]. Entre los estudios de más interés están los de Vitier [1958, 1975, 1977, 1978], Xirau [1971, 1978], Sucre [1975] y Yurkievich [1978, 1984]. Hay una compilación de estudios de Ulloa [1979] y otra de Vizcaíno [1984]. En torno a ciertos libros en particular escriben, sobre *Muerte de Narciso*, Cascardi [1977]; sobre *Aventuras sigilosas*, Bejel [1979]; sobre *Fragmentos a su imán*, Goytisolo [1978], Lutz [1980] y Vitier [1978]. La poesía póstuma es abordada por Prieto [1979]. Las relaciones entre Lezama y Mallarmé son estudiadas por Ríos-Ávila [1980].

Alberto Girri (1919) nació en Buenos Aires, el 27 de noviembre de 1919. Hizo sus estudios primarios y secundarios entre 1925 y 1937. En 1940 ingresa en la Facultad de Filosofía y Letras de la Universidad de Buenos Aires, donde se graduó. Fundó la revista juvenil *Leonardo*, de corta vida. En 1944, comienza a colaborar en la redacción de *El Correo Literario* y en el suplemento literario de *La Nación*, que dirigía Eduardo Mallea. En 1945, aparece su primer libro, *Playa sola*, con prólogo de Lorenzo Varela. *Crónica del héroe* (1946) es elegido «El Libro del Mes». Luego recibe, en 1947, la faja de honor de la SADE por su libro *Coronación de la sombra.* En 1948, comienza a colaborar en la revista *Sur*, de la que llegará a ser miembro del Comité editorial. En 1955, recibe el Premio Municipal de Poesía. En 1958, le es otorgado el Tercer Premio Nacional de Poesía por su libro *La penitencia y el mérito.* En 1959, viaja a Italia invitado por el gobierno. Escribe *Elegías italianas.* En 1960, recibe el Premio Leopoldo Lugones del Fondo Nacional de las Artes, por su libro *La condición necesaria.* Recibe la Medalla de Oro del gobierno de Italia, y el Segundo Premio Nacional de Poesía por su libro *Elegías italianas.* En 1964, viaja a Estados Unidos becado por la Fundación Guggenheim. En 1967, gana el Primer Premio Nacional de Poesía, por su libro *Envíos.* Durante 1968-1970, viaja por Europa invitado por los gobiernos de Alemania, Francia e Inglaterra. En 1974, viaja por España, Francia e Italia. Obtiene, en 1975, el Premio Anual de Literatura de la Fundación Lorenzutti, de Buenos Aires. Ese año viaja a París y Amsterdam. En 1976, le es otorgado el Gran Premio de la Fundación Argentina Para la Poesía. Viaja nuevamente a Italia y Francia. Recibe la condecoración como Caballero Oficial de Orden al Mérito del gobierno italiano. En 1977, aparece el primer volumen de sus obras poéticas completas, seguido de un segundo, en 1978, y un tercero, en 1980. En 1978, obtiene el Primer Premio de Poesía de la Fundación Dupuytren, por su libro *Árbol de la estirpe humana.* Y, en 1980, el Premio de Poesía Cèsar Mermet, por su libro *Lo propio, lo de todos.* En 1981, publica su *Homenaje a William C. Williams* (Sudamericana, Buenos Aires, 1981). Traductor avezado de la poesía de lengua inglesa, ha vertido al castellano a John Donne, a Tagore, Stephen Spender, y a los norteamericanos Wallace Stevens, Robert Lowell y Theodore Roethke, entre otros.

Su obra se desenvuelve al margen de grupos y de tendencias gregarias. Forma parte de la redacción de la revista *Sur.* La poesía de Girri está dominada por la economía verbal y una retórica parva que desprecia la imagen sensual y el temple de ánimo sentimental. Su rasgo característico es la discursividad, el carácter enunciativo de su verso. El ritmo con que quiebra la sintaxis en la versificación rehúye el efecto musical en favor de la efectividad puramente comunicativa. Para Girri la poesía es, más que realización verbal imaginaria, un medio de conocimiento, «una forma de indagación de la realidad, un juicio sobre el mundo». El mundo que representa es el de la experiencia existencial auténtica, personal, la parte más humana de la poesía, que concibe con Kierkegaard como la conciencia ética que enseña al hombre a jugarse el todo por el todo. Su obra poética comprende *Playa sola* (Nova, Buenos Aires, 1944), *Coronación de la espera* (Botella al Mar, Buenos Aires, 1947), *Trece poemas* (Botella al Mar, Buenos Aires, 1950), *El tiempo que destruye* (Botella al Mar, Buenos Aires, 1951), *Escándalos y soledades* (Botella al Mar, Buenos Aires, 1952), *Examen de nuestra causa* (Sur, Buenos Aires, 1956), *La penitencia y el mérito* (Sur, Buenos Aires, 1957), *Propiedades de la magia* (Sur, Buenos Aires, 1959), *La condición necesaria* (Sur, Buenos Aires, 1960), *Elegías italianas* (Sur, Buenos Aires, 1962), *El ojo* (Losada, Buenos Aires, 1963), *Poemas elegidos* (Losada, Buenos Aires, 1965), *Envíos* (Sudamericana, Buenos Aires, 1966), *Casa de la mente* (Sudamericana, Buenos Aires, 1968), *Valores diarios* (Sudamericana, Buenos Aires, 1970), *En la letra, ambigua selva* (Sudamericana, Buenos Aires, 1972), *Poesía de observación* (Sudamericana, Buenos Aires, 1973), *Quien habla no está muerto* (Sudamericana, Buenos Aires, 1975), *Giri-Sabat: galería personal* (Sudamericana, Buenos Aires, 1975), *Bestiario* (Ediciones La Garza, Buenos Aires, 1976, con 13 grabados de Luis Seoane), *El motivo es el poema* (Sudamericana, Buenos Aires, 1976), *Árbol de la estirpe humana* (Sudamericana, Buenos Aires, 1978), *Lo propio, lo de todos* (Sudamericana, Buenos Aires, 1980). Hay edición de su *Obra poética* (Corregidor, Buenos Aires, 1977, 1978, 1980, 3 vols.). Existen varias antologías de su poesía, *La línea de la vida, 1946-1952* (Sur, Buenos Aires, 1955), presentada por H. A. Murena [1955], *Coronación de la espera* (CEAL, Buenos Aires, 1967), reúne sus libros de 1947 a 1959, en un solo volumen, y *Antología temática* (Sudamericana, Buenos Aires, 1969). Se suma a ellas *Páginas de Alberto Girri* (Celtia, Buenos Aires, 1983). También es autor de obras narrativas: *Crónica del héroe y otras historias* (Nova, Buenos Aires, 1946), *Misántropos* (Botella al Mar, Buenos Aires, 1954), cuentos, *Un brazo de Dios* (Americalee, Buenos Aires, 1966), *Diario de un libro* (Sudamericana, Buenos Aires, 1972) y *Prosas* (Monte Ávila, Buenos Aires, 1977). La bibliografía de Girri ha sido ordenada por Foster [1982] y Castillo [1983]. Estudios sobre su obra se encuentran en Murena [1955], Kovacci [1961], Paita [1963, 1965], Pezzoni [1969], Vitale [1975], Torres [1976], Ghiano [1978], Yurkievich [1978, 1981], Borinsky [1983] y Castillo [1983].

Pablo Antonio Cuadra (1912) nació en Managua, Nicaragua, el 4 de noviembre de 1912. Hizo sus estudios en el Colegio Centroamericano de Granada y cursó Leyes en la Universidad del Este, en la misma ciudad. Agricultor, ganadero, maderero. Fundador de la hoja semanal y del grupo *Vanguardia* (1928-1931), junto con Joaquín Pasos, Julio Ycaza Tijerino y José Coronel Urtecho. Dirige más tarde los *Cuadernos del Taller San Lucas* (1940-1950). Residió en México entre 1945 y 1947. Se dedica al periodismo. Codirector del diario *La Prensa* de Managua y director de *La Prensa Literaria*. Edita la revista *El Pez y la Serpiente*. Director de la Academia Nicaragüense de la Lengua. Miembro del Consejo Superior del Instituto de Cooperación Interamericana. La poesía de Pablo Antonio Cuadra oscila entre el poema breve, aforístico y sentencioso y el gran poema extenso escrito en versículo de andadura solemne y lenta. El lenguaje sencillo recoge en ocasiones el léxico criollo. El mundo poético traza una extensa curva desde lo popular y el humor, pasando por la visión cristiana y la percepción del mundo identificado con el cuerpo del poeta, hasta el mito historizador de los orígenes o dignificador del mundo del lago de Nicaragua en una *Odisea* americana. Su adhesión temprana a la vanguardia se consolida en el carácter constructivo de sus mitos poéticos y en la conquista de una pluralidad de voces bien dominadas para trazar la visión del mundo próximo con proyección universal. Entre sus obras más destacadas están *Los cantos de Cifar* sobre los cuales ha escrito el propio autor un ensayo («Cifar», *Cuadernos Hispanoamericanos*, 296, 1975). Su obra poética comprende *Canciones de pájaro y señora* (Managua, 1929); *Poemas nicaragüenses, 1930-1933* (Nascimento, Santiago de Chile, 1934), *Canto temporal* (Managua, 1943), *Poemas con un crepúsculo a cuestas* (Madrid, 1949), *La tierra prometida. Selección de poemas* (El Hilo Azul, Managua, 1952), *Libro de horas* (Edición personal, 1956), *Elegías* (Palma de Mallorca, 1957), *El ja-*

guar y la luna (Editorial Artes Gráficas, Managua, 1959), *Zoo* (Dirección General de Publicaciones del Ministerio de Educación, San Salvador, 1962), *Noche de América para un poeta español* (1965), *Personae* (1968), *Los cantos de Cifar* (1969; *Cantos de Cifar y del Mar Dulce*, Academia Nicaragüense de la Lengua, Managua, 1979[3]; ed. bilingüe, *Songs of Cifar and the Sweet Sea*, Columbia University Press, Nueva York, 1979), *Doña Andreíta y otros retratos* (1971). Sus obras han sido recogidas en *Poesía. Selección 1929-1962* (Cultura Hispánica, La Encina y el Mar. Poesía de España y América, 29, Madrid, 1964), *Poesía escogida* (Cultural Nicaragüense, Managua, 1970), *Tierra que habla* (Editorial Universitaria Centroamericana, San José, Costa Rica, 1974) y *Esos rostros que asoman en la multitud* (Ediciones El Pez y la Serpiente, Managua, 1976). También es autor de los libros de ensayos *Hacia la Cruz del Sur* (1936), *Breviario imperial* (1940), *Promisión de México* (Editorial Jus, México, 1945), *Entre la cruz y la espada* (S. Aguirre, Madrid, 1946); *Torres de Dios, ensayos sobre poetas* (Ediciones de la Academia Nicaragüense de la Lengua, Managua, 1958); *El Nicaragüense* (Editorial Unión, Managua, 1967); y *Otro rapto de Europa* (Ediciones El Pez y la Serpiente, Managua, 1976); y de varias obras dramáticas a partir de *Por los caminos van los campesinos* (Ediciones El Pez y la Serpiente, Managua, 1972). La bibliografía de Cuadra ha sido ordenada por Jiménez [1968] y Flores [1975]. Véanse los estudios de Lamothe [1959], el libro de Guardia [1971], y los artículos de Cerutti [1974], Schulman [1979], y el de Lasarte [1983] sobre *Cantos de Cifar y el Mar Dulce.*

Martín Adán (1907-1985), seudónimo de Rafael de la Fuente Benavides, nació en Lima, Perú, en 1907. Se inició literariamente en las páginas de *Amauta*, donde publicó sus primeros poemas y sus primeras observaciones sobre el «disparate puro» y el «antisoneto» en alejandrinos, primero en imágenes creacionistas y luego con una voz cada vez más diferenciada, entre la aventura y el orden. En 1928, publicó su novela *La casa de cartón* (Editorial Perú, Lima, 1928; Nuevos Rumbos, Lima, 1958[2]), respaldado por Mariátegui y L. A. Sánchez. En ella recoge su «Poemas Underwood». De 1936 data «Narciso al Leteo» (*Palabra*, 1, 1936). En 1942, publica en *Cultura peruana* sus romances de «La campana Catalina», poesía neopopularista de gracia y humor festivos. En 1946, obtiene el Premio Nacional de Poesía José Santos Chocano. Además, Premio Nacional de Poesía 1961. Premio Nacional de Literatura 1975. Miembro de la Academia Peruana de la Lengua. Su obra poética comprende *La rosa de la espinela* (Cuadernos de Cocodrilo, Lima, 1939; Juan Mejía Baca, Lima, 1958[2]), poesía pura notable y coruscante en sus finas décimas espinelas, buen ejemplo de su gozoso temple creador y de su lírico humor; *Travesía de extramares (Sonetos a Chopin)* (Dirección de Educación Artística y Extensión Cultural. Ministerio de Educación Pública, Lima, 1950), *Escrito a ciegas* (Juan Mejía Baca, Lima, 1961), *La mano desasida (Canto a Machu Picchu)* (Juan Mejía Baca, Lima, 1964); fragmentos, en P. Neruda, A. Hidalgo y Martín Adán, *Nuevas piedras para Machu Picchu* (Mejía Baca, Lima, 1961) y en otras publicaciones. *La piedra absoluta* (J. Mejía Baca, Lima, 1966) y *Diario de poeta* (Inti-Sol Editores, Col. Jacarandá, Lima, 1975), completan una obra de gran originalidad. La producción lírica del poeta se recoge en las ediciones siguientes: *Obra poética (1928-1971)* (Instituto Nacional de Cultura, Lima, 1971) y *Obra poética (1927-1971)* (Instituto Nacional de Cultura, Lima, 1976²). La primera, preparada por Francisco Izquierdo Ríos y nota preliminar de J. M. Oviedo, reúne sus libros anteriores con algunos poemas inéditos, además de una selección de juicios críticos sobre el poeta; la segunda, con prólogo de E. Bendezú [1976], mejora a la anterior, y *Obra poética* (Edubanco, Lima, 1980), preparada por Silva-Santisteban [1980], reproduce primeras versiones, inéditas o publicadas con correcciones, y poemas inéditos. Hay también edición de sus *Obras en prosa* (Edubanco, Lima, 1982). La información bibliográfica de y sobre Adán ha sido ordenada por Weller [1975] en forma exhaustiva y por Rodríguez Rea [1976]. Monguió [1954] ha estudiado su obra inicial. E. Bendezú [1969, 1976] aborda la obra en toda su extensión, Ortega [1970] traza la curva de su poesía, y Silva-Santisteban [1980] ordena una visión de conjunto. Unger [1982] hace la crítica de las ediciones de la obra del poeta. Todavía falta una monografía más ambiciosa sobre la poesía de Martín Adán y estudios sustanciales sobre su vida, su significación en la vanguardia y en la poesía peruana e hispanoamericana y de su obra poética en general.

BIBLIOGRAFÍA

Aguilar Mora, Jorge, *La divina pareja. Historia y mito en Octavio Paz*, Era (Serie Claves), México, 1976.

Alazraki, Jaime, «Para una poética del silencio», *Cuadernos Hispanoamericanos*, 343-345 (1979), pp. 157-184.

Alonso, María Nieves, «El Cristo de Elqui: nueva voz para la antipoesía», *Atenea*, 438 (1978), pp. 133-142.

Álvarez Bravo, Armando, «Prólogo» a *Órbita* de Lezama Lima, Unión, La Habana, 1964, pp. 9-47.

—, «Lezama Lima», prólogo a *Lezama Lima: los grandes todos*, Arca, Montevideo, 1968, pp. 9-41.

Arcelus Ulibarrena, Juana Mary, «Metáfora y sinestesia en "Ladera Este", de Octavio Paz», *Thesaurus*, 37:2 (1982), pp. 299-377.

Baciu, Stefan, *Antología de la poesía surrealista latinoamericana*, Joaquín Mortiz, México, 1974.

—, *Surrealismo latinoamericano. Preguntas y respuestas*, Ediciones Universitarias de Valparaíso, Chile, 1979.

Balakian, Anna, «Latin-American Poets and the Surrealist Heritage», en P. G. Earle, y G. Gullón, *Surrealismo/Surrealismos, Latinoamérica y España*, Filadelfia, 1975, pp. 11-19.

Bejel, Emilio, «La dialéctica del deseo en *Aventuras sigilosas* de Lezama Lima», *Texto crítico*, 13 (1979), pp. 135-145.

—, «Lezama o las equiprobabilidades del olvido», en Justo C. Ulloa, ed., *José Lezama Lima: textos críticos*, Ediciones Universal, Miami, 1979, pp. 22-38.

Bendezú, Edmundo, *La poética de Martín Adán*, P. L. Villanueva, Lima, 1969.

—, «Prólogo» a M. Adán, *Obra poética (1927-1971)*, Instituto Naiconal de Cultura, Lima, 1976[2].

Benedetti, Mario, «Parra descubre su realidad», *Número*, 1 (Montevideo, 1963), pp. 65-74.

—, «Nicanor Parra o el artefacto con laureles», *Los poetas comunicantes*, Biblioteca de Marcha, Montevideo, 1972, pp. 41-63.

Bernard, Judith Ann, «Myth and Structure in Octavio Paz's *Piedra de sol*», *Symposium*, 21 (1967), pp. 5-13.

Borello, Rodolfo A., «Relectura de *Piedra de sol*», *Cuadernos Hispanoamericanos*, 343-345 (1979), pp. 417-436.

Borgeson, Paul W., «Lenguaje hablado/lenguaje poético: Parra, Cardenal y la antipoesía», *Revista Iberoamericana*, 118-119 (1982), pp. 383-389.

Borinsky, Alicia, «Interlocución y aporía: Notas a propósito de Alberto Girri y Juan Gelman», *Revista Iberoamericana*, 125 (1983), pp. 879-887.

Bosquet, Alain, «Octavio Paz ou le Surréalisme tellurique», *Verbe et Vertige. Situation de la poésie*, Hachette, París, 1961, pp. 186-192.

Brons, Thomas, *Die Antipoesía Nicanor Parras*, Verlag Alfred Kummerle (Goppinger Akademische Beitrage, 51), Goppingen, 1972.

Brotherston, Gordon, *Latin American Poetry; origins and presence*, Cambridge University Press, Londres, 1975.

Cabrera Infante, Guillermo, «Encuentros y recuerdos con José Lezama Lima», *Vuelta*, 1:3 (1977), pp. 46-48.

Carrasco M., Iván, «El antipoema, una escritura trasgresora», *Estudios filológicos*, 13 (1978), pp. 7-19.

—, «La antipoesía: escritura de la impotencia expresiva», *Estudios Filológicos*, 17 (1982), pp. 67-76.

Carter, Boyd George, *Las revistas literarias de Hispanoamérica. Breve historia y contenido*, De Andrea (Colección Studium, 24), México, 1959.

—, «Elías Nandino y la revista *Estaciones*», *Hispania*, 14:1 (1962), pp. 78-80.

Cascardi, Anthony J., «Reference in Lezama Lima's *Muerte de Narciso*», *Journal of Spanish Studies: Twentieth Century*, 5:11 (1977), pp. 5-11.

Castillo, Horacio, «Estudio preliminar» a *Páginas de Alberto Girri seleccionadas por el autor*, Celtia, Buenos Aires, 1983, pp. 13-48; «Cronología de Alberto Girri», pp. 211-212; y «Bibliografía de Alberto Girri», pp. 213-215.

Céa, Claire, *Octavio Paz*, Pierre Seghers (Poètes d'aujourd'hui, 126), París, 1965.

Cerutti, Franco, «Introducción a la poética de Pablo Antonio Cuadra», *Revista Histórico-Crítica de Literatura Centroamericana*, 1:1 (1974), pp. 21-44.

Ceselli, Juan José, *Poesía argentina de vanguardia. Surrealismo e Invencionismo*, Ediciones Culturales Argentinas, Buenos Aires, 1967.

Cohen, J. M., *Poetry of this Age*, Londres, 1959; trad. cast., *Poesía de nuestro tiempo*, Fondo de Cultura Económica, México, 1964, pp. 327-334.
Correa, Gustavo, «La dialéctica de lo abierto y lo cerrado en *Piedra de sol*», *Inti*, 8 (1978), pp. 57-61.
Cortázar, Julio, «Para llegar a Lezama Lima», *Unión*, 5:4 (1966), pp. 36-60; reimpreso en *La vuelta al día en ochenta mundos*, Siglo XXI, México, 1967, pp. 135-155.
Coyné, André, «César Moro entre Lima, París y México», prefacio a César Moro, *Obra Poética*, Instituto Nacional de Cultura, Lima, 1980, pp. 9-23.
Chiles, Frances, «*Vuelta*: The Circuitous Journey Motif in the Poetry of Octavio Paz», *Latin American Literary Review*, 12 (1978), pp. 56-67.
Debicki, Andrew P., «El trasfondo filosófico y la experiencia poética en obras de Octavio Paz», *Revista Hispánica Moderna*, 37 (1972-1973), pp. 283-290.
—, «La distancia psíquica y la experiencia del lector en la poesía de Nicanor Parra», *Poetas hispanoamericanos contemporáneos*, Gredos, Madrid, 1976, pp. 159-190.
Dehennim, Elsa, «Stone and Water Imagery in Paz's Poetry», en Ivar Ivask, ed., *The Perpetual Present: The Poetry of Octavio Paz*, University of Oklahoma Press, Norman, 1973, pp. 95-105.
Durán, Manuel, «Libertad y erotismo en la poesía de Octavio Paz», *Sur*, 276 (1962), pp. 72-77.
—, «Irony and Sympathy in *Blanco* and *Ladera Este*», en Ivar Ivask, ed., *The Perpetual Present*, University of Oklahoma Press, Norman, 1973, pp. 67-84.
Earle, Peter G., y G. Gullón, eds., *Surrealismo/Surrealismos. Latinoamérica y España*, Universidad de Pennsylvania/Center for Interamerican Relations, Filadelfia, 1975.
Edwards, Michael, «*Renga*, Translation, and Eliot's Ghost», *PN Review*, 16 (1980), pp. 24-28.
Escudero, Alfonso M., «Fuentes de consulta sobre Nicanor Parra», *Aisthesis*, 5 (1970), pp. 307-312.
Esteva Fabregat, Claudio, «Octavio Paz, un ritmo existencial en la poesía», *Cuadernos Hispanoamericanos*, 112 (1959), pp. 63-65.
Fein, John M., «The Mirror as Image and Theme in the Poetry of Octavio Paz», *Symposium*, 10 (1956), pp. 251-270; trad. cast., «El espejo como imagen y tema en la poesía de Octavio Paz», *Universidad de México*, 12:3 (1957), pp. 8-13.
—, «La estructura de *Piedra de sol*», *Revista Iberoamericana*, 38:78 (1972), pp. 73-94.
—, *Toward Octavio Paz. A reading of his Major Poems, 1957-1976*, University Press of Kentucky, Lexington, 1986.
Fernández F., Maximino, «Fichas bibliográficas sobre Nicanor Parra», *Revista Chilena de Literatura*, 15 (1980), pp. 107-131.
—, «Fichas bibliográficas de Nicanor Parra», *Revista Chilena de Literatura*, 23 (1984), pp. 141-147.
Fernández Moreno, César, *La realidad y los papeles*, Aguilar, Madrid, 1967.
Fernández Retamar, Roberto, «Antipoesía y poesía conversacional en América Latina», *Panorama actual de la literatura latinoamericana*, Casa de las Américas, La Habana, 1969, pp. 251-263.

Fernández Sosa, Luis F., *José Lezama Lima y la crítica anagógica*, Ediciones Universal, Miami, 1976.
Flores, Ángel, ed., *Aproximaciones a Nicanor Parra*, Ocnos, Barcelona, 1973.
—, *Aproximaciones a Octavio Paz*, Joaquín Mortiz, México, 1974.
—, *Bibliografía de Escritores Hispanoamericanos, 1609-1974*, Las Américas, Nueva York, 1975.
Forster, Merlin H., *An Index to Mexican Literary Periodicals*, Scarecrow Press, Metuchen, N.J., 1966.
—, «Bibliografía», en *Historia de la poesía hispanoamericana*, The American Hispanist, Clear Creek, 1981, pp. 209-324.
Foster, David William, *Argentine Literature. A Research Guide*, Scarecrow Press, Metuchen, N.J., 1982.
Fuente, Ovidio C., «Teoría poética de Octavio Paz», *Cuadernos Americanos*, 3 (1972), pp. 226-242.
García, Pablo, «Contrafigura de Nicanor Parra», *Atenea*, 355-356 (1955), pp. 150-163.
García Carranza, Araceli, «Bibliografía», en Pedro Simón Martínez, ed., *Recopilación de textos sobre José Lezama Lima*, Casa de las Américas, La Habana, 1970, pp. 345-375.
García Vega, Lorenzo, *Los años de Orígenes*, Monte Ávila, Caracas, 1978.
Gertel, Zunilda, «Signo poético e ideograma en "Custodio", de Octavio Paz», *Dispositio*, 1 (1976), pp. 148-162.
Ghiano, Juan Carlos, *Poesía argentina del siglo XX*, Fondo de Cultura Económica, México, 1957.
—, «Alberto Girri, o el poeta en los poemas», *Relecturas argentinas*, Mar de Solís, Buenos Aires, 1978, pp. 205-210.
Gimferrer, Pere, *Lecturas de Octavio Paz*, Anagrama (Colección Argumentos, 59), Barcelona, 1980.
—, ed., *Octavio Paz*, Taurus (Persiles, 133, Serie El Escritor y la Crítica), Madrid, 1982.
Giordano, Carlos, «Entre el 40 y el 50 en la poesía argentina», *Revista Iberoamericana*, 125 (1983), pp. 783-796.
Goetzinger, Judith, «Evolución de un poema. Tres versiones de "Bajo tu clara sombra"», *Revista Iberoamericana*, 74 (1971), pp. 203-232.
—, «Octavio Paz: A Surrealist Vision of Woman», *Dada*, 1 (1971), pp. 15-17.
Goic, Cedomil, «La antipoesía de Nicanor Parra», *Los Libros*, 9 (Buenos Aires, 1970), pp. 6-7.
—, «L'Antipoésie», *Études Littéraires*, 3 (1973), pp. 377-392.
—, «El surrealismo en Iberoamérica», *Revista Chilena de Literatura*, 8 (1977), pp. 5-34.
Goldenberg, Isaac, «Visión del antihéroe en la poesía de Nicanor Parra», *Exilio*, 6 (1970), pp. 35-44.
González Echeverría, Roberto, «Apetitos de Góngora y Lezama», *Revista Iberoamericana*, 41 (1975), pp. 479-491; reimpreso en *El Barroco en América. XVII Congreso del Instituto Internacional de Literatura Iberoamericana*, Centro Iberoamericano de Cooperación/Universidad Complutense, Madrid, 1978, pp. 555-572.

Gottlieb, Marlene, «La evolución poética de Nicanor Parra: anticipación de *Canciones rusas*», *Cuadernos Americanos*, 1 (1970) pp. 160-170.

—, *No se termina nunca de nacer: La poesía de Nicanor Parra*, Playor (Nova Scholar), Madrid, 1977.

Goytisolo, José Agustín, «La espiral milagrosa», prólogo a José Lezama Lima, *Fragmentos a su imán*, Editorial Lumen (El Bardo), Barcelona, 1978, pp. 7-21.

Grossmann, Edith, «The Technique of Antipoetry», *Review*, 4-5 (1971-1972), pp. 72-83.

—, *The Antipoetry of Nicanor Parra*, New York University Press, Nueva York, 1975.

Guardia de Alfaro, Gloria, *Estudio sobre el pensamiento poético de Pablo Antonio Cuadra*, Gredos, Madrid, 1971.

Hozven, Roberto, «Octavio Paz: la escritura de la ausencia», *Revista Chilena de Literatura*, 19 (1982), pp. 39-48.

Ibáñez-Langlois, José Miguel, «La poesía de Nicanor Parra», introducción a N. Parra, *Antipoemas*, Seix Barral, Barcelona, 1972, pp. 9-66.

—, «Parra», *Poesía chilena e hispanoamericana actual*, Nascimento, Santiago, 1975, pp. 259-289.

Ivask, Ivar, ed., *The Perpetual Present: The Poetry of Octavio Paz*, University of Oklahoma Press, Norman, 1973.

Jiménez, José Olivio, *Estudios sobre poesía cubana contemporánea*, Las Américas, Nueva York, 1967.

—, y Eugenio Florit, *La poesía hispanoamericana desde el modernismo. Antología, estudio preliminar y notas críticas*, Appleton-Century-Crofts, Nueva York, 1968.

Jitrik, Noé, «Notas sobre la vanguardia latinoamericana», *Revista de Crítica Literaria Latinoamericana*, 15 (1982).

Jonson-Devilliers, Edith, «Vueltas y revueltas a *Vuelta*: esbozo para un análisis de la intertextualidad», en Keith McDuffie, y A. Roggiano, eds., *Texto/contexto en la Literatura Iberoamericana. Memorias del XIX Congreso*, Madrid, 1980, pp. 155-162.

Junco Fazzolari, Margarita, *«Paradiso» y el sistema poético de Lezama Lima*, Fernando García Cambeiro (Colección Estudios Latinoamericanos), Buenos Aires, 1979.

Juzyn, Olga, «Bibliografía actualizada sobre Octavio Paz», *Inti*, 15 (1982), pp. 98-144.

King, Lloyd, «Surrealism and the Sacred in the Aesthetic Credo of Octavio Paz», *Hispanic Review*, 37:3 (1969), pp. 383-393.

Kovacci, Ofelia, «La poesía de Alberto Girri», *Comentario*, 28 (1961), pp. 91-95.

Krysinski, Wladimir, «Trois arts poétiques modernes: Francis Ponge, Wallace Stevens et Octavio Paz», en Dimic, Milan, y Juan Ferraté, *Actes du VII.e Congrès de l'Association Internationale de Littérature Comparée, I. Littératures Américaines: Dépendence, indépendence, interdépendence*, Bieber, Stuttgart, 1979, pp. 521-532.

Lamothe, Luis, *Los mayores poetas latinoamericanos de 1850 a 1950*, México, 1959.

Larrea, Elba M., «Octavio Paz, poeta de América», *Revista Nacional de Cultura*, 162-163 (Caracas, 1964), pp. 78-88.

Larrea, Juan, *El surrealismo entre viejo y nuevo mundo*, Ediciones Cuadernos Americanos, México, 1944; Joaquín Mortiz, México, 1967[2].

Lasarte, Francisco, «Cuadra's *Mar Dulce*», en Sylvia Molloy, y L. Fernández Cifuentes, eds., *Essays on Hispanic Literature in Honor of Edmund L. King*, Tamesis Books, Londres, 1983, pp. 175-186.

Lastra, Pedro, «Introducción a la poesía de Nicanor Parra», *Revista del Pacífico*, 5 (1968), pp. 197-202.

Lauer, Mirko, *Surrealistas y otros peruanos insulares*, Llibres de Sinera (Ocnos, 2), Barcelona, 1973.

Lefebvre, Alfredo, *Poesía española y chilena*, Editorial del Pacífico, Santiago de Chile, 1958.

Lemaitre, Monique J., *Octavio Paz: poesía y poética*, UNAM (Colección Poemas y Ensayos), México, 1976.

—, «Análisis de dos poemas espaciales de O. Paz, "Aspa" y "Concordia" a partir de las coordenadas del *Y Ching*», en Alfredo A. Roggiano, ed., *Octavio Paz*, Fundamentos, Madrid, 1979, pp. 247-253.

Lezama Lima, Eloísa, «Mi hermano», en José Lezama Lima, *Cartas, 1939-1976*, Ediciones Orígenes, Madrid, 1979, pp. 11-40.

—, «Vida, pasión y creación de José Lezama Lima: fechas claves para una cronología», en J. Lezama Lima, *Paradiso*, Cátedra, Madrid, 1980, pp. 16-30.

—, «Bibliografía», en José Lezama Lima, *Paradiso*, Cátedra, Madrid, 1980, pp. 97-105.

Lihn, Enrique, *Introducción a la poesía de Nicanor Parra*, Universidad de Chile, Santiago de Chile, 1952.

Liscano, Juan, «Lectura libre de un libro de poesía de Octavio Paz», en Alfredo A. Roggiano, ed., *Octavio Paz*, Fundamentos, Madrid, 1979, pp. 347-360.

Lope, Monique de, «Narcisse ailé: Étude sur *Muerte de Narciso* (1937), de J. Lezama Lima», *Caravelle*, 29 (1977), pp. 25-44.

Lutz, Robyn R., «The tribute to everyday life in José Lezama Lima's *Fragmentos a su imán*», *Journal of Spanish Studies: Twentieth Century*, 8:3 (1980), pp. 249-266.

Magis, Carlos H., *La poesía hermética de Octavio Paz*, El Colegio de México (Serie de Estudios de Lingüística y Literatura, 7), México, 1978.

Maliandi, Ricardo, «El pronombre indecible. Multiplicidad y unidad en la obra de Octavio Paz», *Boletín del Instituto de Literatura*, 2 (La Plata, 1972), pp. 9-29.

Martínez Torrón, Diego, *Variables poéticas de Octavio Paz*, Hiperión, Madrid, 1979.

—, «El surrealismo de Octavio Paz», introducción a O. Paz, *Escritos sobre el surrealismo (La búsqueda del comienzo)*, Fundamentos, Madrid, 1980, pp. 5-25.

Melnykovich, George, «Nicanor Parra: antipoetry, retraction and silence», *Latin American Literary Review*, 3:6 (1975), pp. 65-70.

Meloche, Verna M., «El ciclo de Paz», *Hispanófila*, 13 (1961), pp. 45-51.

Monguió, Luis, *La poesía postmodernista peruana*, Fondo de Cultura Económica (Tierra Firme), México, 1954; otra ed., University of California Press, Berkeley y Los Ángeles, 1954.

Morales, Leónidas, «Fundaciones y destrucciones de Pablo Neruda y Nicanor Parra», *Revista Iberoamericana*, 72 (1970), pp. 407-423.

—, *La poesía de Nicanor Parra*, Editorial Andrés Bello, Santiago de Chile, 1972.

Muller-Berg, Klaus, «La poesía de Octavio Paz en los años treinta», *Revista Iberoamericana*, 37:74 (1971), pp. 115-133.

Murena, Héctor A., «Prólogo» a A. Girri, *Línea de la vida*, Sur, Buenos Aires, 1955, pp. 7-12.

Nandino, Elías, «*Estaciones*», en *Las revistas literarias de México, Segunda Serie,* Instituto Nacional de Bellas Artes, México, 1964, pp. 167-199.

Nelken, Zoila E., «Los avatares del tiempo en *Piedra de sol*, de Octavio Paz», *Hispania*, 51:1 (1969), pp. 92-94.

Nugent, Robert, «Structure and Meaning in Octavio Paz's *Piedra de sol*», *Kentucky Foreign Language Quarterly*, 13 (1966), pp. 138-146.

Núñez, Estuardo, «La recepción del surrealismo en el Perú», en P. G. Earle, y G. Gullón, eds., *Surrealismo/Surrealismos. Latinoamérica y España*, Filadelfia, 1975, pp. 40-48.

O'Hara, Edgar, *Desde Melibea*, Ruray Editores (Ruray/Prosa), Lima, 1980.

Ortega, Julio, *Figuración de la persona*, Edhasa, Barcelona, 1971.

—, ed., *Convergencias y divergencias literarias*, Tusquets, Barcelona, 1973.

—, «Aleixandre y Paz: el espacio textual», *Nueva Estafeta*, 20 (1980), pp. 58-62.

Osses, José Emilio, «La comprensión del texto poético de Octavio Paz», *Revista Chilena de Literatura*, 20 (1982), pp. 27-40.

Pacheco, José Emilio, «Descripción de *Piedra de sol*», *Revista Iberoamericana*, 74 (1971), pp. 135-146; reimpreso en Á. Flores, ed., *Aproximaciones a Octavio Paz*, J. Mortiz, México, 1974, pp. 173-183, y en Alfredo A. Roggiano, ed., *Octavio Paz*, Fundamentos, Madrid, 1979, pp. 111-124.

—, «La batalla del surrealismo (Octavio Paz y la revista *Estaciones*), en P. G. Earle, y G. Gullón, eds., *Surrealismo/Surrealismos, Latinoamérica y España*, Filadelfia, 1975, pp. 49-54.

Paita, Jorge A., «La poesía de Alberto Girri: rigor de un intelecto exasperado», *Sur*, 285 (1963), pp. 92-99.

—, «Prólogo» a A. Girri, *Poemas elegidos*, Losada, Buenos Aires, 1965, pp. 7-16.

Paz, Octavio, *Los hijos del limo*, Seix Barral, Barcelona, 1974; versión inglesa, *Children of the Mire: Modern Poetry from Romanticism to the Avant-Garde,* Harvard University Press, Cambridge, 1974.

Perdigó, Luisa M., *La estética de Octavio Paz*, Playor (Nova Scholar), Madrid, 1975.

Persin, Margaret H., «Chaos, Order and Meaning in the Poetry of Octavio Paz», *Revista Canadiense de Estudios Hispánicos*, 4 (1980), pp. 155-168.

Pezzoni, Enrique, «Prólogo» a A. Girri, *Antología temática*, Sudamericana, Buenos Aires, 1969, pp. 7-13.

—, «*Blanco*, la respuesta al deseo», en Alfredo A. Roggiano, ed., *Octavio Paz*, Fundamentos, Madrid, 1979, pp. 265-285.

Phillips, Rachel, *The Poetic Modes of Octavio Paz*, Oxford University Press, Oxford, 1972.

—, «Octavio Paz: la gimnasia poético-crítica», en Alfredo A. Roggiano, ed., *Octavio Paz*, Fundamentos, Madrid, 1979, pp. 339-345.

—, «*Topoemas*, la paradoja suspendida», en Alfredo A. Roggiano, ed., *Octavio Paz*, Fundamentos, Madrid, 1979, pp. 221-228.

Prieto, Abel E., «Poesía póstuma de José Lezama Lima», *Casa de las Américas*, 112 (1979), pp. 143-149.

Rein, Mercedes, *Nicanor Parra y la antipoesía*, Universidad de la República, Montevideo, 1970.

Renley-Rambo, Ann Marie, «The Presence of Woman in the Poetry of Octavio Paz», *Hispania*, 51:2 (1968), pp. 259-264.

Ríos-Ávila, Rubén, «The Origin and the Island: Lezama and Mallarmé», *Latin American Literary Review*, 8:16 (1980), pp. 242-255.

Rivera-Rodas, Óscar, *Cinco momentos de la lírica hispanoamericana: historia literaria de un género*, Instituto Boliviano de Cultura, La Paz, 1978.

Rodríguez Fernández, Mario, «Nicanor Parra destructor de mitos», en M. Rodríguez Fernández, y Hugo Montes, eds., *Nicanor Parra y la poesía de lo cotidiano*, Editorial del Pacífico, Santiago de Chile, 1970, pp. 49-86; otra ed., 1974.

Rodríguez Monegal, Emir, «Encuentros con Parra», *Número*, 1:1 (1963), pp. 56-74; reimpreso en *Mundo Nuevo*, 23 (1968), pp. 75-83.

Rodríguez Padrón, Jorge, *Octavio Paz*, Júcar, Madrid, 1975.

Rodríguez Rea, Miguel Ángel, «Bibliografía de y sobre Martín Adán», en M. Adán, *Obra Poética (1927-1971)*, Instituto Nacional de Cultura, Lima, 1976[2].

Rodríguez Rivera, Guillermo, «Prólogo» a N. Parra, *Poemas*, Casa de las Américas, La Habana, 1969, pp. vii-xvi.

Roggiano, Alfredo A., «Bibliografía de y sobre Octavio Paz», *Revista Iberoamericana*, 37:74 (1971), pp. 269-297; ampliada en *Octavio Paz*, Fundamentos, Madrid, 1979, pp. 371-397.

—, «El surrealismo en Argentina y Enrique Molina», en P. G. Earle, y G. Gullón, eds., *Surrealismo/Surrealismos, Latinoamérica y España*, Filadelfia, 1975, pp. 81-91.

—, ed., *Octavio Paz*, Fundamentos (Espiral-Figuras), Madrid, 1979.

Rojas Guzmán, Eusebio, *Reinvención de la palabra: la obra poética de Octavio Paz*, Costa-Amic, México, 1979.

Romero, Publio O., «*Piedra de sol*: un complejo de relaciones míticas», *Texto crítico*, 13 (1979), pp. 153-174.

Salvador Jofre, Álvaro, *Para una lectura de Nicanor Parra (el proyecto ideológico y el inconsciente)*, Editorial Universitaria, Sevilla, 1976.

Sánchez, Luis A., *Escritores representativos de América*, Tercera serie, Gredos (Campo Abierto, 11, 13, 34), Madrid, 1976, 3 vols.

Sánchez, Porfirio, «Imágenes y metafísica en la poesía de Octavio Paz: la negación del tiempo y del espacio», *Cuadernos Americanos*, 1 (1970), pp. 149-159.

Sarduy, Severo, *Escrito sobre un cuerpo*, Editorial Sudamericana, Buenos Aires, 1969.

—, *Barroco*, Editorial Sudamericana, Buenos Aires, 1974.

Scharer, Maya, «Octavio Paz: Der Sonnenkalender oder das Ereignis der Dichtung», *Romanische Forschungen*, 86 (1974), pp. 42-56.

Schneider, Luis Mario, *México y el surrealismo (1925-1950)*, Arte y Libros, México, 1978.

Schopf, Federico, «Estructura del antipoema», *Atenea*, 399 (1963), pp. 140-153.

—, «La escritura de la semejanza en Nicanor Parra», *Revista Chilena de Literatura*, 2-3 (1970), pp. 43-131.

—, «Introducción a la antipoesía», prólogo a Nicanor Parra, *Poemas y antipoemas*, Nascimento (Biblioteca Popular Nascimento), Santiago de Chile, 1971, pp. 7-50.

Schulman, Grace, «Introducción» a P. A. Cuadra *Songs of Cifar and the Sweet Sea*, selecciones en inglés y castellano; traducción y edición de Grace Schulman y Ann McCarthy de Zavala, Columbia University Press, Nueva York, 1979.

Segovia, Tomás, «Poética y poema: por ejemplo en Octavio Paz», *Nueva Revista de Filología Hispánica*, 24 (1975), pp. 528-540.

Silva Cáceres, Raúl, «Los artefactos en la poesía de Nicanor Parra», *Revista de Bellas Artes*, 27 (1969), pp. 26-28.

Silva-Santisteban, Ricardo, «Prólogo» a M. Adán, *Obra poética*, Ediciones Edubanco, Lima, 1980, pp. xi-xxxi.

Simón Martínez, Pedro, *Recopilación de textos sobre José Lezama Lima*, Casa de las Américas (Serie Valoración Múltiple), La Habana, 1970.

Sola, Graciela de, *Proyecciones del surrealismo en la literatura argentina*, Ediciones Culturales Argentinas, Buenos Aires, 1967.

Solotorewsky, Myrna, «La ironía en *Hay un día feliz*, de Nicanor Parra», *Explicación de Textos Literarios*, 3:2 (1975), pp. 119-126.

—, «Semillas para un himno», *Cuadernos Hispanoamericanos*, 343-345 (1979), pp. 533-552.

Somlyo, Gyorgy, «Octavio Paz y *Piedra de Sol*», *Diálogos*, 5 (México, 1966), pp. 8-12.

Souza, Raymond D., «The World, Symbol and Synthesis in Octavio Paz», *Hispania*, 47:1 (1964), pp. 60-65.

—, «Movimiento y comunión en dos poemas de Octavio Paz», *Texto crítico*, 13 (1979), pp. 146-152.

—, *The Poetic Fiction of José Lezama Lima*, University of Missouri Press, Columbia, 1983.

Sucre, Guillermo, «La desmitificación por el humor», *Imagen*, 13 (1967).

—, *La máscara y la trasparencia*, Monte Ávila, Caracas, 1975.

Torres Fierro, Danubio, «Alberto Girri: repaso a una obsesión», *Plural*, 58 (1976), pp. 48-51.

Ulloa, Justo C., ed., *José Lezama Lima: textos críticos*, Ediciones Universal (Colección Polymita), Miami, 1979.

Unger, Andrés, «Sobre las ediciones de la obra de Martín Adán», *Lexis*, 6:2 (1982), pp. 295-299.

Urondo, Francisco, *Veinte años de poesía argentina: 1940-1960*, Galerna, Buenos Aires, 1968.

Valdés, Mario J., «En busca de la realidad poética: un estudio de *Piedra de sol*», *NorthSouth*, 2:3/4 (Ottawa, 1977), pp. 259-269.

Valencia, Juan, y Edward Coughlin, *Bibliografía selecta y crítica de Octavio Paz*, University of Cincinnati, Cincinnati, Ohio, 1975.

—, *Homenaje a Octavio Paz*, Editorial Universitaria Potosina, México, 1976.

Varela, Rafael, ed., *Acerca de Octavio Paz*, Fundación Universitaria (Cuadernos de Literatura, 26), Montevideo, 1974.
Verani, Hugo J., «Hacia la bibliografía de Octavio Paz», *Cuadernos Hispanoamericanos*, 343-345 (1979), pp. 752-791.
—, *Octavio Paz: bibliografía crítica*, UNAM, México, 1982.
—, «Octavio Paz y el lenguaje del espacio», *Diálogos*, 110 (1983), pp. 42-46.
Videla, Gloria, «El runrunismo chileno (1927-1934). El contexto literario», *Revista Chilena de Literatura*, 18 (1981), pp. 73-87.
Villegas, Juan, «La iniciación y el mar en un poema de Nicanor Parra», *Interpretación de textos poéticos chilenos*, Nascimento, Santiago de Chile, 1977, pp. 183-206.
Vitale, Ida, «Alberto Girri, poeta de lo real; en torno a *Valores diarios*», *Sin Nombre*, 5:3 (1975), pp. 65-69.
Vitier, Cintio, *Lo cubano en poesía*, Ucar García, La Habana, 1958; otra ed., Instituto del Libro, La Habana, 1970.
—, «La obra de José Lezama Lima», prólogo a J. Lezama Lima, *Obras completas*, I, Aguilar, México, 1975, pp. 11-64.
—, «Nueva lectura de Lezama», prólogo a J. Lezama Lima, *Fragmentos a su imán*, La Habana, 1977; otra ed., Editorial Lumen (El Bardo), Barcelona, 1978, pp. 23-36.
Weller, Hubert P., *Bibliografía analítica y anotada de y sobre Martín Adán (Rafael de la Fuente Benavides), 1927-1974*, Instituto Nacional de Cultura, Lima, 1975.
Westphalen, Emilio Adolfo, «Poetas en la Lima de los años treinta», *Otra imagen deleznable*, Fondo de Cultura Económica, México, 1980, pp. 101-120.
Wilson, Jason, «Octavio Paz y el surrealismo: Actitud contra actividad», en J. Ortega, ed., *Convergencias/divergencias*, Tusquets, Barcelona, 1973, pp. 229-246.
—, *Octavio Paz. A Study of his Poetics*, Cambridge University Press, Londres, 1979.
Xirau, Ramón, «La poesía de Octavio Paz», *Cuadernos Americanos*, 10:4 (1951), pp. 288-298.
—, *Tres poetas de la soledad*, Robredo, México, 1955.
—, «Notas a *Piedra de sol*», *Universidad de México*, 12:6 (1958), pp. 15-16.
—, «Tres calas en la reflexión poética», *La Palabra y el Hombre*, 17 (1961), pp. 69-85.
—, *Poesía hispanoamericana y española*, Imprenta Universitaria, México, 1961.
—, *Octavio Paz: el sentido de la palabra*, Joaquín Mortiz (Serie del Volador), México, 1970.
—, «José Lezama Lima: De la imagen y la semejanza», *Plural*, 1 (1971), pp. 6-7.
—, *Poesía iberoamericana contemporánea. Doce ensayos*, Secretaría de Educación Pública (SepSetentas), México, 1972.
—, *Poesía y conocimiento: Borges, Lezama Lima, Octavio Paz*, Joaquín Mortiz (Cuadernos de Joaquín Mortiz), México, 1978.
Yamal, Ricardo, «La ironía antipoética: del chiste y el absurdo al humor negro», *Revista Chilena de Literatura*, 21 (1983), pp. 63-91.
—, *Sistema y visión de la poesía de Nicanor Parra*, Albatros-Hispanófila, Valencia/España, 1985.

Yurkievich, Saúl, «Octavio Paz, indagador de la palabra», *Fundadores de la nueva poesía latinoamericana*, Barral, Barcelona, 1971, pp. 203-230.

—, *La confabulación con la palabra*, Taurus, Madrid, 1978.

—, «Alberto Girri: fases de su creciente», *Hispamérica*, 29 (1981), pp. 99-105.

—, *A través de la trama*, Muchnik, Barcelona, 1984.

Zambrano, María, «Cuba y la poesía de José Lezama Lima», *Ínsula*, 260-261 (1968), p. 4.

José Emilio Pacheco

DESCRIPCIÓN DE *PIEDRA DE SOL*

Piedra de sol es hasta hoy la obra maestra de Octavio Paz y mientras exista la lengua española será uno de sus grandes poemas. Apareció por vez primera en septiembre de 1957, en un cuaderno de la colección Tezontle, Fondo de Cultura Económica. Aquellos 300 ejemplares constituyen ahora una rareza bibliográfica. A pesar de la existencia de otras ediciones hay que referirse a la primera pues al final de ella se incluye una nota eliminada de las posteriores [...]

Al comienzo del poema hay un epígrafe tomado de «Artémis», soneto de Gérard de Nerval que figura en *Les chimères* (1854).

> La treizième revient... c'est encore la première;
> Et c'est toujours la Seule, —ou c'est le seul moment:
> Car es-tu Reine, ô Toi! la première ou dernière?
> Es-tu Roi, toi le seul ou le dernier amant?...

En su nota Paz habla de «el fin de un ciclo y el principio de otro». Sobre el enigmático ordinal la *treizième*, Mounir Hafez [en sus notas a las *Poésies de Nerval*, París, 1964] anota que puede referirse a la decimotercera carta del Tarot; el Arcano de la Muerte que significa renovación del ciclo y paso a otra etapa. Eden Gray [*The Tarot Revealed*, Nueva York, 1969] dice que la carta número trece —la Muerte con armadura de caballero— no representa necesariamente la muerte física sino la de nuestro antiguo ser. Su significado adivinatorio se

José Emilio Pacheco, «Descripción de *Piedra de sol*», Ángel Flores, ed., *Aproximaciones a Octavio Paz*, J. Mortiz, México, 1974, pp. 173-183 (173-175, 177-181).

refiere a lo que cambia y se transforma. A veces indica destrucción seguida o precedida por renovación.

Los cinco primeros (y últimos) versos de *Piedra de sol* y el hemistiquio del sexto introducen la movilidad que es el tejido mismo del poema. En su estructura circular no hay puntos finales sino comas y dos puntos; un doble espacio nos da de trecho en trecho la pausa equivalente al cambio de estrofa.

En su primer movimiento el poema se extiende hacia el futuro con «un caminar de río que se curva». El agua «mana toda la noche profecías». Se camina (el texto es aún impersonal, aún no surgen sus protagonistas) «entre las espesuras / de los días futuros». Hay «felicidades inminentes» y «presagios que se escapan de la mano». De pronto hallamos la presencia de un *Tú*, la mujer a quien se dirige la voz que habla en *Piedra de sol*; la que hace al mundo visible por su cuerpo y transparente por su transparencia. La voz se personifica en la próxima estrofa con la aparición de un *Yo* que avanza hasta penetrar «los corredores de un otoño diáfano». Entonces Mujer y Mundo se hacen un solo cuerpo que *Yo* recorre amorosamente hasta despeñarse, recoger sus fragmentos y proseguir sin cuerpo y a tientas por otros corredores que esta vez son los de la memoria. Allí el recuerdo desvanece lo que rememora y la mano deshace lo que toca. *Yo* sale de sí mismo en busca de un instante y de un rostro. [...] Siguen las muertes y resurrecciones, ascensos y caídas que tejen la espiral del poema. *Yo* cae hasta pisar su sombra y los pensamientos de su sombra. El pretérito se emplea por primera vez para evocar una imagen de adolescencia en la ciudad de México: la visión de las cinco de la tarde, el sol sobre los muros de tezontle (la piedra volcánica de que están hechos los edificios coloniales) cuando las muchachas salen del colegio. A una de ellas, que parece corresponder al *Tú* de *Piedra de sol* o es cuando menos una de sus encarnaciones, se la evoca en tercera persona:

alta como el otoño caminaba
envuelta por la luz bajo la arcada
y el espacio al ceñirla la vestía
de una piel más dorada y transparente,

Yo ha olvidado su nombre que puede ser uno de estos cinco, o los cinco: Melusina, Laura, Isabel, Perséfona, María. Melusina es el hada, o más bien la náyade, que por encerrar a su padre el rey Elinas en una montaña, fue condenada a volverse, todos los sábados, serpiente de las caderas a los pies. Unida a un mortal, Raymondin de Poitiers, que la abandonó al descubrir su secreto (o según otra versión de la leyenda, expulsada del castillo de Lusignan que ella misma edificó para su amante), Melusina sólo regresaba para anunciar con sus gritos los males que sufrirían los señores de Lusignan. Éstos son «les cris de la Fée» que Nerval modula «sur la lyre d'Orphée» junto a «les soupirs de la Sainte» en los últimos versos de «El desdichado», soneto inicial de *Les chimères*. Melusina reaparecerá en otro pasaje de *Piedra de sol*:

> yo vi tu atroz escama,
> Melusina, brillar verdosa al alba,
> dormías enroscada entre las sábanas
> y al despertar gritaste como un pájaro
> y caíste sin fin, quebrada y blanca,
> nada quedó de ti sino tu grito,

Perséfona-Proserpina, esposa de Hades, reina sobre el trasmundo infernal. Laura, Isabel, María son nombres a la vez muy difundidos en el mundo hispánico (especialmente en México) y cargados los dos primeros de un significado posible: representar míticamente el amor-pasión o la pasión de amor. [...]

En *Piedra de sol*, «Yo» se dirige a la amada, mediadora entre el hombre y la naturaleza, es el lenguaje de la afección divina, así como los místicos elevaron su plegaria ante Dios en el lenguaje de los afectos humanos.

Yo ha logrado el rescate del instante, su aislamiento de la sucesión temporal mediante la fijeza móvil de la escritura, «mientras afuera el tiempo se desboca / y golpea las puertas de mi alma / el mundo con su horario carnicero». Ese instante ocupa todo el ser de *Yo*; luego «se retira sin volver el rostro» y desemboca en otro instante. En el interior de éste *Yo* se mira en compañía de *Tú*, cuyo cuerpo es un «pasadizo / que vuelve siempre al punto de partida». Los endecasílabos hablan ahora de una decepción: ojos, pechos, vientre, caderas de *Tú* son de piedra, su boca sabe a polvo. Ella es «fascinante / como el cadalso para el condenado» y sus palabras «despueblan y vacían»:

> uno a uno me arrancas los recuerdos,
> he olvidado mi nombre, mis amigos
> gruñen entre los cerdos o se pudren
> comidos por el sol en un barranco.

Hueco y herido *Yo* le da a *Tú* uno de sus nombres: Melusina, de quien sólo quedó su grito anunciador de la desdicha. Al cabo de los siglos *Yo* se descubre entre modestas ruinas caseras de un día posterior al fin de los tiempos. Ya no hay nada ni nadie, excepto los ojos «de una niña ahogada hace mil años». Caer en esos ojos puede ser una trampa de la muerte o un regreso a la vida verdadera. Porque *Yo* ha perdido su identidad y se interroga e interroga para saber «dónde estuve, quién fui, cómo te llamas / cómo me llamo yo ...». En este punto el poema se afianza en lo concreto, menciona calles de Berkeley y México —Christopher Street, el Paseo de la Reforma— y lugares —Oaxaca, Bidart, Perote— para abrirse violentamente sobre un plano que ya no es subjetivo como los anteriores. Se trata de una escena de la guerra de España, la experiencia crucial para la generación de Octavio Paz, el Vietnam de quienes tenían veinte años en 1936. El fragmento que habla del bombardeo sobre la Plaza del Ángel en el Madrid de 1937 cede su sitio nuevamente al amor, el amor que permite «tocar nuestra raíz y recobrarnos, / recobrar nuestra herencia arrebatada / por ladrones de vida hace mil siglos / ... /». Y ante el encuentro de la pareja que es siempre la primera y al unirse reinventa el amor, la búsqueda de la identidad y las identidades se resuelve, así sea momentáneamente:

> no hay tú ni yo, mañana, ayer ni nombres,
> verdad de dos en sólo un cuerpo y alma,
> oh ser total ...
>
> todo se transfigura y es sagrado,
> es el centro del mundo cada cuarto,
> es la primera noche, el primer día,
> el mundo nace cuando dos se besan,

Se derrumban rejas y alambradas, caen los hombres a quienes la ambición o la pobreza del ser ha convertido en escorpiones, tiburones, tigres, cerdos; y vislumbramos

> nuestra unidad perdida, el desamparo
> que es ser hombres, la gloria que es ser hombres
> y compartir el pan, el sol, la muerte,
> el olvidado asombro de estar vivos.

La pasión de amor, el loco amor, el suicidio de los amantes, el adulterio, el incesto, los amores feroces, la sodomía, todas las estaciones de la agonía romántica, o inversamente la castidad del santo, son preferibles a admitir la enajenación cotidiana y las leyes de la sociedad carnívora:

> que exprime la sustancia de la vida,
> cambia la eternidad en horas huecas,
> los minutos en cárceles, el tiempo
> en monedas de cobre y mierda abstracta;

Al terminar este pasaje en que la intensidad no se rebaja nunca a la prédica ni el discurso, *Yo* prosigue su camino, su desvarío. Pero está acompañado de *Tú* y el poema se remansa durante algunos endecasílabos felices, hasta que otra vez irrumpe la historia en el reino de los amantes y en la morada interior para traerles el testimonio de una infinita catástrofe: el festín que causa la expulsión del Paraíso y el destierro en la tierra, la muerte de Abel, el mugido de Agamenón cuando lo asesinan Clitemnestra y Egisto para después matar a Casandra, ayer princesa troyana y hoy esclava; Sócrates a punto de beber la cicuta; la disertación del chacal en las ruinas del imperio asirio; «la sombra que vio Bruto / antes de la batalla»; Moctezuma esperando el cumplimiento de los presagios; el viaje de Robespierre hacia la guillotina; Cosme Damián Churruca en Trafalgar, con la pierna arrancada por una bala de cañón, que a fin de continuar la batalla pide que lo sienten en un barril de harina («Churruca en su barrica como un trono / escarlata»), los asesinatos de Lincoln, de Madero, de Trotski... Si «todo se quema, el universo es llama, / arde la misma nada que no es nada», si no hay verdugos ni víctimas «¿no son nada los gritos de los hombres?, / ¿no pasa nada cuando pasa el tiempo?», somos el monumento de una vida «ajena y no vivida, apenas nuestra».

Luego se abren nuevas preguntas para que al darles respuesta se anulen las contradicciones y se aclaren las identidades, aunque ningún lector del poema ignore a estas alturas que, como siempre, el *Yo* de *Piedra de sol* es él mismo, el mismo que lee, desprendido ya del poeta, independiente de la experiencia vivida por el señor Octavio Paz, director de Organismos Internacionales de la Secretaría de Relaciones Exteriores (en 1957), libre incluso del personaje por medio del cual *Piedra de sol* ha hablado de «nuestra» vida:

> —¿la vida, cuándo fue de veras nuestra?,
> ¿cuándo somos de veras lo que somos?,
> bien mirado no somos, nunca somos

a solas sino vértigo y vacío,
muecas en el espejo, horror y vómito,
nunca la vida es nuestra, es de los otros,
la vida no es de nadie, todos somos
la vida —pan de sol para los otros,
los otros todos que nosotros somos—,
soy otro cuando soy, los actos míos
son más míos si son también de todos,
para que pueda ser he de ser otro,
salir de mí, buscarme entre los otros,
los otros que no son si yo no existo,
los otros que me dan plena existencia.

La experiencia de la soledad desemboca en el anhelo de la solidaridad. Pero no puede haber solidaridad si antes no hay amor, amor hacia esa mujer que es ella misma y todas las mujeres, la madre y la amante, la vida y la muerte, el lucero del alba y el crepúsculo. Istar y Laura, Afrodita y Perséfone, Astarté e Isabel, Hera y Eloísa, la Magna Mater y Melusina que es mitad serpiente, el agua y el fuego, el viento y la noche, la tierra y la muerte:

despiértame, ya nazco:
                                        vida y muerte
pactan en ti, señora de la noche,
torre de claridad, reina del alba,
virgen lunar, madre del agua madre,
cuerpo del mundo, casa de la muerte.

Entonces el poema se cierra al abrirse sobre su comienzo, caída y ascenso, fijeza y movimiento:

un sauce de cristal, un chopo de agua,
un alto surtidor que el viento arquea,
un árbol bien plantado mas danzante,
un caminar de río que se curva,
avanza, retrocede, da un rodeo
y llega siempre:

En vez del punto final, el poema termina con el signo de la continuación, de la continuidad. *Piedra de sol*, como la Piedra del Sol que le da nombre, el Calendario azteca, no tiene comienzo ni fin sino la fluidez de la vida y el girar de la rueda de los días; es la memoria de los «soles» o épocas que precedieron al Quinto Sol bajo el cual vivimos (aunque según otras interpretaciones el Quinto Sol se hundió para siempre con la caída del imperio azteca el día 13 de agosto de 1521), el Sol Tigre, el Sol de Aire, y el Sol de Lluvia y la premonición de lo que aún está por pasar.

PERE GIMFERRER

LECTURA DE *PASADO EN CLARO* DE OCTAVIO PAZ

Pasado en claro es, como *Piedra de sol*, un poema circular, en el que el fin del itinerario nos devuelve al punto de partida. Y, como en *Blanco*, el itinerario va aquí del silencio al silencio, o, por mejor decir, de la inminencia o vecindad de la palabra a la inminencia o vecindad de la palabra. El punto de partida, en efecto, es una duda fundamental que atenaza al escritor contemporáneo: ¿qué escribir? O, lo que es lo mismo: ¿qué decir? Desde el momento en que el poema deja de plantearse como exposición o ilustración artísticamente formulada de un determinado tema previo [...]; desde el momento en que el poeta, ante la página en blanco, no se plantea el poema como un empleo determinado del lenguaje para ilustrar determinado asunto, sino que reconoce al propio lenguaje como tema específico y en definitiva único del poema, el interrogante central que a la vez aguijonea y paraliza a quien escribe es la materia misma de su escritura: la validez del lenguaje como vehículo a un tiempo de expresión y de conocimiento del mundo. Tras *Blanco*, este problema debía ser el centro de gravitación de la obra de Octavio Paz. Sabemos que la palabra nombra el mundo, pero ¿nombrarlo es conocerlo verdaderamente?

Conocimiento y lenguaje —la realidad de las cosas nombradas, la realidad del acto de nombrarlas, la realidad de quien las nombra— son los dos polos que imantan la tensión del acto de la escritura; y, si se quiere, no hay más tema que éste en *Pasado en claro*, poema que

Pere Gimferrer, «Lectura de *Pasado en claro*», *Lecturas de Octavio Paz*, Anagrama (Colección Argumentos, 59), Barcelona, 1980, pp. 73-83.

desde su mismo título nos indica el designio de hacer ascender hacia la claridad diurna de la formulación escrita, es decir, de la comunicación lingüística, desde el estado de puro borrador de la vivencia espontánea, a ese objeto verbal —el poema— que sólo existe precisamente porque ha sido escrito, que no tiene existencia posible en ningún otro plano, que sólo llega a ser si se formula como lenguaje cristalizado en el instante de la escritura. Es este instante la única *fijeza* efectiva de *Pasado en claro*; y es, ciertamente, una «fijeza momentánea», porque todo el poema está hecho de momentos comprimidos, a punto de estallar en la granazón de un único gran instante —el de la escritura— que parece no transcurrir, como si aislado en una *instantánea* fotográfica, en un *flash*, fuera objeto de una descomposición infinitesimal que descubriera en él, uno tras otro, un rosario de instantes desdoblándose para dar paso a otros.

Cada instante tiene aquí su reverso, como cada palabra, y esa tensión permanente entre lo nombrado y su envés otorga a *Pasado en claro* una densidad excepcional. La expresión no es tan amplia como en *Piedra de sol*, ni tan elíptica como en *Blanco*, pero es más intensa quizá que en ninguno de estos dos poemas, porque surge desde una etapa de evolución posterior, y en unas pocas líneas —a veces, sólo en una o dos— podrá reunir, como una simple posibilidad alternativa entre otras, lo que en *Piedra de sol* podría ser uno de los ejes de todo el poema y requerir una más dilatada exposición. Por lo mismo, y no solamente porque han transcurrido menos años desde que se publicó la obra, la experiencia de *Pasado en claro* está mucho más lejos que la de *Piedra de sol* o *Blanco* de haber sido asimilada e incorporada en su pleno alcance a la poesía actual: la complejidad de elementos y referencias de este nuevo poema circular permanece aún como una bomba de relojería cuyos efectos retardados se harán sentir en los próximos tiempos, ya que el reconocimiento inmediato de la importancia del poema, que ciertamente se ha producido, no supone sin más que se asuman todas las interrogaciones que suscita, y a partir de cuya formulación ciertas formas de escritura aparecen, en nuestro tiempo y entre nosotros, privadas de legitimidad moral si se obstinan en ignorar o dejar de lado la existencia de aquéllas.

Poema circular, se ha dicho: *Pasado en claro* vuelve, en efecto, al punto de partida, pero no recorre, en el trecho que media entre el arranque y la meta, un itinerario rectilíneo como el que podía reconstruirse en *Piedra de sol* y en *Blanco*. Aquí, por definición, y en virtud del propio planteo inicial, la expresión es divagatoria, de soliloquio libre y disperso. El poema se inicia en el instante mismo de la escritura: «sobre este ahora, puente / tendido entre una letra y otra».

La imposible descomposición prismática de este instante —imposible porque cada elemento aislado se desdobla y genera otros: sucesivas «fijezas momentáneas»— resume, a lo largo de los veintiséis primeros versos, el complejo juego de relaciones entre escritura, palabra, mundo y conciencia que sustentará el poema. Durante el recorrido por estos versos, y desde el atisbo de unos «pasos» —que podrían ser el tema de un posible poema— no nos movemos del centro mismo de la conciencia del poeta en el acto de ponerse a escribir. A continuación —y como en *Piedra de sol*— se produce la salida al exterior, materializada en la imagen de salir de la frente. Estamos en un patio, escenario frecuente de la poesía de Paz (aparece en *Piedra de sol*, en *El mono gramático*, por ejemplo), y en un instante concreto del mediodía. En el patio hay un fresno, un jardín, un pozo y un muro (que es posiblemente la misma «tapia» contra la que se yergue un «baniano»). El poeta, que iba «al encuentro de mí mismo», habita en las contradicciones del reflejo: es una de las imágenes que ve un ojo y a la vez vive en el interior del propio ojo. Pasando así de ser reflejado a reflejar —es decir, de fuera hacia adentro— invierte el movimiento pendular que le ha llevado al patio, y se halla entonces en otro instante. [...]

El nuevo escenario es ahora, no un recuerdo de la India —como podría creerse tal vez del anterior, a cuenta del baniano— sino un instante en México, hojeando un libro en la biblioteca a la luz del crepúsculo: lo exterior —el paisaje— y lo interior —la lámina que aparece en el libro, al resplandor rojizo del poniente— confluyen en una superposición del pasado mítico indígena sobre la cotidianidad del presente. Al pasar la hoja, la evocación se clausura y el poeta se queda a solas con el paisaje, las palabras y las interrogaciones que suscita la relación entre lo visto y el acto de nombrarlo. Tales interrogaciones le llevan de nuevo al escenario recurrente, el patio, que ahora aparece ya como «patio de palabras», evocando fugazmente unos días escolares. Pero la presencia de la higuera propiciará un nuevo tránsito de fuera hacia adentro: del mismo modo que antes vivíamos dentro del ojo, ahora viviremos dentro de la higuera, lugar de confluencia, de la fijeza privilegiada del instante. Este instante lleva al poeta al encuentro consigo mismo, pero también a la verdadera visión del ciclo del mundo exterior en las horas y las estaciones. Adiestrado en tal escuela de conocimiento, podrá ahora el poeta llevar a cabo una incursión dilatada en el ayer: la casa familiar en los años adolescentes, las lecturas, la revelación del lenguaje literario —es decir, del mismo tema de *Pasado en claro*—, algunas figuras de la familia, el encuentro con el mundo, finalmente, y, con él, el descubrimiento —en los cuerpos— de la otredad, contrapuesta al disolvimiento de la muerte, que desemboca en la difuminación del aire, por oposición, a su vez, a la esfera terrestre de lo corporal y del mundo visible, del mismo modo que antes el fuego del crepúsculo sobre el libro se contraponía al agua de las olas surcadas por la piragua en el paisaje mexicano, pues el juego de los cuatro elementos tradicionales tiene aquí tanta importancia como en *Blanco*, aunque no se presente en forma tan visible y rigurosamente simétrica.

El aire —que es también lo «en blanco»— propiciará aún otra breve evocación de un recuerdo infantil: la muerte de una mariposa, que remite al mito de Psique. Del mismo modo que antes se había preguntado por el sentido del propio ser en tránsito hacia la muerte, el poeta se pregunta ahora por el sentido del mundo visible, y obtiene una respuesta obsesivamente tautológica:

> a través de nosotros habla consigo mismo
> el universo. Somos un fragmento
> —pero cabal en su inacabamiento—
> de su discurso. Solipsismo
> coherente y vacío:
> desde el principio del principio
> ¿qué dice? Dice que nos dice.
> Se dice a sí mismo.

Pero, en el interior de este círculo cerrado entre lo percibido y su opaca significación, habitamos exactamente en el mismo espacio que en el tramo final de *Piedra de sol*, y es lógico que el poeta vuelva a preguntarse, como entonces, por el sentido de la Historia. Con una impresionante concisión, en treinta y dos versos (el tramo que empieza en «Desde lo alto del minuto» y termina en «ni *yo soy* ni *yo más* sino más sin ser yo»), Paz reconstruye aquí, desde un enfoque distinto, el camino hacia el reconocimiento en los otros que aparecía en *Piedra de sol*, y va más lejos todavía. Por un lado, en efecto, la Historia es vista como «lugar de prueba: / reconocer en el borrón de sangre / del lienzo de Verónica la cara / del otro —siempre el otro es nuestra víctima».

Pero semejante visión del tiempo histórico —que, fundamentalmente, como en *Piedra de sol*, es una visión de la hermandad humana en el dolor y la muerte— no excluye otra pregunta: la Historia, aquí, tiene este sentido, y eso ya es mucho, pero ¿no hay otro sentido posible más allá de éste? Se pregunta ahora, en suma, por la posibilidad de la trascendencia metafísica.

La respuesta de Paz —en la que no es posible desconocer la huella del pensamiento oriental— apunta hacia la «disolución de los pronombres». En efecto, la muerte parece ser la única salida, y descartada la fe en otra vida, «el escape, quizás, es hacia dentro». Pero un escape de esta índole supondría el salir de la Historia, y, más aún, el salir de la propia identidad. [...]

La voz a la que ahora prestamos oídos nos invita a una cierta forma de renuncia que es desasimiento de un vínculo; nos llama a que cada uno, lejos de perseverar en el propio ser, desista de él, olvide el *yo* —el pronombre—, se disuelva, para llegar a ser «más sin ser yo».

Ello transcurre en un plano distinto al del tiempo histórico —para el cual sigue, como acaba de verse, apareciendo válida la respuesta dada ya en *Piedra de sol*—, y concierne a aquella esfera de la experiencia humana que, en el terreno de la Historia, no puede explicarse satisfactoriamente, ni obtener respuesta cabal y adecuada a sus interrogantes. Pero lo que aquí se postula es una *trascendencia inmanente*, si es que tal expresión resulta lícita. No trascender siendo otro, sino no siendo nadie; no trascender en el mundo: trascender, no ya viviendo en el mundo, sino no siendo otra cosa que mundo, abdicando de la escisión entre individualidad y fenómeno. Es ésta la última forma de conocimiento a que puede llegarse en el instante de la *fijeza*: «En el fondo del tiempo ya no hay tiempo».

Estamos nuevamente en el escenario emblemático de la fijeza del instante: el patio. Pero ya sabemos que la fijeza es momentánea, pues existe el tiempo. La oposición tiempo-fijeza será ahora la última dualidad por la que deberá preguntarse el poeta. En la fijeza del instante,

> Transcurre el tiempo
> sin transcurrir. Pasa y se queda. Acaso,
> aunque todos pasamos, no pasa ni se queda:
> hay un tercer estado.

Este «tercer estado» es, cabalmente, la ganancia, el plus de conocimiento atisbado en *Pasado en claro*: «Hay un estar tercero: / el ser sin ser, la plenitud vacía». Estamos aquí libres de la maldición y las trampas de los nombres, de las asechanzas del lenguaje, porque, respecto a esa plenitud vacía, sabemos que «los nombres que la nombran dicen: nada».

Es esta misma plenitud, ahora lo ve el poeta, la que ha sustentado, como un río subterráneo o una mina honda, este discurso serpenteante, a tientas, en que ha consistido el poema. Aparecía —¿se transparentaba?— tras la higuera, tras los recuerdos, tras las interrogaciones sobre el lenguaje; su presencia fugaz nos era sustraída porque el poeta deseaba nombrar con el lenguaje algo que no pertenece al dominio del lenguaje y escapa a su jurisdicción; siendo un «Dios sin cuerpo, / con lenguajes de cuerpo lo nombraban / mis sentidos».

Reconocida esta verdad, vislumbrada esta plenitud, también ahora la fijeza a que se ha llegado deberá ser momentánea, porque el éxtasis de fusión con ese «estar tercero», con ese «ser sin ser» o «plenitud vacía» no puede hallarse por definición en el espacio de la palabra, sino en el de la vivencia inefable. Así, el poeta vuelve a su condena: el tiempo, es decir, el lenguaje, que nos permite atisbar, en fugaces vislumbres, lo absoluto, pero no morar en él, y, en definitiva, no rebasa determinada zona de conocimiento, la accesible a las palabras, esto es, a los «nombres». Por esto también este poema ha de ser circular: «Estoy en donde estuve».

Es decir, está de nuevo el poeta oyendo los pasos —presentimiento de lenguaje— del principio. Pero ahora ha visto lo absoluto inefable más allá del verbo, y sabe que incluso su autoconciencia se mueve en el círculo vicioso del lenguaje: «Soy la sombra que arrojan mis palabras».

Alcanzando así el grado de conocimiento más alto a que puede llegar el lenguaje, *Pasado en claro* descubre que, para nosotros, encerrados en las empalizadas de la palabra, existe empero otro ámbito, que escapa a la palabra misma, que es inasible por ella, y que este otro ámbito es nuestro verdadero *lugar de la fijeza.* De este modo, como toda palabra poética esencial, la de Paz nos muestra una forma de conocimiento que está más allá de la palabra, aunque precisamente por ella hayamos podido llegar a divisarla.

CEDOMIL GOIC

LA ANTIPOESÍA DE NICANOR PARRA

Nicanor Parra es el poeta de más viva significación en el momento actual de la poesía chilena y una de las voces más originales de la lírica hispanoamericana. Su poesía se sitúa en la generación siguiente a la de los grandes poetas innovadores como Vicente Huidobro o Pablo Neruda. Comenzaba a escribir cuando aquéllos eran los poetas resonantes de *Altazor* (1931) y *Residencia en la tierra* (1933). Su iniciación queda marcada por *Cancionero sin nombre* (1937). Las figuras de mayor relieve que le acompañan en la vanguardia de la segunda generación contemporánea son Humberto Díaz Casanueva (1908) y Braulio Arenas (1913). Los tres adoptaron desde temprano una posición propia en la lírica chilena con una adhesión variada hacia el surrealismo, que en uno condujo al ahondamiento en el conocimiento poético, en el otro a lo maravilloso poético y, en Parra, a la antipoesía. De ellos tres, solamente el último ha mostrado la virtud de los grandes poetas para arrastrar tras ellos la corriente de la poesía y ejercer un prestigioso y generalizado influjo. [Es desde este punto de vista que la obra de Nicanor Parra constituye el momento actual y vigoroso de la poesía chilena.]

Una caracterización sumaria de la obra de Nicanor Parra no es tarea fácil. En cualquier caso y en todo aspecto en que se la considere, debe destacarse lo que esta obra tiene de antipoesía como posición propia y diferenciadamente parraciana y lo que tiene de momento típico de la poesía contemporánea, donde originalmente se sitúa.

La antipoesía se define como tal, en primer lugar, por su antirretoricismo. Rechaza la imagen visionaria y la visión características de la vanguardia poética que dan al lenguaje de la lírica la condición de una lengua especial. Si llega a emplearlas les confiere dos dimensiones particulares: una, que conduce a lo cómico y, otra, a la paradoja y el sinsentido. En ocasiones de excepción ha hecho poesía tropológica con gran sentido de lo sorprendente e inusitado y de la expresividad. Este

Cedomil Goic, «La antipoesía de Nicanor Parra», *Los Libros*, 9 (Buenos Aires, 1970), pp. 6-7.

aspecto es reducido y circunscripto a los poemas (frente a los antipoemas) y notoriamente en el género panegírico.

La poética (la antipoética) de Parra rechaza el carácter de lengua especial que la poesía presenta en la vanguardia contemporánea de la generación anterior y hace de toda clase de discurso el discurso poético. Ningún relieve tienen en la lengua antipoética ni el adjetivo ni el verbo ni la palabra sugestiva. La unidad lingüística escogida es la oración, dominantemente enunciativa y sostenidamente neutra en su entonación a fuerza de disponer las palabras en el orden SVP, con premeditada monotonía.

Las «oraciones en libertad», la asociación libre de unidades oracionales, el montaje de éstas, el *collage* de titulares de prensa, frases hechas y estereotipos de lenguaje en general, el *ready-made*, constituyen aspectos relevantes de la estructura poética.

Ya no se trata de la lengua de un hablante determinado. Tampoco es posible identificar el habla parraciana en modo alguno por su entonación, la modulación de la frase, la opción estilística frente al léxico u otros aspectos o indicios a que se ve reducido en su expresividad el despersonalizado hablante poético en la lírica contemporánea. Se arriba a la eliminación del hablante y el resorte antipoético juega simplemente en la contigüidad, afinidad, semejanza o contraste de unidades oracionales prefiguradas, o bien en la resonancia propia que alcanza una oración aislada. [...]

> Exposición en la Quinta Normal.
> Todos miran al cielo por un tubo
> Astros-arañas y planetas-moscas.
> Choque entre Cartagena y San Antonio.
> Carabineros cuentan los cadáveres
> Como si fueran pepas de sandías.
> Otro punto que hay que destacar:
> Los dolores de muelas del autor,
> La desviación del tabique nasal
> Y el negocio de plumas de avestruz.
> La vejez y su caja de Pandora.
>
> (Noticiario 1957)

Nada significativo concede Parra a la antipoesía en el plano del sonido, ninguna elaboración musical. El ritmo sí es de cierto relieve muy definido en su poesía neopopular de *La cueca larga*, que es para ser cantada o imita, al menos, la forma de la danza y el canto populares. También posee algún relieve en los «poemas» (secciones I y II) de *Poemas y antipoemas*, en los cuales el endecasílabo comunica determinado movimiento por su condición rítmica propia. Como una modalidad particularmente monótona, debido a la forma cerrada del verso y la falta de encabalgamiento, existe en los *Versos de salón.* En algunos casos, próximos a la poesía popular o al *limerick* inglés, el ritmo adquiere también un relieve especial. Puede decirse, en términos generales, que cualquiera que sea la fórmula rítmica, su relieve tiende a neutralizarse mediante la repetición o merced al uso exclusivo de una sola fórmula y de un efecto cómico o juguetón.

El léxico admite una gama sin limitaciones y con la sola coherencia dominante del nivel de lenguaje coloquial o el grado de formalización en que se lo emplee. Desde la expresión literaria o científica hasta el improperio vulgar, caben en la selección léxica abierta de la antipoesía.

Más que de niveles de lenguaje, debe hablarse en relación a la lengua poética de Nicanor Parra de géneros de decir. Éstos son variadísimos dentro del tipo preferido que es la forma enunciativa. *Genera dicendi* destacables son los de: la lección magistral, la conferencia, el informe científico o académico, la confesión, el reportaje, el relato periodístico, la noticia, la gacetilla, el aviso comercial, la advertencia, etcétera.

La lengua parraciana es menos coloquial que marcada por los giros propios de esos géneros de decir (orales o escritos); tiene en este sentido un acentuado prosaísmo. Debe advertirse que ninguno de esos *genera dicendi* funciona rectamente en la antipoesía, sino de un modo paradojal u oblicuo que altera su sentido ordinario. Su forma interior, la peculiar modalidad que adopta la actividad del espíritu, queda así violentamente distorsionada.

Una de las primeras modalidades antipoéticas empleadas por Parra ha sido la distorsión de la forma interior de géneros que son tradicional e históricamente bien definidos. Así acontece, por ejemplo, en «Oda a unas palomas». En vez de dar lugar a la alabanza de las aves, que sería lo propio del género ódico y lo esperado después del título, tenemos una invectiva contra las palomas y todo un gesto lingüístico que ridiculiza y hace el denuesto de las aves:

Qué divertidas son
Estas palomas que se burlan de todo,
Con sus pequeñas plumas de colores
Y sus enormes vientres redondos.
Pasan del comedor a la cocina
Como hojas que dispersa el otoño
Y en el jardín se instalan a comer
Moscas, de todo un poco,
Picotean las piedras amarillas
O se paran en el lomo del toro:
Más ridículas son que una escopeta
O que una rosa llena de piojos. [...]

[Ya en «Himno guerrero», de 1941, no recogido en sus libros, Parra procedía mediante la distorsión señalada, pues tal Himno es un canto de paz y una conminación a deponer la violencia.] Hay otro caso espectacular de esta clase de distorsión en «Padre nuestro». La forma de la «oración» y su estructura ritual establecen la súplica como forma interior, cifrada en un gesto lingüístico muy bien determinado. En el antipoema parraciano la situación de precariedad y dependencia se altera frente a la nueva condición en que lo numinoso se presenta. La divinidad no sólo aparece en una situación precaria y desmedrada en relación al hablante, sino que además concita la compasión de éste que encarna a todos los hombres. [...]

Padre nuestro que estás donde estás
Rodeado de ángeles desleales
Sinceramente no sufras más por nosotros
Tienes que darte cuenta
De que los dioses no son infalibles
Y que nosotros perdonamos todo.

En aspectos más ligeros, Parra se complace en la distorsión: los *Versos de salón* distan mucho de ser un conjunto o colección de *vers de société* o cualquier otra forma de poesía semejante. Los «Versos sueltos» no son *versi sciolti* algunos. El «Madrigal» es lo más lejano que pueda imaginarse de la canción de amor, por más que muestre vestigios en el empleo imperfecto de los tercetos.

Parra se solaza aniquilando el encanto o la gracia de las formas literarias tradicionales con violencia que tiene mucho de juego negro y malvado. La belleza queda manchada o destruida por la degradada presencia de lo real, que ilustra un temple agresivo y neurótico y un yo desrealizado, múltiple y contradictorio, en una proyección fuertemente imaginaria, enérgica e implacable.

La distorsión alcanza nuevos rasgos cuando se trata de las formas magistrales o de las periodísticas. En estos casos, suele acontecer que la solemnidad o la exterioridad convencional o ritual del lenguaje no se compadece con la intimidad o la vulgaridad del contenido del discurso. Estos aspectos deben verse en consonancia con el carácter paradójico que en general alcanza a la antipoesía: su propensión al contrasentido o al sinsentido y al ludismo imaginario, que en muchos casos la vincula a las formas de la poesía o de la canción populares.

Varias modalidades presenta en la poesía de Nicanor Parra la despersonalización del hablante que tenemos por característica de la lírica contemporánea. Como realidad personal, el yo es deficiente y, en la medida en que representa o considera como contenido su propio ser, aparece degradado. También es visible esta condición caída en aquellos textos en donde se muestra un directo e inmediato enfrentamiento a la realidad como a una serie de momentos aislados e inconexos en un caótico despliegue. El yo puede aparecer en tales casos nada más que como un centro de la variedad de procesos o aconteceres contradictorios, multiplicados y disgregados de toda otra unidad reconocible. La eliminación total de los pronombres personales presenta en una máxima inmediatez y objetividad lo representado.

En los casos en que el antipoema es una construcción de elementos escogidos en el hablar oral o en la lengua impresa, la neutralidad de esas oraciones, tan autosuficientes en su significación, elimina toda imagen personal. En estos casos, ni la estructura sintáctica, ni el léxico, ni la entonación, pueden convertirse en indicios estilísticos. Nicanor Parra conduce la estructura del hablante ficticio a su autoaniquilamiento y a una definitiva eliminación.

Una nueva dimensión de la obra de Parra se abre con *Canciones rusas* (1967). Conservando algunas de las características antipoéticas ya conocidas, trae a este libro una relevada presencia del temple de ánimo. Éste ha perdido la violencia de otra hora y se ha tornado apacible. La resentida agudeza se ha convertido en una sabiduría fina, el sentimiento del tiempo se ha hecho lúcida y tenuemente dolorido. La sorpresa y la admiración se tornan desprovistas de ruido. La ironía misma se ha convertido en tristeza melancólica, algo muy alejado del sarcasmo de los antipoemas. Ahora hay una cazurra y sabia manera de experimentar la miseria de la vida y del mundo y una, a la vez cierta y dudosa, aceptación de la gloriosa conciencia que las domina y castiga.

A la notable modificación del temple de ánimo Nicanor Parra ha agregado algunas innovaciones a su creación. La casi generalidad de los poemas de *Canciones rusas* lleva una coda descendente en la disposición gráfica. Da lugar también a ciertas grafías arbitrarias de nada excesiva elaboración como: «Ylosañosparecequevolaran» (Cronos).

El poema *Nieve* tiene la forma de un cuento de nunca acabar, encadenado por las palabras que terminan y dan comienzo a la vez al poema y a cada una de sus partes.

Obra gruesa (1969), que reúne sus poesías completas, encierra además algunas secciones que nos eran sólo parcialmente conocidas: *La camisa de fuerza* y *Otros poemas* y *Tres poemas*. Parte de los textos que forman las dos primeras secciones mencionadas aparecieron con el nombre de *Ejercicios respiratorios* (1964-1966) en la edición bilingüe de *Poems and Antipoems* (New Directions, Nueva York, 1967). Con nuevos matices la antipoesía vuelve por sus fueros en esta parte, y en la más reciente colección de Parra, *Emergency Poems* (New Directions, Nueva York, 1972).

Los *Artefactos*, conocidos a través de una serie de publicaciones periódicas que los anticipan, han encontrado una novedosa publicidad en la forma de una colección de tarjetas postales. Los «artefactos» tienen la configuración de los antipoemas con la imitación de los enunciados de lemas publicitarios, sentencias, epigramas, chistes, etc. Todo breve, chispeante, malicioso, humorístico, perverso, parraciano.

RAMÓN XIRAU

HERMETISMO DE LA POESÍA DE LEZAMA LIMA

«Reverso enigmático»; la poesía de Lezama Lima (y lo que aquí digo de sus poemas podría igualmente decirse de *Paradiso*, de *Tratados*

Ramón Xirau, *Poesía iberoamericana contemporánea. Doce ensayos*, Secretaría de Educación Pública (SepSetentas), México, 1972, pp. 102-106.

en La Habana o de *Analecta del reloj*) es declaradamente, voluntariamente, hermética.

¿En qué consiste este hermetismo? Lezama afirma, sin duda, que existen dos *hechos*: la poesía clara y la poesía oscura, de la misma manera que existen el día y la noche. No hay que pensar, sin embargo, que ninguna de estas dos formas de la poesía sea condenable. Hay que pensar que la poesía de Lezama Lima es enigmática y que si lo difícil es estimulante no es menos estimulante lo enigmático que condiciona a lo difícil. Lo que el poeta sabe es difícil, oscuro y luminoso como luminosa y oscura es la noche.

De *Muerte de Narciso* a los poemas más maduros —no necesariamente más perfectos— Lezama Lima muestra una clara evolución. *Muerte de Narciso* se sitúa en la tradición de Góngora, en la tradición de sor Juana —a quien Lezama interpreta como una de las grandes «imágenes» de la historia de América— y, sobre todo, en la tradición de Valéry y de Jorge Guillén. El joven Lezama Lima pertenece a aquella línea de tensión poética que invitó a un retorno a Góngora (Reyes, Alonso, Guillén, Gerardo Diego, Miguel Hernández en sus comienzos). Por otra parte, ninguno de estos poetas, ni tampoco Lezama Lima, pueden reducirse, con pereza crítica, a un vago gongorismo moderno. Por dos razones: primero, porque más que de un «retorno» se trata de una renovación de la tradición barroca; segundo, porque quienes a Góngora «vuelven» para renovarse crean mundos tan distintos entre sí como este *Narciso* de Lezama Lima o la extraordinaria *Fábula de X y Z* de Gerardo Diego.

Lezama Lima se alía a lo que él mismo ha querido llamar «la sierpe de don Luis de Góngora». Pero, libro tras libro, se va encontrando cada vez más a sí mismo. Sus metáforas le conducen a su propia *imago*, su rostro de poeta.

¿Quién es este poeta?; ¿qué dice este poeta tumultuoso, hosco, atrozmente angustiado, amante de la viscosidad, la precisión, el agua y la luz, monstruo de memoria, de lecturas clásicas, orientales, bíblicas, imaginador de antílopes, pájaros, lebreles, insectos, caballos, de todos los «animales más finos» y oraculares? Dice, fundamentalmente, un «invisible rumor» que, paso a paso, ha de llevarnos, nuevamente, a la imagen y a la posible semejanza: al «recuerdo de lo semejante». [...]

«Una oscura pradera me convida» conserva algunas huellas de *Muerte de Narciso*: espejo, agua, «aguas del espejo». Pero el poema es, en un principio, la declaración de una amplísima apertura, apertura al mundo, apertura a la pradera oscura e invitadora. Pronto se altera la pradera, vista desde el balcón del sueño; se altera, otra vez, al recuperarse como objeto de la memoria. Renovadamente, Lezama Lima, en esta red y serie de metáforas nocturnas y estáticas, nos dice que memorizamos desde siempre, desde los orígenes de la especie. ¿Hasta qué punto estático? El poema lo es en los primeros versos: deja de serlo cuando el poeta se adentra en la «pradera silenciosa». Nueva metamorfosis: en la pradera —pradera ya de memoria y conciencia— quedan restos de memoria revivida, trastos de historia muerta antes de que la recuperase el poema, signos de historia-imagen: «Ilustres restos / cien cabezas, cornetas, mil funciones / abren su cielo, girasol callando».

¿Pradera? Metáfora y metamorfosis; la pradera se convierte en cielo («extraña la sorpresa en este cielo»), ahora lleno de rumores y de voces que suenan. ¿Pradera estática? Más bien pradera en movimiento: «una oscura pradera va pasando». ¿Pradera?; ¿cielo? Más bien muerte: «herido viento de esta muerte». Todo es silencio: «un pájaro y otro ya no tiemblan».

«Una oscura pradera me convida» es uno de los poemas breves y más hermosos de Lezama Lima. Nada puede sustituir su lectura, su sabor a magia, su mezcla de luz y sombra, mirada y tacto, su combinatoria de movimiento y reposo. Nada altera ya la imagen. Esta pradera-cielo, esta pradera inmóvil y movida, esta pradera muerte, es duración y es permanencia, sucesión y quietud, tiempo fugaz y tiempo fijo. ¿Inexplicable el poema? Ciertamente, se trata de un poema más sugerido que *dicho* y, sin embargo, nada inefable porque todo lo que el poeta quiso decir, y de hecho dice, está ante nuestros ojos y en el interior de nuestra memoria, de nuestra conciencia.

«San Juan de Patmos ante la Puerta Latina» es un largo poema de aspecto histórico y legendario. Ante la Puerta Latina, la que «ganaría» San Pablo («pero la verdad es que Juan de Patmos / ganaría también esta Roma»), San Juan «está fuerte / ha pasado días en el calabozo». Nada más claramente narrativo que esta imagen de una hipotética visita a una Roma no menos hipotética. San Juan es fuerte porque ha contemplado las «formas del Crucificado». Opuesto a Narciso, San Juan no vacila ante la «tibieza miserable del agua y la fidelidad miserable del espejo». Amigo del agua y del aceite hirviendo, está Juan martirizado, mosaico bizantino o acaso miniatura gótica. Pero su martirio, prolongado en otros martirios futuros, no convence a Roma. Los romanos «seguirían reclamando pruebas y otras pruebas». Juan de Patmos —exilio y muerte— no exige pruebas, como no las exige el cristiano ni las exige el poeta que es Lezama Lima:

> ¿Qué hay que probar cuando llega la noche
> y el sueño con su rocío y el rumor que vuelve y abate
> o el rumor satisfecho escondido en las grutas, después de la mañana?

Todo se ilumina porque poesía y cristianismo son, para Lezama Lima, iluminación, revelación, don del Dador. Son innecesarias las pruebas: «la nube que trajo a San Juan va extendiéndose por la caverna». Juan de Patmos, vida real y leyenda leída, es una presencia sin demostraciones. Tal es una de las claves de lo que Lezama Lima ha querido llamar «hermetismo»: se trata de la presencia ante el misterio, la magia del mundo, misterio y magia a toda prueba y exentos de prueba. La historia, aquí como en Vico, es poesía, revelación de la imagen.

SAÚL YURKIEVICH

ALBERTO GIRRI: LA ELOCUENCIA DE LA LUCIDEZ

Alberto Girri desarropa su verbo, lo descarna despojándolo de seducciones sensoriales y de melodiosa sentimentalidad. Dotada de severa andadura conceptual, su poesía es más reflexión que representación —«El sentido, más que la belleza de las manzanas»—. El acto poético es una especial indagación intelectiva que a menudo desemboca en el enjuiciamiento. La seducción proviene de ese discurso conciso, de ese decurso preciso y necesario. Poesía gnómica, adopta las formas del discurso cognoscitivo: elocución casi prosaria, sintaxis clásica, articulada con el rigor virtuosista de los poetas del barroco, disposición concertante, diseño silogístico. Gemas geométricas, exactamente facetadas, los versos tienen tersura sonora, pero no encantamiento fónico; no constituyen andadura rítmica, sino ideográfica.

Saúl Yurkievich, *La confabulación con la palabra*, Taurus, Madrid, 1978, pp. 126-128.

Esta poesía describe, define, valora un referente mitad mundo mitad letra, mitad realidad mitad texto. Es decir, un mundo donde la literatura es una mediadora indispensable para aprehenderlo; una realidad donde los libros son un componente con igual o mayor entidad que los hechos fenoménicos. Girri discurre en una intertextualidad permanente (actitud contraria a la del vitalismo arrasador que reniega de bibliotecas y museos); su relación con el mundo es letrada y la cita de autoridades constituye una sanción en última instancia.

Pero, a la vez, la letra es «ambigua selva»: lo que figura, desfigura; las palabras son instancias que distancian, «fallidas incursiones», símbolos y por ende fantasmas; el poema, un tanteo, un acuerdo condicionado, un amordazador de ese saber último que Girri persigue denodadamente: «apoderarse / de la totalidad atreviéndose / a lo banal absoluto de escribir».

Para Girri —un *fabbro*—, la poesía es «mecanismo verbal» montado con exacto ajuste, «sistema de correspondencias» basado en metáforas de andamiaje razonador. Nunca juglaría ni juguetería: constante mensajería. Ninguna gratuidad, nada lúdico: palabras poliedros, palabra apodíctica, estilo sentencioso, poesía epítome, poesía epigramática. Más que eros: gnosis, ethos. «A la universalidad por la impersonalidad»: el decir, por su neutralidad expresiva, parece impasible; evita todo verboso énfasis, toda patética altisonancia; nunca es interjectivo; no busca la sugestión por la incongruencia (el enrarecimiento sólo puede provenir de la densidad conceptual); tiende a ser unívoco (los enigmas no están en el significante, sino en el significado), como en una disquisición filosófica.

El *dictum* de Girri es un buen antídoto contra ciertas debilidades hispanoamericanas: el telurismo ampuloso y glandular, el neopopulismo sensiblero, el pianto egocéntrico, el psicologismo confesional. Palabra reducida a osatura (desnuda de «escolares / retóricas idolatrías»), donde toda enunciación se vuelve necesaria (Girri persigue y alaba la belleza como perpetuo punto de equilibrio: «Validez de lo inmóvil»: «lo duradero es estático»); el poema quiere ser inexorable: una concatenación a la que no pueda quitársele ningún eslabón.

Como los metafísicos isabelinos (sus maestros), Girri se intemporaliza; parece escribir al margen de su época, sin relación con su inmediatez, con lo circunstancial y circundante. Su condicionamiento (su historia, la nuestra) está filtrado, neutralizado, distanciado por esa *logopoiesis*, esa intelección que busca sobre todo y apasionadamente la clarividencia (clarividencia negativa: pesimismo creador).

Alto grado de abstracción, poco frecuente en nuestra poesía. Girri atenta contra un acendrado prejuicio romántico: la poesía como suspensión del juicio, como rapto que anula la conciencia reflexiva. Ninguna intimidad con el lector; el mensaje está allí concebido como texto sin la ilusión de creerlo encarnación palpitante del autor. El poema es epítome del yo, pero ese yo sólo le infunde su ritmo, cadencia propia pero no propia sustancia, porque según Girri: «cuanto pesa y decide se produce / fuera de la esfera de lo personal».

Girri reduce el ilusionismo de la representación figurativa, escatima las carnadas sensuales, quiere un lector maduro, un interlocutor ante todo inteligente, que posea la serenidad del nihilista. En su poesía, los medios verbales no interfieren, no distraen del mensaje, nunca se liberan de las tensas bridas del mensajero; están ceñidos a comunicar sabiduría. Las metáforas son epistemológicas, ilustradoras del conocimiento.

Pulimento unificador para eliminar desniveles, altibajos, obstrucciones en el despliegue armonioso e imperturbable (no diferido ni ramificado). Esta poesía se basa en el concierto, en la consonancia; poesía unitaria, refrena la tendencia a la dispersión, a la inestabilidad, a la diversificación, evita las rupturas, la discontinuidad, limita la polisemia. Lenguaje protocolar, canónico, sólo incurre en prosaísmos propios de un estilo erial, despojado de lo accesorio, reconcentrado.

Girri establece poca comunicación con la naturaleza; ella interviene como uno de los referentes posibles sin privilegio especial (poeta poco corporal). El mundo humano es un ámbito cultural emancipado de la naturaleza. Girri no cultiva ningún naturalismo, ningún panteísmo, ninguna barbarie, ni la natural. El suyo es mundo elaborado, colonizado, urbanizado, letrado, literario. La poesía para él es cosa mental, craneana.

Girri busca empedernidamente un absoluto, aunque sea negativo, quiere escapar a la contingencia, superarla filosóficamente, elaborándola, abstrayéndola, confrontándola analíticamente (a menudo con modelos literarios), generalizándola, sometiéndola a norma, regla, medida, es decir, a una causalidad razonada. Intenta llegar por el poema a un saber definitivo y definitorio: el apodigma, la sentencia conclusiva: «Y arribas a la proposición capital». El poema se vuelve proceso de esclarecimiento y condensación, un saber último que por fin es dubitativo, incierto, relativo. La imposibilidad actual de una concepción del mundo sistemática, de una escolástica, de una axiología inmutable hace que el saber enciclopédico colinde con el agnosticismo escéptico. El rigor desemboca por paulatino despojamiento en la nada.

LUIS MONGUIÓ

LA POESÍA DE MARTÍN ADÁN

Como tantos de sus coetáneos, Martín Adán se estrenó en letra de imprenta en *Amauta.* Mariátegui publicó sus primeros poemas, acompañando a uno de ellos de forma libre con una disquisición suya sobre el valor revolucionario del «disparate puro» y comentando otros, de forma tradicional, con la explicación de que más que sonetos eran «anti-sonetos». [...]

Mariátegui racionalizó su placer al leer los sonetos de Adán diciendo que eran antisonetos, destructivos del soneto tradicional que para él representaba la poesía de una edad liquidada; pero no por ello esos sonetos que imprime *Amauta* dejan de serlo. Lo que pasa es que Martín Adán siente, piensa y escribe no como un hombre del Renacimiento sino como un hombre del siglo XX, y parece lógico que el soneto de un poeta de hoy día sea, en tensión y en dicción, distinto del de Garcilaso, por ejemplo, puesto que otros son los tiempos, otra es la vida, otra la tónica cultural que el poeta de hoy sublima en su poesía; si ésta fuera igual a cualquiera anterior, los poetas no serían tales, sino *pasticheurs*, o peor, fósiles. Supongo que podría decirse también que las décimas de Adán son antidécimas o que sus romancillos son antirromancillos porque son distintos en sensibilidad y en expresión de los de un Lope o un Espinel. Si los sonetos, romancillos, romances o décimas de un poeta de ahora fueran simplemente la reproducción del tono y la sensibilidad de los de sus antecesores literarios que tales metros y estrofas emplearon, ese escritor sería posiblemente un anticuario, un arqueólogo, pero no un poeta. Martín Adán ha sabido plegar las formas tradicionales de versificar a las necesidades de lo que ha querido expresar en su lenguaje de hoy. [...]

Luis Monguió, *La poesía postmodernista peruana,* Fondo de Cultura Económica (Tierra Firme), México, 1954, pp. 167-172.

Los primeros sonetos de Martín Adán —los antisonetos— en lo que a la forma se refiere varían a veces el esquema tradicional de la rima, pero la tienen, o usan otros metros que el tradicional endecasílabo, pero son fieles a un metro regular. Estas novedades son, pues, muy relativas y encuentran numerosos antecedentes en la poesía del Perú, de América y de España. Lo que incorpora estos sonetos a lo que por 1928 era todavía novedad de vanguardia son las metáforas o las imágenes rápidas, simultaneístas, telescopadas: «Navego por gaviotas que sucumben a miles / y por islas de vidrio que se apartan a nado»; «Día, uña esmaltada»; «los huesos náufragos de las olas», etcétera.

Un par de años más tarde la libertad expresiva de Adán dentro de un marco preestablecido de versificación es mucho más grande, al propio tiempo que, precisamente, su virtuosismo en la versificación sigue creciendo. La palabra del poeta es mucho más personal, menos endeudada a las maneras entonces a la moda, aunque también, gracias indirectamente a algunas de esas maneras, aparece más libre en lo psíquico. Como el poeta de *Trilce*, en ese momento reconoce tan sólo en la poesía la lógica emocional, pero para evitar el caos expresivo, Adán además de ser un agente controlador de la manifestación poética de esa emoción, llevado por su instinto de forma y orden dio un paso más allá en el control, un paso más allá en la disciplina, y utilizó —igual que luego Vallejo lo hizo a veces en sus poemas de 1937-1938— metro y rima asonante o consonante como espuela a la vez que como freno de la fluencia poética. [Así una forma de versificación tradicional sirve, en manos de un poeta moderno, sensible a los avances en el buceo de los «extramares» psíquicos, para expresar sus emociones más recónditas que buscan exteriorización, verbalización.]

Un impulso constante al lirismo para Martín Adán me parece verlo en algo que el poeta ha mencionado reiteradamente en su poesía. En los «Poemas Underwood» de sus veinte años (1928) decía ya: «Yo soy un hombre cualquiera que ensaya las grandes felicidades». Sobre todo ha ensayado la gran felicidad del poder creativo sentido como forma de participación del poeta en la labor del cosmos, lo que en 1931 le hacía exclamar: «¡Que ser poeta es oír las sumas voces, / el pecho herido por un haz de goces, / mientras la mano lo narrar no ösa»; y más tarde (1939): «... Adonde la rosa empieza, / curso en la substancia misma, / corro: ella en mí se abisma; / yo en ella; entramos en pasmo / de dios que cayó en orgasmo ...»; «Pasmo de lance de dicha /

de instante de amor sin lecho / ganada de espasmo en lucha ...». Esta lucha, este conflicto entre una identidad que trata de crear el poeta y la identidad de lo mencionado por sus palabras, símbolos de la realidad natural, constituyen una rebelión por parte de Adán contra el concepto tradicional de la poesía. El concepto tradicional acepta (siguiendo así el pensamiento platónico y el aristotélico, en esto coincidentes) que la creación poética, *poiesis*, no es verdaderamente tal creación sino una *mimesis*, y que la sola verdadera creación ha sido la divina. Pero algunos poetas de ahora son más ambiciosos y aspiran a una creación *ab initio*. Martín Adán ha de contarse entre ellos, pues de su obra se desprende que para él la creación poética es la manifestación de un éxtasis inventor:

> —¿Mi éxtasi ... estáteme! ... ¡inste ostento
> que no instó en este instante! ... ¡tú consistas
> en mí, o seas dios que se me añade! ...
>
> —¡Divina vanidad ... onde me ausento
> de aquel que en vano estoy ... donde me distas
> yo alguno! ... ¡dúrame, Mi Eternidad!

Esto es un concepto herético desde el punto de vista clásico, y creo que es lo que, precisamente, da su tónica antitradicional a una poesía que por escrita en formas tradicionales ha hecho creer a algunos que su contenido había de ser también tradicional o clásico. Filosóficamente, lo es bien poco. Martín Adán oscila, en efecto, entre la visión de la realidad creada en la naturaleza cuya existencia imponen las palabras-símbolos que no tiene más remedio que usar y la perfección que él trata de crear —como decía antes, él o dios que se le añada— poéticamente, independientemente: «Eres la Rosa misma, sibilina / muestra que dificulta la esperanza / de la rosa perfecta, que no alcanza / a aprender de la rosa que alucina».

Es el conflicto que tantos poetas modernos tratan de resolver de alguna manera. Es en definitiva un conflicto en busca de la manera de romper las fronteras hasta ahora aceptadas de la poesía. Ya Gerardo Diego había dicho: «Crear lo que nunca veremos, esto es la poesía». Toda la de Martín Adán está llena de ese problema que no acierta a resolver, problema que en los sonetos de las últimas páginas de *Travesía de extramares* (1950) le hace ir y venir entre la esperanza de que en esta vida logrará sí por fin «escuchar a mi no oída / voz... mero oír por inaudito modo... / ente de la viveza asegurada» y la desesperanza de que sólo hallará su creación «al compás de la Bogada de Caronte» en «... la mudez con que el eterno expresa! ...». Este insoluto problema hace que los poemas de *Travesía de extramares* parezcan casi todos apuntar a un solo blanco situado en el centro de un transparente pero duro inquebrantable diamante, un blanco único reflejado de distintos modos, desde diferentes ángulos, a través de las docenas de facetas de la joya. Cada soneto del libro es la placa fotográfica que trata de aprehender uno de esos reflejos o, quizás, apenas el espejo que trata de volver a reflejarlo, uno en una serie de ellos, en una galería de cristales. Ante tal básica dificultad de los poemas, las dificultades de léxico y de sintaxis (arcaísmos, cultismos, barbarismos, neologismos, construcciones violentas), los manerismos técnicos (afición a las similicadencias, al eco, a la aliteración), las imágenes y metáforas dobles o triples, su culteranismo y su conceptismo, no parecen en nuestra época de revaluación del barroco más que leves piedrecillas en el camino real de su ardua y angustiada poesía.

FRANCISCO LASARTE

MAR DULCE DE PABLO ANTONIO CUADRA

Cantos de Cifar y del Mar Dulce de Pablo Antonio Cuadra es un ciclo de poemas de engañosa simplicidad ordenados de manera más bien suelta. Notoriamente es una biografía poética del marino Cifar Guevara y una alabanza del Mar Dulce, o Lago de Nicaragua, en cuyas aguas Cifar pesca y navega. Los *Cantos* son también la creación de un mundo poético autónomo cuyos pobladores y cuyo paisaje aparecen dotados de una aureola mítica. El título del libro, con su ambiguo *de*, sugiere que *Cantos de Cifar y del Mar Dulce* podría ser leído no sólo como poemas *sobre* Cifar, sino también como poemas escritos *por* Cifar. Y sugiere, por la misma razón, que está formado no solamente por canciones sobre el Mar Dulce, sino también por el tipo de cancio-

Francisco Lasarte, «Cuadra's *Mar Dulce*», en Sylvia Molloy y L. Fernández Cifuentes, eds., *Essays on Hispanic Literature in Honor of Edmund L. King*, Tamesis Books, Londres, 1983, pp. 175-186 (175-178).

nes que uno podría escuchar cantadas por los habitantes de sus playas. En otras palabras, el lector espera que Cuadra construya su paisaje poético mediante la voz de uno o más personajes populares y en el lenguaje del pueblo. Las expectativas del lector, sin embargo, son satisfechas sólo parcialmente. Hay, por cierto, poemas en los cuales se nos dice que la voz del hablante pertenece a Cifar (o a uno de sus compañeros habitantes del lago), y Cuadra tiende deliberadamente a una dicción poética que se aproxime a la lengua hablada. Pero los *Cantos* contienen mucho más que esto. Cuadra, indudablemente un hombre culto, decide no eliminar su presencia en los poemas, sino, al contrario, permite que su erudición —y en especial su conocimiento de los clásicos griegos y latinos— aparezca, de tal modo que el personaje popular resulta ser una encantadora decepción. Los textos que forman *Cantos de Cifar y del Mar Dulce* son así una diestra mezcla de lo popular y lo culto, de la tradición popular local y del mito clásico. En la evocación poética de Cuadra, Cifar trasciende su origen nicaragüense para convertirse en una suerte de héroe épico universal, que tiene como escenario mítico de sus aventuras el Mar Dulce.

Desde el comienzo, Cuadra explica que sus *Cantos* se basan en personas y hechos reales. Dedica el libro a su hermano Carlos, al mismo Cifar Guevara, y a otros, «todos finados, que en paz descansen, compañeros de mi juventud navegante». Por supuesto, la dedicatoria misma puede ser una ficción. Cifar no es de ninguna manera un nombre corriente, y se hace todavía más extraño cuando uno escucha en él un eco del medieval *Cavallero Zifar.* ¿Es esta la primera de muchas alusiones eruditas en la poesía de Cuadra? Quizás. Sin embargo, en otro lugar también ha escrito Cuadra de Cifar como persona real, identificándolo como el marino cuya muerte por inmersión le tocó presenciar unos cuarenta años atrás, cuando era «un joven poeta, que llevaba en el bolsillo una gastada edición de la *Odisea*, miraba todo aquello y abría su corazón a lo que veía». De esta manera, los *Cantos* tienen su génesis en una memoria de un tiempo muy anterior. Hacia el tiempo de la composición del libro, Cifar y los otros pobladores del lago han adquirido sin duda la pátina poética que la memoria —especialmente la del poeta— dora el pasado. Y, como intento demostrar, lo que separa al verdadero Cifar de su contraparte en los *Cantos* es algo más que cuarenta años de tiempo histórico. La memoria y la imaginación conspiran para hacer de Cifar y de su lago la sustancia del mito, de modo que se pueda argüir que los poemas tienen una temporalidad (o, si se quiere, intemporalidad) propia.

De la misma manera como el nombre Cifar tiene connotaciones literarias y evoca una de hechos épicos y caballerescos, el nombre de Mar Dulce impresiona al lector que lo ignora —en este caso al no nicaragüense— como una imagen poética, como el nombre que Cuadra pone al, de otro modo, prosaico Lago de Nicaragua. Aunque suene poético, el nombre Mar Dulce es sin embargo histórico, porque fue el nombre que los conquistadores dieron al lago. José Coronel Urtecho, en el prólogo a *El estrecho dudoso* de Ernesto Cardenal, libro de poemas sobre la llegada de los españoles a lo que hoy en día es Nicaragua, escribe que «Gil González descubrió el Gran Lago llamado luego de Nicaragua, que los indios llamaban Cocibolca y él llamó la Mar Dulce». Mar Dulce, entonces, es un nombre que recuerda un tiempo de aventuras y hechos épicos que, aunque históricos, no están enteramente separados de los hechos de un personaje ficticio como el *Cavallero Zifar*. Así la feliz unión de Cifar y Mar Dulce en el título del libro nos prepara para lo que ha de seguir, esto es: el retrato de un hombre y de una región geográfica transfigurados; uno en una suerte de héroe épico; y la otra en un reino de poesía y mito.

Si Cuadra no se elimina enteramente de sus poemas, tampoco llega a ser una presencia intrusa. En vez de ello, lo que ocurre en los *Cantos* es una sutil mezcla de voces, una poesía delicadamente equilibrada entre los dos extremos de la canción popular y de los poemas cultos. Los varios «cantores» —el mismo Cifar, los hombres o mujeres no identificados que cantan a Cifar y el escenario natural (o se dirigen a Cifar directamente), el ocasional colectivo *nosotros*, el oracular Maestro de Tarca— ocupan ese sector intermedio. En raras excepciones el lenguaje de los poemas pierde su fundamental coherencia. La variación entre las voces individuales no es tan amplia que llegue a destruir la integridad de la dicción particular de los *Cantos*. Salvo por un par de poemas, *Cantos de Cifar y del Mar Dulce* mantiene la ilusión de que los textos que lo forman son canciones del Mar Dulce, no obstante ser un Mar Dulce que es recreación de Cuadra del lago y de su gente.

Solamente en dos oportunidades Cuadra rompe esa ilusión. El último poema del libro, titulado «Mujer reclinada en la playa» (e impreso en cursiva para separarlo de los poemas que lo preceden), es claramente la obra de un poeta culto. En él Cuadra denomina a la mujer del título «Casandra» y luego confirma nuestra sospecha de que su nombre es una alusión a la Casandra de la mitología griega cuando dice: «Todo parece griego. El viejo Lago / y sus hexámetros». Por cierto, uno podría argüir que el uso de cursivas excluye «Mujer reclinada en la playa» de los *Cantos* como canciones del Mar Dulce. Pero el primer poema del libro también ha sido impreso en cursivas, a pesar de que Cuadra lo identifica como una «barcarola marinera» y su lenguaje lo agrupa claramente junto a las «canciones» que lo siguen. Aparte del primer poema y el último del libro, sólo uno de los restantes setenta y siete poemas contiene una ruptura de la ilusión de la canción popular. El poema en cuestión es «Marcela, muchacha paladina», en el cual Cuadra por un momento escaso abandona el doble papel de cantor del lago y asume una voz diferente, la voz de alguien con un interés folklórico en el Mar Dulce y su gente. Hay algo del *costumbrista* en el poeta que, habiendo contado la historia de Marcela, concluye su poema de esta manera: «Son leyendas / isleñas, son consejas / de mujeres cuando ven a los hombres / partir con dinero hacia los puertos».

Aunque el título del libro sugiere que deberíamos pensar que los *Cantos* son poesía oral del Mar Dulce, una consideración más estricta muestra que difícilmente podrían serlo. La dicción poética de Cuadra bien puede aproximarse al lenguaje hablado y contener abundantes coloquialismos del área del Lago de Nicaragua, sin que esto necesariamente convierta sus poemas en canciones populares. Los *Cantos*, en efecto, sólo podrían ser el producto de un poeta moderno. Primero que nada, su metro difícilmente corresponde al más o menos regular verso octosilábico que se da invariablemente en la poesía oral. Muy al contrario, Cuadra escribe el tipo de verso libre que encontramos universalmente en la obra de los poetas contemporáneos. Aún más, juega con la tipografía de sus poemas, de una manera muy semejante a su compatriota (y primo) Ernesto Cardenal. (Un impresionante ejemplo de esta técnica se encontrará en el poema «Anades», donde las líneas «vuelan /en/ V» aparecen centradas en la página de manera que su secuencia se convierta en una gráfica representación de la letra V.) Y la amplia variación en el uso de las imágenes —algunos poemas están prácticamente desprovistos de tropos, mientras otros descansan fuertemente en ellos— se hallan en agudo contraste con la poesía popular y su repertorio de imágenes. Finalmente, en un par de *Cantos* se puede oír realmente al poeta culto hablar a través del poeta popular que lo sustituye. Un ejemplo de esto es «Eufemia», poema en el cual Cifar se queja de una mujer que al mismo tiempo lo cautiva y lo fastidia. Su queja, en la forma de un apóstrofe, suena sospechosamente como un epigrama a la manera de Marcial. Por ejemplo: «Cuánto mejor aguantar / tus gritos, Eufemia; cuánto mejor / tu cólera, tu desgreñada / ira en la madrugada / que esta furia de las olas y estos gritos / bajo los rayos y los vientos».

«Marcela, muchacha paladina», que muestra a Cuadra despojándose de su personificación popular, señala de otra manera, también, la diferencia fundamental entre poesía popular y los engañosos *Cantos de Cifar y del Mar Dulce.* Aun mientras cuenta su propia versión de la historia de Marcela, Cuadra cita tres versos de un *corrido* que alguien, presumiblemente algún habitante del lago, ha compuesto sobre ella. El contraste entre las dos canciones es impresionante. En el fragmento del *corrido* vemos varias características formales de la poesía oral: «Espera que te espera / solitaria en su isla / pendiente de una vela». El metro es regular, con rima asonante, y en el primer verso tenemos una fórmula poética típica de la canción popular. La «canción» de Cuadra sobre Marcela no podría ser más diferente. Está hecha de líneas que varían significativamente en el número de sílabas; carece de rima salvo algunas vagas asonancias en -e-a; y contiene un buen número de encabalgamientos. Con sus *Cantos de Cifar y del Mar Dulce*, Cuadra ha «compuesto» canciones extremadamente originales que deben ser abordadas como la formulación de un mundo poético virtualmente autónomo, un lugar en la imaginación del poeta donde realidad, mito y diversas tradiciones literarias se funden de un modo notable.

5. BELLI, CARDENAL, JUARROZ, LIHN Y LA POESÍA DE HOY

En este capítulo estudiamos la poesía actualmente vigente y las generaciones contemporáneas. En el horizonte de este momento está lo que puede llamarse la tercera vanguardia, la de los poetas nacidos entre 1920 y 1934, quienes iniciaron su actividad poética hacia 1950. Entre ese año y 1965 se desarrolla su actividad aspirante en cierta cercanía simpática con la generación anterior, con la experiencia del surrealismo, y, en particular, con las figuras de Nicanor Parra y su antipoesía y de Octavio Paz. El segmento de la historia de la poesía hispanoamericana definido por esta generación puede ser caracterizado como un irrealismo vigente entre 1965 y 1979. La generación joven que se inició en esos mismos años, la de los nacidos de 1935 a 1949, ha entrado en vigencia con el comienzo de la década del ochenta. Muy cercana todavía a los poetas dominantes de la generación anterior ha definido más radical y severamente, al menos en esta primera etapa, un neoescriturismo que asume directamente el irrealismo anterior y que maneja con gran propiedad y dominio las nuevas formas de la poesía. Con la década se inicia también la novísima generación, de los nacidos de 1950 a 1964, en su actividad aspirante. Esta generación comienza a acumular su producción haciéndose visibles hacia 1980 las nuevas voces de la poesía hispanoamericana. La definición del irrealismo contiene los rasgos de la representación de lo ilusorio, aparente, grotesco o decepcionante, en el fondo mantiene la tendencia de la época contemporánea a la destrucción de la representación convencional de las cosas y del mundo. Incorpora al mundo de los objetos poéticos y de las preferencias el discurso que se objetiva en fraseología usual, y en niveles de lengua variados, desde el culto al vulgar, desde el escrito al oral, arcaico y actual, sea éste formal o informal. Las esferas de realidad atraídas a la representación no admiten exclusión y conciertan por igual lo literario y artístico, así como lo cotidiano en todos sus niveles. Lo más innovador, sin embargo, en el orden de la representación es que el poema destruye la representación convencional e intenta producir una representación de lo otro o una vivencia de ello, invocar una presencia no categóricamente representada, existente y subsistente sólo en el poema. Acompañan este énfasis la contradictoria representación del hablante y del destinatario o de ambos y las objetividades con las cuales pueden identificarse y diferenciarse sucesivamente. Toda la dimensión representativa sufre este fenómeno de construcción decepcionante o derogatoria. El humor substituye, una vez más, el grado de seriedad de la representación tradicional. Un componente de juego y de conciencia de su irrealidad se extiende a la poesía y a las modalidades desrealizantes que practica. Ese humor es generalmente irónico y puede ser muchas veces negro. Otra dimensión similar, por sus componentes de humor y de juego, que se extiende a toda esta poesía surge de la parodia. Entre los determinantes estilísticos del irrealismo, por paradójico que parezca, predomina el tipo de lenguaje enunciativo, ciertos géneros de decir declarativos, epigramáticos, y, en distinto grado, el tipo apostrófico. Parece haber una reducción perceptible del tipo depurado de la canción. No sería esta verdadera poesía si no se expresaran temples de ánimo de cualidades específicas e intensidad variada. Los temples que ella comprende son los de la depresión, la angustia, el sinsentido, la decepción, la impaciencia, el desconcierto, la desesperanza y la fatiga, la quieta aceptación de la medianía. Entre las figuras poéticas, la ironía juega un papel dominante y con ella en general las figuras de contradicción. Debe advertirse que las figuras por excelencia de la primera vanguardia, como la imagen —imagen visionaria, imagen creada, visión—, son desplazadas, cuando no instantáneamente congeladas, por el comentario metapoético o la ironía que duplica su valor referencial. Por cierto, todavía la poesía recurre a los niveles gráfico, fónico, léxico y sintáctico para su énfasis desviatorio o figurativo, pero el rasgo dominante está en la transtextualidad —la cita, la alusión, la reminiscencia, la parodia—, en una lectura de múltiples tradiciones universales y regionales. El uso del verso libre y el versículo tienden a la cancelación de las distinciones entre verso y prosa, lo que no ha impedido la recuperación de perfectas formas métricas y estróficas. Entre los determinantes discursivos, varias marcas prosaicas quedan en evidencia en las formas de la coordinación extraoracional, que pasa a tener un valor dominante en el entretejimiento de voces y lenguajes de variado origen y concurrencia.

La poesía de los años 1965-1979 queda conformada por la generación nacida de 1920 a 1934, cuyo período aspirante transcurre de 1950 a 1964. Esta generación inicia su producción hacia 1950 intentando diferenciarse de la vanguardia y de las grandes voces de ella —Huidobro, Vallejo, Neruda—, y de su lenguaje poético, particularmente, de la entonación declamatoria que este último impone seductoramente. El conversacionalismo de Vallejo es, desde este punto de vista, liberador, como lo es, por otra parte, el imaginismo deslumbrante de Huidobro. Pero serán las nuevas voces de la antipoesía y del rechazo de la primera vanguardia las que despertarán las simpatías iniciales. Otros caminos se ofrecen a los poetas para superar la forma de la poesía precedente y éstos incluyen el paso a través de la poesía española contemporánea de la generación del 27, de los poetas norteamericanos, ya sea los *beatniks* de San Francisco o Robert Lowell, James Agee o Charles Tomlinson. El fenómeno más marcado es, sin embargo, la ampliación del contexto poético a un plano universal que comprende el espacio poético de los poetas orientales, de clásicos griegos y latinos, de la poesía medieval, renacentista y barroca; así como de las literaturas modernas en todas las lenguas. Y, por primera vez, incluye significativamente a los poetas hispanoamericanos; así sor Juana, Martí, Darío, Lugones, Eguren, Mistral, Vallejo, Borges, Huidobro, Neruda, Girondo, Parra, Paz. Una tendencia a la destrucción de la poesía, desacralización se la llamó con énfasis ideológico, domina ciertos sectores, mediante la atracción de nuevos géneros de decir populares que se mezclan a los nobles y tradicionales; representando la indignidad de un yo degradado por el mundo despreciable en que vive; atrayendo informaciones ordinarias; aguzando la sátira. El intento de una poesía militante en favor de causas políticas despierta reacciones y finalmente no logra éxito. Los poetas representativos de esta generación son los mexicanos Rosario Castellanos (1925-1974), Jaime Sabines (1925), García Terrés (1924), Bonifaz Nuño (1923), Marco Antonio Montes de Oca (1932); el nicaragüense Ernesto Cardenal (1925), que estudiamos aquí; los colombianos Fernando Charry Lara (1920), Álvaro Mutis (1923), Jorge Gaytán Durán (1924-1962), Fernando Arbeláez (1924), Eduardo Cote Lemus (1928-1964), vinculados a la revista *Mito*; los venezolanos Juan Sánchez Peláez (1922), por un tiempo asociado a La Mandrágora chilena y al surrealismo, los poetas del Techo de la Ballena Francisco Pérez Perdomo (1930), Caupolicán Ovalles (1931), Juan Calzadilla (1931), y Guillermo Sucre (1933); los cubanos Heberto Padilla (1932), Roberto Fernández Retamar (1930); el ecuatoriano Jorge Enrique Adoum (1926); los peruanos Jorge E. Eielson (1921), Javier Sologuren (1922) y Carlos Germán Belli (1927); los chilenos Enrique Lihn (1929), Miguel Arteche (1926), Armando Uribe Arce (1934); las uruguayas Idea Vilariño (1928) e Ida Vitale (1925); los argentinos Olga Orozco (1920), Roberto Juarroz (1925) y Francisco Madariaga (1927).

La generación de 1972, la de los nacidos en 1935-1949, inició su período aspirante hacia 1965 y completó su gestación entre esa fecha y 1979, aproximadamente. La iniciación queda marcada con las obras primeras de Hahn, *Esta rosa negra* (1961) y su antológico *Arte de morir* (1977); de Pacheco, *Los elementos de la noche* (1962) y *No me preguntes cómo pasa el tiempo* (1977); de Cisneros, *Destierro* (1961) y *El libro de Dios y de los húngaros* (1978); de Cobo Borda, *Consejos para sobrevivir* (1978) y *Ofrenda en el altar del bolero* (1979). Estos poetas muestran su vigencia temprana en el reconocimiento brindado a sus obras de los ochenta, especialmente: *Mal de amor* (1981) y *Flor de enamorados* (1987), de Hahn; *Tarde o temprano* (1980) y *Los trabajos del mar* (1984), de Pacheco; *Crónica del Niño Jesús de Chilca* (1981), de Cisneros; *Roncando al sol como una foca en las Galápagos* (1982), de Cobo Borda. Es propiamente la generación actual, que ha iniciado su vigencia hacia 1980 y la sostendrá, orientando el nuevo cauce de la poesía, por los próximos quince años poco más o menos. Sus características hasta el presente son, en sus aspectos generales, las dominantes en la tercera vanguardia, pero puede esperarse de ellos una variación significativa que no podemos descubrir con claridad en su poesía presente. Es exigente y clara en su conciencia poética y en su visión de la realidad y los valores poéticos nacionales e hispanoamericanos en los que prefieren reconocer pocos valores auténticos en lugar del fárrago cuantioso a que las antologías particularmente inclinan. Faltan estudios de conjunto para el plano hispanoamericano. Para las figuras decantadas en las primeras evaluaciones de la crítica, véase Lastra [1975], Yurkievich [1971, 1976, 1984]. En el plano regional son selecciones orientadoras las de Tamayo Vargas, *Nueva poesía peruana* (Saturno, Colección El Bardo, Barcelona, 1970), C. Toro Montalvo, *Antología de la poesía peruana del siglo XX (Años 60/70)* (Ediciones Mabú, Lima, 1978); las de A. Calderón, *Antología de la poesía chilena contemporánea* (Ed. Universitaria, Santiago de Chile, 1970), Soledad Bianchi, *Entre la lluvia y el arcoiris* (Instituto para el Nuevo Chile, Rotterdam, 1983). La vigencia de 1965 a 1979 atrae poderosamente a la nueva generación, la lleva a asumir la nueva norma y por el mecanismo de la angustia de la influencia, en la pugna creadora por liberarse del condicionamiento de la norma vigente, hace surgir la norma individual. La vigencia actual de 1980 adelante, lleva encapsuladas las vanguardias precedentes, pero se mueve en una dirección nueva con agresividad y desenfado. La iniciación generacional se produce hacia 1965 cuando aparecen sus primeras publicaciones. La nueva producción muestra una clara reacción contra la alquimia verbal de Huidobro, Neruda y Vallejo; cierta cercanía —y un alejamiento relativo— de la antipoesía de Parra, como del exteriorismo de Cardenal y de la destrucción de la poesía de Lihn. Intentando liberarse de las direcciones tradicionales más cercanas, busca nuevos rumbos por la poesía española y las literaturas extranjeras, particularmente en la poesía norteamericana, que asumen en admirables versiones o finas traducciones. Destrucción de la poesía, exteriorismo, textualismo, neoescriturismo, resumen algunas de las direcciones reconocibles en una poesía creciente. Nuevos y viejos géneros de decir, síntesis de lo culto y lo popular: epigramas, salmos, boleros, oraciones, coplas, monólogos, sonetos, proliferan ricamente en esta generación, junto con la indistinción de verso y prosa y el juego de la poesía concreta y la desintegración letrista. El uso de registros orales de carácter informal y aun vulgar pone una nota desafiante en esta poesía. Los Premios Adonais y Casa de las Américas alcanzan a varios poetas de esta generación.

Estudios de conjunto que se extienden a este momento son los de Fernández Moreno [1967], Paz [1974], Benedetti [1972], Brotherston [1975], Lastra [1975], Sucre [1975], Balakian [1975], Campos [1972], Yurkievich [1976], Rivera-Rodas [1978], Forster [1981] y Cortínez [1984]. Sin embargo, falta un trabajo de atención más específica. Los estudios de conjunto por país presentan, en general, las mismas limitaciones. Entre los mejores destaca el de Higgins [1982], dedicado al Perú. Otros estudios son los de Santana [1976], sobre Chile; Mejía Duque [1979], Cobo Borda [1979] y Charry Lara [1979], sobre Colombia; sobre Cuba, Prats Sariol [1978] y Rodríguez Rivera [1978]. La bibliografía, como en los casos anteriores, ha sido fundamentalmente desatendida; sin embargo, para determinados países, se cuenta con las excelentes obras de Jesús Cabel [1980] sobre la poesía peruana; Óscar Sambrano Urdaneta [1979] con su bibliografía general de la poesía venezolana en el siglo xx, y la bibliografía de la poesía colombiana de Orjuela [1971]. Hay contribuciones bibliográficas comparables sobre la poesía dominicana, de Alfau Durán [1965, 1970], y de Frugoni [1963, 1968], sobre la poesía argentina, que completan este cuadro. Entre las antologías de la poesía hispanoamericana son de importancia: Julio Caillet-Bois, *Antología de la poesía hispanoamericana* (Aguilar, Madrid, 1965), Aldo Pellegrini, *Antología de la poesía viva latinoamericana* (Seix Barral, Biblioteca Breve, 237, Barcelona, 1966), Saúl Yurkievich, *Poesía hispanoamericana, 1960-1970* (Siglo XXI, Colección Mínima, 51, México, 1972), Jorge Boccanera, ed., *La novísima poesía latinoamericana* (Editores Mexicanos Unidos, México, 1980). Antologías regionales destacadas son las de G. Abril Rojas, *Poesía joven de Colombia* (Siglo XXI, México, 1975), Alfonso Calderón, *Antología de la poesía chilena contemporánea* (Editorial Universitaria, Santiago de Chile, 1971), Jorge Elliott, *Antología crítica de la nueva poesía chilena* (Nascimento, Santiago de Chile, 1957), Jaime Quezada, *Poesía joven de Chile* (Siglo XXI, México, 1973), Turkeltaub, *Ganymedes/6* (Ediciones Ganymedes, Santiago de Chile, 1980), Alberto Escobar, *Antología de la poesía peruana* (Ediciones Peisa, Lima, 1973, 2 vols.), José Agustín Goytisolo, *Nueva poesía cubana* (Seix Barral, Barcelona, 1969), Octavio Paz *et al., Poesía en movimiento* (Siglo XXI, México, 1966), Andrew P. Debicki, *Antología de la poesía mexicana moderna* (Tamesis, Londres, 1976), Gabriel Zaid, *Asamblea de poetas jóvenes de México* (Siglo XXI, México, 1980), O. Rodríguez Sardiñas, *La última poesía cubana, 1960-1973* (Universidad de Wisconsin, Madison, 1973), Juan Gustavo Cobo Borda, *Álbum de la nueva poesía colombiana: 1970-1980* (Fundarte, Colección Latinoamericana, 2, Caracas, 1980), A. Tamayo Vargas, *Nueva poesía peruana* (El Bardo, Barcelona, 1970), A. Escobar, *Antología de la poesía peruana*, II (Peisa, Lima, 1973), Francisco Urondo, *Veinte años de poesía argentina* (Galerna, Buenos Aires, 1968), Raúl Gustavo Aguirre, *Antología de la poesía argentina* (Ediciones Librerías Fausto, Buenos Aires, 1979, 3 vols.).

Ernesto Cardenal (1925) nació en Granada, Nicaragua, el 20 de enero de 1925. Se cría en su país en León y Granada. Cursa sus estudios universitarios en la Universidad de México de 1943 a 1946 y en la Columbia University, en Nueva York, de 1947 a 1948. En 1949, viaja a España donde permanece durante un año. En 1950 retorna después de cuatro años de ausencia a su patria. En 1952 comienza la composición de sus *Epigramas* que no se publican sino nueve años después. Al mismo tiempo ha iniciado la creación de los poemas americanos que desembocarán en *El estrecho dudoso.* En este mismo año se vincula a la disidencia militante contra Somoza adhiriéndose a la Unidad Nacional de Acción Popular (UNAP). En 1954, participa activamente en una conjuración fracasada, la llamada Rebelión de Abril, que proporcionará contexto político a su libro *Hora 0.* 1957 marca una fecha decisiva en la vida de Cardenal. Ese año ingresa en la Trapa en el monasterio norteamericano de Our Lady of Gethsemani, en Kentucky, donde encontrará a Thomas Merton. En 1960, deja la Trapa por razones de salud e ingresa en el monasterio benedictino de Santa María de la Resurrección, en México. En este período le atrae la investigación antropológica e histórica que provee de contexto significativo a su obra posterior y forma concreta al entretejimiento de múltiples textos en su poesía de *El estrecho dudoso* en adelante. En el Seminario de Cristo Sacerdote, La Ceja, Antioquia, Colombia, hará sus estudios teológicos. En 1965, se ordena de sacerdote. Una nueva fase de su poesía le muestra orientado hacia las formas y símbolos de la vida contemporánea que se actualizarán en *Oración por Marilyn Monroe* y en otros poemas en donde los textos publicitarios en las más variadas formas imprimen su sello en la poesía ulterior. Un fenómeno alternativo es la proyección mediante contenidos o informantes contemporáneos de textos bíblicos como los Salmos o el Apocalipsis. Al mismo tiempo crece la producción de sus poemas de contexto antropológico cultural, que va a desembocar en el *Homenaje a los indios americanos,* no ajena a una visión escatológica. En 1965, viaja a México y Estados Unidos. Retorna en 1966 para fundar una comunidad contemplativa en Solentiname en el Lago San Juan, en la cual reside y trabaja permanentemente. En 1970, viaja a Cuba, jornada de la cual deja una detenida descripción en *En Cuba.* En 1971, viaja a Chile. Desde el triunfo de la revolución sandinista, en 1979, desempeña el cargo de Ministro de Cultura del gobierno revolucionario. Cardenal ha definido su poesía como *exteriorismo,* noción que tiene varias notas definidoras: por una parte, afirma la inclusión de todo tipo de texto o género de decir en la poesía, así como los registros más ajenos a la esfera poética tradicional y los más ordinariamente prosaicos; por otra, importa la modernización o actualización de los informantes reales que subrayan la constancia verdadera de los textos bíblicos —situaciones contemporáneas, armas, utensilios, publicidad, tecnología—; todo esto acompañado de una llaneza de la selección léxica que se acerca a las normas del uso hablado, de una entonación que elude lo declamatorio con su acento conversacional, y vestido de una retórica parva de símiles actuales y simples. La múltiple variedad y origen de los textos entretejidos se convertirán inevitablemente en su dimensión más oscura; mientras que la disposición de sus textos es corrientemente, con sus citas y repeticiones o autocitas, sus secuencias alternadas o tabulares y su compleja visión del mundo, la dificultad que contrasta con el exteriorismo apuntado. Los libros de que es autor comprenden *Gethsemani, Ky* (Ediciones Ecuador, México, 1960), *Epigramas* (UNAM, México, 1961), *Salmos* (Ediciones Universitarias de Antioquia, Medellín, 1964; otras eds., Institución «Gran Duque de Alba», Diputación Provincial, Ávila, 1967; Carlos Lohlé, Buenos Aires, 1969), *Oración por Marilyn Monroe y otros poemas* (Ediciones La Tertulia, Medellín, 1965; otras eds., Editorial Universitaria, Santiago de Chile, 1971; Ed. Eusonia, Lima, 1972), *El estrecho dudoso* (Ediciones Cultura Hispánica, Madrid, 1966; otra ed., EDUCA, San José, Costa Rica, 1971), *La Hora 0* (Aquí, Poesía, Montevideo, 1966; otra ed., *La Hora 0 y otros poemas*, El Bardo, Barcelona 1971), *Homenaje a los indios americanos* (Universidad Nacional Autónoma de Nicaragua, León, 1969; otra ed., Editorial Universitaria, Santiago de Chile, 1970), *Mayapán* (Editorial Alemana, s.d.), *Canto nacional* (Carlos Lohlé, Buenos Aires, 1973), *Oráculo sobre Managua* (Carlos Lohlé, Buenos Aires, 1973; otra ed., Siglo XXI, México, 1973), *Canto a un país que nace* (Universidad Autónoma de Puebla, Puebla, México, 1978), *Tocar el cielo* (Peter Hammer Verlag GmbH, Wuppertal, Alemania/Lóguez Ediciones, Salamanca, 1981), *Nostalgia del futuro* (Ediciones Nueva Nicaragua, Managua, 1982) y la edición bilingüe de *Vuelos de Victoria/Flights of Victory* (Orbis Books, Maryknoll, Nueva York, 1985). Recolecciones importantes de su obra poética son *Antología* (Editorial Santiago, Santiago de Chile, 1967), *Poemas* (Casa de las Américas, La Habana, 1967), *Antología* (Carlos Lohlé, Buenos Aires, 1971); *Poemas* (Ocnos, Barcelona, 1971), *Poesía escogida* (Barral, Barcelona, 1975), *Antología* (Laia, Barcelona, 1978), la *Nueva antología poética* (Siglo XXI, México, 1978) y en especial *Poesía de uso: antología 1949-1978* (El Cid, Buenos Aires, 1979) que recoge virtualmente sus obras poéticas completas, incluyendo algunas inéditas. Entre sus obras en prosa, interesantes para conocer su visión del mundo y su concepción de la poesía, se cuentan *Vida en el amor* (Carlos Lohlé, Buenos Aires, 1970), *En Cuba* (Carlos Lohlé, Buenos Aires, 1972), *El evangelio en Solentiname* (Ediciones Sígueme, Colección Pedal, Salamanca, 1975), *La santidad de la revolución* (Ediciones Sígueme, Salamanca, 1976), *La paz mundial y la revolución de Nicaragua* (Ministerio de Cultura, Managua, 1981) y *La democratización de la cultura* (Ministerio de Cultura, Managua, 1982).

La bibliografía de Cardenal ha sido elaborada por Borgeson [1979] y por Smith [1979], en un libro bien ordenado. Los estudios de conjunto se deben a Oviedo [1970], Cuadra [1971], Goytisolo [1972], Arellano [1974], Pring-Mill [1977], González-Balado [1978], en un libro útil pero limitado, y por Borgeson [1985]. Una compilación de ensayos de Calabrese [1975] inauguró el estudio de la obra de Cardenal. La crítica ha abordado los libros de Cardenal individualmente. Sobre *Epigramas*, escriben Magunagoicoechea [1980], Paillier [1981, 1982] y Elías [1982]; sobre *Salmos*, Otano [1970], Dapaz [1975] y Promis [1975]; *Hora 0* es objeto de estudio de March [1976] y Pring-Mill [1982]; *Homenaje a los indios americanos*, de Oviedo [1970] y Elías [1982]; *El estrecho dudoso*, de Coronel Urtecho [1966] y Alstrum [1980]. Poemas particulares son analizados en sus aspectos principales; así «A la muerte de Merton», por Claro [1972]; «Oración por Marilyn Monroe», por Rodríguez [1970] y Magunagoicoechea [1982]. Sobre *Vida en el amor* escribe Merton [1970] un prólogo de interés. Los procedimientos poéticos son abordados por Borgeson [1981] y Pring-Mill [1982]. Fernández Retamar [1981] y Borgeson [1982] ponen en comparación el lenguaje poético de Cardenal con la antipoesía de Parra. Sobre el exteriorismo, ha escrito Veiravé [1975]. Pound y Cardenal interesan a Fraire [1976]. Poesía y profecía son abordadas por Otano [1971] y Valdés [1983]; poesía, evangelio y revolución, por Benedetti [1972]; la utopía, por Schaefer [1982].

Enrique Lihn (1929) nació en Santiago de Chile el 3 de septiembre de 1929. Temprana vocación literaria. Desde 1942 asiste a la Escuela de Bellas Artes de la Universidad de Chile, en Santiago, como alumno libre. Colabora en la *Revista de Arte*. Lecturas de Neruda, Huidobro y especialmente Gabriela Mistral. En 1954, presenta una introducción a la antipoesía de Nicanor Parra. En 1957, premio PEN Club de poesía. Es incluido en la *Antología crítica de la poesía chilena* de Jorge Elliott. En 1964, publica junto con Nicanor Parra el periódico mural *El Quebrantahuesos*. Afianza su posición en la antipoesía, pero a diferencia de Parra afirma la continuidad del discurso delirante, un discurso reflexivo muchas veces en diálogo con otros discursos literarios precedentes. Un escéptico concepto de la contracultura lo conduce a cultivar una cierta visión irrealista en la perspectiva del deseo que incluye un pasado ahistórico y un futuro utópico. En 1960, asiste al taller literario de la Universidad de Concepción. Obtiene el premio Atenea por su libro *La pieza oscura* (Editorial Universitaria, Santiago de Chile, 1963). Viaja a Europa, en 1965, en uso de una beca de la UNESCO para estudiar museología en París. Reencuentro con Alejandro Jodorowsky. Viaja por Bélgica, Suiza e Italia. Trabaja en la radiotelevisión francesa. Escribe *Poesía de paso*. Obtiene el Premio Casa de las Américas de Poesía 1965. En 1967, participa en el Congreso Rubén Darío en La

Habana. Regresa a Chile en 1968. En 1969, edita la revista *Cormorán*. Entre 1970 y 1973, dirige un taller literario en la Universidad Católica de Chile. «Carta abierta a Heberto Padilla» publicada en *Marcha* de Montevideo e *Índice* de Madrid. Enseña, a partir de 1972, en el Departamento de Estudios Humanísticos de la Universidad de Chile. En 1975 viaja a Nueva York. Lecturas de su poesía en Yale, Rutgers, Maryland y Stony Brook. Viaja a París. Escribe *París, situación irregular*. En 1976, es profesor visitante de la Universidad de California, Irvine. En 1977, obtiene la beca de la Fundación Guggenheim. En 1985, es profesor visitante en la Universidad de Texas, Austin. Para la biografía de Lihn se encontrará una cronología elaborada en el *Focus on Lihn* de *Review 23* (1978) y múltiples datos informativos en Lastra [1980]. Su obra poética comprende los libros iniciales *Nada se escurre, 1947-1949* (Talleres Gráficos Casa Nacional del Niño, Santiago de Chile, 1949), *Poemas de este tiempo y de otro, 1949-1954* (Ediciones Renovación, Santiago de Chile, 1955), que encierran su obra juvenil. Su poesía se define con una voz nueva a partir de *La pieza oscura, 1955-1962* (Editorial Universitaria, Santiago de Chile, 1963), *Poesía de paso* (Casa de las Américas, La Habana, 1966, Premio Casa de las Américas), *Escrito en Cuba* (Ediciones Era, Alacena, México, 1969), *La musiquilla de las pobres esferas* (Editorial Universitaria, Letras de América, 18, Santiago de Chile, 1969), *Algunos poemas* (Ocnos, Barcelona, 1972), *Por fuerza mayor* (Ocnos, Barcelona, 1975), *París, situación irregular* (Ediciones Aconcagua, Santiago de Chile, 1977), *A partir de Manhattan* (Ediciones Ganymedes, Valparaíso, 1979), *Estación de los Desamparados* (Premiá, Libros del Bicho, 29, México, 1982), *Antología al azar* (Ruray, Lima, 1981), *Poetas, voladores de luces* (Le Parole Gelate, Roma-Venecia, 1982), *El paseo Ahumada* (Ediciones Minga, Santiago de Chile, 1983), *Al bello amanecer de este lucero* (Ediciones del Norte, Hanover, N.H., 1983), *Pena de extrañamiento* (Sinfronteras, Santiago de Chile, 1986), *Mester de juglaría* (Hiperión, 108, Madrid, 1987), antología de poemas largos, y *La aparición de la Virgen* (Cuadernos de libre (e)lección, Santiago de Chile, 1987), textos y dibujos del autor.

La concepción poética de Lihn ha sido explícitamente formulada en su «Definición de un poeta» (*Anales de la Universidad de Chile*, 137, 1966, pp. 35-64) y en sus extensas conversaciones con P. Lastra [1980]. Una excelente exposición de su poética puede leerse en el prólogo de C. Foxley [1977] y en A. Valdés [1979], en los términos de la nueva escritura que su obra propone a partir, especialmente, de *París, situación irregular*. Lihn es también un excelente crítico que ha publicado diversos trabajos sobre Huidobro, Parra, Borges, Lezama y otros. Como narrador es autor de un libro de cuentos, *Agua de arroz* (Ediciones del Litoral, Santiago de Chile, 1964); una novela-tira cómica, *Batman en Chile* (Ediciones de la Flor, Buenos Aires, 1973), de sátira política; y de dos «novelas» de la nueva escritura: *La orquesta de cristal* (Sudamericana, Buenos Aires, 1976), cuya significación dentro de la neoescritura hispanoamericana discute Libertella [1977], y *El arte de la palabra* (Pomaire, Barcelona, 1980), comentada por Yúdice [1981] y Hozven [1982]. Una vena histriónica se había revelado en la lectura-happening de *La orquesta de cristal* (1976), que luego se prolonga en la producción teatral de *Lihn y Pompier* (Santiago de Chile, 1978), *La mekka* (1984), *Niú York cartas marcadas* (1985) y *La radio* (1986). Su obra poética ha sido abordada por Lastra [1960], en su fase inicial; por Goic [1963], Bocaz [1966] y Rojas [1967], en relación a *La pieza oscura*, que inicia su etapa madura; y por Foxley [1977], Valdés [1979] y Kamenszain [1983], a propósito de los sonetos de *Por fuerza mayor* y *A partir de Manhattan*. Escobar [1970], Sucre [1971], Ibáñez Langlois [1975] han tratado aspectos de su obra. *La musiquilla de las pobres esferas* ha sido abordado por Lértora [1977], Marín [1978], Rojas [1978], Yúdice [1978] y Díez [1980]. Bibliografía comentada de y sobre Enrique Lihn puede verse en Lastra [1980]. Una primera ordenación se debe a Flores [1975].

Carlos Germán Belli (1927) nació en Lima, Perú, el 15 de septiembre de 1927. Huérfano de padre a temprana edad, debió trabajar desde muy joven en diversos oficios. Hizo sus estudios superiores en las universidades Católica y de San Marcos, en Lima. En 1957, muere su madre y queda a su cuidado su hermano Alfonso, inválido de nacimiento. Trabajó en la oficina de documentación educacional del Ministerio de Educación. Obtuvo el Premio Nacional de Poesía en 1962. En 1964, trabaja en la biblioteca del Senado. En 1970, obtiene la beca de la Fundación Guggenheim y participa dos veces en el Taller Internacional de Escritores de la Universidad de Iowa. Ha viajado por Estados Unidos, Italia y España. Es colaborador de *El Comercio* de Lima, profesor en la Universidad de San Marcos y miembro de la Academia Peruana de la Lengua. En su etapa inicial su poesía se inspira en Darío y el modernismo. Su primer libro se frustra por la muerte de Luis Fabio Xammar, portador del manuscrito, en un accidente de aviación, y por el desánimo que como consecuencia dominó al poeta. Su iniciación a la vanguardia tiene lugar bajo el ascendiente de la poesía de Vallejo, pero más decisivamente de Moro y Westphalen, sus predecesores. El influjo personal de Westphalen, el poeta surrealista, es determinante en su orientación poética. No siendo la hora de los automatismos verbales, es el onirismo, el humor negro, la descomposición verbal, más dadaísta que propiamente surrealista, lo marcadamente caracterizado de esta etapa. Sus primeros libros son buena muestra del fervor de la tercera vanguardia, modificadora de su herencia y dueña de sus recursos. La «expansión sonora» de onomatopeyas y jitanjáforas, la «fisión fonética» que juega con la disposición gráfica, caracterizan parte de esta poesía. Por otra parte, la lectura de la poesía española del Siglo de Oro produce el irónico juego de tácticas diseminativo-recolectivas o de calculadas trimembraciones. Entre los rasgos más permanentes se da la postulación de un mundo híbrido de idealismo pastoril —un mundo arcaico— y de burguesía degradada —mundo cotidiano—, de ciudad y sociedad monstruosas y enajenantes y esperanzas redentoras en el «hada cibernética». La visión del mundo se completa con un organicismo generalizado —poesía del cuerpo «adentro & fuera»—. El hablante lírico es el enajenado de autorreferencias impiadosas, el loco cuerdo de las denunciaciones y de los testimonios de la humillación, el hablante que se refiere al mundo ordinario dominado por la locura pastoril, entonando la queja eglógica de la poesía del Siglo de Oro o el epigrama clásico. El humor negro matiza fuertemente el temple de ánimo de su poesía. Su obra poética comprende *Poemas* (Ediciones del Autor, Lima, 1958), *Dentro & fuera* (Ediciones de la Rama Florida, Forma y Poesía, Lima, 1960), *¡Oh hada cibernética!* (Ediciones de la Rama Florida, El Timonel, Lima, 1961; otra ed. aumentada, Ediciones de la Rama Florida, Lima, 1962; *Antología*, Monte Ávila, Caracas, 1971; traducida al italiano, *Oh Fata Cibernetica!*, Elitropia Edizioni, Reggio Emilia, 1983, edición de R. Paoli y Carlotta Nerozzi), *Por el monte abajo* (Ediciones de la Rama Florida, Lima, 1966), *El pie sobre el cuello* (Ediciones de la Rama Florida, Lima, 1964; otra ed., Alfa, Montevideo, 1967), que reúne toda la obra anterior, *Sextinas y otros poemas* (Editorial Universitaria, Santiago de Chile, 1970), *En alabanza del bolo alimenticio* (Premiá, Libros del Bicho, 2, México, 1979); una antología breve, *Asir la forma que se va* (Cuadernos del Hipocampo, Lima, 1979), *Canciones y otros poemas* (Premiá, Libros del Bicho, México, 1983) y la antología de su obra *Boda de la pluma y la letra* (Ediciones Cultura Hispánica, Madrid, 1985). En 1986, publica *El buen mudar* (Ediciones del Tapir, Madrid, 1986). Al año siguiente aparece *Antología crítica* (Ediciones del Norte, Hanover, 1987). Benedetti [1967], Cevallos [1967] y Cisneros [1967] han abordado el conjunto de su obra reunido en *El pie sobre el cuello*. Higgins [1970, 1982] ha estudiado detenidamente la obra en dos etapas diferentes, asignándole un lugar importante en la transformación de la poesía peruana contemporánea. Ortega [1970] percibe su poesía como neorrealista. Schopf [1964] ha escrito sobre *¡Oh hada cibernética!*, Sologuren [1969] y Brotherston [1975], sobre el conjunto de su obra; y Hill [1983], sobre una de sus obsesiones verbales. En dos detenidos estudios, Cortínez [1984] aborda *Dentro & fuera* y Paoli [1984] traza los campos léxicos de su neoclasicismo. Hill [1985] publica el primer libro dedicado completamente al estudio de su obra.

Roberto Juarroz (1925) nació en Coronel Dorrego, Provincia de Buenos Aires, Argentina, el 5 de octubre de 1925. Hijo de argentinos de ascendencia vasca. Su padre era jefe de estación. En 1935, se traslada con su familia a Adrogué, dentro de la misma provincia. Allí transcurrirá su infancia y cursará sus estudios primarios y secundarios. El padre muere en 1942 y el joven debe comenzar a trabajar. Se emplea como bibliotecario del Colegio Nacional. Inició sus estudios universitarios en la Universidad de Buenos Aires, que debió abandonar. En 1950, se casa. Tiene una hija. Se separa. Viaja al sur del país, a la Patagonia. Se emplea en una compañía de navegación. Viaja a Nueva York y recorre diversos puertos sudamericanos. En 1955 reinició sus estudios universitarios, graduándose de bibliotecario en la Universidad de Buenos Aires. Encuentra a Laura, compañera de su vida. Gana una beca de viaje a Francia. Descubre Europa con su mujer. Es designado profesor e inicia una carrera universitaria. Es designado catedrático y, luego, Jefe del Departamento de Bibliotecnología. Será exonerado de su cargo arbitrariamente en dos oportunidades. Vuelve a ganar su cátedra por concurso una vez más. Es forzado a exilarse del país. En 1977, sufre un ataque al corazón durante su residencia en Temperley. Ese año recibe el Gran Premio de Honor de la Fundación para la Poesía. Es invitado a París para el lanzamiento de la edición francesa de *Poésie verticale* (Fayard, París, 1980). En 1981, es invitado a Venezuela. Viaja a España, en 1982, y a Santo Domingo, en 1983. Recibe el Premio Esteban Echeverría, en 1984. Ese año participa en México en el «Homenaje a Octavio Paz». Es elegido miembro de la Academia Argentina de Letras. En julio de 1986, después de la reorganización universitaria, es designado nuevamente catedrático de la Universidad de Buenos Aires. Fue director de la revista *Poesía=Poesía* desde 1958 hasta 1965. Ha sido director del Curso Audiovisual de Bibliotecnología para América Latina. Ha presentado trabajos y hecho diversas publicaciones en el campo de su profesión, como bibliógrafo y profesor. Es miembro honorario de varias facultades universitarias hispanoamericanas. Hay en su poesía alusiones y reminiscencias de las imágenes de vuelo en la poesía precedente y alguna fresca resonancia metafísica de Vicente Huidobro. Pero por encima de todo hay una poesía personalísima provista de gran continuidad, que sus títulos monótonos confirman. Poesía de constatación y de testimonio visionario, con fuerte orientación discursiva enunciativa. En la visión de la caída, la lucidez proclamada adquiere los rasgos de la existencia auténtica, conciencia de la temporalidad y de la ambigüedad de la vida que muere, de la muerte que vive, pero fundamentalmente del hueco, del vacío, poéticamente visto o construido como contraimagen de todo lo que existe. Esta es una de las voces poéticas más originales de la época. Juarroz es autor de *Poesía vertical* (Buenos Aires, 1958), que se prolonga en una *Segunda poesía vertical* (1963), *Tercera* (1965), *Cuarta* (1969), *Quinta* (1974) y *Sexta poesía vertical* (1975), *Séptima poesía vertical* (Monte Ávila, Caracas, 1982) y *Octava poesía vertical* (Carlos Lohlé, Buenos Aires, 1984). Existen las siguientes antologías de su obra: *Poesía vertical* (Ocnos, Barcelona, 1974), seguida de *Poesía vertical* (Monte Ávila, Caracas, 1975), *Nueva poesía vertical* (1977) y *Poesía vertical. Antología mayor* (Carlos Lohlé, Buenos Aires, 1978). Juarroz avanza una interpretación de su concepción poética en el prólogo «La poesía, la realidad, la poesía» a la traducción francesa de Fernand Verhesen de *Poésie verticale* (Editions Rencontre, 1967). Una somera bibliografía ha sido ordenada por Foster [1982]. Sobre su poesía inicial han escrito Sola [1966], Pizarnik [1967], Silva [1968]. Xirau [1972] destaca los vacíos, silencios, blancos, del «otro mundo»; Sucre [1973, 1975] aborda los recursos y la significación de la repetición; Paz [1974] lo incluye entre los representantes del comienzo de la antivanguardia. Boido [1977, 1980] evalúa su obra. Munier [1978] define el verticalismo; Running [1983] analiza su poesía desde el punto de vista de Blanchot y Derrida y las correspondencias que la obra de Juarroz encuentra en la visión de aquéllos.

Otro poeta de relieve es Álvaro Mutis (1923), nacido en Bogotá, en 1923. Entre sus antepasados se cuenta el sabio José Celestino Mutis. Se educa en Bruselas. Desde 1956 ha residido en México. Escribe el *Diario de Lecumberri* en la prisión mexicana de ese nombre. En 1983, obtuvo el Premio Nacional de Literatura de Colombia, que se concede a la totalidad de la obra de un escritor. Su obra poética comprende *La Balanza* (Bogotá, 1947), en colaboración con Carlos Patino, *Los elementos del desastre* (Losada, Buenos Aires, 1953), saludada con entusiasmo por García Márquez, *Los trabajos perdidos* (México, 1961), *Summa de Maqroll, el gaviero* (Barral Editores, Barcelona, 1973), que reúne su obra anterior, *Caravansary* (México, 1982), *Los emisarios* (Fondo de Cultura Económica, México, 1984), *Crónica regia y alabanza del reino* (Cátedra, Madrid, 1985), *Un homenaje y siete poemas nocturnos* (Ediciones del Equilibrista, Pamplona, 1986). Su obra se completa con las narraciones de *Diario de Lecumberri* (Universidad Veracruzana, Colección Ficción, Xalapa, 1960; otra ed., Ediciones del Mall, Serie Ibérica, Barcelona, 1986), *La mansión de Araucaima* (Buenos Aires, 1973; otra ed., Seix Barral, Barcelona, 1978) y la novela *La nieve del Almirante* (Alianza, Alianza Tres, Madrid, 1986).

Óscar Hahn (1938) nació en Iquique, provincia de Tarapacá, Chile, el 5 de julio de 1938. Ingresa en la Facultad de Filosofía y Educación de la Universidad de Chile en 1958. Estudios en el Departamento de Español. Se recibe de profesor en 1962. Estudios de graduado en la Universidad de Iowa. Maestría en 1972. Doctorado en Filosofía en 1977 por la Universidad de Maryland. Ha enseñado en la Universidad de Chile, en Arica, de 1965 a 1973 y en la Universidad de Iowa, donde actualmente es profesor. Desde 1979, colabora en la sección de poesía del *Handbook of Latin American Studies*. En 1982, recibe el Premio Brodbeck de la Universidad de Iowa. Es autor de dos ensayos de crítica e historia literaria importantes, *El cuento fantástico hispanoamericano en el siglo XIX* (Premiá, México, 1978; otra ed., 1980) y *Texto sobre texto* (UNAM, México, 1984). La poesía de

Hahn se diferencia claramente de la precedente antipoesía por la variedad de niveles lingüísticos que activa en su obra, lo que si bien no excluye el uso cotidiano se extiende en el tiempo a lenguajes poéticos medievales y del Siglo de Oro y se muestra más cercano a Huidobro en la radicalización de un lenguaje poético. No rehúye el verso ni la composición métrica, pero se mueve diestramente en el verso libre o amétrico. El mundo de sus objetividades tiene una dominante en la percepción de la muerte y en la visión apocalíptica. Su temple de ánimo, sin embargo, se ve dominado por el goce del juego y de la creación y no pocas veces por el humor negro. Su lenguaje poético activa igualmente figuras de lenguaje que metáforas y visiones. Una diestra diferenciación de variadas modalidades de lenguaje lo conduce de lo escrito a lo oral, de lo formal a lo informal, de lo culto a lo vulgar, y en este último aspecto incluye lo jergal de caracterizados sectores sociales del hablar de Chile. Su obra poética incluye *Esta rosa negra* (Ediciones Alerce, Santiago de Chile, 1961), *Agua final* (Ediciones de la Rama Florida, Lima, 1967; otra ed., Universidad de Chile, Antofagasta, 1967), *Arte de morir* (Hispamérica, Buenos Aires, 1977; Nascimento, Santiago de Chile, 1979[2]; Ruray, Lima, 1981[3]), *Mal de amor* (Ediciones Ganymedes, Santiago de Chile, 1981; otra ed., 1986), *Imágenes nucleares* (América del Sur, Santiago de Chile, 1983) y *Flor de enamorados* (F. Zegers Editor, Santiago de Chile, 1987). El estudio de su poesía ha sido abordado por Lastra [1975]; Lihn [1976] da relieve a sus lecturas y parodias y a la vasta gama de lenguajes que dialogan en su poesía; Palau [1977] destaca la visión de un mundo en movimiento y su originalidad frente a la poesía precedente; Beach-Viti [1980] aborda el paraíso al revés; Hill [1982], los aspectos visionarios y apocalípticos, y Cúneo [1982], la imagen del amor. Cortínez [1984] analiza dos vertientes de su poesía: una barroquista y otra antipoética.

José Emilio Pacheco (México, 1939) nació en Ciudad de México el 30 de junio de 1939. Se cría con los abuelos en Veracruz. Hizo sus estudios universitarios en las facultades de Derecho y de Filosofía y Letras de la UNAM. En 1957, colabora en la revista *Estaciones*. Se dio a conocer a los veinte años con su libro de cuentos *La sangre de la Medusa*, en 1959, y con los poemas publicados en revistas y luego recogidos en *Los elementos de la noche*, que reúne su producción de 1958 a 1962. Fue director del Departamento de Difusión Cultural de la UNAM. Actos de solidaridad con Siqueiros y con la actitud rebelde de José Revueltas. En 1969, obtiene el Premio Nacional de Poesía por *No me preguntes cómo pasa el tiempo*. Ha enseñado en universidades de los Estados Unidos, Inglaterra y Canadá. Poesía original la de Pacheco que no teme abordar la imitación y la lectura cuya gama se extiende desde la poesía mexicana prehispana hasta los poetas españoles medievales y del Siglo de Oro; desde el epigrama latino hasta los poetas contemporáneos de diversas lenguas y de los norteamericanos en particular. Tampoco esquiva la transposición de artes. Su lenguaje poético de gran parquedad se mueve con maestría en los márgenes de la poesía creada, de la metáfora alejada y la visión. En el mundo de sus objetividades predomina la visión del tiempo con sus matices metafísicos y sus expresiones populares. Su lenguaje tiende a lo enunciativo y discursivo. Por otra parte, sin embargo, la disposición gráfica de los textos distorsiona el discurso y propone nuevas coherencias. Su obra poética comprende *Los elementos de la noche* (México, UNAM, 1963), *El reposo del fuego* (Fondo de Cultura Económica, México, 1966), *No me preguntes cómo pasa el tiempo* (Joaquín Mortiz, México, 1969), *Irás y no volverás* (Fondo de Cultura Económica, Letras mexicanas, 112, México, 1973), *Islas a la deriva* (Siglo XXI, México, 1976), *Desde entonces* (Era, México, 1979), *Ayer es nunca jamás* (Monte Ávila, Caracas, 1978), *Tarde o temprano* (Fondo de Cultura Económica, México, 1980), que recoge una selección de toda su poesía anterior, y *Los trabajos del mar* (Cátedra, Poesía, Madrid, 1984). *Miro la Tierra* (Era, México, 1986) recoge su obra poética de 1983 a 1986. En Estados Unidos, aparece una edición bilingüe de *Selected Poems* (New Directions, Nueva York, 1987). *Aproximaciones* (1984) reúne sus traducciones. *Alta traición* (Alianza, Madrid, 1985) antologa su obra poética. Su bibliografía ha sido ordenada por Foster [1981]. Estudios sobre su obra se deben a Ortega [1970], Rubman [1972], Hoeksema [1974, 1977, 1978], Forster [1975], Xirau [1976], Debicki [1976], Oviedo [1976], Gullón [1977], Zaid [1977], Rodríguez-Alcalá [1978], y García Rey [1982]. Villena [1985] ha dedicado un libro al estudio de su obra.

Antonio Cisneros (1942) nació en Lima, el 24 de diciembre de 1942. Estudió Letras en la Universidad Católica y se doctoró en la de San Marcos, en 1964. Enseñó en esta misma universidad y en la Universidad de Huamanga, Ayacucho, en 1965. Entre 1967 y 1972, por cinco años, enseña en Europa. Primero, en la Universidad de Southampton, en Inglaterra, entre 1967 y 1970, y, más tarde, en la de Niza, en Francia, entre 1970 y 1972. De vuelta en el Perú enseñó por dos años en la Universidad de San Marcos, 1972-1974. En 1974, enseñó por un año en la Universidad de Budapest. Retornó a su patria para enseñar en la Universidad de San Marcos. En 1965, obtuvo el Premio Nacional de Poesía y el Premio Casas de las Américas, en 1968. Su poesía confronta la historia y la sociedad y muestra al hablante igualmente desvinculado del pasado histórico indígena como del español. La autocaracterización del hablante en la sociedad traza la experiencia de la degradación con autoironía falta de piedad. La experiencia del mundo europeo le revela una dimensión del arraigo en el mundo de su origen, a pesar de que el retorno de su odisea no le depara los premios de Ulises. Su poesía tiene fuertes acentos constructivos resueltos en atrevidas alegorías de opresión que lo ligan, sin embargo, a la enciclopedia universal de las figuras de *descensus ad inferos*. Cisneros es autor de *Destierro* (Ediciones Cuaderno del Hontanar, Lima, 1961), *David* (Ediciones El Timonel, Lima, 1962), *Comentarios reales* (Ediciones de la Rama Florida, Lima, 1964), *Canto ceremonial contra un oso hormiguero* (Casa de las Américas, La Habana, 1968. Premio Casa de las Américas; otra ed., CEAL, Libros de Mar a Mar, Buenos Aires, 1968), *Agua que no has de beber* (Milla Batres, Colección Ernesto Che Guevara, Barcelona, 1971), *Como higuera en un campo de golf* (Instituto Nacional de Cultura, Lima, 1972), *El libro de Dios y de los húngaros* (Libre I, Lima, 1978), *Crónica del Niño Jesús de Chilca* (Premiá, México, 1981) y la traducción al inglés, que recoge buena parte de su obra, *The Spider hangs too far from the Ground* (Cape Goliard Press in Association with Grossmann Publishers, Nueva York, 1970). Estudios por Oviedo [1965], Rowe [1968], Escobar [1970], Ortega [1970], Russell Lamadrid [1980] y Higgins [1982]. Hay una esclarecedora entrevista de Ortega [1984].

La generación de 1987, integrada por los nacidos de 1950 a 1964, *poetae novissimi*, comienza a publicar alrededor de 1980, poco antes o después, dominados por la expansión del neoescriturismo, el textualismo y las grandes voces de la lírica contemporánea. Su obra tiende a la definición de su lenguaje y de su originalidad propia. Es temprano todavía para identificar tendencias comunes, pero las direcciones generales son las conocidas. En el Perú, destacan los nombres de Enrique Verástegui (1950) y Edgar O'Hara (1954), éste es autor de *Situaciones de riesgo* (Ediciones del Labrador, Lima, 1974), *Orígenes y finalidades* (Ediciones Melibea, Lima, 1976), *Observaciones ínfimas* (Editorial Dédalus, Lima, 1977), *La mujer de la luna llena* (Ediciones La Sagrada Familia, Lima, 1978), *Huevo en el nogal* (Ediciones La Sagrada Familia, Lima, 1979), y una antología de su obra anterior, *Mientras una tórtola canta en el techo de enfrente* (Ruray/Poesía, Lima, 1979).

Raúl Zurita (1951), nacido en Santiago de Chile, el 10 de enero de 1951. Educación universitaria como ingeniero. Las características de su poesía lo convierten en un *outsider* en relación a las tradiciones poéticas dominantes en Chile e Hispanoamérica. Los subtextos de su poesía son la Biblia, especialmente los libros proféticos —Isaías, Oseas— y el Cantar de los Cantares, y, luego, el Dante en su *Divina Commedia* y su *Vita Nuova.* Su lenguaje poético es más cercano a procedimientos prosaicos de la antipoesía y de creación verbal de Vallejo pero en su disposición y la de sus figuras sigue procedimientos lógicos que prestan estructura profunda a poemas y series de imágenes, generalmente numeradas con romanos. Su adhesión general a las formas contemporáneas y de libertad de expresión se manifiestan en la ausencia de puntuación mezclada con el uso de números para determinados versos o series de versos, paréntesis, tipografía alta mezclada con alta y baja y variadas distribuciones de versos en la página. Es autor de los libros *Purgatorio* (Santiago, 1979), *Anteparaíso* (Santiago, 1982) y *Canto a su amor desaparecido* (Universitaria, Santiago de Chile, 1985). Su obra ha sido abordada por Oviedo [1984] y Foxley [1984].

BIBLIOGRAFÍA

Alfau Durán, Vetilio, «Apuntes para la bibliografía poética dominicana», *Clío*, 122 (1965), pp. 34-60; 123 (1968), pp. 107-119; 124 (1969), pp. 53-68; 125 (1970), pp. 50-77.

Alstrum, James J., «Typology and Narrative Techniques in Cardenal's *El Estrecho Dudoso*», *Journal of Spanish Studies*, 8 (1980), pp. 1-27.

Arellano, Jorge Eduardo, «Ernesto Cardenal: de Granada a Gethsemany (1926-1957)», *Cuadernos Hispanoamericanos*, 289-290 (1974), pp. 163-183.

Balakian, Anna, «Latin-American Poets and the Surrealist Heritage», en P. G. Earle y G. Gullón, eds., *Surrealismo/Surrealismos. Latinoamérica y España*, Filadelfia, 1975, pp. 11-19.

Beach-Viti, Ethel, «El paraíso al revés en un poema de Óscar Hahn», *Inti*, 12 (1980), pp. 72-74.

Beltrán Guerrero, Luis, «Poetas actuales de Venezuela», *Revista Nacional de Cultura*, 234 (1978), pp. 71-81.

Benedetti, Mario, *Letras del continente mestizo*, Arca, Montevideo, 1967: «Carlos Germán Belli o el hombre en un cepo metafísico», pp. 136-140; «Ernesto Cardenal, poeta de dos mundos», pp. 159-164.

—, «Ernesto Cardenal: evangelio y revolución», *Casa de las Américas*, 63 (1970), pp. 174-183; reimpreso en *Los poetas comunicantes*, Biblioteca de Marcha, Montevideo, 1972, pp. 97-123.

Beneyto, Antonio, «Epílogo» a Alejandra Pizarnik, *El deseo de la palabra*, Ocnos, Barcelona, 1975.

Berg, Walter Bruno, «Ernesto Cardenal: Dichtung und/als Revolution», *Ibero-Romania*, 15 (1982), pp. 97-125.

Bocaz, Luis, «La poesía de Enrique Lihn», en Carlos Cortínez y Omar Lara, eds., *Poesía chilena (1960-1965)*, Ediciones Trilce, Santiago de Chile, 1966, pp. 50-72.

Boido, Guillermo, «Entrevista con Roberto Juarroz», *Hispamérica*, 17 (1977), pp. 47-59.

—, *Roberto Juarroz, poesía y creación; diálogos con Guillermo Boido*, Carlos Lohlé, Buenos Aires, 1980.

Borgeson, Paul, «Bibliografía de y sobre Ernesto Cardenal», *Revista Iberoamericana*, 108-109 (1979), pp. 641-650.

—, «Textos y texturas: los recursos visuales de Ernesto Cardenal», *Explicación de Textos Literarios*, 9:2 (1981), pp. 159-168.

—, «Lenguaje hablado/lenguaje poético: Parra, Cardenal y la antipoesía», *Revista Iberoamericana*, 118-119 (1982), pp. 383-389.

—, *Hacia un hombre nuevo: poesía y pensamiento de Ernesto Cardenal*, Tamesis Books (Serie A, Monografías, 104), Londres, 1985.

Brotherston, Gordon, *Latin American Poetry: Origins and Presence*, Cambridge University Press, Londres, 1975.

Cabel, Jesús, *Bibliografía de la poesía peruana, 65/79*, Amaru Editores, Lima, 1980.

Calabrese, Elisa, ed., *Ernesto Cardenal: poeta de la liberación latinoamericana*, Fernando García Cambeiro, Buenos Aires, 1975.

Calderón, Germaine, *El universo poético de Rosario Castellanos*, UNAM, Cuadernos del Centro de Estudios Literarios, México, 1979.

Campos, Haroldo de, «Superación de los lenguajes exclusivos», en C. Fernández Moreno, ed., *América Latina en su literatura*, Siglo XXI/UNESCO, México, 1972, pp. 279-300.

Cevallos Mesones, Leónidas, «Sobre la poesía de Belli», *Mundo Nuevo*, 8 (1967), pp. 84-86.

Cisneros, Antonio, «*Por el monte abajo*», *Amaru*, 1 (1967), p. 91.

Claro, María Elena, «Imagen de la vida en las "Coplas a la muerte de Merton", de Ernesto Cardenal», *Revista Chilena de Literatura*, 5-6 (1972), pp. 219-239.

Cobo Borda, Juan Gustavo, «La nueva poesía colombiana: una década, 1970-1980», *Boletín Cultural y Bibliográfico*, 16:9-10 (1979), pp. 75-122.

—, «La tradición de la pobreza», *Eco*, 214 (1979), pp. 371-389.

Coddou, Marcelo, «Lihn: a la verdad por lo imaginario», *Texto Crítico*, 11 (1978), pp. 135-157.

Cohen, Henry, «Daniel Boone, Moses and the Indians: Ernesto Cardenal's Evolution from Alienation to Social Commitment», *Chasqui*, 1 (1981), pp. 21-32.

Concha, Jaime, «La poésie chilienne d'aujourd'hui», *Europe*, 570 (1976), pp. 107-155.

Coronel Urtecho, José, «Carta a propósito de *El estrecho dudoso*», en Ernesto Cardenal, *El estrecho dudoso*, Ediciones Cultura Hispánica, Madrid, 1966, pp. 1-57.

Cortázar, Julio, «Apocalipsis de Solentiname», *Casa de las Américas*, 98 (1976), pp. 62-66.

Cortínez, Carlos, *Poesía latinoamericana contemporánea*, Universidad de San Carlos, Guatemala, 1984.

Coyné, André, *César Vallejo y su obra poética*, Letras Peruanas, Lima, 1958.

Cuadra, Pablo Antonio, «Sobre Ernesto Cardenal», *Papeles de Son Armadans*, 187 (1971), pp. 5-33.

—, «Prólogo» a Ernesto Cardenal, *Antología*, Carlos Lohlé, Buenos Aires, 1971, pp. 9-22.

Cúneo, Ana María, «La imagen del amor en dos poemas de Óscar Hahn», *Revista Chilena de Literatura*, 20 (1982), pp. 165-166.

Charry Lara, Fernando, «Poesía colombiana del siglo xx», *Eco*, 214 (1979), pp. 337-370.

Dapaz Strout, Lilia, «Nuevos cantos de vida y esperanza: los *Salmos* de Cardenal y la nueva ética», en Elisa Calabrese, ed., *Ernesto Cardenal, poeta de la liberación latinoamericana*, Francisco García Cambeiro, Buenos Aires, 1975, pp. 107-131.

Debicki, Andrew P., *Poetas hispanoamericanos contemporáneos*, Gredos, Madrid, 1976.

Díez, Luis A., «Enrique Lihn: poeta esclarecedoramente autocrítico (Parte I)», *Hispanic Journal*, 1:2 (1980), pp. 105-115.

Duverrán, Carlos Rafael, ed., *Poesía contemporánea de Costa Rica. Antología*, Editorial Costa Rica, San José, 1973.

Elías, Eduardo F., «El epigrama de Ernesto Cardenal: desde Roma hasta Nicaragua», *Explicación de textos literarios*, 11:1 (1982), pp. 23-31.

—, «*Homenaje a los indios americanos* de Ernesto Cardenal: lecciones del pasado», *Chasqui*, 1 (1982), pp. 45-60.

Escobar, Alberto, *La partida inconclusa. Teoría y método de interpretación literaria*, Editorial Universitaria (Teoría literaria), Santiago de Chile, 1970.

Fernández Moreno, César, *La realidad y los papeles*, Aguilar, Madrid, 1967.

—, «Entrevista con Roberto Fernández Retamar: sobre la poesía conversacional en la América Latina», *Unión*, 1 (1979), pp. 110-135.

Fernández Retamar, Roberto, «Prólogo a Ernesto Cardenal», *Escritura*, 6:11 (1981), pp. 93-106; reimpreso en L. Schwartz Lerner, e I. Lerner, eds., *Homenaje a Ana María Barrenechea*, Castalia, Madrid, 1984, pp. 405-414.

Flores, Ángel, *Bibliografía de escritores hispanoamericanos, 1609-1974*, Las Américas, Nueva York, 1975.

Forster, Merlin H., «Four contemporary Mexican poets: Marco Antonio Montes de Oca, Gabriel Zaid, José Emilio Pacheco, Homero Aridjis», *Tradition and Renewal*, University of Illinois Press, Urbana, 1975, pp. 139-156.

—, *Historia de la poesía hispanoamericana*, The American Hispanist, Clear Creek, Indiana, 1981.

Foster, David William, *Mexican Literature: A Bibliography of Secondary Sources*, The Scarecrow Press, Metuchen, N.J., 1981.

—, *Argentinian Literature: A Research Guide*, The Scarecrow Press, Metuchen, N.J., 1982.

Foxley, Carmen, «Prólogo» a Enrique Lihn, *París, situación irregular*, Ediciones Aconcagua, Santiago de Chile, 1977, pp. 11-29.

—, «La propuesta autorreflexiva de *Anteparaíso*», *Revista Chilena de Literatura*, 24 (1984), pp. 83-101.

Fraire, Isabel, «Pound and Cardenal», *Review*, 18 (1976), pp. 36-42.

Frugoni de Fritzsche, Teresita, *Índice de poetas argentinos*, Instituto de Literatura Argentina Ricardo Rojas (Guías Bibliográficas, 8), Buenos Aires, 1963-1968, cuatro partes.

García Rey, J. M., «La poesía de José Emilio Pacheco o las palabras que dicta el tiempo», *Cuadernos Hispanoamericanos*, 380 (1982), pp. 472-484.

Goic, Cedomil, «Enrique Lihn, *La pieza oscura (1955-1962)*», *Anales de la Universidad de Chile*, 128 (1963), pp. 194-197.

Gómez Paz, Julieta, *Cuatro actitudes poéticas: Alejandra Pizarnik, Olga Orozco, Amelia Biaginni, María Elena Walsh*, Conjunta Editores, Buenos Aires, 1977.

González-Balado, José Luis, *Ernesto Cardenal: poeta, revolucionario, monje*, Ediciones Sígueme (Colección Pedal, 87), Salamanca, 1978.

Gottlieb, Marlene, «Enrique Lihn», *Hispamérica*, 36 (1983), pp. 35-44.

Goytisolo, José Agustín, «Los poemas de Ernesto Cardenal», *Libre*, 3 (1972), pp. 128-130.

Gullón, Agnes M., «Dreams and distance in recent poetry by José Emilio Pacheco», *Latin American Literary Review*, 11 (1977), pp. 36-42.

Higgins, James, «The Poetry of Carlos Germán Belli», *Bulletin of Hispanic Studies*, 4 (1970), pp. 327-339.

—, *The Poet in Peru: Alienation and the Quest for a Super-Reality*, Francis Cairns, Liverpool, 1982.
Hill, W. Nick, «Óscar Hahn o el arte de mirar», *Revista Chilena de Literatura,* 20 (1982), pp. 99-112.
—, «A la zaga de Carlos G. Belli», en Gilbert Paolini, ed., *La Chispa 83. Selected Proceedings*, Tulane University, Nueva Orleans, 1983, pp. 125-133.
—, *Tradición y modernidad en la poesía de Carlos Germán Belli*, Pliegos, Madrid, 1985.
Hoeksema, Thomas, «José Emilio Pacheco: Signals from the flames», *Latin American Literary Review*, 5 (1974), pp. 143-153; trad. castellana, «Señal desde la hoguera: La poesía de José Emilio Pacheco», *Texto Crítico*, 7 (1977), pp. 91-109.
—, «A Poetry of Extremes», *Review 23* (1978), pp. 39-46.
Holguín, Andrés, ed., *Antología crítica de la poesía colombiana, 1874-1974*, Editorial Op Gráficas, Bogotá, 1974, 2 vols.
Hozven, L. R., «*El arte de la palabra*», *Estudios Filológicos*, 17 (1982), pp. 99-109.
Ibáñez-Langlois, José Miguel, *Poesía chilena e hispanoamericana actual*, Nascimento, Santiago de Chile, 1975.
Kamenszain, Tamara, «Enrique Lihn: por el pico del soneto», *El texto silencioso. Tradición y vanguardia en la poesía sudamericana*, UNAM, México, 1983, pp. 37-44.
Lagos, Ramiro, *Mester de rebeldía de la poesía hispanoamericana*, Ediciones dos Mundos, Madrid, 1973.
Lasarte, Francisco, «Pastoral and Counter Pastoral: The Dynamics of Belli's Poetic Despair», *Modern Language Notes*, 94 (1979), pp. 301-320.
—, «Más allá del surrealismo: la poesía de Alejandra Pizarnik», *Revista Iberoamericana*, 125 (1983), pp. 868-877.
Lastra, Pedro, «Las actuales promociones poéticas», *Anales de la Universidad de Chile*, 120 (1960), pp. 181-192.
—, «Muestra de la poesía hispanoamericana actual», *Hispamérica*, 11-12 (1975), pp. 96-107.
—, *Conversaciones con Enrique Lihn*, Universidad Veracruzana, Xalapa, México, 1980.
Lauer, Mirko, y Abelardo Oquendo, eds., *Surrealistas & otros peruanos insulares,* Llibres de Sinera (Ocnos, 2), Barcelona, 1973.
Lértora, Juan Carlos, «Sobre la poesía de Enrique Lihn», *Texto Crítico,* 8 (1977), pp. 170-180.
Libertella, Héctor, *Nueva escritura en Latinoamérica,* Monte Ávila, Caracas, 1977.
Lihn, Enrique, «Arte del *Arte de morir*: primera lectura de un libro de Óscar Hahn», *Texto Crítico*, 4 (1976), pp. 47-53.
Liscano, Juan, «Novísimos poetas de Venezuela», *Hispamérica*, 23 (1982), pp. 87-128.
—, «Venezuelan Poetry of Today», *Latin American Literary Review*, 12:24 (1984), pp. 36-44.
Magunagoicoechea, Juan P., «*Epigramas*, de Ernesto Cardenal», *Letras de Deusto*, 10 (1980), pp. 121-137.

—, «Ernesto Cardenal, poeta intercesor: "Oración por Marilyn Monroe"», *Kañina*, 6:1-2 (1982), pp. 29-35.

March de Ortí, María E., «Poesía y denuncia de Ernesto Cardenal, *Hora 0*. Estudio temático y estilístico», *Explicación de textos literarios*, 5 (1976), pp. 49-58.

Marín, Germán, «Enrique Lihn: literatura no invoco tu nombre en vano», *Camp de l'Arpa*, 55-56 (1978), pp. 67-69.

Mejía Duque, Jaime, *Momentos y opciones de la poesía en Colombia, 1890-1970*, Inéditos (Colección La Carreta), Bogotá, 1979.

Merton, Thomas, «Prólogo» a Ernesto Cardenal, *Vida en el amor*, Carlos Lohlé, Buenos Aires, 1970, pp. 1-6.

Montes, Hugo, y Mario Rodríguez Fernández, *Nicanor Parra y la poesía de lo cotidiano*, Editorial del Pacífico, Santiago de Chile, 1970.

Munier, Roger, «Palabras preliminares» a Roberto Juarroz, *Poesía vertical. Antología mayor*, Carlos Lohlé, Buenos Aires, 1978, pp. 7-16.

Nemes, Gabriela, «Entrevista a Óscar Hahn», *Prismal/Cabral*, 1 (1977), pp. 47-51.

O'Hara, Edgar, *Desde Melibea*, Ruray Editores, Lima, 1980.

—, «Pacheco: un momento en lo efímero», *Plural*, 12:1 (1982), pp. 15-22.

Orjuela, Héctor H., *Las antologías poéticas de Colombia: estudio y bibliografía*, Publicaciones del Instituto Caro y Cuervo (Serie bibliográfica, 6), Bogotá, 1966.

—, *Bibliografía de la poesía colombiana*, Publicaciones del Instituto Caro y Cuervo (Serie bibliográfica, 9), Bogotá, 1971.

Ortega, Julio, *Figuración de la persona*, Edhasa, Barcelona, 1970.

—, «Entrevista: Antonio Cisneros», *Hispamérica*, 37 (1984), pp. 31-44.

Otano, Rafael, «Los *Salmos*, de Ernesto Cardenal: la oración protesta del oprimido», *Mensaje*, 195 (1970), pp. 584-587.

—, «Ernesto Cardenal, entre la poesía y la profecía», *Mensaje*, 204 (1971), pp. 544-553.

Oviedo, José Miguel, «*Comentarios reales*», *Revista Peruana de Cultura*, 4 (1965), pp. 129-152.

—, «Cardenal en las ciudades perdidas», *Amaru*, 11 (1969), pp. 89-91.

—, «Ernesto Cardenal o el descubrimiento del nuevo mundo», en Ernesto Cardenal, *Homenaje a los indios americanos*, Editorial Universitaria, Santiago de Chile, 1970, pp. 9-18.

—, «José Emilio Pacheco: la poesía como *ready made*», *Hispamérica*, 15 (1976), pp. 39-55.

—, «Zurita, un "raro" en la poesía chilena», *Hispamérica*, 39 (1984), pp. 103-108.

Pailler, Claire, «Ernesto Cardenal: épigrammes romaines, épigrammes nicaraguayennes: fragments d'une autobiographie poétique», *Caravelle*, 36 (1981), pp. 99-120.

—, «L'épigramme nicaraguayenne: fondation et permanence d'une tradition», *Iris*, 3 (1982), pp. 55-57.

Palau de Nemes, Graciela, «La "poesía en movimiento", de Óscar Hahn», *Ínsula*, 362 (1977), p. 10.

Paoli, Roberto, «Razón de ser del neoclasicismo de Carlos Germán Belli», *Enlace*, 2 (1984), pp. 16-20.

Paz, Octavio, *Los hijos del limo*, Seix Barral, Barcelona, 1974, versión inglesa, *Children of the Mire: Modern Poetry from Romanticism to the Avant-Garde*, Harvard University Press, Cambridge, 1974.

Pizarnik, Alejandra, «Entrevista con Roberto Juarroz», *Zona Franca*, 52 (1967), pp. 10-13.

Prats Sariol, José, «La más reciente poesía cubana», *Universidad de La Habana*, 209 (1978), pp. 87-117.

Pring-Mill, Robert, «Introduction» a Ernesto Cardenal, *Apocalypse and Other Poems*, New Directions, Nueva York, 1977, pp. ix-xvii.

—, «Acciones paralelas y montaje acelerado en el segundo episodio de *Hora 0*», *Revista Iberoamericana*, 118-119 (1982), pp. 217-240.

Prodoscini, María del Carmen, *Las antologías poéticas argentinas, 1960-1970*, Instituto de Literatura Argentina Ricardo Rojas (Guías Bibliográficas, 10), Buenos Aires, 1971.

Promis Ojeda, José, «Espíritu y materia: los *Salmos*, de Cardenal», en Elisa Calabrese, ed., *Ernesto Cardenal: poeta de la liberación latinoamericana*, Francisco García Cambeiro, Buenos Aires, 1975, pp. 15-38.

Rivera, Francisco, «Mínima teoría del bolero», *Eco*, 218 (1979), pp. 207-212.

Rivera-Rodas, Óscar, *Cinco momentos de la lírica hispanoamericana: historia literaria de un género*, Instituto Boliviano de Cultura, La Paz, 1978.

Rodríguez-Alcalá, Hugo, «Sobre José Emilio Pacheco y "La poesía que sí se entiende"», *Hispamérica*, 20 (1978), pp. 45-58.

Rodríguez Fernández, Mario, y H. Montes, *Nicanor Parra y la poesía de lo cotidiano*, Editorial del Pacífico, Santiago de Chile, 1970.

Rodríguez Rivera, Guillermo, «En torno a la joven poesía cubana», *Unión*, 17:2 (1978), pp. 63-80.

Rodríguez Sánchez, Juan Gregorio, «Materialismo dialéctico-místico en un salmo de Ernesto Cardenal», *Revista de literatura hispanoamericana*, 6 (1974), pp. 51-70.

Rodríguez Sardiñas, Orlando, ed., *La última poesía cubana: antología reunida, 1959-1973*, Hispanova, Madrid, 1973.

Rojas, Waldo, «Lihn, ¿aún "poeta joven"?», *Atenea*, 417 (1967), pp. 209-213.

—, «A generation response to *The Dark Room*», *Review*, 23 (1978), pp. 25-30.

Rowe, William, «*Canto ceremonial*: poesía e historia en la obra de Antonio Cisneros», *Amaru*, 8 (1968), pp. 31-35.

Rubman, Lewis H., «A sample of José Emilio Pacheco, young Mexican poet», *Romance Notes*, 13 (1972), pp. 432-440.

Running, Thorpe, «La poética explosiva de Roberto Juarroz», *Revista Iberoamericana*, 125 (1983), pp. 853-867.

—, «Roberto Juarroz: Vertical Poetry and Structuralist Perspective», *Chasqui*, 11:2-3 (1983), pp. 15-22.

Russell Lamadrid, Enrique, «La poesía de Antonio Cisneros: dialéctica de creación y tradición», *Revista de Crítica Literaria Latinoamericana*, 6:11 (1980), pp. 85-106.

Sambrano Urdaneta, Óscar, *Contribución a una bibliografía general de la poesía venezolana en el siglo XX*, Universidad Central de Venezuela, Caracas, 1979.

Santana, Francisco, *Evolución de la poesía chilena*, Nascimento, Santiago, 1976.
Schaefer, Claudia, «A Search for Utopia on Earth: Toward an understanding of the literary production of Ernesto Cardenal», *Crítica Hispánica*, 4:2 (1982), pp. 171-179.
Schopf, Federico, «*¡Oh hada cibernética!*», *Anales de la Universidad de Chile*, 132 (1964), pp. 228-231.
Silva, Ludovico, «Decir de lo indecible: *Poesía vertical* de Roberto Juarroz», *Actual*, 1:2 (1968), pp. 111-124.
Smith, Janet L., *An Annotated Bibliography of and about Ernesto Cardenal*, Arizona State University, 1979.
Sola, Graciela de, «Roberto Juarroz y la nueva poesía argentina», *Cuadernos Hispanoamericanos*, 193 (1966), pp. 85-95.
Sologuren, Javier, *Tres poetas, tres obras. Belli, Delgado, Salazar Bondy*, Instituto Raúl Porras Barrenechea, Lima, 1969.
Sucre, Guillermo, «Poesía crítica: lenguaje y silencio», *Revista Iberoamericana*, 76-77 (1971), pp. 575-597.
—, «Roberto Juarroz: Sino/Si no», *Plural*, 27 (1973), pp. 48-51.
—, *La máscara y la trasparencia*, Monte Ávila, Caracas, 1975.
Tamayo Vargas, Augusto, *Nueva poesía peruana*, El Bardo, Barcelona, 1970.
Uriarte, Iván, «Intertextualidad y narratividad en la poesía de Ernesto Cardenal», en K. McDuffe, y A. Roggiano, eds., *Texto y contexto en la literatura iberoamericana*, Instituto Internacional de Literatura Iberoamericana (Memoria del XIX Congreso), pp. 327-330.
Valdés, Adriana, «Escritura y silenciamiento», *Mensaje*, 276 (1979), pp. 41-44.
Valdés, Jorge H., «The Evolution of Cardenal's Prophetic Poetry», *Latin American Literary Review*, 12:2-3 (1983), pp. 25-40.
Veiravé, Alfredo, «Ernesto Cardenal: el exteriorismo, poesía del nuevo mundo», en Elisa Calabrese, ed., *Ernesto Cardenal: poeta de la liberación latinoamericana*, Francisco García Cambeiro, Buenos Aires, 1975, pp. 61-105.
Villena, Luis A., *José Emilio Pacheco*, Editorial Júcar (Los Poetas, 67), Barcelona, 1985.
Xirau, Ramón, *Poesía iberoamericana. Doce ensayos*, Secretaría de Educación Pública (SepSetentas, 15), México, 1972.
—, *Mito y poesía: ensayos sobre literatura contemporánea de lengua española*, UNAM (Opúsculos, 78), México, 1973.
—, «Carta a Emilio Pacheco a propósito de *Islas a la deriva*», *Diálogos*, 72 (1976), pp. 37-38.
Yúdice, George, «The Poetics of Breakdown», *Review*, 23 (1978), pp. 20-24.
—, «*The Art of Speech:* Rhetoric and Literature in Latin America», *Review*, 29 (1981), p. 5.
Yurkievich, Saúl, *Fundadores de la nueva poesía latinoamericana: Vallejo, Huidobro, Borges, Girondo, Neruda, Paz*, Barral, Barcelona, 1971.
—, «Poesía hispanoamericana: curso y transcurso», *Caravelle*, 27 (1976), pp. 271-279.
—, *A través de la trama. Sobre vanguardias literarias y otras concomitancias*, Muchnik Editores, Barcelona, 1984.
Zaid, Gabriel, «El problema de la poesía que sí se entiende», *Hispamérica*, 18 (1977), pp. 89-92.

Iván Uriarte

LA POESÍA DE ERNESTO CARDENAL

La intertextualidad se presenta como el factor constructivo que más predomina en la poesía de Cardenal; pero, por otro lado, lo conversacional desempeña un papel de lenguaje directo que no puede ser desdeñado. Como por ahora es imposible establecer todos los componentes dinámicos —su estructura compleja— de la obra de Cardenal, quiero tan sólo señalar algunos aspectos de esa intertextualidad.

Una mirada de conjunto a la poesía de Cardenal nos muestra una variedad temática que va desde el poema lírico (*Epigramas*, *Gethsemany Ky*, *Oración por Marilyn Monroe y otros poemas*), histórico o documental (*El estrecho dudoso*, *Drake en los mares del sur*, *Squier en Nicaragua*, *Con Walker en Nicaragua*, *Raleigh*, *Greytown*, *Homenaje a los indios americanos*), reescritural (*Salmos*, *Apocalipsis*), hasta el poema abiertamente comprometido (*Hora 0*, *Oráculo sobre Managua*, *Canto nacional*). Como puede verse, la carga intertextual viene ya sugerida en los títulos de los poemas mismos, e incluso, transgrediendo el orden en que fueron publicados, podemos observar un enunciado poético, que a grandes rasgos sigue los movimientos del *Canto general* de Neruda: *Homenaje a los indios americanos* correspondería a los dos primeros cantos del *Canto general*; *El estrecho dudoso*, al canto tercero (y aquí habría que añadir todos los poemas históricos sueltos, que van desde los primeros tiempos de la colonia, *Drake en los mares del sur*, hasta un período posterior a la independencia de Centroamérica, como *Con Walker en Nicaragua*); La *Hora 0*, a «La arena traicionada», y *Oráculo sobre Managua* y *Canto nacional*, que serían los poemas (de

Iván Uriarte, «Intertextualidad y narratividad en la poesía de Ernesto Cardenal», en K. McDuffie, y A. Roggiano, eds., *Texto y contexto en la literatura iberoamericana*, Instituto Internacional de Literatura Iberoamericana (Memoria del XIX Congreso), Madrid, 1980, pp. 327-330.

algún modo comunicados con los *Salmos*) que dan cuenta de la lucha cruenta del pueblo nicaragüense en contra de la tiranía somocista sostenida por el imperialismo norteamericano. La carga intertextual que implica ese desplazamiento histórico está proyectada desde un ámbito geográfico bien delimitado: Centroamérica. Desde allí, Cardenal proyecta la problemática del Istmo como la problemática de América Latina. Así, pues, el texto coordinador-guía que mantiene el *leadership* del sentido total es la problemática sociohistórica de Centroamérica, lo cual nos está indicando no sólo la intención de enfocar una realidad en su totalidad, sino también lo intertextual como lugar ideológico.

Con el poema histórico (como *Raleigh, Con Walker en Nicaragua*), Cardenal pone en marcha la función poética de la *narratividad*. En realidad, la *narratividad* tiene muy poco que ver con el poema narrativo tradicional, y estos poemas son básicamente el principio de esa *narratividad*, o sea, a partir de un material elaborado —en este caso, la crónica histórica— para convertirse en una narración. No se trata de fabricar relatos (o de ponerse a contar historias, como en el caso de Prevert), sino de reducirlos a sus elementos esenciales por medio de la poesía. Es la poesía como ejercicio de comunicación, conservando lo esencial del relato. De este modo, la *narratividad* rompe la inmanencia en que estaba encerrada gran parte de la poesía latinoamericana.

Así, en los *Epigramas* —aunque no parecen conectarse con esos poemas históricos—, la carga intertextual está siempre presente, pero no para reproducir el texto, sino para transponerlo, adaptarlo, modificarlo. Además de operar como puente intertextual, anuncian una de las constantes de la poesía de Cardenal: la de la lucha política contra Somoza.

La experiencia de querer recuperar para la poesía una nueva dimensión narrativa se pondrá a prueba en el primer extenso poema de Cardenal: *El estrecho dudoso*. Crónicas, cartas de relación, testimonios, ordenanzas —como si se tratara de un texto de historia— entran en el poema conservando al máximo su fuerza original, o sea, tratando de mantener la vitalidad y potencia de los signos en el tiempo. Poema complejo, *mise en scène*, de las fuerzas dialécticas que, según Cardenal, pugnan desde ese entonces y someten Nicaragua y Centroamérica a cruentas tiranías. Pero en Cardenal no hay una actitud crítica como en el *Canto general* de Neruda, y ése es, a mi modo de ver, uno de los aspectos que la crítica debe esclarecer en esa serie de monólogos y descripciones que constituye a fin de cuentas *El estrecho dudoso*. La lucha contra la tiranía y la represión —Somoza es el César en los *Epigramas*, Pedrarias es Somoza en el *Estrecho*— es el hilo conductor que mantiene el liderazgo del sentido total de la intertextualidad en la obra de Cardenal. Ello es visible incluso en el conjunto de poemas posteriores al *Estrecho, Homenaje a los indios americanos*, donde hay una intertextualidad más manipulada, visible a través de una disposición tipográfica del verso muy similar [...] a los *Cantos* de Pound. El pensamiento indígena se convierte, a la luz de los descubrimientos arqueológicos y la valoración antropológica, en el nuevo modelo económico y social —hay aquí un lastre de las ideas económicas de Pound—, igual que la Edad Media y las sociedades antiguas chinas sirvieron de modelo a los *Cantos*.

En los *Salmos*, así como en *Apocalipsis*, la transposición es puesta al día, operándose una reversión de signos. El dispositivo transformador del texto logra su más alta densidad. La *Hora 0*, *Oráculo sobre Managua* y *Canto nacional* —poemas fuertemente vinculados por el montaje intertextual y la actualidad del tema— se convierten en el soporte ideológico de la realidad contemporánea, evidente en el uso intertextual del discurso oral, que, interpolado al texto extraliterario, tiene la efectividad y movilidad del póster, del filme documental, tal como Cardenal lo proclama en uno de sus más recientes poemas. De este modo, pues, podemos observar el intertexto como un factor constructivo, como un concepto cambiante, centro de esa *narratividad* que quiere enfocarnos y darnos una visión sólida y bien documentada de la realidad centroamericana.

Así, pues —señalada la importancia de la intertextualidad en la función poética de Cardenal—, habría que estudiar detenidamente, a la luz de los más recientes avances de la lingüística —la poética o la semiótica—, todos los aspectos que la intertextualidad plantea en la poesía del nicaragüense. Me refiero a problemas de tipo general, tales como el «encuadramiento», la «linearización», o particulares, como las figuras que la intertextualidad crea, tales como la «Intervención de la calificación» (evidente en *Los salmos* y en *Apocalypsis*), o cambios de nivel de sentido (como, por ejemplo, el realizado en el breve poema *Marcha triunfal*, en el cual el original esquema semántico del poema de Darío es reducido y encuadrado en un nuevo sentido). Después habría que precisar si lo conversacional, en tanto que factor constructivo, desempeña un papel independiente o subordinado a la intertextualidad.

Para finalizar quiero señalar cómo en la función de la *narratividad* el intertexto es también un indicador ideológico: el proceso de selección y de *mise en page*, así como las transformaciones e intervenciones en el nuevo texto, nos revelarían cómo su productor se sitúa frente a la realidad de su tiempo. Cualquier estudio de la poesía de Cardenal no puede obviar esa función político-social del poema, latente tanto en Cardenal como en la obra misma.

CARMEN FOXLEY

PARÍS, SITUACIÓN IRREGULAR DE ENRIQUE LIHN

La original y multifacética forma de escritura de *París, situación irregular* solicita una descripción inicial que dé cuenta de su atractivo y desconcertante arte escritural. Atractivo por su carácter lúdico y apelativo que nos insta a participar en una experiencia de lectura reordenadora y asociativa. Desconcertante, porque esa lectura y ese juego nos sorprenden y nos sacan de nuestros hábitos. Dar algunas sugerencias para esa lectura es lo que me propongo a continuación.

París, situación irregular es producto de la imaginación y la inteligencia, y de una emotividad angustiosa y retenida que se escapa a veces bajo la forma de caricaturas, ironías, alusiones, y se concreta, otras veces, en un lenguaje «gestual» y «mimético», creando un producto delirante y arquitecturado, y provocando una negra visión humorista. La sátira descarnada hace surgir la imagen de una cultura asfixiante, cuya percepción suscita el retraimiento del sujeto hasta su desaparición, y genera el involuntario proceso de recuperación y conservación de los fragmentos fundadores de su posible revitalización.

Bajo la apariencia de notas dispersas dejadas al azar en las páginas de un cuaderno, con el objeto de retener —al ritmo de la memoria— o tal vez —al paso en el recorrido— lo percibido en una transitoria estadía en París, los textos «sueltos» se ordenan en el espacio del texto, creando un magnífico ejemplo de escritura potenciada al máximo

Carmen Foxley, «Prólogo» a Enrique Lihn, *París, situación irregular*, Ediciones Aconcagua, Santiago de Chile, 1977, pp. 11-29 (16-21).

para producir el efecto de multiplicidad significativa. La escritura fragmentada, discontinua y citacional concreta, en parte, lo que esta obra quiere ser a nivel de composición y de lectura poética: un objeto polivalente hecho de lenguaje, resultado de superposiciones ocultadoras y desveladoras. La mirada oblicua del lector sigue el recorrido de una escritura que apuntando a un objeto mira simultáneamente a otro, que describiendo un objeto percibe más bien cómo aquélla describe a otro, a la vez que reflexiona acerca de cómo escribe, y acerca de lo que escribe, y así sucesivamente. La mirada del lector recorre de arriba abajo y oblicuamente fragmentos de escritura para captar lo dicho, a pesar de todo, y más allá de esos fragmentos.

Llama la atención cómo el despliegue del pensamiento reflexivo se interpone entre la realidad objetiva, descrita y narrada, y un sujeto virtual. Fugaces apariciones de un hablante apostrófico y conminativo, o bien de unos personajes precarios y desdibujados, como el del «extranjero neurótico», ataviado de un absurdo abrigo pasado de moda y su delirio de grandeza; o el «meteco», provinciano de una provincia de Ninguna Parte; o el ridículo «turista» esfumado entre los rubios alemanes visitantes, se asoman como las marionetas de la canción francesa —«dan tres vueltecitas y después se van»—, produciendo la impresión de entrometerse en un escenario donde el pensamiento reflexivo y las diversas escrituras tienen la palabra.

El caudal reflexivo sigue un ritmo gradual, intensificador y acumulativo, y avanza desde la estoica, la irónica hasta delirante manifestación de una situación de distanciamiento, ajenamiento o extrañeza. Esta situación se semeja a la de quien percibe su no pertenencia a un lugar, o su impedimento a participar «por haber perdido la voz», o «la tinta de la lapicera», o quedar reducido a la paralizante observación, tras el vidrio, de los extraños, fascinantes y grotescos peces de un acuario. Sin embargo, el desborde reflexivo no conduce a ninguna parte si sólo se le quiere ver como un intento sucesivo por «comunicar» en el lenguaje referencial de todos los días. En ese tipo de lenguaje se intenta representar por medios verbales una realidad no verbal (objetos) o incluso verbal (habla, escritura), pero con la exclusiva finalidad de establecer la comunicación entre los interlocutores. Situación comunicativa que no logra su cumplimiento en este texto. Pero es indudable que la representación subsiste, aunque fragmentada, interrumpida, inacabada; lo que nos mueve a intentar recomponer, reordenar y asociar las partes representativas entre las que intuitivamente captamos que hay alguna relación.

Cada fragmento parece ser la concreción diferente de lo mismo ya representado en el anterior. En cada representación repetitiva se incorpora un rasgo diferente volviéndola una copia con alguna variante, y así sucesivamente, hasta el vértigo. Las repeticiones llevan a repeticiones formando series, detenidas de tanto en tanto por característicos ¡alto! del ritmo sucesivo, «suspensiones» que atraen hacia sí toda la carga significativa ya desplegada en los fragmentos anteriores, produciéndose un efecto de condensación, de concentración —algo así como quedar sin aliento o fascinado—, tensión que se relaja hasta que nuevos fragmentos posteriores traigan múltiples variantes de lo mismo.

Hay que hacer notar que los fragmentos del texto fluctúan entre dos polos de representatividad. Los hay meramente asertivos, de carácter general, ya sea máximas o sentencias. Un nivel intermedio se manifiesta en las frases del comentario, y despliegan una imagen del hablante, hasta llegar al extremo de representatividad en las frases narrativo-descriptivas. Las primeras, por pertenecer a un contexto literario, pueden considerarse ideas del hablante; las segundas, su concreción mimética, y las últimas, concreción mimética de una imagen de mundo. Lo que asemeja estos discursos entre sí es la posibilidad que tienen de crear la ilusión de «ausencia de locutor». En las primeras por indicar a un orden de realidad diferente al del discurso, en las segundas por representar al hablante por medio de sus reflexiones acerca de sí mismo —lo que pasa por su memoria o la acción misma de escribir— y por último, porque en las frases descriptivas el lenguaje crea la ficción de presentar la cosa por sí misma para ser contemplada, proyectando una imagen mimética de mundo. Además, la abrumadora presencia discontinua de la carga ideológica y testimonial del hablante, propias de los dos primeros tipos de frase, parece interferir en la presencia de la imagen de mundo, transformando toda esa objetividad representada. De modo que la interacción de las escrituras sobre el espacio del texto suscita las transformaciones, y crea un lugar adecuado para ellas a medida de sus manifestaciones. Y si bien la obra intenta concretar una imagen del hablante, o la representación de su pensamiento, ambas posibilidades se destruyen por efecto de la disposición en el espacio del texto.

RAMÓN XIRAU

ROBERTO JUARROZ

Poeta lúcido, inteligente, hermético, Roberto Juarroz fue, durante bastantes años, un poeta de pequeñas minorías. Sigue siendo un poeta minoritario; lo cual no significa que deje de ser un extraordinario poeta. Su obra podría calificarse con dos palabras de estirpe cartesiana: claridad y distinción. Pero claridad y distinción son, en Juarroz, de signo inverso a las evidencias cartesianas. Descartes trató de revelarnos un mundo de esencias. Julio Cortázar sitúa la poesía de Juarroz en la tradición de las «ausencias» de Mallarmé, los «silencios» de Webern, las «antiesencias» de Macedonio. Mundo al revés que apunta a lo «otro» —¿no mundo?; ¿ausencia?— acaba por ser poesía de la ausencia y la otredad dentro de nuestro mundo.

Mundo «otro» que el nuestro; mundo distinto y aun inverso al mundo que percibimos, vivimos, gozamos y creemos conocer y sentir. Pero ¿qué significa la palabra «otro» cuando hablamos de un mundo inverso o contrario o simplemente distinto al nuestro?

Cuando nos referimos a «otro» mundo solemos pensar en un mundo que trasciende al nuestro y que, al trascenderlo, le otorga sentido. Así, el mundo de las Ideas platónicas, el Dios aristotélico, los tres postmundos eternos de Dante —Purgatorio, Infierno, Paraíso— son «otros» mundos. Pero la palabra «otredad» adquiere un sentido cuyos orígenes pueden encontrarse en los últimos diálogos platónicos. Cuando Platón dice que el ser es mucho pero que el no-ser es infinito, se está refiriendo a dos tipos de realidad tan reales una como otra: la realidad de lo definible en términos positivos y la realidad de lo definible por negaciones. Este árbol es un árbol y es definible como árbol; pero este árbol es también una no-esfera, un no-elefante, un no-triángulo, un no-amor. Los predicados de aquello que el árbol no es, constituyen indefinidas series infinitas. El árbol, idéntico a sí mismo —lo cual es «mucho»—, está, por así decirlo, infinitamente cercado por todo aquello que el árbol *no es*. Así, cualquier ente puede ser visto afirmativamente o negativamente; en ambos casos constituye una forma de

Ramón Xirau, «Roberto Juarroz», *Poesía iberoamericana. Doce ensayos*, Secretaría de Educación Pública (SepSetentas, 15), México, 1972, pp. 139-148 (139-147).

ser, puesto que todo aquello que este ente preciso no es, existe también en forma indefinida.

Esta antigua tradición platónica reaparece, variado su signo y su sentido, en la poesía moderna, en el arte moderno. Antonio Machado hablaba, desde *Juan de Mairena*, de la «esencial heterogeneidad del ser» y veía la realidad como oscilación constante entre lo «uno» y lo «otro». La tradición a partir de la cual se intenta crear un «no-mundo», puede encontrarse, como lo veía Cortázar, en Mallarmé, aun cuando los antecedentes sean mucho más antiguos y lejanos. Mallarmé lleva a cabo una suerte de duda cartesiana que le conduce a la ausencia, la nada, el «castillo de la pureza». Se suspende el mundo para que surjan los contornos de las cosas y para que en su centro las cosas manifiesten su ausencia, su corazón vaciado, su aniquilación. El poeta, anulador de mundos, quiere crear un mundo, y se encuentra con contornos cuya sustancia es la ausencia de sustancia; cuya sustancia insustancial es el vacío. ¿Vacío del poeta? Tal vez. Porque, en efecto, el poeta es tan sólo «una constelación». El castillo de la pureza no es el mundo de la plenitud; es el no-mundo —«lo otro»— que llamamos vacío, hueco, nada; un no-ser del cual, contrariamente al no-ser platónico, no puede decirse que se refiera a entidades existentes negadas en una definición infinita.

Y en este preciso punto concuerdo solamente a medias con una afirmación de Cortázar cuando escribe, acerca de la poesía de Juarroz, que constituye una «invención del ser». Diríase más bien que intenta constituirse en una «invención del no-ser» aun cuando esta invención negativa acabe por remitirnos al ser, al ser de este mundo, a «esto» y no a lo «otro», a la realidad encarnada que se ha pretendido desencarnar.

Hasta aquí, algunos antecedentes posibles (no es de pensar que a todos ellos tenga en cuenta Juarroz, poeta) de esta multiplicada *Poesía vertical*. Paso a analizar lo que me parece ser, específicamente, la experiencia del vacío, la ausencia, la otredad en la obra poética de Roberto Juarroz.

Esta experiencia se pone de manifiesto en la concepción poética del espacio y del tiempo; en la imagen poética del hombre y del primer hombre; en la vivencia intelectual de la Unidad.

«Crear espacio en un extremo / es crearlo en todos». Nada matemáticamente más exacto, nada poéticamente más verosímil. El espacio —espacio puro y homogéneo— puede nacer a partir de cualquier punto y a partir de cualquier punto será igualmente homogéneo. Así, un espacio «puro» —espacio nunca real pero siempre concebible— es a la vez totalidad y ausencia de totalidad: es y deja de ser. En un espacio de esta naturaleza —o, si se quiere, ausencia de naturaleza— la ley es la de la reversibilidad: ayer, mañana, hoy se juntan en un ahora que es, sin juego, un no-ahora, una ausencia de momento y punto. Por esto: «Los pájaros más duros de la tarde / solidifican una escala / para bajar al archivo del aire / y volar en la tarde de ayer».

Acabo de escribir dos palabras-clave: «momento» y «punto». Es que en un tiempo y un espacio ideales el momento del tiempo y el punto del espacio son prescindibles, inimaginables, desdibujables. Escribe Juarroz: «Y no tengo más tiempo que el que nunca fue tiempo» [y] «El centro no es un punto ... / ... El centro es una ausencia / de puntos, de infinito y de ausencia / y sólo se lo acierta con ausencia».

Punto, instante, cero, ausencia, se hacen sinónimos. Pero, sorpresivamente: «Sólo un cero es distinto de otro cero / y algo empieza a contar todo de nuevo desde esta diferencia». ¿Sorpresivamente? No del todo. Porque precisamente de las ausencias, los puntos-cero, los instantes-nada, puede nacer este nudo de relaciones y ausencias que son los hombres.

Hombre-caída, en primer lugar. En versos que, acaso con mayor frialdad en el lenguaje de Juarroz, recuerdan al Alberti de *Sobre los ángeles*, el mundo previo a la caída: «Antiguos gritos / que aún flotan como algas de sonido entre las cosas / se enredan en las costas de aire de mi pensamiento. / Los siglos se deshacen como granulaciones de olvido / y soy de nuevo el primer hombre».

Retorno a sí, retorno al hombre adámico en un tejido de relaciones (flotar, algas, algas de sonido), retorno a sí como pensamiento («costas de aire de mi pensamiento»). Se ha anulado el tiempo. Tan sólo para regresarnos al momento, al día, la hora de la caída [...]

Caída deseada, caída en la soledad del hombre primero y único; solitaria y primigenia creación del amor.

Pero el hombre («nadie él mismo» rodeado de «nadie») es en su brevedad, centro de referencias, centro de relaciones, comunidad acaso precaria de opuestos no menos precarios: «Lo que importa no es unir los cabos sueltos / sino sentir la experiencia terminal de sus extremos». Más que la unión de los opuestos lo que importa es el sentimiento carnal y vivo de la unión. Los «extremos»: «... se funden en nosotros / hasta convertirse en uno solo / y esto es lo que importa».

En nuestra vacuidad, en nuestra «nadería», se encuentran los «cabos sueltos». Hilos-cabellos se unen y reúnen en el cuerpo, en el pensamiento: «Hilos que vienen de afuera / me fabrican un gesto ... / ... ¿y yo soy únicamente el lugar donde el nudo es posible?».

No es probable que la poesía de Juarroz pretenda ser angélica ni demoníaca; pretende ser —por abstracta que a veces parezca o sea— humana. La fórmula del hombre no está de sobras: «Si toda la transparencia fuera un pulso / y todo lo demás una mano, / la fórmula del hombre sobraría».

Tejido de palabras, el hombre es presencia y ausencia como lo es la palabra: «La palabra es el único pájaro / que puede ser igual a su ausencia». Pero en ausencia, hueco y vacío, se ofrece, alguna vez, el mundo —o el anti-mundo; se ofrece la Totalidad: «Tan sólo algunas veces / el todo juega a todo. / La carne cerrada del silencio / suele entonces proyectar una mano».

¿En qué «consiste» esta totalidad? Juarroz quiere calificarla de unidad; unidad que procede del pensamiento: «Pensar dos cosas ya no es ser fiel, / lo mismo que pensar menos de una». Pensamiento, por lo demás, encarnado, pensamiento enamorado, porque «pensar es como amar».

Existe lo «otro» (a veces el doble de nuestro mundo, a veces el doble inverso de nuestro mundo, a veces la ausencia del no-mundo). Pero, nuestro pensamiento (amorosamente), nuestra mirada, como un «hilo» tocado por el mundo existe por participación: «Todo es un ojo abierto. / Y yo formo parte de ese ojo».

¿Mundo dudoso?; ¿participación que existe por quien en ella participa? Dubitativamente, Juarroz afirma ambas posibilidades.

Escribe: «Pero cuando el mío se cierre / ¿de qué formaré parte? / ¿de un ojo cerrado?». Escribe también: «La flor del universo / se desintegra en un perfume / más visible que lo visible». Lo «uno» y lo «otro» pactan. El poema es *Poema uno y otro*. De lo abstracto a lo concreto, de lo invisible a lo visible, el poeta desciende a nivel de las cosas.

ROBERTO PAOLI

RAZÓN DE SER DEL NEOCLASICISMO DE CARLOS GERMÁN BELLI

De los poetas peruanos de este siglo, dos principalmente se han quedado en la memoria de los lectores de poesía hispanoamericana: José María Eguren y César Vallejo. Dos autores que son dos mundos distintos. El primero de los dos lleva a disolución las formas propias del simbolismo, sirviéndose de una ironía y una parodia, un gusto de la demolición, que ya caben dentro de una actitud vanguardista por lo menos en el aspecto *destruens*. El segundo crea un lenguaje expresionista que comunica mensajes de angustia existencial y solidaridad social por medio de una escritura ustoriamente física, un lenguaje sólo definible por aproximaciones, casi inclasificable entre las poéticas de este siglo.

Algo común tienen, sin embargo, estas dos mónadas aparentemente incomunicadas: su instrumento expresivo es muy memorioso de ciertos patrones estilísticos del Siglo de Oro, aunque abundantemente vueltos a sumergir en un baño de linfas del todo contemporáneas. El *hinterland* clásico-barroco es visible en muchos de los mayores poetas hispánicos de este siglo, pero en los dos peruanos la lección de los clásicos del idioma es tal vez más sutil y penetrante. En superficie, la poesía de Eguren explota veneros contemporáneos (parnasianos, prerrafaelistas, simbolistas, postsimbolistas, franceses e hispanoamericanos), pero en los cimientos del estilo actúan modelos mamados con la leche. El romancero, el cancionero tradicional, las letras para cantar de Lope de Vega, el mismo Góngora (exótico, precioso, selecto), reviven en los versos del desatendido Eguren varios años antes de revivir en la poesía más sonada de Rafael Alberti o de Federico García Lorca. Respecto a Vallejo, un componente fundamental de su lenguaje poético es precisamente la renovada y genial utilización del riquísimo bagaje retórico del conceptismo hispánico (Quevedo, *in primis*).

Dentro de estas coordenadas es lícito situar a Carlos Germán Belli.

Roberto Paoli, «Razón de ser del neoclasicismo de Carlos Germán Belli», *Enlace*, 2 (1984), pp. 16-20 (16-18).

Antes, él lleva hasta las últimas consecuencias esa recuperación de lo clásico, ya que su mundo es manifestación de la radical divergencia y del choque entre la degradación humana en la sociedad contemporánea y los extintos códigos literarios e hiperliterarios que el poeta repone en actividad para comunicarla. [...]

Pero el fondo de sus versos está penetrado de la amargura de una derrota vital que es la interpretación subjetiva que el poeta le ha dado a su propia peripecia. De raíz autobiográfica son por tanto algunos de los temas principales: el mediocre empleo que ha sido el decepcionante arribo (o, mejor, naufragio) de la rebelión juvenil inspirada en el surrealismo; la lúcida consciencia de que no hay salida posible de la ingrata e ingratificante faena diaria que él percibe como una condena metafísica, no sólo como consecuencia de precisas condiciones sociales; además de eso, la desgracia, diariamente quemante, del hermano Alfonso, minusválido de nacimiento.

En todo caso, el motivo autobiográfico siempre es emblemático de una situación histórico-social general que es, en cierto sentido, la de las masas de empleados de nuestro siglo y, en mayor medida tal vez, la del Perú emergente de los años cincuenta y sesenta. El punto de observación es Lima, captada en la rutina de los empleados urbanos de bajos ingresos, un mundo que, debido a la movilidad social, se ha dilatado enormemente, integrado por grupos dominados, excluidos de una verdadera participación social, incubantes rencores y envidias cuando no son abiertamente competitivos y agresivos. Consecuencia de un sistema tan conflictivo es un deterioro moral que tiene su correspondiente en el deterioro material de la ciudad, que se ha convertido en una urbe sucia, contaminada, invivible. Belli la define «orilla fiera», «valle arisco», «Bética no bella», y con otras designaciones negativas, todas inspiradas en *Lima la horrible* de César Moro (que es también la epígrafe de *¡Oh hada cibernética!*), aunque Moro tal vez aludiera a otros aspectos de lo horrible.

El motivo de la exclusión es central en la poesía de Belli. Aunque se trate de una exclusión debida a factores histórico-sociales, está concebida siempre como exclusión metafísica, como un hado que ha producido la degradante condición empírica del poeta: trabajo burocrático alienante; dependencia de una clase dominante que sola tiene el privilegio del poder y del placer, cuyos símbolos son el auto Ford y las mujeres bellas. Condenándolo a la zaga, el hado le ha acarreado una serie de inhibiciones sociales, entre ellas una timidez que roza la afasia, algo así como un bloqueo psicológico que le impide cualquier avance y lo recluye en un conflicto íntimo sin posibles salidas.

Si la dependencia es la condición objetiva del poeta-amanuense, ella determina en él un profundo complejo de inferioridad, una sensación de insuficiencia, que se expresa por medio de una serie de símbolos e identificaciones: el hermano minusválido, el agostiniano *minus esse* de los animales, el minúsculo grano de arena y todo lo que está considerado en el mundo como *quantité négligeable*. En resumen, hay en Belli no sólo una identificación con el papel de la víctima, sino también una implícita polémica hacia la jerarquía natural de los seres, ya que ésta se configura como arquetipo y primera homología de la jerarquía social entre los hombres. Una locución belliana, muy repetida, «a la zaga», está encargada de comunicar la condición desagradable del que se encuentra en el fondo de la escala jerárquica.

La sensación de su propia ineptitud lleva al poeta a la sospecha de ser extraño e inoportuno en la sociedad y a la pregunta si es de veras legítima su presencia en el mundo o si no sería mejor que estuviera exento de este *principium individuationis* que es el cuerpo, para disolverse de nuevo en los elementos primordiales. La consideración del nacimiento, en esta trama existencial, tiene su étimo en Calderón de la Barca y en Schopenhauer, y se lo percibe como el primer error, como el verdadero pecado original: «pues el delito mayor / del hombre es haber nacido».

La existencia está rescatada, desde luego, por la poesía, pero no está rehabilitada del todo por medio de un lenguaje literario de nivel elevado que la ennoblecería y la falsearía. Está expresada, en cambio, por medio de otro lenguaje, en que se amalgaman dos niveles distintos y hasta opuestos, que la representan como su verdadero correlativo formal. Por ello el vistoso y casi descarado clasicismo de Belli sufre el impacto y el ultraje del basurero moderno que lo embiste de inmediato.

¿En qué estriba, principalmente, ese clasicismo? En recurrir a una verdadera *fictio* pastoril con nombres comunes y de personas, personificaciones y lugares, tomados de una codificación arcádica (*zagal*, *corzo*, *venablo*, *tórtola*, *dardo*, *Filis*, *Anfriso*, *Tirsis*, *Cloris*, *Austro*, *Aquilón*, *Betis*, *Bética*, etc.). Puede afirmarse igualmente que el léxico de la naturaleza (*soto*, *valle*, *risco*, *álamo*, *olmo*, *mirto*, *laurel*, etc.) forma parte, por lo general, de la misma codificación. Otros tópicos y alegorías que se remontan a la tradición literaria hispánica medieval-renacentista (el *locus amoenus*; el vasallaje a una hermosura que no se apiada de su amante; los hados adversos; el escarmiento y el desengaño, etc.) se revisten igualmente de un léxico rico en arcaísmos, en cultismos, en petrarquismos e hiperpetrarquismos; en una sintaxis con giros gongorinos como la elipsis y el hipérbaton, y otros recuerdos de las *Soledades* en las fórmulas sintácticas, pero también con soluciones en que lo literario se casa con lo coloquial limeño; en una métrica, por lo general, canónica y cerrada, aunque no exenta de intencionales cojeras en el uso del endecasílabo, que alterna los tipos regulares con otro que presenta expresivos desajustes entre prosodia y ritmo.

Según hemos dicho, con el ingrediente clásico se mezcla (y también expresivamente choca) un crudo material lingüístico, subrayadamente contemporáneo, tecnológico, químico e industrial: *robot*, *cibernética*, *hidráulico*, *supersónico*, *plexiglás*, *celofán*, *vitamina*, *antibiótico*, etc.; palabras que no sólo horrorizarían a los autores que por azar siguieran apegados al mundo y al idioma poético pastoril que Belli ha tenido la audacia y la insolencia de desenterrar, sino que también quedarían indigestas a muchos poetas contemporáneos que están perfectamente al día y en regla con nuestro siglo. No cabe duda de que la lección histórica de la vanguardia, de la que Belli se declara descendiente, aunque bastante indócil, sigue actuando en esa elección de un léxico violentamente moderno, sin olvidar la sugestión que pudo ejercer sobre él el *Pop Art*, cuya aparición es sincrónica con las primeras manifestaciones bellianas. Privativa de Belli es, en cambio, la violencia y la elaborada mixtura de elementos lingüísticos heterogéneos.

Con esos dos léxicos en oposición diametral se amalgaman otros léxicos especializados, más o menos intermedios, como el anatómico-fisiológico (*bolo, glándula, cordón umbilical, subcutáneo, pubis*, etc.), el alimentario (*las albóndigas, la tortilla, el picadillo, el filete, el solomillo, los huevos escalfados*, etc.), el económico-administrativo (*salario, fisco, amanuense, decreto*, *montepío*, etc.). Muchísimos más ingredientes se hallan en la mezcla de Belli, que deben guardarse para un estudio más analítico, aunque no deben dejarse de mencionar, ni en esta muy rápida ojeada, los elementos coloquiales, peruanos o generales o hasta inventados (*por quítame esas pajas, descuajeringándome, hasta las cachas, mal mi grado, de acá para acullá, a tutiplén*, etc.).

A disposición de Belli está, pues, un gran almacén lingüístico de materiales diferentes que él acerca, junta y conglomera en *juncturae* a veces elegantes, a veces intencionadamente estridentes, en todo caso expresivas en el contexto: *¡Oh hada cibernética!, férreo prado, supersónico aquilón, el pubis del motor, boca de lobo niquelada*, etc. Construye, de esta forma, un lenguaje muy personal, integrado por nomenclaturas y niveles muy diferentes, que constituyen con su amasijo y masa una nueva codificación, un sistema completo y cerrado, indisponible para nuevos injertos y aportes, decididamente autárquico y autófago, fundado en la repetición y variada combinación de un número delimitado y casi catalogado de elementos: un código condenado a una perenne variación y reagregación de sus unidades, que no puede abrirse, no puede renovarse, si quiere mantener inalterada su difícil y milagrosa naturaleza estilística.

La poesía belliana se presenta entonces como una movida combinatoria de un stock circunscrito y difícilmente acrecentable de piezas lingüísticas. De esta combinatoria es estructura y figura ejemplar la sextina, que obliga al poeta a quedarse dentro del marco de una semántica esencial, expuesta en la estrofa inicial una vez para todas y cuyo eje son las seis palabras-rima. Lo importante, sin embargo, es que dentro de esa combinatoria de elementos lingüísticos tomados de las nomenclaturas más heterogéneas, se verifica un proceso de extrañamiento y resemantización que sacude y vitaliza la inercia tecnológica del vocablo moderno, y quita las incrustaciones a las deslucidas dicciones literarias, sacando provecho expresivo hasta del polvo del tiempo.

¿Qué significado podemos atribuirle a esta mezcla semántica? Ante todo, vemos en ella una tentativa de redimir la condición insignificante, anónima, depresiva y alienada del hombre por medio de la poetización: la envidia más mezquina puede convertirse —debido a esa particular transmutación estética— en la musa predilecta de nuestro poeta. Sin embargo, lo que pasa es que la poetización ya no puede ser, a la altura histórica de Belli que es la de nuestro tiempo, un modo de heroización y sublimación tradicional. Se logra, en cambio, una mixtura agria, estridente, aunque milagrosamente coherente, aunque disimulada en las formas cerradas de la métrica más clásica; una mixtura corrosiva que alcanza, sin ningún patetismo, efectos de trágica ironía.

José Miguel Oviedo

JOSÉ EMILIO PACHECO: LA POESÍA COMO *READY-MADE*

[*No me preguntes cómo pasa el tiempo* (1969) inicia un segundo período en la obra de Pacheco.] Como buena parte de la poesía contemporánea, ésta de Pacheco es un cuestionamiento de la necesidad de la poesía, una consideración lacónica sobre la dificultad de escribirla y sobre la condición marginal del poeta. El poema resulta ser una transacción verbal, un compromiso aleatorio para salir del *impasse*: ante la alternativa del silencio o la confusión babélica de la retórica, el poeta opta por un decir escueto, como borrador, a medias entre la prosa y el verso, entre el análisis y la síntesis, profundamente marcado por la clara conciencia de su carácter efímero y absurdo. El acto poético se ha reducido a proporciones realmente angustiosas: un breve fulgor, quizá ilusorio, en medio de la oscuridad o la insensatez contemporánea. Ningún sentido de grandeza ni de realización lo alientan: nace del desencanto y naufraga en él. Una terrible sensación de fugacidad, pérdida y futilidad inspira estos versos secos y ardidos. La pulcra reserva emotiva de *El reposo del fuego* se ha convertido en un amargo estoicismo que se disimula tras una mueca de sarcasmo.

En *No me preguntes* ... hay numerosas reflexiones sobre la poesía y definiciones heterodoxas de ella. «Dichterliebes» es de las más ilustrativas:

> La Poesía tiene una sola realidad: el sufrimiento.
> Baudelaire lo atestigua; Ovidio aprobaría
> afirmaciones como ésta,
> la cual por otra parte garantiza
> la supervivencia amenazada de un género
> que nadie lee pero que al parecer
> todos detestan, como una enfermedad
> de la conciencia, un rezago
> de tiempos anteriores a los nuestros,

José Miguel Oviedo, «José Emilio Pacheco: la poesía como *ready-made*», *Hispamérica*, 15 (1976), pp. 39-55 (46-50).

cuando la ciencia suele disfrutar
el monopolio entero de la magia.

En el libro, sobre todo al final, hay como una urgencia por definir el oficio de poeta: «Legítima defensa» es una serie que contiene diversos planteamientos y respuestas al problema; estos son algunos: «Todo poema / es un ser vivo: / envejece.» («Sabor de época»); «Tenemos una sola cosa que describir: / este mundo.» («Arte poética I»); «Escribe lo que quieras. / Di todo lo que se te antoje. / De todas formas / vas a ser condenado.» («Arte poética II»).

Me parece muy revelador que estas artes, defensas y explicaciones aparezcan en una sección aparte presentada como «Apéndice: Cancionero apócrifo». En efecto, tales textos no están firmados por José Emilio Pacheco, sino atribuidos a dos poetas mexicanos: Julián Hernández y Fernando Tejada. Se trata de máscaras poéticas, de «heterónimos» creados a la manera de Pessoa, a través de los cuales, de manera oblicua y secreta, el autor se observa escribir y comentar lo que escribe. Pacheco inventa para ellos convincentes biobibliografías y cronologías que guardan una relación sutil con las auténticas suyas; dice, por ejemplo, que los versos de Julián Hernández «intentan y a la vez logran expresar poéticamente la visión de un *outcast*, la amargura sarcástica de un perpetuo excluido que contempla la vida literaria —y la vida *tout court*— con quebrantada y a la postre estéril ironía»; y su obra toda es calificada de «nimia curiosidad de la literatura mexicana que tal vez no sea del todo inútil rescatar». Tejada, nos informa luego, «parece un continuador de Julián Hernández, a quien seguramente nunca leyó».

En el siguiente libro, *Irás y no volverás* (1973), hay una sección titulada «Aproximaciones» [...], precedida por un epígrafe de Julián Hernández que es una variante del famoso *dictum* de Lautréamont: «La poesía no es de nadie: / se hace entre todos». Este epígrafe se convertirá, rápidamente, en una convicción profunda de la última poesía de Pacheco, en su rasgo más radical e, irónicamente, más innovador. La existencia del «Cancionero apócrifo», la invención de Julián Hernández y de Fernando Tejada, las citas que citan otras citas, son también formas veladas de ejercer la autocrítica y de replantearse la candente cuestión de la poesía. «Crítica de la poesía» se llama precisamente un texto que ensaya uno de tantos exámenes del asunto:

(La perra infecta, la sarnosa poesía,
risible variedad de la neurosis,
precio que algunos hombres pagan
por no saber vivir.
La dulce, eterna, luminosa poesía.)

Quizá no es tiempo ahora:
nuestra época
nos dejó hablando solos.

Esta época ha derogado el concepto de la poesía y el papel del poeta frente a ambas: las palabras y las cosas han cambiado de significado. De hecho, ¿quién sabe hoy qué cosa es poesía? ¿Cuáles son sus límites y cuáles sus poderes? Hay una profunda confusión en la noción y aplicación del término: los viejos sistemas clásicos de referencia se han vuelto obsoletos pero no los hemos reemplazado por otros, con validez suficiente; decimos «Poesía» y sentimos que estamos tocando un vacío, algo que sólo intuimos. En *No me preguntes* ... hay una propuesta muy concreta al respecto:

Entonces debe plantearse a la asamblea una redefinición
que amplíe los límites (si aún existen límites),
algún vocablo menos frecuentado por el invencible desafío
de los clásicos. Una palabra, pocas sílabas,
un nombre, cualquier término (se aceptan sugestiones)
que evite las sorpresas y cóleras de quienes
—tan razonablemente— ante un poema dicen:
«Esto ya no es poesía».

(«Disertación sobre la consonancia»)

El libro mencionado señala el comienzo de un proceso estético extremadamente interesante por su conexión con otros ilustres antecedentes del arte contemporáneo. La poesía de Pacheco, escéptica de su propio valor, hipercrítica, se apoya en una convicción iconoclasta: escribir la poesía no puede ser sino *reescribirla*, repetirla insinuando alguna variante que le dé alguna justificación y actualidad. Al proceder así, el gesto individual del poeta se inscribe en el marco de una tradición y la prolonga, reinterpretándola. El concepto de la «paternidad» de la obra poética, la posibilidad de ser «originales», quedan así en entredicho, lo que es consecuente con el epígrafe de Hernández-Pacheco-Lautréamont. (En el último libro del autor, *Islas a la deriva*, encontramos otro epígrafe de Julián Hernández que advierte sobre el peligro opuesto que eso entraña: la engañosa facilidad de la poesía tiende a generar una sobreabundancia: «Nadie resiste fotografiar la catarata o, en el peor caso, arrojar al torrente unos cuantos versos».)

El poema llegará a ser para Pacheco el resultado de un acto estético por el cual simplemente se selecciona y rescata un texto ajeno y ya perfectamente absorbido, neutralizado por la tradición; o la apropiación, mediante una inscripción insólita, de un lugar común del lenguaje cotidiano, de la publicidad, de la cultura popular; o aun la descolocación, sin modificación alguna, de un objeto literario o real respecto de su contexto habitual. Mediante este arte de la elección precisa, la cita subversiva y la glosa discordante, el autor ha convertido la poesía en una especie de *ready-made*, un producto cuyo mérito no está en ningún dudoso acto creador, sino en su impacto como *trouvaille* y en su hábil manipulación. El poeta no es un pequeño dios, sino alguien que meramente *da a ver*, reanimando las zonas muertas del lenguaje y salvando la literatura de volverse del todo indiferente para la sensibilidad contemporánea: un restaurador verbal, un mediador, un intérprete. Sus poemas cumplen una función semejante a la de los *ready-made* de Duchamp o los *collages* de Max Ernst en el campo del arte: formas de obtener la anomalía y la novedad a través de la reproducción.

Esa es la razón de la importancia que el autor concede a la tarea de la traducción y del destacado lugar que ésta ocupa dentro de su obra poética personal. Tres de sus cuatro libros de poemas contienen una o dos secciones dedicadas a poesía traducida; lo singular es que esas «aproximaciones» o «lecturas» no ocupan un nivel aparte dentro del conjunto, ni están tipográficamente diferenciadas: los poemas ajenos son también «suyos»; o, mejor dicho, no hay nada que él pueda llamar «suyo»: sus mismos poemas, ¿qué son sino versiones de otros poemas? Lo que escribe ahora, ¿cuántos ya lo han escrito antes? ¿Es posible escribir poesía que no sea un diálogo con los poemas que uno ha leído? Si Pacheco es un poeta notable, es sobre todo porque es un lector atento, voraz y lleno de discernimiento; su obra es, en cierta manera, una antología formada por la reescritura de sus lecturas —un nuevo texto que se sobreimprime en otros textos preexistentes. (En este sentido, cabría considerar que la «obra poética» de Pacheco no sólo comprende los títulos que recogen sus poemas, versiones y traducciones, sino los libros específicos de crítica y traducción poéticas que el autor ha publicado aparte. Su contribución a la mencionada *Poesía en movimiento*, su antología *La poesía mexicana del siglo XIX* (1965), la excelente *Antología del modernismo* (1970), y aun sus versiones del *De profundis* de Wilde (1975) y de *El cerco de Numancia* (1974), intentan poner en circulación un material que fertilice el trabajo poético propio o de otros, que amplíe el conjunto de obras y poemas dignos de memoria que existen en español. Lectura, traducción, creación, crítica, divulgación; todas esas actividades son medios de producción de nuevos textos.)

ENRIQUE LIHN

ARTE DEL *ARTE DE MORIR*, PRIMERA LECTURA DE UN LIBRO DE ÓSCAR HAHN

A Hahn le habría correspondido entre otras alternativas —desde el punto de vista de los lenguajes de grupo— repetir o aprender los recursos de la antipoesía o quizás la de alinearse entre los jóvenes poetas «láricos», los cuales se dieron un tiempo en abundancia desde Lautaro a Magallanes y, naturalmente, en Santiago de Chile, la capital que estimula las nostalgias provincianas y en la que éstas son literariamente capitalizadas o formalizadas. Nada más que tres años menor que Jorge Teillier, Óscar Hahn no tiene nada en común con él ni con otros poetas de los lares o afines (Rolando Cárdenas u Omar Lara). Ni con Efraín Barquero. Tampoco sus escritos permiten afiliarlo al surrealismo en su versión nacional (surreachilismo), aunque su poesía cite por allí un buen verso de Braulio Arenas.

¿Se trata entonces de un joven sin familia textual y/o contextual, de un caso fuera de serie? ¿Estoy incurriendo en el trasnochado elogio de una originalidad? Nada de ello, así lo espero. Como en cualquier otro caso, se puede anotar respecto de Hahn su inclusión por parentesco con una cierta historia regional de la poesía. Desde este ángulo —no pretendo probar influencias sino efectuar un corte y probar un montaje—, Hahn tiene un

Enrique Lihn, «Arte del *Arte de morir*: primera lectura de un libro de Óscar Hahn», *Texto Crítico*, 4 (1976), pp. 47-53 (47-51).

cierto parecido con otros dos poetas mayores que él (y también incluso con Armando Uribe Arce), y que, como él, no provienen de los grandes «antepasados inmediatos», según la expresión de Nicanor Parra. Pienso primeramente en Alberto Rubio, cuyo único libro publicado —*La greda vasija*, 1952— aparte de sus méritos intrínsecos prefigura la presencia ulterior de Vallejo en la poesía chilena, y de Rosenmann Taub —también desaparecido de la circulación editorial—, el único autor de poesías que remontó, en su tiempo, ostentosamente, las aguas (o el cauce seco en su caso) del modernismo, esa corriente literaria que parecía haber muerto en los primeros poemas de Vallejo, la Mistral, Neruda y otros, al ser absorbidas sus últimas materias de sedimentación, residuales.

Pasando a lo mismo en otro nivel, me gustaría probar que Óscar Hahn —poeta «modernista»— colma, desde adentro, otra de las lagunas que el modernismo en su versión histórico-literaria (con Darío, Lugones, Herrera y Reissig y otros) no supo cubrir, sino superficialmente.

No se trata de regresión sino de una evolución genuina, y para acotarla fallan seguramente los esquemas generacionales y los criterios usuales de historia literaria. Para mí, todos los méritos que puedan atribuirse —y con razón— a la pléyade modernista, compensan sus limitaciones, pero no tendrían por qué ocultarlas. Fenómeno de transculturación, el modernismo tiene un lado tan imprevisible respecto de su modelo como puede ofrecerlo, por ejemplo, el barroco americano; pero en el caso del modernismo, el impremeditado desvío de las normas proviene tanto de la complejidad intelectual o intelectualista de las mismas, cuanto de la notoria incapacidad de los modernistas para adelantarse, en suma, a los trabajos de su generación.

Darío entendió bien a Verlaine; Lugones a Laforgue; José Asunción Silva —acaso— a Edgar Allan Poe; pero ninguno de ellos fue más allá de la referencia al uso en relación a Mallarmé o Rimbaud; y Darío sólo atinó a parodiar o calcar las lamentaciones semiadmirativas de León Bloy o Remy de Gourmont sobre el caso —lamentable para ellos— de Isidore Ducasse, el loco.

La verdadera lectura y escritura (escrilectura) del simbolismo francés y de sus alrededores, productiva de la palabra con futuro del fin de siglo, se hizo en Hispanoamérica originalmente —en el doble sentido de un retorno original a los orígenes— en y a través de *Trilce* y de las *Residencias*. La madurez poética de la Mistral, muy posterior, no pasa por el círculo de los poetas malditos, pero marca el lenguaje poético de un casticismo que luego ha resultado —como en su caso— productivo para la poesía moderna hispanoamericana. Es decir que virtualmente no hizo falta aprender a Lautreámont o Rimbaud, desde la ortodoxia surrealista hispanoamericana para acercarse antes a ellos y a otros por obra, en lo esencial, de las escrituras de Vallejo y Neruda, que en tal sentido cumplen en profundidad con el trabajo fallido o superficial del modernismo. De aquí viene, a lo mejor, la eficacia de una poesía nueva, ligada al surrealismo, como la que han hecho en Venezuela los ex integrantes de El Techo de la Ballena. Y viene esa eficacia también, es claro, de estímulos que provienen no sólo de la historia literaria sino de la amplia intertextualidad del mundo.

En el caso de Óscar Hahn, su poesía se encuentra en el espacio al que convergen las fuerzas que he procurado señalar. Las lecturas del joven Vallejo son las suyas (Villon, Rimbaud, entre otros). «Su» Rimbaud no es el de los surrealistas sino, más bien, uno inmediato y directo como el de Neruda. Mientras que su surrealismo —el de un discurso antiautomático, concentrado en una voluntariosa tarea de manipulación retórica de los significantes y de su materialidad escritural— se articula con formas de expresión artístico-literarias estrictamente contemporáneas que admiten, entre sus procedimientos, el reprocesamiento de viejos materiales de lectura combinados de nuevo como en la actividad del *bricoleur*. Y no exactamente la parodia sino el doblaje mimético de esos materiales.

Así, por ejemplo, para empezar por lo más sencillo, un verso de Hahn en «Invocación al lenguaje» remite a Garcilaso de la Vega (Égloga I): «de tanta esquividad y apartamiento»; así como muchos otros implican una relectura espontánea, una memoria involuntaria del Siglo de Oro: «entréme y encontréme padecer» («Ciudad en llamas»), «O púrpura nevada o nieve roja» (Góngora), «Al son de un suave y blando movimiento» («Gladiolos junto al mar»).

Estas son en la acepción normal y también en otro sentido las citas textuales, o que lo son por aproximación premeditada. Otros procedimientos afines que marcan una cierta relación «original» de texto a texto son: la afición a los largos epígrafes ante los cuales los textos de Hahn, espejeantes, proceden a doblar o mimar el «modelo» así ausente por obra de su originalidad repetitiva.

En «Reencarnación de los carniceros», la extensa cita preliminar del *Apocalipsis* de San Juan se llena de materiales inferidos de la Biblia, pero que no la glosan sino que «biblifican» desde ángulos inesperados: «y vi que los carniceros al tercer día / al tercer día de la tercera noche / jugaban con siete dados hechos de fuego»; o «se reencarnaban en toros, cerdos o carneros». Por otra parte, un texto puede confirmar el carácter profético de otro, constituyéndose aquél como *cita original* de una antigua (o sagrada) escritura.

No se trata de comentar (literariamente) o de noticiar el cumplimiento de tal o cual hecho prefigurado por y en la palabra escrita (de repetir, de alguna manera, que todo lo imaginario es real). Se trata de instalarse en un cierto mecanismo de la escritura desde el cual ella y la profecía son una misma cosa, en un cierto sentido. A esta operación se acerca glosante, pero no ya descriptivo, el poema «Visión de Hiroshima», el cual tiende a constituirse en el modo de una especie de *repetición original* de un texto sánscrito milenario («Arrojó sobre la triple ciudad un proyectil único, cargado con la potencia del universo»). Lo que viene después de este epígrafe lo deniega en cuanto tal, o al menos se configura desde un primer reconocimiento y/o manipulación de la escritura como instancia deshistorizadora que, por lo mismo, profetiza hacia el pasado reinscribiéndose, en este caso, en el *Mamsala Purva*, texto sánscrito milenario o no, que bien podría haber sido inventado para la obtención del mismo efecto concerniente a la profeticidad de la palabra escrita.

Al ceder a la instancia de una textualidad profética, la «visión» o la textualidad profética que Hahn maneja [no puede generar un nuevo texto inspirado en el *Apocalipsis* de San Juan]; pero probablemente desde ese momento la escritura deja de hibridarse con la repetición expresa de textos tales o cuales referidos a un fin de mundo para gozarse en su propia y misma catastroficidad.

La escritura es una catástrofe que se goza, una muerte que se vive, una operación que así produce monstruos lingüísticos en el modo de los signos y del sentido como «cualidad» de un mundo, aunque significante no significado. Como los síntomas del neurótico, esos signos parecen procurar o ser satisfacciones sustitutivas. Ello ocurre en el *Arte de morir*, un «mortuorio crecimiento» orgiástico, unilibidinal, en que el texto se engendra a sí mismo al modo de un cuerpo verbal dotado —como tal cuerpo— de zonas erógenas.

No es así por obra de la atracción externa de un tema o motivo que Eros y Tanatos se entremezclan allí donde estos textos brotan de dicho encuentro, autoengendrándose. Tal cosa ocurre a nivel de la escritura o desde ella.

«El emborrachado» podría ejemplificar «expresamente» la aparición —materialización textual de esta especie de muerte orgiástica, en el círculo de una escritura que se autofecunda y prolifera en sí misma hasta extenuarse libidinizada. El tema recuerda el de la danza de la muerte medieval —igualitaria y democrática— o hasta quizá («Y el vino con ropa de fraile / también es la muerte que espera ...») el acento desacralizador que envolverá a la autoridad religiosa en la órbita del humanismo. Pero lo que quiero señalar es la relación interna entre la mortalidad febricitante y el erotismo de los desplazamientos textuales, de los desórdenes que ocurren, materialmente, en la medida en que las palabras surgen unas de otras y se contaminan mutuamente —paronomasia, homofonía, aliteración y también, lisa y llanamente, rima— realzándose, a través de estas operaciones, el *cuerpo verbal* de la escritura: la llamada «función del significante en la génesis del significado» (Lacan): el *saltar* de los *saltimbanquis* sobre los *oros* y los *orines*, lo repiten los *timbaleros* (de timbanquis) sobre los inferidos timbales que se distorsionan en puercoespines (de orines); y el verbo *titiritando* (que condensa saltando, titiritero, tiritar) que se desprende de las anteriores palabras de sonido parecido y que tiene otro tipo de parentesco con orines (semántico) es el adecuado para denotar la acción pasiva, sórdida y ciega de esos borrachines (de orines) que son los titiriteros (de titiritando), los cuales insurgen así materialmente, del trabajo textual mismo, en un discurso que oscila —borracho— o muere al desarrollarse al mismo tiempo en un doble, híbrido proceso a la vez metafórico y metonímico o que se desliza desgarrado entre los dos modos de desarrollo, por sustitución y contigüidad.

Otros escritos posteriores exacerban lo que, en suma, puede acotarse como una instancia transgresora en lo que respecta a la ley del discurso, o bien como el cumplimiento del ejercicio poético transgresor. Lo que en cualquier caso juega aquí un papel de importancia es la vindicación de la escritura como una especie de juego erótico y mortal de la palabra que abandona el campo de su vacuidad inmaterial —el de los significados— encarnándose en la materialidad verbal, exponiéndose así a la muerte gesticulante del cuerpo, al goce de la experiencia carnal, significante.

E. RUSSELL LAMADRID

LA POESÍA DE ANTONIO CISNEROS

Consciente del proceso creador y de su tradición literaria, Cisneros se identifica cuidadosamente con la ayuda de ironía, citas y alusiones, como un creador entre creadores, definiendo poéticamente su intertextualidad, y alineándose por medio de una perspectiva original y única por una serie de relaciones poéticas con las figuras literarias e históricas de su «linaje». Como creador consciente y público, reconoce críticamente sus propios antecedentes y precursores, estableciendo relaciones íntimas pero irónicas con ellos en el espacio sintético de su poesía. Rinde homenajes, a veces desmitificadores y subversivos, que en suma forman un sistema de caminos que empiezan y terminan con la persona poética de Cisneros. Las determinaciones de este estudio tendrán así un apoyo textual en la misma poesía de Cisneros con ampliaciones ocasionales, basadas en una entrevista, la crítica y las extrapolaciones de este investigador.

Como poeta latinoamericano y peruano, Antonio Cisneros es consciente de la sombra dejada por la presencia clave de César Vallejo. Cisneros se hace cómplice y partícipe del proceso crítico e histórico en el poema: «En defensa de César Vallejo y los poetas jóvenes» (*Agua que no has de beber*). En otras ocasiones ha expresado sus opiniones en cuanto a Vallejo y su influencia sobre la poesía peruana, pero aquí en el medio poético cristaliza y sintetiza su posición. Mide exactamente su relación hacia no sólo Vallejo, sino también hacia la crítica oficial y sus procesos jerarquizantes de reconocimiento y consagración. Curiosamente, no hay glosas ni comentarios; el poema entero es un *bricolage* estratégico de citas y anécdotas. Declara con desafío en una nota al poema que «no hay frase o palabra de este poema que me pertenezcan». Desde la posición que asume entre líneas, la presencia crítica de Cisneros ejerce una polémica sin palabras. Recogidos y alternados en el poema aparecen trozos de la partida de bautismo, el anuncio de la muerte de Vallejo y las respuestas de cincuenta años de crítica oficial. Esta sorprendente yuxtaposición revela irónicamente los aspectos casi ritua-

Enrique Russell Lamadrid, «La poesía de Antonio Cisneros: dialéctica de creación y tradición», *Revista de Crítica Literaria Latinoamericana*, 6:11 (1980), pp. 85-106 (86-89).

les de exorcismo y consagración. Comparten el mismo lenguaje hueco y chato del registro oficial que falla tan miserablemente en su supuesta función de grabar el paso de una vida humana. El lenguaje del bautismo es característicamente neutral y rutinario: «Yo el cura compañero bauticé, exorcisé, / puse óleo y crisma según el orden de Nuestra Santa Madre Iglesia / a un niño de sexo masculino, de dos meses / a quien nombré César Abraham».

Pretende ser objetivamente biográfico pero a costo de borrar el verdadero origen de Vallejo, el desdichado hijo de cura. El lenguaje crítico trata de escapar de su neutralidad pero la violencia frustrada de sus exorcismos con la insipidez de sus consagraciones subraya su invalidez:

Y es un genio,
un adefesio,
una gaita,
una ocarina,
un acordeón.
(*Agua que no has de beber*)

Clemente Palma rechaza la poesía de Vallejo con estas mismas palabras [citado en A. Coyné, 1958]. Luego, el mismo Coyné (p. 254) en un encomio se muestra incapaz de acertar en qué consisten esos:

Versos sonoros
de fibra
policromos
y de un lirismo rotundo,
llenos de talento
de fervor lírico
y de un lirismo rotundo.

Mientras tanto Cisneros, entre líneas, silenciosamente se burla de todo a través de su tarea editorial: «es como cuando usted se echa un chicle a la boca. / La crítica social» (*Agua que no has de beber*). Repletos de su autosuficiencia estancada, los críticos aparecen como una especie de clerecía literaria. Vallejo declara su independencia de este sistema paternalista de reconocimiento literario que asigna jerarquías dentro de su pequeño reino, a la exclusión de toda imaginación e innovación. Eran insensibles a que a Vallejo, «a quien le faltaba un tornillo», también le faltaba «pedantería, / mayor solemnidad, / retórica, / las mentiras y las convenciones / de los hombres que nos preceden» (*Agua que no has de beber*).

Cisneros defiende a Vallejo y a los poetas jóvenes de estos «vicios de viejos». La juventud significa la falta de experiencia con estas convenciones muertas y a lo menos encarna la posibilidad de crear independientemente de influencias. Esto implica un acercamiento a Vallejo no como poeta oficial y consagrado, sino como poeta joven, independiente de toda sobrecarga crítica. Es importante señalar que la anécdota que aparece en el poema es el encuentro famoso del joven Vallejo con el aristocratizante poeta peruano, Abraham Valdelomar, quien, altivo y frío, apenas le tiende la mano diciéndole: «Ahora ya puede decir en Trujillo que ha estrechado usted la mano de / Abraham Valdelomar».

Cisneros mide las distancias irónicas entre estas citas y, sin editorializar ni añadir una palabra propia al debate, aclara su perspectiva como poeta peruano y joven. La simpatía irónica de la última línea, «Simpatía. / Y simpatía» es más que un eco estilístico de Vallejo. Indica que Cisneros ve en su poesía algo más que simplemente, «Este positivo valor de la literatura nacional...», otro juicio de Coyné. El tono autoritario de la crítica académica es así puesto en un relieve que revela su superficialidad. Cisneros se niega a participar como crítico o a añadir otra glosa a la voluminosa palabrería de la crítica vallejiana. Como editor de citas hace destacar irónicamente las contradicciones de un proceso que menosprecia la originalidad del poeta joven, que es incapaz de reconocerla, y que entierra la vitalidad del poeta después de su consagración y muerte con las alabanzas fáciles.

En el contexto de una entrevista [Cevallos, 1967 *a*] Cisneros reitera en términos más concisos la misma preocupación, pero con referencia a la poesía peruana en general. De las polémicas centrales de la literatura peruana hace hincapié en el mismo conflicto, defendiendo a Vallejo: «conflictos irreconciliables entre sociales y puros, elitistas y mayoritarios, han pasado a cuarto plano; más bien parece desenterrarse la reyerta entre vitales y académicos».

La rica herencia vallejiana vive más plenamente en manos de las nuevas generaciones de poetas que en las jerarquías críticas de la academia. Alberto Escobar [1973] aún sugiere que cada etapa estilística de Vallejo inicia una corriente correspondiente en las siguientes generaciones de poesía peruana. Por ejemplo en *Trilce*, «la fractura de la unidad y simetría ... la oposición de la libertad creativa y el enclaustramiento que padece el ser humano ... la desestructuración del lenguaje, la celebración del vacío», sirven como punto de partida del vanguardismo peruano que incluye a Carlos Oquendo de Amat, Xavier Abril, Emilio Adolfo Westphalen, Javier Sologuren y Carlos Germán Belli. En *Poemas humanos*, dice que «la recomposición de la unidad, la incorporación del acontecer político y la visión utópica de la historia humana se equilibran con un tono que deja el absurdo para humanizarse y disolverse en el contexto comunal». Alejandro Romualdo y Gonzalo Rose siguen esta línea por dos vías distintas y evitan sus contradicciones. Pero el propósito aquí no es una simple búsqueda de supuestas influencias literarias. La dialéctica de creación y tradición es mucho más compleja. Aunque los poetas de la misma promoción de Cisneros niegan la influencia vallejiana, sólo el hecho de ser poetas latinoamericanos escribiendo en el siglo XX implica alguna relación con la presencia ubicua de Vallejo. Al reconocer la centralidad de la dialéctica de creación y tradición, Cisneros se dirige a la necesidad de definir en qué consiste esa relación. A la vez toma una nueva posición en cuanto a la polémica de poesía pura y social. Su acercamiento a Vallejo muestra la nueva preocupación de lo académico contra lo vital.

6. JORGE LUIS BORGES (1899-1986)

WALTER D. MIGNOLO

En Buenos Aires y en la calle Tucumán 840 nace Jorge Luis Borges, el 24 de agosto de 1899, concebido por Leonor Acevedo Suárez y Jorge Guillermo Borges Haslám. En 1901, la familia se muda a la calle Serrano 2135, en el Barrio de Palermo, barrio que Borges compartirá con su biblioteca. Tiene quince años cuando su familia se traslada a Europa (Ginebra, Lugano, Mallorca, Sevilla, Barcelona y Madrid). Regresa a Buenos Aires en 1921, donde fijará su residencia, sólo interrumpida por viajes cada vez más frecuentes al exterior. Si bien ha publicado ya algunas páginas en Madrid, asociado con el grupo ultraísta, es su regreso a Buenos Aires el verdadero inicio de su carrera de escritor. La larga trayectoria de su vida se la debemos al recorrido trazado por Rodríguez Monegal [1978], en el cual se interrelacionan, por un lado, los acontecimientos de su vida privada con las etapas de su creación literaria y, por otro, se elabora la significación del accidente sufrido por Jorge Luis Borges la noche de Navidad de 1938 (ver también Anzieu [1971]). Si en este caso la vida se literaturiza, su muerte (en junio de 1986, en Ginebra) culmina un proceso inverso en el cual la literatura se vivifica: «Borges y yo» y «La doble muerte» adquieren nuevos sentidos al ser contemplados junto al hecho de que Borges elige morir en Ginebra (lugar en el que nace como escritor) en vez de hacerlo en Buenos Aires (lugar en el que nace como persona).

Las características generales de su obra están resumidas y analizadas en el libro ya clásico de Barrenechea [1957]. La reciente bibliografía anotada de Foster [1984] completa el primer elenco de materiales que permiten una rica y generosa entrada en la obra borgiana. Entre las ediciones de las obras del propio Borges, que nos entregan una visión de conjunto, destacan las *Obras completas* (Emecé, Buenos Aires, 1974) y *Obras completas, 1923-1972* (Ultramar, Madrid, 1977). Ambas ediciones tienen el mismo contenido y el mismo número de páginas y ambas se deben al cuidado de Carlos Frías. La edición de sus *Obras completas en colaboración* (Emecé, Buenos Aires,

1979), facilita la lectura de aquellas piezas borgianas no siempre de fácil acceso. Pese a las dificultades de trazar fronteras genéricas para ordenar la obra de Borges, se acepta comúnmente tanto la dificultad como la comodidad de dividirla en lírica, ensayo y relato en prosa. A esta tripartición genérica conviene agregar su distribución diacrónica a lo largo de más de medio siglo de constante producción. Hay aquí también consenso en aceptar tres grandes etapas en su obra. La primera etapa, que se extiende aproximadamente desde 1920 hasta 1930, registra tres libros de poemas: *Fervor de Buenos Aires* (Proa, Buenos Aires, 1923; otra ed., Emecé, Buenos Aires, 1969), *Luna de enfrente* (Proa, Buenos Aires, 1925) y *Cuaderno San Martín* (Proa, Buenos Aires, 1929; otra ed., Emecé, Buenos Aires, 1969, contiene *Luna de enfrente*); y tres libros de ensayos, *Inquisiciones* (Proa, Buenos Aires, 1925), *El tamaño de mi esperanza* (Proa, Buenos Aires, 1926) y *El idioma de los argentinos* (M. Gleizer, Buenos Aires, 1928). Los primeros libros de poemas se han recogido en su conjunto, en *Poemas (1922-1943)* (Losada, Buenos Aires, 1943). Mientras que los libros de poemas han sido reeditados, no lo han sido los ensayos. *El lenguaje de Buenos Aires* (Emecé, Buenos Aires, 1963-1965 y 1968-1971), con J. E. Clemente, tiene dos ediciones que varían entre ellas y sólo incorporan en parte el contenido de la primera edición. Esta primera época cuenta con una bibliografía más o menos extensa en lo que respecta a su obra lírica. Tenemos, en primer lugar, el comentario y la opinión de sus contemporáneos. El estudio de Ibarra [1930] tiene el interés particular de provenir de alguien que ha vivido de cerca los movimientos poéticos de vanguardia y su manifestación particular en Buenos Aires. Su estudio sobre la nueva poesía argentina y sus relaciones con el ultraísmo incluye un capítulo especial dedicado a Borges. Menos analítico pero no menos interesante es el corto artículo que Lange [1927] le dedica a Borges en las páginas de la revista *Martín Fierro*. A pesar de la presencia de De Torre en Buenos Aires en la década del 20 y la familiaridad que todos le conocemos con los movimientos de vanguardia y con el propio Borges, muy tardíamente contribuye al conocimiento de esta época (De Torre [1964]) aparte de las páginas que en su momento [1926] le había dedicado a *Luna de enfrente*. Otros testimonios pueden encontrarse en la selección publicada por Alazraki [1976]. Más recientemente ha contribuido al conocimiento de esta época Meneses [1978]. Por otra parte, los estudios de Scrimaglio [1974] y de Running [1981], sobre la vanguardia argentina, dedican un capítulo a la obra poética del primer Borges. Es necesario agregar, a este elenco, el clásico libro de Videla [1963], en el cual estudia el movimiento ultraísta y las relaciones de Borges con la poesía de vanguardia. El ensayo de esta época ha sido menos afortunado, en la atención que se le ha dedicado, que la poesía. Nos falta, en suma, un estudio de conjunto de esta época como así también un estudio detallado de sus primeros ensayos, que prefiguran, sin lugar a dudas, vindicaciones y refutaciones de sus ensayos posteriores; de lo cual, «Indagación de la palabra», «La fruición literaria» y «Elementos de preceptiva» (*Sur*, 1933), son claros ejemplos. La reciente edición de textos publicados por Borges en revistas y periódicos, entre 1936 y 1939, es sin duda una importante veta para releer la producción borgiana del período (véase Rodríguez Monegal y Sacerio-Gari [1986]). Un estudio particular de esta época nos podría ofrecer un panorama de sus lecturas capitales, lecturas que, por un lado, lo distinguen específicamente de los escritores de su generación y, por otro, constituyen la base de su labor futura en la medida en que una de sus convicciones es la necesidad de la constante relectura de unos pocos libros fundamentales («Nadie puede leer dos mil libros. En los cuatro siglos que vivo no habré pasado de una media docena. Además no importa leer sino releer», *El libro de arena*, 1975). Algunas útiles observaciones se encuentran en el libro de Ferrer [1971].

Si bien, entre 1930 y 1960, la obra lírica de Borges decrece, recobra su importancia a partir de 1960 y se continúa hasta nuestros días. En este año Borges publica *El hacedor* (Emecé, Buenos Aires, 1960) y al año siguiente su primera *Antología personal* (Sur, Buenos Aires, 1961), en la que selecciona fundamentalmente poemas. A estas obras siguen *El otro, el mismo* (Emecé, Buenos Aires, 1964), *Para las seis cuerdas* (Emecé, Buenos Aires, 1965), *Elogio de la sombra* (Emecé, Buenos Aires, 1969), volumen en el cual, al igual que en *El hacedor*, reúne piezas en verso y cortas piezas en prosa. Un nuevo libro de poemas, *La rosa profunda* (Emecé, Buenos Aires, 1975), aparece en 1975, y de 1981 es *La cifra* (Emecé, Buenos Aires, 1981). A partir de 1943 hasta la fecha, las ediciones en las cuales se reúne una colección de poemas de varias épocas se suceden. Las más completas hasta la fecha son *Obra poética, 1923-1969* (corregida y aumentada, Emecé, Buenos Aires, 1972[9]), *Obra poética, 1923-1976* (ed. dirigida y realizada por C. Frías, Emecé, Buenos Aires, 1977). Mientras esta edición contiene 514 páginas, la reedición de 1981 se extiende a 565 páginas. Reeditada en Madrid (Alianza-Emecé, Madrid, 1979), el número de páginas es de 508.

El «retorno» borgiano a la poesía, después de un largo paréntesis ocupado fundamentalmente por la prosa narrativa y por el ensayo, ha sido estudiado por Gertel [1967, 1970, 1977]. En cuanto a la obra lírica de Borges, Borges como poeta y su situación en relación al panorama de la lírica hispanoamericana, contamos con los estudios respectivos de Sucre [1967] y Yurkievich [1973]. Un estudio temático dedicado fundamentalmente a poner de relieve la topografía y la historia de la ciudad de Buenos Aires y los avatares del tiempo es el realizado por Albert Robatto [1972]. En cuanto al análisis lingüístico-semiótico de algunos de sus poemas, es necesario señalar los trabajos de Arrimondi Pieri y Schumpp Toledo [1970], Cúneo [1979] y Buxó [1982].

La obra narrativa en prosa, en particular aquella que comienza en mayo de 1939 y después del accidente (del cual contrae una septicemia) con la publicación de «Pierre Menard, autor del Quijote», y culmina en octubre de 1953 con la publicación de *El sur* (cuento en el cual se tematiza el accidente), es la que más atención, nacional e internacional, ha recibido. Los cuarenta y siete cuentos publicados durante esta época son recogidos en dos volúmenes: *Ficciones* (Sur, Buenos Aires, 1944), volumen en el cual se incluye *Artificios*, y en las ediciones más tardías se incluye también *El sur* y, luego, *El aleph* (Emecé, Buenos Aires, 1956; 1971; Alianza, Madrid, 1971; 1974). Esta etapa no agota, sin embargo, la obra narrativa en prosa. En 1928, Borges publica un cuento, *Hombres que pelearon*, que recoge luego en *El idioma de los argentinos* (Gleizer, Buenos Aires, 1928). La versión corregida de este cuento lleva el título de *Hombre de la esquina rosada* y se incluye en la edición de sus cortas biografías ficticias en prosa, *Historia universal de la infamia* (Tor, Buenos Aires, 1935; Alianza, Madrid, 1978[3]), que publica en 1935. Las correspondencias entre los relatos contenidos en este volumen y la obra narrativa posterior de Borges han sido puestas de relieve por Molloy [1979] y por Alazraki [1983]. Molloy ha notado también las correspondencias entre las biografías ficticias contenidas en *Historia universal de la infamia* y el «modelo» de la biografía que Borges había puesto en práctica en 1930 en su *Evaristo Carriego* (Gleizer, Buenos Aires, 1930; otras eds., Emecé, Buenos Aires, 1969; Alianza, Madrid, 1976). Las observaciones más iluminadoras sobre este libro se las debemos quizás al análisis emprendido por Ferrer [1971]. Si la etapa central de la prosa narrativa de Borges tiene sus antecedentes tiene también sus consecuentes. Así como Borges insiste en la necesidad de la relectura, es evidente que también insiste en lo inevitable de la reescritura. *El informe de Brodie* (Emecé, Buenos Aires, 1970; otra ed., Alianza, Madrid, 1974) se intuye fundamentalmente como una reescritura de sus relatos anteriores a 1939; en tanto que los cuentos recogidos en *El libro de arena* (Emecé, Buenos Aires, 1975; 1981; Alianza, Madrid, 1981) y los dos relatos recogidos en *Rosa y Azul* (Sedmay, Madrid, 1977), tienden hacia una reescritura de algunos de sus cuentos comprendidos entre 1933 y 1939. Si bien toda la obra de Borges, desde sus primeros años es una constante reescritura (véase el ejemplo de «La poesía gauchesca», «Ascasubi» y «El Martín Fierro», analizado por Ferrer [1971]), en los últimos años parece orientarse no a la reescritura de frases o fragmentos sino de piezas enteras. Alazraki [1968, 1977] ha dedicado dos extensos estudios a la obra narrativa en prosa. En el primero de ellos, consagrado al estudio de los temas y del estilo, sobresalen los análisis de este último; en el segundo de los estudios mencionados, el autor se consagra a poner de relieve una pauta subyacente en los relatos de Borges y que Alazraki encuentra textualizada en el espejo. Este estudio, junto con el detallado análisis de Antezama [1978], constituyen los dos mayores ejemplos de las posibilidades ofrecidas por el análisis estructural del relato practicado en la obra de Borges. El temprano estudio de la alusión en la obra narrativa de Borges, de Christ [1969], puede contemplarse hoy como un adelanto de las correspondencias trazadas entre la obra de Borges y los principios críticos establecidos por las modernas reflexiones sobre el lenguaje. En esta misma línea son singularmente relevantes los artículos de Barrenechea [1975], de Rosa [1969], de Jitrik [1971] y el libro de Paoli [1977]. Igualmente interesantes son los estudios de Wheelock [1969] y de Crossan [1976]. Mientras que el primero se apoya en una concepción mítica para analizar no sólo los resultados de las ficciones borgianas sino también el acto mismo de escribirlas, el segundo establece no menos inesperadas que interesantes comparaciones entre el discurso bíblico y el discurso borgiano. No menos conocedor de los principios estructurales y generativos en el análisis literario que de los principios hermenéuticos en los que se apoya la exégesis bíblica y de las nuevas ideas introducidas por Thomas Khun en la filosofía de la ciencia, Crossan estudia comparativamente los discursos de Borges y de Jesús en el nivel del juego, de la estructura, de la parodia, la parábola y la paradoja; y culmina con una comparación de la *persona* de Borges con la *persona* de Jesús (Crossan entiende por «persona» —siguiendo a Hirsch— una conjunción de intención y personalidad). Serio a la par que imaginativo, el ensayo de Crossan es quizás hasta hoy el libro más sugestivo que se ha escrito sobre las ficciones borgianas. Importa consignar, finalmente, que entre los estudios de la prosa narrativa borgiana, ofrecen un panorama introductorio y general los estudios de Stark [1974], Sturrock [1977] y Bell-Villada [1981].

El ensayo, al contrario de la lírica y la prosa narrativa, ha recibido mucho menos atención por parte de los estudiosos de la obra borgiana. Si bien los ensayos son muy a menudo contemplados en el análisis de la lírica o la prosa narrativa, no contamos con un extenso y detallado estudio de este importante aspecto en la obra de Borges. Hemos mencionado, ya, los tres libros de ensayo que publica entre los años 1920 y 1930. En la década siguiente da a la imprenta dos nuevas colecciones: *Discusión* (Gleizer, Buenos Aires, 1932; otra ed., Alianza, Madrid, 1976) e *Historia de la Eternidad* (Viau y Zona, Buenos Aires, 1936; otra ed., Alianza, Madrid, 1978). Los ensayos escritos a partir de esa fecha, contemporáneos a su gran etapa narrativa, los recoge en un volumen que titula *Otras inquisiciones* (Emecé, Buenos Aires, 1952; otra ed., Alianza, Madrid, 1981). En 1982, y con una introducción de Barnatán, se recogen *Nueve ensayos dantescos* (Espasa Calpe, Madrid, 1982). Algunas aproximaciones a esta vertiente de la obra borgiana las ofrece Rodríguez Monegal [1964], y Alazraki [1970, 1971] se propone destacar aquello que de particular tienen los ensayos borgianos. Stabb [1981], conocido especialista en el género, ha dedicado también un estudio a los ensayos de Borges. Xirau [1976] ha indagado el fondo filosófico y Omil de Piérola [1970] ha estudiado la continuidad temática y estructural entre los ensayos y la prosa narrativa. Ferrer [1971] ha puesto de relieve el «arte de zurcir» el ensayo; y, con ello, nos ha mostrado en detalle una de las «novedades» de la escritura borgiana.

Si bien lírica, ensayo y prosa narrativa son los aspectos más sobresalientes en la obra de Borges, ella no se agota, sin embargo, en estos tres géneros. Cuáles son las relaciones y cuál la significación de la obra borgiana que no pertenece a las tres categorías arriba mencionadas, es un aspecto que ha sido poco explorado. Veamos primero en qué consiste ese «resto» de producción borgiana para preguntarnos luego sobre posibles modos de leerla. Borges ha publicado un número significativo de «introducciones» a diversas literaturas, la mayoría de ellas han sido escritas en colaboración y son el resultado de algún curso universitario o de una conferencia que luego ha sido sujeta a revisión y expansión. Así publica en México y en 1951 el primero de estos libros: *Antiguas literaturas germánicas* (Fondo de Cultura Económica, México, 1951), en colaboración con Delia Ingenieros; en 1965, *Introducción a la literatura inglesa* (Columba, Buenos Aires, 1965), en colaboración con María Esther Vázquez; en 1967, *Introducción a la literatura norteamericana* (Columba, Buenos Aires, 1967), en colaboración con Esther Zemborain de Torres; y en 1966, *Literaturas germánicas medievales* (Falbo Librero, Buenos Aires, 1966), en colaboración con María Esther Vázquez. Con anterioridad a esta fecha ha publicado, también en colaboración, dos libros de temas argentinos: *El «Martín Fierro»* (Columba, Buenos Aires, 1953) con Margarita Guerrero, y *Leopoldo Lugones* (Troquel, Buenos Aires, 1955; con bibliografía de E. Cozarinsky, Pleamar, Buenos Aires, 1965[2]), con Betina Edelberg. En Londres y en 1964, se publican dos conferencias dictadas en 1963: *The Spanish Language* y *El gaucho Martín Fierro* (Hispanic & Luso Brazilian Councils, Londres, 1964). Con Alicia Jurado, escribe uno de los manuales introductorios de la editorial Columba: *¿Qué es el budismo?* (Columba, Buenos Aires, 1976). ¿Cómo clasificar esta notoria producción borgiana? ¿Es parte de sus ensayos? ¿Pertenece a su «obra literaria» o debemos mejor considerarla como obra de circunstancia? ¿Estas piezas están dirigidas a la misma audiencia a la que está dirigida su obra lírica, ensayística y narrativa o se dirige a otra audiencia? ¿Son otros o los mismos los propósitos de Borges al escribir en torno a Walt Whitman o al introducir a la literatura norteamericana?

Las piezas anteriores no son las únicas que Borges ha escrito en colaboración. La «nadería de la personalidad» que anuncia desde temprano parece ponerla constantemente en práctica al ejercer una escritura en la cual el sujeto (o su «personalidad») se pierde y se confunde con el otro. Diversas son las instancias y los medios por los cuales Borges relega su propia escritura en la búsqueda de una experiencia compartida en la cual un tercer sujeto se apropia de la palabra. Me estoy refiriendo, claro está, a las obras de don Honorio Bustos Domecq y de B. Suárez Lynch. Bustos, sabemos, proviene de un bisabuelo cordobés de Borges en tanto que Domecq de un bisabuelo de Bioy Casares. En el caso de Suárez Lynch, Suárez proviene de la familia de Borges y Lynch del lado irlandés de la familia de Bioy. Bustos Domecq publica, en 1941, su conocido *Seis problemas para don Isidro Parodi* (Sur, Buenos Aires, 1941) y, en 1946, *Dos fantasías memorables* (Oportet, Buenos Aires, 1946; otra ed., Edicom, Buenos Aires, 1971, con prólogo de H. J. Becco). Veinte años más tarde Borges y Bioy pasan a ser antólogos de la obra de Domecq. En 1967, publican las *Crónicas de Bustos Domecq* (Losada, Buenos Aires, 1967) y, en 1977, *Nuevos cuentos de Bustos Domecq* (Librería de la Ciudad, Buenos Aires, 1977). La carrera literaria de Suárez Lynch no ha sido tan afortunada como la de Bustos Domecq. Aquélla comienza y termina en 1946, con la publicación de *Un modelo para la muerte* (Oportet & Haereses, Buenos Aires, 1946; otra ed., Edicom, Buenos Aires, 1970). Libro que, para detrimento de la fama de Suárez Lynch, está prologado por Bustos Domecq.

Borges ha sido un gran antólogo. De tal manera que cuando, en 1967 y en 1977, junto con Bioy publica los cuentos de Bustos Domecq tiene ya una experiencia en la edición de antologías, que comienza en 1926 con la publicación de un *Índice de la poesía americana* (Sociedad de Publicaciones El Inca, Buenos Aires, 1926). Sus colaboradores son Vicente Huidobro y Alberto Hidalgo. Once años más tarde colabora con don Pedro Henríquez Ureña (con quien, además, tendrá una admiradora amistad) en una *Antología clásica de la literatura argentina* (Sudamericana, Buenos Aires, 1937; 1976[5]). Su colaboración con Bioy Casares comienza en 1940 con la publicación de la ya clásica *Antología de la literatura fantástica* (Sudamericana, Buenos Aires, 1940; 1976[5]); antología que indirectamente prologa e introduce la ficción narrativa en prosa que ambos producirán a partir de 1940. Silvina Ocampo se agrega al binomio para publicar, en 1941, una extensa *Antología poética argentina* (Sudamericana, Buenos Aires, 1941). Las antologías de Borges junto con Bioy Casares se suceden a partir de estas fechas: en 1955, publican *Cuentos breves y extraordinarios* (Raigal, Buenos Aires, 1955; Losada, 1976) y la también clásica *Poesía gauchesca* (Fondo de Cultura Económica, México, 1955, Biblioteca Americana), que acompañan con un extenso prólogo. Finalmente, debemos anotar que no sólo ha sido antólogo o editor de un personaje imaginario como Bustos Domecq, sino que ha llegado a ser antólogo de sí mismo. Su primera *Antología personal* (Sur, Buenos Aires, 1961) se publica en 1961. Y su *Nueva antología personal* (Emecé, Buenos Aires, 1971), en 1971. ¿Dónde clasificar el *Manual de zoología fantástica* (Fondo de Cultura Económica, México, 1957), que publica junto con Margarita Guerrero, en México y en 1957 y que se convierte en *El libro de los seres imaginarios* (Kier, Buenos Aires, 1967), en 1967? ¿Es una antología ficticia? ¿Ficción en prosa? «Zoología fantástica» y «Seres imaginarios» nos remiten a la ficción fantástica y al concepto que de ella tiene Borges. Además, son demasiado evidentes como para ignorarlas, las relaciones entre el orden clasificatorio adoptado en el «manual» y en el «libro», por un lado, y el orden clasificatorio de «cierta enciclopedia china» recordada por el doctor Franz Khun («El idioma analítico de John Wilkins», *Otras inquisiciones*, 1952), por el otro. Si esto es así, entonces este libro propone su propia clasificación: pertenece a todas y a cualquiera de las clasificaciones imaginables.

Un «género» que Borges ha cultivado con creciente énfasis aproximadamente desde 1960 es la *conversación*. Proporcionalmente, desde 1960 hasta la fecha, los libros de «entrevistas» a y con Jorge Luis Borges superan y en mucho cualquiera de las otras categorías de la producción borgiana. La bibliografía de Foster [1984] documenta 75 (!) entrevistas, publicadas algunas en revistas y la mayoría de ellas como libros, en un lapso de veinticinco años. Algunas de entre ellas, *Diálogos* (Borges-Sábato, Emecé, Buenos Aires, 1976), Carrizo [1982], Charbonnier [1967], Barstone [1982], Burgin [1969], Di Giovanni [1973], Irby [1968], de Milleret [1967], Ocampo [1969], Sorrentino [1973] y Vázquez [1977]. Si bien estas conversaciones son comúnmente citadas para iluminar este o aquel aspecto de algún verso, de alguna estrofa, de alguna proposición contenida en sus ensayos o de algún juego narrativo en sus cuentos, no se ha reflexionado sobre la importancia y la significación de *la conversación* en tanto «género». Este género de las cortes, género de los salones, género de los clubes, género, últimamente, defendido por una filosofía de base hermenéutica más que epistemológica, es quizás en Borges, el género de mayor interés en su producción última.

De esta vasta producción borgiana no tenemos, como ya ha sido mencionado, interpretaciones sustanciales que hayan puesto de relieve su significación y las relaciones con la lírica, la prosa narrativa y el ensayo (me refiero a los libros de ensayos citados más arriba), desde *Inquisiciones* (1926) hasta *Otras inquisiciones* (1952). Contamos, sin embargo, con varios artículos que indagan en la obra narrativa en prosa en colaboración con Bioy Casares: Rodríguez Monegal [1947, 1971] se ha ocupado de *Dos fantasías memorables* y de *Un modelo para la muerte*; más tarde el mismo Rodríguez Monegal [1981] se ocupa de las relaciones intertextuales entre la única novela publicada por el padre de Borges (*El caudillo*) y el segundo de los relatos mencionados. Alazraki [1970], por su parte, ha estudiado en detalle las *Crónicas de Bustos Domecq* y Mac Adam [1980] se ha ocupado de *Un modelo para la muerte*. Un destacado trabajo sobre la «parodia» en *Seis problemas para don Isidro Parodi* es el de Cossío [1980]. Fell [1976] ha establecido una interesante comparación entre la biografía de Evaristo Carriego y las *Crónicas de Bustos Domecq*. Sobre el binomio Borges-Bioy han escrito Levine [1977] y Yates [1982]. Gogol [1975] le dedica unas pocas páginas a *El libro de los seres imaginarios*; Deschamps

[1972] y Lupi [1967-1972] se ocupan, la primera de la recepción literaria, y el segundo de la taxonomía en *Manual de zoología fantástica*. En este rápido panorama de las obras «marginales» de Borges es necesario mencionar las relaciones de Borges con el cine estudiadas por un crítico y realizador cinematográfico, Cozarinski [1974].

Si nos proponemos una mirada de conjunto de la crítica borgiana podemos concebirla en términos semejantes a aquellos por medio de los cuales Borges mismo concibe la traducción. En efecto, al referirse a *Los traductores de las mil y una noches* y a las traducciones del capitán Burton y de Mardrus cita y comenta un párrafo de la traducción del segundo que apoya su argumento: «Las versiones de Burton y de Mardrus ... sólo se dejan concebir *después de una literatura*. Cualesquiera sus lacras o sus méritos, esas obras características presuponen un rico proceso anterior. En algún modo, el casi inagotable proceso inglés está adumbrado en Burton ... En los risueños párrafos de Mardrus conviven *Salambó* y Lafontaine, el *Manequí de Mimbre* y el *ballet* ruso». Tanto en la traducción como en la crítica lo que ellas presuponen es un horizonte de expectativas que las motiva y las hace legibles para la audiencia a la que están dirigidas. La crítica sobre Borges, hasta 1960, quizás con la única excepción del libro de Barrenechea [1957], presupone un debate ideológico sobre lo que es o lo que debe ser la literatura argentina (Bastos [1974]). Los estudios más significativos sobre Borges entre 1955 y finales de la década de 1960 se apoyan en los principios estilísticos que gobiernan, en ese entonces, la crítica literaria (Barrenechea [1957], Alazraki [1968]). A partir de 1970, aproximadamente, entramos en una nueva etapa en la cual la crítica literaria sigue las orientaciones trazadas por el *new criticism* y por las nuevas corrientes críticas desprendidas de la tradición rusoeslava, puestas al día por el estructuralismo practicado principalmente en Francia. Esta etapa, a la cual ya nos hemos referido someramente, no sólo ha orientado la crítica hacia la necesidad de subrayar la estructura de las obras sino que, también, ha abierto un campo más amplio de reflexiones en torno al lenguaje. En estas reflexiones, que caracterizan un amplio espectro del pensamiento moderno (de la lingüística a la filosofía del lenguaje, de la filosofía de la ciencia a la hermenéutica, de la gramatología a la arqueología del saber, de la antropología a la crítica literaria, de la semiótica a la lógica de las lenguas naturales), la obra de Borges se ha convertido en un lugar obligado de referencia tanto de filósofos del lenguaje como de filósofos de la ciencia, de antropólogos como de psicólogos, etc. Es de esta significación interdisciplinaria de su obra y de los comentarios que la han convertido en tal, de la que nos ocuparemos en la parte final de este capítulo.

La «modernidad» a la que he aludido en el párrafo anterior puedo especificarla acudiendo a una expresión de Richard Rorthy: «textualismo». Rorthy entiende por textualismo lo siguiente. En el siglo XIX, hubo filósofos que argumentaron a partir de la creencia de que lo único existente son las *ideas*. En nuestro siglo la tendencia dominante de la filosofía y de la crítica literaria (y, claro está, de la literatura misma) es la de proceder bajo la creencia de que lo único existente son los *textos*. Si Derrida es, para Rorthy, un ejemplo paradigmático también lo son, en literatura, Borges y Nabokov. La filosofía para Derrida no es, sostiene Rorthy, un pensamiento que busca revelar cómo es el mundo y, para ello, se sirve del lenguaje, sino que la filosofía se concibe como una escritura sobre otras escrituras, textos que comentan otros textos. En esta creencia se basa la distinción conceptual que se establece entre el libro y el texto. Mientras que en un caso el libro se concibe como una unidad en la cual pueden organizarse las ideas que dicen la verdad del mundo, el texto se concibe de manera semejante a redes que se tejen y se destejen continuamente. El concepto de libro se asocia así a las nociones de *idea* y de *verdad* mientras que el concepto de texto se asocia a las nociones de *escritura* y de *significación*. Situar a Borges en el paradigma «textualismo» esbozado por Rorthy («Nineteenth-Century Idealism and Twentieth-Century Textualism», *The Monist*, 1981) no es, como se habrá ya adivinado, tarea difícil. Sus textos son, básicamente, comentario de otros textos (a veces existentes, a veces presupuestos); la verdad, en los relatos o en los ensayos de Borges, se diluye en las múltiples proposiciones de una vindicación o de una refutación, o en las alternativas finales que se oponen y destejen las proposiciones iniciales; la metáfora se pone de relieve en su dimensión puramente lingüística, al mismo tiempo que se extraen de ella sus connotaciones ontológicas. La historia no es la historia de hechos o de ideas (por ejemplo, la eternidad) sino de palabras («*Esa imagen, esa burda palabra enriquecida por los desacuerdos humanos, es lo que me propongo historiar*») o de metáforas (por ejemplo, *La esfera de Pascal*), etc. Sin duda que este aspecto no ha escapado a los escudriñadores de la obra borgiana quienes, desde comienzos de la década de 1970, aproximadamente, señalaron distintos aspectos de la temprana y crucial contribución de Borges al textualismo, entre ellos Jitrik [1971], Mignolo y Aguilar Mora [1971], Borinsky [1974, 1977], Rosa [1972], Niggestich [1976], Foster [1977], Costa Lima [1977], Rodríguez [1980], Rodríguez Monegal [1976] y Alazraki [1984]. Quien sin lugar a dudas ha llevado más lejos esta dimensión de la obra borgiana es Molloy [1979], en su fundamental estudio sobre las «letras de Borges». La gran virtud de este libro no consiste sólo en haber explotado y «mencionado» las distintas facetas del textualismo borgiano sino que, al hacerlo, el texto de Molloy, que analiza y menciona, lo hace desde un consciente y lúcido esfuerzo por inscribirse en el mismo espacio del textualismo del que habla.

Qué duda cabe que Borges no es un filósofo y que la expresión «Borges filósofo» es tan acertada como lo es «Colón hermeneuta» o «Colón etnólogo». Qué duda cabe, al mismo tiempo, que Borges elabora una literatura sobre la base de la filosofía, de la lógica y de las matemáticas a la vez que puede sugerir que en esas disciplinas ha visto la posibilidad literaria de realizar la literatura que más le apasiona: la literatura fantástica. El interés de Borges en tales disciplinas ha sido retribuido por el interés que filósofos, lógicos y matemáticos han prestado a su obra. Un capítulo necesario en el estudio de su obra podría titularse «Borges y la filosofía», en el cual se pusieran de relieve las relecturas que Borges hace de filósofos clásicos (Hume, Berkeley) y modernos (Russell, Poincaré, Schopenhauer, Mauthner, Bradley, Meinong, etc.) como la lectura que los filósofos han hecho de Borges (Foucault, Deleuze, Danto, Rorthy, Rescher, etc.). Si bien no contamos con un estudio semejante, contamos, sin embargo, con un número destacado de trabajos que ponen de relieve las relaciones entre la filosofía y la obra de Borges. Entre ellos preciso es destacar, en primer lugar, el libro de Rest [1976]. Aunque su tesis fundamental (hacer de Borges un nominalista) pueda ser discutible (como lo sería toda tesis que pretenda hacer de un escritor de ficciones un representante, consciente o inconsciente, de tal o cual corriente de pensamiento o escuela), el libro abunda en observaciones y paralelismos entre el texto borgiano y, si podemos emplear una metáfora, el texto filosófico. Las consecuencias epistemológicas que se pueden extraer de la obra de Borges han sido puestas de relieve por Alazraki [1971] y Mignolo [1977]. Por su parte, Ruprecht [1984] se ha ocupado en destacar, sobre la base de la semiótica greimasiana, las modalidades del *creer* y del *saber*. Los temas filosóficos en la obra de Borges fueron estudiados desde temprano. Se ocupan del tema del infinito Amaral [1971] y Barrenechea [1956]; se ocupan del tema del tiempo Barrenechea [1957], Blanco-González [1963] y Butler [1973]; del tema del laberinto se ocupan Rosa [1969] y Garzilli [1972], entre otros. La nada, el infinito, la eternidad, el tiempo son ya largamente elaborados en el libro de Barrenechea [1957]. Rest [1976] es el autor del único libro que conozco enteramente dedicado a temas filosóficos en la obra de Borges. El de Blanco-González [1963] está completamente dedicado al tema del tiempo. En su libro sobre interpretaciones literarias, Zalazar [1976], dedica un capítulo al tema del tiempo. Entre los varios artículos que se han consagrado a los aspectos filosóficos, cabe mencionar los de Vax [1964], Weber [1968], Yurkievich [1980] y Weber [1982]. Entre los tópicos de filosofía oriental que más han atraído la atención de Borges se encuentra la Kabbala. Rabi [1964], Alazraki [1971], Sosnowski [1975, 1976] y Levy [1976] han abordado este aspecto.

La tendencia a estudiar aspectos lingüístico-poético-semióticos en la obra de Borges ha sido, como era de esperar, dominante en los últimos veinte años. Un rápido esquema de los tópicos destacados en estos estudios podríamos resumirlo mencionando: la estructura y los procedimientos lingüístico-narrativos; la poética, crítica y teoría literarias; la literatura fantástica. Tomemos por turno cada uno de estos tópicos. Aunque varios de los estudios que mencionaremos en este apartado fueron ya mencionados, conviene subrayar, debido —precisamente— al énfasis que la modernidad ha puesto en el texto, todos aquellos aspectos que le son inherentes. Como ya hemos dicho, es a partir de la década de 1960, aproximadamente, que comenzamos a notar esta orientación. En primer lugar, son las figuras retóricas y aspectos estilísticos, los que reciben mayor atención. En la segunda parte del clásico libro de Alazraki [1968] sobre la prosa narrativa, encontramos tanto una aproximación general como un estudio particular de la adjetivación y de las figuras de contigüidad; el libro de Niggestich [1976] está consagrado al estudio de la metáfora en Borges desde sus comienzos ultraístas hasta las tardías reflexiones filosóficas y artículos periodísticos; el cuidado artículo de Arrimondi Pieri y Schumpp Toledo [1970] bosqueja, por un lado, las estructuras versales predominantes y, por otro, estudia las implicaciones de ciertos sustantivos y de ciertas expresiones recurrentes en la poesía de Borges. A estos estudios podríamos agregar el de José Pascual Buxó [1982] sobre el poema *Ajedrez*; el de David Foster [1978], sobre las configuraciones paratácticas e hipotácticas en *Fervor de Buenos Aires*; el de Zunilda Gertel [1977], en el que estudia la evolución de ciertas figuras borgianas desde sus primeros poemas hasta sus últimos libros; el de Susana Reiz de Rivarola [1982], en el que estudia con extremado detalle la estructura y las figuras de la prosa en el cuento *Abenjacán el Bojarí, muerto en su laberinto.*

Borges ha escrito sobre otros escritores y ha reflexionado en numerosas oportunidades sobre la literatura. La crítica borgiana ha destacado también en repetidas ocasiones su poética implícita, así Foster [1973]; a Borges y la creación literaria, Gertel [1968]; a Borges y la crítica literaria, Aubrun [1976]; y, últimamente (como ocurre en el caso de las traducciones, señaladas por el propio Borges), se le ha atribuido, por qué no, una teoría literaria: Echavarría [1983]. Si bien es indudable que todo gran escritor se distingue por poseer (o, quizás, *ser*) una poética (concepto de literatura) es necesario también reflexionar sobre el ser de esa poética y su función en la obra de un escritor. Sería necesario evitar el recurrente error de pensar que esa poética se manifiesta en los prólogos, ensayos y cartas de un escritor y que su prosa narrativa o que su lírica es un resultado del ejercicio de esa poética y no pensar por ejemplo que también los prólogos y ensayos son resultado porque la poética es precisamente ese lugar invisible, o ese «mismo espíritu» que claramente había percibido ya Ana María Barrenechea [1957] en su estudio sobre la obra de Borges: «Poesía, ensayo, cuento son las diversas manifestaciones de un *mismo espíritu* que a través de los años ha ido encontrando sus vías, puliendo las agresividades de su estilo, afinando las burlas, fundiendo los elementos dispares, ahorrando las intuiciones del milagro, hasta llegar a las fórmulas de simplicidad aparente en el lenguaje, de compleja y sabia elaboración de alusiones, de sutil juego irónico, de equilibrio perfecto, de patéticas revelaciones». En otras palabras, la poética de un escritor es «ese mismo espíritu» que reconocemos en todos sus escritos, tanto en los ensayos que sirven de fundamento a un poema o a un relato, como en un relato o en un poema que sirven de fundamento a un ensayo o un prólogo o a una lectura de otro escritor. Si aceptamos estas premisas, ¿podemos decir que un escritor es «crítico o teórico» de la literatura? ¿Es pertinente, por ejemplo, comparar la teoría literaria de Borges con la de Aristóteles, la de Ingarden o la de Jakobson? ¿Es pertinente comparar la crítica literaria de Borges con la de Barthes, Richards o Northrop Frye? Parecería que no, a primera vista. La intuición primera es que la actividad que realizan los teóricos, los críticos y los escritores no es exactamente la misma, o no lo son, al menos, sus objetivos. ¿Podemos hablar de la poética de un crítico literario como Barthes, por ejemplo, de la misma manera que hablamos de la poética de un escritor como Borges que a la vez pretendemos que sea crítico literario? ¿Podemos hablar de una poética en Ingarden y en Jakobson y sostener que el nivel lógico de la poética que le atribuimos a éstos es el mismo que el de la poética que le atribuimos a un escritor como Borges? Intuyo que no. Ingarden es un filósofo, Jakobson un lingüista, Borges un escritor. El espacio social de la actividad se delimita en el ejercicio mismo de esa actividad. Borges, en consecuencia, es un escritor que, como todo gran escritor, detenta (o es) una poética (concepto de literatura) y esa poética es la matriz generadora de sus poemas, relatos, ensayos, lectura de otros escritores y reflexiones sobre la literatura. Hacer de Borges un crítico literario o un teórico de la literatura, es tan útil o tan inútil como hacerlo filósofo o teólogo; u olvidarse de que Colón era un navegante y convertirlo en etnólogo, periodista o hermeneuta. A los estudios citados al comienzo de este párrafo, habría que agregar, por un lado, que el artículo de Foster [1973] trata de caracterizar ese «espíritu» del que hablaba Barrenechea [1957], basándose en premisas epistemológicas sustentadas por un espacio de reflexión reconocido como «estructuralismo» y, por otro lado, que los estudios de Gertel [1969], Aubrun [1976] y Echavarría [1983], que difieren de las premisas expuestas, son, sin lugar a dudas, de gran utilidad para conocer este aspecto de la obra de Borges. Podríamos agregar, a esta lista, los estudios de Iñigo-Madrigal [1977] y de Canfield [1978].

La literatura fantástica es, sin duda, otro de los capítulos que la crítica de Borges ha destacado y con sobradas razones. Por un lado, el hecho del notable interés despertado por la literatura fantástica en la última década; y, por otro, el hecho de que el mismo Borges haya mencionado, repetidas veces (en varios de los prólogos a sus narraciones en prosa y en entrevistas), que su interés por la lógica, la matemática y la filosofía le ha permitido encontrar posibilidades literarias; y, sobre todo, posibilidades para la literatura que más le apasiona: la literatura fantástica. No es este un interés aislado en la trayectoria de la literatura argentina. Lugones es, sin duda, un directo antecesor de Borges y de Bioy. También el nombre de Ladislao Holmberg puede agregarse a la lista. Rodríguez Monegal [1976] analiza el concepto de literatura fantástica en Borges a partir de *El arte narrativo y la magia*; Yates [1967] ofrece un recorrido más general de la obra de Borges para indicar correspondencias con el género. Reiz de Rivarola [1979] se apoya en Borges para analizar los principios generales de la literatura fantástica, y ofrece un análisis más detallado de las correspondencias entre los postulados borgianos y sus procedimientos lingüísticos (Reiz de Rivarola [1982]). Mignolo [1984*a*, 1984*b*] distingue la literatura fantástica practicada por Borges y Bioy de las muestras anteriores, del siglo XIX y principios del XX, así como del género y de las obras que se inscriben en la clase del realismo maravilloso y realismo mágico. El estudio más completo del tema, en el que se consideran los elementos fantásticos en relación con los conceptos estéticos de Borges a la vez que se intenta una tipología de su obra narrativa, es el de Schaefer [1973].

La obra de Jorge Luis Borges se extiende, aproximadamente, desde los primeros veinte años del siglo XX hasta sus últimos veinte años. Una apreciación fantástica de ella, es decir, la de un lector del siglo XXIV, la situaría sin lugar a dudas, no sólo entre los paradigmas de la literatura hispanoamericana de este siglo, sino de la literatura y del pensamiento occidental. Apreciación exagerada, quizás, de una literatura que ha llegado a imponer no sólo un modo de escribir y de leer sino también un modo de pensar.

BIBLIOGRAFÍA

Alazraki, Jaime, *La prosa narrativa de Jorge Luis Borges. Temas. Estilo*, Gredos, Madrid, 1968.

—, «Borges, una nueva técnica ensayística», *El ensayo y la crítica literaria en Iberoamérica*, Toronto University, Instituto Internacional de Literatura Iberoamericana, Toronto, 1970, pp. 137-143.

—, «Tlön y Asterión: anverso y reverso de una epistemología», *Nueva Narrativa Hispanoamericana*, 1:2 (1971), pp. 21-33.

—, «Kabbalistic Traits in Borges' Narratives», *Studies In Short Fiction*, 8:1 (1971), pp. 78-92.

—, «Oximoronic Structures in Borges' Essays», *Books Abroad*, 45:3 (1971), pp. 421-427; trad. cast.: «Estructura oximorónica en los ensayos de Borges», *Jorge Luis Borges*, Taurus, Madrid, 1976, pp. 260-264.

—, ed., *Jorge Luis Borges. El escritor y la crítica*, Taurus, Madrid, 1976.

—, *Versiones. Inversiones. Reversiones*, Gredos, Madrid, 1977.

—, «Génesis de un estilo: *Historia universal de la infamia*», *Revista Iberoamericana*, 123-124 (1983), pp. 247-262.

—, «El texto como palimsesto: lectura intertextual de Borges», *Hispanic Review*, 52:3 (1984), pp. 281-302.

Albert Robatto, Matilde, *Borges, Buenos Aires y el tiempo*, Edil, Río Piedras, 1972.

Alonso, Amado, «Borges narrador», *Sur*, 14 (1935), pp. 105-115; reimpreso en *Materia y forma en poesía*, Gredos, Madrid, 1955, pp. 434-449.

Amaral, Pedro V., «Borges, Babel y las matemáticas», *Revista Iberoamericana*, 75 (1971), pp. 421-428.

Anderson Imbert, Enrique, «Un cuento de Borges: "*La casa de Asterión*"», *Crítica Interna*, Taurus, Madrid, 1961, pp. 242-250.

—, «Nueva contribución al estudio de las fuentes de Borges», *Filología*, 8 (1962), pp. 7-13; reimpreso en *Estudios sobre letras hispánicas*, Libros de México, México, 1974, pp. 331-337.

—, «Chesterton en Borges», *Anales de Literatura Hispanoamericana*, 2-3 (1974), pp. 469-494.

—, «El punto de vista en Borges», *Hispanic Review*, 44 (1976), pp. 213-221; reimpreso en *Ensayos*, Monte Ávila, Caracas, 1976, pp. 103-116.

Antezama Juárez, Luis, *Álgebra y fuego: lectura de Borges*, Editions Nauwelearts, Lovaina, 1978.

Anzieu, Didier, «Le corps et le code dans les contes de Borges», *Nouvelle Revue de Psychanalyse*, 3 (1971), pp. 177-210.

Arrimondi Pieri, Emilio, y María de los Ángeles Schumpp Toledo, «Recursos estilísticos y tensiones semánticas en la poesía de Jorge Luis Borges», en *Actele celui de-al XII-lea Congres International de Linguistica si Filologie Romanica*, II, Academiei Republicii Socialiste Romania, Bucarest, 1970, pp. 629-649.

Aubrun, Charles, «Borges y la crítica literaria», *Cuadernos Hispanoamericanos*, 316 (1976), pp. 85-100.

Barcia, L. P., «Proyección de *Martín Fierro* en dos ficciones de Borges», en J. C. Ghiano, ed., *José Hernández. Estudios*, Universidad Nacional de La Plata, La Plata, 1973, pp. 209-232.

Barrenechea, Ana María, «El infinito en la obra de Jorge Luis Borges», *Nueva Revista de Filología Hispánica*, 10 (1956), pp. 13-35.

—, «El tiempo y la eternidad en la obra de Borges», *Revista Hispánica Moderna*, 23:1 (1957), pp. 28-41.

—, *La expresión de la irrealidad en la obra de Jorge Luis Borges*, El Colegio de México, México, 1957.

—, «Borges y la narración que se autoanaliza», *Revista de Filología Hispánica*, XXIV:2 (1975), pp. 515-527; reimpreso en *Textos hispanoamericanos*, Monte Ávila, Caracas, 1978, pp. 127-144.

Barstone, Willis, *Borges et Eighty. Conversations*, Indiana University Press, Bloomington, 1982.

Bastos, María Luisa, *Borges ante la crítica argentina (1923-1960)*, Hispamérica, Buenos Aires, 1974.

Becco, Horacio Jorge, *Jorge Luis Borges. Bibliografía Total (1923-1973)*, Casa Pardo, Buenos Aires, 1973.

Bell-Villada, Gene, *Borges and his fiction; a Guide to his Mind and Art*, University of North Carolina Press, Chapel Hill, 1981.

Berveiller, Michel, *Le cosmopolitisme de Jorge Luis Borges*, tesis, Lille, 1973.
Bhele, E. E., *Jorge Luis Borges, eine Einfuhrung in seine Leben und Werk*, Herbert Lang, Bern, Frankfurt, 1972.
Blanco, Mercedes, «Paradoxes mathématiques dans un conte de Borges», *Poétique*, 55 (1983), pp. 259-281.
Blanco-González, M., *Jorge Luis Borges. Anotaciones sobre el tiempo en su obra*, De Andrea, México, 1963.
Borinsky, Alicia, «Rewritings and writings», *Diacritics*, 4 (1974), pp. 22-28; trad. cast.: «Reescribir y escribir», *Revista Iberoamericana*, 92-93 (1975), pp. 605-616.
—, «Borges en nuestra biblioteca», *Revista Iberoamericana*, 100-101 (1977), pp. 609-614.
—, «Repetition, museum, libraries: Jorge Luis Borges», *Glyph*, 2 (1977), pp. 88-101.
Burgin, Richard, *Conversations with Jorge Luis Borges*, Holt, Rinehart and Winston, Nueva York, 1969.
Butler, Colin, «Borges and time», *Orbis Literarum*, 28 (1973), pp. 148-161.
Buxó, José Pascual, «Las articulaciones semánticas del texto literario», *Acta Poética*, 4-5 (1982-1983), pp. 53-76.
Canfield, Martha, «El concepto de literatura en Borges», en *Borges: obra y personaje*, Acali, Montevideo, 1978, pp. 166-174.
Carilla, Emilio, «Un poema de Borges», *Revista Hispánica Moderna*, 29 (1963), pp. 32-45.
Carrizo, Antonio, *Borges, el memorioso. Conversaciones de Jorge Luis Borges con Antonio Carrizo*, Fondo de Cultura Económica, México-Buenos Aires, 1982.
Coats, Lillian, «Mauthner y Borges: para una utopía del lenguaje», *Southwest Graduate Symposium of Spanish and Portuguese Literature*, Austin, 1980, pp. 41-53.
Cossío, M. E., «A Parody on Literariness: *Seis problemas para don Isidro Parodi*», *Dispositio*, 15-16 (1980), pp. 143-153.
Costa Lima, Luiz, «A antiphysis em Jorge Luis Borges», *Revista Iberoamericana*, 100-101 (1977), pp. 311-335.
Cozarinsky, Edgardo, *Borges y el cine*, Sur, Buenos Aires, 1974.
Cro, S., *Jorge Luis Borges: poeta, saggista e narratore*, Mursia, Milán, 1971.
Crossan, John Dominic, *Raid on the Articulate. Comic Eschatology in Jesus and Borges*, Harper and Row, Nueva York, 1976.
Cúneo, Ana María, «"Arte poética" de Jorge Luis Borges», *Revista Chilena de Literatura*, 13 (1979), pp. 5-23.
Charbonnier, Georges, *El escritor y su obra. Entrevista con Jorge Luis Borges*, Siglo XXI, México, 1967.
Chever, Leonard A., «In praise of folly: Jorge Luis Borges and Bertrand Russell», *Perspectives in Contemporary Literature*, 3:1 (1977), pp. 50-59.
Christ, Ronald, *The Narrow Act. Borge's Art of Allusion*, University Press, Nueva York, 1969.
Deschamps, Nicole, «Borges et l'"oiseau rare"», *Études françaises*, 8 (1972), pp. 167-175.
Dunham, L., e Ivar Ivask, eds., *The Cardinal Points of Borges*, University of Oklahoma Press, Norman, 1971.

Echavarría, Arturo, *Lengua y literatura de Borges*, Ariel, Barcelona, 1983.
Fell, Claude, «Dos libros de Borges», *Estudios de literatura hispanoamericana contemporánea*, SepSetentas, México, 1976, pp. 174-178.
Ferrer, Manuel, *Borges y la nada*, Tamesis, Londres, 1971.
Flo, Juan, *Contra Borges*, Galerna, Buenos Aires, 1978.
Foster, David William, «Borges and Structuralism: Toward an Implied Poetics», *Modern Fiction Studies*, XIX:3 (1973), pp. 341-352.
—, «Para una caracterización de la escritura en los relatos de Borges», *Revista Iberoamericana*, 100-101 (1977), pp. 337-355.
—, «Tres ejemplos de configuraciones estructurales en la poesía de Borges», *Ex Libris*, 6 (1977-1978), pp. 25-32.
—, *Jorge Luis Borges. An Annotated Primary and Secondary Bibliography*, Garland, Nueva York, 1984.
Garzilli, Enrico, «The artist and the labyrinth-Jorge Luis Borges», en *Circles without center: paths to the discovery and creation of self in modern literature*, Harvard University Press, Cambridge, 1972, pp. 100-106.
Genette, Gérard, «La littérature sélon Borges», *L'Herne* (1964), pp. 323-327.
Génot, Gérard, *Borges*, La Nuova Italia, Florencia, 1979.
Gertel, Zunilda, *Borges y su retorno a la poesía*, The University of Iowa / Las Américas Publishing Co., Nueva York, 1967.
—, «Borges y la creación literaria», *Atenea*, 421-422 (1968), pp. 5-19.
—, «La metáfora en la estética de Borges», *Hispania*, 52:1 (1969), pp. 92-100.
—, «Cambios fundamentales en la poesía de Borges», *Cuadernos Hispanoamericanos*, 245 (1970), pp. 393-412.
—, «La imagen metafísica en la poesía de Borges», *Revista Iberoamericana*, 100-101 (1977), pp. 433-448.
Giordano, Jaime, «Forma y sentido de "La escritura del dios" de Jorge Luis Borges», *Revista Iberoamericana*, 78 (1972), pp. 105-115.
Giovanni, Norman Thomas di, *et al.*, *Borges on writing*, Dutton, Nueva York, 1973.
Gogol, John M., «Borges and Rilke on the reality of imaginary beings», *Proceedings of the Pacific Northwest Conference on Foreign Languages*, 26:1 (1975), pp. 50-52.
Gutiérrez Girardot, Rafael, *Jorge Luis Borges. Ensayo e interpretación*, Ínsula, Madrid, 1959.
Hart, Thomas R., Jr., «The Literary Criticism of Jorge Luis Borges», *Modern Language Notes*, 78 (1963), pp. 489-503.
Holzapfel, Tamara, «Crime and detection in a detective world: the detective fictions of Borges and Durrenmatt», *Studies in Twentieth Century Literature*, 3 (1978), pp. 53-71.
Ibarra, Néstor, *La nueva poesía argentina. Ensayo crítico sobre el ultraísmo*, Viuda de Molinari e Hijos, Buenos Aires, 1930.
Iñigo-Madrigal, Luis, «Para una poética de Borges», *Dispositio*, 5-6 (1977), pp. 182-207.
Irby, James, «Sobre la estructura de "Hombre de la esquina rosada"», *Anuario de filología*, 1:1 (1962), pp. 157-172.
—, «Dos poetas y una cultura: Borges, Carriego y el arrabal», *Nueva Revista de Filología Hispánica*, 19 (1970), pp. 241-247.

—, «Borges and the idea of utopia», *Books Abroad*, 45 (1971), pp. 411-420.
—, *et al.*, *Encuentro con Borges*, Galerna, Buenos Aires, 1968.
Jitrik, Noé, «Estructura y significación en los cuentos de Borges», *El fuego de la especie*, Siglo XXI, Buenos Aires, 1971, pp. 129-150.
King, J. R., «Averroes' Search: the "moment" as labyrinth in the fiction of Jorge Luis Borges», *Research Studies*, 45 (1977), pp. 134-146.
L'Herne, *Jorge Luis Borges*, París, 1964.
Lange, Norah, «Jorge Luis Borges pensando en algo que no alcanza a ser poema», *Martín Fierro*, 2.ª época, 40 (1927), p. 7.
Levine, Suzanne Jill, «Adolfo Bioy Casares y Jorge Luis Borges: la utopía como texto», *Revista Iberoamericana*, 100-101 (1977), pp. 415-432.
Lévy, Salomón, «"El aleph", símbolo cabalístico y sus implicaciones en la obra de Jorge Luis Borges», *Hispanic Review*, 44 (1976), pp. 143-161.
Lupi, A., «La tassonomia del disordine nel *Manual de zoología fantástica*», *Studi di letteratura ispano-americana*, 4 (Milán, 1967-1972), pp. 91-96.
Mac Adam, Alfred, «*Un modelo para la muerte*: la apoteosis de Parodi», *Revista Iberoamericana*, 112-113 (1980), pp. 545-552.
Macherey, Pierre, «Borges et le récit fictif», *Pour une théorie de la production littéraire*, Maspero, París, 1966, pp. 277-286.
Marval de McNair, Nora de, «Pierre Ménard, autor del Quijote: huella y sentido», en *Homenaje a Humberto Piñera*, Playor, Madrid, 1979, pp. 159-175.
Meneses, Carlos, *Poesía juvenil de J. L. Borges*, Planeta, Barcelona, 1978.
Mignolo, Walter, «Epistemología, espacios, mundos posibles: las propuestas epistemológicas de Jorge Luis Borges», *Revista Iberoamericana*, 100-101 (1977), pp. 357-380.
—, «Ficción fantástica y mundos posibles: Borges, Bioy y Blanqui», *Homenaje a Ana María Barrenechea*, Castalia, Madrid, 1984, pp. 481-486.
—, «El misterio de la ficción fantástica», en *Teoría del texto e interpretación de textos*, UNAM, México, 1984, pp. 101-147.
—, y Jorge Aguilar Mora, «Borges, el libro y la escritura», *Caravelle*, 17 (1971), pp. 187-194.
Milleret, Jean D., *Entretiens avec Jorge Luis Borges*, Pierre Belfond, París, 1967; trad. cast.: Monte Ávila, Caracas, 1970.
Molloy, Sylvia, *Las letras de Borges*, Sudamericana, Buenos Aires, 1979.
Murillo, Louis A., *The Cyclical Night: Irony in James Joyce and Jorge Luis Borges*, Harvard University Press, Cambridge, 1968.
Niggestich, Karl-Josef, *Metaphorik und Polarität im Weltbild Jorge Luis Borges*, Kumerle, Goppingen, 1976.
Ocampo, Victoria, *Diálogos con Borges*, Sur, Buenos Aires, 1969.
Omil de Piérola, Alba, «Jorge Luis Borges: del ensayo a la ficción narrativa», *El ensayo y la crítica literaria en Iberoamérica*. Memoria del Congreso del Instituto de Literatura Iberoamericana, Toronto University Press, Toronto, 1970, pp. 155-160.
Pacheco, José Emilio, «Borges y Reyes: algunas simpatías y diferencias. Contribución a la historia de una amistad literaria», *Revista de la Universidad de México*, 34:4 (1979), pp. 1-16.
Paley de Francescato, Martha, «Borges y su concepción del universo en *Otras Inquisiciones*», *Kentucky Romance Quarterly*, 20 (1973), pp. 469-481.

Paoli, Roberto, *Borges. Percorsi di significato*, Istituto Ispanico, Florencia, 1977.
Prieto, Adolfo, *Borges y la nueva generación*, Letras Universitarias, Buenos Aires, 1954.
Prose for Borges, Northwestern University Press, Evanston, 1974.
Rabi, «Fascination de la Kabbale», *L'Herne* (1964), pp. 265-271.
Reiz de Rivarola, Susana, «Ficcionalidad, referencia, tipos de ficción literaria», *Lexis*, 3:2 (1979), pp. 99-170.
—, «Borges: teoría y praxis de la ficción fantástica», *Lexis*, 6:2 (1982), pp. 161-212.
Rest, Jaime, *El laberinto del universo; Borges y el pensamiento nominalista,* Fausto, Buenos Aires, 1976.
Ricardou, J., «Le caractère singulier de cette eau», *Problèmes du nouveau roman*, Seuil, París, 1967, pp. 193-207.
Río, Carmen del, «Borges' "Pierre Menard" or where is the text?», *Kentucky Romance Quarterly*, 25 (1978), pp. 459-469.
Rodríguez, Mario, «La postergación: un nuevo sentido en "El Sur" de Jorge Luis Borges», *Acta Literaria*, 5 (1980), pp. 17-24
Rodríguez Monegal, Emir, «Dos cuentistas argentinos», *Clinamen*, 3 (1947), pp. 50-52; reimpreso en Borges y Bioy Casares, *Dos fantasías memorables*, Edicon, Buenos Aires, 1971, pp. 49-57.
—, «Borges essayiste», *L'Herne* (1964), pp. 343-351.
—, *Borges: Hacia una interpretación*, Guadarrama, Madrid, 1976.
—, *Jorge Luis Borges. A Literary Autobiography*, Dutton, Nueva York, 1978.
—, «Muerte y resurrección de Borges», *Revista de la Universidad de México*, 34:2 (octubre, 1979), pp. 1-14.
—, *Borges por él mismo*, Monte Ávila, Caracas, 1980.
—, «Texto e intertexto: los dos Borges», *Texto y contexto en la literatura iberoamericana*, Memoria del Instituto Internacional de Literatura Iberoamericana, Madrid, 1981, pp. 307-315.
—, y E. Sacerio-Gari, eds., *Jorge Luis Borges. Textos cautivos. Ensayos y reseñas en «El Hogar» (1936-1939)*, Tusquets, Madrid, 1986.
Romano, Eduardo, «Julio Cortázar frente a Borges y el grupo de la revista *Sur*», *Cuadernos Hispanoamericanos*, 364-366 (1980), pp. 106-138.
Rosa, Nicolás, «Borges o la ficción laberíntica», en J. Lafforgue, ed., *Nueva Novela Latinoamericana*, 2, Paidós, Buenos Aires, 1972, pp. 140-173.
Roubaud, S., «La petite fille et la Sainte trinité: folklore et théologie dans un conte de Borges», en *Les Cultures Ibériques en Devenir. Essais en Hommage a la Mémoire de Marcel Bataillon*, Fondation Singer-Polignac, París, 1979, pp. 743-762.
Running, Thorpe, *Borges' ultraist movement and its poets*, International Book Publishers, Michigan, 1981.
Ruprecht, Hans-George, «Le croire-savoir de Borges: fondement et modalisation épistémique», *Revista Canadiense de Estudios Hispánicos*, 7:2 (1984), pp. 207-222.
Scrimaglio, Marta, «Jorge Luis Borges», *Literatura argentina de vanguardia (1910-1930)*, Biblioteca, Rosario, 1974, pp. 162-185.
Schaefer, Adelheid, *Phantastische Elemente und asthetische Konzepte im Erzahlwerk*, Humanitas Verlag, Frankfurt, 1973.

Segre, Cesare, «Se una notte diverno uno scrittore sognasse un aleph di dieci colori», *Strumenti Critici*, 39-40 (1979), pp. 177-214.
Shaw, Donald L., *Borges: Ficciones*, Grant & Cutler, Londres, 1976.
Simply a man of letter; pannel discussions and papers from the proceedings of a Symposium on Jorge Luis Borges held at the University of Maine at Orono, University Press, Orono, 1982.
Sorrentino, Fernando, *Siete conversaciones con Jorge Luis Borges*, Casa Pardo, Buenos Aires, 1973.
Sosnowski, Saúl, «The God's script—Kabbalistic quest», *Modern Fiction Studies*, 19 (1973), pp. 381-394.
—, «El verbo cabalístico en la obra de Borges», *Hispamérica*, 9 (1975), pp. 33-54.
—, *Borges y la cábala: la búsqueda del verbo*, Hispamérica, Buenos Aires, 1976.
Stabb, Martin S., *Jorge Luis Borges*, Twayne (TWAS), Nueva York, 1970.
—, «Utopia and antiutopia: the Theme in Selected Essayistic Writings of Spanish America», *Revista de Estudios Hispánicos*, 15 (1981), pp. 377-393.
Stark, John O., *The Literature of Exhaustion: Borges, Nabokov and Barth*, Duke University Press, Durham, 1974.
Sturrock, John, *Paper Tigers: the Ideal Fictions of Jorge Luis Borges*, Clarendon Press, Oxford, 1977.
Sucre, Guillermo, *Borges el poeta*, UNAM, México, 1967.
Tamayo, M., y A. Ruiz Díaz, *Borges: enigma y clave*, Nuestro Tiempo, Buenos Aires, 1955.
Torre, Guillermo de, «Luna de enfrente», *Revista de Occidente*, 33 (1926), pp. 409-411.
—, «Para la prehistoria ultraísta de Borges», *Hispania*, 47 (1964), pp. 457-463.
Vax, Louis, «Borges phisolophe», *L'Herne* (1964), pp. 252-256.
Vázquez, María Esther, *Borges: imágenes, memorias, diálogos*, Monte Ávila, Caracas, 1977.
Videla, Gloria, *El ultraísmo*, Gredos, Madrid, 1963.
Weber, Francis Wyers, «Borges' stories: fiction and philosophy», *Hispanic Review*, 36 (1968), pp. 124-141.
Weber, Stephen L., «Jorge Luis Borges, Lover of Labyrinth: a Heideggerian Critique», *Analecta Husserliana*, XII (1982), pp. 203-212.
Wheelock, Carter, *The Mythmaker: a Study of Motif and Symbol in the Short Stories of Jorge Luis Borges*, University of Texas Press, Austin, 1969.
Yates, Donald A., «Borges y la literatura fantástica», *Kentucky Romance Quarterly* (1967), pp. 34-40.
—, «Jorge Luis Borges and Adolfo Bioy Casares: a Literary Collaboration», *Simply a Man of Letters*, University of Maine, Orono, 1982, pp. 211-222.
Yurkievich, Saúl, *Fundadores de la nueva poesía latinoamericana*, Barral, Barcelona, 1973.
—, «Nouvelle réfutation du cosmos», en *Littérature latinoaméricaine d'ajourd'hui: Colloque de Cerisy*, Union Générale d'Éditions, París, 1980, pp. 81-101.
Xirau, Ramón, «Borges refuta el tiempo», *Antología Personal*, Fondo de Cultura Económica, México, 1976, pp. 36-42.
Zalazar, Daniel, «Los conceptos de "instante" y "eternidad" en la obra de Borges», *Ensayos de interpretación literaria*, Crisol, Buenos Aires, 1976, pp. 99-108.

Emir Rodríguez Monegal

MUERTE Y RESURRECCIÓN DE BORGES

Hacia comienzos de 1937 el padre de Borges (a quien él siempre llamó Padre) estaba demasiado enfermo para dejar duda alguna sobre su próximo fin. Tenía sólo sesenta y seis años pero toda su vida había estado invalidado por una vista débil. En 1914, a los cuarenta, fue obligado a jubilarse porque ya no veía los documentos que, como abogado, debía firmar. Ahora estaba totalmente ciego y, además, su corazón había empezado a fallar. Cada día dependía más y más de su mujer. Madre se había convertido en sus ojos. Apenas resultó evidente que Padre estaba ciego, ella hizo un enorme esfuerzo para perfeccionar su rudimentario conocimiento del inglés. De manera que cuando él ya no pudo leer más sus libros favoritos, Madre se convirtió en lectora.

[En uno de los cuentos de Borges, «Tlön, Uqbar, Orbis Tertius», hay un personaje secundario, Herbert Ashe, que está obviamente modelado sobre la figura de Padre, quien fue, al parecer, una persona extremadamente tímida, silenciosa y amable.] Si se recuerda que fue Padre quien enseñó a Georgie (como llamaban a Borges en casa) tanto los principios generales de las matemáticas como los fundamentos de la metafísica idealista, la que se suma a la «irrealidad» del personaje, acentuada por el apellido Ashe (que deriva de *ash*, ceniza en inglés), resulta muy clara la alusión biográfica. La imagen de Ashe, quietamente sentado y mirando («a veces») el cielo, debe haber sido inspirada por las muchas veces que Georgie vio a Padre dedicado a la misma solitaria, empecinada tarea. Hasta la causa de la muerte de Ashe hace eco a la de Padre. Al fin, fue el corazón el que falló a ambos.

Emir Rodríguez Monegal, «Muerte y resurrección de Borges», *Revista de la Universidad de México*, 34:2 (octubre, 1979), pp. 1-14 (1-7).

En uno de los pasajes más reticentes de su *Autobiographical Essay*, Borges describe el acontecimiento: «Una mañana, mi madre me llamó por teléfono (a la biblioteca donde trabajaba), y yo pedí permiso para ausentarme, llegando justo a tiempo para ver morir a mi padre. Había tenido una larga agonía y estaba muy impaciente por morir». Murió —como había muerto su madre, Fanny Haslam, dos años antes; como moriría su viuda, Leonor Acevedo, casi cuarenta años más tarde—: recibiendo a la muerte con alivio, como un alivio del dolor de vivir. Como es habitual en su *Essay*, Borges no da la fecha de la muerte de Padre. Era el 24 de febrero de 1938.

A partir de aquel momento, Georgie se convirtió teóricamente en cabeza de familia. Tenía treinta y ocho años y sólo hacía un tiempo que había empezado a contribuir regularmente al presupuesto familiar. Padre había querido que se dedicase exclusivamente a las letras, y cumpliese así el destino de poeta que él mismo (por su corta vista, por las responsabilidades de un hogar, por su amor a la invisibilidad) no había sabido cumplir. Pero los duros años treinta y la inflación que siguió a la caída de la bolsa de New York habían obligado a Georgie a procurarse un empleo permanente. A las penas de sus últimos años, debió sumar Padre la de saber que su mecenazgo no era ya suficiente. [...]

[La última colaboración que entregó a *Sur* ya en vísperas de la muerte de Padre había sido, incidentalmente, una nota sobre el suicidio de Leopoldo Lugones que se publicó en el número de febrero de 1938.] En el último párrafo hace una delicada alusión al suicidio. Recuerda un pasaje de uno de los *Estudios helénicos*, de Lugones, en que el poeta deduce del rechazo por parte de Ulises de la inmortalidad que le ofrece Calipso (rechazarla, argumenta Lugones, equivale a suicidarse) que el héroe quería ser no sólo dueño de su vida sino también de su muerte. Borges pensaba que Lugones tenía derecho al suicidio y, discretamente, lo aprueba por medio de esta oportuna cita.

En el contexto de la sociedad católica argentina de entonces, la opinión era audaz. Lugones había cometido un pecado que condenaba su alma. Pero Borges prefiere colocarlo en otro contexto: el de una cultura que él amaba y que respetaba la dignidad del suicidio. La muerte de Lugones, que precedió por tan poco tiempo a la de Padre, debe haber afectado hondamente a Borges. En cierto sentido Lugones había sido también una figura paterna. [...]

Si en la superficie, poco cambió en su vida con la muerte de Padre, el impacto de esa desaparición quedaría registrado sutilmente en otra forma. Un accidente que Borges padece en la Noche Buena de 1938 revela hasta qué punto había sido afectado por aquella muerte. El episodio ha sido descrito por lo menos dos veces por él. En el *Essay* cuenta:

> Fue en la Noche Buena de 1938 —el mismo año en que murió mi padre— que sufrí un severo accidente. Estaba subiendo aprisa una escalera cuando sentí que algo rozaba mi cuero cabelludo. Había raspado el batiente de una ventana recién pintada. A pesar del tratamiento de urgencia, la herida se envenenó y por un lapso de una semana más o menos, yací insomne y tuve alucinaciones y fiebre altísima. Una noche, perdí el uso de la palabra y tuve que ser llevado de prisa al hospital para ser operado. Se había declarado una septicemia y durante un mes vacilé, sin saberlo, entre la vida y la muerte. (Mucho más tarde, habría de escribir sobre este tema en mi cuento «El Sur».)

En el primer párrafo del cuento, después de presentar al protagonista, Juan Dahlmann, Borges describe lo que ocurrió el último día de febrero de 1939. Hay aquí un cambio de fechas, tal vez para evitar las connotaciones religiosas de la Noche Buena y para marcar (secretamente) el momento exacto de la recuperación de Borges.

> Dahlmann había conseguido, esa tarde, un ejemplar descabalado de *Las mil y una noches* de Weil, ávido de examinar ese hallazgo, no esperó que bajara el ascensor y subió con apuro las escaleras; algo en la oscuridad le rozó la frente ¿un murciélago, un pájaro? En la cara de la mujer que le abrió la puerta vio grabado el horror, y la mano que se pasó por la frente salió roja de sangre. La arista de un batiente recién pintado que alguien se olvidó de cerrar le habría hecho esa herida (*Ficciones*).

Si se compara esta versión con la del *Autobiographical Essay*, es posible concluir que Borges inventó algunos detalles narrativos para hacer la historia más concreta y creíble: el hallazgo de un tomo suelto de una oscura traducción alemana de las *Mil y una noches* (traducción sobre la que él ya había opinado en un artículo de *Historia de la eternidad*, 1936); la alegría y la codicia que el hallazgo despierta en Dahlmann, hombre de libros como su autor; el descubrimiento de estar herido por la expresión de la cara de la mujer que abre la puerta y por la sangre que mancha su propia mano. (Estos últimos detalles son muy cinematográficos y revelan la familiaridad de Borges con el metonímico estilo de montaje practicado por Hitchcock y von Sternberg, dos de sus directores favoritos.) Pero si se consulta otro testimonio sobre el verdadero accidente, es fácil conjeturar que la versión ficticia de «El Sur» está tal vez más cerca de la realidad que la del ensayo autobiográfico. Esta es la versión que ofrece Madre:

Tuvo otro horrible accidente ... Por un tiempo, estuvo entre la vida y la muerte. Era Noche Buena y Georgie había ido a buscar a una muchacha que iba a venir a almorzar con nosotros. ¡Pero Georgie no volvió! Angustiada, llamé a la policía. ... Parece que, como el ascensor estaba descompuesto, había subido las escaleras corriendo y no vio una ventana abierta; pedazos de vidrio se habían incrustado en su cabeza. La cicatriz es todavía visible. Como la herida no fue adecuadamente desinfectada antes de ser suturada, al día siguiente tenía una fiebre de 40 grados. La fiebre siguió y siguió hasta que fue necesario operarlo, a media noche. (Testimonio de Madre, en *L'Herne*, 1964.)

Una de las primeras consecuencias del accidente, según Borges, fue que temió haber perdido la capacidad de leer y escribir. En su *Essay* cuenta:

Cuando empecé a recuperarme, temí por mi integridad mental. Me acordé que mi madre quería leerme un libro que yo había mandado buscar recientemente, *Out of the silent planet (Fuera del planeta solitario)*, de C. S. Lewis, pero durante dos o tres noches me pasé tratando de convencerla de que no lo hiciese. Al final, empecé a llorar. Mi madre preguntó por qué lloraba: «Lloro porque entiendo», le dije. Un poco más tarde, me pregunté si podría volver a escribir alguna vez. Había escrito antes bastantes poemas y docenas de reseñas de libros. Pensé que si trataba de escribir una reseña ahora y fallaba, iba a estar liquidado intelectualmente, pero que si intentaba algo que nunca había hecho hasta entonces y fracasaba, no sería tan malo y hasta podría prepararme para la revelación última. Decidí que trataría de escribir un cuento. El resultado fue «Pierre Menard, autor del *Quijote*».

Como de costumbre, Borges, resume mucho aquí un proceso largo y complejo. En el relato que ha hecho Madre del accidente se agregan detalles importantes:

Durante dos semanas, estuvo entre la vida y la muerte, con una fiebre de 40 o 41 grados; al cabo de la primera semana, la fiebre empezó a ceder y me dijo: «Léeme algo, léeme una página». Había tenido alucinaciones, había visto animales entrar furtivamente por la puerta, etc. Le leí una página, y entonces me dijo: «Está bien —"¿Qué quieres decir?" —"Sí, ahora sé que no me voy a volver loco. He comprendido todo"». Empezó a escribir historias fantásticas más tarde, algo que no le había ocurrido antes ... Tan pronto estuvo de vuelta en casa, empezó a escribir un cuento fantástico, el primero de los suyos ... Y luego sólo escribió cuentos fantásticos, lo que me asusta un poco porque yo no los entiendo mucho. Una vez le pregunté: «¿Por qué no escribes de nuevo las mismas cosas que solías escribir?». Él me contestó: «No insistas, no insistas». Y tenía razón.

La diferencia entre los dos relatos del mismo episodio se debe no sólo al punto de vista. En tanto que Borges dice bien claro que fue Madre la que insistió en leerle el libro de Lewis, ella dice que fue él el que se lo pidió. Los testimonios de la gente suelen no coincidir, pero no tan drásticamente. Tal vez aquí la diferencia corresponda sólo al desplazamiento del «yo» narrativo. En su versión del accidente, Borges quiere comunicar al lector los temores por su «integridad mental», en tanto que Madre parece más interesada en comunicar tanto su preocupación por la salud del hijo como su propia devoción. En sus recuerdos, ella siempre se presenta como estando completamente a sus órdenes, en tanto que Borges generalmente subraya la independencia de carácter y la fuerza que ella tenía. La discrepancia es inevitable: las madres se creen esclavas de sus hijos en tanto que los hijos saben qué dominantes e insistentes esas madres tan cariñosas pueden ser.

La otra diferencia es de tono. El de Madre es dramático en tanto que el de Borges es sobrio, y carente de emoción. Hasta al contar su reacción y su llanto ante la lectura de Lewis, su actitud es distante. La emoción al describir que podía entender el libro, no está aquí sino en un cuento, muy posterior al accidente, «La escritura del Dios», de *El aleph* (1949). Cerca del final, el protagonista, un sacerdote maya preso por los españoles, tiene una visión mística de la Rueda (que es el universo, que es su dios) y exclama: «Oh, dicha de entender, mayor que la de imaginar o la de sentir». En aquella zona entre la vida y la muerte en que estuvo vacilando en 1939, Borges (como el sacerdote maya) lentamente regresó a la dicha de entender.

[Su relato de cómo se convirtió en escritor de ficciones contiene un anacronismo. Borges había estado escribiendo ficciones por lo menos desde 1933 cuando publicó *Hombre de la esquina rosada.* En su último libro de ensayos, *Historia de la Eternidad* (1936) había deslizado como reseña bibliográfica de una inexistente novela policial publicada en Bombay, uno de sus primeros relatos fantásticos. «El acercamiento a Almotásim» era en realidad el primer modelo de «Pierre Menard, autor del *Quijote*».] Hay, es cierto, una gran diferencia entre ambos relatos. El primero es más plausible ya que reseña un libro que *podría* haber sido escrito en Bombay (no hay nada fantástico *per se* en el género policial); por eso mismo, no fue reconocido como una fabricación y muchos aficionados al género hasta intentaron vanamente conseguir ejemplares de la novela en las librerías inglesas de Buenos Aires. El segundo relato es más inverosímil porque la tarea que se propone el protagonista es imposible: reescribir (no copiar) *El Quijote* letra por letra. Lo fantástico en el cuento es la conducta de Pierre Menard. Es difícil comprender qué tiene esto que ver directamente con la lectura de la novela de C. S. Lewis. Por otra parte, los vínculos del cuento con Kafka (a quien Borges tradujo por esos años) son obvios. En muchas de las novelas y cuentos del escritor checo se encuentran ejemplos de conducta «fantástica», como el propio Borges ha indicado en su prólogo a *La metamorfosis* (1938).

En realidad, al indicar una relación de contigüidad entre «Pierre Menard» y la novela de Lewis, Borges está despistando a su lector, haciéndole creer que emerge del accidente convertido en un escritor de ficción por influencia de aquella novela. Sin embargo, hay alguna verdad en lo que dice. Aunque se equivoque en la cronología de los acontecimientos (ya había empezado su carrera de escritor de ficciones) y en la relación que establece entre su cuento y la novela de Lewis, tiene razón en subrayar la importancia de esta novela en el nuevo tipo de ficción que él empieza entonces a practicar. (Debió haber mencionado otro cuento, «Tlön, Uqbar, Orbis Tertius», en que un planeta imaginario es sobreimpuesto al nuestro, como en la novela de Lewis.) También tiene razón en destacar la importancia del accidente para acelerar ese cambio radical de su escritura. El accidente produjo esa transformación; no como causa original sino como etapa final de una compleja metamorfosis que Borges sufrió a partir de la muerte de Padre.

[Este nuevo Borges iría mucho más lejos de lo que Padre había planeado nunca, o incluso soñado.] Pero no abandonó del todo su viejo yo, tímido, amigo de máscaras literarias. La narración fantástica que escribió apenas recuperado de la septicemia, «Pierre Menard, autor del *Quijote*», fue publicada en la revista *Sur* (mayo 1939) como si fuese un ensayo crítico y sin ninguna señal de que se trataba de una ficción. El nuevo Borges no tenía empacho en mostrarse como el viejo —«El otro, el Mismo», como dice el título de una de sus compilaciones de poemas—. La metamorfosis no era del todo visible pero ya era definitiva. Aquel cuento era el primer texto escrito por el nuevo Borges.

Apenas estuvo recuperado, volvió a encargarse de la sección «Libros y Autores Extranjeros», que estaba dirigiendo y redactando en *El Hogar*, desde 1936. Ya en el número de 10 de febrero de 1939, su marca era evidente en cada línea de la sección. La reseña más larga del libro estaba, naturalmente, dedicada a comentar *Out of the silent planet*.

El título de la reseña ya da el tono: «Un primer libro memorable». Empieza indicando que ahora que H. G. Wells (el padre de la ciencia-ficción de este siglo) prefiere las divagaciones filosóficas a la invención rigurosa de sucesos imaginarios, dos ingeniosos discípulos suyos compensan por esta «abstracción» del maestro: son Olaf Stapledon, un escritor que Borges a menudo reseñara en estas páginas de *El Hogar*, y C. S. Lewis. Al resumir el tema del libro de este último, Borges indica que es psicológico, ya que los tres tipos de humanidad que encuentra el visitante al planeta rojo, y la vertiginosa geografía de Marte, son menos importantes para el lector que las reacciones del protagonista que empieza por hallar aquellos tipos atroces y casi intolerables para terminar identificándose con ellos. Aunque aplaude el libro, su entusiasmo no lo ciega. Reconoce que la imaginación de Lewis es limitada y que lo admirable en él es la infinita honestidad de su imaginación, la verdad coherente y completa de su mundo fantástico.

De la reseña no surge que la novela de Lewis haya tenido el impacto en Borges que sugiere el *Essay*. Para situar mejor el cuento hay que colocarlo en el contexto de la amistad de Borges con Adolfo Bioy Casares y su mujer, Silvina Ocampo. De ahí nacieron «Pierre Menard» y «Tlön». Los tres amigos solían encontrarse regularmente en casa de Victoria Ocampo, en San Isidro, o en el departamento de los Bioy, en Buenos Aires, para discutir asuntos literarios y planear libros en colaboración. Algunas de estas obras llegarían a publicarse; otras se conservan sólo como fragmentos. Entre las planeadas pero nunca ejecutadas (cuenta Bioy en un libro de 1968) había una historia sobre un joven escritor provinciano francés atraído por la obra de un oscuro maestro, ya muerto, y cuya fama estuvo limitada a unos pocos y selectos lectores. Con paciencia y devoción, el joven colecciona la obra del maestro: un discurso para elogiar la espada que llevan los académicos franceses, escrito en un estilo correcto y lleno de clisés; un breve panfleto sobre los fragmentos del *Tratado de la lengua latina*, de Varrón; una colección de sonetos, tan fríos de forma como de tema. Incapaz de reconciliar la reputación del maestro con la que merecen estos desanimadores textos, el joven busca y al fin encuentra sus manuscritos inéditos: consisten en borradores, brillantes e infortunadamente incompletos. Entre los papeles hay una lista de las cosas que un escritor nunca debería hacer. Una de las recomendaciones es evitar en la crítica todo elogio o censura. Este precepto sabio aparece atribuido a un tal Menard.

Aunque aquel cuento nunca fue escrito por los tres amigos, Borges decidió usarlo más tarde como punto de partida de *su* «Pierre Menard». Según cuenta Bioy, el mismo día en que estaba apuntando la larga lista de prohibiciones, Borges les contó su nuevo cuento. La verdadera fuente estaría, pues, allí. Pero la imaginación de Borges ha transformado un ejercicio de sátira literaria (modelado más o menos en los cuentos de escritores y artistas irónicamente inventados por Henry James) en una historia verdaderamente fantástica. En la versión final, la semilla narrativa, la desilusión de un joven provinciano al comprender qué injustificada es la fama, aparece metamorfoseada en la historia de un escritor que intenta lo imposible: re-escribir en todos sus detalles, y sin copiarlo, un texto famoso. Al orientar el cuento hacia el maestro, y al convertirle en una suerte de mártir de la escritura, Borges introdujo el elemento fantástico que faltaba en el plan original.

Ahora la búsqueda maníaca de Menard se convierte en el centro de la historia. Como el Bartleby de Melville, o el Artista del Hambre de Kafka, Menard se propone una empresa imposible.

El verdadero cuento aprovecha bastante la sátira planeada y puede ser visto como una realización de la misma. En un sentido, la obra no escrita sirve de marco invisible a la contada. Pero en vez de dramatizar la desilusión del joven provinciano al leer los fragmentos de la obra inédita del maestro, Borges cambia la perspectiva: en vez de desilusionarse, el joven se entusiasma con la audacia del proyecto.

Ana María Barrenechea

EL IDEALISMO Y OTRAS FORMAS DE LA IRREALIDAD

En Borges hay una forma de atacar la consistencia del universo y del hombre dentro del universo que reúne varios hilos: la filosofía idealista de Berkeley, para quien el mundo no existe fuera de la mente de los que lo perciben o de la mente divina, el platonismo para quien el mundo es un reflejo de los arquetipos eternos, la creencia cristiana en un Dios creador y conservador del hombre, que vive mientras el Señor lo piensa, las creencias orientales en un orbe puramente aparencial en las que hasta el Nirvana deja de ser (o de no ser), y todas las ficciones y leyendas mágicas y populares que especulan con fantasmas, con ídolos, con simulacros, con seres creados por la imaginación de los hombres, con fórmulas capaces de hacer vivir muñecos inanimados, con historias donde no se sabe si se sueña o se está despierto.

De tales invenciones, quizás el idealismo de Berkeley fue el más poderoso desde el comienzo y a él dedicó los ensayos de *Inquisiciones* relacionados con el problema de la personalidad y el poema «Amanecer», donde siendo el espectador solitario de las calles de Buenos Aires siente que las está salvando de desaparecer para siempre. [...] Las imaginaciones derivadas de esta idea pueden adoptar dos formas: o hacen resaltar que la realidad es un simple sueño y que lo que creemos sustancial y concreto no es más que una apariencia, o producen un objeto soñado que adquiere tal vida y solidez que de rechazo disuelve el orden terrestre.

Dos cuentos de *Ficciones* están basados en esta última operación sobrenatural de introducir en el mundo productos de la mente. «Las ruinas circulares» se desenvuelve en un ámbito de vaguedad y de poesía —la lejanía de las regiones persas, la soledad, la selva, el río, el dios del fuego con sus intrincadas y suntuosas transformaciones—, Borges dramatiza la empresa de crear un ser con la materia elusiva del sueño en el fracaso primero, la minuciosa tarea posterior, la impoten-

Ana María Barrenechea, *La expresión de la irrealidad en la obra de Jorge Luis Borges*, El Colegio de México, México, 1957, pp. 120-136.

cia del hombre y el socorro celeste. Al fin revierte trágicamente sobre el soñador la fantasmagoría de lo soñado. [...]

Mucho más complejo es el caso de «Tlön, Uqbar, Orbis Tertius» donde Borges presenta un mundo imaginado por un colegio de sabios y que acaba por tomar existencia sustancial sustituyendo a nuestro planeta. En unas páginas de *Sur* de 1936, donde echa en cara a las utopías su pobreza, encontramos el plan del cuento que desarrollará más tarde en 1940: «que describa puntualmente un falso país con su geografía, su historia, su religión, su idioma, su literatura, su música, su gobierno, su controversia matemática y filosófica ... su enciclopedia, en fin; todo ello articulado y orgánico, por supuesto ...». Aquí está todo el secreto. Borges ofrece, después de un descubrimiento gradual de su existencia, un universo organizado en forma minuciosa y coherente, y si no expone su estructura completa como lo había propuesto en teoría —lo que sería estéticamente absurdo— elige unos detalles y sugiere otros para que al fin nos quede la evidencia de un orbe lúcidamente planeado en oposición al caos terrestre. Primero hace que sean válidas en él las ideas filosóficas que le han dado origen; el materialismo es una herejía, el idealismo de Berkeley informa las mentes y también triunfa el panteísmo idealista de Schopenhauer. El lenguaje (que elimina los sustantivos) es capaz de crear objetos poéticos ideales; la literatura y la filosofía son de tipo fantástico, y se les asocian las teogonías gnósticas que acentúan la inanidad del cosmos. [...]

En «La busca de Averroes» el idealismo y, además, la noción de Dios creador y conservador del hombre, le dan la fórmula para terminar el relato con un súbito desbaratarse del protagonista y de su mundo (*El aleph*). El escamoteo de prestidigitador que efectúa tiene una triple sugestión: ficción de la vida (quizá Dios dejará de soñarnos, como también pensaba Unamuno, y desapareceremos en la misma forma en que se borró Averroes), ficción de la ficción (de este Averroes que nos parecía tan real en el relato, con sus preocupaciones y su esclava de pelo rojo, nada sabemos con seguridad) y yo diría también que secreta glorificación de su arte pues ha podido hacer vivir a Averroes y a su esclava sin que pensáramos en su radical falsedad hasta el brusco corte final. [...]

Símbolos de la irrealidad

Los espejos. El espejo guarda en su reflejo empañado una constante sugestión de irrealidad y de poesía que suele enriquecerse con alusiones a los arquetipos platónicos, a la creencia popular en el doble y en los espejos mágicos, a la idea gnóstica de que el universo es una copia invertida del orden celeste, a la deformación monstruosa o la multiplicación infinita de sus superficies enfrentadas. Pero insinúe o no cualquiera de estos aspectos, siempre basta su sola presencia para sentir la disolución que nos amenaza. Hablando de metáforas poéticas Borges propone en *Inquisiciones* un germen de aventura sobrenatural donde está imaginativamente desarrollada la sensación de fantasmagoría que produce su azogado cristal: «Ya no basta decir, a fuer de todos los poetas, que los espejos se asemejan a un agua. Tampoco basta dar por absoluta esa hipótesis y suponer, como cualquier Huidobro, que de los espejos sopla frescura o que los pájaros sedientos los beben y queda hueco el marco. Hemos de rebasar tales juegos. Hay que manifestar ese antojo hecho forzosa realidad de una mente: hay que mostrar un individuo que se introduce en el cristal y que persiste en su ilusorio país (donde hay figuraciones y colores, pero regidos de inmovible silencio) y que siente el bochorno de no ser más que un simulacro que obliteran las noches y que las vislumbres permiten».

La irrealidad de Tlön se ahonda con el misterio poético de los espejos («Debo a la conjunción de un espejo y de una enciclopedia el descubrimiento de Uqbar. El espejo inquietaba el fondo de un corredor», *Ficciones*; «Algún recuerdo limitado y menguante de Herbert Ashe ... persiste en el Hotel de Adrogué, entre las efusivas madreselvas y en el fondo ilusorio de los espejos», *Ficciones*). Entre los elementos de caducidad y esplendor que rodean a Bandeira, el Dios aparentemente enfermo y decrépito, «hay un remoto espejo que tiene la luna empañada» (*El aleph*). Los poemas los recogen en pasajeras metáforas y en «Los espejos velados» (*Otras inquisiciones*), relato brevísimo, aún juega con la locura de imágenes que persiguen, de cristales que se sublevan y cambian los reflejos de la realidad.

Los sueños. Los sueños son otra forma de sugerir la indeterminación de los límites entre mundo real y mundo ficticio. Tienen dentro de la economía de sus relatos papeles premonitorios, laberínticos, de repetición cíclica, de alusión al infinito. Unas veces son más nítidos que la misma vida y por serlo la existencia tiende a volverse ensoñación: «Altos en la penumbra del cuarto, curiosamente simplificados por la penumbra (siempre en los sueños del temor habían sido más claros), vigilantes, inmóviles y pacientes ..., Alejandro Villari y un desconocido lo habían alcanzado, por fin. Con una seña les pidió que esperaran y se dio vuelta contra la pared, como si retomara el sueño (*El aleph*). En ciertos casos es una desolada angustia en una atmósfera rarificada que se confunde con el infierno (*Discusión*). Es también el salir de una pesadilla a otra sin saber cuándo se ha llegado a la vigilia (*Discusión* y *El aleph*) y el mezclar los recuerdos, los sueños y la realidad sin saber qué es cierto y qué es inventado. Pueden ser «populosos», «falsos y tupidos», tener una consistencia pegajosa como masa en la que nos sumergimos y de la cual emergemos, o ser como una apretada red que nos embaraza. Combinan a menudo, característica constante de su estilo, la nitidez y el efecto desrealizador y misterioso: «... nubes de alumnos taciturnos fatigaban las gradas; las caras de los últimos pendían a *muchos siglos de distancia y a una altura estelar*, pero eran *del todo precisas*» (*Ficciones*). La fusión de estas formas opuestas que parecerían inconciliables se repite en todo el cuento «Las ruinas circulares», pues el autor resuelve con ellas el problema que se le presenta de hacer vivir el milagro de la interpolación de un sueño. Así mantiene con ciertas expresiones la fantasmidad del ser («enorme alucinación», «vasto colegio ilusorio», «modelar la materia incoherente y vertiginosa de que se componen los sueños», «mucho más arduo que tejer una cuerda de arena o que amonedar el viento sin cara», *Ficciones*), y en cambio le da con otras suficiente consistencia para que el lector crea en su real existencia de fantasma (sombras que ansían liberarse de su condición, sueño del hijo detalle por detalle, el corazón «activo, caluroso, secreto», «con minucioso amor lo soñó, durante catorce lúcidas noches», «listo para nacer —y tal vez impaciente», *Ficciones*). Recuérdese que en *Discusión*, 27, Borges imagina también una humanidad sin espacio ni corporeidad «irrealizada y afantasmada» y al mismo tiempo «tan apasionada y precisa como la nuestra». [...]

La irrealidad reflejada en el vocabulario

Adjetivación de lo borroso. Ciertas palabras traducen la inconsistencia del orbe y entre ellas se repiten preferentemente *irreal* (*irrealidad, irrealizar, desrealizar*), *ilusorio* y *afantasmado* (*fantasmidad*). El cementerio de «La Recoleta» nos deja «Convencidos de caducidad, irrealizados por tanta certidumbre de anulación» (*Poemas*) en un poema en el que confluyen otros términos de la disolución: *caducar, no-ser, apagarse, cesar, simulacro, espejos, entristecer.* La ciudad le depara la sensación a la vez acogedora y extraña: «símbolo de noches solas, de caminatas extasiadas y eternas por la infinitud de los barrios. Porque Buenos Aires es hondo y nunca, en la desilusión o el penar me abandoné a sus calles, sin recibir inesperado consuelo, ya de sentir irrealidad» (*Cuaderno de San Martín*). Ya vimos que era *ilusorio* el fondo de los *espejos*; combinando las dos palabras habla también de «el espejo ilusorio de la música» (*Poemas*) y el auditorio que congrega el mago en sus sueños es un «vasto colegio ilusorio» (*Ficciones*). Entre los derivados de *fantasma* prefiere *afantasmado* y *afantasmar*. La existencia de la biblioteca total convierte al escritor en un ser inútil que copia textos preexistentes creyendo inventarlos: «La certidumbre de que todo está escrito, nos anula o nos afantasma» (*Ficciones*). Hawthorne registra trivialidades para «liberarse, de algún modo, de la impresión de irrealidad, de fantasmidad, que solía visitarlo» (*Otras inquisiciones*). Los objetos subsistentes de Meinong se conciben «de algún modo, siquiera nebuloso o afantasmado» (*Sur*).

También hay otras muchas formas de la negatividad: *no-ser, apenas-ser, simulacros, reflejos, ídolos, apariencias, sombras.* «Volvió, pero debemos recordar su condición de sombra ... Todo lo amó y lo poseyó, pero desde lejos, como del otro lado de un cristal. "Murió", y su tenue imagen se perdió, como el agua en el agua» (*El aleph*); «... como al cesar la luz / caduca el simulacro de los espejos / que ya la tarde fue entristeciendo» (*Poemas*). Habla de una «*indecisa* traducción» (*Ficciones*), de «*inciertas* metáforas» (*Poemas*), de un «orbe *nebuloso*» (*Otras inquisiciones*), de una «*borrosa* urbanidad» (*Ficciones*), de «*vagas* calles» (*Ficciones*), de «barrios *decrecientes* y *opacos*» (*El aleph*), de una realidad que *caduca*, que *cede* y que *anhela ceder* (*Poemas*).

La duda y la conjetura. Un aspecto sobresaliente de su estilo es la constante manifestación de dudas, vacilaciones y correcciones. El relato puede declarar un olvido total o parcial de los hechos, lagunas que el autor es incapaz de llenar, aspectos que el narrador no recuerda y, lo que es más importante, no quiere recordar. Homero transcribió los viajes de Simbad «en un idioma que he olvidado, en un alfabeto que ignoro» (*El aleph*); el mendigo de «El hombre en el umbral» tampoco recuerda las fechas y los detalles de una historia remota: «Estas cosas ocurrieron y se olvidaron hace ya muchos años» (*El aleph*); en ambos relatos el olvido proyecta su infinitud temporal. [...]

A veces las dudas no se reflejan en la mente de los personajes (sean o no los relatores de sus acciones) sino en el escritor que como tal cuenta la historia y debe enfrentar problemas narrativos. Sabemos por testimonios que ha dejado en sus artículos que a Borges se le ocurre a menudo una idea para un argumento y que luego va desarrollándola y precisando los detalles. Más interesante aún es ver cómo traslada a la técnica del relato su modo de proceder y hace de su proceso creador una parte misma de la ficción. Así escribe cuentos en los que presenta la primera etapa de la elaboración literaria, cuando sólo tiene pensadas las líneas generales. En el «Tema del traidor y del héroe» destaca las fuentes de inspiración, lo provisorio de la redacción, los hiatos de la historia, las vacilaciones del creador que no entrevé la forma definitiva, hasta la posibilidad de que nunca alcance a dársela. También indica las varias soluciones que se ofrecen al espíritu para cada problema literario y la elección como escritor de la que juzga más adecuada. Igual provisoriedad, igual ignorancia de los detalles, iguales dudas no disipadas hay en «El muerto».

ZUNILDA GERTEL

LA METÁFORA EN LA ESTÉTICA DE BORGES

En sus primeros manifiestos ultraístas, Borges ya señala la importancia de la metáfora y el ritmo del verso libre, no como meros artificios, sino como principios unificadores de la nueva lírica.

El primer estudio de Borges acerca de la metáfora se publicó en *Cosmópolis* de Madrid [noviembre de 1921, pp. 395-402]. Borges define allí la metáfora, como «una identificación voluntaria de dos o más conceptos distintos, con una finalidad de emociones» (p. 396). Establece la relación entre metáfora científica —que corresponde a la explicación de un fenómeno— y la poética, pues en ambos casos son «vinculación tramada de cosas distintas», y asimismo «verdaderas o falsas transmutaciones de la realidad». Añade que cuando el geómetra dice que la luna «es una cantidad extensa en las tres dimensiones» su expresión es tan metafórica como la de Nietzsche cuando la define como «un gato que anda por los tejados», ya que en ambos casos se tiende un nexo desde la luna (síntesis de percepciones visuales en el primero y de sensaciones evocadoras, en el segundo) (p. 395).

[Borges se propone presentar una clasificación y sistematización de la metáfora. Su clasificación es la siguiente:]

I. Imágenes que muestran paralelismo entre dos objetos formales. Aunque son las más sencillas no abundan en las literaturas primitivas como pudiera creerse. Anota que en la literatura española, Góngora es el primero que «sistematiza la explotación de coincidencias formales», y cita como ejemplo el verso «En campos de zafir pacen estrellas» (p. 397).

Zunilda Gertel, «La metáfora en la estética de Borges», *Hispania*, 52:1 (1969), pp. 92-100 (92-96, 98-100).

II. Analiza la traslación de percepciones acústicas en visuales, como asimismo la relación inversa. Agrega que éstas son de menos fijación efectiva, pero más audaces. Cita ejemplos del siglo XVII, «negras voces», «voz pintada» (Quevedo), lo que evidencia que el simbolismo no sería creador, sino renovador de las imágenes sinestésicas. Analiza algunos hallazgos significativos en este aspecto: En 1734, Castel inventó un clavicordio de colores, con el objeto de hacer visible el sonido para interpretarlo en términos cromáticos. Saint-Pol-Roux, observando la similitud de los vocablos *coq* y *coquelicot*, y sugestionado por el color de la cresta, dice que «el gallo es una amapola sonora». También René Ghil, en 1886, amplía las declaraciones de Rimbaud acerca de la visualización de los sonidos: «les Harpes sont blanches; et bleus sont les Violons mollis souvent d'une phosphorescence pour surmener les paroxysmes; en la plénitude des Ovations les cuivres sont rouges; les Flûtes, jaunes, qui modulent l'ingénu s'étonnant de la lueur des levres; et, sourdeur de la Terre et des Chairs, synthèse simplement des seuls simples, les Orgues toutes noires plangorent ...» (p. 398).

Once años antes, ya el profesor Brühl había estudiado la ligazón de sonidos y colores. Las investigaciones de Francis Galton prueban, al respecto, las diferencias enormes que las asociaciones visuo-auditivas tienen en individuos no vinculados entre sí. Esto demuestra que son traslaciones casuales y carecen de universalidad.

III. Más allá de las metáforas que representan traslaciones sensoriales, son aún más ricas en posibilidades y más complejas las que establecen relaciones entre lo conceptual abstracto y lo concreto. Por ejemplo, las creadas mediante la materialización de lo temporal como en *Las mil y una noches* «Cuando tu cabellera está dispuesta en tres oscuras trenzas, me parece mirar tres noches juntas» (p. 400).

IV. Ofrece también posibilidades de mutaciones la traslación de lo estático en dinámico —que es la inversión de lo anterior. En este caso lo espacial se temporaliza: «Los rieles aserran interminables asfaltos» (p. 400).

V. Las metáforas que encierran imágenes antitéticas prueban, según Borges, el carácter «provisional y tanteador» que asume el lenguaje frente a la realidad. Advierte que si sus momentos fueran encasillables «a cada estado correspondería un rótulo y sólo uno». En tanto en álgebra los signos contrarios se excluyen, en literatura fraternizan «e imponen la conciencia de su sensación mixta, pero no menos verdadera que las demás» (p. 400). [...]

De este consciente estudio, Borges deduce: «He analizado ya bastantes metáforas para hacer posible, y hasta casi segura, la suposición de que en su gran mayoría cada una de ellas es referible a una fórmula general, de la cual pueden inferirse a su vez, pluralizados ejemplos, tan bellos como el primitivo, y que no serán en modo alguno, plagios» (p. 401).

Admite que el poeta puede lograr metáforas excepcionales, pero las juzga hallazgos únicos, «el verdadero milagro de la gesta verbal», como en los inmortales versos de Quevedo: «Su tumba son de Flandes las campañas / y su epitafio la sangrienta luna» (p. 401).

Borges siente que en metáforas como ésta, la realidad objetiva se contorsiona y logra plasmarse una nueva realidad. La aspiración de su arte es esa transmutación, que busca hallar en la metáfora, pero que ya, con escepticismo, teme no alcanzar.

Como conclusión, en este primer artículo de Borges sobre la metáfora podemos inferir:

I. La valoración de ésta como elemento funcional en la poesía ultraísta, en su posibilidad de trasladar y fusionar elementos dispares en una visión nueva.

II. La reducción de las combinaciones de metáforas a fórmulas arquetípicas, lo que implica una restricción de las infinitas posibilidades que postulaba el ultraísmo.

III. Las metáforas excepcionales, «las que escurren el nudo enlazador de ambos términos en la intelectualización», son casi inasibles.

IV. La imagen antitética en su ambivalencia ofrece la apertura hacia la transmutación de la realidad cotidiana en el mundo del arte. Hallamos ya la valoración de la antítesis como unidad, lo que posteriormente será clave de la lírica borgiana.

Demostramos con estos principios que Borges, en 1921, momento inicial del ultraísmo porteño, opone reparos a la metáfora y advierte ya, objetivos inaccesibles a la audacia de la imagen nueva. Afirma aún los valores del ultraísmo, insiste en su oposición a los sencillistas, y aunque en su lírica hallen plenitud las metáforas, en teoría advierte sus limitaciones. [...]

En 1925, en *Inquisiciones*, publica «Examen de metáforas», que reitera numerosos conceptos expresados en el primer artículo publicado en *Cosmópolis*, y completa además la clasificación expuesta entonces. Agrega que la metáfora «se inventó por pobreza del idioma y se frecuentó por gusto». Considera que la lengua «no ha recabado aún su adecuación a la urgencia poética y necesita troquelarse en figuras» (*Inquisiciones*).

Apunta la carencia de metáforas en la lírica popular y afirma comprobarlo con los ocho mil cantares que Rodríguez Marín publicó en Sevilla, en 1883. Las traslaciones populares son las equivalentes de tropos sencillos: niña-flor, labios-clavel, mudanza-luna. Según Borges, la poesía popular se apoya en estas imágenes porque son las únicas poetizables «para el instinto del coplista plebeyo», a quien «le atañe lo sobresaliente que hay en toda aventura humana, no las parciales excepciones». Anota que el coplista se interesa en versificar lo individual; el poeta culto, en lo personal.

Observa, sin embargo, que el coplista recurre a la hipérbole que significa una «promesa de milagro». Advierte que es falacia suponer que «toda copla popular, es improvisación». Borges piensa que la poesía del coplista es quehacer auténtico, y en el tránsito de guitarra en guitarra «suelen convivir varias lecciones que ya no incluyen la primitiva, tal vez».

También en *Inquisiciones*, en su ensayo «Después de las imágenes», vuelve a teorizar sobre la metáfora, y manifiesta la necesidad de un cambio: «Hoy es fácil en cualquier pluma (la metáfora) y su brillo es numeroso en los espejos. Pero no quiero que descansemos en ella y ojalá nuestro arte olvidándola pueda zarpar a intactos mares».

Llegamos al momento en que Borges comprueba que en sus principios poéticos la metáfora no aporta los elementos válidos para su creación. Advierte que su búsqueda debe ir más allá de ese momentáneo enlace de sensaciones o conceptos, hacia la imagen esencial. Por ello afirma: «La imagen es hechicería. Transformar una hoguera en tempestad, según hizo Milton, es operación de hechicero. Trastrocar la luna en pez, en una burbuja, en una cometa —como Rosetti lo hizo equivocándose antes que Lugones, es menor travesura. Hay alguien superior al travieso, al hechicero. Hablo del semidiós, del ángel, por cuyas obras cambia el mundo».

Estamos ya ante la decepción del ultraísmo. Borges percibe entonces que, más allá de todo principio innovador, en la poesía hay un sentido de verdad intemporal. [...]

Su decepción ante las posibilidades de la metáfora lo lleva ya a nuevas reflexiones acerca de la lírica. Su concepto de poesía se define como «el descubrimiento de mitos o el experimentarlos otra vez con intimidad, no el aprovechar su halago forastero y su lontananza».

El mito que persigue Borges no es el extraño y fabuloso mito del modernismo o del culteranismo, «que se llenó de ecos, de ausencias y se engalanó de muertes», sino el que une la fantasía a la historia anónima en la dilucidación de orígenes y destinos. En *El hacedor* (1960) reafirma su convicción: «Porque en el principio de la literatura está el mito, y asimismo, el fin».

En esta búsqueda de un nuevo cauce lírico, Borges reconocerá definitivamente, al cabo de tantas dudas y reticencias, en 1952, el fracaso de la metáfora nueva y la necesidad del retorno a las metáforas eternas.

En *Otras inquisiciones* (1952) dice: «Las verdaderas, las que formulan íntimas conexiones entre una imagen y otra, han existido siempre; las que aún podemos inventar son las falsas, las que no vale la pena inventar». En «La esfera de Pascal» concluye que «quizá la historia universal es la historia de la diversa entonación de algunas metáforas». Al referirse a las críticas de Quevedo, con respecto a las trivialidades o eternidades de la poesía —aguas equiparadas a cristales, manos equiparadas a nieve— «que le incomodaban por fáciles, pero mucho más por ser falsas», Borges nos da la explicación de la inoperancia de la metáfora, porque «es el contacto momentáneo de dos imágenes, no la metódica asimilación de dos cosas».
En *Historia de la eternidad* (1953), vuelve a sus reflexiones sobre la metáfora. De «Las Kenningar» dice que «son las más frías aberraciones que las historias literarias registran». Si bien es común atribuirlas a decadencia, ve en esta poesía de Islandia del año 1000, el primer deliberado intento del goce verbal de una literatura instintiva. En el mismo libro, en «Las metáforas», también señala algunas típicas de la poesía de Islandia («gaviota del odio», «halcón de la sangre», «cisne rojo»), como equivalentes al cuervo. Concluye que la emoción no las justifica y las juzga «laboriosas e inútiles». Afirma haber comprobado lo mismo con las figuras del marinismo y del simbolismo. [...]

Borges comprende la inoperancia de la metáfora vanguardista en su lírica y necesita buscar un cauce más personal, que posteriormente hallará por el camino del mito y del símbolo. De ello derivan sus constantes reflexiones y sus cambios de puntos de vista, los que no obstante siempre se apoyan en la conciencia de una tradición literaria en un orden eterno. Podemos también explicar con su rechazo del ultraísmo su cambio de visión de la literatura modernista, y especialmente su actitud ante la obra de Lugones, que varía fundamentalmente y se contradice en críticas sucesivas. Borges no se ubica ya en la posición revolucionaria del escritor vanguardista, sino desde una perspectiva más amplia que incluye distintos puntos de vista, y que le permite ver los movimientos literarios como síntesis y como una apertura en la historia de la literatura.

Esta capacidad de no quedar en el absolutismo de una idea que reconoce errónea con el tiempo, ni tampoco en una situación de relativismo endeble, nos permite ubicar a nuestro escritor en una posición «perspectivista», y usamos el término en la acepción que le confieren Wellek y Warren en *Teoría literaria*: «El *perspectivismo* no significa anarquía de valores, glorificación del capricho individual, sino un proceso para llegar a conocer el objeto desde diferentes puntos de vista que pueden ser definidos y criticados uno tras otro».

Para Borges la meta del autor es siempre «perfectible» y puede significar críticas y cambios, si éstos responden a un auténtico objetivo.

NOÉ JITRIK

ESTRUCTURA Y SIGNIFICACIÓN EN *FICCIONES*

Ficciones reúne dos series de cuentos, una de 1941 (*El jardín de senderos que se bifurcan*), la otra de 1944 (*Artificios*); además los cuentos están escritos desde 1935 («El acercamiento a Almotásim») hasta 1943, sin contar con el hecho principal de su diversidad, consistente en lo que hay en un cuento de experiencia particular. Sin embargo, en la medida en que su autor les ha otorgado una unidad al agruparlos en volumen, los voy a considerar como un texto único en cuyo interior habrá que discernir una organización o una serie de organizaciones que, puestas de relieve, van a hacer más inteligible su significación.

De *El jardín de senderos que se bifurcan* extraigo este trozo: «Precisamente —dijo Albert— *El jardín de senderos que se bifurcan* es una enorme adivinanza, o parábola, cuyo tema es el tiempo; esa causa recóndita le prohíbe la mención de su nombre. Omitir *siempre* una palabra, recurrir a metáforas ineptas y a perífrasis evidentes, es quizás el método más enfático de indicarla. Es el modo tortuoso que prefirió, en cada uno de los meandros de su infatigable novela, el oblicuo Ts'ui Pên». En «Examen de la obra de Herbert Quain», éste «Afirmaba también que de las diversas felicidades que puede ministrar la literatura, la más alta era la invención». Y, por fin, en «El milagro secreto»: «Hladík preconizaba el verso, porque

Noé Jitrik, «Estructura y significación en los cuentos de Borges», *El fuego de la especie*, Siglo XXI, Buenos Aires, 1971, pp. 129-150 (130-133, 135-139).

impide que los espectadores olviden la irrealidad, que es condición del arte».

Entiendo que con estos conceptos Borges persigue dos cosas; primero, afirmar una cierta teoría del arte cuyos términos serían la irrealidad, la invención y sobre todo la distinción entre lo explícito (la anécdota) y lo que está oculto en el interior de una construcción de lo explícito; segundo, indicar un camino a la crítica para aproximarse a estos cuentos. La crítica desoyó este convite con rara despreocupación y adoptó como materia de su trabajo precisamente lo explícito confundiéndolo con lo que Albert llamaría «el tema». ¿Cómo se produjo esta desviación? Es evidente que para Borges limitarse a crear meramente una zona literaria cualquiera no constituye en sí invención ni irrealidad. Busca, por lo tanto, materiales irreales en sí, invenciones en sí. Esto es lo explícito de sus cuentos y está integrado siempre por las mismas recurrentes anécdotas o por las anécdotas que se producen necesariamente a partir de las recurrentes circunstancias: laberintos, circularidad, libros, sueños, orden y desorden, etcétera. Ahora bien, la irrealidad es pensable en relación con la realidad lo cual significa que para constituir esas anécdotas irreales en sí, Borges inventó sobre la realidad, metaforizó lo que la realidad ofrece; insistió tanto en la irrealidad, la realzó tanto que esas invenciones (lo explícito) se le fue convirtiendo en sistema, es decir en una especie de «filosofía», que para muchos resultó apasionante, mucho más que el posible «tema» encubierto en la construcción. Borges parece entonces de este modo más preocupado por la irrealidad de la realidad que por la irrealidad de la literatura o, por lo menos, porque la irrealidad de la literatura sea tan inequívoca que aparezca inequívocamente irrealizada la realidad.

Tal vez en eso resida la razón de que su mensaje a la crítica no haya sido muy escuchado; lo más frecuente es que, dando por supuesta su perfección literaria, se lo celebre por esa «filosofía» o por esa ingeniosa prevención gnoseológica en que esa filosofía puede resumirse. Siguiendo la indicación preliminar del propio Borges voy a intentar otro camino. Me importa por ahora menos, por ejemplo, su filosofía del absurdo de un orden que lo que el orden interno de sus cuentos puede querer decir, tal vez una significación, tal vez un pensamiento, tal vez una situación, con más vinculaciones históricas y aun psicológicas de las que Borges, por no sé qué extraña razón, parece exceptuado.

El oblicuo Ts'ui Pên, en *El jardín de senderos que se bifurcan*, prefirió el modo tortuoso de hablar del tiempo, por medio de una adivinanza o parábola. Hay un lector, Albert, que da esa clave señalando un camino a todo lector, para quien incluso esa clave dada por Albert integra un enigma. Pero ni la clave ni el enigma parecen en estos cuentos un producto natural o necesario, un emergente espontáneo de la creación literaria, sino un resultado de cierta organización que cubre dos planos: uno —el que nos concierne como lectores— propone una totalidad que debemos interpretar como si interpretáramos una clave amplia; el otro, que concierne a los cuentos, se presenta en forma de un enigma que va tomando forma y que se confunde con la peripecia misma del cuento.

Borges emplea diversos procedimientos para proporcionar esa coincidencia: los movimientos (lecturas y conjeturas) de Lönrott para descifrar los alcances del Tetragrammaton van dando cuerpo al misterio del Tetragrammaton que aparece simultáneamente con el crimen; en «Tlön, Uqbar, Orbis Tertius» toda la descripción de la inventada enciclopedia prepara la aparición final del enigma, cuando hacen su presencia en este mundo objetos que corresponden al mundo inventado; en «Las ruinas circulares» el desarrollo del proyecto de la onirogénesis va promoviendo el enigma que se explicita al final: ¿será el que sueña el sueño de otro que está soñándolo?; en «Funes el memorioso» el enigma acompaña la existencia misma del personaje extraordinario. Hay, por lo tanto, grados de enigmatismo pero nunca omisión del enigma que obra como núcleo estructurador. Este carácter surge, precisamente, de todas las variantes. Ahora bien, la exigencia fundamental de un enigma es su formulación; antes que nada debe presentarse como tal y así debe reconocerse; subsidiariamente puede ser resuelto efectiva o aparentemente en el interior del cuento pero siempre debe ser resuelto fuera de los cuentos. En «La forma de la espada» se entiende al final (el narrador lo entiende) qué significa la cicatriz; en «Funes el memorioso» el fenómeno queda en suspenso en su mera descripción. En todos los casos, Borges cumple con lo principal, a veces con lo accesorio lo cual permite dibujar un arco una de cuyas puntas es la mayor inmanencia del enigma y la otra su mayor trascendencia o apertura. Pero se trata de enigmas en los cuentos, no de definiciones puras de los enigmas; esto exige una encarnación, una dramatización, exige que el enigma sea narrado por lo cual se produce un pasaje, un cambio de plano: el enigma como núcleo engendra una forma que lo expresa y lo comprende, esta forma es la investigación. [...]

Teniendo en cuenta la actitud investigativa y la mayor o menor carga de investigación que soportan ya sea los personajes, ya sea el narrador, estimulada esta labor por la función narrativa propiamente dicha, me parece que se puede intentar una primera clasificación de los cuentos de *Ficciones* en tres zonas: descubrimiento, creación, organización, que indicarían otras tantas iniciales perspectivas analíticas.

La idea de los cuentos como descubrimiento reposa en lo siguiente: en la medida en que el narrador se narra a sí mismo como investigador necesita de un objeto o de una serie de objetos sobre los que se realiza su investigación. Cuenta cómo va penetrando en ellos y, dialécticamente, al justificarlos los realza; mientras los investiga los descubre. Esta relación se expresa no sólo en el plano conceptual sino por medio de una exaltación verbal que da cuenta de una fiebre, desesperación, desconcierto, asombro frente al resplandor de lo descubierto. Doy un solo ejemplo: «Ebrio de insomnio y de vertiginosa dialéctica, Nils Runeberg erró por las calles de Malmö, rogando a voces que le fuera deparada la gracia de compartir con el Redentor el Infierno». El descubrimiento es descubrimiento de los desoladores términos del enigma. En esta categoría incluyo «Tlön», «El acercamiento a Almotásim», «Pierre Menard», «Herbert Quain», «Las tres versiones de Judas».

La segunda zona resulta de un desplazamiento de los términos anteriores: el narrador, menos activo aparentemente, ya sea a través de la tercera persona, ya desde una primera persona atenuada, deja de narrarse como investigador y pone el acento en los componentes del enigma; se pasa a una descripción alimentada por un material que se va erigiendo hasta hacerse ámbito orgánico, con leyes propias; a su vez, dichas leyes, configuran el enigma al mismo tiempo que indican el objeto de la investigación. Este grupo está integrado por «Las ruinas circulares», «La lotería en Babilonia», «La biblioteca de Babel», «Funes el memorioso», «El milagro secreto». Lo importante es que hay una producción de una obra y no sólo su desciframiento; en el grupo anterior la obra se recibe hecha, el enigma casi formulado, mientras que aquí lo fundamental parece el proceso de creación desde cero.

El narrador se borra todavía más y encarna el enigma en personajes que indagan o sufren el proceso de la indagación. Incluyo en esta categoría «El jardín de senderos», «La forma de la espada», «El tema del traidor y el héroe» y «La muerte y la brújula». Desde luego que la idea misma de personaje entraña dos consecuencias, visibles en los cuentos de Borges: la primera, una idea de esencia (agotar el cuento en lo que el personaje es o ha escrito, como Pierre Menard); la segunda, que nos interesa ahora una idea de actuación: el personaje debe hacer algo para justificarse. Lo que hace constituye una peripecia que en la narración tradicional se lleva a cabo sobre lo dado, en contra o en favor. Borges y por eso se lo incluye en la literatura fantástica, elige un camino mezclado: hay un problema inicial, hay un personaje que se interna en él, hay una serie de pasos que se cumplen de acuerdo con leyes previas y, simultáneamente, con leyes que emergen del problema mismo. Dentro de esta perspectiva el narrador no desaparece pero, tratando de disimularse en la tercera persona, se limita a organizar la gestión investigativa que está a cargo de esos personajes. Recupera así una función que le ha sido tradicionalmente acordada, releva lo narrativo propiamente dicho, que es lo que en este caso hace inteligible el enigma. En estos cuentos priva un arreglo de los elementos, la posibilidad de que lo irreal no dependa de factores explícitamente irreales sino del ámbito que se crea a partir de la puesta en marcha de ciertas categorías previsibles.

Casi innecesario resulta decir que las tres categorías no tienen límites nítidos; propongo esta clasificación en virtud de las predominancias, lo que implica que subsidiariamente un cuento puede formar parte de más de una categoría: «Tlön, Uqbar, Orbis Tertius», por ejemplo, muestra un proceso de descubrimiento pero en la medida en que se describe el construido mundo de Tlön hay un efecto bastante irrenunciable de creación: la poética de Tlön es una imagen de lo que puede ser la creación pura. No obstante, la clasificación es válida sobre todo porque muestra un principio de estructura que surge de los cuentos mismos y en la que, aunque variablemente, lo esencial es la invención que culmina en la categoría de la creación.

Ahora bien, a pesar de su carácter indicativo, cada una de estas categorías tiene elementos formales propios y que reaparecen en los cuentos agrupados en ellas. Veamos cuáles son.

a) *El descubrimiento*: 1. En primer lugar se trata de uno o de varios libros, o de un hecho o de un hombre a través del libro. El libro es el objeto inicial del descubrimiento y luego el instrumento para descubrir otra cosa; 2. El libro suplanta al personaje y lo que se cuenta es aquello en que el libro consiste. Esta narración se confunde con el comentario del narrador; 3. Hay un pasaje a cierta dramatización. A veces, el autor del libro, por intermedio del narrador, hace un desafío, otras padece su redacción, otras cumple con ciertas aventuras. Se insinúa una peripecia, sobre todo intelectual; 4. Se establece un pasaje del ámbito del libro a otro plano, el de la supuesta realidad.

b) *La creación*: 1. En primer lugar se trata de un proyecto que está a cargo de un personaje o del que el personaje forma parte; 2. Lo que se cuenta es cómo ese proyecto se realiza o cuáles son, descriptivamente, sus componentes; en este cuadro se inserta el personaje adquiriendo, en consecuencia, un elevado carácter simbólico; 3. Hay un pasaje a cierta dramatización que se encarna ya sea en alguna actuación o movimiento del aparato creado, ya sea en un contraste que se produce entre el aparato creado y el personaje: puede haber hallazgo («Ruinas circulares»), prolongación («Biblioteca de Babel»), indeterminación («Funes»), disolución («Lotería en Babilonia»); 4. Se establece una aproximación entre ese proyecto creado y la realidad, a veces ambos planos se superponen, otras veces, también, subsiste ambigüedad en cuanto a la relación.

c) *La organización*: 1. Hay un problema que se plantea de inmediato como problema objetivo a resolver; 2. El o los personajes se hacen cargo de una acción tendiente a resolverlo. Hay una zona indecisa en la que todo puede ser posible. Las contradicciones surgen de la aplicación de ciertos medios (razonamiento, conjetura) al problema que parece superarlos; este enfrentamiento engendra cierto «suspenso»; 3. Hay desplazamientos en el espacio que esbozan cierta acción; salir, entrar, caminar son gestos que, por más genéricos que sean, son imprescindibles para que tenga lugar un nivel fundamental del cuento: la radicalización o personalización del problema; 4. Se produce una revelación relacionada con el problema y se diluye el suspenso; pero la solución es siempre superficial: hay un replanteo después de ella en términos nuevos. En todos los casos esto se hace mediante una apertura de sentido que trascendentaliza la revelación.

La confección de este cuadro reposa en la voluntad de encontrar situaciones básicas lo suficientemente generales como para abarcar numerosos matices, que son los que hacen diferentes a los cuentos dentro de una misma categoría; en segundo lugar, estas situaciones son más bien gestos constructivos, modos de armar los cuentos. Finalmente, si acomodamos en un solo cuadro tales situaciones básicas, observaremos que a pesar de sus alcances tan diferentes, especialmente en los puntos 2 y 3, hay una simetría, aunque hecha sobre aspectos parciales, que explica acaso cierta indiferenciación constructiva en el conjunto. Parecería que cada cuento se constituye sobre la base de una combinación dentro de un conjunto bastante limitado —y no infinito— de variables, lo que produce simultáneamente una sensación de previsibilidad y de inasibilidad. ¿Podrá vincularse con esta doble vertiente su carácter fantástico? ¿Será lo fantástico una categoría literaria producida por la fricción de estos dos principios?

JAIME ALAZRAKI

ESTRUCTURA OXIMORÓNICA EN LOS ENSAYOS DE BORGES

El Borges narrador y poeta ha relegado a segundo plano al ensayista. En la cincuentena de libros ya dedicados a su obra y, en general, a lo largo de la extensa bibliografía que la examina, [el ensayo está tratado más que como género en sí mismo, como complemento necesario para la comprensión de sus ficciones, del sentido final de su obra]. Se ha estudiado y continúa estudiándose con relativa amplitud al poeta y al narrador, pero todavía no ha aparecido la obra dedicada al ensayista o al crítico literario. Las posibles explicaciones de tal anomalía son varias: el éxito de sus cuentos, que ha otorgado a Borges su celebrada notoriedad; el grave error de excluir el ensayo de su obra creadora; la tendencia a ver el ensayo no como entidad en sí misma, sino como exégesis o suplemento del poema o del cuento (pecado casi inevitable cuando el ensayista es también poeta o narrador); el delgado límite entre ensayo y cuento, y la subsiguiente necesidad de estudiar el uno en ensamble con el otro. Podríamos agregar otras razones que contribuirían a explicar el hueco, pero que no lograrían justificarlo. De la misma manera que sus cuentos han entrado en antologías universales del género (*The Contemporary Short Story*, Columbia University Press), sus ensayos se abren paso en colecciones similares: en la antología *Fifty Great Essays* (Bantam Classic) Borges figura con cuatro ensayos junto a los maestros del género de todos los tiempos y lenguas occidentales. No hay razón para

Jaime Alazraki, ed., *Jorge Luis Borges. El escritor y la crítica*, Taurus, Madrid, 1976, pp. 260-264.

dudar que Borges es tan maestro del ensayo como lo es del cuento y del poema.

Borges ha escrito excelentes estudios sobre Lugones, Evaristo Carriego, el *Martín Fierro*; sus juicios y valoraciones pueden ser materia de discusión o disensión, pero nadie que se proponga estudiar seriamente esos temas podrá prescindir de ellos: los tres estudios representan aportaciones definitivas para la evaluación de los tres poetas. Sin embargo, no son estos ensayos de cierta extensión (más allá de las sesenta páginas) los que acreditan a Borges su estatura de ensayista. Son los ensayos breves, los reunidos en *Discusión* y *Otras inquisiciones*, los que mejor definen su contribución al género. Su originalidad no reside en el erudito y vario ámbito de sus temas; no menos erudita y varia en temas es la obra de por lo menos dos espíritus afines: Alfonso Reyes y Ezequiel Martínez Estrada. Leyendo los ensayos de Martínez Estrada [*En torno a Kafka y otros ensayos*] y los de Borges, el lector percibe de inmediato una intención común: los dos descreen del realismo paleográfico, los dos desconfían de la lógica aristotélica.

Hablando de Kafka, dice el primero: «no es fantástico, sino con respecto al realismo ingenuo que acepta un orden fundado en Dios, en la razón o en el lógico acontecer de los hechos históricos. El mundo del primitivo se le asemeja funcionalmente más; allí Dios es una constelación inescrutable, la lógica un sistema de inferencias basado en las analogías aparenciales, y el proceso orgánico del ocurrir las cosas, un evento maravilloso, abierto en cada instante a lo inesperado. Un mundo mágico, en fin». Y Borges: «... es aventurado pensar que una coordinación de palabras (otra cosa no son las filosofías) pueda parecerse mucho al mundo» (*Discusión*); y en otro lugar: «Una doctrina filosófica es al principio una descripción verosímil del universo; giran los años y es un mero capítulo —cuando no un párrafo o un nombre— en la historia de la filosofía». Como Borges, Martínez Estrada se esfuerza por trascender esa imagen del mundo inventada por «la lógica deductiva de Aristóteles y Descartes» para acercarse a un mundo que ya no se enumera y que más que pensarse se intuye, un mundo más cerca de Laotsé que de la Grecia socrática. Pero mientras Martínez Estrada busca alternativas gnoseológicas porque esencialmente cree en la posibilidad de alcanzar o asir «el orden verdadero del acontecer», y de aquí su entusiasmo por Kafka como un retorno al mito y al lenguaje del mito, Borges no polariza la razón occidental y el mito oriental; ve en el budismo una forma de idealismo, y Schopenhauer —que tenía en su cuarto junto al busto de Kant un bronce del Buda— será para Borges, más que un pensamiento, una realidad o, como él lo dice: «pocas cosas me han ocurrido más dignas de memoria que el pensamiento de Schopenhauer o la música verbal de Inglaterra» (*El hacedor*). Al entusiasmo de Martínez Estrada (entusiasmo por «un orden verdadero del acontecer»), Borges opone un escepticismo esencial: si hay un orden, ese orden no. En su ensayo «Acepción literal del mito en Kafka» escribe el autor de *Radiografía de la pampa*: «Para entender su mensaje (el de Kafka), su estupenda revelación de una realidad antes sólo en lampos entrevista, es preciso reconocer que todo lo que realmente acontece se cumple conforme al lenguaje del mito, porque es mito puro (la matemática es también un sistema mítico); y entonces nada más sensato que expresar, hasta donde hoy sea posible, esa realidad en su connotación lógica: el mito y la alegoría». Martínez Estrada define el mito como «un sistema lógico de entender bien las cosas inexpresables», y en el caso de Kafka el mito sería una forma de «no aceptar el orden convencional y monstruoso de una realidad condicionada por la norma y la ley facticia».

Ahora bien, tanto el ensayo como el cuento de Borges se nutren de la metafísica y la teología. Estas disciplinas constituyen, en esencia, la antítesis del mito: la primera busca reemplazar el mito por la razón, y la segunda, el exorcismo por la doctrina. Atribuir a Borges el empleo del mito sería, pues, una evidente contradicción. No lo es tanto si recordamos la tendencia de Borges a «estimar las ideas religiosas y filosóficas por su valor estético y aun por lo que encierran de singular y maravilloso» (*Otras inquisiciones*). En esta operación Borges reduce esas ideas a creaciones de la imaginación, a intuiciones que ya no se diferencian fundamentalmente de cualquier otra forma mítica. El procedimiento recuerda varias de sus narraciones: un disco de dos o tres centímetros que contiene el universo en «El Zahir»; Averroes definiendo las palabras griegas «comedia» y «tragedia», sin sospechar lo que es un teatro; una biblioteca de libros indescifrables; Pierre Menard escribiendo el *Quijote* en pleno siglo XX; un perseguidor perseguido en «La muerte y la brújula».

Este tratamiento oximorónico se da con no menor éxito en sus ensayos. Reducidos a mitos los productos de la filosofía y la teología, no hay ningún motivo para no aplicar el mismo procedimiento a los otros fenómenos de la cultura. Esos mitos de la inteligencia serían devueltos, así, a esa única realidad a la cual corresponden: no al laberinto creado por los dioses, sino a aquel inventado por los hombres. Borges se acerca a los valores de la cultura para comprenderlos no en el contexto de la realidad, sino en el único contexto accesible al hombre: la cultura por él creada. El «Biathanatos» de John Donne es entendido según la ley de causalidad; los ensayos «La esfera de Pascal» y «La flor de Coleridge» son ejemplos que ilustran que quizá la historia universal es la historia de la diversa entonación de algunas metáforas (*Otras inquisiciones*); los «Avatares de la tortuga» de Zenón (las soluciones de Aristóteles, Agripa, Santo Tomás, Bradley, William James, Descartes, Leibniz, Bergson, Bertrand Russell y otros) quedan explicados en la lapidaria frase: «el mundo es una fábrica de la voluntad» (*Otras inquisiciones*); el enigma de las *Rubaiyat* de Omar Khayyán y la versión de Fitzgerald, es resuelto con ayuda de la concepción panteísta: «el inglés pudo recrear al persa, porque ambos eran, esencialmente, Dios o caras momentáneas de Dios» (*Otras inquisiciones*); la misma solución se aplica al caso del sueño del palacio soñado por un emperador mongol del siglo XIII y por un poeta inglés de fines del XVIII, en el ensayo «El sueño de Coleridge».

El tratamiento de los temas de los ensayos no difiere, pues, del empleado en sus narraciones. Esta primera conclusión es ya de por sí reveladora de la concepción de la cultura, manifiesta en el ensayo borgiano: las expresiones del espíritu están comprendidas no como esfuerzos de la inteligencia por entender e interpretar el universo histórico, sino como diseños de «un mundo construido por medio de la lógica, apenas recurriendo, o sin recurrir a la experiencia concreta» [Bertrand Russell, *Nuestro conocimiento del mundo exterior*]. En esencia esta prognosis es la misma que la presentada por Martínez Estrada para estudiar la obra de Kafka: «... la razón configuró racionalmente al mundo y luego se satisfizo en comprenderlo y explicarlo racionalmente». La originalidad de Borges no reside, pues, en haber partido de esa premisa según la cual «la imposibilidad de penetrar el esquema divino del universo no puede disuadirnos de planear esquemas humanos» (*Otras inquisiciones*) (idea que con otra formulación la encontramos en Croce, Bertrand Russell y nuestro Alejandro Korn), sino en haber fecundado con esa premisa las posibilidades y alcances del ensayo. Como en el oxímoron, donde se aplica a una palabra un epíteto que parece contradecirla, en sus ensayos Borges estudia un sujeto aplicando teorías que de antemano condena como falibles y falaces.

El oxímoron es un intento por superar las estrecheces racionales del lenguaje, es un mentís a la realidad reglada conceptualmente por medio de las palabras. Este procedimiento es el que mejor define la técnica del ensayo borgiano, porque las ideas —lo sustantivo del ensayo— se estiman o califican con teorías que contradicen a las primeras en el sentido de despojarlas de todo valor trascendente respecto a la realidad histórica, pero a la vez (como el oxímoron) devuelven a esas ideas (a ese sustantivo que califican) el único valor que las justifica: su carácter de maravilla o de creación estética, conciliando, así, opuestos que sólo aparentemente se rechazan (y ésta y no otra es la función del oxímoron respecto al lenguaje). El ensayo de Borges no hubiera alcanzado la originalidad que indudablemente posee si hubiera procedido en los mismos términos de estructura discursiva del ensayo tradicional.

Martínez Estrada veía en Kafka y en el mito, el empleo de la magia para percibir un mundo que es mágico. Borges ha renunciado a esa posibilidad respecto al mundo, pero no respecto a la cultura; ha renunciado al laberinto de los dioses, pero no al laberinto de los hombres. Su modo de percibirlo se nutre de las ideas de todos los tiempos: el tiempo cíclico, el panteísmo, la ley de causalidad, el mundo como sueño o idea y otras, pero ahora han dejado de ser verdades absolutas —como ilusamente pretendían— para convertirse en mitos, en maravillas, en intuiciones. Mitos, a través de los cuales se busca comprender *no* esa realidad mágica inalcanzable para la endeble inteligencia humana, sino esa otra realidad tejida en ese laborioso y paciente esfuerzo por penetrar lo impenetrable que representa la cultura. A pesar de su naturaleza racional, son mitos, porque funcionan en los ensayos creando relaciones oximorónicas que, a la par de constituir un desafío al orden tradicional, posibilitan una nueva comprensión del material al cual se aplican. Esa nueva comprensión consistiría en negar la posibilidad humana de comprender el mundo, en descubrirnos que el hombre sublima su impotencia ante la realidad creando otra realidad y que, finalmente, esa otra realidad es, en esencia, la única a la cual tiene acceso el hombre. Como el poeta, que «se inventa o hace en su poesía» según la expresión de Octavio Paz (y si no véase esa página memorable, «Borges y yo»), el hombre, incapaz de conocer el mundo, ha inventado en la cultura su propia imagen del mundo; vive así en una realidad que es el producto de su frágil arquitectura. Sabe que hay otra que constantemente lo asedia y le deja sentir la enormidad de su presencia, y entre esas dos realidades transcurre la historia humana como una inevitable desgarradura. Hay un momento en que el ensayo de Borges percibe esta condición trágica; es cuando dice con esa frase neta y no menos desgarrante: «El mundo, desgraciadamente, es real; yo, desgraciadamente, soy Borges» (*Otras inquisiciones*).

Manuel Ferrer

BORGES Y LA NADA

Para Borges, escéptico de las interpretaciones librescas del universo y dominador del aparato crítico con que se las han dado, tanto como del vehículo que las transporta —el lenguaje—, las compilaciones y recensiones de serio aire académico se han convertido en un divertido juego, en una ocasión lúdica donde importa menos la verdad que el puro placer; donde puede sentirse cómodo entre su ironía y la conmiseración hacia los beocios, esos beocios para quienes de un modo solapado dedica su *Historia de la eternidad*, y para quienes en cuanto leen «pleonasmo», «intención propedéutica», «universo unánime» y «apoteosis de la asimilación y del intercambio» —por no citar otros ejemplos— caen de rodillas estupefactos ante tanta magnificada palabrería y tanta reiteración de Platón, Plotino, Bradley, Russell, Malón de Chaide, etc., sin saber que para montar un artículo como el que tienen entre manos basta la maestría del lenguaje de un Borges y «el *Diccionario de la filosofía* de Mauthner, la *Historia biográfica de la filosofía* de Lewes, ... y la psicología de Gustav Spiller: *The mind of man*, 1922». El sucesivo uso de algún estribillo retórico, la enumeración adecuada de algunas citas, por supuesto no exclusivas de este texto, la instalación de alguna ironía, la «dolencia intestinal» de Marco Aurelio que decretó nuestra eternidad, y esa misma eternidad de la que de tanto hablar hasta se olvida, por ejemplo, y una pomposa bibliografía final no del todo inexacta, hacen el resto para esos lectores. [...]

De trabajos incorporados a esa *Historia de la eternidad*, comenta Borges en su prólogo de 1953: «Dos artículos he agregado que complementan o rectifican el texto: *La metáfora*, de 1952; *El tiempo circular*, de 1943». Nuestro único comentario a ellos será permitirnos en-

Manuel Ferrer, *Borges y la nada*, Tamesis, Londres, 1971, pp. 156-160, 163.

mendar la plana al mismo Borges —lo que ninguna importancia tiene para quien tantas planas enmienda— y afirmar que esos artículos ni «complementan» ni «rectifican»; repiten o reproducen dos anteriores: «Las kenningar», origen de «La metáfora» y «La doctrina de los ciclos», antecedente de «El tiempo circular». Así, los dos duplicados en *Discusión* sobre Whitman y la paradoja de Aquiles se convierten aquí en dos duplicados sobre «las kenningar» y la doctrina nietzscheana. Borges vuelve a repetirse, y va conformando de este modo la inextricable red de su universo literario.

[Dejemos este volumen y pasemos a considerar sólo unas pocas de las muchas triquiñuelas borgianas en su libro de ensayos *Otras inquisiciones* de 1952.] Para hacer un resumen general de repeticiones, interpolaciones, interrelaciones, etc., basta, para esta obra, con partir del índice. Con paciencia, algo de buena memoria y un montón de fichas para ir anotando detalles de interés, puede muy bien comprobarse que «La esfera de Pascal» se duplica en «Pascal»; que Coleridge está dignamente representado por «La flor de Coleridge» y «El sueño de Coleridge»; que, a su vez, este último está emparentado con «El primer Wells»; que «El tiempo y J. W. Dunne» se basa en los «Avatares de la tortuga» ya conocido y que aún se conocerá más; que «Del culto de los libros» está directamente relacionado con «El espejo de los enigmas» y con «Dos libros» y que éste tiene mucho que ver con «Anotación al 23 de agosto de 1944»; que «De alguien a nadie», «Formas de una leyenda», «Historia de los ecos de un nombre» y «El pudor de la historia» son variaciones sobre el mismo tema, relacionados, asimismo, con «Everything and nothing» y correspondientes correlativos en *El hacedor*; que «Sobre Oscar Wilde», «Sobre Chesterton» y «El primer Wells», además de otros contactos y el de versar sobre literatura inglesa, tienen en común haber aparecido los tres en *Anales* antes de ser recogidos en *Otras inquisiciones*. Pasamos por alto muchos detalles de trabazón interna y elegimos un par de ellos.

En «La muralla y los libros» —primero de la recopilación del libro— se comienza con un acápite atribuido a la *Dunciada*. Borges no ha falseado la obra, sí el libro y verso. Ese «He, whose long wall the wand'ring Tartar bounds ...» no está, precisamente, ubicado en II, 76, sino en III, 69. El falseamiento o mixtificación no es raro en Borges, por lo que no debiéramos preocuparnos demasiado, pero las circunstancias de este caso merecen la pena un breve comentario. El verdadero verso II, 76, dice: «As much at least as any God's or more» muy significativo tras haber leído el ensayo y conocer los entresijos de la obra borgiana. Aún más significativo es el ocultamiento, ya que en nota al pie aclaratoria del verso que Borges cita, Pope habla de ese Emperador Chi-Hoam ti (*sic*) y explica toda su historia acerca de sus hechos con los libros y la muralla. Y Borges, entre irónico y displicente, comienza: «Leí, días pasados...» sin señalar la cita, él que es tan aficionado al rigor bibliográfico.

[Los comentarios acerca del carácter de la relación entre el hombre Borges y el ensayista Borges, según se desprende del epílogo que cierra «Nueva refutación del tiempo» y el resto del ensayo, debieran eximirnos de otras reflexiones acerca de éste. Igualmente, la seguridad que hemos adquirido de la superchería y el cubileteo intelectual cuando de los ensayos se trata en un autor como Borges, que lo mismo atribuye a Cantor que a Russell una refutación, que lo mismo emplea esa refutación contra Nietzsche que a favor de los eleáticos, que suele regresar eternamente al Eterno Regreso y que usa de otros pormenores críticos en ciertas condiciones muy especiales.]

¿No es paradójico que un autor en cuya vida tanto abundan las repeticiones y cuya vida —por confesión propia— no es más que un tejido de tautologías, redacte una refutación del tiempo, de ese tiempo esencia tanto lógica como real de esas mismas repeticiones y tautologías? Sí, pero debe recordarse que tras toda paradoja hay siempre una enorme dosis de ironía.

¿No resulta cómico que el autor se empeñe en expedir una segunda parte B, que resulta ser, simplemente, una repetición de la parte A, con lo que no sólo tiñe de inutilidad esa parte B, sino que, por esa misma repetición, anula por su base la tesis central de ese supuesto profundo ensayo? Sin duda, pero en el fondo de la comicidad resuena, inevitablemente, la risa.

Jaime Rest

BORGES, MAUTHNER Y LA FILOSOFÍA

Borges negó en forma terminante su condición de «filósofo» o de «pensador», en virtud de que consideraba que todo pensamiento sis-

Jaime Rest, *El laberinto del universo; Borges y el pensamiento nominalista*, Fausto, Buenos Aires, 1976, pp. 79-88.

temático, al proponernos una imagen ordenada de la realidad, «siempre tiende a trampear». Cabe empero preguntarse, de cualquier modo, qué alcance confirió a la palabra *filosofía*, en el empleo que hizo de ella al excluirse de cuanto pueda ser incorporado en ese campo de la actividad intelectual. Las múltiples reflexiones acerca de las doctrinas filosóficas que es posible rastrear en sus escritos, juntamente con su explícita y reiterada profesión de escepticismo o agnosticismo, permiten sospechar que su idea del «pensamiento sistemático» cubre, por antonomasia, el ejercicio de la especulación teológica y metafísica. En cambio, parece manifiesto que Borges no se interroga sobre la validez filosófica que pueda tener la crítica del lenguaje, en el sentido en que él mismo la practica al enjuiciar la instauración de esos sistemas, a los que cuestiona en su pretensión de ofrecer vías apropiadas para el conocimiento de la realidad (*Otras inquisiciones*).

Sin embargo, por el mero hecho de postular un drástico enfrentamiento entre las corrientes del realismo y del nominalismo (*Otras inquisiciones*), ya está ensayando una interpretación histórica del ámbito filosófico; y tan pronto como asume la defensa personal de la segunda de tales alternativas, el mismo Borges se introduce en aquella orientación especulativa cuyo rasgo distintivo ha sido, precisamente, esa crítica del lenguaje. Es más, su entusiasmo y vocación de nominalista lo precipitan en la temeraria afirmación de que en la actualidad la posición que él sustenta prevalece indiscutida, al punto de que ya «nadie se declara nominalista porque no hay quien sea otra cosa» (*Otras inquisiciones*). La refutación de esta hipótesis no sólo resulta sencilla sino que, por añadidura, contribuye a ubicar las opiniones de Borges en el cuadro general del pensamiento contemporáneo.

Para cuestionar el juicio mencionado basta con recordar las observaciones que Theodor W. Adorno enunció en alguna ocasión sobre la presencia de dos escuelas que en nuestros días «operan, quiérase o no, como espíritu de época, por encima del cerco académico», al margen de las observaciones o reservas que —según este autor— podrían formularse acerca de ellas: de un lado, hallamos a quienes practican el análisis lógico y concentran sus investigaciones en los problemas del lenguaje; del otro, advertimos una orientación encaminada fundamentalmente hacia el examen de los problemas del ser. La primera se halla ilustrada por la obra de Bertrand Russell, de Ludwig Wittgenstein, de Rudolf Carnap y de cuantos los acompañaron en la instauración del neopositivismo, tan arraigado en la filosofía reciente de los países anglosajones. La segunda deriva principalmente de Heidegger y se ha difundido, vulgarizado y diversificado con la proliferación de «existencialismos». Este propósito de indagar la realidad del ser exhibe múltiples vinculaciones con el ámbito poético, ya se trate de meras coincidencias, de reconocidos antecedentes, de notorios influjos. En significativo contraste, el neopositivismo expresó cierto grado de menosprecio por la actividad artística, a la que a menudo marginó en un área residual, en compañía de la metafísica. Por consiguiente, en principio resulta muy curioso comprobar que Borges tiende a alinearse junto a los que parecen desdeñar la literatura como un juego vacío de contenidos; pero tal vez sea posible demostrar que esta elección no es tan desconcertante pues se sustenta en una concepción del hombre: de su ineptitud para explorar la realidad con auxilio del lenguaje y, no obstante, del papel protagónico que tiene la palabra en su existencia.

Un detenido reconocimiento de los textos de Borges permite observar que, a decir verdad, son casi nulas sus referencias a las figuras que impulsaron la filosofía del análisis lógico propiamente dicha, tal vez con la única excepción de Bertrand Russell. Sin embargo, es posible señalar coincidencias de interpretación a propósito de ciertos problemas, las que tal vez cabría remontar a una afinidad de fuentes, a una analogía en la formación y la actitud filosóficas, a una frecuentación de los mismos pensadores. Al respecto, en la obra de Borges es muy notoria la mención de quienes han sido considerados precursores directos de este movimiento: Occam, Hume, John Stuart Mill, William James. Además, quizá valga la pena tener presente que Schopenhauer, uno de los filósofos que Borges recuerda con mayor asiduidad, ejerció poderosa atracción en las ideas tempranas de Wittgenstein, durante el período en que este autor compuso su famoso *Tractatus logico-philosophicus*, uno de cuyos propósitos básicos era determinar los límites del lenguaje considerado como instrumento para desentrañar la estructura de la realidad. Por otra parte, el pasaje en que Borges contrapone a nominalistas y realistas, tal como fue introducido en dos artículos suyos que se dieron a conocer en el diario *La Nación* de Buenos Aires en 1949 y 1951 y luego ingresaron en *Otras inquisiciones*, exhibe manifiesta similitud con el párrafo inicial del capítulo sobre filosofía del análisis lógico, en la *History of Western Philosophy* que Bertrand Russell publicó en 1946, con la sola diferencia de que Borges denomina «realistas» y «nominalistas» a los que Russell califica, respectivamente, de «matemáticos» y «empíricos».

Pero ante todo conviene enfatizar el hecho de que Borges reconoció explícitamente su interés por la filosofía de Fritz Mauthner (*Ficciones*), cuya labor como uno de los fundadores de la «crítica del lenguaje» y como uno de los renovadores del nominalismo —en la línea de Ernst Mach y del pragmatismo vitalista— generalmente ha suscitado menos atención que la debida, si bien su doctrina fue tomada en consideración sin lugar a dudas por Wittgenstein, quien declaró no compartir el escepticismo radical de este pensador (*Tractatus*, 4.0031). Al respecto, una clave muy provechosa para descubrir en las ideas de Borges una trayectoria que exhibe plena coherencia radica en vincularlas a la posición que Mauthner asumió en su *Beiträge zu einer Kritik der Sprache*, donde se declara que el lenguaje sólo es un juego, dotado de singular eficacia como tal pero exento de cualquier aptitud para representar, conocer y entender adecuadamente la realidad, sea «interna» o «exterior» al hombre. Escritor de lengua alemana ligado a la ciudad de Praga —al igual que Franz Kafka y Gustav Meyrink—, Mauthner señaló que las concepciones del mundo elaboradas en el transcurso de la historia pueden reducirse a tres modelos principales: uno, de carácter «adjetivo», que es consecuencia de un materialismo ingenuo; otro, de índole «sustantiva» que procede del realismo metafísico y, por fin, un tercero, de naturaleza «verbal», cuya interpretación deriva de una óptica nominalista o heraclitiana. Él mismo admite ser ubicado en esta última corriente, en razón de que ha sostenido que la falacia habitual de la gnoseología consistió en suponer que existe cierto grado de correspondencia necesaria entre el lenguaje y la realidad, sin que se advirtiera que los procedimientos enunciativos apuntan exclusivamente a trasladar un sistema simbólico en términos de otro sistema simbólico, lo cual no permite rehuir el círculo vicioso de ficciones que tal itinerario va trazando. Al cúmulo de manifestaciones concretas e individuales que ofrece el universo, la palabra sólo es capaz de contraponer un conjunto de abstracciones y generalizaciones que poseen precaria validez. En manifiesta coincidencia con tales opiniones, Borges juzga que Mauthner ha sido «injustamente olvidado» y califica de «admirable» su *Wörterbuch der Philosophie* (*Discusión*), del que confiesa poseer un ejemplar que ha «releído y abrumado de notas manuscritas» (*Discusión*).

Sea como fuere, las coincidencias de Borges con los positivistas lógicos resultan, en ciertos aspectos, bastante sugestivas. Su elogio del nominalismo está totalmente de acuerdo con uno de los principios que a lo largo de la historia de la filosofía positivista ha sido respetado en forma escrupulosa. Su predilecta afirmación de que el lenguaje es el centro de los problemas que plantea el pensamiento halla una exacta reiteración en Wittgenstein cuando declara en el *Tractatus* que «toda filosofía es crítica del lenguaje». [...]

En consecuencia, es lícito ubicar a Borges en la orientación que ha sido legada al pensamiento actual por influjo del positivismo lógico, de G. E. Moore y de Wittgenstein, los que han compartido la presunción de que la meta de la filosofía no consiste en describir o siquiera explicar el mundo, y aún menos en transformarlo, puesto que su preocupación específica debería encaminarse exclusivamente a examinar de qué manera se habla de él: «su tarea, según se ha observado, es discurrir acerca del discurso» [A. J. Ayer]. Cabe agregar, además, que el criterio frecuentemente enunciado por Borges de que el lenguaje no es más que un «juego de símbolos» o un «sistema de signos arbitrarios» sugiere afinidades con la actitud en mayor o menor grado «convencionalista» que adoptaron Carnap y Ajdukiewicz, según la cual el lenguaje crea nuestra imagen de la realidad y, a su vez, está sujeto a normas instauradas por medio de un compromiso, las que podrían sustituirse modificando en profundidad nuestra óptica de cuanto tratamos de elaborar con ayuda del intelecto. También con Carnap, Borges comparte la sospecha de que una buena porción de la filosofía tradicional se limita a formular «seudoproblemas», originados en el intento de legitimar especulativamente creencias tales como la validez del realismo o el desciframiento de las operaciones que cumple una presunta divinidad. Aquí surge el cuestionamiento principal que el neopositivismo hace al pensamiento sistemático del pasado y que Borges suscribe sin reservas: puesto que la filosofía es lenguaje y su único objeto lícito es la reflexión sobre el lenguaje mismo, casi toda la especulación desarrollada en el curso de los siglos, en la medida en que se encamina a plantear consideraciones de otra índole, sólo es una manifestación particular de la literatura de ficción, despojada de todo propósito cognoscitivo valedero. Al respecto, no debemos olvidar el juicio sin atenuantes que se desliza en «Tlön, Uqbar, Orbis Tertius»: «la metafísica es una rama de la literatura fantástica» (*Ficciones*).

7. ASTURIAS, CARPENTIER, MALLEA, YÁÑEZ Y LA NOVELA CONTEMPORÁNEA

En este y en los capítulos 8, 9 y 10, siguientes, intentamos presentar las características generales que se pueden apreciar en el desarrollo de la narrativa contemporánea, entre 1935 y el presente, como época que rompe con el realismo de la época anterior (véase tomo II de esta obra) y que constituyen los rasgos comunes de un nuevo código literario. Además se pretende señalar en la diversidad de los capítulos las variantes fundamentales que es posible descubrir entre las sucesivas generaciones que conviven y se desplazan en la serie de las generaciones contemporáneas. He adoptado en fecha temprana, Goic [1962], la designación de superrealismo para el sistema literario de la época contemporánea. El término no debe ser confundido con el de «surrealismo», que para los efectos de nuestra comprensión del fenómeno es una parte y una porción no definidora de lo esencial de la literatura contemporánea. El aspecto común que comparte con el nuestro —más allá de las cuestiones envueltas en la propiedad de la traducción y el calco lingüístico que los confunde y separa—, es el sentido primero y literal de *superación del realismo*, de ruptura con todo un modo de representación de la realidad en literatura y no ya con un momento particular de extensión media o breve. Estamos ante las unidades de máxima extensión en la periodización de las letras hispanoamericanas. La constante contemporánea suspenderá los residuos del canon clásico revistiendo a toda realidad del mismo grado serio de representación o del mismo humor lúdico o poético. Y pondrá escepticismo cognoscitivo e incertidumbre en la verdad de la representación, cuyo residuo último o realidad de verdad es siempre inalcanzable o se postula como vacío y se constituye como puro lenguaje. Éste dará lugar en generaciones sucesivas a la incertidumbre en la postulación de la realidad: ¿dónde está la realidad? parece ser la pregunta involucrada en toda representación, en la que la decepción de lo narrado o su metaforismo repetido y contradictorio, sin última solución del criterio de realidad, es lo característico. Con supuestos diferentes esta modalidad es común a la «nueva novela» y a sus antecedentes en Macedonio, Borges, Arlt, Bombal, Onetti y Bioy Casares, cronológicamente anteriores al *nouveau roman* francés y a sus consecuentes de la «nueva escritura» hispanoamericana. En una tercera nota, superrealismo importa radicalización de la autonomía y autosuficiencia de la obra literaria. Afirmación de su *status* irreal mediante variados artificios que instauran una legalidad propia de la obra individual, un juego de ecos y duplicaciones, la prioridad de un argumento invisible sobre el argumento tradicional que pierde consistencia y valor. Omisión de índices e informes que contaban como efectos de realidad decisivos en la literatura decimonónica, los topónimos son rehuidos, la cronología histórica es silenciada o sustituida por un sistema de resonancias míticas o litúrgicas. La disposición se hace compleja, múltiple, cerrada, juega con el montaje, con las estructuras musicales o poéticas. Los modos narrativos se hacen directos, liquidando las posibilidades interpretativas del narrador tradicional o juegan irónicamente con un narrador cuyo poder omnímodo alcanza las cualidades de la ironía romántica en el control y dirección del relato y en la interpretación del mundo narrativo. Una cuarta nota, tiene que ver con estos determinantes estilísticos en que la racionalidad tradicional pasa a pérdidas en las modalidades de la corriente de consciencia, el monólogo interior, la descripción onírica y, por otra parte, en las de creación verbal, el *pastiche*, la parodia en general, el inclusionismo de géneros de discurso diversos, la invención de modos de decir. Entre los factores de ruptura, está la dispersión del yo o destrucción de la identidad del narrador, reducido a una cantidad vacía o a una función variable que cambia de dirección y referencia sin concesiones al principio de identidad o poniéndolo en dialéctica pugna con una búsqueda de identidad propia. Con ello toda la situación narrativa se multiplica y diversifica variando de situación y destinatario. En estos y otros aspectos la narrativa hispanoamericana contemporánea encuentra antecedentes en las obras de Mariano Azuela, *Los de abajo*, *La luciérnaga* y otras, en *Sangre patricia* de Manuel Díaz Rodríguez, y en *Guerra gaucha* de Leopoldo Lugones, escritores todos de la generación modernista (véase capítulo 10 del tomo II de esta obra). La obra singular de Macedonio Fernández, el autor de *La novela que comienza* (Ediciones Ercilla, Santiago de Chile, 1940) y *El museo de la novela de la eterna* (CEAL, Buenos Aires, 1967), primeras ediciones tardías de sus novelas, constituye una anticipación y por otra parte una originalidad insólita, cuyo relieve ha sido realzado por Ramón Gómez de la Serna y especialmente por Borges. Su obra se completa con *No toda es vigilia la de los ojos abiertos* (Gleizer, Buenos Aires, 1928) y *Papeles de Reciénvenido* (Editorial Losada, Buenos Aires, 1944). Su papel innovador y anticipador ha sido señalado por C. Fernández Moreno [1960], Jitrik [1971, 1973], García [1975], Engelbert [1978], Barrenechea [1978] y Lindstrom [1985]. Lagmanovich [1979] ha abordado aspectos de su poesía.

El nuevo canon literario y narrativo tiene antecedentes en James Joyce, Marcel Proust, Franz Kafka; en Virginia Woolf y Thomas Mann; en los novelistas norteamericanos William Faulkner, John Dos Passos, Ernest Hemingway. El inglés Joseph Conrad y el español Valle Inclán prolongan sus resonancias dialógicas desde *El señor Presidente* de Asturias hasta las más recientes y reconocibles novelas de dictadores. La novela más próxima encuentra sus predecesores en Sartre, Camus; y en Phillipe Sollers, Robbe-Grillet, Nathalie Sarraute; o en Malcolm Lowry, Walter Pinchon, o Norman Mailer. No son fenómenos indiferentes a la novela los seductores aspectos promovidos por el futurismo, el creacionismo y cubismo, dadá, el expresionismo, el surrealismo, el unanimismo y otros ismos. De ellos escasamente, aunque con exceso en este caso, se ha prestado atención al surrealismo en la narrativa hispanoamericana (véase Langowsky [1982]). Lo importante de señalar en el caso es que la asunción de nuevas normas narrativas por los narradores hispanoamericanos tiene la libre y creadora dialéctica de superación de la angustia del influjo mediante formas cuya originalidad y genio han sido reconocidos por la crítica contemporánea y por los organismos internacionales que consagran los valores de la literatura en nuestros días. En sus formas concretas la narrativa contemporánea instaura un código hispanoamericano para la novela en el que la comprensión de lo real maravilloso, de la nueva novela y de la nueva escritura tienen rasgos propios de fantasía, complicación y goce creador que la singularizan vivamente. Tampoco debe olvidarse que para varios aspectos definidos de la narrativa hispanoamericana, como se ha señalado, ésta encuentra antecedentes en sus propios escritores y, en no pocos casos, anticipaciones específicas de aspectos de la narrativa europea o de determinadas innovaciones que se hicieron visibles en la norteamericana. La recepción de la literatura extranjera en Hispanoamérica es más amplia y universal que la de cualquier otra cultura. Por otra parte se ha hecho de la novela contemporánea, o de parte de ella, un acontecimiento caracterizado por la recepción europea y americana de sus obras: un fenómeno editorial menos significativo en el mundo que dentro del área hispánica necesitada de un reconocimiento universal. El defecto de la noción del *boom* (véase Rodríguez Monegal [1972]) es que cifra demasiado su importancia en el reconocimiento ajeno e ignora los valores propios, cuya estimación debe ser anterior y diferente a la que asegura la publicidad o el éxito editorial por sí solo. En todo caso, la novela hispanoamericana no comienza con este fenómeno. Lo que comienza es un mayor reconocimiento de la significación de nuestra literatura en el mundo no hispánico y una expansión editorial.

Un aspecto constante y una dirección diferente de la narrativa son definidos por el «realismo social», derivación sin matices significativos del realismo socialista como la forma más estricta de compromiso militante. La corriente dominante de la novela contemporánea se ha movido independientemente en relación a esta tendencia. La crítica de las obras iniciales de Carpentier por Juan Marinello, es una muestra clara de incomprensión hacia las nuevas formas de la literatura por esta tendencia secundaria. Cortázar y Vargas Llosa han debatido estas cuestiones poniendo en evidencia cuán persistente es la concepción del compromiso como una de las direcciones secundarias que hacen frente al desarrollo de la literatura contemporánea. En los años treinta, se desarrolla una especie narrativa singular, la novela de la revolución mexicana, caracterizada por un conjunto de rasgos definidos cuyo origen está fundamentalmente en el creador del género, Mariano Azuela. La forma gregaria que consolida el género como tal es obra de Martín Luis Guzmán, Gregorio López y Fuentes, José Rubén Romero, Rafael F. Muñoz, entre otros. Las novelas de la revolución mexicana forman en todo caso un conjunto abierto cuyas manifestaciones siguen dándose hasta hoy cuando sus obras maestras se han escrito. Por su parte, el indigenismo encuentra en el pensamiento de Mariátegui una nueva formulación que tendrá repercusiones de importancia en la narrativa del período, sin escapar, sin embargo, a cierta oscura relegación de la cual las bondades de la obra de J. M. Arguedas no lograron sacarla.

La crítica hispanoamericana ha intentado una comprensión del momento inicial de la novela contemporánea trasponiendo el concepto de Franz Roh, aplicado a la pintura postexpresionista alemana de *magischer Realismus*, sin gran elaboración, pero con inesperada acogida, a la novela hispanoamericana contemporánea como «realismo mágico», postulado por Flores [1955], y discutido por Anderson Imbert [1976], Yates [1975] y Rodríguez Monegal [1975], quien ha debatido esta postulación y abordado su crítica frente al concepto de lo fantástico. Véase además la discusión de Mignolo [1983] y la bibliografía de Zeitz [1981]. Entre los autores contemporáneos, Carpentier ha elaborado la noción de «lo real-maravilloso americano» postulada en el prólogo a *El reino de este mundo* (1949) y ampliado posteriormente. Ambos son conceptos que se determinan en función de la novela y la narrativa de la primera generación contemporánea y que luego se extienden a algunas novelas y novelistas de las generaciones siguientes como Rulfo y García Márquez. Con ello estos conceptos demuestran algunas posibilidades de generalización pero no llegan a caracterizar suficientemente la narrativa contemporánea, esencialmente porque son conceptos fuertemente datados. Como recepción y rechazo del surrealismo francés, el concepto de «real maravilloso americano» intenta superar *de facto* la postulación puramente jurídica de lo maravilloso en el surrealismo europeo. Breton, Péret, Pierre Mabille, Larrea, han contribuido indirectamente al concepto con la percepción de América como objeto surreal. De las implicaciones envueltas en ellos todavía surge, en Carpentier, la noción de barroco americano, no sólo como modalidad estilística de afectación, torsión o exceso, sino como visión del mundo que da relieve a la apariencia, a la ilusión, a la representación y al sueño. Sus posibilidades de generalización han quedado más bien en apariencias, confirmadas por Lezama Lima y Sarduy que han vuelto sobre la peculiaridad barroca americana y conducen al último a postular un neobarroco. El contenido de este concepto aparece determinado por manifestaciones de la literatura de los años sesenta y posteriores y aparece otra vez datado para la comprensión generacional de la literatura contemporánea como nueva escritura y revolución. Aunque estos conceptos están anticipados en Sartre, en relación a la literatura: rechazo del compromiso partidista y destrucción de la literatura como expresión del rechazo del orden social, su desarrollo ha dado lugar a la formulación de la «nueva novela hispanoamericana» en los años sesenta, y a la postulación de una «nueva escritura» para los años ochenta, anticipada en los setenta, y, acompañándola, todo un nuevo lenguaje crítico. Debe resultar claro que el concepto que define las convicciones particulares del escritor y la postulación consciente del sentido general de su obra, quiere ser al mismo tiempo una nueva comprensión del sentido universal y constante de la literatura hispanoamericana en sus momentos más destacados a lo largo de su historia.

Otro aspecto de esta literatura, destacado por la crítica, es el cuento contemporáneo que tiene entre otras las destacadas figuras de Borges, Carpentier, Felisberto, Cortázar, Rulfo, Arreola, García Márquez, Pacheco. Antologías del cuento hispanoamericano destacables son las de Manzor [1939], Sanz y Díaz [1946, 1964], Nazoa [1957], Latcham [1958] y Menton [1964]. Son excelentes los estudios bibliográficos de Leal [1958], sobre el cuento mexicano. Posteriormente Leal [1966, 1967] ha intentado historiar el género. Sobre el cuento y la literatura fantástica pueden verse los estudios de Barrenechea y Speratti Piñero [1957], Barrenechea [1972], y Mignolo [1983], sobre el cuento fantástico y lo real maravilloso. Foster [1979] ha abordado el género desde el punto de vista de la «escritura» y Lagmanovich [1985], las estructuras del cuento. La compilación de Pupo-Walker [1973, 1980] proporciona una amplia visión del desarrollo y la variedad del género; la de Minc [1984] aborda los autores más recientes. Entre los estudios regionales destacan los de Leal [1957]; Aldrich [1966], sobre el cuento peruano. Antologías regionales son las de Carballo [1956, 1964] y Leal [1957], de México; Portuondo [1946] y Fornet [1967], de Cuba; Meneses [1955, 1966], de Venezuela; Escobar [1956, 1960, 1964] y Carrillo [1966], de Perú; Latorre [1938], Donoso [1943] y Lafourcade [1954, 1959, 1969], de Chile; Pagés [1963] y Cocaro [1963], de Argentina; Lasplaces [1943] y Visca [1962, 1968], de Uruguay.

La novela hispanoamericana contemporánea está marcada por ciertas cumbres fundamentales que la crítica se ha encargado de destacar, entre ellas se cuentan *El señor Presidente*, de Asturias, *Los pasos perdidos*, de

Carpentier, *Al filo del agua*, de Yáñez, *Hijo de ladrón*, de Rojas, *Todo verdor perecerá*, de Mallea, *Rayuela*, de Cortázar, *La vida breve* y *El Astillero*, de Onetti, *Pedro Páramo*, de Rulfo, *Paradiso*, de Lezama Lima, *Cien años de soledad*, de García Márquez, *La muerte de Artemio Cruz*, de Fuentes, *El obsceno pájaro de la noche*, de José Donoso, *Tres tristes tigres*, de Cabrera Infante, *La casa verde*, de Vargas Llosa, *Cobra*, de Sarduy, *Morirás lejos*, de Pacheco. Autores y obras de los que nos ocuparemos en estos capítulos.

Los estudios de conjunto que abordan la novela contemporánea comprenden las historias de la novela hispanoamericana de Zum Felde [1964], Goic [1972, 1980], y Schwartz [1972], y la obra de Brushwood [1975], los ensayos de interpretación de Rodríguez Monegal [1961, 1969, 1974], Vásquez Amaral [1970] y Amorós [1971]; Fuentes [1969], Bellini [1973] y Shaw [1983], sobre la «nueva novela»; de Eyzaguirre [1973] y Jitrik [1975], sobre el personaje y el héroe en la novela contemporánea; Boorman [1976], sobre el narrador; y Ainsa [1977], sobre los aspectos ideológicos. Las entrevistas de Harss [1966] y Lorenz [1972] proveen información de interés.

En materia de repertorios bibliográficos generales, los primeros han sido elaborados en un plan ambicioso, ahora en su tercer volumen, por Coll [1974, 1976, 1978], que comprende en cada tomo, respectivamente, las Antillas, Centroamérica y Venezuela. Los repertorios nacionales han sido ordenados por Ocampo [1965], de la novela mexicana; por Porras Collantes [1976], en un notable trabajo que incluye fuentes secundarias, de la novela colombiana; por Villanueva [1969], de la peruana; por Castillo y Silva Castro [1961], y Goic [1962], de la chilena. Las fuentes secundarias han sido ordenadas por Foster [1975] y Becco y Foster [1976]. Estudios regionales: González [1951], Sommers [1968], Brushwood [1966] y Langford [1971], sobre la novela mexicana; Menton [1960] de la guatemalteca; y el mismo Menton [1978] y Souza [1976], de la cubana; Silva Castro [1960], Goic [1968] y Promis [1977], sobre la chilena; García [1952], Ghiano [1956, 1964], Foster [1975], y la compilación de Lafforgue [1972], sobre la argentina; Cornejo Polar [1977], sobre el Perú; Englekirk y Ramos [1967], sobre Uruguay; Rojas [1948] y Ribadeneira [1958], de Ecuador; Guzmán [1955], de Bolivia; Araujo [1972], de Venezuela. Se pueden encontrar numerosas compilaciones de diverso valor: Flores [1971], Bleznick [1972], Lafforgue [1972], Avalle-Arce [1973], Goic [1973], Rodríguez Coronel [1975], Loveluck [1976] y Roy [1978]. Memorias del Congreso Internacional de Literatura Iberoamericana han sido dedicadas al género y también números especiales de *Revista Iberoamericana*.

Miguel Ángel Asturias (1899-1974) nació en ciudad de Guatemala el 19 de octubre de 1899. Su infancia transcurrió en la ciudad de su nacimiento y en Salamá, donde completa sus estudios primarios. En 1908, regresa a la capital. Realiza sus estudios secundarios en el Instituto Nacional de Varones. Participa en la actividad estudiantil en contra de Estrada Cabrera. Emprende estudios universitarios de Medicina que abandona, y de Derecho en que se gradúa. Se incorpora al partido Unionista que combate la dictadura. Ésta es derribada en 1920. En 1921, viaja a México: es la oportunidad de su encuentro con Valle-Inclán. A la caída de Estrada Cabrera se titula de abogado con una tesis sobre «El problema social del indio». En 1922, funda la Universidad Popular de Guatemala. Al año siguiente viaja a Europa; primero a Londres y luego a París en donde permanecerá durante los diez años siguientes. Viaja por Europa y el cercano Oriente. Toma contacto en Francia con el grupo surrealista. Coincide en su estancia francesa con César Vallejo, Alejo Carpentier, Uslar Pietri, Carlos Pellicer y Alfredo Gangotena. Colabora en el número único de *Imán* (París, 1930). Estudia en la Sorbona con el antropólogo Georges Raynaud. Traduce el *Popol vuh* y los *Anales de Xahil*. En 1930, publica *Leyendas de Guatemala* (Editorial Oriente, Madrid, 1930; otra ed., Pleamar, Buenos Aires, 1948; trad. francesa de F. de Miomandre, Cahiers du Sud, París, 1931). La traducción, que lleva una *lettre-prologue* de Paul Valéry, obtiene el premio Sylla-Monsegur. En 1933, regresa a América. Es agregado cultural en México. Publica *El señor Presidente* (Costa-Amic, México, 1946; otra ed., Losada, Biblioteca Contemporánea, 19, Buenos Aires, 1948). En 1947, es encargado de negocios de Guatemala en Buenos Aires, Argentina. Allí escribe y publica *Hombres de maíz* (Losada, Buenos Aires, 1949). En 1949, retorna, de vacaciones, a Guatemala, donde escribe *Viento fuerte*, la primera de las novelas de su trilogía bananera. Viaja a París como enviado diplomático. Es luego embajador del gobierno de Jacobo Arbenz en El Salvador. En 1954, sale al exilio al caer el gobierno de Arbenz. Reside en Buenos Aires entre 1954 y 1965. Publica *Viento fuerte* (Losada, Buenos Aires, 1949; otra ed., 1955), *El Papa verde* (Losada, Buenos Aires, 1954), *Los ojos de los enterrados* (Losada, Buenos Aires, 1960; otra ed., 1961), que constituyen la trilogía bananera. Publica *Week-end en Guatemala* (Goyanarte, Buenos Aires, 1956; otra ed., Losada, Buenos Aires, 1967). Viaja por la Unión Soviética y China. Retorna una vez más a Guatemala, en 1960. En los años siguientes reside en Buenos Aires. En 1961, publica *El Alajadito* (Goyanarte, Buenos Aires, 1961; otra ed., Losada, Buenos Aires, 1966; 1968), obra compuesta en los años de *El señor Presidente*. Su nueva novela es *Mulata de tal* (Losada, Buenos Aires, 1963). Desde 1966, es embajador de Guatemala en París. En 1966, se le concede el Premio Lenin de la Paz. Obtiene el Premio Nobel de Literatura 1967. En sus últimos años reside en Génova, París y Palma de Mallorca. Sus novelas *Maladrón* (Losada, Buenos Aires, 1969) y *Viernes de dolores* (Losada, Buenos Aires, 1972) completan su producción. Murió en 1974. Se ha recogido una colección de *Obras escogidas* (Aguilar, Madrid, 1955, 2 vols.) y de las *Obras completas* (Aguilar, Biblioteca Premio Nobel, Madrid, 1968, 3 vols.). La edición crítica de las obras completas (24 vols.) de Asturias está en proceso de preparación. Hasta ahora han aparecido *Tres de cuatro soles* (Closas-Orcoyen, edición crítica de las obras completas de Miguel Ángel Asturias, 19, Madrid, 1977), *El señor Presidente* (Klincksieck, Edición crítica ..., 3, París, 1978), *Viernes de dolores* (Klincksieck, Edición crítica ..., 13, París, 1978).

La bibliografía de su obra ha sido ordenada por De Andrea [1969], Flores [1975] y Foster [1975]. Estudios de conjunto se deben a Castelpoggi [1961], Bellini [1966, 1969, 1982], Lorenz [1968], Verdugo [1968], Callan [1970], Rogmann [1978] y Harss [1966, 1967]. Giacoman [1971] ha hecho una compilación de estudios. Sobre *Leyendas de Guatemala*, sin contar el prólogo de Paul Valéry a la edición francesa, ha escrito Hottenroth [1982]. Atención preferente han prestado a *El señor Presidente*, Menton [1960], Callan [1970], Goic [1972], Martin [1978], Navas Ruiz [1978], Minguet [1978], Saint-Lu [1978] y Verdugo [1978]. *Hombres de maíz* ha sido abordado por Rogmann [1978]; la trilogía bananera, por Auer-Rumanisa [1981]; y *Viernes de dolores*, por Couffon [1978].

Eduardo Mallea (1903-1982) nació el 14 de agosto de 1903 en Bahía Blanca, al sur de la provincia de Buenos Aires, Argentina. Por su padre estaba emparentado con Sarmiento. Infancia y educación primaria en su tierra natal. En 1916, la familia se traslada a Buenos Aires y allí completa su educación secundaria. A los diecisiete años publica su primer cuento en la revista *Caras y caretas.* Ingresa en la universidad para comenzar estudios de Derecho. Vive el espíritu de vanguardia de la generación joven. Contactos con Borges, Bernárdez, Marechal, Molinari, Güiraldes y Alfonso Reyes. En 1926, publica su primer libro, *Cuentos para una inglesa desesperada* (Gleizer, Buenos Aires, 1926; otra ed., Espasa-Calpe, Colección Austral, 202, Buenos Aires, 1941). Viaja a Europa, en 1928. Colaboraciones en *Revista de Occidente*, *Sur* y *Martín Fierro.* En 1934, viaja invitado para dar conferencias en Italia. Publica *Conocimiento y expresión de la Argentina* (Sur, Buenos Aires, 1935). Aparece su primera novela, *Nocturno europeo* (Sur, Buenos Aires, 1935). *La ciudad junto al río inmóvil* (Sur, Buenos Aires, 1935; otras eds., Anaconda, Buenos Aires, 1938; Sudamericana, Buenos Aires, 1954). Publica su ensayo *Historia de una pasión argentina* (Sur, Buenos Aires, 1937; otra ed., Espasa-Calpe, Colección Austral, 102, Buenos Aires, 1942), seguido de *Meditación en la costa* (Imprenta Mercatali, Buenos Aires, 1939). En 1938, un año antes de *Wild Palms* de William Faulkner, aparece *Fiesta en noviembre* (Club del Libro A.L.A., Buenos Aires, 1938; otra ed., Losada, Biblioteca Contemporánea, 89, Buenos Aires, 1944). Publica *La bahía de silencio* (Sudamericana, Buenos Aires, 1940; 1951),

Todo verdor perecerá (Espasa-Calpe, Colección Austral, 502, Buenos Aires, 1941; otras eds., Aguilar, Madrid, 1952; Revista de Occidente, Madrid, 1969). Comienza su trilogía *Las águilas* (Sudamericana, Buenos Aires, 1943), *Los enemigos del alma* (Sudamericana, Buenos Aires, 1950; 1958) y *La torre* (Sudamericana, Buenos Aires, 1951). Publica varios volúmenes de novelas cortas, *Rodeada está de sueño* (Espasa-Calpe, Colección Austral, 402, Buenos Aires, 1944), *El vínculo* (Emecé, Buenos Aires, 1946), *El retorno* (Espasa-Calpe, Colección Austral, 602, Buenos Aires, 1946). En 1953 publica la novela de disposición múltiple *La sala de espera* (Sudamericana, Buenos Aires, 1953) y *Chaves* (Losada, Buenos Aires, 1953), una notable novela de la ambigüedad de la comunicación y del vínculo humano. Luego, *Simbad* (Sudamericana, Buenos Aires, 1957), extensa novela. *Posesión* (Sudamericana, Buenos Aires, 1958), *La razón humana* (Losada, Biblioteca Contemporánea, Buenos Aires, 1959), novelas cortas. Publica el ensayo *La vida blanca* (Sur, Buenos Aires, 1960) y, luego, *La guerra interior* (Sur, Buenos Aires, 1963), que renuevan las meditaciones de *Historia de una pasión argentina.* Su infatigable actividad productiva continúa con *El resentimiento* (Sudamericana, Buenos Aires, 1966), *La barca de hielo* (Sudamericana, Buenos Aires, 1967), *La red* (Sudamericana, Buenos Aires, 1968), *La penúltima puerta* (Sudamericana, Buenos Aires, 1969), *Triste piel del universo* (Sudamericana, Buenos Aires, 1971), *Gabriel Andaral* (Sudamericana, Buenos Aires, 1971), *En la creciente oscuridad* (Sudamericana, Buenos Aires, 1973). Murió en 1982. También es autor de *El gajo de enebro* (Emecé, Buenos Aires, 1955) y de *La representación de los aficionados* (Sudamericana, Buenos Aires, 1962), obras dramáticas. Entre sus ensayos literarios se cuentan *El sayal y la púrpura* (Losada, Buenos Aires, 1941), *Notas de un novelista* (Emecé, Buenos Aires, 1954), *Poderío de la novela* (Aguilar, Madrid, 1965), *Las travesías I y II* (Sudamericana, Buenos Aires, 1961-1962, 2 vols.), *Los papeles privados* (Sudamericana, Buenos Aires, 1974). Hay edición de sus *Obras completas* (Emecé, Buenos Aires, 1965-1971, 2 vols.), que recoge en verdad solamente una parte reducida de su producción.

La bibliografía de Mallea ha sido ordenada por Becco [1959, 1961, 1976], Rivelli [1969], Pintor [1976] y Foster [1982]. Varios estudios de conjunto, que abordan su vida y obra, son los libros de Dudgeon [1949], Morsella [1957], Polt [1959], Grieben [1961], Gillessen [1966], Lichtblau [1967], el diálogo de Ocampo [1969], Rivelli [1969], Marías [1970], Villordo [1973], Pintor [1976] y Lewald [1977]. Una visión de conjunto se obtiene en el prólogo de Picón Salas [1961] y los estudios de Ghiano [1953, 1978]. Entre los artículos destacan los de Chapman [1952] y Flint [1967]; Concha [1965], sobre la obra inicial; Quinteros [1970] y Edwards [1973], sobre aspectos existenciales. Los personajes son abordados por Flint [1969]. En torno a *Fiesta en noviembre* han escrito Alonso [1965],

Hughes [1966], Goic [1972], León [1977], Miletich [1977]; sobre *La bahía de silencio*, Shaw [1966] y Foster [1975]; sobre *Todo verdor perecerá*, Hughes [1966] y Shaw [1968]; sobre *Los enemigos del alma*, Geada [1972] y Fernández [1977]; sobre *Chaves*, Murena [1954], Gicovate [1971] y Frankenthaler [1977], y, sobre *La barca de hielo*, Malaret [1972].

Alejo Carpentier (1904-1982) nació en La Habana, Cuba, el 26 de diciembre de 1904. Hizo sus estudios primarios en su ciudad natal. Luego viaja con la familia a Francia. Realiza su educación secundaria en París. Estudia música y comienza a escribir sus primeras narraciones inspirado por Salgari y Anatole France a los doce años. En 1921, inicia estudios de Arquitectura en la Universidad de La Habana. Un año después abandona sus estudios y comienza a publicar sus primeras colaboraciones literarias. En 1923, se une al grupo Minorista. Escribe crítica musical y teatral en periódicos de la época. En 1926, viaja a México. Amistad con Diego Rivera. Funda, junto con Juan Marinello, la *Revista de Avance*, en 1927. Acusado de ser comunista se le encierra en la cárcel. Allí escribe *Ecué-Yamba-O!* En libertad, organiza conciertos de música contemporánea. Escribe argumentos para ballet, *La rebambaramba* y *El milagro de Anaquillé*. Conoce a Robert Desnos, en La Habana, durante un congreso de periodistas. Usando el pasaporte del poeta francés, sale subrepticiamente del país. Desembarca en Saint Nazaire con la ayuda de Mariano Brull. Es designado jefe de redacción de la revista *Musicalia*. Amistad con Heitor Villa-Lobos. Estrena *Yamba-O*, tragedia burlesca. Amistad con los poetas y pintores del grupo surrealista. Escribe *Poèmes Antilles*. En 1930, es designado jefe de redacción de *Imán* (París, abril, 1930, un solo número), revista en que concurren los nombres de Asturias, Huidobro, Torres Bodet, Uslar Pietri, Xul Solar, al lado de Kafka, Dos Passos, Desnos, Arp, Pilniak y otros. La revista había adquirido los derechos de *Residencia en la tierra*, de Pablo Neruda, pero no llega a publicar la obra. Se publica su primera novela, *Ecué-Yamba-O! Historia afrocubana* (Editorial España, Madrid, 1934). Amistad con García Lorca, Alberti, Bergamín y Salinas. Nombrado director de unos estudios de grabación en París. Colabora con Desnos, Antonin Artaud y Jean Louis Barrault. Participa en el Segundo Congreso de Intelectuales para la Defensa de la Cultura, en Valencia, 1937. Compone la música incidental para la *Numancia* de Cervantes representada por Barrault, en el Théatre Antoine de París. En 1939, regresa a Cuba después de un extenso viaje por Europa y los Estados Unidos. Enseña música en la Universidad de La Habana. En 1943, viaja a Haití con Louis Jouvet. Al año siguiente publica *Viaje a la semilla* (Ucar García y Cía., La Habana, 1944). Viaja a México, donde tiene su encuentro con Pierre Mabille. Se establece en Venezuela, en 1945. Publica *La música en Cuba* (Fondo de Cultura Económica, Tierra Firme, 19, México, 1946; otra ed., Editorial Luz-Hilo, La Habana, 1961).

En 1947, viaja a la Gran Sabana venezolana; y al Alto Orinoco y Amazonía, en 1948. Al año siguiente publica *El reino de este mundo* (EDIAPSA, México, 1949; otras eds., UNEAC, La Habana, 1964; Seix Barral, Biblioteca Breve de Bolsillo, 26, Barcelona, 1969). En 1951, viaja a La Habana y México. En 1953, aparece *Los pasos perdidos* (EDIAPSA, México, 1953; otra ed., Biblioteca Básica de Cultura Cubana, Tercer Festival del Libro Cubano, 29, La Habana, 1960). Se traduce al francés al año siguiente (*Le partage des eaux*). La traducción francesa de *El reino de este mundo* gana el premio de Mejor Libro del Mes y la de *Los pasos perdidos* el premio al Mejor Libro Extranjero. En 1956, se publica *El acoso* (Losada, Buenos Aires, 1956). Aparece *La guerra del tiempo* (Compañía General de Ediciones, México, 1958; otra ed., UNEAC, La Habana, 1963). Con el triunfo de la revolución regresa a Cuba en 1959. Organiza festivales del libro. Es designado vicepresidente del Consejo Nacional de Cultura. Viajes por los países socialistas de Europa oriental. Publica *El siglo de las luces* (Compañía General de Ediciones, México, 1962; otra ed., Ediciones R, La Habana, 1963). Es nombrado director de la Editorial Nacional de Cuba. Publica *Tientos y diferencias* (UNAM, México, 1964; otra ed., Arca, Montevideo, 1967), colección de ensayos. En 1967, viaja a Vietnam y China. Es Ministro Consejero para Asuntos Culturales en París, 1968. Durante 1969 y 1970 hace una gira de conferencias por Europa. Publica *Literatura y conciencia política en América Latina* (Alberto Corazón Editor, Madrid, 1969), volumen de ensayos que repite parcialmente el contenido de *Tientos y diferencias* y *La ciudad de las columnas* (Lumen, Barcelona, 1970), *El derecho de asilo* (Lumen, Barcelona, 1972), cuento. Dos años después publica *El recurso del método* (Siglo XXI, México, 1974; otra ed., Editorial Arte y Literatura, La Habana, 1974) y *Concierto barroco* (Siglo XXI, México, 1974; otra ed., Editorial Arte y Literatura, La Habana, 1975). Recibe homenajes a sus setenta años en Cuba y Venezuela. Publica *Letra y solfa* (Síntesis Dosmil, Rescate, Caracas, 1975). Ese año gana el Premio Cino del Duca y el Premio Alfonso Reyes 1975. Se reúnen sus *Crónicas* (Instituto Cubano del Libro, La Habana, 1976, 2 vols.). En 1977, recibe el Premio Cervantes de la Real Academia Española de la Lengua. Publica *La consagración de la primavera* (Siglo XXI, México, 1978; otra ed., Letras Cubanas, La Habana, 1979) y *El arpa y la sombra* (Siglo XXI, México, 1979; otra ed., Letras Cubanas, La Habana, 1979), colección de tres relatos. En la línea de sus ensayos de temas musicales publica *Ese músico que llevo dentro* (Editorial Letras Cubanas, La Habana, 1980). Finalmente, *La novela latinoamericana en vísperas de un nuevo siglo y otros ensayos* (Siglo XXI, México, 1981) recoge buena parte de su producción ensayística. Carpentier muere en La Habana el 24 de abril de 1982.

La bibliografía de Carpentier ha sido ordenada por Flores [1975], Foster [1975], Becco y Foster [1976], y por González Echeverría y Muller-

Bergh [1983] en una completísima guía bibliográfica. Estudios de conjunto que abordan la vida y la obra son los de Muller-Bergh [1972], Sánchez-Boudy [1969], Márquez Rodríguez [1970, 1982], Rein [1974] y Mocega González [1975, 1980]. González-Echeverría [1977] ha abordado las discrepancias entre la poética formulada y la obra. Monografías más recientes son las de González [1978], Pickenhayn [1978], Vila [1978], Janney [1981] y Armbruster [1982]. Diversas compilaciones de estudios han sido hechas por Giacoman [1970], Muller-Bergh [1972], Mazziotti [1972] y Arias [1977]. Sus novelas en particular han concentrado el interés de Lastra [1971] sobre *Ecué-Yamba-O!*; Arrigoitía [1967], Volek [1969, 1970], Rodríguez Monegal [1971], Barroso [1977], Speratti [1981] y Young [1983], sobre *El reino de este mundo*; sobre *Los pasos perdidos*, Volkening [1967], Palermo [1972], Smith [1983] y Guzmán [1984]; *El acoso* ha sido abordado por Weber [1963], Volek [1969] y Sánchez [1975]; *Viaje a la semilla*, por Santander [1971]; *La guerra del tiempo* y otros cuentos, por Santander [1971], Wyers Weber [1963] y Durán [1972]; Rodríguez-Alcalá [1973], sobre «El camino de Santiago», junto con Foster [1964] y Magnarelli [1974]. *El siglo de las luces* ha sido abordado por Dumas [1966], Volek [1972] y Santander [1978]. Mientras *El recurso del método* es considerado en diversos aspectos por Guzmán [1984]. Sobre «lo real maravilloso de América» y «lo barroco» han escrito Rodríguez-Puértolas [1968], Rincón [1975], Chiampi [1980], que dedica un libro, Volek [1975], González-Echeverría [1974, 1983], que lo confunde con el realismo mágico, y Segre [1980]. Sobre la concepción de la historia y del tiempo, véase Santander [1968], Bueno [1969], Ramírez Molas [1978] y Velayos [1985]. Para la música en la obra literaria de Carpentier, véanse los artículos de Giacoman [1970] y Volek [1969]. Sobre la pintura escribe García Castro [1980].

Un fenómeno particular que adquiere relieve después de la obra de Azuela, que constituye el código del subgénero, y de la obra de Martín Luis Guzmán, que lo consolida, es la llamada novela de la revolución mexicana (véase tomo II, capítulo 10 de esta obra). En torno a la novela de la revolución mexicana se ha desarrollado una bibliografía, gracias a Moore [1941] y Rutherford [1971]. Y también una serie crecida de estudios de conjunto, entre los que se cuentan principalmente los de Morton [1949], Castro Leal [1964], Dessau [1972], Magaña Esquivel [1974], Portal [1977] y Goic [1983]. Una útil compilación de ensayos ha sido hecha por Rodríguez Coronel [1975]. En tanto que Castro Leal [1964] ordena una selección de novelas de este género. Monografías particulares sobre los escritores de esta generación son las de Alba [1936], Lafarga [1938], Moore [1940] y Cord [1964] sobre J. R. Romero (1890-1952); las de Morton [1949], sobre G. López y Fuentes (1897-1966); y de Carballo [1965], sobre R. F. Muñoz (1899-1971).

Existe la concertada visión de la crítica de que la obra del novelista Agustín Yáñez marca el momento de cambio decisivo de la novela mexicana contemporánea. Agustín Yáñez (1904-1980) nació en Guadalajara, México, el 4 de mayo de 1904. Hizo los estudios primarios y secundarios en su tierra. Cursó el bachillerato en Marsella. A los diecinueve años se definen sus intereses literarios. Hizo estudios universitarios de Derecho. Se licencia como abogado en 1929. En Guadalajara, dirige la revista *Bandera de Provincia* (1929-1930), que traduce y difunde las obras de Joyce y Kafka. En Nayarit, fue director de Educación y rector del Instituto. En 1930, se traslada a México. Ingresa en la Universidad Nacional de México donde se gradúa de profesor de Filosofía. Publica su primer relato, «Baralipton», en la revista *Campo* (1930), que sucede a *Bandera de Provincia.* Toma contacto con los escritores del grupo *Contemporáneos.* Tensión entre *Contemporáneos* y *Agoristas*, comparable a las tensiones de comprensión e incomprensión de imaginistas y criollistas o Florida y Boedo o vanguardistas y realistas en otras latitudes. De 1930 a 1940, se dedica preferentemente al estudio y la enseñanza. De 1932 a 1934, fue director de la oficina de Radio de la Secretaría de Educación Pública. Desde 1934, fue jefe de estudios de la Escuela Nacional Preparatoria. En 1935, es designado jefe del departamento de Bibliotecas y Archivos Económicos de la Secretaría de Hacienda. Es coordinador de Humanidades en la Universidad Nacional de México en 1945. Desempeña diversos cargos universitarios. Edita las *Obras completas* de Justo Sierra. La política domina la etapa siguiente de su vida. De 1953 a 1959, fue gobernador del Estado de Jalisco. De 1959 a 1964, se reintegró a la enseñanza universitaria en la Facultad de Filosofía y Letras. En 1962, es secretario de la Presidencia de la República. Desde 1965 a 1970, es secretario de Educación Pública. Fue miembro de la Academia Mexicana de la Lengua y del Colegio Nacional. Murió en México en 1980.

Su obra comprende un ciclo inicial de tres obras de evocación de hechos y lecturas que lo ponen en el camino de la nueva literatura, anunciada con «Baralipton» (1930), éstas son: *Espejismo de Juchitlán* (UNAM, México, 1940), *Flor de juegos antiguos* (Universidad de Guadalajara, 1941), y *Genio y figura de Guadalajara* (Ábside, México, 1941). Más elaborado es *Archipiélago de mujeres* (UNAM, México, 1943; otra ed., *Melibea, Isolda y Alda en tierras cálidas*, Espasa-Calpe, Col. Austral, 577, Buenos Aires, 1946). Su ciclo de grandes novelas de la vida mexicana se inicia en 1947, cuando publica *Al filo del agua* (Porrúa, México, 1947; Porrúa, Colección de Escritores Mexicanos, 72, México, 1955²). Esta novela marca un hito en la transformación de la novela contemporánea. También viene a ser considerada como la gran novela de la revolución. De ella emana el grupo de personajes que conectan las diversas novelas del ciclo. A ésta siguieron *La creación* (Fondo de Cultura Económica, México, 1959), novela del mundo artístico e intelectual de México; *La tierra pródiga* (Fondo de Cultura Económica, Letras mexicanas, 63, México, 1960), que narra la conquista moderna de las tierras calientes; *Las tierras flacas* (Joaquín Mortiz, México, 1962), el mundo de la «Tierra Santa» jalisciense en el plano externo de las tensiones del poder, de la tradición y el progreso, y en el plano interno de la conciencia mítica y las creencias populares. En la porción más separada temporalmente de este ciclo publica una novela de Ciudad de México, *Ojerosa y pintada* (Porrúa, México, 1960). La capital y la herencia de la revolución se conciertan en *Las vueltas del tiempo* (Joaquín Mortiz, México, 1973). Su obra narrativa se completa con las novelas cortas y cuentos *Pasión y convalescencia* (Ábside, México, 1943), *Esta es mala suerte* (Costa Amic, México, 1945), *Tres cuentos* (Joaquín Mortiz, México, 1964), *Los sentidos al aire* (Instituto Nacional de Bellas Artes, México, 1964). También fue un fino analista y editor de algunas de las principales figuras de la literatura y el pensamiento hispanoamericanos, como Las Casas, Bramón, Fernández de Lizardi y otros. Sus obras narrativas han sido parcialmente recogidas en una edición de *Obras escogidas* (Aguilar, México, 1968).

La bibliografía de Agustín Yáñez ha sido ordenada por Flores [1975] y Foster [1981]. Estudios de conjunto le han sido dedicados principalmente por Carballo [1965, 1966], Rangel [1972], Flasher [1969] y Brushwood [1966, 1975]. Una compilación de estudios se debe a Giacoman [1973]. Sobre el estilo de Yáñez escribe Brushwood [1966, 1975]. Sobre la escritura, Giordano [1980]. *Al filo del agua* ha concentrado la atención de la crítica. Su estudio ha sido abordado por Vásquez Amaral [1970], Sánchez [1969], Sommers [1970], Durand [1972], Magaña Esquivel [1974], Dellepiane [1975] y Goic [1983]. Sobre *La creación* ha escrito Giordano [1965]. Sobre «el plan que luchamos» y la concepción literaria y novelística de Yáñez, véase Carballo [1965].

Otros novelistas destacados por la crítica son: Roberto Arlt (1900-1942). La bibliografía de Arlt se debe a Becco [1971] y los estudios de conjunto, a Becco y Massota [1959], Etchenique [1962], Maldavsky [1968], Núñez [1968], Guerrero [1972], Larra [1962] y Gnutzmann [1984]. Leopoldo Marechal (1900-1970), autor de *Adán Buenosayres* (Sudamericana, Buenos Aires, 1948), recibe renovada atención en los años sesenta, su obra narrativa se completa con *El banquete de Severo Arcángelo* (1965) y *Megafón* (1970). Su bibliografía ha sido ordenada por Coulson y Hardy [1972] y Foster [1982]. Estudio de conjunto de Cavallari [1981]. Otra figura cuyo relieve ha sido acentuado en los años recientes es la del uruguayo Felisberto Hernández (1902-1964). Bibliografía y estudios de conjunto de Gómez Mango [1970], Medeiros [1974], Lasarte [1981], en el mejor libro sobre el autor uruguayo, y la compilación de Sicard [1977]. Manuel Rojas (1896-1972), autor de la notable novela *Hijo de ladrón* (Nascimento, Santiago de Chile, 1951). Cuentista y novelista cuyas obras novelísticas comprenden *Lanchas en la bahía* (Letras, Santiago de Chile, 1932; Zig-Zag, Santiago de Chile,

1976[9]), *Mejor que el vino* (Zig-Zag, Santiago de Chile, 1958), *Punta de rieles* (Zig-Zag, Santiago de Chile, 1960), *Sombras contra el muro* (Zig-Zag, Santiago de Chile, 1964) y *La oscura vida radiante* (Sudamericana, Buenos Aires, 1971). Bibliografía de Goic [1968] y Rodríguez Reeves [1976]. Estudios de Cortés [1960, 1964], Goic [1960, 1968, 1976], Lichtblau [1968] y el libro de D. A. Cortés [1986]. El uruguayo Enrique Amorim (1900-1960), cuenta con los estudios de Ortiz [1949], Pottier [1958] y Rodríguez Monegal [1974].

BIBLIOGRAFÍA

Adams, M. Ian, *Three Authors of Alienation: Bombal, Onetti, Carpentier*, University of Texas Press, Austin, 1975.

Ainsa, Fernando, *Los buscadores de la utopía*, Monte Ávila, Caracas, 1977.

Alba, Pedro de, *Rubén Romero y sus novelas populares*, Oasis, México, 1936.

Aldrich, Earl M., *The Modern Short Story in Peru*, University of Notre Dame Press, Notre Dame, 1966.

Alonso, Amado, «*Fiesta en noviembre*, por Eduardo Mallea», *Materia y forma en poesía*, Gredos, Madrid, 1965, pp. 384-389.

Amorós, Andrés, *Introducción a la novela hispanoamericana actual*, Anaya, Salamanca, 1971.

Anderson Imbert, Enrique, *El realismo mágico y otros ensayos*, Monte Ávila, Caracas, 1976.

Andrea, Pedro de, *Miguel Ángel Asturias. Anticipo bibliográfico*, México, 1969.

Araujo, Orlando, *Narrativa venezolana contemporánea*, Editorial Tiempo Nuevo, Caracas, 1972.

Arias, Salvador, ed., *Recopilación de textos sobre Alejo Carpentier*, Casa de las Américas (Valoración Múltiple), La Habana, 1977.

Armbruster, Claudius, *Das Werk Alejo Carpentiers Chronik der «Wunderbaren Wirklichkeit»*, Verlag Klaus Dieter, Frankfurt del Main, 1982.

Arrigoitía, Luis de, «*El reino de este mundo*», *La Torre*, 58 (1967), pp. 244-250.

Auer-Rumanisa, Beby, *Miguel Ángel Asturias et la Révolution Guatemaltèque. Étude socio-poétique de trois romans*, Éditions Anthropos, París, 1981.

Avalle-Arce, J. B., ed., *Narradores hispanoamericanos de hoy*, University of North Carolina, Chapel Hill, 1973.

Barrenechea, Ana María, «Ensayo de una tipología de la literatura fantástica (A propósito de la literatura hispanoamericana)», *Revista Iberoamericana*, 80 (1972), pp. 391-409.

—, *Textos hispanoamericanos de Sarmiento a Sarduy*, Monte Ávila, Caracas, 1978.

—, y Emma Speratti Piñero, *La literatura fantástica en Argentina*, Imp. Universitaria, México, 1957.

Barroso, Juan, *«Realismo mágico» y «lo real maravilloso» en «El reino de este mundo» y «El siglo de las luces»*, Universal, Miami, 1977.

Becco, Horacio Jorge, *Eduardo Mallea, Guías bibliográficas*, Facultad de Filosofía y Letras, Buenos Aires, 1959.

—, «Bibliografía de Eduardo Mallea», en E. Mallea, *Obras completas*, Emecé, Buenos Aires, 1961.
—, «Microbibliografía de Roberto Arlt», *Macedonio*, 11 (1971), pp. 75-80.
—, y David William Foster, *La nueva narrativa hispano-americana. Bibliografía*, Casa Pardo, Buenos Aires, 1976.
—, y Óscar Massota, *Roberto Arlt*, Universidad de Buenos Aires (Instituto de Literatura Argentina «Ricardo Rojas»), Buenos Aires, 1959.
Bellini, Giuseppe, *La narrativa de Miguel Ángel Asturias*, Istituto Editoriale Cisalpino, Milán, 1966; trad. cast.: *La narrativa de Miguel Ángel Asturias*, Losada, Buenos Aires, 1969.
—, *Il Labirinto Magico. Studi sul «nuovo romanzo» ispanoamericano*, Cisalpino-Goliardica, Milán, 1973.
—, *Il mondo allucinante. Da Asturias a García Márquez*, Mainland, 1976.
—, *De tiranos, héroes y brujos. Estudios sobre la obra de M. Á. Asturias*, Bulzoni (Letterature Iberiche e Latino-americane), Roma, 1982.
Blanco Aguinaga, Carlos, *De mitólogos y novelistas*, Turner, Madrid, 1975: «En el reino de este mundo», pp. 109-138.
Bleznick, Donald W., *Variaciones interpretativas en torno a la nueva narrativa hispanoamericana*, Helmy F. Giacoman, Editor, Santiago de Chile, 1972.
Block de Béhar, L., «Los límites del narrador (Un estudio sobre Felisberto Hernández)», *Studi di letteratura ispano-americana*, 13-14 (1983), pp. 15-44.
Boorman, Joan R., *La estructura del narrador en la novela hispanoamericana contemporánea*, Hispanova, Madrid, 1976.
Borges, J. L., *et al.*, *Macedonio Fernández*, Carlos Pérez Editor, Buenos Aires, 1968.
Brushwood, John S., *Mexico in its novel. A nation in search for identity*, University of Texas Press, Austin / Londres, 1966.
—, *The Spanish American Novel. A Twentieth-Century Survey*, University of Texas Press, Austin / Londres, 1975.
Bueno, Salvador, «Notas para un estudio sobre la concepción de la historia en Alejo Carpentier», *Acta Litteraria Academia Scientiarum Hungarica*, 11 (1969), pp. 237-251.
Callan, Richard, *Miguel Ángel Asturias*, Twayne Publishers (TWAS, 122), Nueva York, 1970.
Carballo, Emmanuel, *Cuentistas mexicanos modernos, 1949-1956*, Libro-Méx, México, 1956, 2 vols.
—, *El cuento mexicano del siglo XX*, Empresas Editoriales, México, 1964.
—, *19 protagonistas de la literatura mexicana del siglo XX*, Empresas Editoriales, México, 1965.
—, «Agustín Yáñez», *Anales de la Universidad de Chile*, 138 (1966), pp. 28-77.
Carrillo E., Francisco, *Cuento peruano, 1904-1966*, Biblioteca Universitaria, Lima, 1966.
Casas de Faunce, María, *La novela picaresca latinoamericana*, Cupsa Editorial (Planeta/Universidad de Puerto Rico, 9), Madrid, 1977.
Castelpoggi, Atilio Jorge, *Miguel Ángel Asturias*, Editorial «La Mandrágora» (Clásicos del Siglo XX), Buenos Aires, 1961.
Castillo, Homero, y Raúl Silva Castro, *Historia bibliográfica de la novela chilena*, De Andrea, México, 1961.

Castro Leal, Antonio, *La novela de la revolución mexicana*, Aguilar, México, 1964, 2 vols.
Cavallari, Héctor M., *Leopoldo Marechal: el espacio de los signos*, Universidad Veracruzana (Cuadernos del Centro de Investigaciones Lingüístico-Literarias, 11), Xalapa, 1981.
Cocaro, Nicolás A., *Cuentos fantásticos argentinos*, Emecé, Buenos Aires, 1963.
Coll, Edna, *Índice informativo de la novela hispanoamericana*, Universitaria, Río Piedras, 1974, 1976, 1978, 3 vols.: I, *Las Antillas*; II, *Centro América*; III, *Venezuela*.
Concha, Jaime, «Eduardo Mallea en su fase inicial», *Anales de la Universidad de Chile*, 135 (1965), pp. 71-107.
Cord, Walter O., *José Rubén Romero. Cuentos y poesías inéditas*, De Andrea, México, 1964.
Cornejo Polar, Antonio, *La novela peruana. Siete estudios*, Horizonte, Lima, 1977.
Cortés, Darío A., *La narrativa anarquista de Manuel Rojas*, Pliegos, Madrid, 1986.
Cortés Larrieu, Norman, «*Hijo de ladrón* de Manuel Rojas. Tres formas de inconexión en el relato», *Anales de la Universidad de Chile*, 120 (1960), pp. 193-202.
—, «*Hijo de ladrón*, una novela existencial», *Revista del Pacífico*, 1 (1964), pp. 33-50.
Couffon, Claude, «Claves para una lectura», en M. Á. Asturias, *Viernes de dolores*, Edicion Crítica, Klincksieck, París, 1978, pp. lxxiii-lxxxv.
Coulson, Graciela, y William Hardy, Jr., «Contribución a la bibliografía de Leopoldo Marechal», *Revista Chilena de Literatura*, 5-6 (1972), pp. 311-333.
—, *Marechal: la pasión metafísica*, Fernando García Cambeiro (Estudios Latinoamericanos, 12), Buenos Aires, 1974.
Cros, Edmond, «L'univers fantastique d'Alejo Carpentier», *Caravelle*, 9 (1967), pp. 75-84.
Crovetto, P. L., «Felisberto Hernández e le "trame" dell'apatia», *Studi di letteratura ispano-americana*, 13-14 (1983), pp. 161-180.
Curcio Altamar, Antonio, *Evolución de la novela en Colombia* (Publicaciones del Instituto Caro y Cuervo), Bogotá, 1957.
Chapman, Arnold G., «Terms of Spiritual Isolation in Eduardo Mallea», *Modern Language Forum*, 37 (1952), pp. 21-27.
Chiampi, Irlemar, *O realismo maravilhoso. Forma e Ideología no Romance Hispano-Americano*, Editora Perspectiva (Coleção Debates, 160), São Paulo, 1980.
Dellepiane, Ángela B., «Releyendo *Al filo del agua*», *Cuadernos Americanos* (1975), pp. 182-206.
Dessau, Adalbert, *La novela de la revolución mexicana*, Fondo de Cultura Económica, México, 1972.
Donoso, Armando, *Algunos cuentos chilenos*, Espasa-Calpe, Buenos Aires, 1943; otra ed., Espasa-Calpe (Colección Austral, 376), Buenos Aires, 1945.
Dudgeon, Patrick, *Eduardo Mallea: a personal study of his works*, Agonía, Buenos Aires, 1949.
Dumas, Claude, «*El siglo de las luces*, de Alejo Carpentier, novela filosófica», *Cuadernos Americanos*, 4 (1966), pp. 187-210.

Durán, Manuel, «"Viaje a la semilla", el cómo y el por qué de una pequeña obra maestra», en K. Muller-Bergh, ed., *Asedios a Carpentier*, Editorial Universitaria, Santiago de Chile, 1973, pp. 63-87.

Durand, Frank, «The Apocalyptic vision of *Al filo del agua*», *Symposium*, 25 (1972), pp. 333-346.

Edwards, Alicia Betsy, «Eduardo Mallea: man as child», *Latin American Literary Review*, 2:3 (1973), pp. 31-34.

Engelbert, Jo Anne, *Macedonio Fernández and the Spanish American New Novel*, New York University Press, Nueva York, 1978.

Englekirk, John E., y Margaret M. Ramos, *La narrativa uruguaya. Estudio crítico-bibliográfico*, University of California Press, Berkeley y Los Ángeles, 1967.

Escobar, Alberto, *La narración en el Perú*, Lima, 1956; Mejía Baca, Lima, 1960[2]; 1964[3].

—, *El cuento peruano, 1825-1925*, EUDEBA, Buenos Aires, 1964.

Etchenique, Nina, *Roberto Arlt*, La Mandrágora, Buenos Aires, 1962.

Eyzaguirre, Luis B., *El héroe en la novela hispanoamericana del siglo XX*, Editorial Universitaria, Santiago de Chile, 1973.

Fell, Claude, *Estudios de literatura hispanoamericana contemporánea*, Secretaría de Educación Pública (SepSetentas), México, 1970.

Fernández y Fernández, Enrique, «La perspectiva simbólica de Mallea en *Los enemigos del alma*», *Studium Ovetense*, 5 (1977), pp. 375-383.

Fernández Moreno, César, *Introducción a Macedonio Fernández*, Talia (Breviarios de Cultura, 1), Buenos Aires, 1960.

Flasher, John J., *México contemporáneo en las novelas de Agustín Yáñez*, Porrúa, México, 1969.

Flint, J. M. «The Expression of Isolation: Notes on Mallea's Stylistic Technique», *Bulletin of Hispanic Studies*, 44 (1967), pp. 203-209.

—, «Rasgos comunes en algunos de los personajes de Eduardo Mallea», *Iberoromania*, 1 (1969), pp. 340-345.

—, «A Basic Concept in the Ideology of Eduardo Mallea», *Iberoromania*, 3 (1971), pp. 341-347.

Flores, Ángel, «Magical Realism in Spanish-American Fiction», *Hispania*, 38:1 (1955), pp. 167-192.

—, *Bibliografía de escritores hispanoamericanos, 1609-1974*, Las Américas, Nueva York, 1975.

—, y Raúl Silva Cáceres, eds., *La novela hispanoamericana actual*, Las Américas, Nueva York, 1971.

Fornet, Antonio, *Antología del cuento cubano contemporáneo*, Porrúa, México, 1967.

Foster, David William, «The "Everyman" Theme in Carpentier's "El camino de Santiago"», *Symposium*, 3 (1964), pp. 229-240.

—, *Currents in the Contemporary Argentine Novel. Arlt, Mallea, Sábato and Cortázar*, University of Missouri Press, Columbia, 1975.

—, *The 20th Century Spanish-American Novel. A Bibliographical Guide*, The Scarecrow Press, Metuchen, N.J., 1975.

—, *Studies in the Contemporary Spanish American Short Story*, University of Missouri Press, Columbia, 1979.

—, *Mexican Literature: A Bibliography of Secondary Sources*, The Scarecrow Press, Metuchen, N.J., 1981.
—, *Argentine Literature: A Research Guide*, Garland Publishing Inc., Nueva York/Londres, 1982.
Frankenthaler, Marilyn, «Un otro Chaves: un extranjero cósmico», *Texto Crítico*, 7 (1977), pp. 164-171.
Fuentes, Carlos, *La nueva novela hispanoamericana*, Joaquín Mortiz, México, 1969.
García, Germán, *La novela argentina*, Sudamericana, Buenos Aires, 1952.
—, *Macedonio Fernández: la escritura en objeto*, Siglo XXI, Buenos Aires, 1975.
García Castro, Ramón, «Notas sobre la pintura en tres obras de Alejo Carpentier: *Los convidados de plata, Concierto barroco* y *El recurso del método*», *Revista Iberoamericana*, 110-111 (1980), pp. 67-84.
Geada Pruletti, Rita, «Tres antagonistas en la novela de Mallea: *Los enemigos del alma*», *La Torre*, 75-76 (1972), pp. 173-180.
Ghiano, Juan Carlos, *Constantes de la literatura argentina*, Raigal, Buenos Aires, 1953.
—, *Testimonio de la novela argentina*, Ediciones Leviatán, Buenos Aires, 1956.
—, *La novela argentina contemporánea, 1940-1960*, Ministerio de Relaciones, Buenos Aires, 1964.
—, «Eduardo Mallea, una imagen de la Argentina», *Relecturas argentinas*, Mar de Solís, Buenos Aires, 1978, pp. 189-198.
Giacoman, Hely F., ed., *Homenaje a Alejo Carpentier*, Las Américas, Nueva York, 1970.
—, *Homenaje a Miguel Ángel Asturias*, Las Américas, Nueva York, 1971.
—, *Homenaje a Agustín Yáñez*, Las Américas, Nueva York, 1973.
Gicovate, Bernardo, y Alice Gicovate, «Introduction» a Eduardo Mallea, *Chaves*, Prentice-Hall, Englewood Cliffs, 1971, pp. 1-6.
Gillessen, Herbert, *Themen, Bilder und Motive in die Werke Eduardo Malleas*, Droz, Ginebra, 1966.
Giordano, Jaime, «La víctima demoníaca en *La creación* de Agustín Yáñez», *Anales de la Universidad de Chile*, 136 (1965), pp. 58-88; reimpreso en H. F. Giacoman, ed., *Homenaje a Agustín Yáñez*, Las Américas, Nueva York, 1973, pp. 117-149.
—, «Unidad estructural; en Alejo Carpentier», *Revista Iberoamericana*, 75 (1971), pp. 391-401.
—, «El nivel de la escritura en la narrativa hispanoamericana contemporánea», *Nueva Narrativa Hispánica*, 4 (1974), pp. 307-344.
—, «Agustín Yáñez en el contexto de la escritura contemporánea», en K. McDuffie, y A. Roggiano, eds., *Texto y contexto en la literatura iberoamericana. Memoria del XIX Congreso*, Madrid, 1980, pp. 109-116.
—, «Roberto Arlt: escritura expresionista», *Revista de Estudios Hispánicos*, 19:1 (1985), pp. 55-70.
Gnutzmann, Rita, *Roberto Arlt o el arte del calidoscopio*, Universidad del País Vasco, Bilbao, 1984.
Goic, Cedomil, «*Hijo de ladrón*: libertad y lágrimas», *Atenea*, 137 (1960), pp. 103-113.

—, *Bibliografía de la novela chilena del siglo XX*, Editorial Universitaria, Santiago de Chile, 1962.
—, *La novela chilena: los mitos degradados*, Editorial Universitaria, Santiago de Chile, 1968; 1976[4].
—, *Historia de la novela hispanoamericana*, Ediciones Universitarias de Valparaíso, Chile, 1972; 1980[2].
—, ed., *La novela hispanoamericana: descubrimiento e invención de América*, Ediciones Universitarias de Valparaíso, Chile, 1973.
—, *La novela de la revolución mexicana*, La Muralla (Literatura hispanoamericana en imágenes, 13), Madrid, 1983.
Gómez Mango, Lídice, ed., *Felisberto Hernández: notas críticas*, Fundación de Cultura Universitaria, Montevideo, 1970.
González, Eduardo, *Alejo Carpentier: el tiempo del hombre*, Monte Ávila, Caracas, 1978.
González, Manuel Pedro, *Trayectoria de la novela mexicana*, Botas, México, 1951.
González-Echeverría, Roberto, *Relecturas. Estudios de literatura cubana*, Monte Ávila, Caracas, 1976.
—, *The Pilgrim at Home*, Cornell University Press, Ithaca, 1977.
—, *Isla a su vuelo fugitivo. Ensayos críticos sobre literatura hispanoamericana*, Porrúa Turanzas, Madrid, 1983.
—, y Klaus Muller-Bergh, *Alejo Carpentier. Bibliographical Guide/Guía Bibliográfica*, Greenwood Press, Westport, Connecticut / Londres, 1983.
Grieben, Carlos, *Eduardo Mallea*, Ediciones Culturales Argentinas, Buenos Aires, 1961.
Guerrero, Diana, *Roberto Arlt el habitante solitario*, CEAL, Buenos Aires, 1972.
Guzmán, Augusto, *La novela en Bolivia, Proceso 1847-1954*, Juventud, La Paz, 1955.
Guzmán, Jorge, *Diferencias latinoamericanas (Mistral, Carpentier, García Márquez, Puig)*, ECEH, Universidad de Chile, Santiago de Chile, 1984.
Haneffstengel, Renate von, *El México de hoy en la novela y el cuento*, De Andrea, México, 1966.
Harss, Luis, *Los nuestros*, Sudamericana, Buenos Aires, 1966; trad. inglesa, Luis Harss y Barbara Dohmann, *Into the Main Stream*, Harper and Row, Nueva York, 1967.
Hottenroth, Priska-Monika, *Die Orstbestimmungen in den «Leyendas de Guatemala» von Miguel Ángel Asturias*, Peter Lang, Frankfurt del Main / Berna, 1982.
Hughes, John B., «Arte y sentido ritual de los cuentos y novelas cortas de Eduardo Mallea», *Revista de la Universidad de Buenos Aires*, 5:2 (1960), pp. 192-212.
—, «Introduction» a Eduardo Mallea, *All Green Shall Perish, and other novels and stories*, Alfred A. Knopf, Nueva York, 1966, pp. v-xxiii.
Janney, Frank, *Alejo Carpentier and his early works*, Tamesis, Londres, 1981.
Jitrik, Noé, *El fuego de la especie*, Siglo XXI, Buenos Aires, 1971.
—, *La novela futura de Macedonio Fernández*, Universidad Central de Venezuela, Caracas, 1973.

—, *El no existente caballero: la idea de personaje y su evolución en la narrativa hispanoamericana*, Megápolis, Buenos Aires, 1975.

Lafarga, Gastón, *La evolución literaria de Rubén Romero*, Imp. Gouvarchi, París, 1938.

Lafforgue, Jorge, ed., *Nueva novela latinoamericana*, Paidós, Buenos Aires, 1969-1972, 2 vols.

Lafourcade, Enrique, *Antología del nuevo cuento chileno*, Zig-Zag, Santiago de Chile, 1954.

—, *Cuentos de la generación del 50*, Editorial Nuevo Extremo, Santiago de Chile, 1959.

—, *Antología del cuento chileno*, Santiago de Chile, 1969, 3 vols.

Lagmanovich, David, *Gramática, estilo y lengua*, Universidad Nacional del Comahue, Neuquén, 1979.

—, «Images of reality: Latin American Short Stories», *Dispositio*, 24-26 (1984), pp. 53-63.

Lagos, Ramona, «*Las tierras flacas*: capitalismo e ideología», *Nueva Narrativa Hispanoamericana*, 4 (1974), pp. 145-170.

Langford, Walter M., *The Mexican Novel Comes of Age*, University of Notre Dame Press, Notre Dame / Londres, 1971.

Langowsky, Gerald J., *El surrealismo en la ficción hispanoamericana*, Gredos, Madrid, 1982.

Larra, Raúl, *Roberto Arlt el torturado*, Quetzal, Buenos Aires, 1962.

Lasarte, Francisco, *Felisberto Hernández y la escritura de «lo otro»*, Ínsula, Madrid, 1981.

Lasplaces, Alberto, *Antología del cuento uruguayo*, C. García, Montevideo, 1943.

Lastra, Pedro, «Aproximaciones a *¡Ecué-Yamba-O!*», *Revista Chilena de Literatura*, 4 (1971), pp. 79-89; reimpreso en K. Muller-Bergh, ed., *Asedios a Carpentier*, Editorial Universitaria, Santiago de Chile, 1973, pp. 39-51.

Latcham, Ricardo A., *Antología del cuento hispanoamericano*, Zig-Zag, Santiago de Chile, 1958.

Latorre, Mariano, *Antología de cuentistas chilenos*, Biblioteca de Escritores de Chile, Santiago de Chile, 1938.

Leal, Luis, *Antología del cuento mexicano*, De Andrea, México, 1957.

—, *Historia del cuento hispanoamericano*, De Andrea, México, 1966; otra ed., 1971.

—, *El cuento hispanoamericano*, CEAL, Buenos Aires, 1967.

León, Pedro R., «*Fiesta en Noviembre* de Eduardo Mallea: contrapunto estilístico y preocupación ética», *Ibero-Amerikanische Archiv*, 3 (1977), pp. 331-350.

Lewald, Ernest H., *Eduardo Mallea*, Twayne Publishers (TWAS), Boston, 1977.

Lichtblau, Myron I., *El arte estilístico de Eduardo Mallea*, Juan Goyanarte Editor, Buenos Aires, 1967.

—, «Los últimos capítulos de *Hijo de ladrón*», *Revista Hispánica Moderna*, 5, 3-4 (1968), pp. 707-713.

Lindstrom, Naomi, *Macedonio Fernández*, Society of Spanish and Spanish American Studies, University of Nebraska, Lincoln, 1981.

Lorenz, Gunter W., *Miguel Ángel Asturias*, Luchterhand Verlag (Portrait und Poesie), Neuwied y Berlín, 1968.

—, *Diálogos con escritores latinoamericanos*, Ediciones Universitarias de Valparaíso, Valparaíso, Chile, 1972.

Loveluck, Juan, ed., *Novelistas hispanoamericanos de hoy*, Taurus, Madrid, 1976.

Magaña Esquivel, Antonio, *La novela de la revolución*, Porrúa, México, 1974².

Magnarelli, Sharon, «"El camino de Santiago" de Alejo Carpentier y la picaresca», *Revista Iberoamericana*, 40 (1974), pp. 65-86.

Malaret, Nicole, «Réflexions critiques sur *La barca de hielo*», *Caravelle*, 19 (1972), pp. 79-106.

Maldavsky, David, *La crisis en la narrativa de Roberto Arlt*, Escuela, Buenos Aires, 1968.

Manzor, Antonio R., *Antología del cuento hispanoamericano*, Zig-Zag, Santiago de Chile, 1939.

Marías, Julián, «Eduardo Mallea y la literatura hispanoamericana», *Ínsula*, 286 (1970), pp. 1, 13.

Márquez Rodríguez, Alexis, *La obra narrativa de Alejo Carpentier*, Ediciones de la Universidad Central de Venezuela, Caracas, 1970.

—, *Lo barroco y lo real maravilloso en la obra de Alejo Carpentier*, Siglo XXI, México, 1982.

Martin, Gerald, «*El señor Presidente*: una lectura "contextual"», M. Á. Asturias, *El señor Presidente*, Klincksieck / Fondo de Cultura Económica, París / México, 1978, pp. lxxxxiii-cxxxix.

Mazziotti, Nora, ed., *Historia y mito en la obra de Alejo Carpentier*, Fernando García Cambeiro (Estudios Latinoamericanos), Buenos Aires, 1972.

Medeiros, Paulina, *Felisberto Hernández y yo*, Biblioteca de Marcha, Montevideo, 1974.

Meneses, Guillermo, *Antología del cuento venezolano*, Ministerio de Educación, Caracas, 1955, otra ed., 1966.

Menton, Seymour, *Historia crítica de la novela guatemalteca*, Editorial Universitaria, Guatemala, 1960.

—, *El cuento hispanoamericano. Antología crítico-histórica*, Fondo de Cultura Económica, México, 1964, 2 vols.

—, *La narrativa de la revolución cubana*, Playor, Madrid, 1978.

Mignolo, Walter D., *Literatura fantástica y realismo maravilloso*, La Muralla (Literatura Hispanoamericana en Imágenes, 21), Madrid, 1983.

Miletich, John S., «Biblical Allusions in Mallea's *Fiesta en noviembre*», *Romance Notes*, 16 (1977), pp. 731-733.

Minc, Rose S., *Lo fantástico y lo real en la narrativa de Juan Rulfo y Guadalupe Dueñas*, Senda Nueva de Ediciones, Montclair, N.J., 1984.

—, ed., *The Contemporary Latin American Short Story*, Nueva Senda de Ediciones, Montclair, N.J., 1984.

Minguet, Charles, «Tradición y modernidad en *El señor Presidente*», en M. Á. Asturias, *El señor Presidente*, Klincksieck / Fondo de Cultura Económica, París / México, 1978, pp. cxli-cliv.

Mocega González, Esther P., *La narrativa de Alejo Carpentier: el concepto del tiempo como tema fundamental*, Eliseo Torres, Nueva York, 1975.

—, *Alejo Carpentier: estudios sobre su narrativa*, Playor, Madrid, 1980.

Moore, Ernest R., *Novelistas de la Revolución mexicana: José Rubén Romero*, Imp. de M. Altolaguirre, La Habana, 1940.

—, *Bibliografía de novelistas de la Revolución mexicana*, El Colegio de México, México, 1941.
Morsella, Astur, *Eduardo Mallea*, Mac-Co, Buenos Aires, 1957.
Morton, F. Rand, *Los novelistas de la Revolución mexicana*, De Andrea, México, 1949.
Muller-Bergh, Klaus, *Alejo Carpentier. Estudio biográfico-crítico*, Las Américas, Nueva York, 1972.
—, ed., *Asedios a Carpentier*, Editorial Universitaria, Santiago de Chile, 1973.
—, «Sentido y color de *Concierto barroco*», *Revista Iberoamericana*, 92-93 (1975), pp. 445-464.
Murena, Héctor A., «*Chaves*: un giro copernicano», *Sur*, 228 (1954), pp. 27-36.
Navarro, Noel, «Algo más sobre *Al filo del agua*», *Casa de las Américas*, 53 (1969), pp. 172-174; reimpreso en H. F. Giacoman, ed., *Homenaje a Agustín Yáñez*, Las Américas, Nueva York, 1973.
Navas Ruiz, Ricardo, «*El señor Presidente*: de su génesis a la presente edición», en M. Á. Asturias, *El señor Presidente*, Klincksieck / Fondo de Cultura Económica, París / México, 1978, pp. xvii-xxxiv.
Núñez, Ángel, *La obra narrativa de Roberto Arlt*, Nova, Buenos Aires, 1968.
Ocampo, Victoria, *Diálogo con Mallea*, Sur, Buenos Aires, 1969.
Ocampo de Gómez, Aurora M., *Literatura mexicana contemporánea: biobibliografía crítica*, UNAM, México, 1965.
Ortega, Julio, *Poetics of Change: The New Spanish-American Narrative*, University of Texas Press, Austin, 1984.
Ortiz, Alicia, *Las novelas de Enrique Amorim*, Cía. Edit. y Distribuidora del Plata, Buenos Aires, 1949.
Pagés Larraya, A., *Veinte ficciones argentinas, 1900-1950*, EUDEBA, Buenos Aires, 1963.
Palermo, Zulma, «Aproximación a *Los pasos perdidos*», en *Historia y mito en la obra de Alejo Carpentier*, Fernando García Cambeiro (Estudios Latinoamericanos, 3), Buenos Aires, 1972, pp. 87-119.
Pastor, Beatriz, *Roberto Arlt y la rebelión alienada*, Hispamérica, Gaithersburg, 1980.
Pickenhayn, Jorge Óscar, *Para leer a Alejo Carpentier*, Plus Ultra, Buenos Aires, 1978.
Picón Salas, Mariano, «Prólogo» a Eduardo Mallea, *Obras completas*, I, Emecé, Buenos Aires, 1961, pp. 13-20.
Pilón, Marta, *Miguel Ángel Asturias*, Guatemala, 1968.
Pintor Genaro, Mercedes, *Eduardo Mallea, novelista*, Universidad de Puerto Rico, Barcelona, 1976.
Polt, John H. R., *The Writings of Eduardo Mallea*, The University of California Press, Berkeley, 1959.
Porras Collantes, A., *Bibliografía de la novela colombiana*, Instituto Caro y Cuervo, Bogotá, 1976.
Portal, Marta, *Proceso narrativo de la revolución mexicana*, Ediciones Cultura Hispánica, Madrid, 1977.
Portuondo, J. A., *Cuentos cubanos contemporáneos*, Editorial Leyenda, México, 1946.

Pottier, Bernard, *Argentinismo y uruguayismo en la obra de Enrique Amorim,* Imp. As, Montevideo, 1958.

Promis, José, *Novela chilena actual*, Fernando García Cambeiro, Buenos Aires, 1977.

Pupo-Walker, Enrique, *El cuento hispanoamericano ante la crítica,* Castalia, Madrid, 1973; otra ed., 1980.

Quinteros, Isis, «Aproximación a la narrativa existencial de Eduardo Mallea», *Mapocho*, 23 (1970), pp. 31-38.

Ramírez Molas, Pedro, *Tiempo y narración: enfoques de la temporalidad en Borges, Carpentier, Cortázar y García Márquez,* Gredos, Madrid, 1978.

Rangel Guerra, Alfonso, *Agustín Yáñez,* Empresas Editoriales, México, 1972.

Rein, Mercedes, *Cortázar y Carpentier*, Ediciones de Crisis, Buenos Aires, 1974.

Rela, Walter, *Felisberto Hernández: bibliografía anotada,* Delta, Montevideo, 1967.

—, *Felisberto Hernández. Valoración crítica,* Editorial Ciencias, Montevideo, 1982.

Ribadeneira, Edmundo, *La moderna novela ecuatoriana,* Casa de la Cultura Ecuatoriana, Quito, 1958.

Rincón, Carlos, «Sobre Alejo Carpentier y la poética de lo real maravilloso americano», *Casa de las Américas,* 89 (1975), pp. 40-65.

Rivelli, Carmen, *Eduardo Mallea. La continuidad temática de su obra,* Las Américas, Nueva York, 1969.

Rodríguez-Alcalá, Hugo, *Narrativa hispanoamericana. Güiraldes, Carpentier, Roa Bastos, Rulfo,* Gredos, Madrid, 1973.

Rodríguez Coronel, Rogelio, ed., *Recopilación de textos sobre la novela de la revolución mexicana,* Casa de las Américas (Valoración Múltiple), La Habana, 1975.

Rodríguez Monegal, Emir, *El juicio de los parricidas,* Editorial Deucalión, Buenos Aires, 1956.

—, «Alejo Carpentier: lo real y lo maravilloso en *El reino de este mundo*», *Revista Iberoamericana,* 76-77 (1971), pp. 619-649.

—, *El «boom» de la novela latinoamericana,* Monte Ávila, Caracas, 1972.

—, *Narradores de esta América,* Alfa, Montevideo, 1961; otras eds., 1969; Alfa Argentina, Buenos Aires, 1974, 2 vols.

—, «Realismo mágico *versus* literatura fantástica. Un diálogo de sordos», en Donald A. Yates, *Otros mundos otros fuegos: fantasía y realismo mágico en Iberoamérica,* Michigan State University, East Lansing, 1975.

Rodríguez-Puértolas, Carmen C. de, «Alejo Carpentier, teoría y práctica», *Eco,* 98 (1968), pp. 171-201.

Rodríguez Reeves, Rosa, «Bibliografía de y sobre Manuel Rojas», *Revista Iberoamericana,* 95 (1976), pp. 285-313.

Rogmann, Horst, *Narrative Strukturen und «magischer Realismus» in den ersten Romanen von Miguel Ángel Asturias,* Peter Lang (Hispanistische Studien), Frankfurt del Main / Berna, 1978.

Rojas, Ángel F., *La novela ecuatoriana,* Fondo de Cultura Económica, México, 1948.

Rosenblat, Ángel, *Lengua literaria y lengua popular en América,* Universidad

Central de Venezuela (Cuadernos del Instituto de Filología «Andrés Bello»), Caracas, 1969.

Roy, Joaquín, *et al.*, *Narrativa y crítica de nuestra América*, Castalia, Madrid, 1978.

Rutherford, John, *An annotated bibliography of the novels of the Mexican revolution of 1910-1917*, The Whitston Publishing Co., Troy, Nueva York, 1971.

—, *Mexican Society During the Revolution. A Literary Approach*, Clarendon Press, Oxford, 1971.

Saint-Lu, Jean-Marie, «Apuntes para una lectura "semántica" de *El señor Presidente*», en M. Á. Asturias, *El señor Presidente*, Klincksieck / Fondo de Cultura Económica, París / México, 1978, pp. xxxv-lxxxii.

Sánchez, Luis Alberto, *Escritores representativos de América*, Gredos, Madrid, 1976, 2 vols.

Sánchez, Modesto G., «El fondo histórico de *El acoso*: "Época heroica y época del botín"», *Revista Iberoamericana*, 92-93 (1975), pp. 397-422.

Sánchez-Boudy, José, *La temática novelística de Alejo Carpentier*, Ediciones Universal, Miami, 1969.

Santander, Carlos, «Lo maravilloso en la obra de Alejo Carpentier», *Atenea*, 409 (1965), pp. 99-126; reimpreso en H. F. Giacoman, ed., *Homenaje a Alejo Carpentier*, Las Américas, Nueva York, 1970, pp. 99-144.

—, «El tiempo maravilloso en la obra de Alejo Carpentier», *Estudios Filológicos*, 4 (1968), pp. 107-129.

—, «Prólogo» a *Viaje a la semilla y otros relatos*, Nascimento, Santiago de Chile, 1971, pp. 7-21.

—, «Historicidad y alegoría en *El siglo de las luces*», en *El Barroco en América*, I, XVII Congreso del Instituto Internacional de Literatura Iberoamericana, Madrid, 1978, pp. 499-510.

Sanz y Díaz, José, *Antología de cuentistas hispanoamericanos*, Aguilar, Madrid, 1946; otra ed., Col. Crisol, 152, 1964.

Schulman, Iván A., ed., *Coloquio sobre la novela hispanoamericana*, Tezontle, México, 1967.

Schwartz, Kessel, *A New History of Spanish-American Fiction*, University of Miami Press, Coral Gables, 1972, 2 vols.

Segre, Roberto, «La dimensión ambiental en lo real maravilloso de Alejo Carpentier», *Casa de las Américas*, 120 (1980), pp. 18-33.

Serafín, S., «Felisberto Hernández: fuga nel misterio dell' immaginazione», *Studi di letteratura ispano-americana*, 13-14 (1983), pp. 181-198.

Shaw, Donald L., «Narrative Technique in Mallea's *La bahía de silencio*», *Symposium*, 20 (1966), pp. 50-55.

—, «Introduction» a *Todo verdor perecerá*, Pergamon Press, Oxford, 1968, pp. vii-xxxiii.

—, *Nueva narrativa hispanoamericana*, Cátedra, Madrid, 1983.

Sicard, Alain, ed., *Felisberto Hernández ante la crítica actual*, Monte Ávila, Caracas, 1977.

Siemens, William L., *Worlds Reborn. The Hero in the Modern Spanish American Novel*, West Virginia University Press, Morgantown, 1984.

Silva Castro, Raúl, *Historia crítica de la novela chilena,* Ediciones Cultura Hispánica, Madrid, 1960.

Smith, Verity, *Carpentier. Los pasos perdidos* (Critical Guides to Spanish Texts, 36), 1983.

Sommers, Joseph, *After the Storm. Landmarks of the Modern Mexican Novel,* University of New Mexico Press, Albuquerque, 1968; trad. cast.: *La novela mexicana moderna,* Monte Ávila, Caracas, 1970.

Souza, Raymond D., *Major Cuban Novelists. Innovation and Tradition,* University of Missouri Press, Columbia / Londres, 1976.

Speratti Piñero, Emma Susana, *Pasos hallados en «El reino de este mundo»,* El Colegio de México, México, 1981.

Vásquez Amaral, José, *The Contemporary Latin American Narrative,* Las Américas, Nueva York, 1970.

Velayos Zurdo, Óscar, *El diálogo con la historia de Alejo Carpentier,* Península (Nexos, 2), Barcelona, 1985.

Verdevoye, Paul, ed., *«Caudillos», «Caciques» et Dictateurs dans le roman hispanoaméricain,* Éditions Hispaniques, París, 1978.

Verdugo, Iber, *El carácter de la literatura y la novelística de Miguel Ángel Asturias,* Editorial Universitaria, Guatemala, 1968.

—, «*El señor Presidente:* una lectura "estructuralista"», en M. Á. Asturias, *El señor Presidente,* Klincksieck / Fondo de Cultura Económica, París / México, 1978, pp. clv-ccxiii.

Vila Selma, José, *El último Carpentier,* Plan Cultural, Las Palmas, 1978.

Villanueva de Puccinelli, Elsa, *Bibliografía de la novela peruana,* Biblioteca Universitaria, Lima, 1969.

Villordo, Óscar Hermes, *Genio y figura de Eduardo Mallea,* EUDEBA, Buenos Aires, 1973.

Visca, Arturo Sergio, *Antología del cuento uruguayo contemporáneo,* Universidad de la República, Montevideo, 1962.

—, *Antología del cuento uruguayo,* Ediciones de la Banda Oriental, Montevideo, 1968, 6 vols.

Volek, Emil, «Análisis del sistema de estructuras musicales e intelectuales de *El acoso*», *Philologica Pragensis,* 12 (1969), pp. 1-24; reimpreso en H. F. Giacoman, ed., *Homenaje a Alejo Carpentier,* Las Américas, Nueva York, 1970, pp. 365-438.

—, «Análisis e interpretación de *El reino de este mundo* y su lugar en la obra de Alejo Carpentier», *Unión,* 4:1 (1969); reimpreso en H. F. Giacoman, ed., *Homenaje a Alejo Carpentier,* Las Américas, Nueva York, 1970, pp. 145-178.

—, «Algunas reflexiones sobre *El siglo de las luces* y el arte narrativo de Alejo Carpentier», *Casa de las Américas,* 74 (1972), pp. 42-54.

—, «Alejo Carpentier y la narrativa latinoamericana actual (Dimensiones de un realismo mágico)», *Cuadernos Hispanoamericanos,* 296 (1975), pp. 319-342.

Volkening, Ernesto, «Reconquista y pérdida de la América arcaica en *Los pasos perdidos*», *Eco,* 82 (1967), pp. 367-402.

Weber, Frances Wyers, «*El acoso*: Alejo Carpentier's War on Time», *PMLA,* 78:4 (1963), pp. 440-448; reimpreso en K. Muller-Bergh, ed., *Asedios a Carpentier,* Editorial Universitaria, Santiago de Chile, 1972, pp. 147-164.

Yates, Donald A., ed., *Otros mundos otros fuegos: fantasía y realismo mágico en Iberoamérica*, Memoria del XVI Congreso Internacional de Literatura Iberoamericana, Michigan State University, 1975.

Young, Richard A., *Carpentier. El reino de este mundo*, Grant and Cutler (Critical Guides to Spanish Texts, 34), Londres, 1983.

Zeitz, E. M., y Richard A. Seybolt, «Hacia una bibliografía del realismo mágico», *Hispanic Journal*, 3:1 (1981), pp. 159-167.

Zum Felde, Alberto, *La narrativa hispanoamericana*, Aguilar, Madrid, 1964.

Cedomil Goic

EL SEÑOR PRESIDENTE DE MIGUEL ÁNGEL ASTURIAS

El señor Presidente es la novela de la deformación demoníaca del poder político. No hay en toda la novelística hispanoamericana ni en toda la novela contemporánea una obra que represente de modo tan extraordinario y turbador la maléfica y ominosa presencia del poder humano absoluto y su aniquiladora influencia. Ni la hay tampoco que, proyectando tan universalmente su sentido, arraigue tan profundamente en formas particulares de la realidad y del modo de sentir hispanoamericanos.

La figura del Señor Presidente encarna el carácter difuso, inasible e incierto, del poder maligno. Es una potencia incontrarrestable, aniquiladora y mortífera, en su imperio absoluto; cruel y sanguinaria, en su demoníaco carácter; perversamente cómico, en el espectáculo de su propio poderío. Para prestarle el cuerpo mítico que le conviene, el Señor Presidente es caracterizado con la figura imprecisa que le presta la creencia popular, fabuladora de una imagen temible y caricaturesca, o la representación de igual origen que lo presenta vestido de negro enteramente y con un rostro descarnado semejante a las representaciones populares del demonio. En otros momentos, es una figura vulgar y degradada que se muestra caricaturescamente en sus acciones dañinas o sus momentos desapacibles. Sin embargo, su ambigüedad esencial se reviste de nuevos signos así como su poder aparece divinizado en sus atributos —una suerte de absoluto de bolsillo— de ser todopoderoso, omnisciente, misterioso y tremendo. Cierto orden celeste parece establecerse en relación al Señor Presidente, cuando la Lengua de

Cedomil Goic, *Historia de la novela hispanoamericana*, Ediciones Universitarias de Valparaíso, 1980[2], pp. 190-193.

Vaca, turiferaria del tirano, entona el salmo de las alabanzas «Todo el orbe cante!» (II, XIV) o, con imprudencia, el general Canales habla de los «Príncipes de la milicia» (I, X), poniendo en el coro arcangélico a los generales de la república. Lo esencial es, en todo caso, la visión numinosa que se crea en relación al Señor Presidente. En ella entronca también Miguel Cara de Ángel, anagrama de Miguel Arcángel, que es el favorito del Señor. Lo ambiguo concierta los contrarios cuando contemplamos que el carácter celeste del tirano y del mundo no es tal, sino verdaderamente infernal y que este cielo no lo es verdaderamente, sino un «cielo al revés», un infierno, y el Señor Presidente una figura demoníaca. A este mismo hecho, corresponde el que la caída de Cara de Ángel posea también un carácter inverso: no lo precipita el mal, aunque sí una soberbia arcangélica, sino el bien, pues redimido por el amor de Camila pierde el favor del tirano ya que lo obrado escapó por un momento a sus designios. Obediente a la ambigüedad generalizada del mundo que se reconoce a partir de este punto, todo adquiere un carácter ambiguo, todas las relaciones invierten o trastruecan sus términos. Todo adquiere la confusión y la oscuridad de lo caído en las tinieblas.

El disonante son de las campanas que llaman a la oración al iniciarse la novela, doblando o maldoblestando un conjuro satánico que convoca la presencia de los pordioseros de la plaza, larvas monstruosas, que casi cósmicamente concurren en la noche con las estrellas, anticipa una visión permanente de ambigüedad tremenda y feroz, de diuturnidad permanente: una atmósfera crepuscular y nocturna que apenas da lugar, a veces, a incipientes amaneceres abortados prestamente.

A este torso de realidad que representa lo inverso de una teología cristiana, es decir, una demonología siniestra y engañosa, se superpone otra visión, esta vez arraigada en el mundo mítico americano. Al ser enviado Cara de Ángel como embajador del Señor Presidente en Washington, adivina oscuramente la amenaza en una visión mítica que se abre entre sus cejas —el tercer ojo de las visiones maravillosas— y allí, representada en el espacio sagrado que encierran cuatro sacerdotes —el mundo en todos sus cuatro términos—, contempla el robo del fuego por el dios Tohil que deja el mundo a oscuras y priva a los hombres del calor, del alimento y de la vida. El precio de la restitución, que los hombres claman desde su miseria, será pagado en vidas humanas. Esta visión proyecta de inmediato sus rasgos sobre la realidad humana. La gratuidad del poder abusivo, cruel y sanguinario de Tohil es un análogo adecuado para el Señor Presidente; lo es también para la oscuridad del mundo, para el terror de los hombres y aún para la esperanza de éstos pues el contentamiento del dios puede traer el amanecer y la restitución del fuego; pero lo es sobre todo para el desdibujamiento del contorno de todo lo real, es decir, para la ambigüedad generalizada del universo: «No habrá ni verdadera muerte ni verdadera vida» proclamará Tohil.

El efecto de esta visión es el de una auténtica *epifanía*, esto es, de un momento narrativo en el cual se pone de manifiesto el sentido —un sentido— de la realidad. Hay que agregar, para una cabal comprensión de lo que acontece en esta novela, que tal epifanía opera sujeta a un principio de reflexividad, de modo que la inteligencia del mundo se modifica en sus términos conocidos así como actúa la epifanía y a partir de ella.

Contemplamos un fenómeno similar cuando el titiritero loco —don Benjamín—, quien ya entrega luminosas dimensiones a la realidad que revierten sobre la naturaleza misma de la novela y de lo imaginario en general (I, VIII), revelando lo ambiguo de su condición, descubre en el *Epílogo* la condición cómica del universo, al desenmascarar la doble condición de los personajes, su falso rostro, su miserable condición servil o su involuntaria investidura impuesta. Con la lucidez implacable que la locura muestra en el mundo de lo ambiguo, el loco-cuerdo descubre el mundo como teatro y su autor cómico. La analogía proyecta grotescamente la imagen degradada de un *theatrum mundi*, en nada comparable a la grandiosidad calderoniana ni a la providencia magna del autor, al de un orden guiñolesco y a la operación cómico-grotesca de un titiritero. La pregunta del minúsculo don Benjamín: «¿Quién te fizo figura de figurón?», tiene respuesta inequívoca en el contexto narrativo. El poder de enajenar a los hombres de su ser y, mediante el terror, someterlos al juego arbitrario de su voluntad pertenece al Señor Presidente. Esta nueva epifanía debe superponerse a las representaciones anteriores para reconocer la imagen perfecta del tirano, cuya identidad no responde con exclusividad a ninguna de las tres principalmente señaladas ni tampoco a las caracterizaciones menores, incluida la terrífica de la araña —en el juego de la araña y la mosca—, que pone un extremo de sadismo y perversa brutalidad en la caracterización del personaje, sino que —ambiguamente— las concierta todas y las superpone para cobrar en su compleja confusión la estatura de su realidad maléfica, de contornos imprecisos e imposible de intuir en su última esencia.

[Si miramos los acontecimientos,] observaremos cómo se actualizan en el mundo, trasmutándolo todo, los poderes malignos del Señor Presidente. Esos acontecimientos sirven regularmente para confirmar y trazar en su raro perfil los rasgos determinantes del tirano. De modo que la historia que se narra —su línea principal— y sus múltiples derivaciones condicionadas por el desplazamiento de los personajes en el espacio, configuran un mundo desrealizado que es el mundo del Señor Presidente. No en el sentido de la identidad personal, que no posee, sino en el sentido del efecto que lo tiene por causa. De las determinaciones señaladas, brota la comprensión de un espacio a la luz de un poder desrealizante que resulta indispensable e inseparable de él para su comprensión. En su caracterización ordinaria, el Señor Presidente, aparece como una figura más dentro de un mismo orden que extiende su poder maléfico por el mundo, y esto por cierto acrecienta su ambigüedad. No aparece como personaje portador del mundo. El estrato portador del mundo es el espacio, en él se reconocen los términos de la realidad y se generalizan a todos los rincones. En él se revelan las potencias abominables como momentos constitutivos del mismo. El Mal es una —es la— condición de la realidad, su grotesca condición se percibe tanto en la presencia incierta de los poderes malignos como en los momentos estructurados del espacio que reconocemos ambiguos, desrealizados, satíricos, demoníacos, larvarios, en la miseria de lo humano caído y extremadamente precario. Una sorprendente densidad de la significación de lo grotesco adquiere la representación del mundo en este banquete de la náusea.

MYRON I. LICHTBLAU

EL ARTE ESTILÍSTICO DE EDUARDO MALLEA

Mallea es demasiado complejo como novelista para dejarse encasillar dentro de un molde rígido, pero podemos decir que la nota predominante de su estilo es una densidad psicológica que envuelve su prosa y que sumerge emocional y mentalmente al lector en el tema tratado. Este es el estilo empleado para realizar los profundos análisis de actitudes, de conflictos, de luchas de conciencia; es el estilo a que nos referimos al denominar a Mallea el expositor de estados de ánimo. Y es el aspecto más característico de su lenguaje. Este es el Mallea a que aluden los críticos al llamarlo retratista de la conciencia argentina. Y en verdad su valor de novelista, por sobre toda otra consideración, está en que su captación psicológica de almas angustiadas va más allá

Myron I. Lichtblau, *El arte estilístico de Eduardo Mallea*, Juan Goyanarte Editor, Buenos Aires, 1967, pp. 36-40.

de sus personajes para dar un importante mensaje ideológico y filosófico de carácter universal. En fin, Mallea tiene algo valioso que decir al lector y su medio de expresión se basa en la perspectiva psicológica. Si analizamos la prosa en los párrafos dedicados al puro análisis psicológico, vemos ante todo que es una prosa literaria y académica que utiliza un lenguaje forjado y controlado por su propio intelecto. El medio de expresión es la exposición narrativa, ya sea en primera persona o en tercera. Mallea somete las emociones y pensamientos a un riguroso escudriñamiento en lengua culta, estudiando cada móvil, cada reacción, y procurando captarlos en su prosa. Cabe una analogía: lo que hicieron los naturalistas respecto a la documentación de la realidad exterior y circunstancial, lo hace Mallea respecto al mundo interior de sus personajes.

El estilo de Mallea capta primero desde adentro; de allí pasa a lo que rodea físicamente al hombre. Aunque su lenguaje puede ser sencillo y directo, no es esta la nota característica de su lenguaje; antes bien, Mallea redondea la prosa para formar oraciones rebosantes de elementos verbales que representan el pensamiento del novelista en el proceso de formación. La elaboración mental de su pensamiento queda, pues, abierta, patente, para constituir un rasgo fundamental de su estilo. Mallea no trata de limitar su prosa a los elementos más esenciales; gusta de ensanchar una idea o emoción, precisamente porque su propósito no es ceñir o condensar verbalmente, sino dar toda la amplitud necesaria para transmitir su pensamiento. La plenitud de expresión es, pues, otro de los rasgos típicos de Mallea, mediante el cual procura extender no sólo la idea central sino también las accesorias. Pero lo importante es que tal plenitud no es mera prolongación, no es mera ampulosidad, ni amontonamiento verbal a secas; la plenitud es la creación artística en sus vacilantes etapas.

[Trozo típico de Mallea es el siguiente, tomado del cuento «Posesión», que describe la relación emocional entre Vidal y su amante Carlota: «Al despecho común, a la cólera recíproca, al empecinamiento mutuo en no ceder, había seguido en los dos una especie de nueva y diferente, subterránea, inconfesa atracción desde lejos, una misma desesperación interior por temor a la idea de separarse para siempre, en agraz, y quedar sedientos y arrepentidos, como hambrientos dantescos a quienes se ha arrebatado el pan» (*Posesión*, 59). Trozos de este tipo, uno tras otro, son comunes en Mallea. El tenue hilo narrativo que enlaza los párrafos forma la armazón del estudio psíquico, dando cuerpo y valor novelesco a las palabras.]

La frase pródiga en giros de índole psicológica, de tono marcadamente académico, se halla ya en *Cuentos para una inglesa desesperada*: «Ayer una mujer ... despertó en mí insólitas ansias persecutorias»; «Toda su equívoca sexualidad de la jornada ... se fundía en esta intensa femineidad nocturnal»; «Soy nada más que una vulgar substanciación del egoísmo». Y Mallea cultivó este tipo de expresión hasta formar uno de los elementos más distintivos de su prosa, inconfundiblemente suyo. Su estilo llega a ser la expresión literaria de afirmaciones analíticas de carácter y de emoción: «Este era un llamado amargo: la constante certidumbre de su infecundidad» (*Ciudad*); «... solían abatirle accesos de demacración y desasosiego» (*Sala*); «No es más que la prolongación exterior de una indiferencia, de una frialdad de nacimiento» (*Fiesta*).

Este recurso ocurre no sólo en oraciones sueltas, sino en largos párrafos y a veces en páginas enteras. Representa una constante de su prosa y muchas veces oscurece otras modalidades estilísticas presentes en su obra. Mallea no sólo tiene plena conciencia de este rasgo, sino que lo explota diestramente con gran valor lingüístico. [Esta misma técnica de plenitud verbal es lo que motiva muchos otros recursos estilísticos que caracterizan su prosa, como la repetición, la multiplicidad elocutiva, la adjetivación múltiple, el paralelismo sintáctico, y aun muchas clases de imágenes.]

Pero este exceso verbal nunca es un elemento absoluto; es más bien cosa acumulativa que se nos insinúa lentamente en secciones de algunas novelas, como en *La torre*. El gran entusiasmo de Mallea por lo que escribe acaba por desbordarse en flujo lingüístico. El exceso no resulta del inútil ensanchamiento de cosas triviales, ni tampoco es producto de una prosa hinchada que carece de imaginación; proviene más bien de la sincera desgana de parar la pluma ante todas las posibilidades verbales de expresar sus pensamientos. Mallea mismo comentó en una entrevista en Londres con Alex Neish lo siguiente (que traduzco del original inglés): «Escribo porque no sé hablar. Escribo porque —aunque parezca extraño que lo diga un novelista— en cierto sentido desconfío de las palabras. Cuando uno participa en una conversación hay tantas cosas que no se pueden expresar, tantas cosas que uno no se atreve a expresar. Cuando deseo comunicar, por lo tanto, recurro a la palabra escrita. Allí uno tiene el elemento o cuando menos la ilusión del control. Allí uno puede aislarse en un cuarto vacío —lejos de aquellos objetos familiares que tienen voces y memorias, y que lo restringen a uno— y puede ir a tientas lentamente hacia la verdadera significación, hacia lo que uno quiere decir, hacia lo que uno cree».

Lo fundamental aquí es que, para Mallea, la palabra escrita no tiene límites para la expresión del pensamiento humano. La palabra escrita se encuentra tan libre y tan expansiva como el pensamiento mismo. Mallea no permite que su mundo de palabras sea menos que su mundo de ideas y de emociones. Y su estilo refleja siempre este acomodamiento entre la idea en proceso de cuajarse y la representación escrita de esta idea o ideas concomitantes.

ROBERTO GONZÁLEZ-ECHEVERRÍA

HISTORIA Y ALEGORÍA EN LA NARRATIVA DE CARPENTIER

[El análisis de lo histórico en Carpentier es de interés por razones que rebasan los confines de su propia obra.] Y es lógico que así sea, ya que, desde sus inicios, la narrativa de Carpentier se ha basado en la historia, y ésta ha sido su objeto privilegiado de análisis. *¡Ecué-Yamba-O!* e «Histoire de Lunes» (ambos de 1933) se ubican en la época de las fraudulentas campañas electorales que preceden a la dictadura de Gerardo Machado en Cuba. *El reino de este mundo* (1949) se basa en la historia de la Revolución haitiana, mientras que *El acoso* (1956) evoca dos momentos de la historia cubana de este siglo: la lucha contra el machadato, y la época del postmachadato, cuando surgen los llamados «grupos de acción» y el «bonche universitario». *El siglo de las luces* (1962), la más histórica de las novelas de Carpentier en un sentido convencional, explora las repercusiones de la Revolución francesa en Hispanoamérica, particularmente en el Caribe. Los relatos de *Guerra del tiempo* (1958) se basan todos en la historia, sobre todo la historia cubana del siglo XIX, cuando Cuba se convierte en factoría azucarera, pero algunos, como «El camino de Santiago» y «Semejante a la noche», se remontan al período colonial, y este último hasta la Grecia homérica. Aunque la experimentación con la historia está presente desde los comienzos de su carrera, «Semejante a la noche» (ori-

Roberto González-Echeverría, *Isla a su vuelo fugitivo. Ensayos críticos sobre literatura hispanoamericana*, Porrúa Turanzas, Madrid, 1983, pp. 45-48, 51, 54.

ginalmente publicado en 1952) es el primer relato de Carpentier que puede considerarse como un verdadero laboratorio en que se analiza la relación entre la historia y la narrativa, algo que surge con gran intensidad en su obra más conocida, *Los pasos perdidos* (1953), y en sus dos últimas novelas, *El recurso del método* y *Concierto barroco* (ambas de 1974).

Creo que puede afirmarse que Carpentier, aparte de sus reconocidos méritos como novelista, es uno de los más rigurosos e innovadores historiógrafos que ha dado Hispanoamérica, si por ello entendemos que su obra encierra una meditación teórica sobre la historia, y específicamente sobre la historia hispanoamericana. *El siglo de las luces* es, a mi modo de ver, el mejor tratado que existe sobre el tránsito de la Ilustración al Romanticismo en nuestra América, tanto por la interpretación que ofrece de esa coyuntura histórica como por la manera en que indaga en la problemática de la historia que surge en aquel entonces. *El siglo de las luces* y *El recurso del método* son, además de novelas de indiscutible calidad, las mejores interpretaciones que tenemos sobre la Modernidad y lo que ésta significa desde una perspectiva hispanoamericana. De ahí, sin duda, el impacto de Carpentier sobre los novelistas actuales de Hispanoamérica.

De lo anterior podemos deducir que la historia está presente en la narrativa de Carpentier de forma rigurosa; no evocan sus novelas el pasado creando un vago «aire de época», sino mediante una sólida documentación y una implacable y a veces alucinante fidelidad cronológica. Sin embargo, este aspecto «intelectual» de la narrativa carpenteriana ha sido el más censurado, en parte porque rara vez la crítica se ha tomado el trabajo de leer a Carpentier con el detenimiento que su obra exige. Quien no se resigne a que leer a Carpentier conlleva una ardua labor intelectual, está condenado a hacer juicios superficiales sobre su obra. Carpentier demuestra que en Hispanoamérica no hay el vacío filosófico y crítico de que tanto se ha hablado, sino que la filosofía y la crítica viven en la obra de los mejores escritores. Borges, Carpentier, Lezama y Paz son los ejemplos más notables, y es hora de que se desmonte la llamada historia del pensamiento, y se rehaga a base de criterios que permitan y hasta hagan necesaria la inclusión de sus obras. El crítico que lea a Carpentier o a cualquiera de esos escritores con miras a un juicio estrictamente literario (si es que todavía podemos definir con nitidez esa categoría o si alguna vez se pudo) no hace justicia a sus obras. En Carpentier, ese aspecto crítico-filosófico versa casi exclusivamente sobre la historia y la manera en que ésta se narra, problema, por otra parte, que se remonta a los orígenes mismos de la novela, es decir, a Cervantes.

[La crítica del elemento intelectual de la narrativa carpenteriana opone a esta tendencia suya la presentación más directa y explícita de la historia, arguyendo que hay en su obra una marcada tendencia a la abstracción y a la alegoría.] Carpentier, por su parte, tiene conciencia plena tanto del aspecto intelectual de su obra como de su tendencia alegórica. En varios artículos de «Letra y Solfa», la columna que escribió durante los años cincuenta en *El Nacional*, de Caracas, sostiene que toda novela es intelectual, y destaca que muchas de las grandes novelas de la historia son alegóricas. Dice Carpentier, por ejemplo, en artículo intitulado «De la novela llamada *intelectual*» [19 de marzo, 1955]:

La verdad es que la novela ha escapado en muy pocos casos de un orden de preocupaciones «intelectuales». Unas veces porque el autor ha expuesto en ella conceptos filosóficos, morales o religiosos; otras, por el uso de la sátira que es, en sí, fruto de una posición crítica; otras, por la pintura «costumbrista», hecha posible por un enfoque de orden analítico. Ningún individuo, animado por el afán de escribir, puede sustraerse a la acción consciente o inconsciente de los centenares de libros que ha leído hasta el momento de instalarse ante sus cuartillas vírgenes. Y si los Diablos de Yare nos hacen pensar, automáticamente, en las fiestas del Corpus de la Edad Media ... ¿por qué no señalarlo? La observación puede pecar de «intelectual», ciertamente. Pero constituye un factor de identificación, de ubicación, muy útil para quien jamás haya asistido al baile de los Diablos de Yare ... Toda novela lograda es, por fuerza, una novela «inteligente» —por sus enfoques, por sus ideas, por sus ejemplos, por su estilo literario, por su poder de captación—. Y quien dice «novela inteligente» dice forzosamente «novela intelectual» —trátese de *La Odisea*, compendio de los conocimientos y mitos de los pueblos marítimos de la Hélade, o del *Ulises* de Joyce, síntesis de la aventura humana en esta tierra.

Y en «Novela y alegoría» [23 de mayo, 1956], después de citar extensamente un pasaje de *Heliópolis*, de Ernst Junger, en que los personajes de la obra discuten sobre teoría de la novela y sobre la necesidad de que las obras de ese género capten un Todo, Carpentier concluye: «No sólo la obra de Junger responde a estas ideas. Thomas Mann, Hermann Broch y otros grandes autores alemanes podrían reclamarlas igualmente para sí. La novela hecha símbolo —alegoría— por sus propios planteamientos se nos ofrece en *La montaña mágica* o *La muerte de Virgilio*. El mundo de *Don Segundo Sombra*, de los personajes de Faulkner, confiere categoría simbólica a lo real. Las más grandes novelas de la humanidad, así se titulen *La Odisea*, el *Quijote* o *Las travesuras de Till Eulenspiegel*, son ante todo, visiones alegóricas del mundo».

Recordemos brevemente lo que es alegoría, antes de considerar lo que dice Carpentier en esos artículos. El *Pequeño Larousse* dice, con admirable parquedad, que alegoría es «Ficción que presenta un objeto al espíritu, de modo que despierte el pensamiento de otro objeto». Alegoría, como sabemos, se compone de *alla*, «otras cosas», y *agoréuo*, «yo hablo». Es decir, «yo hablo de otras cosas». Si reflexionamos ahora sobre lo expuesto por Carpentier en los escritos de «Letra y Solfa», podemos llegar a las siguientes conclusiones preliminares sobre su teoría de la novela: *a*) que aun el costumbrismo, tendencia que ingenuamente consideramos como transcripción directa de la realidad, es un proceso intelectual cuyo mecanismo central es establecer relaciones sistemáticas —cuando menciono los Diablos de Yare quiero decir que son como las Fiestas del Corpus, ritual religioso primitivo—; *b*) que ese proceso de abstracción, cuyo ímpetu es totalizar, dar la visión coherente de un Todo, implica igualmente a la obra misma —que los mecanismos de ésta forman parte de ese Todo que, al ser incluido en la representación, alegoriza los símbolos de lo real—. En otras palabras, si cada incidente u objeto es simbólico en relación a lo real, al quedar inserto en la obra y significar en relación al nuevo conjunto que ésta constituye, se convierte en alegórico —simbólico a la segunda potencia, si se quiere. Lo que esta observación sugiere, con vistas a la narración de la historia, es inescapable. En «La novela y la historia», Carpentier declara: «... la observación de acontecimientos contemporáneos por los novelistas no alienta, de inmediato, la creación de grandes novelas. Los conflictos más terribles, las revoluciones más dramáticas, las guerras más cruentas, sólo eliminan novelas —cuando las alimentan— de modo retrospectivo, (lo hacen) por proceso de reconstrucción, examen y evocación. El caso de *La guerra y la paz* es elocuente a ese respecto. Y también el ejemplo de la Batalla de Waterloo, de Stendhal (sic), escrita muchos años después (es decir, *La Cartuja de Parma*) del acontecimiento, para hacerse elemento de una novela cuyo interés fundamental es, por lo demás, de orden psicológico». Es decir, *c*) la narrativa no recoge la historia del puro acontecer, sino que tiene que insertar todo acontecimiento en un sistema previo de incidentes ya narrados, en una memoria cuya estructura limará tanto la inmediatez como la novedad de cada evento. Visto con ojos hechos a las soluciones simples, esta teoría de Carpentier pudiera parecer sencillamente idealista. Pero, por el contrario, lo que Carpentier persigue demostrar es lo concreto de los materiales con que lidia el novelista, el trabajo implícito en la confección de la narrativa, que no se da sin más en la historia.

Aunque lo más penetrante de Carpentier como teórico de la literatura se encuentra en sus obras de ficción, no en sus ensayos, los artículos citados demuestran, por lo menos, que el aspecto intelectual de sus novelas y la tendencia alegórica que en ellas encontramos no responden a modas estéticas, sino a cuestiones fundamentales de la narrativa que él ha ponderado.

JAIME GIORDANO

AGUSTÍN YÁÑEZ EN EL CONTEXTO DE LA ESCRITURA CONTEMPORÁNEA

Dentro de la dimensión mítica que se le quiere dar al lenguaje en la ficción contemporánea hispanoamericana, la *sacralización* es una de las nociones que corre el riesgo de ser peor entendida. Puesto que términos como *sacralización*, *mitificación*, *trascendentalización*, etc., han llegado a las salas de clase, es menester definirlos: determinar a lo largo de los textos qué es lo que se sacraliza, mitifica, trascendentaliza, y de qué manera.

[Un caso característico es *Al filo del agua* y *La creación*. El propósito trascendentalizador se expresa en una especie de fe en la apertura simbólica de la escritura,] y debe pensarse este propósito como en dialéctica oposición al propósito humorístico o ironizante. Una lectura superficial de *Al filo del agua* revela ese esfuerzo por arrancar a lo que se dice una variedad de contenidos que tiene por común la aspiración a la solemnidad. En consecuencia, Agustín Yáñez podría verse como un escritor que tiene fe en las posibilidades del lenguaje como instrumento captador de verdades o convocador de esencias. El término *sacralización* parecería aquí pertinente. En *Al filo del agua*,

Jaime Giordano, «Agustín Yáñez en el contexto de la escritura contemporánea», en K. McDuffie y A. Roggiano, eds., *Texto y contexto en la literatura iberoamericana*, Instituto Internacional de Literatura Iberoamericana, Madrid, 1980 (Memoria del XIX Congreso), pp. 111-116.

La creación y otros textos similares estamos aparentemente ante una experiencia litúrgica ficticia en que la voz se reviste de todos los recursos de un acto sacralizante que va más allá de la mera referencia.

El tono de exaltación o condena (¿Juan o Isaías?) utiliza recursos propios de la escritura que se identifica como bíblica. El más notable y obvio es la enumeración paralelística y anafórica. Estas series van completando y desarrollando un sentido de una manera no desemejante a la escritura tradicional. Pero debemos aceptar ciertas reglas del juego: jugar a creer cuando no creemos, jugar a descubrir lo sublime cuando lo que encontramos es la nada o el silencio. [...]

Veremos a continuación tres ejemplos diferentes donde la exaltación bíblica de las series paralelísticas y anafóricas cumplen propósitos distintos, pero que sustentan nuestra tesis de que la exaltación o la sacralización en estos textos reproducen las *formas* de la exaltación o sacralización tradicional, pero no su objeto.

1) Una forma «legítima» de exaltación es la *exaltación subjetiva y personalmente válida de la infancia.* El primer párrafo de «Juegos por Nochebuena», en *Flor de juegos antiguos*, resulta una suficiente muestra de esta primera beatitud de la escritura en Yáñez, pero también de sus limitaciones, es decir, la reducción humana de la trascendencia divina. «En el *invierno*, el invierno retrata el calor de Dios como en el sol —ardiente— de la Parasceve descansa el divino frío Cuerpo. Alegría de nieve tan pura, tan universal, como universal y honda la roja dolencia del viernes trágico, caído —como amapola— en el marzo o el abril de todos los años. En diciembre, a día fijo, siempre la estrella —pandereta— del calor: el mundo es cuna, esperanza, regocijo. Todo Dios es puñito de carne. Dios: Niño: Mudo. Como volando, como nadando, agita sus manos y revuelve el heno. Dios: Mudo. Por Él cantan los ángeles y el mundo. ¡Chiquillos, chiquillos! Y todos, porque todos guardamos, aunque sea la batita y un blondo rizo de nuestra niña niñez, más amada cuanto por peores caminos vino a la mancebía de la vida.»

Obviamente que aquí no hay ironía, sino convencimiento en la validez de las imágenes y de su referencia trascendente. La carencia del invierno se completa con el calor de Dios; la carencia de la edad infantil se complementa con su promesa («cuna, esperanza, regocijo»). La beatitud de esta «composición de lugar», como reza el subtítulo, sería perfecta si no fuera porque ha hecho de la imperfección su valor. El narrador, ya pasada su infancia, define como su valor supremo y divino este carácter incompleto, todo promesa, que fatalmente tendrá que ser superior a cualquier forma real de satisfacción de esa promesa en años posteriores. No hay aquí necesariamente una rememoración de la infancia desde una madurez sufriente, sino una simple convicción en la superioridad de la esperanza sobre su cumplimiento. Hay en esta escritura una sincera exaltación: la introducción anafórica de todos los párrafos de esta «composición de lugar» («en el», «en uno», «en una») establece la reiteración de un valor legítimo en el cual se cree *todavía.* Sea porque esta es una de las primeras obras del autor, sea porque aún no se destaca la nota desgarradora y existencial de sus novelas posteriores, *Flor de juegos antiguos* representa una instancia idílica de la narrativa de Yáñez, y, cuando se lee *Al filo del agua*, su limpieza no puede sino ser admirada con nostalgia. La nota de *desesencialización* que será tan característica después en *Flor de juegos antiguos* no existe más que en la forma tradicional de todo idilio: la intuición premonitoria de su fugacidad, la convicción de su imposible permanencia. El párrafo final de esta obra se cierra con esa natural certeza: «Ni en las aguas, ni en los caminos, ni en las gentes queda un rastro de aquellas travesías, fugaces como luz de bengala».

2) La *exaltación enmarcada de lo divino* se da a través de personajes en estado febril (Luis Gonzaga, don Dionisio, don Alfredo) o todavía juvenilmente ingenuos (Marta). Los ejemplos que podemos aducir en esta fase de descomposición de la exaltación beata son dudosos, corrosivos, y por su propia índole delatan su carácter de excepción o sobrevivencia idílica a punto de extinguirse. En «Los días santos», subcapítulo 4 de *Al filo del agua,* recogemos la parte culminante de una descripción paralelística con frecuentes repeticiones y anáforas de las impresiones de Marta en el amanecer del Jueves Santo: «Marta escucha músicas invisibles, huele aromas no de este mundo. Éxtasis que acendra el silencio en pueblo tan mañanero, silencio de un día, de dos días al año, silencio de expectación en las orejas madrugadoras, porque hoy parecen sonar de nuevo, sí, suenan a nuevo —de tan viejo—, a nuevo, viejísimo, desconocidamente suenan las campanas en el sagrado silencio, prendidos los repiques en el esplendor de la mañana como gritos, como cantos, como pregones, ningún día como hoy, sin timbre lúgubre, sin ritmos de rutina, desconocidamente».

Este éxtasis tiene carácter excepcional: en la vida de ese pueblo muy pocas veces ha ocurrido que se interrumpa el luto cotidiano por el arrobamiento y el éxtasis dichoso. Las series enfatizan anafóricamente el «silencio», como si en la aurora este pueblo aún no despertara. La trascendencia del silencio se da en cuatro atributos: excepcionalidad, expectativa, ancestralidad («viejísimo»), ser desconocido. Todo ello, más la grandeza fascinante de los repiques de campanas, hace «sagrado» este silencio.

Pero en estos casos no es el narrador de la obra el sujeto de estos arrebatos. Es una exaltación enmarcada en algún personaje víctima de locura, fiebre o simple inocencia dócil (como en el caso de Marta). La poca frecuencia y el enmarcamiento de estos raptos en *Al filo del agua*, que a veces adquieren un cariz diabólico delirante (don Dionisio), alejan a la narrativa de Yáñez de cualquier definición simbolista, y esto de un modo tal que su imaginación de mundos nos parece la de un hijo pródigo del simbolismo en un sentido radical, anticlaudeliano. El contexto narrativo y la visión del mundo del narrador convierten en simulacro estas exaltaciones, que se exceden en la alucinación febril.

3) La enumeración paralelística, de raigambre bíblica, se trueca en *exaltación de lo demoníaco*, especialmente a partir de *Al filo del agua*, y es aquí el narrador básico el que toma la palabra. Un recurso frecuente de Juan el evangelista para ensalzar a Jesús como Hijo de Dios se usa aquí para subrayar una condición trágica. En *Al filo del agua* predominan aquellas series que significan un ambiente sepulcral, despojado de toda alegría. El prólogo tiene un sentido obertural: prefigura la atmósfera que dominará los otros aspectos del mundo narrado. La repetición anafórica de la palabra «pueblo» establece un sujeto único sobre el cual se predican diferentes atributos que el contexto limita en su connotación negativa.

En el subcapítulo 3 de «Ejercicios de encierro», ya en la primera línea, se dice que el padre Abundio Reyes llega a un «pueblo de espectros». Este personaje coincide con el narrador básico en su descripción del pueblo, pero será un ejemplo de cómo el ambiente subyuga a un ser humano capaz de perspectiva y dotado de inteligencia liberal y moderna. El efecto del pueblo sobre él es evidente en el momento de su llegada: «pueblo de oscuridad y silencio, que aplastaba el ánimo del recién llegado». El ir allí se entiende como un «castigo» para purgar sus pecados reformistas. La escritura es reiterativa, paralelística y anafórica, en un tono de exaltación que sólo enfatiza negatividades. La exaltación condenatoria va a alcanzar tonos apocalípticos en fragmentos subsecuentes de «Ejercicios de encierro» y en el resto de la novela. La escritura es enumerativa, copulativa: cada nuevo miembro agrega un elemento más dirigido a acrecentar el efecto demoledor de la palabra. [...]

El paralelismo de Yáñez, aun cuando directamente emparentado con la retórica de la Biblia (especialmente los libros de Isaías y Juan), se cumple en la función natural que de él se espera: exaltación, volumen casi hímnico. Pero su uso en los mundos novelescos que examinamos corresponde a una visión desdivinizada de la realidad y, en especial, del contorno mexicano. Lo copulativo de las enumeraciones y de las frases anafóricas no hace más que engrandecer el punto de vista condenatorio del narrador básico. La exaltación es auténtica, pero de valor inverso: lo sublime se ha corroído, descompuesto o ausentado.

El fenómeno típico de la escritura en Yáñez es el decir profético detrás del cual no hay divinidad que lo apoye. No es en ningún caso desacralización (que constituiría su contrario dialéctico), sino una sacralización sin objeto. Una oración que se disgrega en una «acústica del silencio».

Estos textos de Yáñez iluminan un rasgo esencial de la escritura contemporánea: el sentido preciso de la sacralización (o sus términos afines) es que el objeto ficticio sacralizado no es una entidad trascendente, sino una nada escondida, vacía o silenciosa aposentada en la inmanencia de los personajes y del mundo novelesco.

FRANCISCO LASARTE

LA OBRA NARRATIVA DE FELISBERTO HERNÁNDEZ

En la accidentada y morosa trayectoria literaria de Felisberto Hernández se pueden distinguir tres fases diferentes, tres distintas modulaciones de su escritura. El abandono de una significa un abrupto viraje hacia una nueva postura narrativa, continuando así la búsqueda de un modo de expresión artístico a la vez que auténtico. Lo que caracteriza el paso de una etapa a otra es, ante todo, una alteración del punto de vista narrativo, como si Hernández en su obra temprana no hubiese sabido ubicarse cómodamente ante el material de su arte. Estas evidentes diferencias formales, sin embargo, no implican una falta de continuidad en la obra total. Por detrás de ellas se vislumbra la presencia unificadora de una misma conciencia artística, maniáticamente reiterando un número reducido de temas y obrando, de forma igualmente obsesiva, mediante el manejo de ciertas técnicas estilísticas. Así que las tres voces narrativas deben considerarse como meras variantes de una sola estructura artística, de una profunda coherencia, invariante e insistente. A lo largo de toda su obra Felisberto se obstina en presentar una visión aferradamente personal de sí mismo y de su contexto. No es una exageración decir que se pasa toda una vida borroneando un único libro, corrigiéndolo y modificándolo. Los textos de la última época son los mejores. Combinan, con mayor eficacia y economía, esa

Francisco Lasarte, *Felisberto Hernández y la escritura de «lo otro»*, Ínsula, Madrid, 1981, pp. 15-17, 20-26.

codiciada autenticidad en la expresión y una idea más convencional de la escritura. Al leerlos uno siente que están dirigidos a un público más amplio, a un lector que no es necesariamente el doble de Felisberto Hernández. Su singular prehistoria la forman los textos anteriores: experimentos, tentativas, pasos en falso. Aunque no carezcan de valor artístico, aunque revelen con aciertos parciales la vertiginosa originalidad de Hernández, todavía son monólogo, conversación del autor desdoblado en escritor y espectador de su propia excentricidad.

La primera etapa, la de más escasa producción, comprende textos brevísimos recogidos en cuatro libritos: *Fulano de tal* (1925), *Libro sin tapas* (1929), *La cara de Ana* (1930) y *La envenenada* (1931), publicados, los cuatro, en pequeñas tiradas que el mismo Felisberto subvencionó. Naturalmente esta primera obra apenas obtuvo el reconocimiento del público uruguayo, entregado entonces a lecturas arraigadas dentro de un realismo tradicional y poco dispuesto a fijarse en los experimentos literarios de un joven pianista. Ni el modo de publicación ni la índole sumamente personal de los textos prometían el aprecio de los lectores. Como evidencia de esto queda el elogio algo cauteloso, y a mi parecer no sin ironía, de Carlos Vaz Ferreira, el mentor literario de Hernández en aquella época, sobre *Fulano de tal*: «Tal vez no haya en el mundo diez personas a las que les resulte interesante y yo me considero una de las diez». En efecto, el interés de los textos de la primera época, salvo en contados casos, se encuentra en lo que contribuyen al conocimiento de la obra posterior y no en el mérito literario que puedan tener en sí. Es la curiosidad del estudioso y no la del lector corriente la que motiva su lectura y la que queda satisfecha al descubrirse que ellos ya muestran, en forma rudimentaria, los temas y el lenguaje que se destacarán en los escritos de madurez.

[De estas primeras colecciones, *Fulano de tal* es la más experimental y fragmentaria. Los cuatro textos que la integran apenas ocupan siete páginas y en realidad ninguno de ellos puede considerarse narrativo. Uno de los textos de *Fulano de tal* se titula «Cosas para leer en el tranvía», evidente alusión al libro de Oliverio Girondo, *Veinte poemas para ser leídos en el tranvía*, publicado en 1922. La comparación de los poemas de Girondo con los apuntes de Felisberto no revela más coincidencia que la de los títulos. No obstante la filiación de Felisberto con la vanguardia tiene que haber sido sumamente tenue, un barniz adquirido casi por descuido, en función de su contacto con los círculos literarios de Montevideo.]

Cuatro años separan *Fulano de tal* de *Libro sin tapas* (1929), la segunda colección publicada por Hernández. Más extenso y más cuidadoso que su antecesor, *Libro sin tapas* amplía el registro literario de Felisberto, sobre todo al incluir escritos que se aproximan a una narrativa convencional. Sin embargo, continúa dominando el ejercicio literario cuyo propósito es ejercitar la conceptualización y los poderes de observación visual. Hay textos cuasi-filosóficos que se podrían llamar parábolas, al estilo de las que escribió Kafka: «Acunamiento», «La piedra filosofal» y el mal denominado «Prólogo». «Genealogía» es un ejemplo de virtuosismo lúdico, la descripción de figuras geométricas en constante transformación y movimiento. [Pero son «El vestido blanco» y «La casa de Irene» los escritos que se destacan por su mayor complejidad narrativa. El narrador en primera persona es más que un mero observador, convirtiéndose en personaje que entra en una relación dramática con otro personaje, en ambos casos una muchacha. *La cara de Ana* (1930) consiste exclusivamente en relatos de esta índole.] «La suma», «El vapor» y «El convento», presentan al narrador en situaciones dramáticas, respectivamente, el encuentro con una persona, una travesía en barco y un concierto ante unas colegialas. El joven pianista que es el protagonista en dicho concierto volverá a aparecer en un número de relatos esparcidos por toda la obra de Felisberto, constituyendo así una especie de constante emblemática. «La cara de Ana», aparte de ser un cuento de tema amoroso, se destaca por estar escrito en forma de un recuerdo, prefigurando así los escritos de la segunda época.

Con *La envenenada* (1931) se cierra la primera etapa de la producción literaria de Hernández. El relato del mismo título es tal vez el más complejo e interesante de estos primeros escritos gracias a su tema, que es el de la creación literaria misma, tema del que se ocupará a menudo Felisberto en la obra posterior. «Elsa», «Ester» y «Hace dos días» son relatos en que se prosigue explorando el tema amoroso, la atracción que su narrador siente hacia ciertas mujeres. [...]

La segunda etapa se inicia al aparecer en Montevideo *Por los tiempos de Clemente Colling* (1942). A éste se unirán en rápida sucesión *El caballo perdido* (1943) y *Tierras de la memoria* (1944) para formar una trilogía de tipo proustiano sobre la niñez y adolescencia de su narrador. Los tres textos son bastante cortos (*Tierras*, el más extenso, no pasa de las sesenta y ocho páginas) y, por tanto, deben considerarse fragmentos de una narrativa más larga que Felisberto no llegó a completar. He dicho que son de tipo proustiano: me refiero al tono y tema de los escritos y no a su extensión. *Por los tiempos de Clemente Colling* y *El caballo perdido* fueron publicados por González Panizza Hnos., una importante casa editorial de Montevideo, gracias a la subvención de algunos amigos de Felisberto. Entre ellos se hallaba el pintor Joaquín Torres García, lo que sugiere que Felisberto tampoco en esta época estaba totalmente desvinculado de la vida artística de Montevideo. Tenía ya sus admiradores. [...]

Por los tiempos de Clemente Colling llamó la atención mucho más que los escritos anteriores. Fue acogido con reseñas favorables en algunas revistas y periódicos de Montevideo, pero su idiosincrasia una vez más hizo que la obra de Felisberto quedase inadvertida por el público general. Desde Buenos Aires escribió Amado Alonso que «la pintura de Colling en sus lecciones de piano me parece magistral». Y Ramón Gómez de la Serna añadió su propio juicio llamando a Felisberto «el gran sonetista de los recuerdos y las quintas». Sin embargo, es la crítica favorable que le hace Jules Supervielle, en Montevideo desde 1939, la que más entusiasma a Felisberto y le hace pensar que por fin la fama literaria está a sus alcances. Las palabras de Supervielle, vistas de cerca, son más importantes por su tono encomiástico que por su retórica huera y circular: «Ud. alcanza la originalidad sin buscarla para nada, por una inclinación espontánea hacia lo profundo ... Sus imágenes son siempre significativas y, como responden a una necesidad, están siempre dispuestas a grabarse en el espíritu». Quienes conocieron a Felisberto Hernández han destacado su gran timidez e inseguridad, su necesidad angustiosa de buscar el apoyo de una figura protectora que le sirviese de intermediario con el mundo literario. Ese será el papel de Supervielle, primero en Montevideo y luego en París, como antes lo había sido de Vaz Ferreira.

Los años cuarenta son un período de gran actividad para Felisberto, tanto en su vida personal como en su empresa literaria. [...] Al abandono de la modalidad proustiana no sigue un período de silencio, como había ocurrido después de *La envenenada.* Hernández se lanza a escribir, alentado por los consejos de Supervielle y por el reconocimiento de la crítica. Por primera vez publica comercialmente y fuera del Uruguay. La prestigiosa revista *Sur* de Buenos Aires saca «Las dos historias» y «Menos Julia». En 1947, año en que el futuro de Felisberto como escritor parece asegurado, Roger Caillois gestiona la publicación de *Nadie encendía las lámparas* en Editorial Sudamericana, una de las más importantes de Buenos Aires. Se hacen traducciones de sus cuentos al francés. Durante su estadía en Francia (octubre de 1946 a mayo de 1948) Supervielle lo presenta ante el P. E. N. Club y en La Sorbona. Su correspondencia de esos años delata una mezcla de optimismo y aprensión respecto a su porvenir literario. Lo asedian las preocupaciones económicas; todo depende de lo que puedan hacer por él Supervielle y sus otros protectores. Aun así parece que por fin, tras un largo período de intentos fallidos, Felisberto ha encontrado su más auténtica voz, que si bien continúa siendo un «vagón desenganchado de la vida» se siente afianzado en la literatura. Pero muy pronto, en 1950, acabará el período de intensidad productiva. Hernández regresará al silencio y a la abulia, publicando sólo dos (por cierto magistrales) relatos entre esa fecha y su muerte en 1964.

[Ya en Francia comienzan a venirse abajo los planes de Felisberto. Aunque pensaba en la publicación de toda una colección de relatos traducidos al francés, sólo llegaron a aparecer, en revistas, las versiones francesas de «El balcón» y de «El acomodador». Tampoco se realizan las traducciones al italiano y al inglés que Hernández tanto deseaba. *Nadie encendía las lámparas* es un fracaso comercial a pesar del prestigio que le otorgaba el nombre de la Editorial Sudamericana.] Sólo en 1960, al publicarse *La casa inundada* y cuando ya era cosa conocida el llamado *boom* de la narrativa hispanoamericana, recibe Felisberto el reconocimiento que había buscado toda su vida. Es un reconocimiento tardío que no lo motiva a seguir escribiendo pero que vindica la validez de su obra.

La tercera etapa de la trayectoria literaria de Hernández la componen los relatos de *Nadie encendía las lámparas* (1947) y de *La casa inundada* (1960). Son su obra más valiosa, la de madurez, la que llamó la atención a aquellos escritores hispanoamericanos que hoy consideran a Felisberto Hernández, a pesar de su posición marginal, un precursor de la nueva narrativa. Si la trilogía de la etapa intermedia es, en su aspecto formal, proustiana, los relatos más breves de la última época son, también en su aspecto formal, kafkianos. Como en los relatos de Kafka, hay la presentación de un mundo absurdo observado impasiblemente por varios personajes anónimos que son en el fondo el mismo personaje. Las preocupaciones de este personaje, evidentes ya en los escritos anteriores, constituyen el temario de los relatos: la música, las mujeres, los objetos. Se acentúan, sin embargo, el humor, que pierde algo de su ingenuidad hasta aproximarse a *l'humour noir* de los surrealistas, y el erotismo, que se desprende casi por completo de su anterior inocencia. Es en estos últimos textos, especialmente en «Las hortensias», «La casa inundada» y «El cocodrilo», donde se revelan en su máximo la eficacia y originalidad de Felisberto Hernández como escritor.

8. CORTÁZAR, LEZAMA, ONETTI, RULFO, SÁBATO Y LA NUEVA NOVELA

En el período de gestación de esta generación, a partir de 1935, las obras de M. L. Bombal *La última niebla* (1935) y *La amortajada* (1938), Onetti *El pozo* (1939), *Tierra de nadie* (1941), *Para esta noche* (1943), Bioy Casares *La invención de Morel* (1940), *Plan de evasión* (1945), Sábato *El túnel* (1948) establecen importantes innovaciones que perfilan los rasgos de la «nueva novela», con la representación de mundos ambiguos y postulaciones de realidad sujeta a la decepción y la indeterminación de lo real. Durante este período la recepción de los lectores hispanoamericanos está orientada por el neorrealismo social y muestra incomprensión por la importancia de las obras señaladas. La crítica destaca por estos años la obra de Jorge Icaza (1906-1978), *Huasipungo* (1934) y *Huayrapamushcas* (1948), y de los novelistas ecuatorianos del grupo de Guayaquil (véase Rojas [1948], Ribadeneira [1958] y Heise [1975]); la de Ciro Alegría, *La serpiente de oro* (1935), *Los perros hambrientos* (1937) y, muy especialmente, *El mundo es ancho y ajeno* (1941); y a los novelistas de la guerra del Chaco. La tendencia se caracteriza por la representación de un mundo narrado que postula oposiciones básicas de carácter socioeconómico: explotados y explotadores caracterizados en contrastes sin matices y en situaciones sociales extremas que conducen a la rebelión y acaban en la masacre. Los términos innovadores proponen la representación de un nuevo héroe popular de carácter colectivo, y, en general, el carácter eminentemente popular de la representación espacial. La perspectiva ética del narrador aparece generalmente identificada, ideológica y simpáticamente, con los explotados en variados extremos del compromiso, que pueden ir desde la identificación con el grupo, porque el narrador es uno de ellos, hasta las deformadas exaltaciones de la propaganda y el partidismo. La comprensión de esta novela durante los años cuarenta está todavía dictada por la extraordinaria extensión de los criterios mundonovistas que en estos años significan una renovación del americanismo y del nacionalismo literarios y en particular del indigenismo, bajo nuevas condiciones. La novela indigenista encuentra una base en el contexto sociocultural de los países de importante demografía indígena. Cornejo [1980, 1981] ha meditado con lucidez y competencia los problemas inherentes a este sector de la novela hispanoamericana. Foster ha publicado una completa bibliografía del indigenismo hispanoamericano (*Revista Iberoamericana*, 127, 1984, pp. 587-620). Debe advertirse que esta novela no fue insensible a las innovaciones formales del superrealismo y que en sus expresiones más notables la virtud creadora de estas obras está por encima del valor que se atribuye a las resonancias de lo real en el mundo representado. Esta tendencia secundaria fue reactivada con la revolución cubana, siempre con un carácter secundario, frente a la posición de los jóvenes escritores de las generaciones siguientes que defienden la libertad creadora y se adhieren a los nuevos modos de representación contemporáneos. Los debates en torno a revolución y literatura se desenvuelven en un diálogo de sordos con las limitaciones propias de la incomprensión que impide diferenciar distintos niveles y direcciones de la literatura, dentro de una misma generación, así como entre generaciones diferentes en un mismo momento histórico.

En los años 1950 a 1965, cuando se desarrolla la vigencia de esta generación, la dominante del período contemporáneo con su antirrealismo característico se consolida y produce algunas de sus obras más notables. *La vida breve* (1950), *Juntacadáveres* (1964), de Onetti; *El sueño de los héroes* (1954), de Bioy Casares; *Pedro Páramo* (1955), de Rulfo; *Los ríos profundos* (1958) y *Todas las sangres* (1964), de Arguedas; *Hijo de hombre* (1959), de Roa Bastos; *Los premios* (1960) y *Rayuela* (1963), de Cortázar; *Sobre héroes y tumbas* (1962), de Sábato. Más allá de la vigencia de su generación estos autores, los más destacados de una legión, continúan creando e innovando, dentro de estos marcos, con su genio particular, envueltos en un diálogo creador que hace de la contemporaneidad un factor significativo al lado de la coetaneidad de los escritores. Novelas como *El señor Presidente*, de Asturias, *El recurso del método*, de Carpentier, *Yo, el supremo*, de Roa Bastos, y *El otoño del patriarca*, de García Márquez, testimonian este hecho e ilustran perfectamente el modo de cómo la novela contemporánea ha superado las distinciones tradicionales en relación al contexto real y la representación. En este lapso un escritor recluido y escasamente conocido como narrador es lanzado por Cortázar: Lezama Lima y su novela *Paradiso* (1966). Cuando esta generación pierde vigencia como tal, la nueva generación ha roto con marcada determinación con los restos del realismo social y consolidado el irrealismo fundamental de la nueva novela. Ellos marcan el nuevo rumbo de la literatura, ensanchan el horizonte histórico de la literatura hispanoamericana, en los años sesenta, con una expansión editorial que corre parejas con el establecimiento de la recepción adecuada para la nueva literatura. Y prestan a los novelistas de esta generación la comprensión que corresponde a la dominante contemporánea. El *boom* editorial alcanza a varios escritores de esta generación, entre ellos principalmente a Cortázar, Onetti, Sábato y Lezama Lima. El primero de ellos es una figura rectora en este proceso y su obra es una de las primeras en despertar la atracción del lector europeo y norteamericano que presta sentido a este fenómeno. La obra de Cortázar innova con la representación ambigua de un mundo de motivos banales y de implicaciones míticas, descargadas de su contenido sagrado manifestaciones de la búsqueda del centro y de la propia identidad que se actualizan en situaciones cómicas debido a la mecánica absurda de su ejecución; sus personajes se postulan como dobles; se extravían en el laberinto o entrampan en la tela de araña. La disposición narrativa juega otra vez en formas laberínticas o en los discontinuos impulsos de los movimientos brownianos o el tablero de dirección que imita el movimiento browniano o teje una tela de araña para cazar al lector invitado a participar en el juego de extraviarse en el laberinto. El mito del minotauro es uno de los motivos constantes de la obra cortazariana. La novela que expone su propio metalenguaje, que la interpreta y anticipa y problematiza en los ensayos de Morelli y que propone, entre la ironía y la trasgresión surrealista, al lector que se haga cómplice de la violación de un secreto. La novela, en fin, que usa la lengua hablada como norma de la narración —en medio de una tradición inveterada de lengua academizante y adocenada, y que alterna con la lengua poética, cuyo impulso lírico es cancelado por el exabrupto; con textos galdosianos interlineados para producir un efecto cómico una vez más; o con la creación verbal y el metaplasmo del «glíglico»— es uno de los goznes sobre los cuales evoluciona la narrativa hispanoamericana contemporánea. La bibliografía sobre los autores de este momento se recoge en Foster [1975] y Becco y Foster [1976]. En los libros de Goic [1968, 1972], Gertel [1970], Schwartz [1972], Brushwood [1975], Ortega [1968, 1984], Amorós [1971], Castelli [1971], Conte [1972], Pollmann [1971], Jansen [1973], Vásquez Amaral [1970], Mac Adam [1977], Ainsa [1977], Tittler [1984] y Shaw [1983] se encontrarán estudios de conjunto sobre los autores de este capítulo. Jitrik [1975] y Siemens [1984] abordan la visión del personaje y el héroe; Boorman [1976], la estructura del narrador. Giordano [1974] describe la nueva escritura; Campos [1972] trata de la superación de los lenguajes exclusivos. Las entrevistas de Harss [1966], Lorenz [1972], Guibert [1973] y Roffe [1985] prestan información sobre la conciencia creadora de los autores. Compilaciones de estudios significativos para este momento son las de Lafforgue [1969, 1972], Jitrik [1970], Bleznick [1972], Goic [1973], Loveluck [1976] y Roy [1978]. A ellas debe agregarse la revista *Nueva Narrativa Hispanoamericana* (1970-1975, 5 vols.); la serie de homenajes de Giacoman dedicados a autores particulares y la de Valoración Múltiple de Casa de las Américas sobre *Actual narrativa* de Jitrik [1970]. Sobre el cuento son de consulta indispensable las compilaciones críticas de Pupo-Walker [1973] y Minc [1979], y los estudios de Foster [1979].

Julio Cortázar (1914-1984) nació en Bruselas el 26 de agosto de 1914. A partir de 1918 se cría en Argentina, en Buenos Aires, junto a su madre. A los nueve años muestra su inclinación hacia la literatura escribiendo su primera novela. En 1932, intenta viajar a Europa en un barco de carga sin éxito. Estudios en la Escuela Normal. Se gradúa de maestro. Ingresa a la universidad, pero después de un año deja los estudios por un trabajo en la provincia de Buenos Aires, en 1934. Sirve cinco años en el puesto, hasta 1940. En 1938, publica *Presencia* (El Bibliófilo, Buenos Aires, 1938), una colección de sonetos con el seudónimo Julio Dénis. Su segunda publicación será un poema dramático, *Los reyes* (Ediciones de Ángel Gulab y Aldabahor, Buenos Aires, 1949), que aparece con el mismo seudónimo. Posteriormente, enseña en la Universidad de Cuyo, en Mendoza. Deja su puesto ante el triunfo peronista en 1945. Encuentra trabajo en Buenos Aires. Hace estudios completos de traductor. En estas circunstancias comienza a escribir cuentos, desde 1946 hasta su primera publicación. Desde 1951, reside en París y trabaja como traductor en UNESCO y otros organismos de las Naciones Unidas. Era un hombre delgado y alto, de casi dos metros de estatura, con una invariable figura juvenil. Traduce las obras completas de E. A. Poe. En 1960, visita los Estados Unidos. Miembro del consejo de redacción de *Casa de las Américas*. Pone de relieve la significación de Lezama Lima y *Paradiso*. Breve distanciamiento de Casa de las Américas, después del caso Padilla. Visita Chile, en la inauguración del gobierno de Allende. Adhesión a la revolución de Nicaragua. El gobierno francés del presidente Mitterrand le confiere la ciudadanía francesa. En 1983 fallece su mujer. Cortázar muere en París, a consecuencias de una leucemia, el 12 de febrero de 1984.

Su obra comprende la narración, cuentos y novelas, el ensayo y en un plano secundario poesía de escasa trascendencia dentro de su obra. En 1951, publica su primer libro de cuentos, *Bestiario* (Sudamericana, Buenos Aires, 1951), que presenta una modalidad enteramente diferente a sus libros iniciales y revela su original tendencia fantástica. A este libro siguieron *Final del juego* (Los Presentes, México, 1956; otra ed., Sudamericana, Buenos Aires, 1964) y *Las armas secretas* (Sudamericana, Buenos Aires, 1959), y, más tarde, *Historias de cronopios y famas* (Minotauro, Buenos Aires, 1962), breve volumen de textos fragmentarios y fantasía llena de humor, y *Todos los fuegos el fuego* (Sudamericana, Buenos Aires, 1966). Una nueva serie de cuentos se inicia con *Octaedro* (1974; Alianza, Madrid, 1981), *Alguien que anda por ahí* (Alfaguara, Madrid, 1977), *Queremos tanto a Glenda* (Alfaguara, Madrid, 1981) y *Deshoras* (Nueva Imagen, Buenos Aires, 1983). Colecciones de sus cuentos son la editada por A. Arrufat *Cuentos* (Casa de las Américas, La Habana, 1964), *Ceremonias* (Seix Barral,

Barcelona, 1968), que contiene *Final del juego* y *Las armas secretas*; y *Relatos* (Sudamericana, Buenos Aires, 1970), que reúne todos sus cuentos a la fecha. Sus novelas comprenden *Los premios* (Sudamericana, Buenos Aires, 1960), *Rayuela* (Sudamericana, Buenos Aires, 1963), que produce una revolución en la narrativa hispanoamericana contemporánea, *62, modelo para armar* (Sudamericana, Buenos Aires, 1968), *Libro de Manuel* (Sudamericana, Buenos Aires, 1973) y *Un tal Lucas* (Alfaguara, Madrid, 1979). A. M. Barrenechea [1983] publica *El cuaderno de bitácora de Rayuela* (Sudamericana, Buenos Aires, 1983). Finalmente sus ensayos de carácter literario y artístico comprenden *La vuelta al día en ochenta mundos* (Siglo XXI, México, 1967), *Último round* (Siglo XXI, México, 1969), *Viaje alrededor de una mesa* (Editorial Rayuela, Buenos Aires, 1970), *Prosa del observatorio* (Lumen, Barcelona, 1973) y *Territorios* (Siglo XXI, México, 1978). Junto con su mujer, Carol Dunlop, firma *Los autonautas de la cosmopista. Un viaje atemporal París-Marsella* (Muchnik Editores, Buenos Aires, 1984).

La innovación que cumple *Rayuela*, la más importante de sus obras, no consiste tan sólo en desarrollar internamente su propia teoría, la constante morelliana, con sus complejos aspectos, sino en múltiples otras dimensiones. Entre ellas la dispersión del narrador en varias voces y la disposición arbitraria que traza el diseño del movimiento browniano mediante un tablero de direcciones para el lector, con varias alternativas. Además de otras innovaciones, que comprenden la trivialización y distorsión absurda de mínimos actos cotidianos y la liberación de las inhibiciones que la seriedad impone a la literatura tradicional y con ellas la concurrencia de múltiples lenguajes paródica o directamente asumidos junto a la dominante lengua porteña de Buenos Aires. La representación propone el espacio como metáfora del mundo por el que el protagonista Horacio Oliveira camina en busca de su centro. La novela mezcla lo trascendental con lo trivial, lo absurdo y la locura, en un juego permanente. El humor es un factor fundamental de la obra de Cortázar.

La bibliografía de Cortázar ha sido ordenada por Paley de Francescato [1973] y Foster [1982]. Numerosos estudios de conjunto han sido dedicados a su obra: García Canclini [1968], Escamilla [1970], Filer [1970], Curuchet [1972], Aronne [1972], Genover [1973], Rein [1969, 1974], Roy [1974], Sosnowski [1974], Picón Garfield [1975, 1978], Alazraki [1978], Planells [1979], Boldy [1980] y Hernández del Castillo [1981]. Compilaciones de estudios han sido reunidas por Jitrik [1968], Simó [1968], Amícola [1969], Giacoman [1972], Sola [1968], Lagmanovich [1975], Alazraki [1978], Servodidio y Coddou [1980] y Lastra [1981]. En torno al cuento: Mac Adam [1971], Lagmanovich [1975, 1985], Alazraki [1982] y Hahn [1984]. La poética ha sido abordada por Hozven [1968], Dellepiane [1971], y en Scholz [1977] y en Hernández del Castillo [1981]. A ellos puede agregarse el debate de Collazos [1980] sobre literatura y revolución. *Rayuela* ha dado lugar a los estudios de Barrenechea [1974, 1980, 1983*a*, 1983*b*], quien aborda los aspectos estructurales y los genéticos de la novela a partir del *Cuaderno de bitácora*, que ella misma ha editado. Goic [1972], Osses [1971], Concha [1975], Ostria [1979], y Siemens [1984], abordan la novela en variados aspectos. Los cuentos y novelas cortas cuentan con los estudios de Alazraki [1983]. *Octaedro* es objeto de un estudio de Lastra [1975]. Los ensayos son analizados por Roy [1974], *La vuelta al día en ochenta mundos*, por Alascio [1971].

Otros dos escritores argentinos de diverso carácter han concentrado la atención de la crítica: Adolfo Bioy Casares (1914) y Ernesto Sábato (1911). El primero es el delfín de Borges con quien ha escrito algunas obras en colaboración, bajo los seudónimos B. Suárez Lynch y H. Bustos Domecq. Representa en esta generación el mismo impulso inteligente para la trama narrativa innovadora y sorprendente y la misma distorsión de las expectativas de la enunciación que caracterizan a Borges. Su obra *La invención de Morel* (Emecé, Buenos Aires, 1940) es una anticipación de la nueva novela y una narración perfecta al decir de Borges [1940]. Sus originales narraciones comprenden *Plan de evasión* (Buenos Aires, 1945), *La trama celeste* (Buenos Aires, 1948), *El sueño de los héroes* (Losada, Buenos Aires, 1954), *Diario de la guerra del cerdo* (Emecé, Buenos Aires, 1969) y *Dormir al sol* (Emecé, Buenos Aires, 1973). Con Borges, *Seis problemas para don Isidro Parodi* (Buenos Aires, 1942), *Dos fantasías memorables* (Buenos Aires, 1946) y *Un modelo para la muerte* (Buenos Aires, 1946). Su bibliografía ha sido ordenada por Foster [1982] y Tamargo [1983]. Los estudios de conjunto se deben a Kovacci [1963], Gallagher [1975], Levine [1982] y Tamargo [1983].

Ernesto Sábato (1911) nació en Rojas, provincia de Buenos Aires, Argentina, el 24 de junio de 1911. El décimo de once hijos de un matrimonio italiano. Vive la infancia en el campo. Hace sus estudios primarios y secundarios en La Plata y descubre el mundo matemático a los trece años. A partir de 1929, cursa estudios universitarios de Matemáticas y Física en la Universidad de La Plata. Entre 1930 y 1934, milita en un grupo anarquista y luego en el partido Comunista, período del que escribe en *Hombres y engranajes* y *El escritor y sus fantasmas*. En 1934, durante un congreso comunista en Bruselas, se separa del partido a causa del totalitarismo stalinista. Experimenta una crisis de aislamiento que encuentra refugio en las Matemáticas. Retorna a la Argentina. Se casa y retoma sus estudios de Física. Termina su doctorado en 1938 y obtiene una beca de la Fundación Curie para estudiar en París donde tiene la oportunidad de trabajar con Irene Joliot-Curie. En París, lleva una doble vida, de científico, de día, y de escritor con relaciones surrealistas, de noche. Traslada su beca al Massachusetts Institute of Technology en Estados Unidos. En 1939, es designado asistente y luego profesor suplente en el Instituto de Física de la Universidad de La Plata. En 1940, publica sus primeros trabajos literarios en las revistas *Teseo* (1940) y *Sur* (1941). En 1944, abandona su carrera científica en repudio de la investigación que «está en vías de concretar la destrucción de la humanidad» y dispuesto a confrontar sus problemas personales. Se retira, con su mujer y su hijo de cuatro años, a un pequeño pueblo en las Sierras de Córdoba donde escribe *Uno y el universo.* Experimenta nuevas presiones y recibe el apoyo de Pedro Henríquez Ureña, que había sido maestro suyo en el bachillerato. Colabora en *Sur* y en el suplemento literario de *La Nación.* Publica *Uno y el universo,* su primer ensayo. En 1947, sirve brevemente un cargo en la UNESCO. Aparece, un año después, *El túnel* (1948), su primera novela. En 1958, es designado director general de Relaciones Culturales, bajo el gobierno del presidente Frondizzi. Trece años después publica su segunda novela, *Sobre héroes y tumbas* (1961). En 1964, recibe la «Ordre des Arts et des Lettres», de Francia. Trabaja diez años en la redacción de su novela *Abaddón, el exterminador* (1974). Al retorno de Argentina a la democracia presidió una comisión de derechos humanos para la investigación de los desaparecidos durante la dictadura militar. Del ingente informe se difunde una versión abreviada, *Informe sobre los desaparecidos.* En 1984, recibió el Premio Cervantes. Sábato es autor de *El túnel* (Emecé, Buenos Aires, 1948), novela del absurdo que tiene alguna deuda con Camus y que, por otra parte, antecede a las características del *nouveau roman* francés. De mayor originalidad y con un impacto más duradero, *Sobre héroes y tumbas* (Fabril, Buenos Aires, 1961) confiere a Sábato un lugar destacado en la narrativa contemporánea y define, junto con *Abaddón, el exterminador* (Sudamericana, Buenos Aires, 1974), las tensiones entre pasado y presente, realidad y visión. Parte significativa de su novelística la constituye la doble representación de Sábato como personaje narrado y como autor que traza su autobiografía en el plan de la confesión. La novela total se complementa con la inclusión de diversos textos. El diálogo concierta los géneros de decir propios del debate de ideas y del ensayo y traza fuertes tensiones en la perspectiva interpretativa de los personajes, para dar sentido a la queja, al descontento o a la denuncia. En todo caso, un diálogo que arraiga sin rehuir coloquialismos, en situaciones punzantes y temas cotidianos, para elevarse a las aspiraciones fundamentales del hombre y del mundo hispanoamericano. Su *Obra de ficción* (Losada, Buenos Aires, 1966) contiene sus dos primeras obras y su *Narrativa completa* (Seix Barral, Barcelona, 1982) reúne sus tres novelas en un volumen. Sus ensayos comprenden, *Uno y el universo* (Emecé, Buenos Aires, 1945; otra ed., Seix Barral, Barcelona, 1981), *Hombres y engranajes* (Emecé, Buenos Aires, 1951), *Heterodoxia* (Emecé, Buenos Aires, 1953), *El otro rostro del peronismo* (Imp. López, Buenos Aires, 1956), *El escritor y sus fantasmas* (Aguilar, Madrid, 1963; otra ed., Seix Barral, Barcelona, 1981), *Tango: discusión y clave* (Losada, Buenos Aires, 1963; otra ed., Aguilar, Madrid, 1966), *Tres aproximaciones a la literatura de nuestro tiempo (Robbe-Grillet, Borges, Sartre)* (Editorial Universitaria, Santiago de Chile, 1968), *Itinerario* (Sur, Buenos Aires, 1969), *La cultura en la encrucijada nacional* (Buenos Aires, 1976) y *Apologías y rechazos* (1979; otra ed., Seix Barral, Barcelona, 1981).

Su bibliografía ha sido ordenada por Foster [1982]. Lorenz [1970] trae una informativa entrevista. La compilación de Giacoman [1973] reúne trabajos de interés. Los estudios de conjunto se deben a Dellepiane [1968, 1970], Oberhelmann [1970], Wainerman [1971], Correa [1971], Giacoman [1972*b*] —sobre los personajes—, Predmore [1981] y Balkenende [1983]. Entrevistas de importancia son las de Rodríguez Monegal [1969] y Lorenz [1972]. *Sobre héroes y tumbas* es examinado en el libro de Cersósimo [1972]; *Abaddón, el exterminador*, por Predmore [1981] y en el libro de Barrera [1982].

Juan Carlos Onetti (1909) nació en Montevideo el 1 de julio de 1909. Su apellido es de ascendencia inglesa, O'Nety, probablemente irlandés. Hizo sus estudios secundarios en la ciudad. A los veinte años se traslada a Buenos Aires. Hace estudios universitarios incompletos y trabaja en numerosos oficios para subsistir. Comienza una carrera como periodista del servicio noticioso de Reuter. Desde 1939 a 1941, fue editor de la sección literaria y secretario de redacción de *Marcha*, de Montevideo. Editor de la revista *Vea y Lea* hasta 1950. Dirige una revista publicitaria mensual, *Ímpetu*. Permanece en Buenos Aires hasta 1954. Retorna a Montevideo para colaborar en la campaña de Luis Batlle Batres dirigiendo el periódico *Acción* del partido triunfante. A partir de 1957, es director de Bibliotecas Municipales y trabaja en la Biblioteca del Instituto de Artes y Letras. En 1973, deja el país y establece su residencia en Madrid. En 1976, recibe el premio del Instituto Italo Latinoamericano, por su novela *El astillero*, y el Premio de la Crítica 1980 por su última novela, *Dejemos hablar al viento*. Este mismo año recibió el Premio Cervantes por el conjunto de su obra. Su obra comprende novelas y cuentos y novelas cortas. *El pozo* (Signo, Montevideo, 1939; otra ed., Arca, Montevideo, 1965), es uno de los antecedentes significativos de la nueva novela. Ésta fue seguida de *Tierra de nadie* (Losada, Buenos Aires, 1941) y *Para esta noche* (Poseidón, Buenos Aires, 1943). *La vida breve* (Sudamericana, Buenos Aires, 1950; otra ed., 1968), que sigue a las anteriores, es una de las más notables novelas hispanoamericanas. Luego, publica *El astillero* (Fabril, Buenos Aires, 1961; otras eds., Arca, Montevideo, 1968; Casa de las Américas, La Habana, 1968; Salvat, Barcelona, 1970), su novela de mayor resonancia en la hora de la expansión editorial de la novela hispanoamericana. Vino más tarde *Juntacadáveres* (Alfa, Montevideo, 1964; otra ed., Revista de Occidente,

Madrid, 1969). Tardíamente se publica, incompleta, la que es su primera novela, *Tiempo de abrazar* (Arca, Montevideo, 1974), con la que se reúnen sus primeros cuentos inéditos. *Dejemos hablar al viento* (Bruguera, Barcelona, 1980) es su última novela. Sus libros de cuentos y novelas cortas son *Un sueño realizado y otros cuentos* (Número, Montevideo, 1951), *Los adioses* (Sur, Buenos Aires, 1954), *Una tumba sin nombre* (Marcha, Montevideo, 1959; otra ed., *Para una tumba sin nombre*, Arca, Montevideo, 1968), *La cara de la desgracia* (Alfa, Montevideo, 1960; otras eds., 1963, con «Tan triste como ella»; 1967, con «Tan triste como ella» y «Jacob y el otro»), *Un sueño realizado y otros cuentos* (Ediciones de la Banda Oriental, Montevideo, 1965), *El infierno tan temido* (Asit, Montevideo, 1962), *Tan triste como ella* (Alfa, Montevideo, 1963), *Tres novelas* (Alfa, Montevideo, 1967), que reúne *Jacob y el otro, Tan triste como ella* y *La cara de la desgracia, La novia robada y otros cuentos* (Cedal, Montevideo, 1968; otra ed., Siglo XXI, México, 1973), *Los rostros del amor* (Cedal, Buenos Aires, 1968). Colecciones de sus *Cuentos completos* (Monte Ávila, Caracas, 1968; otra ed., Corregidor, Buenos Aires, 1974) y de *Novelas cortas completas* (Monte Ávila, Caracas, 1968) reúnen la mayor parte de sus narraciones cortas. En 1975, recoge sus artículos de *Marcha* y *Acción* en *Réquiem por Faulkner y otros artículos* (Arca/Calicanto, Montevideo, 1975). Hay edición de sus *Obras completas* (Aguilar, México, 1970), al cuidado de Rodríguez Monegal.

Sus obras forman un ciclo en torno a la imaginaria Santa María. En este ciclo destacan *La vida breve* y *El astillero*. La primera traza un complejo proceso de desdoblamiento y dispersión del narrador y describe un mundo dominado por tensiones de infelicidad, desencanto y aspiración a lo permanente y perfecto. En un clima de disolución y muerte, *El astillero* postula la tenacidad de la esperanza hasta el extremo de la alucinación. La decepción de lo representado juega con alternativas excluyentes para diversos momentos de la narración. La bibliografía de Onetti ha sido ordenada por Verani [1981], Flores [1975] y Becco y Foster [1976]. Los estudios de conjunto se deben a Ainsa [1970], Moreno [1973], Adams [1975], Frankenthaler [1977], Kadir [1977], Ludmer [1977], Curiel [1980], Prego y Petit [1981] y Verani [1981]. Los artículos de Díaz [1983] y Rama [1983] han abordado aspectos generales de su obra. Las entrevistas de Harss [1966] y Roffe [1985] proveen información de interés. Pollmann [1971] discurre sobre la nueva novela. Compilaciones de estudios las ofrecen García [1969], Gómez [1970], Ruffinelli [1973], Giacoman [1974] y Verani [1983]. Puede consultarse con provecho el número de homenaje de *Cuadernos Hispanoamericanos*, 292-294 (1974).

María Luisa Bombal (1910-1980) es autora de dos novelas de importancia. *La última niebla* (Sur, Buenos Aires, 1935), una de las primeras manifestaciones de la nueva novela, y *La amortajada* (Sur, Buenos Aires,

1938), elogiada por Borges [1938] por su hazaña argumental postuladora de una conciencia más allá de la muerte. *La historia de María Griselda* (Quillota, 1976; otra ed., Ediciones Universitarias de Valparaíso, 1977) aparece en forma de libro mucho después de su primera publicación. El conjunto de su breve obra narrativa se recoge en *La última niebla. La amortajada* (Seix Barral, Barcelona, 1984). La bibliografía de Bombal ha sido ordenada por Goic [1968] y en forma muy completa y anotada por Cortés [1980]. Estudios de conjunto de su obra se deben a Vidal [1976], Guerra [1980] y Agosin [1983]. Una detallada biografía se debe a Gligo [1984]. De la narrativa de la Bombal se ocupan Adams [1975], a propósito de la alienación, y Langowsky [1982] del surrealismo. En torno a *La última niebla* se cuenta con los análisis de Alonso [1936], Goic [1968] y Adams [1975].

Juan Rulfo (1918-1986) nació en Sayula, Jalisco, México, el 16 de mayo de 1918. Hijo de una familia terrateniente que perdió sus bienes en la revolución. Se cría en San Gabriel. Una pequeña biblioteca alimenta su interés por la lectura. Educación primaria en Guadalajara. A los diez años de edad experimenta los efectos locales de la guerra cristera que tuvo en Jalisco uno de sus escenarios más violentos. Su padre es asesinado y su madre muere seis años más tarde. Huérfano, se educa con las monjas Josefinas. Luego de su graduación trabaja como contador. Hacia 1933, se traslada a Ciudad de México, con la intención de continuar sus estudios. Ingresa en la universidad para estudiar Leyes. Estudios que hace irregularmente y abandona. En 1935, entra en la burocracia como archivero de Migración, en la Secretaría de Gobernación, cargo en el que sirve diez años. Hacia 1940, comienza a escribir una larga novela que destruye. En 1942, publica su primer cuento, «La vida no es muy seria en sus cosas», que se publica en Guadalajara en la revista *Pan*, de Juan José Arreola y Antonio Alatorre. Desde 1947 trabaja en la oficina de publicidad de Goodrich hasta 1954. En 1955, participa en el Proyecto de irrigación del Papaloapan, en la región de Veracruz, que se financia con fondos de la fundación Rockefeller. Un año más tarde está de regreso en Ciudad de México. Se gana la vida escribiendo guiones y adaptaciones para publicidad y cinematografía comercial. En 1959 trabaja en la televisión, en Guadalajara. Desde 1962, desempeña el cargo de director del departamento editorial del Instituto Nacional Indigenista. Muere en Ciudad de México, el 7 de enero de 1986.

Su obra se reduce, esencialmente, a dos libros maestros: *El llano en llamas* (Fondo de Cultura Económica, Letras Mexicanas, 11, México, 1953; 2.ª ed. rev. y ampliada, 1970), con numerosas ediciones y traducciones a diversos idiomas, que reúne quince cuentos de asunto rural; y su extraordinaria novela *Pedro Páramo* (Fondo de Cultura Económica, Letras Mexicanas, 19, México, 1955; otra ed., Cátedra, Madrid, 1983). Desde los años sesenta hay noticias de una novela inédita e inconclusa cuyo título es *La cordillera.* En 1980, publica un guión cinematográfico, *El gallo de oro y otros textos para cine* (Era, México, 1980). Ediciones de sus obras en un volumen son las de *El llano en llamas/Pedro Páramo* (edición de Benítez Rojo, Casa de las Américas, La Habana, 1968), y *Pedro Páramo/ El llano en llamas* (Planeta, Barcelona, 1971). Hay edición de sus *Obras completas* (edición de J. Ruffinelli, Ayacucho, Caracas, 1977). Para sus datos biográficos es de interés, *Juan Rulfo. Autobiografía armada* (Corregidor, Buenos Aires, 1973).

Pedro Páramo presenta en dos narraciones yuxtapuestas, presente y pasado del pueblo de Comala y la historia del cacique que enseñorea el lugar. El presente es introducido en una situación narrativa en la que narrador y oyente están muertos y sepultados en la misma tumba. La creencia en las ánimas presta el contexto folklórico y ctónico a la novela y condiciona la ambigüedad fundamental del mundo representado en el cual los límites entre vida y muerte se desdibujan y dan lugar a constantes decepciones de lo narrado. Extraordinaria novela que ha despistado a no pocos críticos con la segura postulación de sus contradicciones.

La bibliografía de Rulfo ha sido ordenada por Ramírez [1974], Foster [1981] y Becco y Foster [1976]. Estudios de conjunto son los de Rodríguez Alcalá [1965, 1973], Freeman [1970], Ferrer [1972], Peralta y Befumo [1975] y González Boixo [1984]. Hay una visión de conjunto de interés en la entrevista de Harss [1966] y compilaciones de estudios de Benítez Rojo [1969], Giacoman [1974] y Sommers [1974]. Sobre *El llano en llamas,* escribe Gordon [1976]. *Pedro Páramo* ha sido abordado por Blanco Aguinaga [1955], Brushwood [1975], Costa [1976, 1978, 1982], Gutiérrez Marrone [1978], Goic [1983], Siemens [1984] y Portal [1984], entre numerosos otros estudios.

José Lezama Lima (1910-1976), fundamentalmente poeta (véase capítulo 4 de este volumen), es autor de dos obras narrativas de variado relieve. Desde el momento en que Julio Cortázar [1967] lanza su nombre, la crítica ha prestado preferente atención a sus novelas *Paradiso* (1967) y a la incompleta *Oppiano Licario* (1977). *Paradiso* es una novela que dirige un todopoderoso narrador dominado por el demonio de la analogía. A causa de ello la novela crece en notables amplificaciones de un saber enciclopédico que abarca desde las artes culinarias orientales, europeas y criollas hasta la música, desde lo anatómico y fisiológico, que alcanza el pormenor del tratadista, hasta lo poético y metafísico. En tanto, el relato despliega la iniciación en el mundo y en el conocimiento de uno y muchos jóvenes Faustos. Novela excesiva y monstruosa que establece el exceso y lo monstruoso como norma de liberación. Obra de difícil lectura destinada a pocos lectores. Sobre ella han escrito Vargas Llosa [1967], Ghiano [1968], Villa [1974], Rodríguez Monegal [1975], Echavarren [1978], Chiampi [1979],

Gimbernat [1979, 1980], Jitrik [1979], Lihn [1979, 1984], Mignolo [1979], Santí [1979], E. Lezama Lima [1980], Ruiz [1980], Coronado [1982] y Souza [1983]. Sobre *Oppiano Licario*, lo han hecho Matamoro [1979], Santí [1981], Sarduy [1978] y Souza [1983].

José María Arguedas (1911-1969) nació el 18 de enero de 1911 en Andahuaylas, Apurimac, Perú. Crece aprendiendo la lengua quechua. En 1914 pierde a su madre. Se instala en Puquío donde su padre es juez. En 1919, se traslada al Cuzco. Estudios primarios en Abancay e Ica. En 1925, va a la hacienda de Huaripara, en Abancay, donde encuentra una biblioteca. Lectura de Victor Hugo. En 1928, ingresa en el Colegio Santa Isabel de Huancayo. Escribe en revistas estudiantiles. En 1930, se traslada a Lima donde completa sus estudios secundarios. En 1931, ingresa en la Universidad de San Marcos. Trabaja en Correos hasta 1937. En 1936, funda la revista *Palabra.* Se inicia en el indigenismo. En 1937, es condenado a ocho meses de prisión acusado de participar en una protesta. En 1939, va a la sierra a enseñar en la educación secundaria. En 1940, viaja a México invitado por el gobierno al Congreso Indigenista de Pátzcuaro. Permanece dos años en el país. En 1942, regresa a Lima. Se gradúa, en 1947, en el Instituto de Estudios Etnológicos del Museo de Cultura Peruana. En 1960, es designado secretario del Comité Interamericano del Folklore. En 1962, asiste al Primer Coloquio de Escritores Iberoamericanos y Alemanes de Berlín Occidental, organizado por la revista *Humboldt.* En 1963, se doctora en Antropología y es designado catedrático de la Facultad de Letras en la Universidad de San Marcos y luego en la Universidad Agraria. Por este tiempo, es también director de la Casa de la Cultura. Entre 1965 y 1966, es director del Museo de la República. En 1968, gana el Premio Inca Garcilaso de la Vega por el conjunto de su obra. El 28 de noviembre de 1969 intenta suicidarse, muriendo a consecuencia de las lesiones el 2 de diciembre. Su obra narrativa comprende cuentos y novelas. Sus libros de cuentos son *Agua* (Compañía de Impresiones y Publicidad, Lima, 1935), *Diamantes y pedernales* (Juan Mejía Baca & P. L. Villanueva, Lima, 1954), *La agonía de Rasu Ñiti* (Icaro, Lima, 1962), *El sueño del pongo* (Salqantay, Lima, 1965), *Amor mundo y todos los cuentos* (Francisco Moncloa, Lima, 1967; otra ed., *Amor mundo y otros relatos*, Arca, Montevideo), *El forastero y otros cuentos* (Sandino, Montevideo, 1972). Las novelas son *Yawar Fiesta* (Compañía de Impresiones y Publicidad, Lima, 1941), *Los ríos profundos* (Losada, Buenos Aires, 1958), *El sexto* (Mejía Baca, Lima, 1961), *Todas las sangres* (Losada, Buenos Aires, 1964) y *El zorro de arriba y el zorro de abajo* (Losada, Buenos Aires, 1971). Entre sus ensayos y compilaciones deben contarse *Canto Kechwa* (Club del Libro Peruano, Lima, 1938), *Mitos, leyendas y cuentos peruanos* (Ministerio de Educación Pública, Lima, 1947), *Canciones y cuentos del pueblo quechua* (Huascarán, Lima, 1949) y los ensayos compilados por Á. Rama, *Formación de una cultura nacional indo-*

americana (Siglo XXI, México, 1975) y *Señores e indios, acerca de la cultura quechua* (Calicanto, Buenos Aires, 1976). Hay edición de sus *Obras completas* (Horizonte, Lima, 1983, 5 vols.). En su novela encarnan diversos planos antropológicos como constituyentes de una compleja realidad cultural. Arguedas ha enriquecido la representación de las diversas direcciones de la vida indígena y postulado un camino propio de comprensión y respeto del indio y de las formas de su existencia. La bibliografía de Arguedas ha sido ordenada por Foster [1981]. Estudios de conjunto: Cornejo [1973], Marín [1973], Urrello [1974], Vargas Llosa [1974, 1978], Rodríguez Luis [1980], Lienhardt [1981] y Escobar [1984]. Una compilación de textos de Larco [1973] recoge la crítica dedicada a la obra de Arguedas. Sobre *Los ríos profundos* escribe Cornejo [1977]; sobre *Todas las sangres*, Escobar [1971]; sobre *El zorro de arriba y el zorro de abajo*, Cornejo [1977] y Barrenechea [1978]. El indigenismo de Arguedas es abordado por Cornejo [1980] .

La crítica también ha destacado al narrador paraguayo Augusto Roa Bastos (1917). Sus novelas son *Hijo de hombre* (Losada, Buenos Aires, 1960), y *Yo, el supremo* (Siglo XXI, Buenos Aires, 1974). Esta última, particularmente, le ha traído la fama al lado de otras novelas de la dictadura. Sus libros de cuentos son *El trueno entre las hojas* (Losada, Buenos Aires, 1953), *El baldío* (Losada, Buenos Aires, 1966), *Los pies sobre el agua* (CEAL, Buenos Aires, 1967), *Cuerpo presente y otros cuentos* (CEAL, Buenos Aires, 1971), *Madera quemada* (Universitaria, Santiago de Chile, 1967), *Moriencia* (Monte Ávila, Caracas, 1969). La bibliografía de Roa Bastos ha sido ordenada por Becco y Foster [1969, 1978]. Los estudios de conjunto se deben a Foster [1969, 1978], y una compilación a Giacoman [1973]. Sobre *Hijo de hombre*, escriben Rodríguez Alcalá [1973] y Benedetti [1968]. Sobre *Yo, el supremo*, Benedetti [1981] y las compilaciones de Rodríguez-Alcalá, *Comentarios sobre «Yo, el supremo»* (Asunción, 1975) y el Seminario sobre *Yo, el supremo* (Université de Poitiers, Poitiers, 1976).

Entre los cuentistas más destacados de esta generación están Juan José Arreola (1918), autor de *Varia Invención* (1949), *Confabulario* (1952), *Bestiario* (1959), *Confabulario total* (1962), *La feria* (Mortiz, México, 1963), *Palindroma* (1971), *Confabulario personal* (1980). Su obra ha sido abordada por Menton [1964], Carballo [1965], Leal [1971], Barrenechea [1978] y Lagmanovich [1984].

BIBLIOGRAFÍA

Adams, Michael Ian, *Three Authors of Alienation: Bombal, Onetti, Carpentier*, The University of Texas Press, Austin / Londres, 1975.

Agosin, Marjorie, *Las desterradas del Paraíso: protagonistas en la narrativa de María Luisa Bombal*, Senda Nueva de Ediciones, Nueva York, 1983.
Ainsa, Fernando, *Las trampas de Onetti*, Alfa, Montevideo, 1970.
—, *Los buscadores de la utopía. La significación novelesca del espacio latinoamericano*, Monte Ávila, Caracas, 1977.
Alascio Cortázar, Miguel, *Viaje alrededor de una silla*, Carpeta Editora, Buenos Aires, 1971.
Alazraki, Jaime, e Ivar Ivask, eds., *The Final Island*, University of Oklahoma Press, Norman, 1978; trad. castellana: *La isla final*, Ultramar, Barcelona, 1983.
—, *En busca del unicornio. Los cuentos de Julio Cortázar*, Gredos, Madrid, 1983.
Alonso, Amado, «Prólogo» a M. L. Bombal, *La última niebla*, Nascimento, Santiago de Chile, 1936.
Amícola, José, *Sobre Julio Cortázar*, Escuela, Buenos Aires, 1969.
Amorós, Andrés, *Introducción a la novela hispanoamericana actual*, Anaya, Madrid, 1971.
Aronne Amestoy, Lida, *Cortázar: la novela mandala*, Fernando García Cambeiro (Colección Estudios Latinoamericanos, 1), Buenos Aires, 1972.
Arrom, José Juan, «Lo tradicional cubano en el mundo novelístico de José Lezama Lima», *Revista Iberoamericana*, 92-93 (1975), pp. 469-477.
Bacarisse, S., ed., *Contemporary Latin American Fiction: Carpentier, Donoso, Fuentes, García Márquez, Onetti, Roa, Sábato*, Scottish Academic, Edimburgo, 1980.
Balkenende, Lidia, *Aproximación a la novelística de Sábato*, Plus Ultra, Buenos Aires, 1983.
Barrenechea, Ana María, «La estructura de *Rayuela* de Julio Cortázar», en J. Lafforgue, ed., *Nueva novela latinoamericana*, II, Paidós, Buenos Aires, 1972, pp. 222-247.
—, *Textos hispanoamericanos de Sarmiento a Sarduy*, Monte Ávila, Caracas, 1978.
—, «La génesis del texto: *Rayuela* y su *cuaderno de bitácora*», en *Inti*, 10-11 (1979-1980), pp. 78-92.
—, «Estudio preliminar» a Julio Cortázar, y Ana María Barrenechea, *Cuaderno de bitácora de «Rayuela»*, Sudamericana, Buenos Aires, 1983, pp. 9-138.
—, «Los dobles en el proceso de escritura de *Rayuela*», *Revista Iberoamericana*, 125 (1983), pp. 809-828.
—, «Teoría y práctica de la crítica genética: el *Cuaderno de bitácora* de *Rayuela*», en *Philologica Hispaniensis in honorem Manuel Alvar*, Gredos, Madrid, 1983.
—, «La Maga en el proceso de la escritura de *Rayuela*: pre-texto y texto», en E. Dale Carter, Jr., ed., *La última casilla de la rayuela: veinticinco ensayos sobre Cortázar*, California State University, Los Ángeles, en prensa.
—, y Emma Susana Speratti Piñero, *La literatura fantástica en la Argentina*, Fondo de Cultura Económica, México, 1957.
Barrera López, Trinidad, *La estructura de Abaddón, el exterminador*, CSIC, Madrid, 1982.

Bastos, María Luisa, «Desapego crítico y compromiso narrativo: el subtexto de *El sueño de los héroes*», en K. McDuffie, y A. Roggiano, *Texto/Contexto en la Literatura Iberoamericana. Memoria del XIX Congreso* IILI, Madrid, 1980, pp. 21-32.
Becco, Horacio Jorge, y David William Foster, *La nueva narrativa hispanoamericana. Bibliografía*, Casa Pardo, Buenos Aires, 1976.
Benedetti, Mario, *Letras del continente mestizo*, Arca, Montevideo, 1968.
—, *El recurso del supremo patriarca*, Nueva Imagen, México, 1981.
Benítez Rojo, Antonio, *Recopilación de textos sobre Juan Rulfo*, Casa de las Américas (Serie Valoración Múltiple), La Habana, 1969.
Benso, S., «Una comunicazione impossibile: *Triste come lei*, di Juan Carlos Onetti», *Studi di letteratura ispano-americana*, 13-14 (1983), pp. 193-198.
Bente, Thomas O., «María Luisa Bombal: poetic neurosis and artistic symbolism», *Hispanófila*, 82 (1984), pp. 103-113.
Blanco Aguinaga, Carlos, «Realidad y estilo de Juan Rulfo», *Revista Mexicana de Literatura*, 1 (1955), pp. 58-86.
Bleznick, Donald W., ed., *Variaciones interpretativas en torno a la nueva narrativa hispanoamericana*, Helmy F. Giacoman Editor, Santiago de Chile, 1972.
Boldy, Steve, *The Novels of Julio Cortázar*, Cambridge University Press, Cambridge, 1980.
Boorman, Joan R., *La estructura del narrador en la novela hispanoamericana*, Hispanova de Ediciones, Madrid, 1976.
Borges, Jorge Luis, «Prólogo» a M. L. Bombal, *La amortajada*, Sur, Buenos Aires, 1938.
—, «Introducción» a A. Bioy Casares, *La invención de Morel*, Emecé, Buenos Aires, 1940.
Brushwood, John S., *The Spanish American Novel. A Twentieth-Century Survey*, The University of Texas Press, Austin / Londres, 1975.
Campos, Haroldo de, «Superación de los lenguajes exclusivos», en C. Fernández Moreno, ed., *América Latina en su literatura*, Siglo XXI / Unesco, México, 1972.
Carballo, Emmanuel, *19 protagonistas de la literatura mexicana*, Empresas Editoriales, México, 1965.
Castelli, Eugenio, *Para una caracterización de la nueva novela hispanoamericana*, Dirección General de la Provincia, Santa Fe, Argentina, 1971.
Cersósimo, E. Beatriz, «*Sobre héroes y tumbas*»: *de los caracteres a la metafísica*, Buenos Aires, 1972.
Collazos, Óscar, Julio Cortázar, y Mario Vargas Llosa, *Literatura en la revolución y revolución en la literatura*, Siglo XXI, México, 1980.
Concha, Jaime, «Criticando *Rayuela*», *Hispamérica*, 4 (1975), pp. 131-151.
Conte, Rafael, *Lengua y violencia. Introducción a la nueva novela hispanoamericana*, Al-Borak, Madrid, 1972.
Cornejo Polar, Antonio, *Los universos narrativos de José María Arguedas*, Losada, Buenos Aires, 1973.
—, *La novela peruana: siete estudios*, Horizonte, Lima, 1977.
—, *Literatura y sociedad en el Perú: La novela indigenista*, Lasontay (Biblioteca de Cultura Andina, 1), Lima, 1980.

—, *et al.*, *Literatura y sociedad en el Perú*: I. *Cuestionamiento de la crítica*, Hueso Húmero Ediciones, Lima, 1981.

Coronado, Juan, *Paradiso múltiple: un acercamiento a Lezama Lima*, UNAM, México, 1982.

Correa, María A., *Genio y figura de Ernesto Sábato*, EUDEBA, Buenos Aires, 1971; otra ed., 1973.

Cortázar, Julio, *La vuelta al día en ochenta mundos*, Siglo XXI, Buenos Aires, 1967.

Cortés, Darío A., «Bibliografía de y sobre María Luisa Bombal», *Hispanic Journal*, 1:2 (1980), pp. 125-142.

Costa Ros, Narciso, «Estructura de *Pedro Páramo*», *Revista Chilena de Literatura*, 7 (1976), pp. 117-142.

—, «El mundo novelesco de *Pedro Páramo*», *Revista Chilena de Literatura*, 11 (1978), pp. 23-84.

—, «*El llano en llamas*/*Pedro Páramo* de Juan Rulfo», *Revista Chilena de Literatura*, 20 (1982), pp. 167-170.

Curiel, Fernando, *Onetti: obra y calculado infortunio*, UNAM, México, 1980; otra ed., 1984.

Curuchet, Juan Carlos, *Julio Cortázar, o la crítica de la razón pragmática*, Editora Nacional, Madrid, 1972.

Chiampi Cortez, Irlemar, «La proliferación barroca en *Paradiso*», en Justo C. Ulloa, ed., *José Lezama Lima: textos críticos*, Ediciones Universal, Miami, 1979, pp. 82-90.

Dellepiane, Ángela B., *Ernesto Sábato, el hombre y su obra*, Las Américas, Nueva York, 1968; otra ed., *Sábato, un análisis de su narrativa*, Nova, Buenos Aires, 1970.

—, «Algunas conclusiones acerca del lenguaje en Cortázar» *Sin Nombre*, 2:2 (1971), pp. 24-35.

Díaz, J. P., «Sobre Juan Carlos Onetti», *Studi di letteratura ispano-americana*, 13-14 (1983), pp. 79-102.

Echavarren, Roberto, «Obertura de *Paradiso*», *Eco*, 202 (1978), pp. 1.043-1.075.

—, *El espacio de la verdad. Práctica del texto en Felisberto Hernández*, Sudamericana, Buenos Aires, 1981.

Englekirk, John E., y Margaret M. Ramos, *La narrativa uruguaya. Estudio crítico-bibliográfico*, University of California Press, Berkeley / Los Ángeles, 1967.

Escamilla Molina, Roberto, *Julio Cortázar: visión de conjunto*, Novaro (Grandes escritores de nuestro tiempo), México, 1970.

Escobar, Alberto, *Patio de letras*, Monte Ávila, Caracas, 1971.

—, *Arguedas o la utopía de la lengua*, Instituto de Estudios Peruanos, Lima, 1984.

Fernández Moreno, César, *América Latina en su Literatura*, Siglo XXI, México, 1972.

Ferrer Chivite, Manuel, *El laberinto mexicano en/de Juan Rulfo*, Novaro, México, 1972.

Filer, Malva E., *Los mundos de Julio Cortázar*, Las Américas, Nueva York, 1970.

Flores, Ángel, *Bibliografía de escritores hispanoamericanos, 1609-1974*, Las Américas, Nueva York, 1975.

Foster, David William, *The Myth of Paraguay*, University of North Carolina Press, Chapel Hill, 1969.
—, *Currents in the Contemporary Argentine Novel. Arlt, Mallea, Sábato and Cortázar*, University of Missouri Press, Columbia, 1975.
—, *Augusto Roa Bastos*, Twayne (TWAS), Boston, 1978.
—, *Studies in the Contemporary Spanish-American Short Story*, University of Missouri Press, Columbia, 1979.
—, *Mexican Literature: A Bibliography of Secondary Sources*, The Scarecrow Press, Metuchen, N.J., 1981.
—, *Peruvian Literature: A Bibliography of Secondary Sources*, Greenwood Press, Westport, 1981.
—, *Argentine Literature: A Research Guide*, Garland Publishing Inc., Nueva York / Londres, 1982.
—, «Latin American Documentary Narrative», *PMLA*, 99:1 (1984), pp. 41-55.
Frankenthaler, Marilyn R., *J. C. Onetti: la salvación por la forma*, Abra, Nueva York, 1977.
Freeman, George Ronald, *Paradise and Fall in Rulfo's «Pedro Páramo»*, CIDOC (CIDOC, Cuaderno, 47), Cuernavaca, 1970.
Fuentes, Carlos, *La nueva novela hispanoamericana*, Mortiz, México, 1969.
García Canclini, Néstor, *Cortázar, una antropología poética*, Nova, Buenos Aires, 1968.
García Ramos, Reinaldo, ed., *Recopilación de textos sobre Juan Carlos Onetti*, Casa de las Américas (Valoración Múltiple), La Habana, 1969.
Genover, Kathleen, *Claves de una novelística existencial (en «Rayuela» de Cortázar)*, Playor, Madrid, 1973.
Gertel, Zunilda, *La novela hispanoamericana contemporánea*, Columba, Buenos Aires, 1970.
Ghiano, Juan Carlos, «Introducción a *Paradiso* de José Lezama Lima», *Sur*, 314 (1968), pp. 62-78.
Giacoman, Hely F., ed., *Homenaje a Julio Cortázar*, Anaya/Las Américas, Madrid, 1972.
—, *Los personajes de Sábato*, Emecé, Buenos Aires, 1972.
—, *Homenaje a Ernesto Sábato: variaciones interpretativas en torno a su obra*, Anaya/Las Américas, Long Island City/Nueva York, 1973.
—, ed., *Homenaje a Juan Carlos Onetti*, Las Américas, Nueva York, 1974.
Gimbernat de González, Ester, «*Paradiso*: reino de la poesía», en *Perspectives on Contemporary Literature*, 5 (1979), pp. 116-123.
—, «La trasgresión, regla del juego en la novelística de José Lezama Lima», en Rose S. Minc, ed., *Latin American Literature Today*, Ediciones Hispamérica, Takoma Park, 1980, pp. 147-152.
—, «La vuelta de Oppiano Licario», *Eco*, 222 (1980), pp. 648-664.
—, «Las novelas de Lezama Lima: tangencias y convergencias de la imagen», en E. McDuffie, y A. Roggiano, *Texto/Contexto en la Literatura Iberoamericana. Memoria del XIX Congreso*, Madrid, 1980, pp. 129-134.
Giordano, Jaime, «El nivel de la escritura en la narrativa hispanoamericana contemporánea», *Nueva Narrativa Hispánica*, 4 (1974), pp. 307-344.
Gligo, Ágata, *María Luisa Bombal*, Andrés Bello, Santiago de Chile, 1984.

Goic, Cedomil, *La novela chilena: los mitos degradados*, Editorial Universitaria, Santiago de Chile, 1968; otras eds., 1970, 1972, 1976.

—, ed., *La novela hispanoamericana: descubrimiento e invención de América*, Ediciones Universitarias de Valparaíso, 1973.

—, *Historia de la novela hispanoamericana*, Ediciones Universitarias de Valparaíso, Chile, 1972; 1980[2].

—, *La novela de la revolución mexicana*, La Muralla (Literatura Hispanoamericana en Imágenes, 13), Madrid, 1983.

Gómez Mango, Lídice, ed., *En torno a Juan Carlos Onetti: notas críticas*, Fundación de Cultura Universitaria, Montevideo, 1970.

González Boixo, José Carlos, *Claves narrativas de Juan Rulfo*, Universidad de León, León, 1984.

Gordon, Donald K., *Los cuentos de Juan Rulfo*, Playor (Colección Nova Scholar), Madrid, 1976.

Guerra Cunnigham, Lucía, *La narrativa de María Luisa Bombal: una visión de la existencia femenina*, Playor, Madrid, 1980.

Guibert, Rita, *Seven Voices*, A. Knopf, Nueva York, 1973.

Gutiérrez Marrone, Nila, *El estilo de Juan Rulfo. Estudio lingüístico*, Bilingual Press, Ypsilanti, 1978.

Hahn, Óscar, *Texto sobre texto. Aproximaciones a Herrera y Reissig, Borges, Cortázar, Huidobro, Lihn*, UNAM, México, 1984.

Harss, Luis, *Los nuestros*, Sudamericana, Buenos Aires, 1966; trad. inglesa, *Into the Main Stream. Conversations with Latin-American Writers*, Harper & Row, Nueva York, 1967.

Heise, Karl H., *El grupo de Guayaquil. Arte y técnica de sus novelas sociales*, Playor, Madrid, 1975.

Hernández del Castillo, Ana, *Keats, Poe and the Shaping of Cortázar Mythopoesis*, John Benjamins B. V., Amsterdam, 1981.

Hozven, Roberto, «Interpretación de "El río", cuento de Julio Cortázar», *Atenea*, 421-422 (1968), pp. 57-77.

Irby, James E., *La influencia de William Faulkner en cuatro narradores hispanoamericanos*, UNAM, México, 1956.

Jansen, André, *La novela hispanoamericana actual y sus antecedentes*, Labor, Barcelona, 1973.

Jitrik, Noé, ed., *La vuelta a Cortázar en nueve ensayos*, Ed. C. Pérez, Buenos Aires, 1968.

—, ed., *Actual narrativa latinoamericana*, Casa de las Américas, La Habana, 1970.

—, *El no existente caballero: la idea de personaje y su evolución en la narrativa latinoamericana*, Ediciones Megápolis, Buenos Aires, 1975.

—, «*Paradiso* entre desborde y ruptura», *Texto Crítico*, 13 (1979), pp. 71-89.

Junco Fazzolari, Margarita, *«Paradiso» y el sistema poético de Lezama Lima*, Fernando García Cambeiro (Colección Estudios Latinoamericanos), Buenos Aires, 1979.

Kadir, Djelal, *Juan Carlos Onetti*, Twayne (TWAS, 469), Boston, 1977.

Kovacci, Ofelia, *Adolfo Bioy Casares*, Ediciones Culturales Argentinas, 1963.

—, *Espacio y tiempo en la fantasía de Adolfo Bioy Casares*, Universidad de Buenos Aires, Buenos Aires, 1963.

Lafforgue, Jorge, ed., *Nueva novela latinoamericana*, Paidós, Buenos Aires, 1969-1972, 2 vols.

Lagmanovich, David, ed., *Estudios sobre los cuentos de Julio Cortázar*, Ediciones Hispam, Buenos Aires, 1975.

—, «Images of Reality: Latin American Short Stories of Today», *Dispositio*, 24-26 (1984), pp. 53-63.

Langowsky, Gerald J., *El surrealismo en la ficción hispanoamericana*, Gredos, Madrid, 1982.

Larco, J., ed., *Recopilación de textos sobre José María Arguedas*, Casa de las Américas (Valoración Múltiple), La Habana, 1973.

Lastra, Pedro, ed., *Julio Cortázar*, Taurus, Madrid, 1981.

—, y Graciela Coulson, «El motivo del horror en *Octaedro*», *Nueva narrativa hispanoamericana*, 5 (1975), pp. 7-16.

Leal, Luis, *Historia del cuento hispanoamericano*, De Andrea, México, 1971.

Lévano, César, *Arguedas: un sentimiento trágico de la vida*, Editorial Gráfica Labor, Lima, 1969.

Levine, Suzanne Jill, *Guía de Bioy Casares*, Fundamentos, Madrid, 1982.

Lezama Lima, Eloísa, «*Paradiso*: novela poema», en J. Lezama Lima, *Paradiso*, Cátedra, Madrid, 1980, pp. 47-94.

Lezama Lima, José, *et al.*, *Cinco miradas sobre Cortázar*, Tiempo Contemporáneo, Buenos Aires, 1968.

Lienhardt, M., *Cultura popular andina y forma novelesca. Zorros y danzantes en la última novela de Arguedas*, Latinoamericana Ediciones-Tarea, Lima, 1982.

Lihn, Enrique, «*Paradiso* y homosexualidad», *Hispamérica*, 22 (1979), pp. 3-21.

—, Carmen Foxley, Cristián Hunneus, y Adriana Valdés, *Paradiso: lectura de conjunto*, UNAM, México, 1984.

Lorenz, Gunter W., *Diálogos con escritores hispanoamericanos*, Ediciones Universitarias de Valparaíso, Valparaíso, 1972.

Loveluck, Juan, ed., *Novelistas hispanoamericanos de hoy*, Taurus, Madrid, 1976.

Ludmer, Josefina, *Onetti: los procesos de construcción del relato*, Sudamericana, Buenos Aires, 1977.

Mac Adam, Alfred J., *El individuo y el otro*, Ediciones La Librería, Buenos Aires, 1971.

—, *Modern Latin American Narratives. The Dreams of Reason*, The University of Chicago Press, Chicago / Londres, 1977.

Marín, Gladys C., *La experiencia americana de José María Arguedas*, Fernando García Cambeiro (Colección Estudios Latinoamericanos, 7), Buenos Aires, 1973.

Matamoro, Blas, «*Oppiano Licario*: seis modelos en busca de una síntesis», *Texto Crítico*, 13 (1979), pp. 112-125.

Menton, Seymour, *El cuento hispanoamericano. Antología crítico-histórica*, Fondo de Cultura Económica, México, 1964, 2 vols.

—, *La narrativa de la revolución cubana*, Playor, Madrid, 1974; trad. inglesa, *Prose Fiction of the Cuban Revolution*, The University of Texas Press, Austin, 1975.

Mignolo, Walter, «*Paradiso*: derivación y red», *Texto Crítico*, 13 (1979), pp. 90-111.

Minc, Rose S., ed., *The Contemporary Latin American Short Story*, Senda Nueva de Ediciones, Nueva York, 1979.
Mora Valcárcel, Carmen, *Teoría y práctica del cuento en los relatos de Cortázar*, CSIC, Madrid, 1982.
Morello-Frosch, Marta, «El personaje y su doble en las ficciones de Cortázar», *Revista Iberoamericana*, 66 (1968), pp. 323-330.
Moreno Aliste, Ximena, *Origen y sentido de la farsa en la obra de Juan Carlos Onetti*, Centre de Recherches Latino-Américaines de l'Université de Poitiers, Poitiers, 1973.
Neghme Echeverría, Lidia, «La complejidad fantástica en *La invención de Morel*», *Eco*, 204 (1978), pp. 1.222-1.240.
Oberhelmann, H. D., *Ernesto Sábato*, Twayne (TWAS), Boston, 1970.
Ocampo, Aurora M., *La crítica de la novela mexicana contemporánea*, UNAM, México, 1981.
Ortega, Julio, *La contemplación y la fiesta*, Lima, 1968.
—, *Poetics of Change: The New Spanish-American Narrative*, University of Texas Press, Austin, 1984.
Osses, José Emilio, *Algunos aspectos en la narrativa contemporánea*, Andrés Bello, Santiago de Chile, 1971.
Ostria González, Mauricio, «*Rayuela*: poética y práctica de un lector libre», *Texto Crítico*, 13 (1979), pp. 180-196.
Paley de Francescato, Martha, «Bibliografía de y sobre Julio Cortázar», *Revista Iberoamericana*, 84-85 (1973), pp. 697-726.
Peavler, Terry J., «*Blow-Up*: A Reconsideration of Antonioni's Infidelity to Cortázar», *PMLA*, 94 (1979), pp. 887-893.
—, «Textual problems in *Pedro Páramo*», *Revista de Estudios Hispánicos*, 19:1 (1985), pp. 91-99.
Peralta, Violeta, y L. Befumo Boschi, *Rulfo, la soledad creadora*, Fernando García Cambeiro (Colección Estudios Latinoamericanos, 16) Buenos Aires, 1975.
Pezzoni, Enrique, «Trasgresión y normalización en la narrativa argentina contemporánea», *Revista de Occidente*, 100 (1971), pp. 177-190.
Picón Garfield, Evelyn, *¿Es Julio Cortázar un surrealista?*, Gredos, Madrid, 1975.
—, *Cortázar por Cortázar*, Universidad Veracruzana, Xalapa, 1978; otra ed., UNAM, México, 1981.
Planells, Antonio, *Cortázar, metafísica y erotismo*, The Catholic University of America (Studia Humanitatis), Washington, 1979.
Pollmann, Leo, *La «nueva novela» en Francia y en Iberoamérica*, Gredos, Madrid, 1971.
Portal, M., *Rulfo, dinámica de la violencia*, Cultura Hispánica, Madrid, 1984.
Predmore, J. R., *Un estudio crítico de las novelas de Ernesto Sábato*, Porrúa Turanzas, Madrid, 1981.
Prego, Omar, y María A. Petit, *Juan Carlos Onetti o la salvación por la escritura*, Sociedad General Española de Librería, Madrid, 1981.
Pupo-Walker, Enrique, *El cuento hispanoamericano ante la crítica*, Castalia, Madrid, 1973.
Rama, Ángel, «El narrador ingresa al baile de máscaras de la modernidad», *Studi di letteratura ispano-americana*, 13-14 (1983), pp. 45-61.

Ramírez, Arthur, «Hacia una bibliografía de y sobre Juan Rulfo», *Revista Iberoamericana* (1974), pp. 135-171.

Ramírez Molas, Pedro, *Tiempo y narración* (*Enfoques de la temporalidad en Borges, Carpentier, Cortázar y García Márquez*), Gredos, Madrid, 1978.

Rein, Mercedes, *Julio Cortázar: el escritor y sus máscaras*, Ediciones Diaco, Montevideo, 1969.

—, *Cortázar y Carpentier*, Ediciones de Crisis (Colección Esta América, 1), Buenos Aires, 1974.

Ribadeneira, Edmundo, *La moderna novela ecuatoriana*, Casa de la Cultura Ecuatoriana, Quito, 1958.

Ríos-Ávila, Rubén, *The American Gnosis of José Lezama Lima*, University of Missouri Press, Columbia, 1984.

Rodríguez-Alcalá, Hugo, *El arte de Juan Rulfo: historia de vivos y difuntos*, Instituto Nacional de Bellas Artes, México, 1965.

—, *Narrativa hispanoamericana: Güiraldes-Carpentier-Roa Bastos-Rulfo*, Gredos, Madrid, 1973.

—, y J. P. Benicelli, «Dante and Rulfo: beyond time through eternity», *Hispanic Journal*, 5:1 (1983), pp. 7-28.

Rodríguez Luis, Julio, *Hermenéutica y praxis del indigenismo. La novela indigenista de Clorinda Matto a José María Arguedas*, Fondo de Cultura Económica, México, 1980.

Rodríguez Monegal, Emir, *Narradores de esta América*, Alfa, Montevideo, 1969; Alfa, Montevideo, 1974[2].

—, *El «boom» de la novela latinoamericana*, Monte Ávila, Caracas, 1972.

—, «La nueva novela vista desde Cuba», *Revista Iberoamericana*, 91-93 (1975), pp. 647-662.

—, «*Paradiso*, una silogística del sobresalto», *Revista Iberoamericana*, 91-93 (1975), pp. 523-533.

—, *El arte de narrar*, Monte Ávila, Caracas, 1982.

Roffe, Reina, *Espejo de escritores*, Ediciones del Norte, Hanover, N. H., 1985.

Rojas, Ángel F., *La novela ecuatoriana*, Fondo de Cultura Económica (Tierra Firme, 34), México, 1948.

Roy, Joaquín, *Julio Cortázar ante su sociedad*, Península, Barcelona, 1974.

—, ed., *Narrativa y crítica de nuestra América*, Castalia, Madrid, 1978.

Ruffinelli, Jorge, ed., *Onetti*, Biblioteca de Marcha, Montevideo, 1973.

—, *José Revueltas, ficción, política y verdad*, Universidad Veracruzana, Xalapa, México, 1977.

—, *El lugar de Rulfo y otros ensayos*, Universidad Veracruzana, Xalapa, México, 1980.

Ruiz Barrionuevo, Carmen, *El «Paradiso», de Lezama Lima*, Ínsula, Madrid, 1980.

Sacoto, Antonio, *La nueva novela ecuatoriana*, Universidad de Cuenca, Cuenca, 1981.

Santí, Enrico Mario, «*Paradiso*», *Modern Language Notes*, 94:2 (1979), pp. 343-365.

—, «Hacia *Oppiano Licario*», *Revista Iberoamericana*, 116-117 (1981), pp. 273-279.

Sarduy, Severo, «*Oppiano Licario* de José Lezama Lima», *Vuelta*, 2:18 (1978), pp. 31-35.
Scholz, Laszlo, *El arte poética de Julio Cortázar*, Castañeda (Estudios Estéticos y Literarios, 2), Buenos Aires, 1977.
Schwartz, Kessel, *A New History of Spanish-American Fiction*, University of Miami Press, Coral Gables, 1971-1972, 2 vols.
Servodidio, Mirella, y Marcelo Coddou, eds., *Julio Cortázar en Barnard*, número especial de *Inti*, 10-11 (1979-1980).
Shaw, Donald L., *Nueva narrativa hispanoamericana*, Cátedra, Madrid, 1983.
Siebenmann, «Ernesto Sábato y su postulado de una novela metafísica», *Revista Iberoamericana*, 118-119 (1982), pp. 289-302; reimpr. en *Ensayos de literatura hispanoamericana*, Taurus, Madrid, 1988, pp. 227-231.
Siemens, William L., *Worlds Reborn. The Hero in the Modern Spanish American Novel*, West Virginia University Press, Morgantown, 1984.
Simó, Ana María, *Cinco miradas sobre Cortázar*, Tiempo Contemporáneo, Buenos Aires, 1968.
Simón Martínez, Pedro, ed., *Recopilación de textos sobre Lezama Lima*, Casa de las Américas, La Habana, 1970.
Sola, Graciela de, *Proyecciones del surrealismo en la literatura argentina*, Ediciones Culturales Argentinas, Buenos Aires, 1967.
—, *Julio Cortázar y el hombre nuevo*, Sudamericana, Buenos Aires, 1968.
Sommers, Joseph, *After the Storm*, The University of New Mexico Press, Albuquerque, 1968.
—, *La narrativa de Juan Rulfo*, SepSetentas, México, 1974.
Sosnowsky. Saúl, *Julio Cortázar: una búsqueda mítica*, Noé, Buenos Aires, 1974.
—, Ángel Rama, Antonio Candido, *et al.*, *Más allá del «boom»: literatura y mercado*, Marcha, Montevideo, 1981.
Souza, Raymond D., *Major Cuban Novelists: Innovation and Tradition*, University of Missouri Press, Columbia, 1976.
—, *The Poetic Fiction of José Lezama Lima*, University of Missouri Press, Columbia, 1983.
Strausfeld, Mechtild, ed., *Aspekte von José Lezama Lima «Paradiso»*, Suhrkamp Verlag, Frankfurt, 1979.
Tamargo, María I., *La narrativa de Bioy Casares*, Playor, Madrid, 1983.
Tirri, Néstor, *La vuelta a Cortázar en nueve ensayos*, Carlos Pérez, Buenos Aires, 1968.
Tittler, Jonathan, *Narrative Irony in the Contemporary Spanish American Novel*, Cornell University Press, Ithaca, 1984.
Ulloa, Justo C., ed., *José Lezama Lima: textos críticos*, Ediciones Universal, Miami, 1979.
Urrello, Antonio, *José María Arguedas: el nuevo rostro del indio*, Mejía Baca, Lima, 1974.
Valdivieso, Jaime, *Bajo el signo de Orfeo: Lezama Lima y Proust*, Editorial Orígenes, Madrid, 1980.
Vargas Llosa, Mario, «*Paradiso* de José Lezama Lima», *Amaru*, 1 (1967), pp. 72-75.
—, *José María Arguedas, entre sapos y halcones*, Cultura Hispánica, Madrid, 1978.

—, y J. M. Arguedas, *La novela y el problema de la expresión literaria en el Perú*, América Nueva, Buenos Aires, 1974.
Varona, Dora, ed., *Ciro Alegría: trayectoria y mensaje*, Plenitud, Lima, 1972.
Vásquez Amaral, J., *The Contemporary Latin American Fiction*, Las Américas, Nueva York, 1970.
Verani, Hugo, *Onetti: el ritual de la impostura*, Monte Ávila, Caracas, 1981.
—, ed., *Lettere dell'Uruguay. Studi di letteratura ispano-americana*, 13-14 (1983).
Verdugo, Iber H., *Un estudio de la narrativa de Juan Rulfo*, UNAM, México, 1982.
Vidal, Hernán, *María Luisa Bombal: la feminidad enajenada*, Hijos de José Bosch, Barcelona, 1976.
Vila-Barnes, Gladys, *Significado y coherencia del universo narrativo de Augusto Roa Bastos*, Orígenes, Madrid, 1984.
Villa, Álvaro de, y J. Sánchez-Boudy, *Lezama Lima: peregrino inmóvil* (*Paradiso al desnudo*), Universal (Colección Polymita), Miami, 1974.
Wainerman, Luis, *Sábato y el misterio de los ciegos*, Losada, Buenos Aires, 1971; Castañeda (Estudios Estéticos y Literarios), Buenos Aires, 1978[2].
Yurkievich, Saúl, *La confabulación con la palabra*, Taurus (Colección Persiles), Madrid, 1978.

Ana María Barrenechea

LA ESTRUCTURA DE *RAYUELA* DE JULIO CORTÁZAR

Junto a la teoría, Cortázar nos ofrece en *Rayuela* una novela que la pone en práctica en el mundo imaginario que presenta (el momento, el ambiente, los personajes, las acciones) y en el modo de presentarlo. En dicha presentación tiene primordial importancia la estructura narrativa, único estrato que analizaremos en este trabajo.

Cortázar da a elegir dos lecturas del libro (entre otras muchas que serían posibles). Una está dedicada al «lector-hembra», que busca la «novela rollo» porque puede leerse de corrido sin mayores preocupaciones. Tal lectura acaba en el cap. 56, comprende las partes I («Del lado de allá»: París) y II («Del lado de acá»: Buenos Aires) según están impresas y elimina la parte III («De otros lados. Capítulos prescindibles»). La otra lectura, dedicada al lector cómplice, comienza por el cap. 73 de la parte III y sigue saltando de una a otra parte, según el tablero de dirección.

La doble posibilidad de lectura y, sobre todo, las incomodidades materiales de la lectura salteada que indica el tablero fueron uno de los mayores motivos de escándalo, cuando se comentó la aparición de *Rayuela*.

Hay quienes se han preguntado por qué Cortázar, que ha manifestado su preferencia por la última forma de lectura, no imprimió directamente la novela en ese orden. La elección entre dos lecturas podría explicarse por la existencia de dos tipos de lectores: el novelista no se

Ana María Barrenechea, «La estructura de *Rayuela* de Julio Cortázar», en J. Lafforgue, ed., *Nueva narrativa latinoamericana*, II, Editorial Paidós, Buenos Aires, 1972, pp. 230-238.

resigna a escribir para la minoría y propone también los capítulos corridos para la masa del público adocenado.

Sin embargo, esta motivación no satisface. La doble lectura muestra una superposición de dos diseños: el diseño superficial, que corresponde más o menos a una interpretación o una experiencia superficial del vivir, y el diseño profundo, que denuncia las secretas conexiones. Al proponer los dos —en lugar de suprimir el primero— el autor revela la estructura de un mundo con dos capas diferentes de penetración, mejor quizá la doble estructura de la experiencia de aprehensión del mundo. Además destaca por contraste el diseño profundo, que simboliza el modo de experiencia que se prefiere.

Por otra parte, proponer dos lecturas y sugerir que existen muchas otras deja a la novela ese estado de materia en gestación, de creatividad y colaboración ofrecida al lector, y de potencialidad liberada que busca Cortázar. También realza la actitud de quien sólo sabe que no sabe nada y, negando todo dogmatismo, sólo acepta una escritura que revele su propia incertidumbre y su caminar entre tinieblas.

Comentaremos primero la novela que resulta de seguir el orden en que está impreso el libro. Consta de una primera y una segunda parte que corresponden a los dos *ambientes* o *escenarios* en que se desenvuelve la novela. El hecho de que esta obra de lectura continua aparezca, sin embargo, fraccionada tan netamente en dos bloques, destaca una de las formas de simbolización de nuestro mundo fragmentado (París/Buenos Aires) constantes en *Rayuela*. Son dos polos entre los que habrá que tender puentes sutiles, y es necesario separarlos bien para poder unirlos luego. La tercera parte agrupa materiales muy heterogéneos: citas de varios autores, textos sobre problemas literarios o filosóficos atribuidos a Morelli, y escenas que podrían haber sido incluidas en la I o en la II parte. Cortázar los subtitula «Capítulos prescindibles» y vale la pena considerar si verdaderamente lo son.

Sin ellos se pierden totalmente algunos aspectos y otros quedan empobrecidos en mayor o menor grado. Se reducen los soliloquios de Horacio en París y en Buenos Aires, las escenas de Horacio con la Maga y sus reflexiones sobre ella cuando se han separado después de muerto Rocamadour. Casi se suprime a Pola como personaje (al quedar relegada a las simples menciones de la primera y la segunda parte). En igual forma se suprime el «personaje» Morelli, al eliminar la visita al hospital (pues entonces sólo se le conoce por su obra y por el accidente callejero del cap. 22, atribuido a «un viejo», que permanece así sin conexión con él), sin contar que se empobrece fundamentalmente su teoría de la vida y de la literatura. Se pierden por entero los sueños, claves para comprender la realidad profunda tal como la concibe Cortázar; se eliminan los efectos cómicos y cómico-macabros de ciertas citas, las sugerencias iluminadoras de otras, los contrastes y las sutiles alusiones. Se elimina además la historia de Horacio posterior a la noche del manicomio, noche que cierra la segunda parte y se deja que concluya la novela ante la ventana abierta, con un interrogante sobre su destino final.

El esqueleto de los acontecimientos narrados podría resumirse en una serie de secuencias. En París: los amores de Horacio y la Maga, la «discada» (sesión del Club de la Serpiente), la muerte de Rocamadour (secuencia que lleva incluida en sí, el accidente callejero ocurrido a «un viejo» y el concierto de Berthe Trépat), últimos días de Horacio en París y episodio con la Clocharde. En Buenos Aires: encuentro de Horacio con Traveler y Talita, el puente, el circo, el manicomio.

En conjunto podemos decir que la novela de lectura corrida se presenta con menor tensión lírica, notablemente aligerada de planteos teóricos y mucho más compacta en el relato de los acontecimientos ocurridos en París y en Buenos Aires (sin el paroxismo de fragmentación que introducen en ella los «capítulos prescindibles» con sus citas y las remisiones del tablero).

Pero estas diferencias anotadas, lo son sólo de grado: aunque en proporción menor, también la versión corrida muestra una tensión lírica, unas discusiones filosóficas y literarias y un fragmentarismo que no son los habituales en la «novela rollo». El orden del relato no sigue siempre la sucesión cronológica, los pasajes de uno a otro capítulo, aun sin las intercalaciones, varían en sus formas (bruscas, ligadas o aparentemente aisladas) y en el interior de cada capítulo se multiplican las referencias a diversos tiempos y espacios o series temáticas, y se producen también saltos de tono, del humor al patetismo.

Conviene, además, aclarar lo que ocurre si se continúa la lectura a partir de las «tres vistosas estrellitas que equivalen a la palabra *Fin*», es decir si no se prescinde de los «capítulos prescindibles». El lector se encuentra con una parte III sin organización cronológica ni temática aparente, como una colección de hojas sueltas dispuestas para la intercalación. Basta un ejemplo: en la secuencia del accidente de Morelli, Horacio y Étienne planean ir al hospital para ver al viejo accidentado, entran en el hospital y charlan mientras esperan en el n.º 155; continúan la charla en el n.º 122; se acercan a la cama, descubren que el viejo es Morelli y éste les da la llave para ir a su casa en el n.º 154; avisan a los otros amigos, se reúnen sin Horacio y Ossip y entran en ella por primera vez en el n.º 96; leen sus papeles en el n.º 95; se incorporan más tarde Horacio y Ossip en el n.º 91; continúan allí hasta estar al borde de la ruptura con Horacio en el n.º 99.

Consideremos ahora la estructura de la novela que resulta de seguir las remisiones del tablero. Lo primero que salta a la vista es que no la divide en partes (como en la otra lectura), que no prescinde de ningún capítulo, salvo el n.º 55 y que se repite dos veces el n.º 131. La organización resulta de distribuir capítulos de la III parte (n.os 57-155) entre los de la I (n.os 1-36) y los de la II (n.os 37-56). Es decir que se mantiene el orden en que las dos primeras secciones fueron impresas, pero distanciando sus capítulos por esta intercalación. Las remisiones a los fragmentos de la III parte se realizan con absoluta prescindencia del orden de impresión. Lo que no se hace nunca es trocar el orden de los capítulos de las dos primeras, ni mezclar los de una con otra.

Este hecho no impide que se produzcan remisiones de uno a otro ámbito y aun de uno a otro tiempo, por medio de la intercalación de capítulos de la III parte. En efecto, cuando está contando la historia de Horacio en París inserta el n.º 120 que presenta una escena de la infancia de Ireneo, el negro que violó a la Maga, en Montevideo, o el n.º 143 sobre los sueños de Talita y Traveler, en Buenos Aires. A la inversa, cuando está narrando su vida en Buenos Aires, introduce pasajes de París: sesiones del Club de la Serpiente (n.os 86 y 102), o escenas de Horacio y la Maga contadas en presente habitual (n.º 138).

La alternancia de tiempos y espacios se refuerza en grado extremo con lo que ocurre dentro de cada capítulo. Allí los personajes aluden a uno u otro espacio-tiempo cuando no están en él. Horacio comenta en París características genéricas de los argentinos o recuerda casos concretos de amigos, parientes, lugares, escenas, objetos de Buenos Aires, momentos de su infancia en Burzaco, y de su juventud porteña, mientras la Maga cuenta sus experiencias de Montevideo. En Buenos Aires, a pesar de que Horacio rehúye hablar de París, piensa en la Maga, ve literalmente a la Maga, y también alude a Pola y a Berthe Trépat, pero con menos frecuencia. «¿Por qué esta sed de ubicuidad, por qué esta lucha contra el tiempo?», dice Horacio (n.º 21) y también «En París todo le era Buenos Aires y viceversa» (n.º 3).

Pero en estas mezclas de tiempos y espacios, unos pesan más que otros; es indudable, que pesan más la Argentina y la infancia. [...]

Aunque la novela abunde en pasajes de exaltación lírica de París y no haya un cántico igual a Buenos Aires, conviene destacar que estando de vuelta en la Argentina, Horacio no se siente acosado por el recuerdo de París. Revive sus relaciones con la Maga y, en otro sentido, con Berthe

Trépat como experiencias que son centrales en su búsqueda de lo absoluto, pero no por lo que la ciudad en sí represente para él según parecía representarlo mientras vivía en ella, cosa opuesta a lo que le ocurre con su país a pesar suyo cuando está en Europa, según ve con claridad la Maga: «Toc, toc, tenés un pajarito en la cabeza. Toc, toc, te picotea todo el tiempo, quiere que le des de comer comida argentina. Toc, toc» (n.° 4).

Esto puede explicarse porque en el personaje (¿y en el autor?) el pasado tiene un peso superior al presente. [...] El predominio del pasado en el personaje implica, pues, el predominio de los lugares en que transcurrieron su infancia y su juventud: Burzaco, Buenos Aires. Pero también vemos que las etapas sucesivas de su vida y los espacios aislados se vuelven coexistentes... «la realidad de los veinte años se codea con la realidad de los cuarenta y en cada codo hay una gillete tajeándonos el saco. Descubro nuevos mundos simultáneos y ajenos ...» (n.° 21). «Se codean» pero en forma agresiva, «tajeando», son «simultáneos» pero también «ajenos», dice el protagonista en los momentos en que predomina el desaliento y ve el mundo desde fuera como un extraño. En otros momentos los tiempos y los espacios se hacen señas entre sí con signos sutiles o se funden, como en los textos de los sueños. De todos modos, nada es en la realidad según la razón y la costumbre nos enseñaron a separar, ordenar y clasificar cuidadosamente y sensatamente (n.os 57, 123, 141, 113).

JAIME ALAZRAKI

62, MODELO PARA ARMAR DE JULIO CORTÁZAR

62, modelo para armar, tiene su origen en el capítulo 62 de *Rayuela* y constituye la respuesta novelística a la afanosa búsqueda de Oliveira de alternativas a esa realidad manufacturada que tan duramente critica [Cortázar] en su obra anterior. En dicho capítulo 62, Morelli traza el bosquejo de «un libro que había pensado que se quedó en notas sueltas». «Si escribiera ese libro —continúa— las conductas estándar ... serían inexplicables con el instrumental psicológico

Jaime Alazraki, «Introducción: hacia la última casilla de *Rayuela*», en J. Alazraki *et al.*, eds., *Julio Cortázar: la isla final*, Ultramar, Barcelona, 1983, pp. 38-43. La numeración de las páginas citadas entre paréntesis corresponde a la edición de *62, modelo para armar* de Edhasa/Sudamericana, Barcelona, 1979.

al uso ... Todo sería como una inquietud, un desasosiego, un desarraigo continuo, un territorio donde la causalidad psicológica cedería desconcertada, y esos fantoches se destrozarían o se amarían o se reconocerían sin sospechar demasiado que la vida trata de cambiar la clave en y a través y por ellos, que una tentativa apenas concebible nace en el hombre como en otro tiempo fueron naciendo la clave-razón, la clave-sentimiento, la clave-pragmatismo» (p. 417), *62, modelo para armar* es la realidad de esta tentativa.

La novela, tal como Cortázar anuncia en el prefacio, es una transgresión no sólo a nivel manifiesto de lenguaje, sino también como esfuerzo para comprender la vida en medios cognoscitivos distintos a los codificados racionalmente por la ciencia. De ahí que la psicología deje de ser la pauta y la referencia. ¿Qué sustituye, pues, a la psicología como criterio de valoración de la conducta humana? Una mezcla de juego, vampirismo y una intangible fuerza magnética que agrupa a la gente en lo que Cortázar llama figuras o constelaciones humanas. Las nociones del tiempo y espacio tradicionalmente aceptadas cesan de ser las coordenadas que enmarcan y regulan la vida. En *62*, la acción se desarrolla en París, Londres y Viena, pero los personajes se mueven y actúan en esas distintas ciudades como si constituyeran un espacio único al cual se alude con el término de la *ciudad*. Este nuevo espacio no es ya una zona delimitada que impone a los personajes las limitaciones de su propio perímetro, sino un medio nuevo que los personajes estiran y modelan a su gusto y del cual disponen a modo de tablero de ajedrez para desarrollar en él sus propios juegos. No importa que Marrast y Nicole estén en Londres, Hélène y Celia en París y Juan y Tell en Viena; se mueven e interrelacionan de una ciudad a otra en horizontal, vertical o diagonal, utilizando las ciudades como cuadros para mover sus piezas, planear sus jugadas y urdir sus inevitables jaques mates. Pero hacen siempre caso omiso de las reglas del juego. Sus movimientos los controlan fuerzas que ellos vagamente imaginan y que en última instancia escapan siempre a su comprensión, como piezas de ajedrez que ignoran los designios y estrategias del jugador. El tiempo físico o convencional retrocede también a una especie de tiempo mítico en el cual «el antes y el después se tocan y son uno y lo mismo». Los días y las noches de los personajes giran en torno a la ominosa e invisible autoridad de la Condesa (Erszebet Báthory), cuyo legendario pasado señala el nacimiento del vampirismo. Ese pasado se hace presente, y el presente en que viven los personajes los lanza hacia ese pasado legendario en cuyo contexto comienzan a vislumbrarse las fuerzas que determinan su destino.

El modelo para armar a que alude el título, tal como Cortázar manifiesta en el prefacio, se refiere no tanto a la estructura de la novela cuanto a la tarea que se le ofrece al lector de componer un significado insinuado, a base de montar y encajar entre sí los diversos elementos de una múltiple posibilidad combinatoria. En el aspecto formal la novela está construida con la habilidad y precisión de un aparato de relojería. Las treinta primeras páginas que introducen el resto de la narración contienen, como la diapositiva del memorable film de Nicolas Roey *Don't look now*, los ingredientes básicos de los que está compuesta la novela: el nombre del restaurante, el error de traducción del pedido de un cliente, el pedido del propio Juan de una botella de Sulvaner, el libro que lleva Juan y que se abre por casualidad en una cierta página, la fecha (el día de Nochebuena) y los fragmentos del relato que la novela está a punto de revelar. En este largo soliloquio que discurre por la conciencia de Juan, sentado frente a un espejo del restaurante, Cortázar muestra los hilos principales que ligan las serpenteantes ramificaciones de la novela entera.

En este sentido la obertura se asemeja a un capullo de seda que contiene ya en sí la longitud completa de la hebra de seda que el texto irá paciente y diestramente desvelando. El espejo del restaurante frente al cual está sentado Juan anuncia la naturaleza reflexiva de este pasado introductorio y define también las exactas simetrías sobre las que descansa la construcción de la novela. Cada uno de los personajes aparece como el reflejo o el doble del otro y así Frau Marta recuerda a Erszebet Báthory, y la muchacha inglesa a la que viola tiene su contrapartida en Celia, que es violada por Hélène, quien a su vez parece hallarse bajo el hechizo de la Condesa Báthory; Marrast ama a Nicole, la cual ama a Juan, el cual ama a Hélène; la seducción de una adolescente (Celia) queda contrapesada por la seducción de un muchacho (Austin); Polaco y Carrac son cada uno como la imagen invertida del otro; el largo pasaje sobre Frau Marta y la posesión de la muchacha inglesa corre parejas y en ciertos puntos se entrecruza al mismo tiempo con el igualmente largo pasaje relativo a la posesión de Celia por Hélène, y la muñeca confeccionada por monsieur Ochs que Juan regala a Tell y Tell envía a Hélène une ambas partes como constituyendo la clave de ambas historias. Por último, Hélène empieza a culparse por la muerte de uno de sus pacientes, que le recuerda obsesivamente a Juan, y hacia el final de la novela es asesinada por Austin, que ama a Celia; Hélène se convierte así en el vértice de dos triángulos, en cada uno de los cuales hay un difunto y en cada uno de los cuales un miembro de un sexo se halla vinculado a dos del contrario: Hélène-Paciente-Juan y Austin-Hélène-Celia.

El texto en sí, como materia literaria, participa de las siguientes equidistancias: primero, en la relación entre la introducción y el cuerpo de la novela, en proporción similar a la existente entre un código cifrado y su clave; segundo, en el modo en que la leyenda de la Condesa Báthory y el «Castillo sangriento», en el principio mismo de la novela, emite señales hacia el final con una segunda leyenda, la de Diana y Actéon, de la mitología griega, mencionada por Juan en la página 235 y posteriormente tratada por él y Hélène en las páginas siguientes; y tercero, el misterioso pontón negro que aparece al final de la introducción transportando a Frau Marta y reaparece nuevamente hacia el final de la novela con Frau Marta encima, pero esta vez hechizando a Nicole, que también viaja por el canal en «el mismo» pontón negro. Además, la escena del restaurante viene descrita como el punto en que, por fin, encajan las diversas piezas de un rompecabezas, haciendo que los extraños y líquidos ingredientes de la sangrienta historia de Juan «coagulen» hasta cuajarse en un momento helado en que para Juan «el antes y el después se le destrozaban en las manos, dejándole una fina inútil lluvia de polillas muertas» (p. 27).

Y si por un momento esta *figura* cuajada que crea su propio espacio y genera su propio tiempo, que trata de percibir y definir la realidad en términos que desafían el principio de causalidad, nos induce a pensar o sospechar que se está produciendo una huida de la historia, ello sólo es así porque durante demasiado tiempo hemos asociado la preocupación por el hombre y su condición social con facilones folletines erróneamente calificados de «literatura» de protesta. Cortázar sabe de sobra que no existen respuestas fáciles, que los horrores y las hogueras de la historia no pueden apagarse, ni tan siquiera mitigarse, obligando a la literatura a encarnar un papel o adoptar gestos que sólo consiguen crear falsas ilusiones y esperanzas huecas y acaban por mixtificar e incluso anular sus verdaderas posibilidades.

HUGO J. VERANI

LAS TRANSFORMACIONES DEL YO EN *LA VIDA BREVE* DE JUAN CARLOS ONETTI

La ficción de *La vida breve* surge del desdoblamiento de la personalidad del narrador que crea otros dos planos narrativos y dos nuevas personalidades. El mundo creado por Brausen representa, al comienzo, un trasplante directo de su propia vida, pero gradualmente, los nuevos niveles de realidad lograrán independizarse de la influencia de su creador. Es necesario analizar detenidamente el proceso de evolución de cada plano narrativo para comprobar que, si al comienzo la identificación entre el narrador básico y las figuras creadas por él es total, al final existe completa autonomía de los personajes creados por Brausen, al punto que le sustituyen como conciencia central de la narración.

Brausen comienza a divagar con la idea del argumento cinematográfico que piensa escribir y —por medio de un montaje espacial o superposición de imágenes— asocia la morfina que usa para aliviar el sufrimiento de Gertrudis, con uno de los personajes de su argumento, el doctor Díaz Grey; las correspondencias entre los dos planos de la narración quedan prefijadas desde el comienzo: «Hay un viejo, un médico, que vende morfina. Todo tiene que partir de ahí, de él. Tal vez no sea viejo, pero está cansado, seco ... El médico vive en Santa María, junto al río». Santa María, la ciudad imaginaria que será escenario principal de la mayoría de las ficciones posteriores de Onetti se funda en esta novela, y su importancia dentro de la creación mitopoyética onettiana ha sido ampliamente señalada.

En sus orígenes el guión cinematográfico nace de una necesidad económica y Brausen eleva a un plano imaginario experiencias modeladas en su vida. El lector no vislumbra ni sospecha el inesperado y complejo universo que el libre juego de la imaginación irá demarcando. El mundo de Díaz Grey refleja la vida de Brausen, nace de sus propias obsesiones e inhibiciones: la sexualidad frustrada, la ineptitud para compartir sus sentimientos, rasgos distintivos de Brausen, se trasplantan al protagonista de su guión cinematográfico. Desde el comienzo hay una relación de dependencia entre Díaz Grey y Elena Sala; la misma dependencia de Brausen frente a Ger-

Hugo J. Verani, *Onetti: el ritual de la impostura*, Monte Ávila, Caracas, 1981, pp. 116-121.

trudis, se repite en su vida imaginaria. Hacia el final de la primera parte de la novela se encuentran en un hotel y la antigua imposibilidad de comunicación e impotencia de Brausen ante una mujer se refleja en el doctor, su doble imaginario: «Al pie de la cama, en el sillón, Díaz Grey estuvo meditando en la imposibilidad de entrar, conscientemente y por propia voluntad, en la atmósfera, en el mundo de la mujer».

Así como la figura de Díaz Grey repite los rasgos de su creador («Debía ... tener un cuerpo pequeño como el mío»), la mujer que entra en el consultorio de Díaz Grey es Gertrudis: «El médico vive allí, y de golpe entra una mujer en el consultorio. Como entraste tú, y fuiste detrás de un biombo para quitarte la blusa y mostrar la cruz de oro que oscilaba colgando de la cadena, la mancha azul, el bulto en el pecho». Todavía no hay distinción entre los dos niveles de la narración; el plano creado por la imaginación de Brausen se mantiene como realidad mental, ensoñada. La imagen de Elena Sala nace de la fotografía de Gertrudis en su juventud y la fusión original entre los dos planos narrativos se hace aún más explícita: «En algún momento de la noche Gertrudis tendría que saltar del marco plateado del retrato para aguardar su turno en la antesala de Díaz Grey, entrar en el consultorio, hacer temblar el medallón entre los dos pechos, demasiado grandes para su reconquistado cuerpo de muchacha. Ningún ruido en el departamento vecino. Ella, la remota Gertrudis de Montevideo, terminaría por entrar en el consultorio de Díaz Grey; y yo mantendría el cuerpo débil del médico, administraría su pelo escaso, la línea fina y abatida de la boca, para poder esconderme en él, abrir la puerta del consultorio a la Gertrudis de la fotografía ... Entraría sonriente en ese consultorio de Díaz Grey-Brausen esta Gertrudis-Elena Sala».

Brausen concibe la figura de Díaz Grey como una posibilidad de enriquecimiento vital. Al comienzo no existe ambigüedad alguna en cuanto a la relación que mantienen el narrador y la figura inventada. Con el desplazamiento del punto de vista de primera a tercera persona, durante el proceso de gestación del doctor (la primera persona identifica a Brausen), se mantiene una distancia espacio-temporal y se indica la subordinación de Díaz Grey frente al titular de la narración. Hay una progresiva inmediatez del relato, un proceso gradual de afirmación del sueño como realidad verbal absoluta; Díaz Grey va adquiriendo autonomía en la mente de Brausen, comienza a establecer vínculos, a valerse de fantasías suyas y a crear su propio mundo sin depender completamente de su soñador. Se vislumbra la posibilidad de establecer una nueva jerarquía entre creador y creado: «Entretanto, y sin que yo necesitara dirigir lo que estaba sucediendo, o prestarle atención ... Díaz Grey había seguido recibiendo las visitas de Elena Sala, había repetido cientos de veces el primer encuentro, esforzándose por no mirarle los ojos».

El discurso gramatical es uniforme; no hay mutación de los tiempos y las personas verbales, convención que se mantendrá hasta el último capítulo, donde se invierte la relación. Díaz Grey se convierte en un narrador independiente que cuenta en primera persona, en el presente, y Brausen se desvanecerá. Hay, sin embargo, un hito significativo en la evolución de Díaz Grey, un instante donde las imágenes se superponen; un juego de personas verbales que señalan el primer intento de Brausen por transformarse en el médico de provincias: «*Abrí* la puerta para dejarla entrar y *me volví* a tiempo para descubrir su sonrisa, la burla anticipada ... Puede sentarse —*dije* sin mirarla. *Me incliné* sobre el escritorio para anotar en la libreta un nombre y una suma de dinero; después *el médico, Díaz Grey, se acercó* con frialdad a la mujer que no había querido sentarse».

El ejemplo anterior es un artificio verbal; gradualmente, no obstante, se irá estableciendo una nueva convención en el relato: la disolución de la conciencia del narrador: «Yo había desaparecido el día impreciso en que se concluyó mi amor por Gertrudis; subsistía en la doble vida secreta de Arce y del médico de provincias». Díaz Grey comienza a intuir la existencia de su creador, de un ser superior que dirige sus movimientos: «... llegaba a intuir mi existencia, a murmurar "Brausen mío" con fastidio»; y se insinúa la inquietante posibilidad de alterar la relación existente entre ambos, de invertir la imagen; Díaz Grey se siente como una «incomprensible y no significante manifestación de la vida, capricho engendrado por un capricho, tímido inventor de un Brausen ...». Descubre que él también está representando un papel y, como todo ente que se tiene por real, el médico pretenderá descifrar el misterio de su creación, en este caso, enfrentándose con Brausen, un demiurgo indiferente ante su obra («Invocaba mi nombre en vano»). El orden cíclico de la existencia se repite una vez más: se borran los límites entre el soñador y lo soñado y se percibe la sensación creciente de un nuevo desdoblamiento. Pero hay algo más importante: se establece una continuidad de conciencias entre los dos entes de ficción. «La historia universal es la de un solo hombre» ha dicho Borges en célebre frase; «The only real number is one, the rest are mere repetition», se lee en una novela de Nabokov. Sin lugar a dudas, la idea de la continuidad de conciencias o de la disolución del individuo, aspecto clave de las ficciones de Borges o de Nabokov (y también de Cortázar), es uno de los motivos centrales de *La vida breve.*

En forma paralela a los episodios donde Díaz Grey comienza a intuir que es una figura creada por otro y busca independizarse, asistimos al nacimiento de otro personaje: Arce. Mientras yacía acostado e inerte, chupando pastillas de menta, Brausen venía imaginándose, de «este lado» de la pared, los movimientos y actividades en el apartamento de la Queca. Un impulso ilógico le lleva a entrar («No supe lo que hacía hasta que estuvo hecho»), y la nueva atmósfera en la cual se aventura le impulsa a «sacudirse de los hombros el pasado, la memoria de todo lo que sirviera para identificarme»;

se vislumbra el comienzo de una nueva vida breve. Brausen finge ser otra persona para incorporarse a otro mundo e iniciar otra metamorfosis de su ser; nuevo nombre, nueva perspectiva, nuevo carácter que debe forjarse gradualmente. Si la pasividad y la frustración son cualidades inherentes de Brausen, Arce representará la cara opuesta: afectará una vida guiada por la pasión, y aun por la brutalidad sádica. Cumple su «tímida iniciación» en este mundo de rufianes y prostitutas cuando Ernesto, uno de los amantes de la Queca, lo arroja violentamente del apartamento de la mujer.

Su evolución en su nuevo papel es metódica; se va imponiendo nuevas reglas de vida y gradualmente adopta una nueva personalidad. Desde los más insignificantes detalles se prepara para la irrupción de su nuevo ser: su manera de caminar arrogante y desenfadada, el abuso del alcohol y la compra de un revólver que le hace «sentir dueño del mundo con (su) peso ... contra la pierna; voy a entrar a la fuerza, esperar al tipo (Ernesto) y matarlo ... Ahora no se trata de mí». Aquel tímido e irresoluto Brausen adquiere una desconocida seguridad y poderío; se asimila al ambiente de corrupción y violencia que rige el mundo de la Queca, golpea reiteradamente a la mujer y decide matarla; necesita justificar su ingreso en este mundo con el asesinato. El acto de violencia afirmará definitivamente su nueva identidad, demostrará que ha asumido su nueva personalidad, que ha adquirido una voluntad de actuar propia de su nuevo rol, pero Ernesto se le adelanta y cumple el rito por él. El sentido es claro: aún bajo la piel de Arce, en una nueva fragmentación de su ser, Brausen está condenado a la derrota, a desgastarse en rituales. No hay salida posible.

JOSÉ JUAN ARROM

LO TRADICIONAL CUBANO EN EL MUNDO NOVELÍSTICO DE JOSÉ LEZAMA LIMA

Con *Paradiso* sucede lo que a menudo ocurre con algunas obras clásicas: son muchos los que las elogian, pocos los que las leen enteramente y escasísimos los que logran adentrarse en su intimidad. La novela de Lezama Lima tiene la agravante de que su extraordinaria riqueza alusiva y la vertiginosa proliferación de sus imágenes exigen

José Juan Arrom, «Lo tradicional cubano en el mundo novelístico de José Lezama Lima», *Revista Iberoamericana*, 92-93 (1975), pp. 469-477 (469-471).

que el lector se mantenga constantemente alerta al reto que el autor le lanza en cada página. Aún así, en las ágiles jugadas de ese ajedrez mental no es infrecuente que sea el lector quien pierda la partida. *Paradiso* constituye, en cierto modo, una *summa* de tradiciones y de perspectivas ante las cuales se ha de mantener un tesonero asedio. En esta ocasión iniciaré el asedio situándome en la obligada vía de acceso al centro de la obra: lo tradicional cubano, lo raigal e inmanente en ese mundo de sensaciones, de recuerdos y de lecturas familiares que conforman y determinan la cosmovisión del novelista.

Comenzaré por lo más saliente: el nombre del protagonista y el título de la obra. La extrañeza de uno y otro ha despistado a algunos críticos a quienes de ese modo se les han escapado las claves míticas que subyacen en ambos. José Cemí lleva, en efecto, un apellido inusitado. *Cemí* es una palabra que debiera de haberse registrado desde hace tiempo en el *Diccionario de la lengua española*, pero precisamente es otra de las voces, de hondo arraigo antillano, que allí brillan por su ausencia. Tal ausencia, en ése y otros diccionarios, ha dado lugar a que se hayan propuesto diversas interpretaciones de su significado: [una anagramatización onomástica: *Lezama Lima* / ez-im / ce-mí; un nombre derivado de *sema* o signo; un vasco con nombre yoruba ... Y a numerosas personas les he oído decir que las iniciales de José Cemí aluden, desde luego, a Jesucristo]. Esos comentarios sin duda aumentan los planos polisémicos que el lector tiene derecho a convocar.

Pero creo que también debiera de tenerse en cuenta el sentido original del término. Porque *cemí* no es un nombre de origen yoruba. Ni tampoco se deriva del griego. Es voz taína. Y como la lengua taína sigue todavía mal descrita en el *Diccionario* de la Real Academia, perdonen los enterados que me vea en la obligación de explicar que aquella lengua era la que más extensamente hablaban los aborígenes antillanos a la llegada de Colón. Y ya en plan de explicaciones, debo insistir en que, contrario a lo que se ha venido repitiendo desde hace siglos, los taínos no fueron exterminados en los primeros choques de la conquista. Es cierto que fueron diezmados por los desafueros de la turba conquistadora, por las enfermedades que introdujeron los recién llegados y por el cruel tratamiento a que fueron sometidos los que cayeron en manos de los encomenderos. Pero no todos los españoles fueron crueles, ni todos los taínos fueron exterminados. Hubo también entre conquistadores y conquistados un paulatino proceso de convivencia y transculturación. Mediante ese proceso el pueblo taíno dio un considerable número de voces que han enriquecido tanto al español general como al particular de aquellas islas, legó hábitos y costumbres que aún se conservan en gran parte de la población, y dejó, como en el caso que aquí nos ocupa, el soterrado recuerdo de una mitología que sorpresivamente aflora en determinadas creencias y creaciones artísticas de los antillanos de hoy. Pues bien, en esa mitología *cemí* es la palabra con la cual se designaba a los dioses y también a las imágenes que los representaban. Llegamos así a un primer esclarecimiento. Al dar Lezama ese apellido al protagonista nos anticipa que no habrá de ser un personaje visto con pupila realista, un individuo que interese por los episodios de una vida privada que apenas servirán de hitos en la trayectoria de la novela. Por ello, quien lleva ese apellido es imagen, es mito. O sea, que José Cemí es para Lezama lo que Stephen Dedalus fue para Joyce.

La resolución de esta primera clave nos abre también el sentido del título. No obstante la grafía italianizada, *Paradiso* apenas tiene que ver con los treinta y tres últimos cantos de la *Divina comedia.* El paraíso de Lezama Lima es Cuba. Pero no sólo la Cuba de tierra, agua y sol que yace anclada en el Mar Caribe. Es además una Cuba vislumbrada a través de recuerdos que han sido alterados por una alucinante visión poética. Y a lo que creo que alude el título, correspondiendo al nombre del protagonista, es al paraíso de los taínos. Y hasta pudiera decirse que Lezama ha estado casi como clamando porque alguien notara el origen antillano del mito que se trasluce en el título. En respuesta a la pregunta: «¿Considera usted que en algún sentido puede ser determinante en su obra el que usted sea cubano?», declara como para señalar una pista: «Como no puedo concebirme nada más que como cubano, no puedo afirmar que si hubiera nacido italiano hubiera escrito otra *Divina comedia,* pero sí puedo decir que como cubano he podido escribir un *Paradiso.* Otros vecinos, otros susurros, otros hilos relacionables entre la dama y el rosetón pitagórico, me han dado otras posibilidades y otra verificación. Entre nosotros paraíso es como naturaleza, no como símbolo o arquetipo. El hombre primitivo que habitó nuestras tierras es uno de los misterios humanos más cerca de lo angélico que hayan existido; fue, pudiéramos decir, la primera modalidad coral de lo que he llamado el genitor por la imagen».

Si la pista es válida, Lezama está apuntando hacia Coaybay, «casa y habitación de los ausentes», el misterioso valle donde de día reposaban los espíritus para regresar, al amparo de las sombras de la noche, a danzar sus corales areítos, a alimentarse de la dulce pulpa de las guayabas y a gozar del no menos dulce deleite de visitar en las hamacas a sus amantes dormidas. Con esa imagen paradisíaca de Cuba, Lezama continúa una tradición que comienza con las páginas que Colón pergeña al describir la edénica belleza de la isla recién descubierta, se extiende a lo largo de la poesía cubana de todos los tiempos, y se afirma, polarizándose hacia la visión de los cubanos que deploran los males que sufre el país, en la novela de José Antonio Ramos que precisamente se titula *Coaybay*. Esa Cuba de añoranzas, de ternuras y de ensueños es, pues, la que alienta en esta novela que también va *à la recherche du temps perdu*. Pero la Cuba de nuestro memorioso criollo no es la París de Proust. En lugar de las vanas preocupaciones de una nobleza venida a menos, en *Paradiso* afloran, como filtrándose por los resquicios del subconsciente colectivo, los ancestrales gozos del taíno que los cubanos llevamos dentro. Y por ello el destacado lugar que en la novela ocupan las fiestas musicales nocturnas, el deleitoso saboreo de las frutas y el notorio capítulo octavo que alcanza el vigor expresivo de un himno fálico.

Igual que Proust evoca las *Crónicas* de Jean Froissart para contrastar las guerras y aventuras de los nobles medievales con los deterioros que el tiempo ha efectuado en la aristocracia francesa, Lezama Lima recurre a las crónicas de Indias para reavivar recuerdos de nuestro pasado y con ellos enriquecer la suntuosidad de su mundo novelesco.

HUGO RODRÍGUEZ-ALCALÁ

ESCATOLOGÍA DE *PEDRO PÁRAMO*

Comala, el mundo de los muertos, no es precisamente *la città del foco* sino un pueblo de sombras y murmullos de ultratumba. El tema de la novela es, como en el Infierno de Dante, el *status animarum post mortem*, y el suplicio que el escritor les atribuye consiste en el recordar incesante de la vida pasada, llena de frustraciones y de culpa.

Rulfo, lo mismo que Dante, presta a las ánimas de su ficción una especie de cuerpo fantasma, de apariencia fenomenal y, además, les confiere libertad de hablar, gesticular y aun de moverse dentro del ámbito del pueblo desolado.

Pero la similitud con las almas del infierno dantesco no es total, en lo que a personajes bien concretos de la novela se refiere. Obser-

Hugo Rodríguez-Alcalá, *El arte de Juan Rulfo: historia de vivos y difuntos*, Instituto Nacional de Bellas Artes, México, 1965, pp. 129-138.

vemos, por ejemplo, que Eduviges Dyada tiene la posibilidad de conocer sucesos terrenos contemporáneos, a diferencia de las almas del Dante que sólo recuerdan el pasado y sólo pueden adivinar el porvenir, pero que son ciegas a los aconteceres actuales de la tierra.

Cavalcante le pregunta (en el Canto X) a Dante si su hijo Guido vive o no vive; si la dulce luz aún le hiere los ojos: «Come / dicesti: egli ebbe? non viv'egli ancora? / non fiere gli occhi suoi lo dolce lome?» (Canto X). Y Farinata, en el mismo canto, explica al visitante del infierno que él y los demás condenados sólo saben del pasado y del futuro e ignoran lo próximo en el tiempo. [...]

Ahora bien, por lo menos Eduviges Dyada, la suicida, ex amiga íntima de la madre de Juan Preciado, sabe que éste iba a venir a Comala; sabe que Juan Preciado es hijo de su amiga:

—... ¿De modo que usted es hijo de ella?
—¿De quién? —respondí.
—De Doloritas.
—Sí, ¿pero cómo lo sabe?
—Ella me avisó que usted vendría. Y hoy precisamente. Que llegaría hoy.
—¿Quién? ¿Mi madre?
—Sí. Ella.

Podrá argüirse que Doloritas también está muerta y que por tanto el conocimiento del *stato umano* se hace así posible por medio de una comunicación de sombra a sombra. Pero Doloritas no está en el *círculo*, digamos, de Eduviges, de modo que nadie ni nada podría informarle acerca de lo actual terrestre, como podían informar a Farinata, en su círculo, de los sucesos actuales del mundo, las almas recién llegadas de éste.

Por otra parte, la mayoría de las sombras de Rulfo tienen la mencionada apariencia fenomenal y la libertad de hablar, gesticular y moverse, tal como las sombras del Dante en su existencia carente de cambio. Hemos dicho la mayoría. En efecto, para dar dos ejemplos, Eduviges Dyada y Damiana Cisneros tienen ambas un *cuerpo* que puede pasar por cuerpo físico, y este cuerpo suponemos ser una apariencia que, después de la muerte, han asumido sus almas. Ambos espectros hablan, gesticulan, se mueven.

Juan Preciado esboza un *retrato físico* de Eduviges: «Su cara se transparentaba como si no tuviera sangre, y sus manos estaban marchitas; marchitas y apretadas de arrugas. No se le veían los ojos ...». Y sospechamos con casi entera certidumbre que cuando vio por primera vez a Eduviges, Juan no sabía que ella había muerto hacía años. Estos cuerpos-fantasmas, de sólo aparente substancialidad tangible, pueden, por otro lado, volatilizarse. [...] Caminando por las calles de Comala con Damiana Cisneros, Juan Preciado súbitamente se encuentra solo tras preguntar a su acompañante: «—¿Está usted viva, Damiana? ¡Dígame, Damiana!».

Damiana apenas oyó la pregunta, desapareció. Ahora bien, las cosas se complican cuando analizamos de cerca los textos de este maestro de ambigüedades poéticas que es Juan Rulfo. Dijimos que la mayoría de sus sombras tienen, como las de Dante, un cuerpo-fantasma. Consideremos, sin embargo, el caso de Dorotea que, como Cavalcante junto a Farinata, yace en la misma sepultura que Juan Preciado.

Las dos sombras (¿sombras?) jaliscienses están dialogando bajo la tierra: «—¿Y tu alma? ¿Dónde crees que haya ido? —pregunta Juan Preciado». Y Dorotea responde: «—Debe andar vagando por la tierra como tantas otras; buscando vivos que recen por ella. Tal vez me odie por el mal trato que le di; pero eso ya no me preocupa ...». Y la tristísima, maravillosa respuesta, termina de esta manera: «... Cuando me senté a morir, ella me rogó que me levantara y que siguiera arrastrando la vida, como si esperara todavía algún milagro que me limpiara las culpas. Ni siquiera hice el intento: "Aquí se acaba el camino —le dije—. Ya no me quedan fuerzas para más". Y abrí la boca para que se fuera. Y se fue. Sentí cuando cayó en mis manos el hilito de sangre con que estaba amarrada a mi corazón».

¿Entonces? ¡Pues es un cadáver el que dialoga! El «ser» que habla allí, en la sepultura, no es un alma que habite un cuerpo agusanado, ni tampoco un alma-cuerpo, sino un cuerpo muerto. El alma de Dorotea se ha ido. Ha de andar «por la tierra». Ella recuerda su partida porque ella (¿su cuerpo ya desanimado?) «sintió cuando cayó ... el hilito de sangre con que estaba amarrada a su corazón». A Dorotea o, mejor, a su cadáver, parece animar un principio sensitivo diverso de la substancia espiritual e inmortal que ahora vaga por la tierra, descorporizada y doliente.

Cuando Comala era todavía un pueblo vivo, cuando vivía Pedro Páramo ejerciendo la tiranía de su cacicazgo sin escrúpulos, su hijo Miguel, adolescente calavera, pendenciero y hasta homicida, cae camino de Contla del caballo y se mata. (Desde la noche del accidente, el fantasma del caballo de Miguel Páramo galopa «por todas partes» buscando a su amo.) Muchos años después de la muerte de Miguel Páramo, cuando Juan Preciado visita Comala y se hospeda en casa de Eduviges Dyada, ésta oye de pronto el galope del caballo fantasmal y entonces cuenta a su huésped la extraña historia del accidente:

—¿Qué es lo que pasa, doña Eduviges?

Ella sacudió la cabeza como si despertara de un sueño.

—Es el caballo de Miguel Páramo, que galopa por el camino de la Media Luna.

—¿Entonces vive alguien en la Media Luna?

—No, allí no vive nadie.
—¿Entonces?
—Solamente es el caballo que va y viene ...

Eduviges en seguida informa a Juan Preciado que Miguel era su ahijado. Una noche, acostada ya ella, oyó regresar al alazán del mozo. Esto le extrañó, porque Miguel no solía volver tan temprano de Contla, a donde iba a ver a una muchacha que le tenía sorbido el seso. Apenas hubo pasado el caballo por su casa —continúa Eduviges— «... cuando sentí que me tocaban por la ventana. Vé tú a saber si fue ilusión mía. Lo cierto es que algo me obligó a ir a ver quién era. Y era él, Miguel Páramo. No me extrañó verlo, pues hubo un tiempo que se pasaba las noches en mi casa durmiendo conmigo ...». Su ahijado está ahí, junto a su ventana, y Eduviges, que ignora lo sucedido, le pregunta:

—¿Qué pasó? ... ¿Te dio calabazas?
—No. Ella me sigue queriendo ... Lo que sucede es que yo no pude dar con ella. Se me perdió el pueblo. Había mucha neblina o humo o no sé qué; pero sí sé que Contla no existe. Fui más allá, según mis cálculos, y no encontré nada. Vengo a contártelo a ti, porque tú me comprendes. Si se lo dijera a los demás de Comala dirían que estoy loco, como siempre han dicho que lo estoy.
—No. Loco no, Miguel. Debes estar muerto ...

Y en efecto, Miguel estaba muerto y Eduviges conversaba con un espectro. Y el espectro de Miguel explicó lo sucedido: hizo saltar a su caballo un lienzo de piedra y después, lo demás, no lo recuerda bien. [El pasaje es de gran interés porque prepara el terreno, por decirlo así, de lo que pasará después.]

En efecto, ya a esta altura de la narración se invita al lector a aceptar como algo natural y corriente el diálogo de un vivo con un muerto. O, dicho de otro modo: Rulfo hace que uno de sus personajes acepte lo sobrenatural con toda naturalidad y logra una «verosimilitud» aceptable precisamente en virtud de un lenguaje realista, familiar («¿Te dio calabazas?») en labios del personaje vivo que no entra en contraste con el empleado por el espectro («Fui más allá, según mis cálculos, y no encontré nada ...»). Al contrario: lejos de producirse un contraste entre el lenguaje de interlocutores pertenecientes ya a dos mundos distintos, se diría que hay perfecta semejanza entre la forma de expresión de los hablantes. El uno dice haber ido «más allá» y no haber encontrado nada. En rigor, viene del «más allá», del mundo de la neblina o del humo, pero habla, «según sus cálculos», como si nunca hubiera abandonado el de las realidades terrenas.

Merced a este «realismo» tan ingeniosamente logrado, la mente del lector se va preparando para entrar en el laberinto de inverosimilitudes de Comala, llegar luego hasta el cementerio, y allí, bajo tierra, oír dialogar no ya a un vivo y a un muerto, sino a dos cadáveres, uno de ellos (Dorotea) con el alma lejos de la sepultura donde el diálogo se verifica. (Nada sabemos del paradero del alma de Juan Preciado, como queda dicho.)

Uno de los mayores logros poéticos de la novela consiste en el relato de los últimos días de la torturada Susana San Juan, la cual, encerrada en su cuarto en casa de Pedro Páramo, con el que ha celebrado bodas tardías, se pasa el tiempo delirando de amor por su primer esposo muerto. Susana vive su vida actual absolutamente vertida hacia el pasado, evocando los besos y abrazos de su muerto. La cuida su vieja criada Justina. Un día la criada entra en el dormitorio de su ama:

Las cortinas cerradas impedían el paso de la luz, así que en aquella oscuridad sólo veía las sombras, sólo adivinaba. Supuso que Susana San Juan estaría dormida; ella deseaba que siempre estuviera dormida. La sintió así y se alegró. Pero entonces oyó un suspiro lejano, como salido de algún rincón de aquella pieza oscura.

—¡Justina! —le dijeron.

Ella volvió la cabeza. No vio a nadie; pero sintió una mano sobre su hombro y la respiración en sus oídos. La voz en secreto: «Vete de aquí, Justina. Arregla tus enseres y vete. Ya no te necesitamos».

¿De quién es esta voz y de quién esta mano que se le posa en el hombro; de quién esa respiración?

Adviértase que la escena está narrada de un modo tal que se sugiere una presencia sobrenatural en la pieza. ¡Qué diferencia entre esta escena y la que Rulfo nos narra en casa de Eduviges Dyada, la noche del diálogo con el espectro de Miguel Páramo! Miguel, recordemos, se apareció a Eduviges como un ser viviente, al paso que ahora la sombra de Bartolomé San Juan llega al dormitorio de su hija como lo que es: como un fantasma. (Poco antes Bartolomé San Juan ha sido asesinado por orden de Pedro Páramo, esto es, de su yerno. Y ahora el espectro viene a visitar a su hija.) [...]

La escena en el dormitorio de Susana San Juan se verifica en tiempos en que Comala no es todavía un paraje del Hades. Estamos aún en un pueblo de vivos y Pedro Páramo aún sueña con la posibilidad de que Susana se cure y pueda con él compartir una vida normal de esposa en la Media Luna. Pero a esta altura de la novela, Rulfo se esfuerza en cargar de misterio al episodio de la visita del espectro. Al oír el grito de horror lanzado por Justina, pregunta Susana: «—¿Qué te pasa, Justina? ¿Por qué gritas? ...». Justina niega haber gritado. Sin duda, no quiere revelarle el terrible secreto. Entonces se verifica el extraño diálogo sobre el gato.

Susana afirma que el gato de Justina no la ha dejado dormir, que se pasó la noche «... brincando de mis pies a mi cabeza, y maullando quedito como si tuviera hambre». Justina asegura que no es así; que el gato durmió en su propia cama, que no hizo ruido y no molestó a su ama.

¿Qué ha pasado, en rigor, la noche antes? Rulfo difumina los hechos en la niebla de sus vaguedades poéticas. No explica el episodio del gato. Pero, a la página siguiente, se refiere a una presencia grávida, a algo que trata de dar con la cara de Susana.

[Rulfo dice «allí estaba otra vez el peso» para referirse al peso del supuesto gato, el cual, según Susana, no la dejó dormir la noche anterior. Algo extraño, sin embargo, debió de percibir Susana en la presencia de ese «peso» en la oscuridad, pues pregunta: «—¿Eres tú, Bartolomé?». No obtiene respuesta; pero Susana no se asusta. Oye el rechinar de la puerta —o le parece oirlo—; vuelve a la cama, se acuesta y duerme hasta que alumbra la luz del nuevo día.]

Y al fin la sospecha se confirma, aunque sin pena ni espanto por parte de la hija de Bartolomé San Juan. Es más, Susana, al confirmar la sospecha, va a sonreír: «—Entonces era él —y sonrió—. Viniste a despedirte de mí —dijo, y sonrió».

En suma: en este pueblo de Comala aún antes de ser «un círculo del infierno», los muertos dialogan con los vivos. No hay divisoria entre lo natural y lo sobrenatural.

En la escatología de *Pedro Páramo* vemos que los espectros, tal como las almas del Dante, tienen un cuerpo-fantasma y, además, libertad de hablar, gesticular, moverse, como seres vivos.

Ahora bien: esto sucede no sólo cuando Comala ya es el Hades a que llega Juan Preciado, sino antes: recordemos los episodios del espectro de Miguel Páramo y del espectro de Bartolomé San Juan, que visitan, respectivamente, a los vivos Eduviges Dyada y a Susana San Juan, cuando Comala es todavía un pueblo de vivos.

Tocante a Dorotea *La Cuarraca*, se vio que, al menos según declaración suya, no es su alma la que habla en la tumba sino «otra cosa» que no se aclara en la novela: su alma debe de andar por el mundo, no bajo la tierra.

Recordemos también algo que en la escatología rulfiana, en su restringido alcance, difiere de la de Dante: Eduviges sabe lo que pasa en el presente.

En los demás casos, las almas saben del pasado y sólo evocan el pasado.

Cabe decir ahora lo siguiente: nada saben del futuro en lo que éste pueda afectar al destino de ellas mismas o al de los demás.

Dorotea sabe, sí, algo con respecto al futuro. Pero es muy poco: sabe que Juan Preciado y ella estarán allí, en la tumba que comparten, «mucho tiempo enterrados».

GUSTAV SIEBENMANN

POSTULADO DE UNA NOVELA METAFÍSICA

Sobre héroes y tumbas, con sus casi 500 páginas, no deja de provocar en el lector un alto grado de confusión. Es más, ésta, en lugar de mermar, se acrecienta al ir avanzando en la lectura, y sólo la relectura elucidaría verdaderamente ciertas dudas: la curiosidad del lector (cada vez frustrada) y la tensión de la historia (voluntariamente diluida) se convierten paulatinamente en una extraña sensación escatológica, en una difusa expectativa acerbadamente fascinante. Con esto ya queda dicho que las tramas tienen menos importancia para la comprensión de esta obra que el modo de narrar, que su estructuración. Hasta cierto punto, y salvando las distancias, se podría hablar de cierta poeticidad del texto, en el sentido de que *the medium is the message*, de que la estructura compleja es correlativa del caos existencial del mundo representado. La pluralidad confusa es signo elemental de cualquier caos: en modo homólogo, en esta novela son múltiples las voces narrativas, plural es el enfoque perspectívico de un mismo acontecer, plural es la repetición de encuentros cruciales a nivel de sucesivas generaciones, varios son los reflejos a veces oníricos de alguna vivencia

Gustav Siebenmann, «Ernesto Sábato y su postulado de una novela metafísica», *Revista Iberoamericana*, 118-119 (1982), pp. 289-302 (292-295); reimpreso en *Ensayos de literatura hispanoamericana*, Taurus, Madrid, 1988, pp. 227-231.

chocante, equívoco (por metafórico) es el descenso espantoso de Vidal al submundo hostil del caos porteño, al reino de los ciegos.

Con una abstención casi ascética, Sábato elude el modo de narrar directo, pluralizando de manera sumamente complicada (y refinada) las voces narrativas, esclareciéndolas a través de fórmulas de *inquit* como «(pensaba Bruno)» o «(dijo Martín)». O bien trozos enteros, impresos en bastardilla, interrumpen con una serie de asociaciones la secuencia sintagmática, procurando aproximar la expresión lingüística a la deseada y utópica simultaneidad de varios pensamientos en nuestra mente. Semejantes recursos y otros más, que en rigor no son invenciones de Sábato (y que en ediciones posteriores de este libro él quiso moderar o eliminar), tienen (o tenían) en un texto como éste su función, porque está constituido en gran parte por reflexiones, por elucubraciones o conjeturas, por discusiones interiorizadas. Una acción en el sentido estricto, en un decorrer ininterrumpido y cronológico, acaso tan sólo se encuentre en la tercera de las cuatro partes, en aquel famoso «Informe sobre ciegos», integrado en el *corpus* novelístico como manuscrito ajeno del demente Fernando Vidal y presentado con características de documento. Es verdad que podemos distinguir dos tramas más, pero están enteramente dislocadas y descompuestas en su cronología. También ellas obedecen a aquel principio composicional del autor que consiste en el entrelazamiento de las diferentes pluralidades, a modo de contrapunto.

Con esto llega el momento desde donde es posible hablar del contenido de este relato. Una de las dos tramas es un emocionante y horrible acontecimiento en la historia nacional de Argentina: la huida dramática y el fin macabro del general Juan Lavalle, episodio histórico que evoca la crueldad del dictador Rosas (1829-1852). Uno de los compañeros de Lavalle, el coronel Acevedo, había sobrevivido. Cuando años después éste quiso visitar clandestinamente a sus familiares en Buenos Aires, lo sorprendió la temible mazorca. Y cuando al grito de que se vendían calabazas abrieron la ventana, arrojaron por ella la cabeza sangrienta del coronel. En aquel trance, la hija, Encarnación, se volvió loca y nunca más salió de su cuarto hasta su muerte, en 1932. La cabeza fue conservada como una reliquia en los despachos museales de los Olmos, sus descendientes degenerados. Marcada por semejante trayectoria, esta familia de nobleza colonial sigue vegetando en medio del brutal trajín de los tiempos modernos en Buenos Aires, conservando las tradiciones criollas.

Alejandra, último e indomado vástago de los Olmos, encarna la segunda trama de la novela, más próxima ésta al presente. El desenlace trágico de su tormentosa y tormentada vida —lo que en una narrativa convencional sería el clímax principal— queda anticipado como epígrafe en una noticia del periódico del 28 de junio de 1955: Alejandra mata a su padre disparando y prendiendo fuego al mirador, muere voluntariamente en las llamas. Los enigmas pertinentes a este crimen y a este suicidio, con los misterios que rodean la manera de ser y de vivir de aquella mujer excepcionalmente hermosa y violenta, son los únicos resortes que aportan algo de tensión a esta parte del libro.

Son dos los protagonistas masculinos, Martín y Bruno, ambos intelectuales, quienes a distancia de una generación, conversando y procediendo a tientas, tratan de sacar a luz la verdad enmarañada en recuerdos confusos y datos enigmáticos. Con las redadas hacia lo apenas captable surge a flote la basura y la inmundicia de la sociedad entera, emerge la realidad caótica de Buenos Aires a pedazos, denunciando su brutalidad febril. Entreverados con el relato del profundo y radiante amor entre Alejandra y Martín surgen a retazos varias digresiones, en parte brillantes en su nitidez evocadora: sobre los judíos, los anarquistas y los comunistas, los bancos y los capitalistas, sobre el fanatismo deportivo, la emancipación femenina, los inmigrantes italianos. Y mientras vamos avanzando, la imagen pura de Alejandra, tal como surgía desde los primeros encuentros con Martín, se va deteriorando. Detrás de la reserva noble, de las idas y venidas enigmáticas de la joven amante vamos descubriendo un ser poseído por irrecusable erotomanía y psíquicamente derrotado. La autodestrucción por el fuego resulta ser el único comportamiento coherente frente al lento aniquilamiento moral de este fascinador personaje sabatiano. Si este acto final se destinaba o no a una extrema depuración después de haber sucumbido Alejandra ante un amor incestuoso con su padre, el autor no lo explicita, quedando la verdad suspendida entre alusiones y sospechas.

A modo de una posible clave, a modo de índice potencial, se nos presenta aquella parte «cerrada», aquel bloque errático que es el «Informe sobre ciegos» de Fernando Vidal Olmos, el padre de Alejandra. El capítulo tiene tal grado de unidad, que dejaría separarse fácilmente del resto de la novela, y, en efecto, existen ediciones aparte. [...] En curiosa paradoja, esta historia, estructurada con tanta maestría en función del *suspense*, y «observaciones» de un cerebro evidentemente hundido en la paranoia, de un hombre que en su manía de persecución erige todo un sistema de una sociedad secreta que él va detectando en arriesgada inquisición, paso a paso, cual un espía en misión desesperada: trátase de una conspiración a nivel universal e infernal de la Secta de los Ciegos, que amenaza la sociedad humana en su totalidad.

Considerado a distancia, el hecho de haber escogido Sábato como metáfora de la amenaza mortal y satánica precisamente a los ciegos parece herir nuestro instinto caritativo (Helen Keller, Louis Braille, etc.). Pero semejante reacción se cerniría a un nivel de pequeño burgués y quedaría muy por debajo de la potencialidad de esta metáfora, mejor dicho: de este mito, donde se refleja *ex contrario* la característica fundamental (y errada, para Sábato) de la Ciencia, es decir, el falaz paliativo de confiar sólo en los ojos, en la conciencia analítica. En cambio, el peligro de la Secta radica en que —conforme al mito del Cazador Ciego— los ciegos tendrían una videncia total y amenazarían el predominio de la razón conquistado por el hombre occidental.

Por lo demás, no es Sábato, sino Fernando Vidal Olmos, evidentemente un loco, quien descubre esta repelente Secta del Mal y pretende detectarla arriesgando su vida. Con su manía enfermiza de imaginar cosas horripilantes, Vidal Olmos erige todo un antimundo plagado de trampas y falacias, se pierde irremediablemente en la obsesión del Mal, de modo que asistimos a un verdadero descenso al infierno laberíntico. La fuerza visionaria hace de este relato una pieza maestra digna de cualquier antología de literatura irracional, fantástica. La particularidad de este logro sabatiano dentro de aquella tradición preformada por Nerval, Rimbaud y Lautréamont me parece residir en la sobriedad «científica», en el alto grado de conciencia que acompaña el irreversible derivar de una mente hacia la locura. Con lógica implacable, cada modalidad del comportamiento es cuestionada e interpretada en coherencia, de modo que a la luz de semejante «análisis» hasta las visiones oníricas y las pesadillas se presentan en concreción deslumbrante y en densa relación alusiva con el mundo real. La propia muerte de Fernando, hacia la cual le encamina con certeza absoluta la misma acción y redacción de su relato, se consuma con el disparo de Alejandra, con lo cual los diversos planos de su conciencia y los diversos tiempos narrativos terminan coincidiendo dramática y definitivamente.

Lo que además consigue Sábato con este «Informe sobre ciegos» no es tanto la exploración (reivindicadora) de regiones oníricas cuanto la demostración de que una mente que dejó ya muy atrás los límites de la realidad empírica y se encuentra a la deriva demencial puede seguir creyéndose aún en pleno dominio de su capacidad racional mientras que sus reflexiones y sus acciones se mantienen en una coherencia autosuficiente. La lógica como disfraz de la locura: semejante posibilidad amenazadora me parece ser otro de los mensajes intrínsecos de esta alucinante parábola sabatiana sobre los ciegos. El hecho de saber aprovechar evidentemente y con maestría datos que nos ha revelado la psicología profunda es uno de los claros méritos del escritor argentino. Tanto es verdad que su prosa de estructura tan múltiple le ofrece posibilidades interesantes a la psicocrítica.

ANTONIO CORNEJO POLAR

EL ZORRO DE ARRIBA Y EL ZORRO DE ABAJO: FUNCIÓN Y RIESGO DEL REALISMO

La novela de José María Arguedas, *El zorro de arriba y el zorro de abajo*, abre perspectivas esclarecedoras, en más de un caso insólitas, sobre algunas dimensiones claves de la actual narrativa hispanoamericana, no sólo por contener apreciaciones acerca de sus protagonistas más encumbrados (Carpentier, Guimarães, Cortázar, Rulfo, Fuentes, Vargas Llosa), sino, en lo esencial, por situar en la base de su estructura el problema primario de la legitimidad, urgencias y conflictos de un lenguaje que prefiere diluirse en el silencio a perder la única razón que finalmente lo justifica: la de revelar ante los hombres la índole e historia del mundo.

El zorro de arriba y el zorro de abajo presenta dificultades especiales a la crítica. Sus mecanismos se entraban frente a un texto que relata la agonía que precede al suicidio de su autor, cuya escueta realización efectiva incorpora un hecho real, trágico como ninguno, al sistema sígnico de la representación novelesca y lo cualifica en términos de absoluta peculiaridad. El texto mismo es complejo. Articula en su estructura prismática tres niveles distintos: uno, propiamente novelesco, presenta la turbulenta realidad de un pequeño puerto, Chimbote, que en pocos años crece monstruosamente bajo el imperio de la industria de la harina de pescado; otro, directamente autobiográfico, relata y critica el proceso de creación del nivel novelesco y lo

Antonio Cornejo Polar, «*El zorro de arriba y el zorro de abajo*: función y riesgo del realismo», en *La novela peruana: siete estudios*, Editorial Horizonte, Lima, 1977, pp. 139-143. El número de página citado entre paréntesis corresponde a la edición de Losada, Buenos Aires, 1971.

remite de inmediato, con atroz lucidez, al conflicto existencial que desembocará en el suicidio; un tercero, por último, rescata y actualiza un discurso mítico, extraído en lo esencial de las mitologías de Huarochirí [con el título *Dioses y hombres de Huarochirí* (Lima, Instituto de Estudios Peruanos, 1966), Arguedas tradujo la relación quechua dejada por Francisco de Ávila (¿1598?)], que ilumina una tenaz obsesión arguediana: la dislocada e hirviente heterogeneidad del Perú, las interminables contiendas entre los mundos socioculturales que comparten su espacio y su historia.

Interesa remarcar un sector del nivel autobiográfico; en concreto, las reflexiones poéticas que, a partir de la consciencia del proceso creador que está constituyendo ese mismo texto, se centran en el tema del lenguaje. En su base se advierte una doble e incuestionada identificación, la del lenguaje con la vida y la del silencio con la muerte, cuyo enunciado más escueto es el siguiente: «si no escribo y publico, me pego un tiro» (p. 21). Los desarrollos simultáneos de ambas identificaciones, y el agónico desplazamiento del autor entre un polo y otro («se pelean en uno, sensualmente, poéticamente, el anhelo de vivir y el de morir», p. 12), generan una poderosa corriente dialéctica —que es, en última instancia, la que confiere coherencia a la totalidad de una obra excepcionalmente quebrada y difusa—. No sólo la narración autobiográfica, en efecto, sino también el relato mítico y el que tiene por materia la realidad de Chimbote, aparecen absolutamente implicados en el azaroso discurrir de una palabra siempre amenazada por el silencio.

El zorro de arriba y el zorro de abajo se sumerge, pues, en el conflicto límite de la creación literaria; es, si se quiere, expresión interior de esa difusa y misteriosa instancia en la que se apuesta la existencia, en este caso sin metáfora posible, a favor de la palabra entendida como condición necesaria de la vida del hombre. No es que la muerte implique el silencio; es, estrictamente, a la inversa: quedarse callado, ser incapaz de nombrar el mundo, de religarse a él y humanizarlo con el lenguaje, equivale a morir. Pero la apuesta de Arguedas no es a favor de cualquier lenguaje; al contrario, supone un complejo de especificaciones estéticas y lingüísticas, un arte poética que subyace, vigorosa aunque casi siempre implícita, desde los cuentos iniciales de *Agua* (1935). Si se restan sus variantes y modalidades, sin duda presentes en el curso de todo proceso creador, queda en el arte de novelar de José María Arguedas una matriz esencial: su permanente vocación realista.

En muchas ocasiones Arguedas sostuvo que había comenzado a escribir su obra narrativa con ánimo polémico: quería ofrecer una imagen fidedigna («tal cual es») del mundo andino y rectificar así, a veces de manera radical, las tergiversadoras versiones que derivaban del indigenismo tradicional. La rotundidad contenida en la frase «tal cual es» se modifica muy pronto, por cierto, y también cambia, a través de un tenso proceso de ampliaciones sucesivas, el referente andino, pero persiste con toda evidencia, como justificación última y definitiva del quehacer literario, la decisión de no desvincular la obra de la realidad que la suscita: el texto narrativo debe revelar el sentido de esa realidad y proponer su interpretación. Este es el proyecto esencial de Arguedas.

Desde muy temprano, exactamente desde el primer cuento que escribe, José María Arguedas tiene aguda consciencia de que su proyecto está incorporado a una vasta problemática lingüística; en concreto, a la del escritor bilingüe en una sociedad culturalmente heterogénea. En términos generales se trata de armonizar dos solicitaciones contrapuestas: la de ser fiel al universo quechua, que es una vigencia constante en la obra de Arguedas, como referente o como perspectiva de creación, e inteligible para sus lectores —básicamente ajenos a ese universo—. El estilo arguediano y la historia interior de las distintas opciones que recorre, siempre en función de las mismas urgencias, deviene de ese conflicto esencial.

El arte poética de Arguedas incluye, pues, un conjunto de reflexiones lingüísticas. En 1965, en un cordial debate con Sebastián Salazar Bondy, las sintetizó en los siguientes términos: «La palabra es nombre de cosas o de pensamiento o de reflexiones que provienen de las cosas: lo que es realidad verbal es realidad-realidad».

En *El zorro de arriba y el zorro de abajo* estas ideas se convierten en una obsesión vital. Tenso, sometido a la urgencia de realizar plenamente su función reveladora e iluminante, el lenguaje vuelve sobre sí, se hace consciencia inmediata del propio discurso y se juzga en orden a su persistencia o desaparición. En el nivel de las representaciones sucede lo mismo: sobrepasados por sus mensajes, agobiados y ambiguos, los personajes luchan por no caer en el silencio y desesperadamente buscan modos de afirmar por la expresión su existencia. A veces bucean en las matrices del idioma para encontrar nueva y más segura fortaleza, a veces quedan prendidos de una sola palabra extraña con la que puedan aferrarse al mundo, a veces —en fin— hacen de la palabra canto o danza y siguen peleando para parecerse al legendario sapo que, enterrado en el «barro negrociento», es capaz de hablar «contra del oscuro, bravo» (p. 185). Pueden hacerlo hasta que el narrador, finalmente vencido, cierra el curso del relato: menciona elípticamente lo que «iba» a suceder en la novela y luego se impone el silencio tantas veces anunciado en el texto.

En los «diarios» se intenta explicar la razón de este fracaso múltiple; en especial, de la quiebra absoluta del lenguaje. Arguedas concibe la palabra como resultado de la unión entrañable del hombre con el mundo, relación que a su vez supone la naturaleza viviente del universo; «cuando ese vínculo se hacía intenso —dice— podía transmitir a la palabra la materia de las cosas» (p. 11). La escritura es, pues, un acto condicionado. Está sujeta al modo de inserción del hombre en el mundo y depende decisivamente de que la relación misma, en esencia dialogante, pueda generar un sentido legitimador de uno y otro polo y de su vínculo esencial. En otras palabras, la escritura es posible a partir de la afirmación del universo como totalidad significativa. Sucede, sin embargo, que el vínculo hombre-mundo es vulnerable, que su segundo término puede devenir opaco y hostil frente al hombre, rechazarlo ocultando su sentido, y proponerse sólo como caos invivible. La palabra, incapaz de significar, se sumerge en el vacío.

El transfondo de *El zorro* ... se encuentra por este camino. Poco a poco, a través de una compleja secuencia de esperanzas y frustraciones, José María Arguedas descubre que va quedándose sin mundo. El que asumió de niño y alentó casi toda su obra, el mundo quechua del *ayllu* bienamado, es sólo un recuerdo que no soporta la dolorosa evidencia de una transformación casi nunca positiva; el mundo futuro, tantas veces presagiado en términos de inminencia, aquel cuya imagen propiciatoria quedó diseñada en *Todas las sangres* (1964), fuga en el tiempo hacia una instancia cada vez más improbable. Queda el presente, simbolizado precisamente en el infernal desquiciamiento de Chimbote, como único horizonte de la existencia. Se niegan en él, uno a uno, los valores claves de la concepción arguediana, las bases mismas de su relación con la realidad, y se escarnecen los ilusionados proyectos de un mundo mejor. Con esta única realidad, defectiva en todos sus niveles, es imposible establecer ningún vínculo de verdad positivo. El mundo anula toda opción de sentido, se desintegra y hace caos, deja sin respuesta las preguntas del hombre. Frente a él se inutiliza el lenguaje y se obturan sin remedio las perspectivas de la significación. No es casual que *El zorro* ..., en el estrato de las representaciones, acuda al discurso paralógico del «loco Moncada» para ensayar, finalmente sin éxito, el rescate de esa significación perdida.

9. GARCÍA MÁRQUEZ, FUENTES, DONOSO, CABRERA INFANTE, PUIG

Las nociones de *boom* de la novela y de «novela nueva», y la de barroco y «neobarroco» (Carpentier, Lezama, Sarduy) son regularmente aplicadas a esta generación y al lapso de su gestación y de su vigencia histórica. En su período de gestación combate el realismo social vigente con las nociones de «literatura comprometida» de Sartre y sobre todo con su adhesión al pensamiento de Albert Camus que caracteriza los años 50. Los años 60 traen la noción de la «nueva novela hispanoamericana», con general ignorancia de las anticipaciones del fenómeno francés por los escritores hispanoamericanos de la generación anterior (Onetti, Bioy Casares, Bombal, Rulfo, antedatan el código de esa novela, sin contar la significación anticipadora de Macedonio, de Arlt y, en especial, de Borges). Borges es el maestro de esta generación. Una generación que ha vencido la ansiedad del influjo con talento y originalidad excepcionales. En su vigencia estos escritores exhiben un irrealismo definidor. Su distanciamiento de la representación tradicional de la realidad en favor de la apariencia, la ilusión y lo fantástico, los aproxima a la visión del mundo que el barroco reclama como suya; de ahí la identificación con la constante barroca y la designación de neobarroco para esta variante histórica. Se trata, por cierto, y tan solamente, de estilos semejantes. Un principio de incertidumbre y un escepticismo gnoseológico presiden esta visión del mundo en contra de la fe y la certidumbre de la escatología barroca. Esto hace más adecuado el concepto de manerismo que el de barroco, en especial si se presta atención al inclusionismo de varios géneros y regiones de la imaginación en la obra narrativa, así como a los determinantes estilísticos y discursivos. El grado de seriedad de la representación ha sido desplazado por el humor y el juego; la seriedad se convierte en tenacidad del proceso constructivo, en tomar en serio la poesía, y en posibilitar la reducción alegórica de las situaciones creadas, por las resonancias de los códigos contextuales. Los determinantes estilísticos, otra vez, se aproximan a la constante barroca en su generalidad por su metaforismo, por el juego verbal espejeante, de ecos y repeticiones, que duplican o derogan variadamente lo representado; y, en especial, por la dispersión del narrador y la multiplicación de las situaciones narrativas. El temor de que la crisis de la situación narrativa acabara con el género ha sido desmentido por las extraordinarias posibilidades imaginativas de su configuración sobre los sólidos indicadores pronominales que los grandes escritores de esta generación han desplegado. El empleo de modos de decir novedosos —esencialmente construcciones imaginarias y no fieles trascripciones—, que incluyen elementos paródicos de diversos niveles de lenguaje; nuevas modalidades en la presentación del diálogo y de los monólogos; desarrollo de más o menos extensos comentarios que duplican, en el plano del narrador o de los personajes, el sentido de lo representado; el uso llano y pretendidamente serio de la libertad épica del narrador, constituyen algunos de los nuevos determinantes de complicación, distorsión y libertad que han inducido a hablar de un neobarroco en relación a esta novela. El conjunto de estos rasgos transforma la novela y crea el nuevo canon hispanoamericano de la narrativa vigente en la actualidad. Con ella se define también la «nueva escritura» hispanoamericana para aquellos que se sienten inconfortables en los términos de la novela. Debo decir en este punto que la extrañeza experimentada por las nuevas formas frente a la novela tradicional no hace más que repetir la de los momentos de cambio cuando se conserva la referencia al mismo móvil y la conciencia receptora percibe que esto ya no es aquello. La noción misma de escritura postula este principio y la nueva escritura no es más que una entre otras escrituras reales o posibles. En este momento es la generación siguiente la que debe vencer el influjo de estos nuevos maestros de la novela. Pertenecen a esta generación los mexicanos Carlos Fuentes (1929), Salvador Elizondo (1932), autor de *Farabeuf* (1965) y de *El hipogeo secreto* (1968), y Vicente Leñero (1933), autor de *Los albañiles*, narración múltiple de redundancias y decepciones de lo representado; el cubano Guillermo Cabrera Infante (1929); el portorriqueño Emilio Díaz Valcárcel (1929), autor de *Figuraciones en el mes de marzo* (1972); el venezolano Salvador Garmendia (1931), autor de *Los pequeños seres* (1959), *La mala vida* (1968) y *Memorias de Altagracia* (1969) y Adriano González León (1931), el autor de *País portátil* (1968), Premio Novela Breve de Seix Barral; el colombiano Gabriel García Márquez (1928); el peruano Julio Ramón Ribeyro (1929), autor de *Crónica de San Gabriel* (1960) y Manuel Scorza (1929-1983), autor de *Redoble por Rancas* (1970) y *Garabombo, el invisible* (1977); los chilenos José Donoso (1925), Enrique Lafourcade (1927), Jorge Guzmán (1930), el autor de *Job boj*, y Jorge Edwards (1931); los argentinos Manuel Puig (1932), Marco Denevi (1922), David Viñas (1929), el autor de *Un Dios cotidiano* (1957), *Dar la cara* (1962), *Cuerpo a cuerpo* (1979), entre otras obras. La novela de la generación del 57, aspirante de 1950 a 1965, inicia la curva de su producción entre esos años con: *La hojarasca* (1955), *El coronel no tiene quien le escriba* (1961), de García Márquez; *Cayó sobre su rostro* (1955), *Dar la cara* (1962), de D. Viñas; *Coronación* (1957), de J. Donoso; *Balún Canan* (1957), de R. Castellanos; *La región más transparente* (1958), *Las buenas conciencias* (1960), *La muerte de Artemio Cruz* (1962), *Aura* (1962), de C. Fuentes; *Los pequeños seres* (1959), de S. Garmendia; *Crónica de San Gabriel* (1960), de J. R. Ribeyro; *Los albañiles* (1964), de V. Leñero; *Farabeuf* (1965), de S. Elizondo.

Las obras fundamentales y definidoras del espacio literario propio de esta generación que dan fisonomía a los años de vigencia, entre 1965 y 1979 aproximadamente, son entre otras obras y autores de relieve, *Cien años de soledad* (1967), *El otoño del patriarca* (1975), *La muerte de Artemio Cruz* (1962), *Terra Nostra* (1977), *El obsceno pájaro de la noche* (1970), *Casa de campo* (1978), *Tres tristes tigres* (1967), *La Habana para un infante difunto* (1980). Estas obras constituyen la muestra más notable de la imaginación hispanoamericana, postulan un mundo irreal, una revuelta en contra de los modos de representación tradicionales, una destrucción de las convenciones conservadas por los narradores de la primera vanguardia. La originalidad de sus obras y la indudable madurez se mueven cómodamente y sin servilismos dentro de las incitaciones de la parodia, de la dialogización textual, y la nueva escritura, que marcan la época contemporánea. A diferencia de la generación anterior, en la que la dominante contemporánea no encontró el lector adecuado, esta generación constituye la primera respuesta adecuada a la recepción de la novela contemporánea por el lector hispanoamericano. Este fenómeno atrae a esta nueva recepción a los grandes narradores de la generación anterior que no gozaron de la comprensión del lector coetáneo. El fenómeno editorial explosivo que se produce en estos años es propio y distintivo de la generación del 57. El segmento de la historia literaria que va de 1965 a 1980 queda caracterizado por esta respuesta adecuada del lector al irrealismo de la nueva novela.

Los escritores mismos han debatido cuestiones relacionadas con la nueva novela, como Fuentes [1969], o con el *boom* de la novela hispanoamericana, como hace Donoso [1972, 1983]. La bibliografía de la nueva novela ha sido ordenada por Foster [1975], Flores [1975] y Becco y Foster [1976]. Los estudios de conjunto de Goic [1972, 1973] y Schwartz [1972] sitúan a los escritores de esta generación en el contexto de la historia de la novela hispanoamericana. Brushwood [1975] traza los anales de la novela del siglo XX. Ortega [1968, 1984], Vásquez Amaral [1970], Mac Adam [1977], Tittler [1984] y Siemens [1984] reúnen sus ensayos interpretativos con variados enfoques sobre autores y obras particulares. Harss [1966, 1967], Rodríguez Monegal [1968], Guibert [1972] y Roffe [1984] recogen en libro sus entrevistas con destacados narradores. Amorós [1973] y Conte [1972] abordan la nueva novela en variados aspectos.

Jansen [1973] en sus antecedentes, y Pollmann [1968] compara la nueva novela hispanoamericana al *nouveau roman*; Rodríguez Monegal [1972] acuña la noción del *boom*. Boorman [1976] aborda la estructura del narrador, Siemens [1984], el héroe, Ainsa [1977], la utopía; Libertella [1977] propone la visión de la nueva escritura hispanoamericana. Compilaciones que incluyen estudios sobre autores de esta generación son las de Schulman [1967], Loveluck [1976], Jitrik [1970], Lafforgue [1969, 1972], Flores [1971], Goic [1973] y Avalle-Arce [1973].

Gabriel García Márquez (1928) nació en Aracataca, Colombia, el 6 de marzo de 1928. Se cría con sus abuelos en el pueblo natal hasta 1936. Hace la educación primaria en su pueblo. Va en 1940 a estudiar la secundaria a Bogotá en el colegio de los jesuitas. Comienza el bachillerato en Barranquilla y lo completa en el Liceo Nacional de Zipaquirá con una beca. En 1947, empieza estudios de Leyes en la Universidad Nacional de Colombia, en Bogotá, que abandona. Publica sus primeros cuentos en *El Espectador*. Inicia sus escritos y actividades periodísticas como reportero y editor. En 1947, escribe su primera novela, que se publicaría ocho años más tarde. En 1948, se traslada a Cartagena, allí inicia su carrera de periodista. En 1950, reside en Barranquilla. Colabora en *El Universal* y en *El Heraldo de Barranquilla*, donde tiene una columna titulada «La Jirafa». Amistad con el librero catalán Ramón Vinyes y otros tres amigos cuyos nombres resuenan en *Cien años de soledad*. En 1954, se integra a la redacción de *El Espectador*, de Bogotá. Gana el Premio Nacional de Cuento 1955 con «Un día después del sábado». Es enviado como corresponsal a Europa. Reside en Roma. Estudios en el Centro de Cine Experimental. En 1955, el dictador Rojas Pinilla cierra *El Espectador* dejando a su corresponsal abandonado a sus expensas. Sus amigos editan el manuscrito olvidado de *La hojarasca*. Residencia en París. En 1957, viaja por Europa oriental. En 1958, se establece en Caracas trabajando en los periódicos *Momentos* y *Élite*. En 1958, se casa con Mercedes Barcha. Después de la Revolución cubana es designado agente de Prensa Latina en Bogotá. Corresponsal de esa agencia en Cuba y en Nueva York. Deja la agencia en 1960. Viaja por el sur de los Estados Unidos, «en homenaje a William Faulkner y con sus libros bajo el brazo». Se traslada a México, en 1961. Permanecerá allí hasta 1967. Escribe libretos para el cine de la «nueva ola». Desde 1962, se dedica a la creación de su gran novela cuya forma definitiva encuentra en 1965 y desarrolla en un año de trabajo obsesivo. Desde 1967, reside en Barcelona. Un período en que los más grandes narradores hispanoamericanos viven en exilio voluntario. En 1974, funda en Colombia la revista *Alternativas*. Vuelve a vivir en Bogotá y México. En 1980, vuelve a tomar su columna de *El Espectador*. Las traducciones de su obra maestra le valen los premios Chianchiano 1969, en Italia; Prix du Meilleur Livre Étranger, 1969, en Francia, y el reconocimiento de la crítica norteamericana. Entre los premios y honores recibidos se cuentan el Premio Esso a *La mala hora,* en 1961. En 1971, recibe un doctorado *honoris causa* de la Columbia University. Gana el Premio Rómulo Gallegos y el premio internacional Neustadt, en 1972. En 1981, recibe la Legión de Honor en el grado de Comendador del gobierno de Mitterrand. Finalmente, obtiene el Premio Nobel de Literatura en 1982.

Su obra comprende esencialmente narraciones novelísticas, cuentos y relatos. Sus novelas iniciales son *La hojarasca* (Ediciones S.L.R., Bogotá, 1955), *El coronel no tiene quien le escriba* (Aguirre, Medellín, 1961), que había publicado en la revista *Mito* (1958), y *La mala hora* (Esso Colombiana, Madrid, 1962; otra ed., Era, México, 1966), cuyo texto defectuoso debido a la intervención de correctores puristas es devuelto a su forma original en la edición mexicana. La novela principal y pieza paradigmática de la novela contemporánea es *Cien años de soledad* (Sudamericana, Buenos Aires, 1967) con numerosas reimpresiones, sin comparación en la época y el género. A ésta siguieron *El otoño del patriarca* (Sudamericana, Buenos Aires, 1975), *Crónica de una muerte anunciada* (La Oveja Negra, Bogotá; Sudamericana, Buenos Aires; Bruguera, Barcelona; Diana, México, 1981) y *El amor en los tiempos del cólera* (Bruguera, Narradores de Hoy, Barcelona, 1985). Sus cuentos se recogen en *Los funerales de la Mama Grande* (Universidad Veracruzana, Xalapa, 1962; otra ed., Sudamericana, Buenos Aires, 1967), *Isabel viendo llover en Macondo* (Estuario, Buenos Aires, 1969), *La increíble y triste historia de la cándida Eréndira y de su abuela desalmada* (Barral, Barcelona; Hermes, México; Sudamericana, Buenos Aires; Monte Ávila, Caracas, 1972), *El negro que hizo esperar a los ángeles* (Alfil, Montevideo, 1972), *Ojos de perro azul* (Buenos Aires, 1972; otra ed., Sudamericana, Buenos Aires, 1974), colección que contiene sus primeros cuentos. Entre sus relatos *Relato de un náufrago* (Tusquets, Barcelona, 1970), que data de 1955; *El secuestro, Relato cinematográfico* (Loguez, Salamanca, 1983). Ha reunido sus crónicas autobiográficas en *Cuando era feliz e indocumentado* (Monte Ávila, Caracas, 1973) y su *Obra periodística* (Bruguera, Barcelona, 1981-1982, 3 vols.).

Cien años de soledad es la saga fantástica de siete generaciones de la familia Buendía. Mito e historia concurren en la ordenación temporal y en la disposición del relato. La herencia dicta una estructurada distribución de los caracteres masculinos y femeninos que coincide —y en ocasiones contradice— su identificación nominal en la serie de José Arcadios o Aurelianos y otros personajes (véase Ludmer [1972]). La lectura de los manuscritos de Melquíades, propone una *mise-en-abîme,* que duplica referencialmente la historia de los Buendía y de la maldición que los aniquila. Narrada con extraordinarias cualidades narrativas por una sola voz omnisciente, concentra varias regiones de la imaginación que comprenden el folklore y el carnaval entre las formas populares y la novela política, antiimperialista, costumbrista, gótica, etc., acompañadas de una torsión desrealizadora. *El otoño del patriarca*, novela de un dictador centenario, está sujeta a la misma distorsión del mundo representado. Esta vez, la ambigüedad del tiempo y del espacio, por la eliminación de las barreras que impiden la coexistencia de momentos distantes; la ambigüedad del poder y de las funciones del dictador, son contrapuestas al tiempo y espacio humanos, cuya precariedad y transitoriedad son determinantes seguros de lo real. La repetición textual —la autocita— es un recurso de organización que postula el lado débil del patriarca. La voz narrativa colectiva postula el sentido de la realidad por encima de la voz individual. Estas dos obras han pasado a ser manifestaciones fundamentales de la novela hispanoamericana contemporánea. A ellas se viene a sumar una extraordinaria actualización de la novela bizantina, modificada por rasgos definidamente reconocibles como formas de la libertad épica, característica del arte narrativo de García Márquez, en *El amor en los tiempos del cólera.*

La bibliografía de García Márquez ha sido ordenada por Lastra [1967], Vargas Llosa [1971], Flores [1975] y Becco y Foster [1978]. Los estudios de conjunto se deben a Harss [1966, 1967], Vargas Llosa [1971], Bolletino [1973], Arnau [1971], Janes [1981], López Lemus [1982], Collazos [1983], Palencia-Roth [1983], Joset [1984] y Minta [1987]. Aspectos generales abordan Mejía Duque [1970], sobre mito y realidad; Jara y Mejía Duque [1972], sobre el mito; Diaconescu [1978], sobre núcleos narrativos. Entrevistas han sido hechas por Fernández Brasso [1969]. Compilaciones de gran utilidad son las de Oviedo [1969], Simón Martínez [1969], Giacoman [1972] y Vera y Shaw [1984], y los números de homenaje de *Inti*, 16-17 (1982-1983) y *Revista Iberoamericana*, 128-129 (1984). Estudios de obras particulares han sido dedicados a *La hojarasca*, por Irby [1956]; a *El coronel no tiene quien le escriba*, por Meyer-Minnemann [1980]; a *La mala hora*, por Gnutzmann [1978]; a *Cien años de soledad*, por Gullón [1970], Goic [1972], Ludmer [1972], Schweitzer [1972], Blanco Aguinaga [1975], Levine [1975], Mac Adam [1977], Gariano [1978], Jansen [1978], Joset [1978], Halda [1981], Williams [1981], Parkinson-Zamora [1982] y Siemens [1984]. *El otoño del patriarca* ha sido abordado por Kulin [1978] y Canfield [1982]. Sus cuentos han sido estudiados por Gerlach [1982], y las memorias, por Ruffinelli [1982].

El mexicano Carlos Fuentes (1928) nació en Ciudad de Panamá, el 11 de noviembre de 1928. Hijo de un diplomático de carrera, reside durante su infancia en Washington, Santiago de Chile, Buenos Aires, Montevideo, Quito. Estudios secundarios en el Grange School, de Santiago de Chile, y en Ciudad de México. A los trece años escribe sus primeros cuentos en revistas de Chile. En 1948, es bachiller en Leyes. Ingresa en la UNAM para hacer estudios de postgrado. Estudios en Ginebra en el Institute d'Hautes Études Internationales. Tesis publicada en 1951. Secretario de la delegación mexicana a la OIT y de la Comisión Internacional de Leyes, en las Naciones Unidas. En 1954, ayudante de prensa en la Secretaría de Relaciones Exteriores de México. Secretario de prensa del Centro de Información de las Naciones Unidas. De 1955 a 1956, es secretario del Departamento de Cultura de la UNAM. En 1955, junto con Emmanuel Carballo funda la *Revista Mexicana de Literatura*. Permanece como editor hasta 1958. Periodismo activo en *El Espectador*, desde 1959 a 1961, en *Siempre* y en *Política*. En 1956, recibe una beca del Centro Mexicano de Escritores que le permite concluir *La región más transparente*. En 1965, se establece en Europa en donde permanece por cinco años. Regresa a México en 1969. Durante 1970-1976, es embajador en París del gobierno de Luis Echeverría. En 1967, recibió el Premio Seix Barral, desusadamente otorgado a un escritor de obra conocida. En 1977, recibe el Premio Rómulo Gallegos por su novela *Terra nostra*. Simposio en su homenaje en la South Carolina University. Constante invitado como escritor y conferencista de las universidades norteamericanas.

Su obra comprende principalmente la novela y el cuento, en un plano secundario, pero generalmente brillante, el ensayo, y, en menor medida, el teatro. Su primera novela es *La región más transparente* (Fondo de Cultura Económicas, Letras Mexicanas, México, 1958), a la que siguió un libro de menos significación, *Las buenas conciencias* (Fondo de Cultura Económica, Biblioteca Popular, México, 1959). Su tercera novela, *La muerte de Artemio Cruz* (Fondo de Cultura Económica, México, 1962), es uno de los paradigmas de la nueva novela. Su compleja disposición triádica postula un desdoblamiento que encuentra múltiples reflejos en la construcción del personaje y sus contradictorios aspectos. Ésta fue seguida por una pequeña novela, *Aura* (Era, México, 1962). En 1967, publica sus novelas *Zona sagrada* (Siglo XXI, México, 1967) y *Cambio de piel* (Joaquín Mortiz, México, 1967). Seguidas de una novela de breve extensión, *Cumpleaños* (Joaquín Mortiz, Serie del Volador, México, 1969). En 1975, publica *Terra nostra* (Joaquín Mortiz, México, 1975), novela de ambiciosas dimensiones y representativa de la mitología y el carácter especular de la nueva novela, y en la cual concurren las visiones problemáticas de la historia hispánica. A ésta siguieron *La cabeza de la hidra* (Argos-Vergara, Barcelona, 1978), *Una familia lejana* (Era, México, 1980), *Gringo viejo* (Fondo de Cultura Económica, Tierra Firme, México, 1985) y *Cristóbal Nonato* (Fondo de Cultura Económica, México, 1987). Varios volúmenes de cuentos completan su obra narrativa. Su primer libro de cuentos, *Los días enmascarados* (Los Presentes, México, 1954), marca su iniciación literaria. *Cantar de ciegos* (Joaquín Mortiz, Serie del Volador, México, 1972) y *Agua quemada* (Fondo de Cultura Económica, México, 1981) completan esta parte de su obra. Su teatro consta hasta ahora de las piezas: *Todos los gatos son par-*

dos (Siglo XXI, México, 1970), *El tuerto es rey* (Joaquín Mortiz, México, 1971) y *Los reinos imaginarios* (Barral, Barcelona, 1971) que las recoge a ambas. Sus ensayos comprenden asuntos culturales, artísticos y principalmente literarios. *París. La revolución de mayo* (Era, México, 1968), *La nueva novela hispanoamericana* (Joaquín Mortiz, México, 1969), y las colecciones de ensayos *Casa con dos puertas* (Joaquín Mortiz, México, 1970), *Tiempo mexicano* (Joaquín Mortiz, México, 1971) y *Cuerpos y ofrendas* (Alianza, Madrid, 1973). *Cervantes o la crítica de la lectura* (Joaquín Mortiz, México, 1976) es una colección de ensayos sobre la novela moderna y, en buena medida, el metatexto de la novela *Terra nostra.* Se ha iniciado la edición de sus *Obras completas* (Aguilar, Madrid, 1974), cuyo primer volumen contiene sus primeras cuatro novelas.

La bibliografía de Fuentes ha sido ordenada principalmente por Reeve [1970], y puesta al día por Flores [1975], Becco y Foster [1976], Foster [1975, 1981] y Ramírez [1983]. Los estudios de conjunto se deben a Harss [1966, 1967], Pamies y Berny [1969], Guzmán [1972], Befumo [1973], Durán [1976], García Gutiérrez [1981] y Ramírez [1983]. Existen dos importantes compilaciones de estudios de Giacoman [1971] y de Brody y Rossman [1982] y el *Simposio* de la South Carolina University. Las obras particulares han sido abordadas con énfasis especial en *La región más transparente*, por Foster [1973], Sánchez Reyes [1975] y Reeve [1982]; *Las buenas conciencias*, por Velarde [1962] y Pope [1983]; *La muerte de Artemio Cruz*, por Hammerly [1976], Vidal [1976] y Stoopen [1982]; *Zona sagrada*, por Sarduy [1969], Callan [1974], Gyurko [1973] y Levine [1975]; *Cambio de piel*, por Gyurko [1971], Bland [1976], Hardy [1978] y Glantz [1979]; *Aura*, por Peterson [1970], Callan [1971] y Alazraki [1982]; *Terra nostra*, por Oviedo [1976], González-Echeverría [1982] y Siemens [1984]. Sobre *Una familia lejana* escribe Glantz [1982]. Sobre sus cuentos, Williams [1978] y el libro de Feijoo [1984]. Blanco Aguinaga [1975] discute la idea de la novela.

José Donoso (1925) nació en Santiago de Chile el 5 de octubre de 1925. Hizo sus estudios primarios y secundarios en Santiago en el Grange School en que coincide con Luis Alberto Heiremans y Carlos Fuentes. En 1942, abandona los estudios por el trabajo. Viaja a Magallanes y Tierra del Fuego entre 1946-1947. Permanencia en Buenos Aires, en 1946. En 1947, comienza sus estudios de Letras en la Universidad de Chile. Entre 1949 y 1952, estudia literatura inglesa en Princeton. Primeros cuentos en inglés, publicados en Princeton, «The Blue Woman», «The Poisoned Pastries» (*MSS*, 1950 y 1951). Viaja por Estados Unidos, México, y Centroamérica antes de regresar a Chile, en 1952. En 1954, comienza a enseñar en la Universidad Católica. Su primer cuento, «China», aparece en la *Antología del nuevo cuento chileno* (Zig-Zag, Santiago de Chile, 1954), de E. Lafourcade. Publica su primer libro, *Veraneo y otros cuentos* (Universitaria, Santiago de Chile, 1955). Seguido por *Dos cuentos* (Guardia Vieja, Santiago de Chile, 1956). Aparece su primera novela, *Coronación* (Nascimento, Santiago de Chile, 1957; otras eds., Zig-Zag, Santiago de Chile, 1962; Seix Barral, Barcelona, 1968). Viaja a Europa. Regresa a Chile en 1960. Periodismo en la revista *Ercilla.* Publica *El charlestón* (Nascimento, Santiago de Chile, 1960). En el Taller de Escritores de la Universidad de Concepción, comienza a escribir *El obsceno pájaro de la noche.* Amistad con C. Fuentes en el Encuentro Internacional de Escritores de 1962. En 1964 viaja a México. En 1965, es escritor residente en la Iowa University. Premio William Faulkner en 1966, por su novela *Coronación.* En 1966, aparecen *Los mejores cuentos de José Donoso* (Zig-Zag, Santiago de Chile, 1966). Y también su segunda novela, *Este domingo* (Zig-Zag, Santiago de Chile, 1966; otra ed., J. Mortiz, México, 1968), y, al año siguiente, *El lugar sin límites* (Joaquín Mortiz, Serie del Volador, México, 1967). Viaja a Europa en 1967, reside en Mallorca y luego, en 1969, en Barcelona. Publica *El obsceno pájaro de la noche* (Seix Barral, Barcelona, 1970; otra ed., 1971). Se reúnen sus *Cuentos* (Seix Barral, Barcelona, 1971). En 1972, publica su visión particular de la novela de su tiempo en *Historia personal del «boom»* (Anagrama, Barcelona, 1972; otra ed., Sudamericana/Planeta, Buenos Aires, 1984), a la que ha agregado un apéndice en su última edición. Define un nuevo género narrativo en sus *Tres novelitas burguesas* (Seix Barral, México, 1973). Obtiene la beca Guggenheim, en 1974. En 1978, aparece su novela *Casa de campo* (Seix Barral, Barcelona, 1978), que agrega una perspectiva política a su obra narrativa, por lo general ausente de situaciones de esa índole. Retorno a Chile en 1981. Se publican sucesivamente sus novelas *La misteriosa desaparición de la marquesita de Loria* (Seix Barral, Barcelona, 1980), y *El jardín de al lado* (Seix Barral, Barcelona 1981). Este año aparecen sus *Poemas de un novelista* (Ganymedes, Santiago de Chile, 1981). Prolonga el género de sus «novelitas burguesas» en *Cuatro para Delfina* (Seix Barral, Barcelona, 1982). Una de las narraciones de este libro provee el asunto para la obra dramática, representada en 1983, *Sueños de mala suerte* (Editorial Universitaria, Santiago de Chile, 1985).

La novela de Donoso tiene sus obras de mayor relieve en *El obsceno pájaro de la noche* (1970) y *Casa de campo*, sin quitar mérito a la variedad de los géneros novelísticos cultivados por el autor que comprenden una gama importante dentro de un común irrealismo de la representación no exento de resonancias y aproximaciones a contextos contemporáneos y situaciones próximas. *El obsceno pájaro de la noche* representa la cara negra de la imaginación que presta animada existencia a un mundo grotesco que tiende a establecer y a persistir en su ser, postula en efecto a una pluralidad de mundos que recíprocamente se excluyen. Crea una situación narrativa básica en que un narrador mudo destina su narración, que no llega a emitir, a un destinatario que no llega a constituirse como tal por la inexistencia del contacto. Traza una representación en la cual el protagonista aspira a una identidad al tiempo que se dispersa en múltiples encarnaciones contradictorias que la desmienten. En *Casa de campo* figura un narrador provisto de todos los atributos del conductor del relato e intérprete del mundo que, en su ironía romántica, acentúa el carácter irreal de lo representado, pretendiendo manipular no sólo la narración y lo narrado sino también al lector y su lectura.

La bibliografía de Donoso ha sido ordenada por Goic [1968], Hasset, Tatum y Nigro [1972], McMurray [1974], Flores [1975], Becco y Foster [1976] y por Ocanto [1977], reproducida en Achugar [1979]. Vidal [1972], Quinteros [1978], McMurray [1979], Achugar [1979] y Gutiérrez Mouat [1983] han dedicado estudios a su novela. Compilaciones importantes son las de Cornejo Polar [1975] y Castillo-Feliú [1982]. La crítica ha volcado su atención sobre todas y cada una de las obras de Donoso. Sobre *Coronación* han escrito Hunneus [1967], Goic [1968, 1972], Promis [1977] y Bocaz [1980]. Sobre *El lugar sin límites*, Promis [1969] y Sarduy [1969]. *El obsceno pájaro de la noche* ha sido abordado en variados aspectos por Tatum [1971], Goic [1972], Muller [1972], Borinsky [1973], Promis [1973, 1977], Cornejo Polar [1975], Valdés [1975], Mac Adam [1977], Caviglia [1978], Martínez [1978], Solotorewsky [1980] y Magnarelli [1981]. Abren una activa discusión sobre *Casa de campo*, Achugar [1980], Mac Adam [1981] y Martínez [1982]. Montero [1983] analiza *El jardín de al lado*. Sobre novelas cortas y cuentos, ha escrito McMurray [1971]. Y Joset [1982] considera detenidamente *Historia personal del «boom»* y sus limitaciones y posibilidades como visión historiográfica.

Guillermo Cabrera Infante (1929) nació en Gibara, Provincia de Oriente, Cuba, el 22 de abril de 1929. Hizo los estudios primarios en su pueblo. En 1941, su familia se traslada a La Habana. En 1943, empieza el bachillerato. A los dieciocho años comienza su interés absorbente en la literatura. Publica su primer cuento en la revista *Bohemia*. Llega a ser redactor de la revista. Ingresa en la Escuela Nacional de Periodismo, en 1950. En 1952, es detenido y encarcelado por la publicación de un cuento que contiene malas palabras en inglés. Como consecuencia debe abandonar sus estudios y escribir bajo seudónimo. En 1954, comienza a escribir como crítico de cine de la revista *Carteles*, con el seudónimo *G. Cain*. Funda y preside la Cinemateca de Cuba de 1951 a 1956. Viaja a Nueva York: contactos con el Museo de Arte Moderno. Escribe los cuentos y viñetas políticas de *Así en la paz como en la guerra*. Establece contactos como periodista con los revolucionarios a la caída de Batista. Después de la revolución, presidió el Instituto de Cine de Cuba y dirigió el suplemento literario *Lunes de Revolución*, desde su fundación hasta 1961 y fue jefe del Consejo Nacional de Cultura. Viaja a Estados Unidos, Canadá y Uruguay acompañando a Fidel Castro. En 1960, viaja a la Unión Soviética y Europa Oriental. En 1961, la censura prohíbe un corto cinematográfico suscitando la protesta de *Lunes de Revolución* en defensa de la libertad de expresión. Se prohíbe la publicación de *Lunes*. En el Primer Congreso de Escritores y Artistas es elegido vicepresidente de la UNEAC. Comienza a escribir lo que será *Tres tristes tigres*. Publica *Un oficio del siglo XX* (Revolución, La Habana, 1962). En 1962, es enviado como encargado de Negocios Cubanos a Bruselas. En 1964, obtiene el premio Novela Breve de Seix Barral. Después de un corto viaje a La Habana, que le impresiona como una ciudad fantasma, abandona el cargo y retorna a Europa en 1965. Desde 1966, salvo una breve estancia en Madrid, entre 1965 y 1966, reside en Londres. Escribe el guión cinematográfico de *Vanishing Point* (1969) y la versión española de *Star Wars*. En 1970, viaja a Hollywood. Este año obtiene la beca Guggenheim. En 1971, la traducción francesa de *Tres tristes tigres* gana el Prix du Meilleur Livre Étranger. En 1972 escribe un guión de *Bajo el volcán* para el director Joseph Losey. Es invitado por la Universidad de Yale, en 1978. Ha tomado la nacionalidad británica.

Su obra es principalmente narrativa y secundariamente ensayística. *Tres tristes tigres* (Seix Barral, Barcelona, 1967; otras eds., 1968, 1969, 1970, 1971, 1973) es su primera novela y otra de las obras paradigmáticas de esta generación y de la novela hispanoamericana actual. Antes había publicado *Así en la paz como en la guerra* (Seix Barral, Barcelona, 1964), breves relatos de la violencia en Cuba desde la conquista hasta la revolución. Diez años después del premio de Novela Breve se publica *Vista del amanecer en el trópico* (Seix Barral, Barcelona, 1974). Su segunda gran novela es *La Habana para un infante difunto* (Seix Barral, Barcelona, 1980). En 1984, publica su tercera novela, *Puro humo* (Anagrama, Barcelona, 1984). Sus ensayos *O* (Seix Barral, Barcelona, 1975), crónicas literarias y autobiográficas, y *Exorcismos de esti(l)o* (Seix Barral, Barcelona, 1976), registro de variados juegos verbales, son formas novedosas y coherentes con su obra narrativa. Libros de crítica de cine son el temprano *Un oficio del siglo XX* (Ediciones Revolución, La Habana, 1963) y el que recoge las conferencias de 1962, *Arcadia todas las noches* (Seix Barral, Barcelona, 1978).

La bibliografía de Cabrera Infante ha sido ordenada por Flores [1975], Becco y Foster [1978] y Pereda [1979]. Los estudios de conjunto se deben a Pereda [1979], Rodríguez Monegal [1981] y Nelson [1983], quien hace un interesante enfoque desde el punto de vista de la sátira menipea. Existe una útil compilación de estudios sobre *Tres tristes tigres* de Ríos [1974]. Sobre *Tres tristes tigres* se ha concentrado la crítica de Rosa [1970], Sánchez-Boudy [1970], Gallagher [1974], Gregorich [1974], Rodríguez Monegal [1974], Ortega [1974], Levine [1975], Mac Adam [1977], Tittler [1984], Volek [1981, 1984], Giordano [1982], Nelson

[1983] y Siemens [1984]. Mientras, comienza a desenvolverse la atención sobre *La Habana para un infante difunto*, con los trabajos de Merrim [1982] y el libro de Nelson [1983].

Manuel Puig (1932) nació en General Villegas, Buenos Aires, Argentina, en 1932. Hizo su educación primaria y secundaria en su pueblo natal. En el cinematógrafo encuentra el único escape para la medianía local. En 1951, ingresa en la Universidad de Buenos Aires. Estudios de cine en Roma, en el Centro Sperimentale di Cinematografia. Trabaja como ayudante en la dirección de varias películas. Estancia en Nueva York. Retorna a Buenos Aires. Exilio en México entre 1974 y 1976. Torre Nilsson lleva al cine *Boquitas pintadas* en 1974. Residencia en Nueva York entre 1976 y 1977. Dirige talleres literarios en la Columbia University y en el City College de Nueva York. Participa en el Encuentro de Escritores Hispanoamericanos de Cali (1979). Reside en Río de Janeiro y Nueva York. Su obra narrativa le asigna un lugar de excepción en la literatura hispanoamericana por el empleo de registros verbales determinados por los medios de comunicación de masas y sus formas populares: el cine, la canción popular —tangos, boleros—, el radioteatro y otras formas de los años cincuenta y, en especial, por la reactivación de géneros narrativos menores como el folletín. No se trata en verdad de un mero juego paródico, irónico y pintoresco, sino de la representación de los mitos constitutivos de la conciencia de sus personajes y de la postulación de una realidad redundante que opera por sí misma sin la inclusión de una instancia crítica.

Su obra comprende *La traición de Rita Hayworth* (Jorge Álvarez, Buenos Aires, 1968; otra ed., Seix Barral, Barcelona, 1971; ed. definitiva, 1976), *Boquitas pintadas* (Sudamericana, Buenos Aires, 1969; otra ed., Seix Barral, Barcelona, 1972), *The Buenos Aires Affair* (Sudamericana, Buenos Aires, 1973; Seix Barral, Barcelona, 1977), *El beso de la mujer araña* (Sudamericana, Buenos Aires, 1976), *Pubis angelical* (Seix Barral, Barcelona, 1979), *Maldición eterna a quien lea estas páginas* (Seix Barral, Barcelona, 1981), *Sangre de amor correspondido* (Seix Barral, Barcelona, 1982). A éstas ha agregado las piezas dramáticas *Bajo un manto de estrellas* (Seix Barral, Barcelona, 1984), que incluyen una versión de *El beso de la mujer araña.*

La bibliografía ha sido ordenada por Flores [1975] y Foster [1982]. Estudios de conjunto han sido realizados por Mac Adam [1975]; *La traición de Rita Hayworth* ha sido abordada por Rodríguez Monegal [1968] y Minard [1982]; *Boquitas pintadas*, por Sarduy [1969], Goic [1972] y Kerr [1982]; *El beso de la mujer araña*, por Debax [1981]; *Pubis angelical*, por Morello-Frosch [1981].

El narrador venezolano más importante de esta generación es Salvador Garmendia (1928). Estuvo vinculado al grupo de la revista *Sardio* y fue fundador y animador de El Techo de la Ballena, grupo destacado de su generación. Obtuvo el Premio Nacional de Literatura en 1973. Entre sus novelas se cuentan *Los pequeños seres* (Grupo Sardio, Caracas, 1959), *Los habitantes* (Ediciones de la Revista *Cal*, Caracas, 1961), *Día de ceniza* (Universidad Central de Caracas, Caracas, 1963), *La mala vida* (Arca, Montevideo, 1968), *Memorias de Altagracia* (Seix Barral, Barcelona, 1969). Es autor de los siguientes volúmenes de cuentos y novelas cortas: *Doble fondo* (Ateneo de Caracas, Caracas, 1966), *Difuntos, extraños y volátiles* (Tiempo Nuevo, Caracas, 1970), *Los escondites* (Monte Ávila, Caracas, 1972), *Enmiendas y atropellos* (Monte Ávila, Caracas, 1979), *El brujo hípico y otros relatos* (Libros dominicales de *El Diario de Caracas*, Caracas, 1979) y *El único lugar posible* (Seix Barral, Barcelona, 1981). Estudios de conjunto de su obra se deben a Rama [1975], Cobo Borda [1974] y Rodríguez Ortiz [1976].

Emilio Díaz Valcárcel (1929), narrador puertorriqueño nacido en Trujillo Alto, el 16 de octubre de 1929, destaca por las formas grotescas del mundo narrativo que presenta en *Figuraciones en el mes de marzo* (Seix Barral, Barcelona, 1972) y *Mi mamá me ama* (Seix Barral, Barcelona, 1981). Es también cuentista en *Asedio y otros cuentos* (1958), *Proceso en diciembre* (1963) y *Harlem todos los días* (1978).

Entre los escritores chicanos, Rolando Hinojosa (1929), nacido en Mercedes, Texas, ha alcanzado notoriedad con el premio Casa de las Américas otorgado a sus cuentos de *Generaciones y semblanzas* (Casa de las Américas, Colección Premio Casa de las Américas, La Habana, 1977).

BIBLIOGRAFÍA

Achugar, Hugo, *Ideología y estructuras narrativas en José Donoso, 1950-1970*, Centro de Estudios Latinoamericanos Rómulo Gallegos, Caracas, 1979.

—, «Ficción, poder y sociedad en *Casa de campo*», en K. McDuffie, y A. Roggiano, eds., *Texto y contexto en la Literatura Iberoamericana. Memoria del XIX Congreso del IILI*, Madrid, 1980, pp. 1-9.

Adams, Michael I., *Three Authors of Alienation: Bombal, Onetti, Carpentier*, University of Texas Press, Austin/Londres, 1975.

Ainsa, Fernando, *Los buscadores de la utopía*, Monte Ávila, Caracas, 1977.

Alazraki, Jaime, «Theme and System in Carlos Fuentes' *Aura*», en R. Brody, y Ch. Rossman, eds., *Carlos Fuentes: A Critical View*, The University of Texas Press, Austin, 1982, pp. 95-105.

Álvarez-Borland, Isabel, *Discontinuidad y ruptura en Guillermo Cabrera Infante*, Hispamérica, Gaithersburg, 1984.

Amorós, Andrés, *Introducción a la novela hispanoamericana actual*, Anaya, Salamanca, 1973.

Arnau, Carmen, *El mundo mítico de Gabriel García Márquez*, Península, Barcelona, 1971.

Avalle-Arce, Juan Bautista, *Narradores hispanoamericanos de hoy*, University of North Carolina Press, Chapel Hill, 1973.

Barrenechea, Ana María, «La literatura fantástica: función de los códigos socioculturales en la constitución de un género», en K. McDuffie, y A. Roggiano, eds., *Texto y Contexto en la Literatura Iberoamericana. XIX Congreso del IILI*, Madrid, 1980, pp. 11-20.

—, «La crisis del contrato mimético en los textos contemporáneos», *Revista Iberoamericana*, 118-119 (1983), pp. 377-381.

Becco, Horacio Jorge, y David William Foster, *La nueva novela hispanoamericana. Bibliografía*, Casa Pardo, Buenos Aires, 1976.

Befumo Boschi, Liliana, y Elisa T. Calabrese, *Nostalgia del futuro en la obra de Carlos Fuentes*, Fernando García Cambeiro (Colección Estudios Latinoamericanos), Buenos Aires, 1973.

Blanco Aguinaga, Carlos, *De mitólogos y novelistas*, Turner, Madrid, 1975: «Sobre la lluvia y la historia en las ficciones de García Márquez», pp. 27-50; «Sobre la idea de la novela en Carlos Fuentes», pp. 73-108.

Bland, Carole C., «Carlos Fuentes' *Cambio de Piel*: The Quest for Rebirth», *Journal of Spanish Studies. Twentieth Century*, 4:2 (1976), pp. 77-88.

Bocaz, Luis, *et al.*, «Table ronde: *Coronación* de José Donoso», en Jacques Leenhardt, ed., *Littérature latino-américaine d'aujourd'hui: Colloque de Cerissy*, Union Général d'Éds., París, 1980, pp. 212-255.

Boldy, Steve, «Fathers and sons in Fuentes' *La muerte de Artemio Cruz*», *Bulletin of Hispanic Studies*, 61:1 (1984), pp. 31-40.

Bolletino, Vincenzo, *Breve estudio de la novelística de García Márquez*, Plaza Mayor, Madrid, 1973.

Borinsky, Alicia, «Repeticiones y máscaras: *El obsceno pájaro de la noche*», *Modern Language Notes*, 88 (1973), pp. 281-294.

Brody, Robert, y Charles Rossman, eds., *Carlos Fuentes: A Critical View*, The University of Texas Press, Austin, 1982.

Brushwood, John S., *The Spanish American Novel. A Twentieth-Century Survey*, The University of Texas Press, Austin / Londres, 1975.

Callan, Richard J., «The Jungian Basis of Carlos Fuentes' *Aura*», *Kentucky Romance Quarterly*, 18 (1971), pp. 65-75.

—, «The Function of Myth and Analytical Psychology in *Zona sagrada*», *Kentucky Romance Quarterly*, 21:2 (1974), pp. 261-274.

Canfield, Martha L., «*El otoño del patriarca* (Dicotomías explícitas y latentes)», *Eco*, 252 (1982), pp. 567-602.

Castillo-Feliú, G. I., ed., *The Creative Process in the Works of José Donoso*, 1982.

Caviglia, John, «Tradition and Monstrosity in *El obsceno pájaro de la noche*», *PMLA*, 93:1 (1978), pp. 33-44.

Cobo Borda, Gustavo, «Salvador Garmendia», *Nueva Narrativa Hispánica*, 4 (1974), pp. 291-297; reimpreso en *La alegría de leer*, BCC, Bogotá, 1976, pp. 81-92.

Collazos, Óscar, *García Márquez: La soledad y la gloria. Su vida y su obra*, Plaza y Janés, Barcelona, 1983.

Conte, Rafael, *Lenguaje y violencia. Introducción a la nueva novela hispanoamericana*, Al-Borak, Madrid, 1972.

Cornejo Polar, Antonio, ed., *José Donoso: la destrucción de un mundo*, Fernando García Cambeiro (Colección Estudios Latinoamericanos, 14), Buenos Aires, 1975.

Debax, Michelle, «Autorrepresentación y autorreferencialidad en un texto narrativo: *El beso de la mujer araña* de Manuel Puig», en *Organizaciones textuales (textos hispánicos). Actas del III Simposio del Séminaire d'Études Littéraires de l'Université de Toulouse-Le Mirail*, Université de Toulouse-Le Mirail, Toulouse, 1981, pp. 287-294.

Diaconescu, María Ana, «Grupos y núcleos narrativos en la obra de Gabriel García Márquez», en *El barroco en América. XVII Congreso del IILI*, Cultura Hispánica, Madrid, 1978, tomo I, pp. 643-654.

Donoso, José, *Historia personal del «boom»*, Anagrama, Barcelona, 1972; otra ed., 1983.

Durán, Gloria, *La magia y las brujas en la obra de Carlos Fuentes*, UNAM, México, 1976.

Faris, Wendy B., «Desyoización: Joyce/Cixous/Fuentes and the Multi-Vocal Text», *Latin American Literary Review*, 9:19 (1981), pp. 31-39.

—, *Carlos Fuentes*, Frederick Ungar Publishing Co., Nueva York, 1983.

Feijoo, Gladys, *Lo fantástico en los relatos de Carlos Fuentes. Aproximación teórica*, Senda Nueva de Ediciones, Montclair, N.J., 1984.

Fernández Brasso, Miguel, *García Márquez, una conversación infinita*, Editorial Azua, Madrid, 1969.

Flores, Ángel, *Bibliografía de Escritores Hispanoamericanos, 1609-1974*, Las Américas, Nueva York, 1975.

—, y R. Silva Cáceres, eds., *La novela hispanoamericana actual*, Las Américas, Nueva York, 1971.

Foster, David William, «*La región más transparente* and the Limits of Prophetic Art», *Hispania*, 56:1 (1973), pp. 35-42.

— *The 20th Century Spanish American Novel*, The Scarecrow Press, Metuchen, N.J., 1975.

—, *Mexican Literature: A Bibliography of Secondary Sources*, The Scarecrow Press, Metuchen, N.J., 1981.

—, *Argentine Literature: A Research Guide*, Garland Publising Inc., Nueva York, 1982².

—, «Latin American Documentary Narrative», *PMLA*, 99:1 (1984), pp. 41-55.

Fuentes, Carlos, *La nueva novela hispanoamericana*, Joaquín Mortiz, México, 1969.

Gallagher, David, «Guillermo Cabrera Infante», en J. Ríos, ed., *Guillermo Cabrera Infante*, Fundamentos, Madrid, 1974, pp. 47-79.

García Gutiérrez, Georgina, *Los disfraces. La obra mestiza de Carlos Fuentes*, El Colegio de México, México, 1981.

Gariano, Carmelo, «La dimensión grotesca del barroco en *Cien años de soledad*», en *El barroco en América. XVII Congreso del IILI*, Cultura Hispánica, Madrid, 1978, pp. 695-706.

Gerlach, John, «The Logic of Wings: García Márquez, Todorov and the Endless Resources of Fantasy», en Eric Rabkin *et al.*, eds., *Bridges to Fantasy*, Southern Illinois University Press, Carbondale, 1982, pp. 123-129.

Giacoman, Hely F., ed., *Homenaje a Carlos Fuentes, variaciones interpretativas en torno a su obra,* Las Américas, Nueva York, 1971.
—, *Homenaje a G. García Márquez, variaciones interpretativas en torno a su obra,* Las Américas, Nueva York, 1972.
Giordano, Jaime, «El nivel de la escritura en la narrativa hispanoamericana contemporánea», *Nueva Narrativa Hispanoamericana,* 4 (1974), pp. 307-345.
—, «Función estructural del bilingüismo en algunos textos contemporáneos: Cabrera Infante, Luis R. Sánchez», en Rose S. Minc, ed., *Literatures in Transition. The Many Voices of the Careebean Area. A Symposium,* Hispamérica, Gaithersburg, 1982, pp. 161-175.
Glantz, Margo, *Repeticiones,* UNAM (Cuadernos, 9), México, 1979.
—, «Fantasmas y jardines: Una familia lejana», *Revista Iberoamericana,* 118-119 (1982), pp. 397-402.
Gnutzmann, Rita, «Gabriel García Márquez, *La mala hora*: compromiso, realismo e imaginación», en *El Barroco en América. XVII Congreso del IILI,* Cultura Hispánica, Madrid, 1978, tomo I, pp. 669-680.
Goic, Cedomil, *La novela chilena: los mitos degradados,* Editorial Universitaria, Santiago de Chile, 1968.
—, *Historia de la novela hispanoamericana,* Ediciones Universitarias de Valparaíso, Chile, 1972; 1980².
—, ed., *La novela hispanoamericana: descubrimiento e invención de América,* Ediciones Universitarias de Valparaíso, Chile, 1973.
González-Echeverría, Roberto, «*Terra nostra*: Theory and Practice», en R. Brody, y Ch. Rossman, eds., *Carlos Fuentes: A Critical View,* The University of Texas Press, Austin, 1982, pp. 132-145.
Gregorich, Luis, «*Tres tristes tigres*», *obra abierta,* en J. Ríos, ed., *Guillermo Cabrera Infante,* Fundamentos, Madrid, 1974, pp. 129-155.
Guibert, Rita, *Seven Voices,* Alfred A. Knopf, Nueva York, 1972.
Gullón, Ricardo, *García Márquez,* Taurus, Madrid, 1970.
Gutiérrez Mouat, Ricardo, *José Donoso: impostura e impostación. La modelización lúdica y carnavalesca de una producción literaria,* Hispamérica, Gaithersburg, 1983.
Guzmán, Daniel de, *Carlos Fuentes,* Twayne Publishers (TWAS), Nueva York, 1972.
Gyurko, Lanin A., «The Sacred and the Profane in Fuentes' *Zona sagrada*», *Revista Hispánica Moderna,* 28:3 (1972-1973), pp. 188-209.
—, «El yo y su imagen en *Cambio de piel*», *Revista Iberoamericana,* 76-77 (1971), pp. 689-709.
Halda, Chester S., *Melquiades, Alchemy and Narrative Theory: The Quest for Gold in Cien años de soledad,* International Books, Lathrup Village, 1981.
Hammerly, Ethel, «Estructura y sentido en *La muerte de Artemio Cruz*», *Explicación de Textos Literarios,* 4:2 (1975-1976), pp. 207-212.
Hardy, Karen, «Freddy Lambert as "Narrator" of *Cambio de piel*», *Hispania,* 61:2 (1978), pp. 270-278.
Harss, Luis, *Los nuestros,* Sudamericana, Buenos Aires, 1966.
—, y Barbara Dohmann, *Into the Main Stream,* Harper and Row, Nueva York, 1967.

Hasset, John J., Charles M. Tatum, y Kirsten Nigro, «Bio-bibliografía, José Donoso», *Chasqui*, 2:1 (1972), pp. 15-30.

Hunneus, Cristián, «El mundo de José Donoso», *Amaru*, 4 (1967), pp. 72-77.

Iñigo-Madrigal, Luis, «Alegoría, historia, novela (a propósito de *Casa de campo* de José Donoso)», *Hispamérica*, 25:26 (1980), pp. 5-31.

Irby, James E., *La influencia de William Faulkner en cuatro narradores hispanoamericanos*, UNAM, México, 1956.

Janes, Regina, *Gabriel García Márquez: Revolution in Wonderland*, The University of Missouri Press, Columbia, 1981.

Jansen, André, *La novela hispanoamericana actual y sus antecedentes*, Labor, Barcelona, 1973.

—, «Procesos humorísticos de *Cien años de soledad* y sus relaciones con el barroco», en *El barroco en América. XVII Congreso del IILI*, Cultura Hispánica, Madrid, 1978, tomo I, pp. 681-694.

Jara Cuadra, René, y Jaime Mejía Duque, *Las claves del mito en Gabriel García Márquez*, Ediciones Universitarias, Valparaíso, 1972.

Jitrik, Noé, *et. al.*, *Actual narrativa latinoamericana*, Casa de las Américas, La Habana, 1970.

Joset, Jacques, «Un sofocante aleteo de mariposas amarillas: lectura de un episodio de *Cien años de soledad*», en M. Horanyi, ed., *Actas del Simposio Internacional de Estudios Hispánicos*, Akademiai Kiadó, Budapest, 1978, pp. 421-428.

—, «El imposible *boom* de José Donoso», *Revista Iberoamericana*, 118-119 (1982), pp. 91-101.

—, *Gabriel García Márquez, coetáneo de la eternidad*, Rodopi, Amsterdam, 1984.

Kerr, Lucille, «*The Buenos Aires Affair*: un caso de repetición criminal», *Texto Crítico*, 16-17 (1980), pp. 201-232.

—, «The Fiction of Popular Design and Desire: Manuel Puig's *Boquitas pintadas*», *Modern Language Notes*, 97:2 (1982), pp. 411-421.

Kulin, Katalin, «*El otoño del patriarca*: tema y mensaje», *Texto Crítico*, 8 (1977), pp. 87-103; reimpreso en M. Horanyi, ed., *Actas del Simposio Internacional de Estudios Hispánicos*, Akademiai Kiadó, Budapest, 1978, pp. 429-434.

Lafforgue, Jorge, ed., *Nueva novela latinoamericana*, Paidós, Buenos Aires, 1969-1972, 2 vols.

Lagmanovich, David, *Estructuras del cuento hispanoamericano*, Buenos Aires, 1985 (en prensa).

Langford, Walter, *The Mexican Novel Comes of Age*, University of Notre Dame, Notre Dame, 1971.

Lastra, Pedro, «Contribución a la bibliografía de Gabriel García Márquez», *Letras*, 78-79 (1967), pp. 145-158.

Levine, S. Jill, *El espejo hablado*, Monte Ávila, Caracas, 1975.

—, «La escritura como traducción: *Tres tristes tigres* y una *Cobra*», *Revista Iberoamericana*, 92-93 (1975), pp. 557-568.

Libertella, Héctor, *Nueva escritura en Latinoamérica*, Monte Ávila, Caracas, 1977.

López Lemus, V., *García Márquez. Una vocación irresistible*, Casa de las Américas, La Habana, 1982.

Loveluck, J., ed., *Novelistas hispanoamericanos de hoy*, Taurus, Madrid, 1976.

Ludmer, Josefina, «*Cien años de soledad*»: *una interpretación*, Tiempo Contemporáneo, Buenos Aires, 1972; 1974[2].

Luraschi, Ilse Adriana, «Ambigüedad estructural e ideología en *La ciudad y los perros*», en M. Horanyi, ed., *Actas del Simposio Internacional de Estudios Hispánicos*, Akademiai Kiadó, Budapest, 1978, pp. 459-462.

Mac Adam, Alfred J., «*Tres tristes tigres*: el vasto fragmento», *Revista Iberoamericana*, 92-93 (1975), pp. 549-556.

—, *Modern Latin American Narratives. The Dreams of Reason*, The Chicago University Press, Chicago / Londres, 1977.

—, «José Donoso, *Casa de Campo*», *Revista Iberoamericana*, 116-117 (1981), pp. 257-263.

Magnarelli, Sharon, «The Baroque, the Picaresque, and *El obsceno pájaro de la noche*», *Hispanic Journal*, 2:2 (1981), pp. 81-93.

Martínez, Nelly, «Lo neobarroco en *El obsceno pájaro de la noche* de José Donoso», en *El barroco en América. XVII Congreso del IILI*, Cultura Hispánica, Madrid, 1978, tomo I, pp. 635-642.

—, «*Casa de campo* de José Donoso. Afán de descentralización y nostalgia de centro», *Hispanic Review*, 50:4 (1982), pp. 439-448.

McMurray, George R., «La temática en los cuentos de José Donoso», *Nueva Narrativa Hispanoamericana*, 1:2 (1971), pp. 133-138.

—, «José Donoso: Bibliography-addendum», *Chasqui*, 3:2 (1974), pp. 23-44.

—, *José Donoso*, Twayne Publishers (TWAS, 517), Boston, 1979.

Mejía Duque, Jaime, *Mito y realidad en Gabriel García Márquez*, La Oveja Negra, Bogotá, 1970.

Merrim, Stephanie, «*La Habana para un infante difunto* y su teoría topográfica de las formas», *Revista Iberoamericana*, 118-119 (1982), pp. 403-413.

Meyer-Minnemann, Klaus, «La representación de la violencia en *El coronel no tiene quien le escriba* y *La mala hora* de Gabriel García Márquez», en K. McDuffie, y A. Roggiano, eds., *Texto y contexto en la literatura Iberoamericana. Memoria del XIX Congreso del IILI*, Madrid, 1980, pp. 215-222.

Minard, Evelyne, «*La traición de Rita Hayworth*: violence et mort dans l'Argentine de Manuel Puig», *Caravelle*, 39 (1982), pp. 75-80.

Minta, Stephen, *Gabriel García Márquez, writer of Colombia*, Jonathan Cape, Londres, 1987.

Montero, Óscar, «*El jardín de al lado*: la escritura y el fracaso del éxito», *Revista Iberoamericana*, 123-124 (1983), pp. 449-467.

Morello-Frosch, Marta, «Manuel Puig: *La traición de Rita Hayworth* y *Boquitas pintadas*», en J. B. Avalle-Arce, ed., *Narradores hispanoamericanos de hoy*, University of North Carolina, Chapel Hill, 1973, pp. 73-79.

—, «Usos y abusos de la cultura popular: *Pubis angelical* de Manuel Puig», en Rose S. Minc, ed., *Literature and Popular Culture in the Hispanic World. A Symposium*, Hispamérica, Gaithersburg, 1981, pp. 31-42.

Muller, Anita T., «La dialéctica de la realidad en *El obsceno pájaro de la noche*», *Nueva Narrativa Hispánica*, 2:2 (1972), pp. 93-100.

Nelson, Ardis L., «El doble, el recuerdo y la muerte: elementos de fugacidad en la narrativa de Guillermo Cabrera Infante», *Revista Iberoamericana*, 123-124 (1983), pp. 509-521.

—, *Cabrera Infante in the Mennipean Tradition*, Juan de la Cuesta (Hispanic Monographs), Newark, 1983.

Ocanto, Nancy, «Bio-bibliografía de José Donoso», *Actualidades*, 2:2 (1977), pp. 191-215.

Ortega, Julio, *La contemplación y la fiesta*, Editorial Universitaria, Lima, 1968.

—, «Cabrera Infante», en J. Ríos, ed., *Guillermo Cabrera Infante*, Fundamentos, Madrid, 1974, pp. 187-207.

—, *Poetic of Change: The New Spanish-American Narrative*, University of Texas Press, Austin, 1984.

Oviedo, José Miguel, ed., *Nueve asedios a García Márquez*, Editorial Universitaria, Santiago de Chile, 1969.

—, «*Terra nostra*: sinfonía del nuevo mundo», *Texto Crítico*, 5 (1976), pp. 61-69.

Palencia-Roth, M., *Gabriel García Márquez: la línea, el círculo y las metamorfosis del mito*, Gredos, Madrid, 1983.

Pamies, Alberto y C. Dean Berny, *Carlos Fuentes y la dualidad integral mexicana*, Ediciones Universal, Miami, 1969.

Parkinson-Zamora, Lois, «The End of Innocence: Myth and Narrative Structure in Faulkner's *Absalon, Absalon!* and García Márquez' *Cien años de soledad*», *Hispanic Journal*, 4:1 (1982), pp. 23-40.

Pereda, Rosa M., *Guillermo Cabrera Infante*, Edaf, Madrid, 1979.

Pérez Blanco, Lucrecio, «*Casa de campo*, de José Donoso. Valoración de la fábula en la narrativa actual hispanoamericana», *Anales de Literatura Hispanoamericana*, 6:7 (1978), pp. 259-290.

Peterson, Gerald, «Two literary parallels: *La cena* by Alfonso Reyes and *Aura* by Carlos Fuentes», *Romance Notes*, 14 (1970), pp. 41-44.

Pollmann, Leo, *Der neue Roman in Frankreich und Latein Amerika*, W. Kohlhammer, Stuttgart, 1968; trad. cast., *La «nueva novela» en Francia y en Iberoamérica*, Gredos, Madrid, 1971.

Pope, Randolph D., «*Las buenas conciencias*: de Carlos Fuentes y *Las afueras* de Luis Goytisolo: correspondencias en la nostalgia», *Revista Canadiense de Estudios Hispánicos*, 7:2 (1983), pp. 273-289.

Promis, José, «El mundo infernal del novelista José Donoso», en *Anales de la Universidad del Norte*, 7 (1969), pp. 201-223.

—, «La desintegración del orden en la novela de José Donoso», en C. Goic, ed., *La novela hispanoamericana: descubrimiento e invención de América*, Ediciones Universitarias, Valparaíso, 1973, pp. 109-139.

—, *La novela chilena actual: orígenes y desarrollo*, Fernando García Cambeiro (Colección Estudios Latinoamericanos, 25), Buenos Aires, 1977.

—, *Testimonios y documentos de la literatura chilena: 1842-1975*, Nascimento, Santiago, 1977.

Quinteros, Isis, *José Donoso, una insurrección contra la realidad*, Hispanova (Colección Véspero), Madrid, 1978.

Rama, Ángel, *Salvador Garmendia y la narrativa informalista*, Biblioteca de la Universidad Central de Venezuela, Caracas, 1975.

—, *La novela latinoamericana. Panoramas 1920-1980*, Instituto Colombiano de Cultura, Bogotá, 1981.

—, y Mario Vargas Llosa, *García Márquez y la problemática de la novela*, Corregidor/Marcha, Buenos Aires, 1973.

Ramírez Mattei, Aída Elsa, *La narrativa de Carlos Fuentes*, Editorial de la Universidad de Puerto Rico, Río Piedras, 1983.

Reeve, Richard M., «Bibliografía anotada sobre Carlos Fuentes», *Hispania*, 53 (1970), pp. 597-652.

—, «The Making of *La región más transparente: 1949-1974*», en R. Brody, y Ch. Rossman, eds., *Carlos Fuentes: A Critical View*, The University of Texas Press, Austin, 1982, pp. 34-63.

Ríos, Julián, ed., *Guillermo Cabrera Infante*, Fundamentos, Madrid, 1974.

Rodríguez Monegal, Emir, *El arte de narrar. Diálogos*, Monte Ávila, Caracas, 1968.

—, *El «boom» de la literatura latinoamericana. Ensayo*, Editorial Tiempo Nuevo, Caracas, 1972.

—, «Estructura y significaciones de *Tres tristes tigres*», en J. Ríos, ed., *Guillermo Cabrera Infante*, Fundamentos, Madrid, 1974, pp. 81-127.

—, «Cabrera Infante: la novela como autobiografía total», *Revista Iberoamericana*, 116-117 (1981), pp. 265-271.

Rodríguez Ortiz, Óscar, *Seis proposiciones en torno a Salvador Garmendia*, Síntesis Dosmil, Caracas, 1976.

Roffe, Reina, *Espejo de escritores*, Ediciones del Norte, Hanover, N.H., 1984.

Rosa, Nicolás, *Crítica y significación*, Galerna, Buenos Aires, 1970.

Ruffinelli, Jorge, «Las memorias de García Márquez», *Eco*, 252 (1982), pp. 613-623.

Sánchez-Boudy, José, *La nueva novela hispanoamericana y «Tres tristes tigres»*, Universal, Miami, 1970.

Sánchez Reyes, C., *Carlos Fuentes y «La región más transparente»*, Universidad de Puerto Rico, Río Piedras, 1975.

Sarduy, Severo, *Escrito sobre un cuerpo*, Sudamericana, Buenos Aires, 1969.

Sarrailh, Michèle, «Apuntes sobre el mito dariano en *El otoño del patriarca*», en M. Horanyi, ed., *Actas del Simposio Internacional de Estudios Hispánicos*, Akademiai Kiadó, Budapest, 1978, pp. 435-458.

Schulman, Iván A., *Coloquio sobre la novela hispanoamericana*, Fondo de Cultura Económica, México, 1967.

Schwartz, Kessel, *A New History of Spanish-American Fiction*, University of Miami Press, Coral Gables, 1971-1972, 2 vols.

Schweitzer, Alan, *Three levels of reality in García Márquez: Cien años de soledad*, Plaza Mayor, Madrid, 1972.

Siemens, William L., *Worlds Reborn. The Hero in the Modern Spanish American Novel*, West Virginia University Press, Morgantown, 1984.

Simón Martínez, Pedro, *Recopilación de textos sobre García Márquez*, Casa de las Américas (Serie Valoración Múltiple), La Habana, 1969; otra ed., Biblioteca de Marcha, Montevideo, 1971.

Solotorewsky, Myrna, «Configuraciones espaciales en *El obsceno pájaro de la noche*», *Bulletin Hispanique*, 82:1-2 (1980), pp. 150-188.

—, *José Donoso: incursiones en su producción novelesca*, Ediciones Universitarias de Valparaíso, Chile, 1983.

Sommers, Joseph, *After the Storm*, University of New Mexico Press, Albuquerque, 1968; trad. cast., *Yáñez, Rulfo, Fuentes. La novela mexicana moderna*, Monte Ávila, Caracas, 1969.

—, «Individuo e historia en *La muerte de Artemio Cruz* de Carlos Fuentes», en Á. Flores y R. Silva Cáceres, *La novela hispanoamericana actual*, Las Américas, Nueva York, 1971, pp. 145-155.
Stoopen, M., «*La muerte de Artemio Cruz*», *una novela de denuncia y traición*, 1982.
Tatum, Charles M., «*El obsceno pájaro de la noche*: The Demise of Feudal Society», *Latin American Literary Review*, 1:2 (1971), pp. 153-156.
Tealdi, Juan Carlos, *Borges y Viñas*, Orígenes (Literatura e Ideología), Madrid, 1983.
Tittler, Jonathan, *Narrative Irony in the Contemporary Spanish-American Novel*, Cornell University Press, Ithaca, Nueva York, 1984.
Valdés, Adriana, «El "imbunche", estudio de un motivo en *El obsceno pájaro de la noche*», en A. Cornejo Polar, ed., *Donoso: la destrucción de un mundo*, Fernando García Cambeiro (Colección Estudios Latinoamericanos, 14), Buenos Aires, 1975, pp. 125-160.
Vargas Llosa, Mario, *García Márquez: historia de un deicidio*, Barral, Barcelona, 1971.
Vásquez Amaral, José, *The Contemporary Latin American Narrative*, Las Américas, Nueva York, 1970.
Velarde Rosas, Agustín, *Carlos Fuentes y Las buenas conciencias*, Buena Prensa, México, 1962.
Vera, Nora, y Bradley A. Shaw, *Critical Perspectives on Gabriel García Márquez*, The University of Nebraska, Lincoln, 1984.
Vidal, Hernán, *José Donoso. Surrealismo y rebelión de los instintos*, Aubí, Barcelona, 1972.
—, «El modo narrativo en *La muerte de Artemio Cruz*, de Carlos Fuentes», *Thesaurus*, 31:2 (1976), pp. 300-326.
Volek, Emil, «*Tres tristes tigres* en la jaula verbal: las antinomias dialécticas y la tentativa de lo absoluto en la novela de Guillermo Cabrera Infante», *Revista Iberoamericana*, 116-117 (1981), pp. 175-183.
—, *Cuatro claves para la modernidad: análisis semiótico de textos hispánicos. Aleixandre, Borges, Carpentier, Cabrera Infante*, Gredos, Madrid, 1984.
Williams, Lorna V., «*El mundo alucinante*: la historia como posibilidad», en M. Horanyi, ed., *Actas del Simposio Internacional de Estudios Hispánicos*, Akademiai Kiadó, Budapest, 1978, pp. 501-504.
Williams, Raymond L., «García Márquez y Gardeazábal ante *Cien años de soledad*», *Revista Iberoamericana*, 116-117 (1981), pp. 165-174.
Williams, Shirley A., «Prisoners of the Past: Three Fuentes Short Stories from *Los días enmascarados*», *Journal of Spanish Studies. Twentieth Century*, 6:1 (1978), pp. 39-52.

José Miguel Oviedo

CIEN AÑOS DE SOLEDAD DE GARCÍA MÁRQUEZ

Macondo ha sido inventado a partir de datos muy concretos de una zona real de Colombia (el mundo de la costa atlántica, con sus pueblitos ruinosos y sonámbulos), donde la miseria es natural, el calor implacable, la vida calamitosa y la política bárbara. Su atmósfera es asfixiante porque, en verdad, la vida ya no circula: se estanca y corrompe en medio del resentimiento y el hábito de la desesperación. La historia de Macondo se arrastra penosamente desde mediados del siglo pasado; sus primeros pobladores fueron gentes que huían de las guerras civiles que asolaban Colombia. Tras una pacificación formal hacia 1903, Macondo conoce su edad dorada en los años de la primera guerra mundial; es la fiebre del banano, que convierte al pueblo en un activo centro de traficantes, explotadores y aventureros. Tras el auge y la sensación de prosperidad, sólo quedarían cenizas y recuerdos. Macondo volvió a hundirse en el polvo de la historia y siguió muriéndose de a pocos, en medio del calor, poblado de gentes que se odiaban y de casas comidas por la polilla.

En algún momento, García Márquez sintió que Macondo resultaba estrecho para contener a todos sus personajes y resolvió establecer un territorio anexo que —indeterminadamente— llamó «el pueblo», para hacer vivir (o morir) a los personajes que escapaban del infierno de Macondo. En Macondo ocurren *La hojarasca*, un par de cuentos («La

José Miguel Oviedo, «Macondo: un territorio mágico y americano», en *Nueve asedios a García Márquez*, Editorial Universitaria, Santiago de Chile, 1969, pp. 92-96.

siesta del martes» y «Un día después del sábado») de *Los funerales*, y *Cien años*; en «el pueblo» ocurren *El coronel*, los seis cuentos restantes de *Los funerales* y *La mala hora.* Se parecen, pero se pueden distinguir: Macondo es un lugar ardiente, cenagoso, fuera del tiempo, arruinado y lleno de historias fantásticas, cuya única comunicación con el mundo depende de un trencito amarillo, aunque no se sabe bien adónde conduce; «el pueblo» es más real, está infestado por los odios políticos y el chismorreo perverso, y tiene un apestoso río por donde llega una lancha con el correo dos veces por semana. Hay dos personajes-puente que unen a Macondo con «el pueblo»: el protagonista de *El coronel*, que es macondano, pero que se fue a vivir a «el pueblo» porque «el olor del banano me descompone los intestinos»; y el Padre Ángel, párroco de «el pueblo» después de haberlo sido de Macondo. Todos estos vaivenes y visiones fragmentarias, sólo habían demorado al que había sido, desde el comienzo, el propósito fundamental de García Márquez: contar la *historia completa* de Macondo, desde que nace hasta que se lo lleva el viento. Pero al fin lo logró: *Cien años de soledad* es esa deslumbrante novela total, el Libro de las Maravillas que lo obsesiona desde la adolescencia.

Contar todo Macondo era una tarea ciclópea porque Macondo es un lugar mitológico. Todo allí es posible: seres más que centenarios, varones que procrean gozosamente hasta la ancianidad, apariciones y diálogos con espíritus, alfombras que vuelan, ascensiones en alma y cuerpo al cielo, monstruosidades y destrucciones sobrenaturales, presagios e inventos disparatados, plagas y diluvios, etc. García Márquez cumplió su propósito atravesando tres círculos de fuego que se contienen concéntricamente. El primero consistía en trazar la biografía del inacabable coronel Aureliano Buendía, el hombre cuya imposible vida —el hilo conductor de la novela— resume así el autor:

> El coronel Aureliano Buendía promovió treinta y dos levantamientos armados y los perdió todos. Tuvo diecisiete hijos varones en diecisiete mujeres distintas, que fueron exterminados uno tras otro en una sola noche, antes de que el mayor cumpliera treinta y cinco años. Escapó a catorce atentados, a setenta y tres emboscadas y a un pelotón de fusilamiento. Sobrevivió a una carga de estricnina en el café que habría bastado para matar a un caballo. Rechazó la Orden del Mérito que le otorgó el presidente de la república. Llegó a ser comandante general de las fuerzas revolucionarias, con jurisdicción y mando de una frontera a la otra, y el hombre más temido por el gobierno, pero nunca permitió que le tomaran una fotografía.

Declinó la pensión vitalicia que le ofrecieron después de la guerra y vivió hasta la vejez de los pescaditos de oro que fabricaba en su taller de Macondo. Aunque peleó siempre al frente de sus hombres, la única herida que recibió se la produjo él mismo después de firmar la capitulación de Neerlandia que puso término a casi veinte años de guerras civiles. Se disparó un tiro de pistola en el pecho y el proyectil salió por la espalda sin lastimar ningún centro vital. Lo único que quedó de todo eso fue una calle con su nombre en Macondo.

El segundo círculo encierra la descripción de la familia fundadora Buendía, una numerosísima dinastía cuya incongruente existencia dura un centenar de años, al término de los cuales todos están muertos, tal como lo predecían los pergaminos del mago Melquíades: «El primero de la estirpe está amarrado en un árbol y al último se lo están comiendo las hormigas». Los Buendía son una grey indómita y medio delirante constituida por protomachos colosales y mujeres histéricas o beatíficas que, en obediencia a una fuerza atávica, imponen a sus hijos el archirrepetido nombre de Aureliano o Arcadio. Hay como cinco Arcadios y más de veinte Aurelianos en la novela. A la larga, los nombres son una clave de sus respectivos destinos: «Mientras los Aurelianos eran retraídos, pero de mentalidad lúcida, los José Arcadio eran impulsivos, pero estaban marcados por un signo trágico». Todos giran como endemoniados en aventuras y ayuntamientos vertiginosos; sólo un personaje permanece inmóvil y vidente, en el centro de todo, como auténtico tronco secular de la familia: Úrsula Iguarán es ese principio ordenador en medio del caos de los tiempos, la razón doméstica en medio del infinito peregrinaje de los hijos que desparraman el apellido Buendía igual que una semilla en el viento. Quizá [el siguiente] esquema ayude al lector a no enredarse con la frondosa genealogía de la casta.

El último círculo es Macondo mismo, con su turbulenta historia y su desastrada existencia a través de las guerras civiles y la fiebre del banano que sólo le trae desgracias y muertes. Así, lo imaginario y lo desaforado se entroncan con la historia de Colombia y con aquellos viejos males reales que América repite a lo largo de sus cien años de soledad: la división cainita entre liberales y conservadores, entre blancos y colorados, entre demócratas y civilistas —táchese lo que no corresponda—; el revolucionarismo tropical y romántico puesto al servicio de los grandes partidos, que abundó en heroísmos que no condujeron a nada; las épocas de las vacas gordas que suceden a las épocas

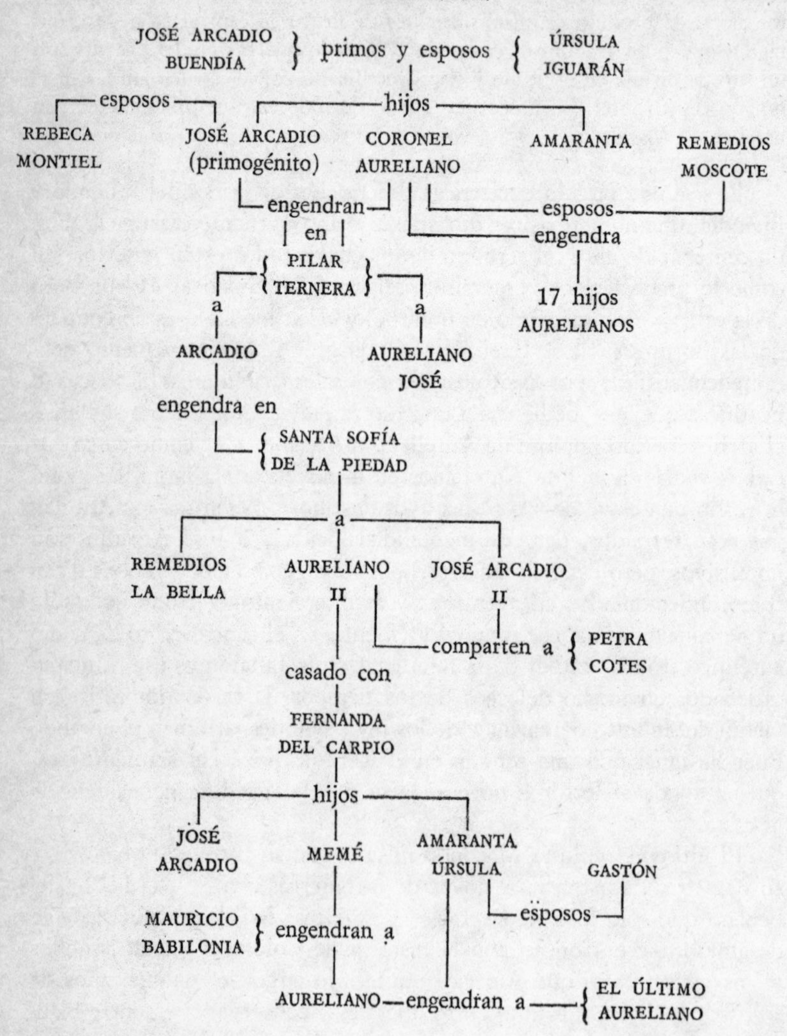
LOS BUENDÍA
JOSÉ ARCADIO BUENDÍA
primos y esposos
ÚRSULA IGUARÁN
esposos
hijos
REBECA MONTIEL
JOSÉ ARCADIO (primogénito)
CORONEL AURELIANO
AMARANTA
REMEDIOS MOSCOTE
engendran
en
esposos
engendra
PILAR TERNERA
a
a
17 hijos AURELIANOS
ARCADIO
AURELIANO JOSÉ
engendra en
SANTA SOFÍA DE LA PIEDAD
a
REMEDIOS LA BELLA
AURELIANO II
JOSÉ ARCADIO II
comparten a
PETRA COTES
casado con
FERNANDA DEL CARPIO
hijos
JOSÉ ARCADIO
MEMÉ
AMARANTA ÚRSULA
GASTÓN
esposos
MAURICIO BABILONIA
engendran a
AURELIANO
engendran a
EL ÚLTIMO AURELIANO

de las vacas flacas como un espejismo de bonanza, tras el cual la riqueza y los explotadores desaparecen y quedan sólo los explotados; las treguas y las componendas con repartición de medallas y promesas de pensiones; la terquedad con que la historia se niega a cambiar de manos, etc.

Pues bien, el problema de García Márquez era: ¿cómo contar todo esto sin perder el aliento? ¿Cómo conquistar por completo su propio territorio novelístico y cerrar el ciclo de Macondo de una buena vez? Era la «dificultad técnica» que, según su confesión, lo demoró veinte años. García Márquez la resolvió adoptando la actitud impávida y candorosa de los narradores tradicionales que no trepidan ante las arbitrariedades, las inverosimilitudes y las desproporciones de sus relatos, sino que, sencillamente, las incorporan al contexto y siguen tan campantes.

Joseph Sommers

INDIVIDUO E HISTORIA EN *LA MUERTE DE ARTEMIO CRUZ* DE CARLOS FUENTES

A diferencia de *La región más transparente*, en la cual un montaje narrativo construido flexiblemente lograba una visión panorámica, amplia, de la sociedad mexicana, enfatizando sus bases culturales e históricas, *La muerte de Artemio Cruz* presenta una psicología individual, un destino trazado contra los caleidoscópicos cambios del México del siglo XX. Cada fragmento de la vida del protagonista representa un momento de elección crucial. Frecuentemente las decisiones deben resolver crisis en su vida personal más bien que pública: evitar su propio fusilamiento o revelar información acerca de movimientos de tropas; otra decisión, la de desposar a Catalina, hermana de Gonzalo Bernal, que había muerto como un mártir frente al mismo pelotón de fusilamiento. A la muerte de Gonzalo, Artemio Cruz asume brutal-

Joseph Sommers, «Individuo e historia en *La muerte de Artemio Cruz*, de Carlos Fuentes», en Á. Flores y R. Silva Cáceres, eds., *La novela hispanoamericana actual*, Las Américas, Nueva York, 1971, pp. 145-155.

mente el control de las fortunas de la familia Bernal como una palanca hacia el poder, pero en el camino sacrifica la posibilidad de ganar el amor de la subyugada esposa, abandonada a las torturas combinadas de la culpa, el resentimiento y el deseo. Otra decisión es la de quitarle a su hijo a una madre excesivamente protectora y exponerlo a la libertad que él, Artemio Cruz, había conocido de joven en una plantación de Veracruz, con el resultado de que el hijo cumpla el destino que el padre había abandonado. Lorenzo Cruz muere una muerte de héroe junto a los republicanos españoles, mientras su padre continúa por el corrompido camino del poder personal.

La inminencia de la muerte elimina toda duda en la mente del lector sobre cómo habrá de terminar la novela. La angustia y la tensión dramática brotan, en cambio, de las variadas referencias temporales y de un ingenioso sistema cambiante en cuanto a puntos de vista.

La acción está relatada a base de fragmentos en primera persona, monólogos interiores del hombre moribundo; en segunda persona del futuro, voz misteriosa equivalente a su *alter ego*, que se dirige a él, sorprendentemente, en tiempo futuro, aunque se refiere a hechos del pasado; y en la tradicional tercera persona del pretérito, con una narración omnisciente que recuenta escenas cruciales en *flashback* que revitalizan los momentos críticos de la carrera del protagonista. El lector, pues, tiene que ajustarse a los ciclos narrativos en primera, segunda y tercera persona y a los continuos cambios de enfoque.

La perspectiva en primera persona, con Artemio Cruz realmente hablándole directamente al lector, ilumina su conciencia en el lecho de muerte. Una impresión aguda de dolorosas sensaciones físicas y desagradables funciones del cuerpo refuerza sus negativos pensamientos acerca de la familia, del sacerdote y de los asociados que visitan el cuarto del enfermo. La codicia, la hipocresía y la culpa que él encuentra en ellos sirven de contrapartida a su propio malestar y, en un nivel más profundo, a su propia culpa.

En los pasajes en segunda persona el lector es testigo del drama, mientras la voz del *alter ego* se dirige a Cruz, hablando en futuro de lo que ya ha sucedido, como prediciéndolo. El propósito es colocar al lector al lado de Cruz mientras éste revive sus crisis personales, como si todavía no hubiesen tenido lugar y hubiese aún oportunidad de cambios. Desde este punto de vista el lector puede participar con el protagonista e identificarse con su dilema.

Las más tradicionales secuencias en tercera persona son las más largas.

Aquí el autor, por medio de un narrador omnisciente, refiere directamente al lector fragmentos del pasado del protagonista, puntualizados exactamente en el tiempo: julio 6, 1941; mayo 20, 1919, etc. Esto constituye, por así decirlo, información «externa» que puede ser aceptada como una versión auténtica de las circunstancias que rodean las diversas decisiones personales. En varias de estas secciones la maestría narrativa de Fuentes se destaca agudamente, dándoles a los pasajes casi el aspecto de cuentos acabados.

La tensión que crean las cambiantes perspectivas es aumentada por la naturaleza no cronológica de la secuencia narrativa a medida que las secciones en tercera persona evocan a saltos la carrera del protagonista. Mientras el lector advierte desde las primeras páginas que Artemio Cruz va a morir, sólo la sección final, refiriendo sus días de infancia, ilumina completamente la vida, que ha tomado forma gradualmente en las secciones precedentes, y la muerte, que sigue en forma inevitable.

El efecto esencial de este cuidadoso —y artístico— manejo de la estructura y del punto de vista es el de crear un estrecho y cerrado todo narrativo, que enfoca hacia adentro sus propias complejidades intrínsecas, en lugar de proyectarse hacia afuera y depender de realidades históricas y sociales extrínsecas a la novela.

Con todo, la historia de México es una presencia importante que proporciona el trasfondo de la carrera de Artemio Cruz e impone el campo de elección al que él hace frente en cada coyuntura. Pero está presentada con finalidad, ya estructurada, antes que analizada en términos de causalidad, o desarrollándose en el proceso de la novela. Una vez más, el proceso de la historia es visto como cíclico, implicando una forma de cambio convulsivo que al final se convierte en algo sumamente trágico.

El proceso se resume en los pensamientos del viejo Bernal, cuya familia se ha enriquecido aprovechándose de las reformas de Juárez, acumulando propiedades anteriormente poseídas por la Iglesia, que a su vez caen en las garras de Artemio Cruz bajo la falsa bandera de la reforma agraria revolucionaria: «Desventurado país —se dijo el viejo mientras caminaba, otra vez pausado, hacia la biblioteca y esa presencia indeseable, pero fascinante—, desventurado país que a cada generación tiene que destruir a los antiguos poseedores y sustituirlos por nuevos amos, tan rapaces y ambiciosos como los anteriores».

Contra este trasfondo se destaca la figura plenamente lograda de Artemio Cruz, un personaje a la vez admirable en su fuerza y patético en su angustia. Sobre él —su psicología y el significado de la vida— recae el mayor énfasis de la novela, y a través de él Fuentes elabora un conjunto de temas significativos.

[El problema que subyace en *La muerte de Artemio Cruz* puede ser planteado en términos específicos: «¿Qué oportunidad encuentra el individuo para su realización personal en el México moderno?».] La construcción de esta novela se presta a una visión del hombre existencialmente orientada. Un componente de esta visión es el concepto de la vida como una serie de elecciones mediante las cuales el hombre determina su destino, un tema repetido a través de la novela y que controla la estructura misma escogida por el autor. Un ejemplo de los pensamientos del protagonista mientras revive el pasado: «—Que no te faltará, ni te sobrará, una sola oportunidad para hacer de tu vida lo que quieras que sea. Y si serás una cosa, y no la otra, será porque, a pesar de todo, tendrás que elegir. Tus elecciones no negarán el resto de tu posible vida, todo lo que dejarás atrás cada vez que elijas: sólo la adelgazarán, la adelgazarán al grado de que hoy tu elección y tu destino serán una misma cosa: la medalla ya no tendrá dos caras: tu deseo será idéntico a tu destino».

La medida del hombre es la forma de su vida, el valor que le da. Y el punto final del hombre es la muerte. A diferencia de *Pedro Páramo*, en el cual la vida es solamente una prefiguración de la muerte, *La muerte de Artemio Cruz* concibe la vida como la encarnación de todo sentido y la muerte como su negación total.

Artemio Cruz sufre de angustia existencial, que repercute en numerosos matices particulares. Está consciente de que su destino es final, aunque incompleto. Se entrevé su sentido de culpa por haber utilizado a otros individuos, especialmente a su hijo, como pilares de su propia carrera («legarás las muertes inútiles, los hombres muertos, los nombres de cuantos cayeron muertos para que el nombre de ti viviera, los nombres de los hombres despojados para que el nombre de ti poseyera, los nombres de los hombres olvidados para que el nombre de ti jamás fuese olvidado ...». Indirectamente presente está la comprensión, expresada a través de una blasfemia desesperada, de la necesidad de un Ser Supremo. La religión había sido un fenómeno en el cual nunca pudo confiar para sostenerse, porque la afirmación de la vida requería la negación de Dios. [...] La novela proyecta una visión del hombre no como simple hacedor de la historia, sino *en la historia*, siguiendo la concepción de Octavio Paz. La historia no es el telón que sirve de fondo al drama personal, es también una fuerza activa que restringe el movimiento individual y la libertad de elección.

LUIS IÑIGO-MADRIGAL

ALEGORÍA, HISTORIA, NOVELA: *CASA DE CAMPO* DE JOSÉ DONOSO

[*Casa de campo*, la novela de José Donoso, tiene en buena parte un carácter alegórico. Las primeras reseñas publicadas sobre la obra anotaban ya esa posibilidad,] que queremos desarrollar ahora con algún detalle, para explicarla después, desde una perspectiva sociológico-literaria, como expresión de la actividad histórica de un grupo social específico en un momento determinado de la historia de Chile, atrayendo además, como confirmación de nuestra hipótesis, los capítulos finales, no alegóricos, del texto.

Aunque el narrador de *Casa de campo* (narrador cuyas especiales características están en directa relación con la «alegoría» propuesta y con la ideología que la estructura) insiste reiteradamente en la calidad fictiva de su narración, [...] en el caso de la novela que nos ocupa la negación explícita de su carácter alegórico está relacionada, desde un punto de vista retórico, por una parte con la *ironía* y, por otra, con el tipo de relación elegido entre la voluntad semántica y el *thema.*

Finalmente, si concedemos que aun las alegorías mentadas como tales exigen lectores dispuestos a asumirlas desde una perspectiva determinada, dispondremos de un camino que permitiría un análisis sociológico del consumo de la obra de que tratamos (cosa de la cual no nos ocuparemos aquí). [...]

Para empezar primero por lo primario, habría que ir, paradojalmente, a la última página de *Casa de campo.* Allí, terminado (?) el texto, figuran los lugares y las fechas entre los que se escribió: «Calaceite-Sitges-Calaceite. 18 de septiembre 1973 - 19 de junio 1978», datos de los que nos interesa retener ahora el de la fecha inicial: 18 de septiembre de 1973, esto es: fecha de celebración de la Independencia de Chile (18-IX-1810), pero 18 de septiembre de *1973*, es decir, siete días después del golpe militar que derribó al Gobierno Constitucional

Luis Iñigo-Madrigal, «Alegoría, historia, novela (a propósito de *Casa de campo* de José Donoso)», en *Hispamérica*, 25:26 (1980), pp. 5-31 (5-14, 25-31). Los números entre paréntesis corresponden a las páginas de la edición de Seix Barral, Barcelona, 1978.

de Chile, asesinando a su Presidente, Dr. Salvador Allende Gossens, a miles y miles de patriotas, encarcelando y torturando a muchos más, e instaurando un régimen de opresión y terror que aún no cesa. En esa precisa fecha se comienza a escribir (o se nos dice que se comienza a escribir, matiz a tener en cuenta) *Casa de campo*, que narra lo siguiente:

Una acaudalada familia acostumbra a pasar, año tras año, los meses de verano en la lujosa casa de campo sita en sus inmensas posesiones rurales. La estadía es, más que unas vacaciones, el medio de controlar la fuente de riqueza familiar: en las propiedades patrimoniales existen minas de oro cuyo producto es extraído y laboreado en sutiles láminas, aptas para usos ornamentales y muy codiciadas en el mercado internacional, por los nativos de la tierra (otrora orgullosos y libres, sometidos hoy a la cuasi esclavitud so pretexto de antiguas prácticas antropofágicas que se les achaca y, dicen, pueden resurgir). Sólo un miembro de la familia estableció alguna vez relaciones amistosas con los nativos; pero ese excéntrico ha sido declarado loco, encerrado y mantenido aislado del grupo familiar.

Durante una de sus permanencias en la casa de campo la familia decide realizar un paseo a un mítico paraje de sus posesiones; en la gira participarán sólo los adultos (acompañados de la innúmera servidumbre que los atiende y, llegado el caso, deberá defenderlos de posibles antropófagos), en tanto los niños permanecen, solos, en la casa.

Idos los mayores uno de los niños libera al supuesto loco (su padre) y éste inicia un vasto programa de reformas en la vida del lugar, incluyendo relaciones amistosas con los nativos, normas de igualdad en los derechos y obligaciones de todos los habitantes, etc. Tales reformas son acatadas con desigual ánimo por los niños que, desde distintos ángulos, las acogen, ignoran o rechazan. En esas circunstancias, el plan de reformas fracasa y el caos se enseñorea del lugar.

De vuelta del paseo los adultos saben, en el camino, lo que ha sucedido en la casa durante su ausencia; deciden enviar a la servidumbre para reinstaurar el orden quebrantado y posponen su propio regreso para el año siguiente.

Los sirvientes cumplen su tarea de conquistar a sangre y fuego, implantando una atmósfera de crimen y terror que es una especie de mascarada del antiguo régimen.

Cuando regresan los adultos, lo hacen acompañados de extranjeros a quienes tienen el propósito de vender sus posesiones; los extranjeros (en complicidad con la antigua servidumbre y con la nueva que ha acompañado a los adultos en su regreso; con una de las niñas que había huido del lugar durante la ausencia de sus padres y con el amante nativo de ella; con otra de las alegorías las correspondencias entre los diversos grupos de personajes novelescos y la división social sobredicha pueden difuminarse, entrecruzarse o adquirir formas aparentemente excluyentes. Sin embargo, en tanto la excursión corresponde, en el nivel del segundo pensamiento mentado en serio, al abandono del poder por parte de la oligarquía en favor (?) de las capas medias (proceso cuya trayectoria histórica en Chile sería larga de detallar, pero que puede remontarse, bien hasta el primer gobierno de Arturo Alessandri, 1920-1924, bien hasta el triunfo del Frente Popular en las elecciones presidenciales de 1938), esa excursión parece remitir a la desavenencia de la burguesía chilena frente a las elecciones de 1970, expresada en la disputa entre el Partido Nacional y la Democracia Cristiana que impidió, primero, la presentación de un candidato único de esas fuerzas políticas y, posteriormente, permitió que Salvador Allende fuera elegido Presidente de la República.

En el discurso explícito las actitudes de los personajes, o grupos de personajes, frente a la excursión y sus consecuencias pueden relacionarse así con las actitudes de diversos grupos sociales chilenos frente a los acontecimientos nacionales a partir de 1970. [...]

El capítulo doce contiene una «interpolación de otro mundo» (p. 395): una conversación del narrador de la novela con Silvestre Ventura; un «alarde» realista, en el que el primero expone el sentido de su obra y las diferencias que la separan de su anterior producción. Después de ese «cambio de registro», se vuelve al anterior, en el que Silvestre Ventura rinde cuenta a su hermano Hermógenes y a la mujer de éste, Lidia, de una misión que le ha sido encomendada: encontrar un nuevo mayordomo que acompañe a la familia en su regreso a la Casa, «... con el fin de desarticular de entrada las probables pretensiones heroicas del que quedó allá y que podrían resultar peligrosas ...» (p. 408). Silvestre no ha encontrado a ningún candidato dispuesto a aceptar el puesto, pero la conversación fraternal sirve para conocer los proyectos de los Ventura, que irán a la Casa acompañados de ciertos extranjeros a quienes piensan vender sus posesiones; esos proyectos incluyen toda suerte de traiciones mutuas. [...]

El apartado segundo del capítulo doce está ocupado por la llegada de los adultos, acompañados de tres extranjeros y nueva servidumbre (aunque sin Mayordomo), a la Casa, convertida en ruinas y bajo el férreo dominio de los antiguos criados. Desde el momento mismo de la llegada, los extranjeros (dos hombres y una mujer) adquieren un carácter protagónico: no sólo se permiten criticar las posesiones de los Ventura, poniendo en duda su real valor, sino que contemplan y juzgan con desprecio explícito las costumbres y usos familiares. Más aún, prontamente uno de los extranjeros, «el nabab de patillas coloradas, en su papel emblemático que lo autorizaba para cerrar trato en nombre de los suyos», aprovecha la ocasión «para decirle, sin necesidad de disimulo, unas cuantas palabras al Mayordomo»: «Éste las contestó afirmativamente, con la lucidez de quien sabe el valor de lo que da y de lo que recibe y no duda que su servidumbre está definiendo el futuro» (p. 435).

Entretanto, la atmósfera de destrucción que reina en la Casa es disimulada cada vez con mayor dificultad por los Ventura, que ceden progresivamente a reacciones y sentimientos «humanos». La situación no mejora con la llegada de una nueva caravana a la Casa: se trata esta vez de Malvina, cuya historia se narra a continuación (pp. 457-474): durante el período «revolucionario», cuatro primos (Malvina, Higinio, Fabio y Casilda) huyen de la Casa llevándose parte del oro acumulado en las bodegas familiares; los acompañan algunos nativos, entre los que destaca Pedro Crisólogo; llegados a la capital, Malvina se desembaraza de Fabio y Casilda (después, también de Higinio) y de los nativos (con excepción de Pedro Crisólogo, de quien es amante), e inicia una vida de poco escrupulosos negocios, que incluyen la venta del oro a los extranjeros, y la enriquecen rápidamente; entre sus actividades planea negociar con Adriano Gomara la obtención de nuevas remesas de oro, petición a la que aquél accede, con esperanza de salvar la situación miserable y caótica que impera en Marulanda como consecuencia de la «revolución»; el tráfico, sin embargo, se interrumpe pronto por una maniobra de los niños contrarios a Gomara, interrupción que no desagrada completamente a Malvina. [...]

Malvina cierra así el círculo de compromisos y traiciones que culminan con el abandono de los Ventura a una muerte probable, en los términos ya conocidos, por la servidumbre, los extranjeros, Malvina y Pedro Crisólogo, y Melania, prima de Malvina que acompaña al más joven de los extranjeros. Sin embargo, algunos de los integrantes del clan abandonado tal vez se salven. [...]

Tal vez convenga señalar que el peligro que acecha a los abandonados es el de las «tempestades» de vilanos que azotan cada año, al finalizar el verano, a Marulanda: vilanos producidos por gramíneas que pueblan las posesiones de los Ventura y la novela. Y que el único medio para no perecer sofocado por esos vilanos, es un método de respiración lenta y acompasada perfeccionado por los nativos, al que se pliegan los Ventura que quedan en la Casa (otros, locamente, se aventuran en el campo, en donde la muerte es segura), en una especie de ritual en que quedan «... tumbadas las figuras de grandes niños y nativos confundidas, apoyadas unas en otras, en los almohadones, cubiertas por las mantas a rayas tejidas por las mujeres de los nativos, respirando apenas, con los ojos cerrados, con los labios juntos, viviendo apenas ...» (p. 498). [...]

Entre la alegoría propuesta, en el grueso de la obra, las características y elementos generales de ésta, y sus capítulos finales, no hay oposición sino complementariedad. Todo se integra en el nivel de la ideología del grupo social cuya actividad histórica en el Chile de las últimas décadas expresa *Casa de campo.*

Se trata de un sector de las capas medias chilenas: en rigor, de los estratos altos de esas capas que participan de los intereses y valores de las clases dominantes tradicionales y comparten con ellas el poder, que son conservadores, opuestos al desarrollo y fuertemente autoritarios, pero que se presentan a sí mismos como un grupo progresista, democrático y modernizador.

Casa de campo, al alegorizar parte de la historia reciente de Chile y al prever su futuro próximo, reconoce en muchos y muy distintos niveles esa filiación. El hecho mismo de aludir y eludir a un tiempo la realidad, no sólo en el terreno de la ficción, sino en lo que discursivamente se piensa que ella es, más allá de las motivaciones generales que están en la raíz de toda alegoría y de toda novela «en clave», reproduce las tensiones entre lo que la clase media chilena, y en particular su cúspide, *es* y *pretende ser.*

Así, el carácter de alegoría de *Casa de campo*, al quebrar la concordancia entre la voluntad semántica efectiva y el contenido semántico manifiesto, permite tanto la ironía que es entendida por el lector como el ocultamiento de la intención seria, logrando, p. ej., difuminar la visión peyorativa que, en términos alegóricos, se hace de Salvador Allende, su Gobierno y sus partidarios. A este mismo proceso contribuye la calidad de «alegoría sofisticada» que reviste *Casa de campo*, mostrando, por otra parte, el carácter indeterminado, ahistórico, que presenta la voluntad efectiva. Esta última característica se manifiesta en el intento explícito de hacer una novela «decimonónica», que se resuelve en la apropiación de las características más superficiales de la novela moderna (narrador personal omnisciente que apela frecuentemente al lector; también un lenguaje artificioso, que no caracteriza a la novela del XIX): ejercicio que sirve como nuevo mediatizador entre *voluntas* y *thema.* De esa manera el estilo «decimonónico» cumple, externamente, la misma función que, en el interior de la obra, cumple el reiterado juego de los niños de la familia Ventura, «La Marquesa Salió A Las Cinco»: «máscara que encubría la mascarada».

Para completar los rasgos ahistóricos del pensamiento seriamente mentado ahora en el terreno de una concepción de la naturaleza humana (presente en otras obras del autor), según la cual los impulsos egoístas y la agresividad cobarde distinguirán siempre a la especie, uno de los sirvientes protagónicos, Juan Pérez, encarnación del resentimiento, la hipocresía, la sevicia, la adulación y la traición, quien tras una larga serie de villanías se ve abandonado en la Casa, huyendo bajo los vilanos que le matarán, es, en forma explícita, una figura sin historia, pero omnipresente: único de los criados que desde siempre, sin que nadie se aperciba, ha ido a Marulanda verano tras verano; es, para decirlo con palabra que gusta a Donoso, la encarnación de las fuerzas «obscuras» del hombre.

Finalmente, y de la misma suerte que el personaje que de alguna manera (aunque no se sepa exactamente cómo) es el héroe de la novela, Wenceslao, representa a sectores de las capas medias (condición que comparte, en otro plano, con los «niños» en general), las relaciones entre esos sectores y los elementos del contenido semántico manifiesto se dan también de manera mucho más sutil: cuando Mauro y sus primos desengastan las 18.633 lanzas de la verja que protege la Casa, se sorprenden al notar que, de todas, sólo treinta y tres lanzas estaban firmemente sujetas: justamente las arrancadas hasta el día del paseo: justamente, también, el número de ellas que corresponden a los primos vivos. Las treinta y tres lanzas son así una especie de doble símbolo: equivalen a los niños (y a su correspondencia alegórica) y son la única salvaguarda de la Casa (¿del país?).

EMIR RODRÍGUEZ MONEGAL

TRES TRISTES TIGRES DE GUILLERMO CABRERA INFANTE

La novela está construida de tal manera que el autor da la palabra sucesiva y alternadamente a los personajes principales para que no sólo cuenten aspectos importantes de su pasado, sino que ilustren en sus propias palabras la circunstancia actual que están viviendo y comuniquen su juicio sobre los otros personajes. Así, a través de los monólogos de Códac, Arsenio Cué, Eribó y Silvestre se va reconstruyendo la vida y el ser de estos tres tristes tigres que (como los tres mosqueteros) también son cuatro. Pero no sólo la vida y el ser de ellos. Quienes viven contra o con ellos quedan también apresados en esos monólogos, así como en los materiales complementarios que producen otros personajes: cartas, apuntes, relatos, escritos y dichos sueltos que el libro recoge. La estructura general de la novela [...] básicamente se compone de nueve divisiones, de desigual extensión y desarrollo, que hacen adelantar la acción a través del contrapunto de monólogos («la galería de voces») o la detienen en torno de textos escritos por personajes que nunca hablan directamente.

Esos textos son atribuidos a dos personajes muy definidos: uno es William Campbell, periodista norteamericano que el animador del Tropicana confunde con el millonario de las sopas inmortalizadas por Andy Warhol en su copia. Dos versiones de un cuento de aquél sobre Cuba se transcriben en la parte cuarta, «Los visitantes». El otro es un cubano que tal vez se llame Florén Cassalis, o por lo menos circula con ese nombre, y al que sus amigos llaman Bustrófedon por su afición a los palindromas. De este último se transcriben en la sección quinta, «Rompecabezas», siete parodias de conocidos escritores cubanos sobre un tema único: el asesinato de Trotsky por un hombre que se hacía llamar Jacques Mornard. Violando la cronología y también los tabúes políticos más conocidos de cierta izquierda, Bustrófedon supone que Martí escribe (¿desde el más allá?) sobre el asesinato; que tam-

Emir Rodríguez Monegal, «Estructura y significaciones de *Tres tristes tigres*», en J. Ríos, ed., *Guillermo Cabrera Infante*, Fundamentos, Madrid, 1974, pp. 94-100.

bién lo describen o comentan José Lezama Lima (la parodia más breve y brillante), Virgilio Piñera, Lydia Cabrera (muy buenos chistes a propósito de ciertos excesos del folklore), Lino Novás Calvo (el primer traductor de Faulkner en lengua castellana), Alejo Carpentier (la parodia más larga, precisa y mortal), Nicolás Guillén (ya en pleno delirio de asociaciones verbales). [...]

Tanto las parodias de Bustrófedon como sus juegos verbales y/o fonéticos en el resto del libro, como las dos versiones del cuento de William Campbell sobre un bastón que él creía le habían robado, no obedecen (como se ha escrito) sólo al afán iconoclasta de tomar el pelo a la literatura oficial cubana o a la lengua española. Tienen una motivación más radical que se indica en el largo escolio que el autor titula «Bachata». Hay un concepto de la traducción que atraviesa todo el libro y se explicita en ese largo capítulo. La traducción es, o trata de ser, un duplicado del texto original, del mismo modo que la parodia es duplicado de un original. Pero si la parodia explícita y voluntariamente deforma (es decir: traiciona) el texto original para ejercer sobre él una operación crítica (la mejor crítica a las novelas de caballería es el *Quijote*), la traducción aparentemente se propone todo lo contrario: ser fiel, duplicar, cubrir el mismo territorio. Sólo que al hacerlo en otro idioma, fatalmente, la duplicación se convierte en traición. *Traduttori, tradittori*, dice el célebre refrán italiano. Las dos «traducciones» del texto de William Campbell son, por eso mismo, ejemplares de formas variadas de la traición. La segunda es tan obvia, está tan literalmente realizada, que no merece mayor comentario. Por otra parte, en la novela misma, hacia el final, se transcribe una nota firmada por G. C. I. (es decir: Guillermo Cabrera Infante) en que se censura esa traducción. Pero la primera versión, la literaria, también es a su manera una traición, aunque más sutil. Así se lee, por ejemplo, al comienzo del relato: «Hacía un calor terrible. Había un techo bajo de gordas nubes grises, negras más bien».

¿Cómo no reconocer en la ordenación de esos adjetivos en hilera, sin una coma, precisamente uno de los rasgos más notorios del estilo inglés de William Faulkner, que sus traductores (desde Novás Calvo a Jorge Luis Borges) aclimataron en lengua española, traicionando inevitablemente el curso natural de la misma? Habría que analizar el primer texto de Campbell línea por línea para ver ese proceso de traición en forma más exhaustiva. Aquí basta indicar que no sólo Cabrera Infante es consciente de ello, sino que como lector minucioso de Faulkner y, sobre todo, de Hemingway, así como de los traductores de estos estilistas norteamericanos, ha podido conocer de cerca estos problemas de la traducción. Por otra parte, uno de sus personajes, Silvestre, también los asume bajo diferentes formas. No sólo se refiere él alguna vez a los problemas específicos de la traducción, sino que también discute algunas célebres traducciones de Novás Calvo y demuestra errores cometidos por éste al verter *The Old Man and the Sea* al español.

Esta preocupación de Silvestre por las traducciones se vincula muy fuertemente con la preocupación de Bustrófedon por las parodias. Tanto en la traducción como en la parodia hay un elemento de crítica implícita, crítica interior y, por tanto, más profunda, que escapa muchas veces a las operaciones de la crítica exterior. No cabe duda que en la parodia de Lezama Lima, Bustrófedon toca algunos puntos cruciales al exagerar su facundia metafórica, pero también su asmático desorden sintáctico, así como ciertas tendencias de su imaginería. En la parodia de Carpentier la crítica al estilo nominalista, que convierte *El acoso* en una apoteosis del estuco y el cartón piedra, está realizada en forma no sólo brillante, sino salvaje. Demasiado ocupado en registrar la menor falleba, la más invisible cornisa o arquitrabe, el asesino de Trotsky se pierde en la garrulería de un estilo ya muerto.

Pero sería injusto reducir el interés de estos personajes por la traducción (y el interés implícito del autor) sólo a estos términos de traslado o trasvasamiento de un lenguaje a otro, de un estilo a otro. En realidad, detrás del problema de la traducción se encierra otro problema de naturaleza lingüística, mucho más general. Es el problema del lenguaje mismo como traducción. Todo lenguaje es traducción: traducción a términos verbales de una realidad (un objeto) que el autor enfrenta; [traducción asimismo que realiza el lector, y en esto el crítico es sólo un lector especializado, al trasladar el habla particular del escritor al habla particular, discursiva, del crítico.] Todas estas operaciones de traducción están en la base de lo que se llama escribir un libro y reescribirlo en la lectura. Por eso no me parece nada casual que *Tres tristes tigres* concluya precisamente con esa larga «Bachata», monólogo de Silvestre, el escritor, y que ese monólogo se hunda en el sueño y en la traducción de un texto en que juegan Silvestre y Cabrera Infante con palabras inventadas, palabras *porte-manteaux* a manera de las que descubría Joyce en su *Finnegans Wake*, y que ese monólogo se vaya cerrando y centrándose en una sola palabra clave: «... me quedé dormido y dormí toda la noche y el día entero y un pedazo de otra noche, ya que era de madrugada cuando desperté, y todo estaba en silencio y yo era la criatura de la negra, dormida laguna, y me quité los espejuelos y la pipa y la ceniza que cayó en los labios y solté el freno, salí y entré otra vez en el largo corredor de la coma y dije, entonces fue entonces, una palabra, me parece, un nombre de niña (no lo entendí: clave del alba) y me volví a quedar durmiendo dreamiendo soñando con los leones marinos de la página ciento uno: morsas: morcillas: sea-morsels. Tradittori».

No me parece casual que sea este monólogo de Silvestre el *alter ego* del autor desde muchos puntos de vista, y aunque no haya que tomar esta identificación como biografía o anecdótica, el que cierre la parte más importante del libro: monólogo en que los sueños y las obsesiones de Silvestre revelan no sólo una buena lectura de Joyce y un homenaje a aquella otra célebre semidurmiente, Marion Bloom, sino una obsesión tenazmente perseguida hasta en los laberintos del sueño con una mala versión de Hemingway por Novás Calvo. Ese *tradittori* va más allá del blanco que ofrecen los malos traductores que en el mundo han sido para clavarse en la esencia misma de todo lenguaje: ser una traducción. Por eso, el libro se cierra finalmente con dos monólogos en que el lenguaje vuelve a asumir su faz nocturna, de sueño o pesadilla: es la «Oncena» entrevista de la mujer con el psicoanalista, en que ella relata un sueño o un recuerdo, o tal vez un recuerdo y un sueño al mismo tiempo; y es también el monólogo final de otra mujer, monólogo de loca, de obsesa sexual, de pobre traductora de un mundo que se despedaza ante sus ojos en un discurso que también se despedaza.

Marta Morello-Frosch

MANUEL PUIG: *LA TRAICIÓN DE RITA HAYWORTH* Y *BOQUITAS PINTADAS*

Las dos novelas de Manuel Puig: *La traición de Rita Hayworth* y *Boquitas pintadas* tienen como elemento formal unificador, un medio a-literario: el cine la primera y la radio-novela la segunda. Ambas obras están ancladas en el lenguaje de la cultura popular, según lo difunden los medios masivos: la radio, la revista, el folletín. Estas formas proveen un lenguaje pre-hecho ajeno a la realidad personal de los personajes y que, por otra parte, no trasciende en forma alguna. Nos encontramos entonces frente a seres cuyo modo expresivo tiene una

Marta Morello-Frosch, «Manuel Puig: *La traición de Rita Hayworth* y *Boquitas pintadas*», en J. B. Avalle-Arce, ed., *Narradores hispanoamericanos de hoy*, University of North Carolina, Chapel Hill, 1973, pp. 73-79.

significación por lo que oculta, y precisamente, por la distancia que lo separa de la actualidad de los personajes. Éstos, no viven en su medio lingüístico, sino en forma vicaria, como si ejecutaran un papel preimpuesto, mientras que su actualidad se realiza en el nivel de lo real, de lo nimio, de las adaptaciones diarias a una vida limitada que exige constantes acomodos. Los personajes actúan así, no como entes ilusos, sino como actores de medio tiempo, que recitan un libreto a sabiendas de que no tiene vigencia cuando se recogen a su intimidad. Lo importante es, que como entes sociales, aceptan esta lengua prestada y encubridora; en este sentido su forma de decir es toda una significación lingüística.

La primera obra de Manuel Puig, *La traición de Rita Hayworth*, apareció bajo ciertas tumultuosas circunstancias: fue rechazada por la editorial Seix Barral y luego por una editorial argentina, debido a la intervención de un linotipista que consideró la obra demasiado cruda en su lenguaje y en sus imágenes. La editorial Jorge Álvarez la publica finalmente en 1968. La obra se lanza así al público como un problema de lenguaje: traicionado, reemplazado, trastocado y finalmente reducido a lo que no debe ser: a medio que incomunica, a mensaje para oídos sordos, a palabra que deviene grito, y que no podrá ser jamás refutada por interlocutor alguno. El lenguaje de que se trata no es solamente el oral y escrito, sino el de las imágenes mentales, traspasados todos por la influencia del cinematógrafo. El otro aspecto más visible de la temática es la casi total alienación de la mayoría de los personajes —por lo menos de los que singularmente hablan en alguna forma u otra—, exacerbada en Toto, el personaje que domina cuantitativamente y narra la mayor parte de la novela. El argumento de ésta refiere las pálidas peripecias de una familia de clase media en un pueblo de provincia bonaerense, el círculo familiar incluye a la madre, al padre, al hijo y al primo huérfano que pasa los veranos con ellos; a un círculo de amigos y parientes. Los sucesos son de una nimiedad predecible en la chatura de la vida provinciana. Los sentimientos y las divagaciones que dichos sucesos producen, y la forma verbal o mental que adquieren, son la materia novelesca.

Trataremos de mostrar cómo el cine —que es el medio formal unificador de esta novela— constituye un lenguaje prestado, que antecede a los personajes, quienes encuentran en él, no sólo solaz, sino también una última posibilidad de comunicación. Intento fallido, según veremos, pues el mundo real de las películas y su recreación constituyen una ficción más, extraña a los personajes mismos, que intensifica su aislamiento.

La presencia del cine en la obra es totalmente original en cuanto no se trata como en algunas novelas como *Madame Bovary* o *Don Quijote*, de personajes que viven en los libros en forma vicaria, gratificándose de la mendacidad de su vida o proponiéndose enmiendas. El cine en la novela de Puig, es *otra* realidad, no un refugio: es otra dimensión del ser que permea esta realidad, la diaria. Es un mundo creado y controlado, pero desmontable, no una estructura cerrada impermeable a la vivencia personal. El cine entra así en la vida, se modifican las películas con las experiencias personales, y se peliculizan, por así decirlo, la vida, los sueños, y la película misma. Vida y celuloide son esferas no excluyentes, ni jerárquicamente subordinadas. Si bien el cine puede dar ejemplos de estilo de conducta, de belleza femenina y masculina, se trata siempre, en los pensamientos de los personajes, de la vida como «puede ser», no como es. La vida adquiere así, para poder tener cierto sentido, la obligatoriedad de conformar con un mundo que no sólo le es totalmente ajeno, sino que deliberadamente trata de ser su imagen más falsa y fantasiosa. Conviene aquí anotar que las preferencias cinematográficas de los personajes son, naturalmente, ejemplo de este deliberado artificio y revelan la dimensión interior de cada uno: el adolescente Toto prefiere las películas casi asexuadas, en las que el lujo del impacto visual deliberadamente artificial lo instala en una región manifiestamente inexistente. La falta de sexualidad —o su interpretación por parte de este personaje— apunta a una latente pero nunca establecida homosexualidad. Por otra parte, Cobito, el estudiante de escuela secundaria, exacerbado por su naciente sexualidad y su incapacidad por satisfacerla, utiliza un lenguaje oral y mental violentísimo, derivado en gran parte de las películas de gangsters. Estos no son personajes flaubertianos, no añoran otro mundo real, o que imaginan como tal, se desplazan —consciente o inconscientemente— a un mundo que reconocen como ficticio pero que les sirve, en cierto modo, para anclarse en el real. Al revés de lo que sucede con los soñadores, que se evaden de lo cotidiano y parecen flotar en el mundo sucedáneo de la fantasía, los personajes de Puig retornan al mundo de lo real munidos de unos conceptos que, a pesar de su falsedad, ellos aplican a sus vivencias diarias.

El mundo cinematográfico prefigura, como monstruoso arquetipo ideal, el de sus ensueños, de sus abstracciones, de sus juicios más concretos, o sea el cine de los patrones para lo que llamaríamos el lenguaje mental y escrito de los personajes. En este sentido no los informa, los clausura, y por ende, los forma.

Es necesario insistir en el hecho de que el cine no sólo estructura mentalmente a los personajes, sino que, precisamente, su estilo, no las ideas, es el que influye en los personajes. Éstos incluso juegan al cine —con cartoncitos— como si éste fuera una realidad —no una meta-realidad— que, como la vida, pudiese ser imitada en forma lúdica. El cine se convierte así en un verdadero medio, en el sentido que lo usa McLuhan, ya que cuanto más vacío de contenido conceptual, más eficaz es. La memoria, para los personajes, es una serie de imágenes cinematográficas recordadas y repetidas, con algunas enmiendas, por personajes de la vida real. Así interpretado, el medio cinematográfico es el único punto común a todos los personajes, pero los aísla en vez de comunicarlos, ya que cada uno vive en *sus* películas. Por otra parte, el medio no los impulsa a la acción —como a don Quijote los libros— más bien reduce su campo espiritual. En ningún momento los personajes quieren ser como los héroes de la pantalla, se ven a sí mismos como ausentes, como otra cosa. Según este aspecto vemos la presencia del cine como el último vestigio de una forma de comunicación que resulta alienatoria, ya que este tipo de lenguaje es exterior y ajeno totalmente a las vivencias del hombre.

Boquitas pintadas, el segundo libro de Puig, tiene forma de un folletín y de revista y a menudo de radio-teatro. Sobre este fondo de literatura popular, la novela se hace con la lengua del folletín y el mundo imaginario de sus lectores: el consultorio sentimental, las cartas de novios, las dedicatorias de fotografías, las páginas de modas, etc., y utiliza el lenguaje eufemístico de estos géneros. Pero también forman parte de la novela fichas médicas, deposiciones judiciales, informes policiales, lo que podríamos llamar documentos *fidedignos*, traspasados igualmente por la falsedad. Los hechos y la lengua que los describe, no coinciden. El ocultamiento caracteriza tanto al habla «social» como a la del documento oficial. La lengua así sacada del folletín, del tango, del bolero o del expediente, ha cesado de tener origen real, sirve para encubrir la realidad, y se convierte en un sistema nuevo de símbolos. Así el consultorio sentimental no encierra un vago romanticismo trasnochado, sino que encubre un mal velado erotismo por parte de las lectoras. Las novelas de radio-teatro, al recrear las posibilidades fallidas de los personajes, les permiten no sólo ubicarse allí en esa otra realidad de palabras, sino incluso desplazar totalmente la ficción y, a través de ésta, reubicarse en sus vidas. Esto es obvio durante la visita de dos de los personajes femeninos [en la decimotercera entrega]: el diálogo se realiza en forma tangencial, siempre aludiendo no a sí mismas sino a la novela que ambas están escuchando, y sólo gracias a esta ficción logran poder hablar de sus propias desilusiones. No se trata de que sus vidas adolezcan de irrealidad, sino de no tener una lengua que la exprese, así sólo desde el bien aprendido lenguaje del folletín pueden hablar de sí.

El mundo de esta novela no es exclusivamente femenino, los hombres, al igual que las mujeres sufren falta de lenguaje propio, y como ellas están traspasados por la retórica del tango, de la revista sensual o deportiva. Los personajes de *Boquitas pintadas*, como los de la novela anterior de Puig, viven anclados en la realidad, se adaptan con mayor o menor eficacia a las circunstancias de la misma, pero el lenguaje pre-hecho y difundido les pone pensamientos que su realidad desdice constantemente. Allí reside la distensión entre su actuar y su hablar.

Al no crear una lengua con sus actos ellos —como muchos de los personajes de la cultura de masas— sufren una disociación de la personalidad y el actuar no responde a la lengua. Ésta deja de ser un vehículo de expresión del yo, para convertirse en un elemento encubridor del mismo. Creado por entes extraños, en circunstancias completamente ajenas a las propias, el lenguaje del folletín y de la canción popular se convierte en un elemento ficticio en el sentido más literal, y es desde esta ficción, y no desde la realidad de sus actos, que se manifiesta el personaje. Como en el caso del cinematógrafo, los seres no se engañan sobre la verdadera significación de este mundo, saben que es una monstruosa imitación de la vida, pero es precisamente con estas formas que ellos se definen. Por ello las «boquitas pintadas de rojo carmesí» del tango de Le Pera son las que pueden cantar en la novela, mientras las «boquitas azules, violáceas, negras» permanecen silenciosas, cual mudos recuerdos de esa otra realidad que la canción encubre.

JUAN GUSTAVO COBO BORDA

SALVADOR GARMENDIA

Salvador Garmendia en sus novelas *Los pequeños seres* (1959), *Los habitantes* (1961), *Día de ceniza* (1963) y *La mala vida* (1968)

Juan Gustavo Cobo Borda, «Salvador Garmendia», *Nueva Narrativa Hispánica*, 4 (1974), pp. 291-297 (291-293, 295-296).

[...] ha ido elaborando un censo pausado y atento de esa ciudad neurótica que es Caracas, siempre a partir de una óptica menor que fija en forma microscópica esos seres anodinos y tercamente banales sobre los cuales penden tensas situaciones que los enfrentan a posturas límites, revelando así sus más hondos conflictos y las líneas de fuerza que los determinan gracias a un estilo que combina la imparcialidad del narrador con la fuerza persuasiva de su escritura poética.

La acentuación extrema con que indaga en lo real, sin eludirlo, hace palpable la otra faz de Caracas, ese rostro ulcerado, enfermo, con males tan reales como aparente su brillo. De ese enfrentamiento conflictivo nacerá la acre demencia que patentizan todos sus trabajos.

La primera novela de Garmendia es una muestra elocuente de las virtudes que ostenta su autor: parca y concisa se fija sobre la historia de Mateo Martán, quien a los veinticinco años comienza de *auxiliar de oficina en la corporación* y ahora, a los cuarenta, recibe el nombramiento de *superintendente*, colocándose a un paso del puesto directivo: *Jefe del Departamento*, introduciendo en forma válida el tema de la alienación urbana dentro de una literatura que anteriormente se había limitado a combatir y recrear el feroz paisaje rural.

Monologando sin pausa, todas las situaciones por las que atraviesa, todos los sitios que lo acogen por momentos: —su casa, su carro, un velorio, el cementerio, la oficina, la calle, un bar, el circo, una casa de citas, una estación de ferrocarril, el parque—, no son más que puntos de referencia, activantes de su perseguido deseo de hallarse, repasándose: buscando en el pasado una hilación y un orden que confieran a su inquieto desarraigo razón de ser. La realidad se le escapa y su mente, asediada por múltiples figuras, no logra reconocerse. Los recuerdos, al irrumpir, la alteran aún más y esas ráfagas que aparentemente alivian su obsesiva atención en verdad la agudizan relegando a un segundo plano todo lo que no sea el ininterrumpido ir y venir de la conciencia.

Al desdoblarse, reavivando su historia, engendra un doble circuito: el de sus pensamientos, primero, que al revelar esa otra travesía sin rumbo por la ciudad, muestran la decadencia que la aqueja; y los planos asociativos que partiendo de este nivel se remontan e impregnan con su zozobra todo el ámbito en donde transcurre la acción. Un errar tanto físico como psicológico es su única respuesta.

En la escritura, no en la organización estructural o en la perspectiva para tratar ciertos temas, advertimos ya el intransferible modo de capturar el mundo que distingue a Garmendia: dotada de una vida que proviene de un fervoroso apego a lo que cuenta, logra iluminar su lenguaje con las connotaciones más profundas, casi subterráneas, de un lugar en donde la vejez opaca y mustia alterna con el esplendor ficticio.

Lo oculto emerge trayendo a flote una extraña ebullición, pero a medida que se interna en ella tratando de atraparla surge otro territorio, un sedimento en donde la podredumbre y el mal que sobrevuela indiscernible nos sitúan en el límite alucinatorio de la realidad.

Un desolado escenario lunar —miasma que supura identificando en su horror las lacras físicas y los defectos morales—, el fracaso de una vida comprueba cómo bajo las capas de asfalto y el revoque descascarado aún late la presencia ingobernable de la naturaleza: «En algún lugar, oculto entre raíces, estaba la tierra pantanosa, negra, el barro tibio donde los dedos penetraban provocando un ruido de ventosas».

Ese intento de que los hechos muestren su razón oculta, de que la inestabilidad en que se debate se vea sustituida por un claro dibujo en donde todo adquiera su verdadero perfil, ocupando el sitio que le corresponde, no es más que la nostálgica ilusión de un mundo irrecuperable del cual sólo restan vagos recuerdos sometidos a la rumia del tiempo, a la mugre del olvido que todo lo empaña y confunde.

Ante tal desorden el pasado reclama sus derechos: en la matriz del subconsciente concluye un viaje que ha resucitado traumas, disociando una personalidad que, al abandonar su vida flácida e inerte, emprende el descenso a un infierno no sólo individual sino también colectivo, *viendo* por vez primera antes de sumergirse en la locura definitiva.

Si *Los pequeños seres* resulta introspectiva y afiebrada, en donde la distancia entre quien cuenta y quien padece lo narrado casi no existe, emanación autobiográfica que se encerraba en sí misma nublando con su inmediatez la relación de esa conciencia enfrentada a su reflejo, *Los habitantes*, en cambio, buscan y obtienen el aspecto de «una crónica objetiva». Apoyándose en una familia pobre recrea la vida de un barrio oscilante entre la ciudad y el monte; suburbio con un sector social aldeano-proletario que permite al registro temático explayarse y a la vez reprimirse para dar a lo largo de un día de fiesta, quieto y estancado, la imagen de un desempleo continuado y una injusta crueldad social. Girando, prospectiva y simultáneamente, por la mente de cada uno de los miembros de la familia y algunos vecinos, integra un haz de relaciones que no sólo retratan el momento presente sino que, dentro de la compacta unidad de lo narrado, hace desfilar también la visión del pasado, mostrando así las causas de la situación a la que se hallan abocados.

En *Los habitantes* no hay, como en *Los pequeños seres* y luego en

Día de ceniza, ni siquiera un atisbo de proyecto vital, algo que semeje una búsqueda, aun cuando ésta resulte luego irrisoria y fatal. Por el contrario: aquí todo ha quedado indefinidamente aplazado; lo único que se busca es sobrevivir y cualquier intento de escapar de este *ghetto*, al cual se hallan confinados, parece congelarse de antemano. Los recuadros en que se hallan aislados subrayan su incomunicación: presos en su miseria, cada cual defiende el poco espacio que le queda y se encierra en él, desplegando allí su muestrario de baratijas: recuerdos, sueños, mentiras, que le permitirán dejar para luego, mañana, otro día, las necesidades inaplazables. Recuento de una muerte en vida esta novela de Garmendia afronta, sin ímpetu moralizante, una porción lateral de la gran urbe, y con la sequedad de recursos que lo caracteriza, nos dice: con este día hemos asistido a toda su vida.

Día de ceniza, por el contrario, está regida por una vitalidad nerviosa y brusca. Semeja una mascarada interior en la cual todos los ingredientes típicos se hiciesen presentes para crear un conjunto irreal, lleno de movimientos falsos, agitándose en todas direcciones, perdiéndose y reencontrándose en su febril galope carente de sentido.

Otra vez una vida mediocre, con todos los atributos que sirven para caracterizar una existencia destinada a la inevitable derrota: abogado, ex poeta, las relaciones de Miguel Antúnez con sus amigos, su mujer y su amante, se proyectan sobre el desteñido fondo de unos días de carnaval como las de una marioneta llena de falsa alegría. Comparsas raquíticas caricaturizan cualquier ilusión, evidenciando su mala fe y la postergación indefinida de todos sus proyectos. Subsistiendo a plazos, simulando una euforia triste, es este uno de los más desolados personajes dentro de esa galería de sombras que es toda la obra de Garmendia.

Alimentándose de cualquier futileza que le cae entre manos, sólo obtiene en cambio una degradación mayor: ya se acepta en su irredimible condición, empieza a despreciar todo lo que en un momento le pareció deseable, se reduce a sus estrechos límites sin poderlos soportar y la sarcástica forma en que se mira y que él, irónicamente, apellida «autocrítica» no es más que el incierto y burlón reconocimiento de la comedia que representa. Pero en este conjunto inanimado, jamás recorrido por una acción vibrante, estancado en la contemplación de todo cuanto hay de bajo y ruin, la esterilidad corporal y afectiva le niega cualquier posible relación adulta, e incluso la muerte le es escamoteada a último momento: los dueños de la tienda de disfraces, esas máscaras que nos revelan su suicidio cuando la irrisoria fiesta concluye, la convierten en una bufonada más.

Atroz en su sencillez, sólo las inmersiones que efectúa en su pasado, recordando la casa natal en Barquisimeto, parecen conferirle un tinte de pureza al amargo recuento. Pero todo le es negado salvo sus viejas manías: «En todo lo que se pone al alcance de su vista, va descubriendo una textura vívida, una viviente porosidad que se estremece y transpira.»

El tono confesional y directo de *Los pequeños seres* ha sido sustituido, dentro de una amplia gama de recursos, por una narración más lineal y despojada, en donde el monólogo interior transcurre con perfecta fluidez. Y así, partiendo de deseos perversos e incidentes nimios, de hombres que hablan solos, fabulando sin tregua, Garmendia visualiza el desorbitado crecimiento de esa ciudad que deposita como resaca del ímpetu seres huecos, carentes de todo destino transcendente; moluscos aferrados a su indiferencia que barajan los recuerdos como pobre sustituto, deslustrándolos y transmitiéndoles su corrupción, borrando una aparente y soterrada pureza, una arisca piedad que quizá nunca nadie logró compartir.

[Si *Los pequeños seres* semeja un túnel, la progresiva caída de quien es atraído por un remolino cada vez más rápido,] en *La mala vida*, en cambio, la visión se despliega, el teclado es más vasto, y si un resumen superficial logra emparentarlas: ambas tratan de un hombre que recorriendo la ciudad indaga en sí mismo anhelando concretar en un molde estricto toda su vida —la segunda hace de los otros personajes individualidades con carácter propio. No son siluetas proyectadas sobre la pantalla fugaz de una huida sino corpóreos volúmenes provistos de rasgos que los distinguen. No se volatilizan y la relación que establecen con ese deliberado antihéroe —punto cero, reducido al máximo, del cual nunca sabremos el nombre, que los elige para enhebrar el siempre confuso e inacabable relato en donde lo concreto y los sueños se entrelazan continuamente— resulta más convincente, como si el trabajo de salirse de sí mismo, fijándose en las grises historias de *Los habitantes*, o perdiéndose con Miguel Antúnez, en *Día de ceniza*, le permitiese entregarse ahora, mucho mejor armado, a sus intransferibles asuntos, los que más le conciernen.

La visión que anteriormente era panorámica se focaliza en un barrio reducido por el inevitable progreso a isla de silencio, tumba que alberga en sus vetustos caserones «personajes de un mundo desgastado y anémico que se agotaban en interiores oscuros y traían a la luz un gesto desmañado y triste de convalecientes». [...]

La arquitectura de la novela, estricta en su eje temporal: un día

—se expande creando una membrana porosa y fluida en donde se pasa de un hoy gris a un pasado remotísimo, hecho de acciones extrañas y miedos confusos. En donde cualquier conversación es intercalada por reflejos distintos y todo suceso engendra, contrapuntísticamente, el recuerdo de otros ocurridos hace mucho. Al superponerse, evidencian su función motora: sacan a relucir las facetas de ese ser polivalente que husmea en ellas oponiéndolas y contrastándolas a lo que le sucede actualmente, sabiendo que nunca obtendrá nada, o acaso la misma, mala vida. Marginados, burócratas, del trabajo a la pensión, asisten al cine o visitan burdeles, con ocasionales aventuras que sólo dejan un rastro de ceniza en la memoria. Ese mundo de estudiantes de provincia, de cantantes fracasados y sesiones espiritistas, de sangrientos crímenes y noviazgos estúpidos es el reverso de una ciudad opulenta y rica. Tránsfugas de un deslumbrante poder ficticio que los cerca y reduce, sólo en la ensoñación encuentran refugio.

10. MARIO VARGAS LLOSA Y LA NARRATIVA RECIENTE

La generación de Vargas Llosa es la generación de 1972, la generación actual, formada por los nacidos de 1935 a 1949. Su período aspirante se inició hacia 1965 y se extendió hasta 1979. Los años del *boom* editorial favorecen en particular a sus figuras precoces, Vargas Llosa y Sarduy, que representan en cierta medida dos extremos de esta generación. Pero esta generación se ve a sí misma como posterior a la explosión editorial y ajena a su aparato publicitario. No dejó por ello de beneficiarse de los nuevos límites alcanzados. Aparte estos aspectos externos, y el genio individual de estas y otras figuras, el fenómeno patente es la espontánea y natural asunción del horizonte inmediato de la novela hispanoamericana, el de las generaciones contemporáneas. Estamos ahora muy lejos de la confrontación con el realismo socialista y de los equívocos del compromiso literario. La novela o la destrucción del género, que la supone, se enderezan hacia el juego, la disposición textual de reflejos especulares, la dispersión del yo y de los factores de la situación narrativa, la decepción de lo narrado. El texto narrativo traza un diálogo textual de complicación variada y libre. El fantasma de Borges enseñorea esta novela de desafío al *statu quo* de las letras y de la sociedad. Los escritores renuevan su conciencia de la literatura y del género. Vargas Llosa propone los términos de la «novela total» —un viejo préstamo de Émile Zola, por cierto, cargado de nuevo sentido—. La inclusión de regiones diversas de la imaginación o del estilo es la que hace esa totalidad. Sarduy [1972, 1974] propone los conceptos de un neobarroco, hilando en la trama de Lezama: artificio, parodia, tautología, erotismo y revolución. Libertella [1977] traza la visión de la nueva escritura hispanoamericana, para caracterizar un grupo restringido de escritores. La novela vigente, de 1980 en adelante, ha confirmado la continuidad del género sujeta a la liberación de los modos de representación tradicionales y aun de los modos contemporáneos que no se someten a cierto escepticismo gnoseológico. Los determinantes estilísticos y de la disposición tienden a la negación, a la abolición o decepción de lo previamente narrado. En correspondencia con ello la situación narrativa y sus factores tienden a la dispersión y al hueco frente a las pretensiones unitarias y psicológicas de la personalidad. Lo que es interesante de comprobar en este tipo de novela y en esta generación es que el genio y la imaginación de los nuevos novelistas ha sacado partido de estas negatividades para crear obras de superior calidad e interés. En no pocos casos, sin embargo, los riesgos del negativismo condenan numerosas obras al desinterés total cuando no a la fatiga de los lectores. La fatiga misma de estas modalidades metanovelescas, autorreflexivas y autodestructivas, despreocupadas de narrar y muchas veces cargadas de meditaciones y especulaciones, parece cada vez más abrir la expectativa de una narración interesante y bien contada. Quien se ha movido más sabia y cautamente en este límite, atento a la innovación y a la satisfacción de una historia, con crítico escepticismo y valiente originalidad, a la vez, es Vargas Llosa. La iniciación generacional está marcada tempranamente por Vargas Llosa con *La ciudad y los perros* (1962) a la que siguen *La casa verde* (1966) y otras; Severo Sarduy, *Gestos* (1963) y *De donde son los cantantes* (1967) y otras; Severo Sarduy, *Gestos* (1963) y *De perfil* (1966), Gustavo Sainz, con *Gazapo* (1965), Fernando del Paso, *Felipe Trigo* (1966), Reynaldo Arenas, *Celestino antes del alba* (1967), J. E. Pacheco, *Morirás lejos* (1968), Bryce-Echenique, con *Un mundo para Julius* (1970) y las revelaciones más tardías de Luis Rafael Sánchez, *La guaracha del Macho Camacho* (1977) y Hugo Hiriart, *Cuaderno de cofa* (1981). Otros nombres de relieve son los del colombiano Gustavo Álvarez Gardeazábal; el venezolano L. Britto García (1940); los chilenos Cristián Hunneus (1937), Mauricio Wacquez (1939) y Antonio Skármeta (1940); los argentinos Néstor Sánchez (1935), E. Gudiño Kieffer (1935), Abelardo Castillo (1935), Isidoro Blaistein, Ricardo Piglia, Juan José Saer (1937), Héctor Libertella (1945), Jorge de Asís (1946); y los uruguayos Eduardo Galeano (1940), autor de *La canción de nosotros* (1975), y Cristina Peri Rossi (1941). Obras maestras de esta generación son *La casa verde* y *La guerra del fin del mundo* de Vargas Llosa, *De donde son los cantantes* y *Cobra* de Sarduy, *Morirás lejos* de J. E. Pacheco, *Gazapo* y *La princesa del palacio de hierro* de G. Sainz.

Las bibliografías de Flores [1975], Foster [1975] y Becco y Foster [1976], ordenan las referencias sobre los primeros entre los nuevos narradores. Todavía faltan repertorios de la novela y fuentes secundarias para el estudio de la novela de esta generación en Hispanoamérica. Entre las bibliografías regionales que recogen el repertorio novelístico de esta generación está la de Villacura [1971], de Chile. Para las fuentes secundarias de varios autores aquí estudiados puede verse Foster [1981, 1982], para Perú y México. Estudios de conjunto se deben a Rodríguez Monegal [1968], Goic [1972], Rama [1981] sobre los novísimos. Entre los estudios de conjunto regionales, Menton [1978] disputa la originalidad reclamada por

Fuentes y Vargas Llosa para la novela de creación, estudiando el caso colombiano, que Williams [1976] aborda en sus escritores jóvenes. Sosnowski [1983] traza una visión de la narrativa de los años setenta en Argentina. La generación de la Onda es caracterizada por Glantz [1971, 1976, 1979]. Menton [1975] y Rodríguez Monegal, en *Revista Iberoamericana*, 91-92 (1975) escriben sobre la novela de la revolución en Cuba. Antologías de importancia son las de Desnoes, *Los dispositivos de la flor* (Ediciones del Norte, Hannover, 1981), de la narrativa cubana, y la antología de la nueva narrativa mexicana *Jaula de palabras* (Grijalbo, México, 1980), de Gustavo Sainz.

Mario Vargas Llosa (1936) nació en Arequipa, el 28 de marzo de 1936. Hizo sus estudios primarios en Cochabamba, Bolivia. En 1945, regresa al Perú y se establece en Piura. Sigue su educación secundaria en el Colegio Militar Leoncio Prado, en Lima, de 1949 a 1951 y termina sus estudios en Piura. Por este tiempo, en Lima y Piura se inicia como periodista. En 1952, escribe su primera obra literaria: una pieza de teatro. Ingresa en la Universidad de San Marcos, en Lima, para cursar estudios en Letras. Escribe su tesis sobre Rubén Darío. Se dedica a actividades periodísticas y literarias. En 1958, premio de cuento: gana un viaje a Francia. Hace un primer viaje a la Amazonia. Recibe una beca de estudios para hacer el doctorado en Letras en España. Recibe el grado en 1959 por la Universidad de Madrid. Gana el premio Leopoldo Alas con su libro *Los jefes* (Editorial Rocas, Barcelona, 1959). Se radica en Francia. Es profesor de las escuelas Berlitz, en París, mientras trabaja en la agencia France-Presse y en la Radiodifusión Francesa. En 1963, publica su primera novela, *La ciudad y los perros* (Seix Barral, Barcelona, 1963), que gana el Premio Biblioteca Breve (1962) y el premio Formentor (1963). Hace un nuevo viaje a la Amazonia. Colaboración en *Casa de las Américas*, y en periódicos del Perú, Uruguay y Argentina. En 1966, se traslada a Londres. Es profesor invitado de la Universidad de Londres. Publica su segunda novela, *La casa verde* (Seix Barral, Barcelona, 1966). Gana el Premio de la Crítica española (1966) y el Premio Rómulo Gallegos (1967). Aparece *Los cachorros* (Lumen, Barcelona, 1967; otra ed., Salvat/Alianza, Madrid, 1970). En 1968, es escritor residente de la Washington State University, y en 1969, de la Universidad de Puerto Rico. Enseña en King's College. Publica su tercera novela, *Conversación en la catedral* (Seix Barral, Barcelona, 1969). En 1971, publica *García Márquez: historia de un deicidio* (Seix Barral, Barcelona, 1971), desarrollo de su tesis doctoral, y *La casa verde: la historia secreta de una novela* (Tusquets, Barcelona, 1971). En 1973, publica su cuarta novela, *Pantaleón y las visitadoras* (Seix Barral, Barcelona, 1973). Regresa para establecerse en Lima. Publica *La orgía perpetua: Flaubert y Madame Bovary* (Seix Barral, Barcelona, 1975). Presidente del PEN Club Internacional, en 1976. Viaja a Israel y a Inglaterra. En 1977, sirve la cátedra

Simón Bolívar de la Universidad de Cambridge. Se publica *La tía Julia y el escribidor* (Seix Barral, Barcelona, 1977), su quinta novela. Ingresa en la Academia Peruana de la Lengua. Publica su sexta novela, *La guerra del fin del mundo* (Seix Barral, Barcelona, 1981). En los últimos años publica tres obras de teatro, *La señorita de Tacna* (Seix Barral, Barcelona, 1981), *Katie y el hipopótamo* (Seix Barral, Barcelona, 1983) y *La Chunga* (Seix Barral, Barcelona, 1986). Publica su ensayo *Entre Sartre y Camus* (Ediciones Huracán, San Juan, Puerto Rico, 1981). Es designado miembro de una comisión de gobierno para investigar la masacre de Huarochiri y redactar un informe. Se frustra la oportunidad de ser jefe del gabinete de gobierno del presidente Belaúnde Terry, durante una crisis política. Recoge sus ensayos literarios en *Contra viento y marea* (Seix Barral, Barcelona, 1983). En 1984, publica su séptima novela, *Historia de Mayta* (Seix Barral, Barcelona, 1984) y en los años siguientes *¿Quién mató a Palomino Molero?* (Seix Barral, Barcelona, 1986) y *El hablador* (Seix Barral, Barcelona, 1987). Hay una edición de *Obras escogidas* (Aguilar, Madrid, 1973-1978, 2 vols.). Vargas Llosa es el más completo narrador de su generación y una figura destacada de la literatura hispanoamericana. Su obra presenta las características más variadas, desde el humor y la comicidad hasta la caída trágica. Es un maestro de la composición novelística y ha sido un notable innovador de posibilidades narrativas y estilísticas.

Oviedo [1970, 1982], Becco y Foster [1976], Flores [1975] y Foster [1981] proveen excelentes bibliografías. Numerosos libros abordan el estudio de conjunto de la narrativa vargasllosiana: Boldori [1969, 1974], Oviedo [1970, 1982], en la más cuidadosa monografía, Díez [1970], Cano Gaviria [1972], Martín [1974], Fernández Casto [1977], Luchting [1978], Pereira [1981], Fenwick [1981] y Lewis [1983]. Varias compilaciones reúnen estudios sobre diversos aspectos de la obra: Oviedo [1972], Giacoman [1972], Rossman y Friedman [1978] y Bryce-Echenique [1982]. Estudios sobre obras particulares se concentran sobre *La ciudad y los perros*, Boldori [1969, 1974] y Lafforgue [1972]. Sobre *La casa verde*, Vásquez Amaral [1970], Goic [1972], Castro-Klaren [1972], Olivares [1980] y Fenwick [1981]. Sobre *Conversación en la catedral*, Oelker [1974], Christensen [1975], Johnson [1976], Franco [1977] y Pope [1978]. Sobre *Pantaleón y las visitadoras*, Coddou [1975], Lewis [1983], Castro-Klaren [1979], Dauster [1980], Armengol [1981], Boland [1982] y Siemens [1984]. Sobre *La tía Julia y el escribidor*, Williams [1979], Gnutzmann [1979], González Boixo [1978] y Miller [1980]. Sobre *La guerra del fin del mundo*, Cornejo Polar [1982], Mimoso-Ruiz [1982], Rama [1982] y Oviedo [1982]. Sobre la concepción de la novela, el libro de Pereira [1981] y los artículos de Araujo [1979], Borinsky [1974], Oelker [1974], Sommers [1975] y Filer [1977]. Cordua [1982] analiza la opinión de Vargas Llosa sobre Sartre y Camus.

Severo Sarduy (1937) nació en Camagüey, Cuba, el 25 de febrero de 1937. Completa sus estudios primarios y secundarios en su tierra natal. Publica una revista y una antología de poetas locales. En 1958, aparece un poema en *Ciclón*, revista literaria de La Habana. En 1959, comienza estudios de Medicina en la capital. Presencia la entrada de Fidel Castro en La Habana. En 1960, viaja a Francia. Estudios de Arte. Publica *Gestos*, primero en su versión francesa *Gestes* (París, 1963; versión española, Seix Barral, Madrid, 1963). En 1967, publica su segunda novela, *De donde son los cantantes* (Joaquín Mortiz, México, 1967); otra vez la versión francesa se adelanta. Su obra narrativa comprende además, *Cobra* (Sudamericana, Buenos Aires, 1971), *Maitreya* (Seix Barral, Barcelona, 1981) y *Colibrí* (Barcelona, Madrid, 1984), su novela más reciente. Teorizador y animador del «neobarroco», en todas sus novelas tiene lugar el juego de la apariencia, la carnavalización del mundo, la sátira y la parodia. La serie de sus ensayos se inicia con *Escrito sobre un cuerpo* (Sudamericana, Buenos Aires, 1969), que reúne diversos artículos publicados en *Tel quel* y *Mundo Nuevo*, seguido de Barroco (Sudamericana, Buenos Aires, 1974), y *La simulación* (Monte Ávila, Caracas, 1982). Su obra poética consta de *Flamenco* (Manus Presse, Stuttgart, 1969), *Mood indigo* (Manus Presse, Stuttgart, 1970), *Merveilles de la Nature* (J. J. Pauvert, París, 1971, con ilustraciones de Leonor Fini), *Big bang: para situar en órbita cinco máquinas de Alejandro/Pour situer en orbite cinq machines de Alejandro* (Fata Morgana, Montpellier, 1973; otra ed., Tusquets, Barcelona, 1974, que recoge toda su obra poética). A esos libros se agregan posteriormente: *Para la voz* (Fundamentos, Madrid, 1978; trad. inglesa, *For Voice*, Latin American Literary Review, Pittsburgh, 1985), y un libro de sonetos y décimas, *Un testigo fugaz y disfrazado* (Ediciones del Mall, Barcelona, 1985). En 1971 se representó su pieza dramática *La playa/Der Strand*, en Kassel, Alemania, y, en París, en 1977. Para su bibliografía, véase González-Echevérría [1972] y Foster [1975]. Estudios de conjunto y compilaciones: Ríos [1972], *Review 72* (otoño, 1972), *Review 74* (invierno, 1974), Rodríguez Monegal [1968], Barrenechea [1978] y Seager [1981]. Sobre *De donde son los cantantes*, Barthes [1967], González-Echeverría [1971], Johndrow [1972], Levine [1974, 1975], Ulloa [1975], Johnston [1977], Mac Adam [1977], Orrantia [1980] y Montero [1980]. En torno a *Cobra*, Barrenechea [1973], González-Echeverría [1974], Levine [1974], Rodríguez Monegal [1974], Weiss [1977] y Santí [1980]. Una discusión de *Barroco* se debe a Romero [1980]. Entre los nuevos novelistas cubanos la crítica ha destacado también a Reynaldo Arenas (1943), nacido en Holguín, provincia de Oriente, el 16 de julio de 1943. Estudió Filosofía y Letras en la Universidad de La Habana. Después de la revolución trabajó en el Instituto de Reforma Agraria y en la Biblioteca Circulante de la Biblioteca Nacional José Martí. Colaborador de *Casa de las Américas* y *Unión* y de *La*

Gaceta de Cuba. Fuera de Cuba desde 1980, reside en los Estados Unidos. Es colaborador y editor de la revista *Linden Lane* (desde 1982). Es autor de las novelas *Celestino antes del alba* (Unión, La Habana, 1967; versión definitiva *Cantando en el pozo,* 1982), mención en el concurso de la Unión de Escritores de Cuba, de 1965; *El mundo alucinante* (Editorial Diógenes, México, 1966), que reescribe las aventureras *Memorias* de Fray Servando Teresa de Mier, notable figura intelectual de la independencia mexicana. Borinsky [1975], Libertella [1977] y Jara [1979], estudian sus relaciones intertextuales. *El palacio de las blanquísimas mofetas* (Seix Barral, Barcelona, 1980), publicada antes en francés (1975) y en alemán (1977), narración carnavalesca, abordada por Olivares [1987]; *Termina el desfile* (Seix Barral, Barcelona, 1981), *Otra vez el mar* (Argos Vergara, Barcelona, 1982), estudiada también por Olivares [1987], y *Arturo, la estrella más brillante* (Montesinos, Barcelona, 1984). Para los aspectos biográficos, véanse Santí [1980], Olivares [1980] y Rama [1981]. También ha publicado *El Central* (1981), poema, y *Persecución (Cinco piezas de teatro experimental)* (Ediciones Universal, Colección Teatro, Miami, 1986).

Gustavo Sainz (1940) nació en Ciudad de México, el 13 de julio de 1940. Completa la educación primaria y secundaria en su ciudad. Adolescente, escribe revistas e historietas. Ingresa a la Escuela de Leyes. Colabora en la revista *Estaciones.* Enseña en la Universidad Femenina. Trabaja para la revista *Visión.* En 1962, obtiene la beca del Centro Mexicano de Escritores. Trabaja en la redacción de *México en la Cultura.* Beca de la Fundación Ford. Beca del International Writing Program de la Universidad de Iowa. Obtiene la beca de la Fundación Guggenheim. Profesor de la UNAM, director del Departamento de Literatura del Instituto Nacional de Bellas Artes. Profesor en la Universidad de Nuevo México, Albuquerque. Su novela *Gazapo* (Joaquín Mortiz, Serie del Volador, México, 1965) marca la iniciación de la nueva generación. A ésta siguieron *Obsesivos días circulares* (México, 1969), *La princesa del palacio de hierro* (Joaquín Mortiz, México, 1974), Premio Xavier Villaurrutia 1974, *Compadre lobo* (Grijalbo, México, 1977), *Fantasmas aztecas* (Grijalbo, México, 1982) y *Paseo en trapecio* (Edivisión, México, 1985). Es autor de varias antologías: *Jaula de palabras. Una antología de la nueva narrativa mexicana* (Grijalbo, México, 1980) y *Ojalá te mueras y otras novelas clandestinas mexicanas* (Océano, Barcelona, 1982). Su bibliografía ha sido ordenada por Foster [1975, 1981]. Estudios de conjunto en Rodríguez Monegal [1968], Carballo [1967], Paley [1976], Filer [1984]. Sobre *Gazapo,* han escrito Langford [1971], Brown [1973] y Pagés [1973]; *Compadre lobo* ha sido abordado por Ruffinelli [1977]. José Emilio Pacheco (1939), nacido en México el 30 de junio de 1939 (véase capítulo 5 de este volumen), es también un destacado narrador. Autor de *La sangre de Medusa* (Cuadernos del Unicornio, México, 1959), *El viento distante* (Era, México, 1963), *El principio del placer*

(Era, México, 1973) y *Las batallas en el desierto* (Era, México, 1981). Su obra narrativa más importante es *Morirás lejos* (Joaquín Mortiz, Serie del Volador, México, 1967; otra ed., corregida, 1977). Dos diferentes narraciones concurren con el peso de una historia real y ominosa y la inestabilidad de una «composición de lugar» cuyos términos cambian constantemente, se derogan unos a otros, mientras múltiples alternativas se proponen en medio de una incertidumbre definitiva. En esta obra y en sus narraciones breves destaca Pacheco por la extraordinaria cualidad de su estilo conciso y de las regiones de la imaginación que construye. La bibliografía de Pacheco ha sido reunida por Foster [1981]. Una compilación de Jiménez [1979] proporciona variados estudios sobre su obra narrativa. *Morirás lejos* ha sido abordada por Glantz [1979] y Cluff [1979].

La novela argentina de este momento se caracteriza por una producción ingente, variada y de gran calidad. Está carente, sin embargo, de estudios y ordenaciones mayores que contribuyan de un modo significativo al esclarecimiento de sus características y la decantación de sus nombres fundamentales. Entre estos novelistas destacan Néstor Sánchez (1935), autor de *Nosotros dos* (Seix Barral, Barcelona, 1966), *Siberia Blues* (Buenos Aires, 1967), *El ambor, los orsinis y la muerte* (Sudamericana, Buenos Aires, 1969) y *Cómico de la lengua* (Seix Barral, Barcelona, 1973). Sánchez es tal vez el más atrevido en postular un nuevo lenguaje entre los narradores de esta generación y un experimentador de los límites de la postulación de una realidad por el lenguaje. Eduardo Gudiño Kieffer (1935), autor de las novelas *Para comerte mejor* (Losada, Buenos Aires, 1969), *Guía de pecadores* (Losada, Buenos Aires, 1972), *La hora de María y el pájaro de oro* (Losada, Buenos Aires, 1975), *Será por eso que la quiero tanto* (Emecé, Buenos Aires, 1975), *Medias negras, peluca rubia* (Emecé, Buenos Aires, 1979) y *¿Y qué querés que te diga?* (De Belgrano, Buenos Aires, 1983); de los cuentos de *Fabulario* (Losada, Buenos Aires, 1969) y del ensayo *Carta abierta a Buenos Aires violento* (Emecé, Buenos Aires, 1970). Gudiño Kieffer es hábil en la disposición narrativa y en la paródica captación de lenguajes. Juan José Saer (1937), autor de las novelas *Responso* (Jorge Álvarez, Buenos Aires, 1964), *La vuelta completa* (Biblioteca Popular C. C. Vigil, Rosario, Argentina, 1966) y en una nueva orientación de novela autorreflexiva, *Cicatrices* (Sudamericana, Buenos Aires, 1969), *El limonero real* (Planeta, Barcelona, 1974), su obra más notable, y *Nadie nada nunca* (Siglo XXI, México, 1980). Sus cuentos comprenden las colecciones tempranas de *En la zona* (1960), *Palo y hueco* (1965), escritas bajo el modelo de Borges; y, en una orientación hacia la nueva escritura, *Unidad de lugar* (1967) y *La mayor* (1976). *El arte de narrar* (1977) recoge una serie de poemas. Para una visión de conjunto véase Sosnowski [1983].

Alfredo Bryce-Echenique (1939) nació en Lima, Perú, el 19 de febrero de 1939. Hizo sus estudios primarios y secundarios en colegios de lengua inglesa de Lima. Se licenció en Derecho e hizo su doctorado en Letras por la Universidad Nacional Mayor de San Marcos, en Lima. En 1964, viaja a Francia. Hace estudios en la Sorbona. Luego de residir en Italia, Grecia y Alemania, se traslada a Francia en 1968. A partir de ese año, enseña en las universidades de Nanterre, Sorbona y Vincennes, en París. Desde 1980, es profesor de literatura hispanoamericana en la Universidad Paul Valéry, en Montpellier. *Un mundo para Julius* (Seix Barral, Barcelona, 1970; otra ed., Laia, Barcelona, 1977), su primera novela, recibe el Premio Nacional de Literatura del Perú 1972 y el Premio a la mejor novela extranjera en Francia, 1974. Esta obra lo caracteriza en las tensiones desacralizadoras de la clase alta peruana y su nostálgica evocación de los signos prestigiosos de esa clase, de donde escapan en general sin éxito sus protagonistas. El humor, muchas veces negro y autodenigratorio, es un rasgo constante de su obra. A ésta siguieron *Tantas veces Pedro* (Libre I, Lima, 1978; otra ed., Novela Cátedra, Barcelona, 1981), *El hombre que hablaba de Octavia de Cádiz* (Plaza y Janés, Barcelona, 1985), *Magdalena Peruana y otros cuentos* (Plaza y Janés, Barcelona, 1986) y la extensa novela *La vida exagerada de Martín Romaña* (Seix Barral, Barcelona, 1982). Una aptitud narrativa inagotable y errática conduce el hilo anacrónico de su narración, sin concesiones al control retórico de sus partes. Sus colecciones de cuentos comprenden, *Huerto cerrado* (Casa de las Américas, Colección Premio, Mención cuento, La Habana, 1968; otra ed., Barral, Barcelona, 1972), *Muerte de Sevilla en Madrid* (Mosca Azul, Lima, 1972), *La felicidad ja, ja* (Barral Editores, Barcelona, 1974), *Todos los cuentos* (Mosca Azul Editores, Lima, 1979), *Cuentos completos* (Alianza, Madrid, 1981). *A vuelo de buen cubero y otras crónicas* (Anagrama, Barcelona, 1977), reúne sus crónicas de viaje. *Un mundo para Julius* ha sido abordado por Luchting [1978], en un libro que reúne entrevistas y documentos de interés.

Cristina Peri Rossi (Montevideo, Uruguay, 1941), poeta, cuentista, novelista. Ha vivido en el exilio desde 1972. Desde 1974, reside en Barcelona. Estancia de un año en Berlín como escritora invitada por la Deutscher Akademischer Austauschdients. Es autora de las novelas *El libro de mis primos* (Marcha, Montevideo, 1969) y *La nave de los locos* (Seix Barral, Barcelona, 1984), su obra más importante. Libros de relatos son *Viviendo* (Alfa, Montevideo, 1963), *Los museos abandonados* (Arca, Montevideo, 1968; otra ed., Lumen, Barcelona, 1974), *Indicios pánicos* (Nuestra América, Montevideo, 1970; otra ed., Bruguera, Barcelona, 1981), *La tarde del dinosaurio* (Planeta, Barcelona, 1976; otra ed., Plaza y Janés, 1985), *La rebelión de los niños* (1980), *El museo de los esfuerzos inútiles* (Seix Barral, Barcelona, 1983), *El corredor tropieza* (1983) y *Una pasión prohibida* (Seix Barral, Barcelona, 1986). Su obra ha sido abordada por Verani [1982 *a*] en su conjunto. Pittarello [1983] analiza uno de sus relatos.

Invernizzi [1987] estudia *La nave de los locos.* Sobre su poesía escribe Verani [1982 *b*].

Entre los chilenos destacan Cristián Hunneus (1939), autor de *Las dos caras de Jano* (Editorial del Pacífico, Santiago de Chile, 1962), *La casa de Algarrobo* (Sudamericana, Buenos Aires, 1968), *El rincón de los niños* (Nascimento, Santiago de Chile, 1980), su obra más lograda, que han abordado Valdés [1980] y Gallagher [1984], y sus tempranos *Cuentos de cámara* (Editorial del Nuevo Extremo, Santiago de Chile, 1960); Mauricio Wacquez (1939), autor de *Toda la luz del mediodía* (Zig-Zag, Santiago de Chile, 1965), *Paréntesis* (Seix Barral, Barcelona, 1975), *Ella o el sueño de nadie* y *Frente a un hombre armado, cacerías de 1848* (1981); y Antonio Skármeta (1940), cuentista y novelista nacido en Antofagasta, el 7 de noviembre de 1940. Estudios secundarios en Buenos Aires y en Santiago. Estudios de Filosofía en la Universidad de Chile. Maestría en español por la Columbia University. Deja el país en 1973 y se traslada a Buenos Aires donde permanece hasta 1975. Desde 1975, reside en Alemania. Ha escrito numerosos guiones para el cine alemán. También es autor de una pieza dramática, *Ardiente paciencia* (1982), sobre los últimos años de Neruda. Es autor de las novelas *Soñé que la nieve ardía* (Planeta, Barcelona, 1975), *No pasó nada* (Pomaire, Barcelona, 1980) e *Insurrección* (Ediciones del Norte, Hanover, N.H., 1982), esta última sobre las vísperas de la revolución sandinista de Nicaragua, y de una versión narrativa de *Ardiente paciencia* (Plaza y Janés, Barcelona, 1986). Sus volúmenes de cuentos incluyen *El entusiasmo* (Zig-Zag, Santiago de Chile, 1967); *Desnudo en el tejado* (Casa de las Américas, Colección Premio, La Habana, 1969; otra ed., Sudamericana, Buenos Aires, 1969), *Tiro libre* (Siglo XXI, Buenos Aires, 1973), *Novios y solitarios* (Losada, Buenos Aires, 1975). Una antología de sus cuentos es *El ciclista del San Cristóbal* (Quimantú, Santiago de Chile, 1973). Para un estudio de conjunto, véanse Rama [1981], Rojo [1984] y la compilación de Silva [1983].

BIBLIOGRAFÍA

Alonso, María Rosa, «Sí a *Conversación en la catedral*», en *Agresión a la realidad: Mario Vargas Llosa*, Inventarios Provisionales, Las Palmas, 1971, pp. 11-19.

Alonso González, Eduardo, «Montaje, tipos y formas de *La casa verde*», *Archivum*, 18 (1968), pp. 203-232.

Amorós, Andrés, *Introducción a la novela hispanoamericana actual*, Anaya, Salamanca, 1971.

Araujo, Rosa Helena, «La realidad de la creación literaria en la poética de Vargas Llosa», *Eco*, 216 (1979), pp. 607-626.

Armengol, Armando, «Humor in *Pantaleón y las visitadoras*: The Tragedy of

Apparent Success», *Perspectives on Contemporary Literature*, 7 (1981), pp. 73-80.

Babín, María Teresa, «La antinovela en Hispanoamérica», *Revista Hispánica Moderna*, 34:3-4 (1968), pp. 523-532.

Barrenechea, Ana María, «Severo Sarduy o la aventura textual», en J. B. Avalle-Arce, *Narradores hispanoamericanos de hoy*, University of North Carolina, Chapel Hill, 1973, pp. 89-100.

—, *Textos hispanoamericanos de Sarmiento a Sarduy*, Monte Ávila, Caracas, 1978.

—, «La crisis del contrato mimético en los textos contemporáneos», *Revista Iberoamericana*, 118-119 (1982), pp. 377-381.

Barrig, Maruja, «Pitucas y marocas en la nueva narrativa peruana», *Hueso Húmero*, 9 (1981), pp. 73-89.

Barthes, Roland, «Sarduy: la faz barroca», *Mundo Nuevo*, 14 (1967), pp. 70-71; reimpreso en *Review*, 6 (1972), pp. 31-32.

Becco, Horacio Jorge, y David William Foster, *La nueva narrativa hispanoamericana. Bibliografía*, Casa Pardo, Buenos Aires, 1976.

Benedetti, Mario, *Letras del continente mestizo*, Arca, Montevideo, 1967.

Boland, R. C., «*Pantaleón y las visitadoras*: A Novelistic Theory Put into Practice», *Revista de Estudios Hispánicos*, 16:1 (1982), pp. 15-33.

Boldori, Rosa, *Mario Vargas Llosa y la literatura en el Perú*, Santa Fe, Argentina, 1969.

—, *Vargas Llosa: un narrador y sus demonios*, Fernando García Cambeiro (Estudios Latinoamericanos), Buenos Aires, 1974.

Borinsky, Alicia, «Qué leemos cuando leemos», *Revista Iberoamericana*, 89 (1974), pp. 659-667.

—, «Re-escribir y escribir: Arenas, Menard, Borges, Cervantes, Fray Servando», *Revista Iberoamericana*, 92-93 (1975), pp. 605-616.

Brotherston, Gordon, *The Emergence of the Latin American Novel*, Cambridge University Press, Cambridge, 1977.

Brown, J. N., «*Gazapo*: novela para armar», *Nueva Narrativa Hispanoamericana*, 3, 2 (1973), pp. 237-244.

Brushwood, John S., *The Spanish American Novel*, The University of Texas Press, Austin, 1975.

Bryce-Echenique, Alfredo, *et al.*, *Mario Vargas Llosa, Co-Textes*, 4 (1982).

Cano Gaviria, Ricardo, *El buitre y el ave Fénix: conversación con Mario Vargas Llosa*, Anagrama, Barcelona, 1972.

Carballo, Emmanuel, *Confrontaciones: Los narradores ante el público/segunda serie*, Mortiz, México, 1967.

Castro-Klaren, Sara, «Fragmentation and Alienation in *La casa verde*», *Modern Language Notes*, 87:2 (1972), pp. 286-299.

—, «Humor y clase», *Revista de Crítica Literaria Latinoamericana*, 9 (1979), pp. 105-118.

Cluff, Russel M., «*Morirás lejos*: mosaico intemporal de la crueldad humana», *Chasqui*, 8:2 (1979), pp. 19-36.

Coddou, Marcelo, «Proposiciones para una consideración crítica del lenguaje narrativo de *Pantaleón y las visitadoras*», *Nueva Narrativa Hispánica*, 5:1-2 (1975), pp. 137-149.

Colmenares, Germán, «Vargas Llosa y el problema de la realidad en la novela», *Eco*, 82 (1967), pp. 403-415; reimpreso en H. F. Giacoman y José Miguel Oviedo, eds., *Homenaje a Mario Vargas Llosa*, Las Américas, Nueva York, 1972, pp. 367-376, y en L. A. Díez, ed., *Asedios a Vargas Llosa*, Universitaria, Santiago de Chile, 1972, pp. 89-99.

Collazos, Óscar, Julio Cortázar y Mario Vargas Llosa, *Literatura en la revolución y revolución en la literatura*, Siglo XXI, México, 1971.

Conte, Rafael, *Lenguaje y violencia. Introducción a la nueva novela hispanoamericana*, Al-Borak, Madrid, 1972.

Cordua, Carla, «Sartre y Camus en la opinión de Vargas Llosa», *Sin Nombre*, 7:4 (1982), pp. 72-78.

Cornejo Polar, Antonio, «*La guerra del fin del mundo*: sentido (y sin sentido) de la historia», *Hispamérica*, 31 (1982), pp. 3-14.

Christensen, Isabel, «*Conversación en la catedral* (Técnica literaria)», *Humanitas*, 16 (1975), pp. 247-265.

Dauster, Frank, «*Pantaleón* and *Tirant*: Points of Contact», *Hispanic Review*, 48 (1980), pp. 269-285.

Davis, Mary E., «*Dress Gray* y *La ciudad y los perros*: el laberinto del honor», *Revista Iberoamericana*, 116-117 (1981), pp. 127-136.

Deredita, John F., «Vanguardia, ideología, mito (En torno a una novelística reciente en Cuba)», *Revista Iberoamericana*, 92-93 (1975), pp. 617-625.

Díez, Luis A., *Mario Vargas Llosa's Pursuit of the Total Novel*, Centro Internacional de Documentación (Cuadernos de CIDOC, 2), Cuernavaca, México, 1970.

—, ed., *Asedios a Vargas Llosa*, Editorial Universitaria (Letras de América), Santiago de Chile, 1972.

Donoso, José, *Historia personal del «boom»*, Editorial Anagrama, Barcelona, 1972.

Escobar, Alberto, *La narración en el Perú*, Juan Mejía Baca, Lima, 1956.

Eyzaguirre, Luis B., *El héroe de la novela hispanoamericana*, Universitaria, Santiago de Chile, 1973.

Fell, Claude, «Un neobarroco del desequilibrio: *El mundo alucinante* de Reynaldo Arenas», en *El barroco en América. XVII Congreso del IILI*, Cultura Hispánica, Madrid, 1978, pp. 725-731.

Fenwick, M. J., *Dependency Theory and Literary Analysis: Reflections on Vargas Llosa's The Green House*, Institute for the Study of Ideologies and Literatures, Minneapolis, 1981.

Fernández Ariza, M. G., «*La casa verde*: de la estructura mítica a la utopía», *Anales de Literatura Hispanoamericana*, 7:8 (1979), pp. 73-91.

Fernández Casto, M., *Aproximación formal a la novelística de Vargas Llosa*, Editora Nacional, Madrid, 1977; otra ed., 1984.

Figueroa Amaral, Esperanza, «*La casa verde* de Mario Vargas Llosa», *Revista Iberoamericana*, 65 (1968), pp. 109-115.

Filer, Malva E., «Vargas Llosa, the Novelist as a Critic», en Ch. Rossman, y A. W. Friedman, *Mario Vargas Llosa*, University of Texas Press, Austin, 1977, pp. 109-119.

—, «La ciudad y el tiempo mexicano en la obra de Gustavo Sainz», *Hispamérica*, 39 (1984), pp. 95-102.

Flores, Ángel, *Bibliografía de escritores hispanoamericanos, 1609-1974*, Las Américas, Nueva York, 1975.

Forgues, Roland, «Lectura de *Los cachorros*», *Hispamérica*, 13 (1976), pp. 33-49.

Foster, David W., «Consideraciones estructurales sobre *La casa verde*, en *Norte*, 12 (Amsterdam, 1971), pp. 128-136.

—, *The 20th Century Spanish American Novel*, The Scarecrow Press, Metuchen, N.J., 1975.

—, *Mexican Literature: A Bibliography of Secondary Sources*, The Scarecrow Press, Metuchen, N.J., 1981.

—, *Peruvian Literature: A Bibliography of Secondary Sources*, Greenwood Press, Westport, 1981.

—, *Argentine Literature: A Research Guide*, Garland Publishing Inc., Nueva York/Londres, 1982.

Franco, Jean, «Lectura de *Conversación en la catedral*», *Revista Iberoamericana*, 76-77 (1971), pp. 763-768.

—, «Conversation and Confessions: Self and Character in *The Fall* and *Conversation in the Cathedral*», en Ch. Rossman, y A. W. Friedman, eds., *Mario Vargas Llosa*, University of Texas Press, Austin, 1977, pp. 19-75.

—, «Narrador, autor, superestrella: la narrativa hispanoamericana en la época de la cultura de masas», *Revista Iberoamericana*, 114-115 (1981), pp. 129-148.

Frank, Roslyn M., «La isla de Fushía», en *La literatura de la emancipación hispanoamericana y otros ensayos*, IILI, Universidad de San Marcos, Lima, 1972, pp. 231-242.

Fuentes, Carlos, *La nueva novela hispanoamericana*, Joaquín Mortiz, México, 1969.

Gallagher, David, «*El rincón de los niños* de Cristián Hunneus», *Revista Chilena de Literatura*, 24 (1984), pp. 125-130.

Giacoman, Hely F., y José Miguel Oviedo, eds., *Homenaje a Vargas Llosa*, Las Américas, Nueva York, 1972.

Glantz, Margo, «Narrativa joven de México», prólogo a *Narrativa joven de México*, Siglo XXI, México, 1969.

—, «Onda y escritura en México», prólogo a *Onda y escritura en México*, Siglo XXI, México, 1971.

—, «La onda diez años después; ¿espitafio o revalorización?», *Texto Crítico*, 5 (1976).

—, «*Morirás lejos*: literatura de incisión», *Repeticiones. Ensayos sobre literatura mexicana*, Universidad Veracruzana, Xalapa, 1979, pp. 55-62.

Gnutzmann, Rita, «Análisis estructural de *La tía Julia y el escribidor* de Vargas Llosa», *Anales de Literatura Hispanoamericana*, 7:8 (1979), pp. 93-118.

Goic, Cedomil, *Historia de la novela hispanoamericana*, Ediciones Universitarias de Valparaíso, Chile, 1972; 1980[2].

González, Eduardo G., «A razón de santo: últimos lances de Fray Servando», *Revista Iberoamericana*, 92-93 (1975), pp. 593-603.

González Boixo, José Carlos, «De la subliteratura a la literatura: el "elemento añadido" en *La tía Julia y el escribidor* de Mario Vargas Llosa», *Anales de Literatura Hispanoamericana*, 7 (1978), pp. 141-156.

González-Echeverría, Roberto, «Para una bibliografía de y sobre Severo Sarduy (1955-1971)», *Revista Iberoamericana*, 79 (1972), pp. 333-343.

—, «Son de La Habana: la ruta de Severo Sarduy», *Revista Iberoamericana*, 76-77 (1971), pp. 725-740.
—, «Rehearsal for *Cobra*», *Review 74* (1974), pp. 38-44.
Harss, Luis, *Los nuestros*, Sudamericana, Buenos Aires, 1966.
Hasset, John J., «The Reader in Vargas Llosa's *La casa verde*», *Chasqui*, 1:2 (1972), pp. 24-35.
Invernizzi Santa Cruz, Lucía, «Entre el tapiz de la expulsión del Paraíso y el tapiz de la creación: múltiples sentidos del viaje a bordo de *La nave de los locos* de Cristina Peri Rossi», *Revista Chilena de Literatura*, 30 (1987), pp. 29-53.
Jansen, André, *La novela hispanoamericana actual y sus antecedentes*, Labor, Barcelona, 1973.
—, «*La tía Julia y el escribidor*: nuevo rumbo de la novelística de Mario Vargas Llosa», *Anales de Literatura Hispanoamericana*, 6 (1977), pp. 237-245.
Jara, René, «Aspectos de la intertextualidad en *El mundo alucinante*», *Texto Crítico*, 13 (1979), pp. 219-235.
Jiménez de Báez, Yvette, *et al.*, *Ficción e historia. La narrativa de José Emilio Pacheco*, Colegio de México, México, 1979.
Johndrow, Donald R., «'Total' Reality in Severo Sarduy's search for *lo cubano*», *Romance Notes*, 13 (1972), pp. 445-452.
Johnson, Phillip, «Vargas Llosa's *Conversación en la catedral*. A Study of Frustration and Failure in Peru», *Symposium*, 30:3 (1976), pp. 203-212.
Johnston, Craig P., «Irony and the Double in Short Fiction by Julio Cortázar and Severo Sarduy», *Journal of Spanish Studies: Twentieth Century*, 5:2 (1977), pp. 111-122.
Jozef, Bella, «El encantador que te hizo llorar o la dimensión renovadora del folletín», en Keith McDuffie, y A. Roggiano, eds., *Texto y contexto en la literatura iberoamericana*, Madrid, 1980, pp. 163-171.
Kloepfer, Rolf, y Rolf Zimmer, *Lateinamerikanische Literatur der Gegenwart in einzeldarstellung*, Alfred Kroner, Stuttgart, 1978.
Lafforgue, Jorge Raúl, *Nueva narrativa latinoamericana*, Paidós, Buenos Aires, 1969-1972, 2 vols.
Lagmanovich, David, *Estructuras del cuento hispanoamericano*, Ed. Buenos Aires, 1985 (en prensa).
Langford, Walter M., *The Mexican Novel Comes of Age*, University of Notre Dame Press, Notre Dame, 1971.
Levine, Suzanne Jill, «Jorge Luis Borges and Severo Sarduy: two writers of the neobaroque», *Latin American Literary Review*, 2:4 (1974), pp. 25-37.
—, «Discourse as Bricolage», *Review 74* (1974), pp. 32-37.
—, «La escritura como traducción: *Tres tristes tigres* y una *Cobra*», *Revista Iberoamericana*, 92-93 (1975), pp. 557-567.
Lewis, M. A., *From Lima to Leticia. The Peruvian Novels of Mario Vargas Llosa*, Georgetown University Press, Washington, 1983.
Libertella, Héctor, *Nueva escritura en Latinoamérica*, Monte Ávila, Caracas, 1977.
Luchting, Wolfgang A., *Alfredo Bryce. Humores y malhumores*, Milla Batres, Lima, 1975.
—, *Mario Vargas Llosa: desarticulador de realidades. Una introducción a sus obras*, Andes, Bogotá, 1978.

Mac Adam, Alfred, *Modern Latin American Narratives. The Dreams of Reason,* The University of Chicago Press, Chicago, 1977.

—, «Euclides da Cunha y Mario Vargas Llosa: meditaciones intertextuales», *Revista Iberoamericana,* 126 (1984), pp. 157-164.

Martín, José Luis, *La narrativa de Vargas Llosa,* Editorial Gredos, Madrid, 1974.

Meneses, Carlos, «La visión del periodista, tema recurrente de Mario Vargas Llosa (A propósito de *La guerra del fin del mundo*)», *Revista Iberoamericana,* 123-124 (1983), pp. 523-529.

Menton, Seymour, *Prose Fiction of the Cuban Revolution,* University of Texas Press, Austin / Londres, 1975.

—, *La novela colombiana: planetas y satélites,* Plaza y Janés, Bogotá, 1978.

Miller, Yvette E., «Mario Vargas Llosa: contexto y estructura de *La tía Julia y el escribidor*», en Keith McDuffie, y A. Roggiano, eds., *Texto y contexto en la literatura iberoamericana,* Madrid, 1980, pp. 235-240.

Mimoso-Ruiz, Duarte, «*La guerra del fin del mundo* de Vargas Llosa et l'aventure messianique de Canudos: la raison prise au piége», *Les Langues Néo-Latines,* 243 (1982), pp. 95-117.

Montero, Óscar J., «Un aspecto del intertexto semiótico de *De donde son los cantantes*», en K. McDuffie, y A. Roggiano, eds., *Texto y contexto en la literatura iberoamericana,* Madrid 1980, pp. 257-264.

Moody, Michael, «Paisajes de los condenados: el escenario natural de *La casa verde*», *Revista Iberoamericana,* 116-117 (1981), pp. 127-136.

Oelker, Dieter, «La estructura del poder en la última novela de Mario Vargas Llosa *Conversación en la catedral*», *Nueva Narrativa Hispánica,* 4 (1974), pp. 179-192.

Olivares, Jorge, «El narrador en *La casa verde*», *Hispanófila,* 70 (1980), pp. 29-44.

—, «Carnival and the novel: Reynaldo Arenas' *El palacio de las blanquísimas mofetas*», *Hispanic Review,* 53:4 (1985), pp. 467-476.

—, «*Otra vez el mar* de Arenas: dos textos (des)enmascarados», en *Nueva Revista de Filología Hispánica,* El Colegio de México, 35:1 (1987).

—, y Nivia Montenegro, «Conversación con Reynaldo Arenas», *Taller literario,* 1:2 (1980), pp. 53-67.

Orrantia, Dagoberto, «*De donde son los cantantes*: la carnavalización del relato», en K. McDuffie, y A. Roggiano, eds., *Texto y contexto en la literatura iberoamericana,* Madrid, 1980, pp. 283-292.

Ortega, Julio, *La contemplación y la fiesta,* Monte Ávila, Caracas, 1969.

Oviedo, José Miguel, *Mario Vargas Llosa: la invención de una realidad,* Seix Barral, Barcelona, 1970; otras eds., Biblioteca de Respuesta, 1977; 3.ª ed. aumentada, 1982.

—, *Mario Vargas Llosa,* Taurus, Madrid, 1972.

Pagés Larraya, Antonio, «Una novela mexicana sobre la adolescencia», *Comentario,* 71 (1970), pp. 93-96; reimpreso en *Nueva Narrativa Hispánica,* 3:2 (1973), pp. 262-285.

Paley de Francescato, Martha, «Gustavo Sainz», *Hispamérica,* 14 (1976), pp. 63-81.

Peregrín Otero, Carlos, «Vargas Llosa: teoría y praxis», *Grial*, 51 (1976), pp. 18-35.
Pereira, Armando, *La concepción literaria de Mario Vargas Llosa*, UNAM, México, 1981.
Pittarello, Elide, «Cristina Peri Rossi: "Los extraños objetos voladores" o la disfatta del sogetto», *Studi di letteratura ispano-americana*, 13-14 (1983), pp. 259-287.
Pope, Randolph D., «Precauciones para la lectura de *Conversación en la catedral*», *Journal of Spanish Studies: Twentieth Studies*, 6:3 (1978), pp. 207-217.
Rama, Ángel, *Novísimos narradores hispanoamericanos en Marcha: 1964-1980*, Marcha Editores, México, 1981.
—, *La novela latinoamericana. Panoramas 1920-1980*, Procultura S.A. y El Instituto Colombiano de Cultura, Bogotá, 1982.
Reedy, Daniel R., «Del beso de la mujer araña al de la tía Julia: estructura y dinámica interior», *Revista Iberoamericana*, 116-117 (1981), pp. 109-116.
Ríos, Julián, ed., *Severo Sarduy*, Editorial Fundamentos (Colección Espiral, 16), Madrid, 1972.
Rivero Potter, Alicia, «Algunas metáforas somáticas —erótico-escripturales— en *De donde son los cantantes*», *Revista Iberoamericana*, 123-124 (1983), pp. 497-507.
Rodríguez Monegal, Emir, *Narradores de esta América*, Alfa, Montevideo, 1969-1974[2], 2 vols.
—, *El arte de narrar*, Monte Ávila, Caracas, 1968.
—, «Literatura. Cine. Revolución», *Revista Iberoamericana*, 92-93 (1975), pp. 579-591.
—, «La nueva novela vista desde Cuba», *Revista Iberoamericana*, 92-93 (1975), pp. 647-662.
—, «The Labyrintine World of Reynaldo Arenas», *Latin American Literary Review*, 8:16 (1980), pp. 126-131.
Rojo, Grínor, «Explicación de Antonio Skármeta», *Hispamérica*, 39 (1984), pp. 65-72.
Romero, Armando, «Hacia una lectura de *Barroco*, de Severo Sarduy», *Revista Iberoamericana*, 112-113 (1980), pp. 563-569.
Rossman, Charles, y A. W. Friedman, *Mario Vargas Llosa: A Collection of Critical Essays*, University of Texas Press, Austin, 1978.
Ruffinelli, Jorge, «Sainz y Agustín: literatura y contexto social», *Texto Crítico*, 8 (1977), pp. 155-164.
Santí, Enrico Mario, «Textual Politics: Severo Sarduy», *Latin American Literary Review*, 8:16 (1980), pp. 152-160.
—, «Entrevista con Reynaldo Arenas», *Vuelta*, 4:47 (1980), pp. 18-25.
Sarduy, Severo, «Barroco y neobarroco», en C. Fernández Moreno, *América Latina en su literatura*, Siglo XXI, México, 1972.
—, *Barroco*, Sudamericana, Buenos Aires, 1974.
Schulman, Iván A., «*La situación* y *Gestos*: dos versiones de la experiencia histórica cubana», *Nueva Narrativa Hispanoamericana*, 4 (1974), pp. 345-372.
Seager, Dennis, «Conversation with Seudo Severo Sarduy: A Dialogue», *Dispositio*, 15-16 (1981), pp. 129-142.

Siemens, William L., *Worlds Reborn. The Hero in the Modern Spanish American Novel*, West Virginia University Press, Morgantown, 1984.
Silva Cáceres, Raúl, ed., *Del cuerpo a las palabras: La narrativa de Antonio Skármeta*, Literatura Americana Reunida, 1983.
Sommers, Joseph A., *Literature and Ideology: Vargas Llosa's Novelistic Evaluation of Militarism*, New York University, Ibero-American Language and Area Center, Nueva York, 1975.
Sosnowski, Saúl, «La dispersión de las palabras: novelas y novelistas en la década del setenta», *Revista Iberoamericana*, 125 (1983), pp. 955-963.
Standish, Peter, *Vargas Llosa. «La ciudad y los perros»*, Brant Utler / Tamesis Books (Critical Guides to Spanish Texts, 33), Londres, 1983.
Ulloa, Justo C., y Leonor A. de Ulloa, «Proyecciones y ramificaciones del deseo en "Junto al río de cenizas de rosa"», *Revista Iberoamericana*, 92-93 (1975), pp. 569-578.
Valdés, Adriana, «*El rincón de los niños*: otra lectura», nota final a C. Hunneus, *El rincón de los niños*, Nascimento, Santiago de Chile, 1980, pp. 197-209.
Vásquez Amaral, J., *The Contemporary Latin American Narrative*, Las Américas, Nueva York, 1970.
Verani, Hugo, «La narrativa de Cristina Peri Rossi: arte de digresión», *Actas del Séptimo Congreso de la Asociación Internacional de Hispanistas*, Bulzoni, Roma, 1982, tomo II, pp. 1.039-1.046.
—, «La rebelión del cuerpo y el lenguaje (A propósito de Cristina Peri Rossi)», *Revista de la Universidad de México* (11 de marzo de 1982), pp. 19-22.
Villacura, Maud, «Bibliografía de narradores chilenos nacidos entre 1935-1949», *Revista Chilena de Literatura*, 4 (1971), pp. 109-128.
Weiss, Judith A., «On the Trail of the (Un)Holy Serpent: *Cobra*, by Severo Sarduy», *Journal of Spanish Studies: Twentieth Century*, 5:1 (1977), pp. 57-69.
Williams, Raymond, *La novela colombiana contemporánea*, Plaza y Janés, Bogotá, 1976.
—, «*La tía Julia y el escribidor*: escritores y lectores», *Texto Crítico*, 13 (1979), pp. 197-209.

Cedomil Goic

LA CASA VERDE DE MARIO VARGAS LLOSA

La casa verde (1966) erige un mundo larvario de características extraordinarias. La representación enseña un mundo deformado en sus más características y sobresalientes formas. Un mundo contrahecho de espacios y tiempos fuertemente contradictorios, que concurren, sin embargo, para ordenar un presente confuso que concierta por igual el cambio y la permanencia y los niveles de realidad más variados. La visión del mundo opera secretamente por la selección de las situaciones y la flagrancia de las fallas y contradicciones del orden establecido y por el desafío y la respuesta que importa la erección de la Casa Verde en el desierto de Piura. Es la presencia de los hechos, la violencia de las contradicciones la que pone de manifiesto el vacío de un orden inerte y puramente formal y el absurdo de sus instituciones. La pura exposición apela al sentimiento del absurdo y de la deformación de lo humano en variadas formas. Esta apelación debe arribar a puerto si el sentido del mundo quiere realmente hacerse presente. Pues no hay intérprete de la realidad que ofrezca el sentido del universo y apenas hay personaje de la novela que internamente dé un sentido al mundo. Por su nivel cultural y su representación social, el padre García y el médico, el doctor Zeballos, son los únicos capaces de hacerlo, pero no está en su mano el proporcionar un sentido al conjunto presentado, que escapa a su dominio. La estructura narrativa, por su parte, ordena de un modo notable la dimensión rígida y flexible a la vez, racional e irracional al mismo tiempo, que caracteriza el mundo presentado.

Cedomil Goic, *Historia de la novela hispanoamericana*, Ediciones Universitarias de Valparaíso, Chile, 1980[2], pp. 279-283.

Es decir, la construcción verbal exterioriza la condición confusa del mundo y su vertebración. La narración múltiple, los modos narrativos, la disposición, el lenguaje, fijan y prolongan las características del universo narrativo.

La disposición de la novela prolonga las características ambiguas del mundo. Comporta una voluntad arquitectónica rígida, fuertemente formalizada, dentro de la cual fluye con la vivacidad de un organismo palpitante y animado el flujo mismo de la vida. La novela está dividida en cuatro partes y un epílogo —Uno, Dos, Tres, Cuatro, Epílogo—; cada una de estas partes está dividida en capítulos de un modo rítmico, el primero de ellos sin numerar y los otros numerados con cifras romanas, en el número de 5-4-5-4-5 capítulos; cada uno de los capítulos a su vez, a excepción de los capítulos sin numerar que son momentos de una serie solamente, contiene, distribuidos también de un modo equilibrado 5-5-4-4 series narrativas, más el epílogo, que no obedece a la división de las partes y capítulos, sino que, como un capítulo más, reúne —numeradas en romanos— 4 series con las que efectivamente concluye la narración al fijarse los destinos de los personajes. Cada serie narrativa está presentada con una violenta distorsión temporal y espacial, mediante el montaje de diversas situaciones en variados y notablemente originales modos narrativos. Este montaje significa las tensiones configuradoras de la ambigüedad de lo real, la líquida e informe condición de lo vital y el orden y la estructura impuestos por la razón creadora a lo que de otro modo sería inaprehensible.

Los modos narrativos principales son varios. Uno, el modo fluyente, elíptico, inconexo que emplea vastamente la yuxtaposición de modos narrativos parciales y de tiempos y circunstancias diferentes, que se reconoce en general en los capítulos sin numerar que encabezan cada parte de la novela; otro, el montaje de diálogos en el cual las cuestiones suscitadas por el diálogo actual son respondidas por el diálogo correspondiente a circunstancias inactuales; un tercero, el modo panorámico en que se narra regularmente, diferenciando esta serie, el fragmento tercero de cada capítulo que corresponde a la historia de don Anselmo y la Casa Verde; y, último, el modo en 2.ª persona, especialmente en la parte cuatro en la serie de don Anselmo, capítulos I, II y III.

El mundo de *La casa verde* es fundamentalmente espacial. Se diría que el talento de Vargas Llosa le conduce en todas sus novelas a la configuración de espacios sociales, de mundos abigarrados y confusos, donde se despliegan portentosas tensiones contradictorias, en múltiples niveles de contornos desdibujados que engendran una imagen de conjunto extrañamente tortuosa y deformada: la de un mundo larvario.

En esta novela el mundo comprende tres espacios geográficos definidos, sin duda, pero que así y todo mezclan sus rasgos. Éstos son Piura y su contorno —los aledaños y el desierto—; Santa María de Nieva y la selva, en otro extremo geográfico; y, por último, Iquitos, promesa y meta de muchos sueños, y el río.

Estos espacios geográficos, también caracterizados desde un punto de vista sociocultural, presentados en su coexistencia actual, son también comprensibles desde un punto de vista histórico. En cada espacio se actualiza un momento histórico, cierta época o eón, detenido en el tiempo presente, coexistiendo extrañamente. Son reconocibles aquí: un espacio primitivo, el de los indios, ajenos a la civilización occidental o superficialmente transculturados; los depredadores de la conquista; la colonización; el barroco religiosamente estático; la república progresivista y positiva. Algo de lo real-maravilloso definido por Carpentier es aquí reconocible en la extrañeza del mundo peruano septentrional.

Una ambigüedad determinada puede reconocerse en el desdibujamiento metódico de los límites temporales y de los contornos espaciales de los distintos sectores.

Dos son los términos importantes en la significación y juego de los espacios: la ciudad y la selva. En relación a ellas, se despliegan los rasgos significativos de la estructura de la novela. La dialéctica trabazón de estos dos términos dinamiza la ambigüedad fundamental del mundo. Piura y sus figuras egregias representan el orden vigente, lo estatuido, como formas de cultura y sociabilidad.

Santa María de Nieva es la presencia de la ciudad, de sus instituciones y de sus personeros en la selva. Para desatar las respuestas que pongan de manifiesto la realidad de esta dimensión del mundo se las muestra desafiadas o desafiando por y a la selva. Es decir, el desafío que la ciudad hace a la selva con su avanzada misionera y con la presencia de la voracidad económica desatada por el auge del caucho, que compromete en los dos aspectos al orden establecido, su administración, su fuerza pública, lo realiza la selva con su avanzada verde en el desierto y en la ciudad, con toda su oscura y compleja significación, su institucionalidad y sus figuras egregias. Cierta simetría es reconocible en la novela a partir de esta ambigüedad de la configuración de los espacios fundamentales que se extiende a todos sus aspectos. Se trata de dos órdenes que se ignoran y que ejercen violencia de diversa índole y grado el uno sobre el otro. El encuentro es iluminador del mundo por sí mismo, sin que medie una interpretación o formulación del sentido, éste se hace patente en el choque. Si la ciudad es el orden establecido, la razón, la religión y la costumbre normadas; la selva es la vida, la irracionalidad, el mito oscuro y el ritual atávico.

Así como la ciudad entra con violencia a la selva, y desde la primera escena esto es perceptible, la construcción de la Casa Verde y la presencia de don Anselmo en la ciudad son una violencia al orden establecido. La Casa Verde es, para el orden religioso moral, el lugar del infierno y don Anselmo, el demonio —el padre García reconoce un olor a azufre en el lugar—, es una lacra y una provocación satánica, instaura Sodoma, es un lugar de perdición; en consecuencia, desata la represión violenta y, cuando el conocimiento de los hechos permite reunir el descontento y la repugnancia general, es quemada. El hecho se enrola en una serie que despliega la segura y soberbia reacción del orden frente a lo que le es extraño, lo fundamental reside en las tremendas inconsecuencias del sistema.

Pero la Casa Verde posee un significado propio, refrendado por su poder seductor, su éxito y su resonancia mítica, en la ciudad. Es el lugar de la fiesta, de lo orgiástico, y es, también, el lugar donde se prueba o experimenta lo prohibido. La apertura de la Casa Verde trae consigo la respuesta del pueblo a un apetito oscuro y profundo y sus ecos atraen incluso a los habitantes de los poblados cercanos. En la Casa Verde, se liberan las tensiones generadas por la represión del sistema, las que no se agotan en las formas de una nueva costumbre, sino que dan lugar a una fabulación popular, a la creación de un mito que aureola la primera Casa Verde, desdibuja sus contornos y retrotrae su existencia a un prestigioso origen mítico, el que había rodeado desde su origen a la figura de don Anselmo. La segunda Casa Verde guarda sólo el recuerdo impreciso de la otra, situada ahora *illo tempore* y alentando la necesidad del mito en la conciencia popular.

Estas dos dimensiones del espacio no se desplazan una a la otra, se penetran y confunden mezclando todos los limbos sus colas, coexisten tensamente trabadas. Sin embargo, no se perciben como dos dimensiones necesarias sin más. Valorativamente, la afirmación del impulso vital y de la fuerza oscura de lo mítico, parece reclamar una primacía sobre el orden deshumanizado y formal que va sostenidamente ligado y coloreado por la sangre y la muerte, por la caída de lo humano y la deformación de lo sagrado. La plenitud de lo humano no asoma por ninguna parte, se trata indefectiblemente, de un mundo larvario y dentro de la ambigüedad generalizada, cada sector del mundo aparece mediatizado por una limitación o una rara perfección, pero en sus aspectos dominantes el espectáculo conjunto de esta multiplicidad de espacios, que representan un mundo no jerarquizado donde todo —lo más bajo y lo más elevado, lo más puro y lo más repulsivo, lo más tierno y lo más cruel— se mezcla y borra sus límites temporales y espaciales, configura un presente turbadoramente monstruoso.

José Miguel Oviedo

UN LIBRO SOBRE UN LIBRO: *LA GUERRA DEL FIN DEL MUNDO*

La guerra del fin del mundo recuenta la campaña de Canudos inmortalizada por Euclides da Cunha en *Os Sertões*. Con un agravante: la mediación de Da Cunha es una pantalla que filtra los datos objetivos de una historia que realmente ocurrió, ajena por completo a la experiencia personal de Vargas Llosa, pero hecha suya como lector del maestro. Historia, escritura, lectura, re-escritura: este vasto relato es un ejemplo perfecto de canibalismo literario, de devoción tan intensa de un autor por una obra que intenta reproducirla. Pero al hacerlo descubre que está usando su historia —y la Historia— para decir otra cosa distinta, como los lectores del imaginario Pierre Menard podrían haber adivinado.

Es bastante sabido el modo cómo llegó el autor a interesarse en *Os Sertões*. El primer contacto data de 1973, cuando colaboró con Ruy Guerra en la preparación de un guión cinematográfico sobre Canudos. El guión fue terminado (en su versión inédita se titula *Los papeles del infierno*), pero nunca fue filmado. Como resultado de ese trabajo, la imaginación de Vargas Llosa quedó acariciando la idea de escribir una novela que abarcase el asunto en toda su complejidad, que en el guión había sido reducida a lo esencial. Aun antes de haber terminado *La tía Julia ...*, el autor ya estaba trabajando en el proyecto y lo continuó en diferentes lugares: Lima, Cambridge (Inglaterra), Washington; en 1979 hizo un viaje a Bahía que lo llevó hasta el mismo sertón, tras lo cual introdujo cambios sustanciales en

José Miguel Oviedo, *Mario Vargas Llosa: la invención de una realidad*, Seix Barral, Barcelona, 1982[3], pp. 313-323.

el original que siguió puliendo hasta comienzos de 1981. Esos viajes (a la selva peruana, por ejemplo, cuando escribía *La casa verde* y *Pantaleón* ...) han sido rituales dentro del proceso creador de Vargas Llosa; realista al fin, quería capturar (o recapturar) una atmósfera, la sensación de espacio que eran esenciales en su obra. Pero aquellos fueron viajes de *reconocimiento* de algo experimentado tiempo atrás: el viaje al sertón fue, en cambio, una jornada de *descubrimiento*; hasta ese momento, toda la novela del autor había sido elaborada por vía libresca: primero a través de *Os Sertões*, luego a través de la vasta bibliografía brasileña dedicada al tema. Esta es indudablemente la novela de un lector, no de un protagonista; en todo caso, del lector de un testimonio cuyo protagonista-autor le hace vivir, vicariamente, su fascinante aventura. [...]

La guerra del fin del mundo: su acción ocurre entre los abismos que separan la realidad de las doctrinas o teorías que los hombres elaboran para interpretarla y en nombre de las cuales actúan, creando esos espacios vacíos donde la Historia no puede ser explicada racionalmente. Intoxicado por su cultura científica, Da Cunha intentó usar Canudos para probar sus tesis progresistas; lo ganaron la intuición del artista que había en él y la indignación por la barbarie con la que la «civilización» quiso imponer sus razones. En la escritura de su testimonio, y no en el bagaje de conceptos que traía consigo, halló la verdad que buscaba —lo que vuelve a poner sobre el tapete la cuestión del «realismo»: la verdad de lo real para Da Cunha o para Vargas Llosa es algo que se alcanza, paradójicamente, cuando se convierte en texto de ficción, cuando no es sino literatura. El sertón es un desierto, pero de palabras; la realidad es el texto que componemos con ella. Y quizá por eso Vargas Llosa requiera a Da Cunha no sólo como el primer Autor de su obra, sino también como Personaje —como productor, testigo e intérprete de los hechos de los que él, como novelista parásito, se apodera. Porque en medio de la acción tumultuosa a la que todos parecen estar entregados, hay algunas figuras claves que además hacen otra cosa: escribir. [...]

En *La guerra del fin del mundo* hay por lo menos tres personajes que se dedican intensamente a esa actividad, y un cuarto que, sin escribir, juega una relación muy significativa con ellos, pues es un narrador oral. El primero es Galileo Gall, un escocés anarquista y frenólogo quien, tras muchas aventuras en Europa, llega a fines de siglo a las costas del Brasil y se queda a vivir allí, consagrado a la doble causa de la ciencia y la revolución. Aparte de ser un hombre de acción, divulga, desde 1869, sus ideas políticas y científicas en un periódico de Lyon llamado *l'Etincelle de la révolté*; y al final de su vida escribe también una especie de memoria o testamento dirigido a sus correligionarios de Europa.

Como tantos personajes de Vargas Llosa, éste es uno imaginario pero elaborado a partir de uno histórico. Franz Joseph Gall, «anatomista, físico y fundador de la ciencia frenológica», que aparece como maestro del padre del personaje ficticio y de quien éste toma el nombre, existió realmente; nació en Alemania en 1758, murió en París en 1828 y fue precisamente el fundador de la frenología. A su vez, las peripecias imaginarias de Galileo Gall se entrecruzan con otros hechos históricos: el autor lo hace combatir con los comuneros de París en 1871 y lo convierte en discípulo del catalán Mariano Cubí, otro frenólogo. La pasión libertaria de Galileo es tan febril, tan ciega, que decide internarse en el sertón porque cree que hay una coincidencia ideológica fundamental entre las prédicas del Consejero y las suyas; las crónicas que escribe para su pasquín poseen un insidioso tono paródico: no tienen nada que ver con la realidad, sino con su fantasía y su pasión seudocientífica, son desfiguraciones, desmesuras, locuras de la razón.

Más burlona, más caricaturesca aún es la figura del anónimo periodista miope, que, al revés de Gall, no tiene al principio ninguna clara convicción: trabaja primero en un diario autonomista-monárquico y luego en otro republicano-progresista; escribe con eficacia lo que le dicta su patrón de turno, sea éste el Barón de Cañabrava o el republicano Epaminondas Gonçalves. [...] Es fiel a su misión periodística hasta el límite del sacrificio; donde vaya acarrea consigo los atributos materiales de su profesión: un tablero portátil de madera, un tintero fijado en la manga y una pluma de ganso. Todo lo subordina a esa tarea; aunque lo consumen el terror y el desconocimiento de la región, escribir sus crónicas es su forma particular de heroísmo. Lo que resulta, otra vez, tragicómico es que cuando el periodista llega a Canudos y descubre la verdad del asunto, tan distinta de lo que pensaba cuando escribía crónicas por encargo desde Bahía, casi literalmente está ciego: ha destrozado sus lentes y se mueve penosamente entre sombras de cosas, ayudado por otros; es decir, no puede *ver* la realidad física que entiende ahora quizá mejor que nadie. Hay en esto una suprema intención paródica, que subraya uno de los grandes temas de la novela: la incapacidad para ver sin anteojeras intelectuales y entender la realidad como un claroscuro que desafía nuestros conceptos racionales. El drama de Canudos es el de la ceguera del espíritu humano, que se niega a aceptar aquello que no se adapta a la horma de sus convicciones o prejuicios, *inventando* una realidad a la medida de ellos.

Es evidente que Vargas Llosa ha creado el personaje del periodista sobre otro modelo real: el propio Euclides da Cunha. Algunos hechos coinciden: Da Cunha tuvo la infancia triste e inestable de un huérfano de madre; fue periodista (además de militar e ingeniero) y coqueteó de joven con la poesía: colaboró en la *Gazeta de Notícias* (*Jornal de Notícias* en la novela); viajó a Canudos como corresponsal de un periódico de São Paulo, para el que escribió las crónicas que después irían a formar parte de *Os Sertões*, y regresó de allí profundamente cambiado como hombre y como republicano. Da Cunha seguramente escribió por las mismas razones por las que el periodista miope dice que va a escribir su libro: porque es «la única manera de que se conserven las cosas», de que la aventura vivida pase a formar parte de la Historia. Y de que pueda volver a ser contada, a través de relecturas y reescrituras, como ocurre en *La guerra del fin del mundo*. Sobre todo cuando la Historia adquiere un matiz irreal y absurdo como en Canudos, sólo la ficción puede dar cuenta de ella.

El tercer escribiente de la novela es el León de Natuba, nombre que adopta Felicio Pardinas, un ser deforme que camina en cuatro patas balanceando una enorme cabeza. Después de que el Consejero le salva la vida, el León de Natuba se suma a las filas de sus seguidores y pronto asume un encargo especial: el de recoger la palabra viva del hombre santo, pues es uno de los pocos que sabe leer y escribir. Es el sabio, el escriba de Canudos, como él mismo dice: «Yo escribía todas las palabras del Consejero ... Sus pensamientos, sus consejos, sus rezos, sus profecías, sus sueños. Para la posteridad. Para añadir otro Evangelio a la Biblia». Y también «Sé qué es la electricidad ... Sé qué es el principio o ley de Arquímedes. Cómo se momifican los cuerpos. Las distancias que hay entre los astros». Es terriblemente irónico que, al final, el Consejero esté tan debilitado que sólo los ruidos y el excremento que escapan de su cuerpo sean los «mensajes» que otro acólito, el Beatito, trata de interpretar. El «texto» es un residuo.

Hay un cuarto personaje que no escribe pero que sí cuenta historias: el Enano, sobreviviente de un circo de pueblo que la guerra disolvió y que también ha sido iluminado por la fe del Consejero. Las historias que cuenta son romances populares que hablan de los Doce

Pares de Francia, Roberto el Diablo y otros relatos fantásticos o exóticos. Cuando alguien le pregunta por la moraleja de sus historias o por la responsabilidad de sus personajes, el Enano replica: «No sé, no sé ... No está en el cuento. No es mi culpa, no me hagas nada, sólo soy el que cuenta la historia», lo que quizá pueda entenderse como una alusión a la «invisibilidad» o equidistancia moral que el novelista mantiene frente a sus personajes y las situaciones que experimentan: él no interfiere en sus vidas, sólo las cuenta.

Ciertos rasgos enlazan a estas cuatro figuras, aparte de la convergencia de sus propias aventuras en el sertón. Uno es el de la monstruosidad física; en el caso del León de Natuba y el Enano es obvia, pero la figura estrafalaria del periodista no anda muy lejos, todo lo cual es del máximo interés para Galileo Gall, con sus raras teorías anatómicas y sus mediciones craneanas, y como habría sido para Da Cunha, que comenzó explicándose el fenómeno de Canudos como el resultado de un mestizaje degenerado, fanático y supersticioso. Coincidentemente, el periodista llega a pensar que en su relación con el Enano hay algo más que mera casualidad: «¿Por qué lo desazonaba tanto alguien que sólo quería hablar, que desplegaba así sus cualidades, sus virtudes, para ganarse su simpatía? Porque me parezco a él —pensó—, porque estoy en la misma cadena de la que él es el eslabón más degradado». La amistad que surge entre ambos es fruto del reconocimiento de una común condición marginal, donde la belleza, el amor y el placer están ausentes. [...]

Esa ausencia —y esa nostalgia— del placer es otro dato significativo en los personajes de la novela. Cuatro de ellos, Galileo Gall, el Enano, Pajeú y el periodista miope, se enamoran de la misma mujer, Jurema, casada con el pistero Rufino. El primero la viola en una furiosa explosión de deseo: por la pureza de su adhesión a la causa revolucionaria, Gall ha creído necesario practicar durante años la abstinencia sexual. La castidad es otra manifestación de la vocación fanática; sin embargo, a través de la carne de Jurema, Gall presiente que tal vez sea posible conciliar el cuerpo con los ideales del espíritu: «No me arrepiento, ha sido ... instructivo. Era falso lo que yo creía. El goce no está reñido con el ideal. No hay que avergonzarse del cuerpo ...». En cambio, la relación de Pajeú con Jurema es más casta pues predomina en él el fanatismo de su fe; como se lo explica el periodista al Barón: «No quería tomarla por la fuerza ... Que todo se hiciera como Dios manda. Según la religión. Casarse con ella. Yo lo oí pedírselo». Lo mismo ocurre entre otra pareja de discípulos del Consejero,

João Abade y Catarina. Una de las lecciones que el periodista trae de la guerra de Canudos es su apasionada certidumbre en el amor y el placer; eso es «lo más grande que hay en el mundo, Barón, lo único a través de lo cual puede encontrar el hombre cierta felicidad, saber qué es lo que llaman felicidad». El placer señala los límites de la historia y es una negación de la muerte. [...]

La Historia no es, pues, la única historia de los hombres. Tal vez sugiriéndolo, en la escena erótica más extraña e intensa de la novela, el propio Barón, como escapando de la pesadilla en que la política ha convertido su vida privada, toma su revancha: hace el amor con su esposa alucinada, pero por delegación, compartiéndola a través de su joven sirvienta [lo que recuerda una situación del todo semejante en *La señorita de Tacna*].

La cuestión que está al fondo de esa convicción ha existido latente en varias de las novelas anteriores de Vargas Llosa, pero nunca con la amplitud que alcanza aquí. Nos referimos a la tensión constante que existe entre las fuerzas que encarnan cierto tipo de orden cerrado y las que tratan de transgredirlo; casi siempre hay un *sistema* y una *ruptura* del mismo: los códigos del colegio Leoncio Prado y los del Círculo, en *La ciudad* ...; la misión religiosa y el burdel, en *La casa verde*; el ejército y el servicio de visitadoras (que imita al primero, pero «violando» su sentido), en *Pantaleón* ..., etc. Conventos, cuarteles y colegios: mundos clausurados y regimentados; frente a ellos, los reinos libres de la fuerza instintiva y la pasión desatada, frecuentemente perversas. El lector reconocerá aquí un procesamiento muy singular del pensamiento de Bataille y su interpretación de la pugna entre lo sagrado y lo profano, como polos opuestos que a veces se dan la mano.

ANA MARÍA BARRENECHEA

SEVERO SARDUY O LA AVENTURA TEXTUAL

En Sarduy el lenguaje es distintivo de lo humano y también sinónimo de vida como oposición a muerte. La vida es para él «ese discur-

Ana María Barrenechea, *Textos hispanoamericanos de Sarmiento a Sarduy*, Monte Ávila, Caracas, 1978, pp. 222-234.

so que comenzamos al nacer» (*Escrito sobre un cuerpo*), y añade en otro momento: «... el hombre se adentra en el plano de la literalidad que hasta ahora se había vedado, formulando esa pregunta sobre su propio ser, sobre su *humanidad* que es ante todo la del ser de su escritura» (*Escrito sobre un cuerpo*).

Si lo único seguro que poseen los hombres es el texto que tejen durante su vida, lo único válido de la obra será el texto y no su supuesta analogía con ese correlato exterior a ella que es «el mundo que nos rodea» para los «realistas puros —socialistas o no—» o «un algo ficticio, un "mundo fantástico"» para los realistas mágicos (*Escrito sobre un cuerpo*). Por eso dice parafraseando a Jean-Louis Baudry, que el texto es una máscara que nos engaña «ya que si hay máscara, no hay nada detrás; superficie que no esconde más que a sí misma, ... la máscara simula la disimulación para disimular que no es más que disimulación» (*Escrito sobre un cuerpo*). Y afirma acerca de *Compacto* de Maurice Rauche: «nada evoca, ni siquiera para reírse de él, un referente exterior al libro mismo» (*Escrito sobre un cuerpo*).

La obra de arte aparece, pues, como válida en sí, sin referente externo a ella. Pero ocurre que toda obra literaria es obligatoriamente una construcción de palabras que imita (si no la vida), por lo menos el hecho lingüístico comunicativo que se da en la vida: el que haya uno o más hablantes (el o los narradores), uno o más oyentes, y que se cuente algo, se comunique algo. Es decir que con una mímesis muy particular la literatura introduce dentro de ella una ficción de referente, aquello a lo que apunta lo que se está contando. En este esquema comunicativo interno, escenarios, personajes, acciones novelescas son un falso referente metido en el interior de la obra narrativa.

Sarduy utiliza esta estructura particular del hecho literario para librar dentro de la creación novelesca la misma batalla que libra en el campo de los ensayos por la supremacía textual. Podríamos decir que su novela *De donde son los cantantes* adquiere pleno sentido si la pensamos como la puesta en práctica, en el orbe cerrado de sus páginas, de este prodigioso combate entre el signo y su referente, hasta alcanzar la destrucción del referente. Y esa destrucción se logra por la máxima tensión del lenguaje en constante metamorfosis que, como la del fénix, es un infinito morir y renacer.

El texto se impone porque el autor parte de exagerar hasta lo inverosímil el distanciamiento de los dos planos dentro de la obra misma: el plano de la escritura y el plano de la pseudo-realidad. Pero al mismo tiempo porque texto y pseudo-referente se entrecruzan, se sustituyen y se invalidan.

Los analizaremos primero separadamente por necesidades expositivas. Por un lado ese mundo imaginario interno a la obra (es decir lo que el lector ingenuo suele conectar con la realidad) aparece en un trastorno completo, gracias a dos procedimientos centrales: todo acontecer es gratuito y todo ser ha perdido su identidad.

En efecto, todo acontecimiento es gratuito, porque no se sabe qué sucede, para qué o por qué ocurre, y así nos enfrentamos con un mundo en el que es imposible distinguir leyes de causalidad que lo rijan.

También todo ha perdido su identidad. Es imposible identificar las personas, los lugares, las acciones: o chocan opuestamente entre sí, o se imbrican, o se metamorfosean, o se multiplican, o aparecen y desaparecen, o conforman híbridos monstruosos, y acaban por ser máscaras de la nada, seres huecos, historias inanes.

Paralelamente, en el nivel de la escritura, se despliegan en forma paródica los recursos textuales, que son los únicos con existencia propia. La retórica se hace evidente y se muestra en forma descarada.

También ocurre que se mezclan los más variados niveles de lenguaje: la lengua escrita con la oral, lo culto con lo popular, lo español peninsular con lo cubano, desde las provincias de Oriente hasta La Habana. El estilo de los grandes escritores (San Juan, Calderón, Quevedo, Martí, el diario de Colón), el villancico tradicional, la literatura hispanoárabe, aparecen mechados junto con las frases publicitarias (especialmente norteamericanas), los refranes y estereotipos de diferentes lugares y estratos socioculturales, y las letras de las canciones de moda, unas veces en forma vistosa y otras solapada. Y aun interfieren otros lenguajes plásticos heterogéneos: el manierismo y el barroco, junto al *art nouveau*, el cubismo, el arte abstracto y el pop; Zurbarán, Valdés Leal, Archimboldo, Beardsley, Klimt, Wifredo Lam, Vasarely, más los carteles anunciadores y las *chinoiseries*.

Todos los planos de la estructura narrativa como hecho comunicativo se interfieren. Aparecen dialogando los múltiples narradores imaginarios en primera y tercera persona, con los oyentes imaginarios y los personajes. Hasta hay el intento de introducir en la obra lo que es externo a ella, el propio *yo* del autor de carne y hueso, y nosotros, los lectores de carne y hueso. Claro está que Sarduy sabe que el autor o el lector que penetran en el ámbito novelesco se convierten en entes imaginarios como los otros, y no hay posibilidad de mantener intacta su naturaleza originaria. Sin embargo, este y otros procedimientos le sirven para el fin que está buscando: «Aquí la narración circula y es constantemente puesta en tela de juicio ... La verdadera función de la narración está siempre a cargo de la escritura» (*Mundo Nuevo*). [...]

Por una parte los datos de la pseudo-realidad se trastornan con la falta de identidad, la incongruencia y lo gratuito de las acciones. Por otra, la escritura se instala en un primer plano y se vuelve llamativa con el exceso de endurecimiento de los esquemas retóricos o con el desbarajuste de las jerarquías tradicionales.

Pero quizás lo más interesante de este autor sea el que dentro de la obra se perturban y confunden las relaciones entre el nivel del lenguaje y el de la pseudo-realidad mentada por él. Estamos acostumbrados por las convenciones narrativas a saber cuándo el autor nos habla de cosas y hechos que postula como existentes en el orbe cerrado de la novela y cuándo su lenguaje es una metáfora de esos hechos pseudo-reales: para poner un ejemplo sencillo, sabemos cuándo la palabra clavel nombra a una flor o cuándo es metáfora de una boca roja y tentadora. La literatura contemporánea, especialmente la poesía, nos ha acostumbrado al símbolo privado difícil de interpretar, si no se conoce el sistema simbólico total del autor. Pero en el mundo novelesco de Sarduy no se trata de obscuridades de interpretación. No nos pasa que no entendamos sus símbolos privados; lo que nos ocurre sencillamente es que no sabemos cuándo una expresión es metafórica, cuándo una acción o un objeto es símbolo o alegoría y cuándo se refiere a cosas de esa pseudo-realidad postulada por la historia que relata. El autor trabaja conscientemente con una indeterminación de niveles.

Junto a eso puede ocurrir lo opuesto, es decir que la alegoría sea groseramente evidente; pero entonces aparece en forma inesperada y en compañías imprevistas, para que queden anulados todos los marcos de referencia corrientes. No hay situaciones privilegiadas para el símbolo o la alegoría, que al fin resultan, cuando son explícitos, tan gratuitos como los personajes y las acciones.

Las palabras y los procedimientos literarios se imponen a la realidad y la devoran; o a la inversa, lo que se mostraba como retórica resulta, sorpresivamente, traducción de la realidad. Por ejemplo, todo el relato intermedio dedicado a la cultura negra, «La Dolores Rondón», está pautado por la décima de su epitafio; cada capitulillo desarrolla un verso, y para acentuar la arbitrariedad, despliega la historia en el orden que marca la poesía trastornando el orden cronológico de los acontecimientos. El arte impone sus reglas a la vida de un ser que para mayor irrisión fue verdaderamente un ser histórico, según dice la gente de Camagüey. Humorísticamente, Dolores muere «para que el poema se cumpla» (*De donde son los cantantes*). [...]

Si quisiéramos sintetizar el arte de Sarduy diríamos que se caracteriza, precisamente, por las oscilaciones extremas. Por una parte su mundo novelesco prolifera y parece moverse en el juego del azar y de sus combinaciones infinitas, pero al mismo tiempo queda apresado en esquemas literarios de rigidez también notable.

Por ejemplo, tomemos la estructura básica de la novela con su nítida división en tres historias («Junto al río de cenizas de rosa», «La Dolores Rondón» y «La entrada de Cristo en La Habana») enmarcadas por un prólogo que sirve de presentación («Currículum cubense») y una «Nota final». Lo que así queda dividido en compartimientos y organizado en forma tan llamativa es un *continuum*, una sola masa deliberadamente caótica. La repetición de los personajes, Auxilio y Socorro (y en menor medida Mortal), constantemente metamorfoseados pero persistentes, le confiere la unidad mínima indispensable a la obra de arte, que aquí es la de la máscara multiplicando siempre su mismo vacío, en contraste con esa armazón definida.

Para acentuar el abarrotamiento y el caos de esa masa fluida, los hechos figuran narrados de dos o más maneras distintas, unas pseudo-poéticas y estilizadas, otras pseudo-realistas (aunque nunca con un carácter totalmente unitario). Por momentos la historia se torna circular, empieza y termina con la misma frase, lo cual nos vuelve al punto de partida (*De donde son los cantantes*), o sin tratarse de un ciclo completo, se intercala un texto que ya leímos en otra parte del libro. Precisamente, estos procedimientos repetitivos (un hecho narrado en dos claves de lenguaje o en la infinita recursividad del mismo lenguaje) contagian de inanidad a las acciones, y sólo permanece la validez de la escritura *per se*, evidenciada en primer plano.

En otros pasajes echa mano de los reflejos y las duplicaciones. El tapiz que Auxilio y Socorro reciben como presente del Señor en «La entrada de Cristo en La Habana» repite las figuras de los personajes de esa misma historia (la Fe, a Socorro; la Práctica, a Auxilio; el príncipe rubio, a Cristo; Hipo, a Bruno). También la suerte que corre, copia burlonamente sus destinos al ser cortado, despedazado y luego reconstruido, y distribuido por partes, en forma disparatada. [...]

Hasta ahora nos hemos referido únicamente a la obra y al sentido de las señales inscriptas en su construcción interna: significante y significado, texto y pseudo-realidad en el orbe cerrado de la novela. Pero existe también el problema del referente externo a la novela, del mensaje o sentido último al que una creación artística puede apuntar. Era de esperar que el referente externo sería negado por Sarduy dada su base teórica, y sin embargo, en contradicción con ella, es el que ha dejado más explícito. En la misma novela que analizamos lo presenta imaginativamente en el capítulo primero llamado «Currículum cubense» que es como la síntesis del libro, y luego lo desarrolla en forma discursiva en una «Nota final» (*De donde son los cantantes*).

De donde son los cantantes es según Sarduy una explicación del ser de Cuba, formado de tres culturas: la china, la negra y la blanca, presentadas en cada una de las historias que la componen. Estas tres culturas están superpuestas pero no fundidas. La nota final inserta en el libro puede ser un nuevo juego y una nueva trampa del autor. Así la novela se mostraría llamativamente como una alegoría y, como la mayoría de las alegorías medievales, llevaría al final la explicación de los valores que representa (hasta con la *excusatio propter infirmitatem*, acentuando lo retórico).

Pero ya no puede interpretarse como trampa o juego la actitud de Sarduy fuera de la novela, cuando adopta la posición de escritor doblado de crítico y comenta con toda seriedad las intenciones que lo guiaron al escribirla [aclara que lo impulsó la preocupación de ahondar en el ser nacional y expresar «la cubanidad»]. Es decir, que él mismo acepta la desechada existencia del referente externo para la obra de arte.

Las tres culturas entretejen la realidad cubana, pero aunque Sarduy no lo advierta nos llama la atención que sean los representantes de las tres principales razas que nos enseñaron en la escuela que poblaban el mundo: la amarilla, la negra y la blanca. Así la obra, que Sarduy quiere que sea metáfora de Cuba, convierte a Cuba en metáfora del mundo, un mundo vacío e inane a fuerza de abarrotado, en el que los dioses (yorubas o cristianos) se han ido, dejándonos dos realidades: el lenguaje y la muerte, el lenguaje para que nos entretengamos en hacerlo, deshacerlo y rehacerlo, mientras esperamos la muerte.

Árida y desoladora visión, si no la impregnase el color, el brillo imaginativo y el constante juego del humor con que el autor se burla de todo, hasta de sí mismo y de su destino mortal, con un magnífico despliegue paródico de increíble virtuosismo alimentado del jugueteo y la gracia cubana, y sobre todo de esa literatura que es la sola existencia carnal que posee.

JORGE RUFFINELLI

SAINZ Y AGUSTÍN: LITERATURA Y CONTEXTO SOCIAL

En 1964 y 1965 aparecieron respectivamente *La tumba*, de José Agustín (1944), y *Gazapo*, de Gustavo Sainz (1940), dos novelas mexicanas inaugurales de lo que no mucho después se llamaría «narrativa de la Onda», con fuerza tal que de inmediato el entusiasmo por el *frisson nouveau* palpado en ellas convocó la emulación novelística en varios nuevos escritores. Actualmente esa marea ha descendido y la novedad del fenómeno de una literatura *juvenil* aparece ya desgastada; sin embargo, la década transcurrida ha servido para asentar como valores perdurables, desde un punto de vista literario, a los dos autores mencionados así como, parcialmente, a otros que advinieron más tarde.

La eclosión de esta nueva narrativa se vio de inmediato inscrita en su contexto social, surgía coincidiendo con un modo de vida propio de la década del cincuenta, al calor de una clase media acomodada, urbana, cuyos hijos se separaban violentamente del mundo adulto para constituir su propio código de valores y hábitos culturales. Por ello, la Onda es casi privativa de la ciudad de México —una de las más populosas del mundo—, y en ese ámbito se desenvuelve, así como en el balneario típico del sector social aludido: Acapulco.

Tanto *La tumba* como *Gazapo* asumen el discurso narrativo como eminentemente autobiográfico: el narrador cuenta episodios inmediatos de su vida adolescente, algunos de los cuales se corresponden también con los del autor. Pero la novedad inicial consiste en el tono elegido del relato: se opta por el «discurso intrascendente», esto es, se lo desnuda de todo ademán literario, se lo «desprestigia» para adoptar

Jorge Ruffinelli, «Sainz y Agustín: literatura y contexto social», *Texto Crítico*, 8 (1977), pp. 155-164 (155-158).

el coloquialismo, se lo aproxima al discurso ordinario de la comunicación, y sin embargo su empleo sirve (como se ve especialmente en *Gazapo*) para innovar las estructuras narrativas; esa innovación incluye una técnica cuasi collagística con la participación de cartas, grabaciones, diálogos, diarios personales, etc., que mantienen su cualidad metaliteraria.

En *La tumba* ese «discurso autobiográfico intrascendente» surge desde la apertura de la novela: «Miré hacia el techo: un color liso, azul claro. Mi cuerpo se revolvía bajo las sábanas. Lindo modo de despertar, pensé, viendo un techo azul. Ya me gritaban que despertase y yo aún sentía la soñolencia acuartelada en mis piernas». Aunque el relato por sí solo no esté invitando a otro nivel de lectura, éste puede darse: *La tumba*, es metafóricamente (y pese al significado primario del título), la historia de un «despertar» adolescente a la vida de los sentidos, de la imaginación y del sentimiento, en contraste con el orden burgués. Y el azul del techo remite a una sustitución del azul natural del cielo, es decir, a la alienación del joven ciudadano cuya nostalgia ideológica de un orden «natural» y paradisíaco sólo se dará en niveles secundarios de lectura. No es un dato desechable, entonces, que el joven personaje de la Onda viva en la ciudad, en interiores (de casas, restaurantes o automóviles) y tenga en su conciencia el no haber conocido el medio rural. En una entrevista, Sainz le dice a Martha Paley Francescato [1976]: «Yo era un niño urbano que no conocía el campo, que a los 18 años nunca había visto una vaca, y a quien los problemas de la Revolución no lo tocaban».

A partir del comienzo citado de *La tumba*, Gabriel Guía, el narrador, se resume a contar su vida cotidiana, las aventuras del colegio y los varios encuentros amorosos con muchachas de su edad. El relato encuentra dos nudos en este decurso incesante: por una parte, el hecho irónico de que su maestro lo acuse de plagio por la redacción de un cuento —afirmando que éste pertenece a Chéjov— crea una doble situación narrativa: Gabriel es el autor del cuento referido pero, en otro nivel, también es el narrador de *La tumba*, de tal suerte que su función de narrador —en el plano del testimonio autobiográfico y en el de la escritura de ese testimonio— queda asentada de manera rotunda y definitoria.

El segundo nudo se ata y desata continuamente y tiene que ver con el erotismo sin fijación del adolescente: los amores son en realidad amoríos, y el narrador-personaje pasa de uno a otro sin encontrar una relación que lo sitúe en el mundo, que lo enriquezca, una relación a la que él le dé verdadera importancia. Ya señaló acertadamente Margo Glantz [1976] que la actitud viril del personaje de la Onda se reduce a un patrón machista: la adolescente es un elemento más de su mundo, desacralizada, vista sin el respeto y la simpatía dedicados a los amigos. Esta actitud aparece en *La tumba* y en *De perfil* (1966) de Agustín, y sin embargo el tema sexual crecerá en importancia dentro de su obra hasta hacerse clave en *El rey se acerca a su templo* (1977), mientras que Sainz lleva dicha concepción a sus extremos cuando diseña el retrato de una mujer, notablemente paródico, en *La princesa del palacio de hierro* (1974).

Gazapo no difiere sensiblemente de *La tumba* en el tono narrativo pero presta una atención mucho mayor a las técnicas del relato, que provienen en gran medida de una lectura bien atenta de la nueva novela europea. También se inicia de una manera buscadamente insustancial: «Vulbo me cuenta que estuvieron en Sanborns de Lafragua hasta las tres de la mañana. Llegaron a las diez de la noche y en todo ese tiempo Fidel no se quitó los lentes oscuros; Balmori no terminó de tomarse el jugo de frutas que pidió al llegar y Jacobo, por su parte, no cesó de mirar un vacío». Y como el libro mismo señala —y tantas veces lo ha dicho la crítica— la novela es la historia del abandono de la casa y de una seducción, ambas aventuras encarnadas en el personaje central (Menelao), que es al mismo tiempo el narrador. Novela más abierta en su registro a rendir la experiencia de un grupo de adolescentes, *Gazapo* es también coloquial, de un lenguaje libre de ataduras prestigiosas, impuro por la proliferación de extranjerismos y juego de palabras. No es difícil reconocer tanto en *La tumba* como en *Gazapo* el intento por expresar parte de la vida de la ciudad de México, que en el sector al que pertenecen sus autores no había tenido hasta entonces su «cronista» o su «juglar». Por ello, la Onda reconoció en estos dos libros la representación de sus valores y cosmovisión.

La tumba y *Gazapo* se presentan como una literatura irreverente. Con respecto al mundo adulto, suponen un reto de rebeldía, y su lenguaje y contenido ideológico un acto de parricidio camuflado. Monsiváis señala que «la Onda es el primer movimiento social de México contemporáneo que se rehúsa *desde posiciones no políticas* a las concepciones institucionales y nos revela, por la dinámica de su conducta, la extinción inminente de una imagen del país. Tal imagen ... se surte, en términos generales, en la visión institucional de la Revolución Mexicana y se concreta en el impulso nacionalista». Aunque la Onda no ha tenido voceros teóricos (con excepción de Parménides García Saldaña: *En la ruta de la Onda*, 1972) su propia praxis permite colegir direcciones ideológicas e interpretar la orientación y el sentido de su movimiento como lo hace Monsiváis en el texto citado. En efecto, la Onda no ataca teóricamente los bastiones de la cultura mexicana dominante en la década del sesenta, y menos aún establece una plataforma política, pero actúa a su margen contradiciéndole de hecho: barre con lo institucional en las costumbres, en la práctica literaria, en su idea del país, y en vez de asumir el nacionalismo imperante, se hace cosmopolita. Así señala Sainz la significación de su novela *Gazapo*: «marca el nacimiento de una novela adolescente, urbana, cosmopolita, una suerte de picaresca de los sesenta». La Onda se ubica, frente a la tradición literaria, descreyendo de la misma (se pone de espaldas a la prestigiada «novela de la revolución») o apropiándose del entorno, de la novela de ambientación (la novela de la ciudad de México, que se iniciara un lustro antes con Fuentes, Spota y Solana), pero rompe al mismo tiempo con las dos líneas generando, en contraste con ambas, una narrativa *de* jóvenes, *para* jóvenes y *sobre* el mundo de los jóvenes. La temática y el lenguaje se cierran al registro de sus valores y nada fuera de ellos les importa o merece su consideración.

La actitud de rebeldía prescindente responde a una situación sociopolítica concreta: en la década del sesenta el país no permitía la participación juvenil y los amplios sectores de clase media personificados en la Onda sólo tenían una opción: esperar a que el sistema los integrase, acomodándose ellos a una realidad dada, o negarse y elaborar sus propios códigos, sistemas de valores, costumbres y ardides para eludir la censura (la paternal y la del Estado). En el plano económico la Onda no tiene que ver con las clases humildes, aunque de ellas recoge en gran medida las estructuras de su lenguaje, la jerga ondera; es clase media y oscila de la posesión sin límites (posesión de coches último modelo, discos nuevos, ropa, posibilidad de viajes, marihuana y droga) a la crónica escasez de dinero para comprar marihuana (como sucede en los cuentos y novelas de Agustín) dado que ese dinero proviene de los padres. Pero si los personajes de la Onda surgen de una clase media sin problemas económicos, viven conflictos, sin embargo, a nivel psicológico y familiar: es significativo que tanto Menelao (*Gazapo*) como Gabriel (*La tumba*) sean hijos de familias disueltas y que en sus relatos gravite inequívocamente el divorcio de los padres y la inestabilidad de su propia relación con el mundo adulto. El vínculo conyugal en el proceso de disolverse está visto por el personaje en *De perfil* (1966) y es uno de los pocos problemas que vinculan a padres e hijos en la segunda novela de Agustín.

MARGO GLANTZ

MORIRÁS LEJOS DE JOSÉ EMILIO PACHECO

Alguien lee sentado en un parque un anuncio del *Aviso Oportuno* y en esa lectura de múltiples asuntos que, desarrollados, permitirían la elaboración de muchos relatos novelescos, se inicia otra lectura: la que impone el narrador omnividente sobre el lector, reproduciendo la polaridad sobre la que se construye el libro: «Con los dedos anular e índice entreabre la persiana metálica: en el parque donde hay un pozo cubierto por una torre de mampostería, el mismo hombre de ayer está sentado en la misma banca leyendo la misma sección, "El aviso oportuno", del mismo periódico: *El Universal*». Alguien mira desde arriba, oculto tras una persiana, a otro alguien que abajo lee. La mirada del que observa al lector se unifica con la del narrador anónimo que a veces aparecen en la textualidad con la designación expresa de narrador omnividente y la mirada vuelve a revertirse siguiendo las líneas de refracción más puras, reiterando el modelo de construcción del texto: juego, enigma, adivinanza planteados como diálogo entre un lector y un observador.

Juego, enigma, adivinanza que se organizan siempre desde la mirada. Novela de mirada, pues. Como toda novela, en suma, pero con un discurso intertextual que anuncia su modo de producción. Noé Jitrik definía (en una lectura sobre *Morirás lejos*) esta organización como «una producción que inquiere sobre su forma de producción», mirada persecutoria de hipótesis organizadas de manera semejante a la sección clasificada de los periódicos donde se amontonan noticias de todo tipo apenas integradas y distanciadas entre sí por las secciones fijas que las alojan.

La fragmentación del texto es la fragmentación de las hipótesis. Su unidad, la polaridad de las miradas. Su ordenación es la incisión. Las hipótesis siempre sugieren una duda y el intento por descifrar el enigma exige la presencia de un perseguidor, corporificado aquí simultáneamente en el narrador omnividente y en el lector que organiza

Margo Glantz, «*Morirás lejos*, de José Emilio Pacheco: literatura de incisión», *Repeticiones. Ensayos sobre literatura mexicana*, Universidad Veracruzana, Xalapa, México, 1979, pp. 55-62 (55-57).

los enigmas. En este sentido el libro se ordenaría según los cánones del *nouveau roman* en donde entrarían también en México, *Los albañiles* de Leñero, *Farabeuf* de Elizondo y *Sabina* de Julieta Campos; decirlo no significa, empero, más que situar estas novelas en una intertextualidad, que nos devuelve por refracción a Borges, máxima intertextualidad de Latinoamérica y paradigma de la literatura occidental.

Morirás lejos es entonces la historia de una persecución organizada siguiendo lo que a partir de Gide se llama en la jerga literaria la *mise en abîme* o la puesta en abismo, antes identificada como la trama dentro de la trama, trama paralela o teatro dentro del teatro. Este sistema, también llamado de la caja china, podría sintetizarse como la forma de producción textual en donde uno de los elementos de la trama ofrece una relación de similitud con la obra que lo contiene. Esta forma es muy vieja en la literatura y uno de sus ejemplos más definidos sería *Las mil y una noches*; José Emilio la cita diciendo: «pues sabe que desde antes de Sherezade las ficciones son un medio de postergar la sentencia de muerte» o de anularla o de resucitar en la lectura a los cuerpos muertos. La *mise en abîme* aparece, como definición literaria, en los diarios de Gide en 1893:

Me interesa particularmente que en una obra de arte se encuentre traspuesto, a escala de los personajes, el tema mismo de la obra. Nada establece ni aclara mejor las proporciones del conjunto. Así en algunos cuadros de Memling o de Quentin Metzus, un pequeño espejo convexo y sombrío refleja, a su vez, el interior de la pieza donde sucede la escena pintada, también en el cuadro de *Las meninas* de Velázquez (pero de manera un tanto diferente). En literatura, en *Hamlet*, en la escena de la comedia; y además en muchos otros dramas. En *Wilhelm Meister* las escenas de marionetas o de fiesta en el castillo. En *La caída de la casa de Usher*, la lectura que se hace a Roderick, etc. Ninguno de estos ejemplos es totalmente exacto. La representación o la muestra más exacta de esto que propongo en mis *Diarios* estaría en mi *Narciso* y en *La tentativa*: la comparación con el procedimiento de los escudos que consiste en colocar dentro del primero otro blasón *en abismo*.

La reconstrucción histórica de las masacres organizadas para destruir a los judíos, a lo largo de los siglos, se construye siguiendo distintos tipos de ordenación (alfabética, ordinales en varios idiomas, números romanos, números arábigos, etc.) y de inscripciones tipográficas y, además, de títulos: *Diáspora, Gross Aktion, Totenbuch, Götterdammerung*. La destrucción del Templo por los romanos, la destrucción del Ghetto de Varsovia, corresponden a los dos primeros títulos y reflejan, justamente, es decir, son perfectamente especulares, pero sin tocarse: los romanos destruyen a los judíos que han organizado una resistencia y se han parapetado para defenderse de sus agresores y queman el Gran Templo de Jerusalén: los judíos del Ghetto de Varsovia se levantan y son aniquilados a sangre y fuego, suerte que también corre la sinagoga. *Totenbuch* es el libro de los muertos en los campos de concentración: Treblinka Maidanek, Bergen Belsen, Auschwitz. *Götterdammerung* es el Ocaso de los Dioses mítico e histórico. Cada una de estas divisiones textuales se enfrenta a la enumeración de las hipótesis en *Salónica*, otro cuerpo narrativo del relato: el que lee (en el parque) es considerado por *eme* (el que mira desde la ventana) como perseguidor (aunque *eme*, en todas las hipótesis, haya sido siempre otro perseguidor) y el narrador omnividente va dosificando las probables identidades del personaje que lee o vigila para proyectar luego su reflejo en el que toma la persiana entre sus dedos anular e índice: *eme* puede ser un oficial alemán que se esconde o puede adoptar cualquiera de las identidades que las posibilidades históricas le otorguen, para destruir a su vez la identidad víctima-verdugo, perseguidor-perseguido y revertirla en cualquiera de las dos direcciones.

La *mise en abîme* se subraya, pues semánticamente la palabra abismo convoca las nociones de profundidad, de infinito, de vértigo, de caída y los espejos pueden provocarla. Si se consulta un tratado de heráldica se subraya la especularidad: «El abismo es el corazón del escudo. Se dice que una figura está en abismo cuando aparece con otras figuras en medio del escudo, pero sin tocarlas en absoluto» (citado por Dallenbach). Todas las historias se contienen y se reflejan como en las tramas paralelísticas de los dramas isabelinos, subrayando con los relatos las semejanzas, las correspondencias, subrayando las identidades históricas, pero dándoles también su carácter individual. La historia de los personajes involucrados en Salónica, personajes individuales que pudiesen ser los protagonistas de una novela tradicional, se desdibujan y acaban convirtiéndose en símbolos múltiples con lo que se colectivizan.

WOLFGANG A. LUCHTING

UN MUNDO PARA JULIUS DE ALFREDO BRYCE-ECHENIQUE

[¿Qué se puede afirmar sobre la obsesión que liga al autor «à un thème privilegié, qui l'oblige a redire ce qu'il a déjà dit» (Maurice

Wolfgang A. Luchting, *Alfredo Bryce. Humores y malhumores*, Editorial Milla Batres, Lima, 1975, pp. 74-76.

Blanchot)? ¿Qué sobre la «experiencia crucial» y la «fijación» del autor en ella? Siendo la muerte una de las preocupaciones temáticas en esta novela, ¿cómo se conecta esto con la atracción y la repugnancia que Julius siente frente a la pobreza?] Creo que es lícito ver los dos temas empalmados en la declaración de Bryce mismo sobre el destino aparentemente inevitable de la gente pobre y fea. La muerte, de una manera u otra, está aparentemente más cercana a ellos, es una especie de presencia ominosa que reside en la fragilidad de la vida en la pobreza. Cierto, los ricos también mueren: existe el papá real de Julius al principio de la novela, y está Cinthia un poco más tarde: ambos mueren. Pero también tenemos el hecho curioso de que no se describa su muerte, su morir, o se lo hace tan sólo en un grado mínimo (las memorias de Julius de la agonía de su padre), mientras que tanto la muerte de Bertha como la de Arminda son descritas clara y detalladamente. Por otro lado, en los dos entierros, hay también la toma de conciencia de que los ricos tienen que reconocer a la muerte, o, más específicamente: tienen que admitir la igualdad entre ellos mismos y los pobres... en la muerte.

La muerte es real. La pobreza parece vivir de manera más íntima con esa realidad que la riqueza. De manera que Julius, uno de cuyos afanes es, después de todo, encontrar un mundo que cumpla con él, es decir, una realidad para sí mismo, una realidad que no esté relativizada por la diferencia entre los ricos y los pobres, este Julius procurará, naturalmente, si bien sin éxito, explorar la pobreza como experiencia, y así descubre —y es probable que se dé completa cuenta de ello sólo más tarde, por ejemplo durante aquel «llanto largo y silencioso, llenecito de preguntas»— que él, Julius, no está equipado por su *background,* su ambiente y su educación, para llevar a cabo una exploración de esta índole exitosamente o al menos a fondo.

El amor y el afecto, también, tanto los que se dan como los que recibe, son emociones reales. Y Julius ha experimentado estas emociones también, y las sigue experimentando, pero son emociones de la «variedad casera», si se me permite este término; en primer lugar las emociones le son ofrecidas por los pobres, por los sirvientes (si bien la experiencia tiene lugar por sí misma y por definición dentro del marco formado por las coordenadas de la riqueza). El otro amor, y su dimensión sexual, aún está fuera de su experiencia, aunque sí se le permite ver una especie de «pre-estreno» de ellos al observar las tribulaciones de su hermano Bobby y cuando la frase «me la voy a tirar» penetra en el mundo de Julius.

La primera sección del primer capítulo, «El palacio original», es decir:

el comienzo de la novela, está precedida por una cita larga tomada de *Beau Masque* de Roger Vailland. En la cita, el narrador de *Beau Masque* pregunta a su hermana si se acuerda de cómo durante los viajes en tren con su madre, ellos solían escaparse de la primera clase y visitar la tercera. Declara que estuvieron fascinados por la gente que encontraron ahí: «Nos parecían *más reales* que las gentes que frecuentaban nuestras familias». R. Vailland continúa describiendo una escena en que, en una estación de ferrocarril, los pasajeros de la tercera clase han bajado y están tomando agua de una fuente: «un obrero nos ofreció agua en una cantimplora de soldado; te la bebiste de un trago, y enseguida me lanzaste la mirada de la pequeñuela que acaba de realizar la primera hazaña de su vida ...»; es una hazaña similar al experimento de Julius con Cano (entre otros experimentos). La cita concluye con el comentario lamentoso de Vailland: «Hemos nacido pasajeros de primera clase; pero, a diferencia del reglamento de los grandes barcos, *aquello parecía prohibirnos las terceras clases*».

Muy similarmente, *Un mundo para Julius* es un viaje, ahora en limusina con chófer, en el curso del cual Julius recibe «agua» (amor, afecto, amistad) de las manos de los pasajeros de tercera, que son «más reales». El trecho en que acompañamos a Julius en su viaje en limusina con dirección a su *mundo* es relativamente corto, lleva de la estación en el camino de la vida que representan cinco años hasta la estación de los once años. A veces Julius se baja y asocia con los viajeros en tercera, experimenta «hazañas», pero en última instancia parece que éstas le estuviesen prohibidas. En cuanto al mundo al que su limusina lo llevará, sólo podemos conjeturar sobre sus habitantes. Si será o no un mundo mejor, acaso un mundo más real que el de los compartimientos de la primera clase, depende de las «preguntas» con las que Julius está tan «llenecito» en la última línea de la novela. Y, por supuesto, de las respuestas.

JORGE OLIVARES

OTRA VEZ EL MAR DE ARENAS: DOS TEXTOS (DES)ENMASCARADOS

Otra vez el mar, novela de Reynaldo Arenas, trae a primer plano las ineludibles tensiones entre expresión y represión que surgen al

Jorge Olivares, «*Otra vez el mar* de Arenas: dos textos (des)enmascarados», en *Nueva Revista de Filología Hispánica*, El Colegio de México, 35:1 (1987).

encontrarse el artista en circunstancias opresivas. Contenido ideológico y dinámica narrativa se entrelazan al reflejarse el rechazo de una ideología autoritaria en la anarquía textual que caracteriza el relato. Por su impulso subversivo, *Otra vez el mar* es una muestra de carnavalización literaria; las transgresiones de la novela, tanto en el plano textual como en el temático, obedecen a un código carnavalesco, código que me propongo rescatar parcialmente al desenmascarar un discurso que a su vez insiste en desenmascarar un régimen totalitario y un sistema narrativo.

Quisiera comenzar el análisis de *Otra vez el mar* con el Índice.

Si a primera vista parece ser un índice tradicional que consta de dos partes, cada una de ellas subdividida en seis secciones, la manera en que se objetivan estos doce apartados rompe la aparente simetría: en la primera parte se emplean «días» y en la segunda «cantos». Esto parece sugerir, si asociamos los dos términos con modalidades narrativas, que la primera mitad de *Otra vez el mar* recrea la «realidad» (un texto mimético), mientras que la segunda, al emplearse el vocablo «cantos», vocablo que se asocia con la tradición épica, se inscribe en el ámbito literario (un texto autoconsciente). Se efectúa, además, una inversión en los sintagmas de ambas partes, ya que los adjetivos ordinales se encuentran antepuestos y pospuestos a los sustantivos respectivamente —como si cada parte fuera el reflejo (inverso) de la otra. Por último, al final del índice se anuncian «Notas», una presencia aparentemente anómala en un relato ficticio. De ahí que en vez de satisfacer la curiosidad de los lectores, este índice resulte enigmático y nos invite a comenzar la lectura de la narración para intentar resolver los interrogantes que ha suscitado.

En efecto, una primera lectura de la primera parte revela un texto transparente que se rige por normas literarias a las que acude normalmente el escritor tradicional para aprehender la «realidad». En su regreso a casa, una mujer, cuyo nombre desconocemos, evoca en un ininterrumpido fluir de la conciencia unas vacaciones con su esposo (un frustrado artista homosexual) y su hijo en una playa habanera. Con un accidente automovilístico en las cercanías de la capital el sexto día, la historia de esta familia se cierra con un desenlace plausible. Por consiguiente, aquí podría concluir *Otra vez el mar*, manifestándose —si así ocurriera— como un texto mimético tradicional que relata las desavenencias conyugales de una pareja en la Cuba revolucionaria.

No es tan fácil penetrar la textura narrativa de la segunda parte. En lo que puede considerarse el exordio del Canto Primero, emerge un hablante que, apostrofando al mar, le implora: «Mar de la Furia, / escucha ahora mi grito / de hijo desesperado, / pues seguro estoy de que ellos / no me van a dar tiempo / para que lo repita». Y, aunque antes le habían salido «lombrices» cuando se había propuesto «decir cosas hermosas», este hablante insiste en entonar su nuevo canto, explicándose a sí mismo el programa a seguir: «Pero tú cantarás, / óyelo bien, / tú les retorcerás el cuello a los pavorreales». [...]

De este fragmento se desprende que un hombre ha resuelto (como explica el epígrafe de Lezama que encabeza esta parte de la novela) «entona(r) su propia miseria». Al hacerlo, su canto —un «grito» doliente y burlón— se ciñe al programa poético iconoclasta que acabo de citar. Este *ars poetica* (en el cual se oyen ecos del *ars poetica* antimodernista del mexicano Enrique González Martínez) articula un deseo de «retorcer» —subvertir/destronar— la tradición lírica cubana (Eliseo Diego, José Lezama Lima, José Martí, Gertrudis Gómez de Avellaneda, José María Heredia) para fustigar también en un discurso agresivo a todo aquel que trata de silenciar su canto. Así que el cantor, valiéndose de un lenguaje escatológico [...] nos hace presenciar un proceso creador subversivo: carnaval y autorreferencialidad convergen en el juego serio que es *Otra vez el mar.*

Repleta de modalidades carnavalescas, la segunda parte (texto amorfo, multifacético y autoconsciente) manifiesta su espíritu festivo y transgresor en sus malabarismos lingüísticos (retruécanos, fonetismo, grupos de aliteraciones), en sus estrategias narrativas (supresiones nominales, notas al calce y al final de la novela, yuxtaposición de incidentes temporal y espacialmente inconexos para sugerir simultaneidad) y en su naturaleza multigenérica (la copresencia típica de textos poéticos, narrativos y ensayísticos). Pasando por alto una serie de textos que integran esta sección de *Otra vez el mar*, me limitaré a considerar brevemente la medida en que la segunda parte participa en un juego especular con la primera parte, especularidad que hace resaltar el substrato ideológico de esta novela carnavalescamente autorreferencial.

Si recordamos el índice, es fácil ver cómo su organización nos invita a una lectura especular del texto. También, una vez leído el relato sobre Héctor y su familia (en la primera parte), el lector se pregunta qué seguirá a una historia que ha llegado a su fin, pero que forma parte de un texto que se prolonga y cuyas primeras palabras (de la segunda parte) son una repetición de aquéllas con que se abre la novela: «El mar». De ahí el título, *Otra vez el mar*, título que con el sintagma adverbial «otra vez» y con el sustantivo «mar» (un espejo líquido) insiste en sugerir duplicación/reflexividad. Ahora bien, la segunda parte no será una reproducción exacta de la primera. Sí existe una duplicación pero con variación, ya que la mímesis del producto (primera parte) le cede el paso a la mímesis del proceso (segunda parte): se ofrece ahora en un texto autoconsciente la génesis del relato sobre la pareja, poniéndose al descubierto por medio de un complejo truco narrativo su calidad de escritura y el hecho de que lo que se relata en la primera parte es una fantasía y no un relato (auto)biográfico, como se le hace suponer al lector hasta llegar a las últimas líneas de *Otra vez el mar*. De seriedad literaria o mimetismo tradicional pasamos, a través del filtro del carnaval, a los juegos retóricos de la novela autoconsciente.

Sin revelarnos su identidad, el hablante de la segunda parte, a medida que genera otros textos, parece desdoblarse en un «él», en un ser que está atravesando situaciones difíciles por ser un escritor homosexual en un país que prohíbe todo tipo de expresión individual, tanto artística como sexual, que sea incompatible con las normas imperantes. Al reconocer en este «él» al joven esposo de la primera parte, el lector tiene que continuar su lectura intratextualmente, ya que para llenar las elipsis de la primera parte tiene que acudir a la segunda y viceversa, efectuando una lectura especular que el propio texto le impone. En otras palabras, desaparece el texto lineal y en su lugar emerge un texto reflexivo que obliga al lector a considerar cada parte en el contexto de la otra para aprehender la novela en su totalidad.

11. EL TEATRO

Entre los distintos géneros literarios ninguno se ha desarrollado en el siglo xx como el teatro. La literatura dramática ha ganado una continuidad que distaba de mostrar en el siglo pasado y junto con ella se ha consolidado el movimiento teatral a través del crecimiento del número y calidad de los autores y de sus obras, de la formación universitaria de actores y directores, y de la aparición de grupos independientes. Junto con la animación de los espectáculos teatrales en las ciudades se ha desarrollado un teatro popular de extensión más reducida cuyo mérito fundamental es el permitir desplegar sus habilidades histriónicas a obreros y estimular la creación colectiva bajo la dirección de monitores de orientación ideológica popular. Las revistas especializadas, aunque todavía escasas, difunden estudios y problemas teatrales o de la literatura dramática. Entre las revistas hispanoamericanas de teatro activas deben mencionarse la revista cubana *Conjunto* y la venezolana *Escena.* El presente capítulo intenta presentar un cuadro somero de cuatro generaciones contemporáneas. La primera generación, de los nacidos de 1890 a 1904, inicia su gestación o período aspirante hacia 1920 y se extiende hasta 1935. Hacia esa fecha comienza la vigencia de la primera generación renovadora del teatro hispanoamericano. En su tendencia de vanguardia el teatro va a la zaga de la poesía y con variado grado de retraso o innovación en las diferentes regiones o naciones hispanoamericanas. Las innovaciones provienen del expresionismo de Kaiser, el teatro del norteamericano O'Neil, del irlandés George Bernard Shaw, y, principalmente, del italiano Luigi Pirandello, del teatro poético de Maeterlinck, y de la farsa de feria de un Crommelynk. El teatro poético e imaginativo, por un lado, y, por otro, las modernas postulaciones del teatro dentro del teatro, la interiorización del conflicto y de la representación dramáticos y la desrealización de ambos, imponen modalidades nuevas a la literatura dramática hispanoamericana. No están ausentes, por cierto, los elementos tradicionales del teatro hispánico y de su literatura ni de la tradición local de un extendido costumbrismo. Pero todo aparece conducido a un plano de universal significación e interés. Entre los grupos renovadores hay que mencionar, en México, a los *Siete autores* a quienes se apodó *Los Pirandellos*. En 1928, surge el *Teatro Ulises* con los mexicanos Celestino Gorostiza (1904-1967), Xavier Villaurrutia (1903-1950), y Salvador Novo (1904-1974). Rodolfo Usigli (1905-1979), nacido algo más tarde, destaca en esta generación innovadora con rasgos propios. Usigli se eleva como el más importante autor contemporáneo. En Argentina se forma el *Teatro del Pueblo*, que dirige Leónidas Barletta, en 1930. Los años formativos están dominados por el «grotesco criollo», una modalidad renovadora del sainete tradicional. Los grandes innovadores de personalidad inconfundible son los argentinos Roberto Arlt (1900-1942), Samuel Eichelbaum (1894-1967) y Conrado Nalé Roxlo (1898-1970). Ellos representan, en el otro extremo de América, parte importante de la renovación del teatro argentino y continental. El chileno Armando Moock (1894-1942), estudiado por Silva [1963], constituye una figura importante aunque en algún modo rezagada. De tardía difusión es la obra de Germán Luco Cruchaga (1894-1936). En otros países destacan: Luis A. Baralt (1892-1969), en Cuba; Luis Enrique Osorio (1895-1966), en Colombia, estudiado por Barrera [1971].

La segunda generación, de los nacidos de 1905 a 1919, desarrolla su gestación de 1935 a 1950, cuando comienza su vigencia, prolongada hasta 1965. Son los años de formación bajo el neorrealismo que derivará en las tensiones entre el compromiso y la literatura de evasión, como debate y orientación de la literatura dramática. Pero no siendo indiferente a la crítica del neorrealismo ni a la seductora novedad e interés de las formas del teatro contemporáneo, contenidos próximos a la realidad política y social son muchas veces el objeto de un tratamiento de modalidades desrealizadoras. Un teatro de orientación y destinación popular encuentra aquí sus raíces, pero no se verá propiamente sino en la generación siguiente en forma programática y con desarrollo sostenido. El momento, 1935 a 1950, está dominado por la creación y consolidación institucional del teatro, la creación de un público y de los teatros, subvencionados o independientes, que van a hacer posible el desenvolvimiento de la actividad teatral. Se crean los departamentos de teatro universitarios, para la formación de actores y directores y técnicos escenógrafos. Las figuras prominentes de esta generación son los puertorriqueños René Marqués (1919-1979) y Francisco Arriví (1915); los argentinos Andrés Lizárraga (1919), Julio Imbert (1918), Omar del Carlo (1918) y Julio Mauricio (1919); los cubanos Virgilio Piñera (1912-1979) y Carlos Felipe (1914); Manuel Galich (1913) y Miguel Marsicovétere (1912), de Guatemala; el ecuatoriano Demetrio Aguilera Malta (1909); la chilena Isidora Aguirre (1919); y el peruano Enrique Solari Swayne (1915).

La tercera generación contemporánea, de los nacidos de 1920 a 1934, se inicia hacia 1950 y extiende su período de gestación histórica hasta 1965 cuando comienza su vigencia, extendida hasta 1979. Las tendencias de esta generación son, por un lado, el teatro del absurdo con sus raíces contemporáneas hispanoamericanas (Huidobro, Arlt) y europeas, principalmente Antonin Artaud e Ionesco. Un teatro de características populares se alimenta por igual de Ghéon, García Lorca y Brecht, como del compromiso político y la consigna. Tennessee Williams, Arthur Miller y Edward Albee, entre los norteamericanos; Giraudoux, Anouilh, Sartre y el teatro existencialista, entre los franceses, comunican nuevas dimensiones al teatro de este tiempo. La universalidad del teatro aparece confirmada, la perfección de las estructuras dramáticas y el espíritu de innovación y experimentación se reactivan, pero los asuntos pueden ser indiferentemente realistas o fantásticos. Un irrealismo fundamental caracteriza como rasgo dominante, en todo caso, la producción dramática de esta generación. Un aspecto novedoso y estimulante pero de resultados que deben ser observados para medir su efectividad es el del teatro de creación colectiva generalmente hecho a partir de un texto que el grupo de actores y técnicos desarrollan y controlan críticamente. La figura más notable de estos años es la del mexicano Emilio Carballido (1925). Otros autores mexicanos de importancia son: Elena Garro (1922), Luisa Josefina Hernández (1928), Carlos Solórzano (1922), Wilberto Cantón (1925-1979), Jorge Ibargüengoitia (1928-1983) y Vicente Leñero (1933), verdadero creador de un teatro documental. Un fenómeno aparte es el de Alejandro Jodorowsky (1930) con su teatro «pánico». En esta generación aflora un grupo sobresaliente de dramaturgos chilenos: Fernando Debesa (1921), Sergio Vodanovic (1926), Fernando Cuadra (1926), Luis A. Heiremans (1928-1964), Egon Wolff (1926), Jorge Díaz (1930), Alejandro Sieveking (1934) y Jaime Silva (1934). Figuras de esta generación son los colombianos Enrique Buenaventura (1925) y Antonio Montaña (1933); los venezolanos Isaac Chocrón (1932), Román Chalbaud (1931) y Rafael Pineda (1926); los costarricenses Alberto Cañas (1920) y Samuel Rovinsky (1932); los salvadoreños Roberto A. Menéndez (1931) y Walter Beneke (1928); el panameño José de Jesús Martínez (1929); los peruanos Sebastián Salazar Bondy (1924-1965) y Julio Ramón Ribeyro (1929); los cubanos Rolando Ferrer (1925), José Ramón Brene (1927), Fermín Borges (1931) y Matías Montes Huidobro (1931); después de la revolución surgen Abelardo Estorino (1925), Manuel Reguera Saumell (1928) y, el más importante, José Triana (1932); los argentinos Juan Carlos Ghiano (1920), Agustín Cuzzani (1924), Carlos Gorostiza (1920), Atilio Betti (1922), Griselda Gámbaro (1928), Osvaldo Dragún (1929), Sergio Amadeo de Cecco (1931), Eduardo Pavlovsky (1933), Carlos Somigliana (1932) y Roberto M. Cossa (1934); los uruguayos Carlos Maggi (1922), Antonio Larreta (1922), Juan Carlos Legido (1923), Milton Schinca (1926) y Mauricio Rosencoff (1933).

La nueva generación, de los nacidos de 1935 a 1949, iniciada en 1965 en su gestación, ha dado comienzo a su vigencia en 1980 y es, por lo tanto, la generación actual. Los nuevos nombres en la dramaturgia hispanoamericana son los de David Benavente (1941), José Pineda (1937), Raúl Ruiz (1941), Juan Radrigán (1937), entre los chilenos; el puertorriqueño Luis Rafael Sánchez (1936); los argentinos Germán Rozenmacher (1936-1970), Ricardo Monti (1944), Ricardo Talesnik (1935), Ricardo Halac (1935) y Guillermo Gentile; los uruguayos Jorge Blanco (1940), Alberto Patredes (1941), Óscar Villegas (1943) y Eduardo Rodríguez Solís (1938); entre los cubanos, Antón Arrufat (1935), José Milián (1943), Héctor Quintero (1942) y Nicolás Dorr (1947); Iván García Guerra (1938), dominicano; el nicaragüense Rolando Steiner (1936); el costarricense Antonio Yglesia (1943); los colombianos Carlos José Reyes (1941) y Jairo Aníbal Niño (1942); los peruanos Alonso Alegría (1941) y Julio Ortega (1942); los venezolanos José Ignacio Cabrujas (1937), José Gabriel Núñez (1937), Rodolfo Santana Salas (1944), Paul Williams (1942) y Mariela Romero (1949). Entre los novísimos, nacidos a partir de 1950: el argentino Víctor de los Solares (1950).

La bibliografía del teatro contemporáneo provee hoy día una serie de instrumentos útiles para orientarse en un vasto campo de referencias. Un provechoso repertorio selecto del teatro hispanoamericano ha sido ordenado por Neglia [1980]. En tanto Lyday y Woodyard [1969-1970, 1976], Hebblethwhaite [1969] y Becco [1977] han publicado guías indispensables que ordenan las fuentes secundarias para el estudio de este teatro. Una cuidadosa revisión de la bibliografía existente puede hallarse en Rojo [1970, 1972, 1983]. El *Handbook of Latin American Studies* es una fuente regular de información bibliográfica razonada, en una sección dirigida por Dauster. La única revista especializada, *Latin American Theatre Review* (a partir de 1967), proporciona valiosa información y estudios. Bibliografía regular y estudios pueden hallarse también en la *Revista Interamericana de Bibliografía.*

Los estudios de conjunto de Knapp Jones [1956, 1966], Dauster [1966, 1973, 1975], Solórzano [1961, 1964] y Williams [1981] proporcionan una visión panorámica e informativa. Los libros de Rojo [1972], Neglia [1975] y Giordano [1982] proveen una visión más restringida y elaborada de la generación renovadora del teatro contemporáneo. Del Saz [1963] y Bravo Elizondo [1975] estudian el teatro de crítica social. Kaiser-Lenoir [1977] ha abordado el grotesco criollo; Orenstein [1975], el teatro de lo maravilloso; Green [1972], la nueva configuración del héroe; Neglia [1971], el teatro rural. La escenificación del flujo psíquico ha sido abordada por el mismo Neglia [1975]. Los mitos clásicos en el teatro contemporáneo son analizados por Obregón [1981]. Entre las compilaciones de ensayos se cuenta la excelente de Lyday y Woodyard [1976], cuyos estudios se concentran en los autores de la generación vigente; otras compilaciones importantes son la Memoria del XII Congreso del Instituto Internacional de Literatura Iberoamericana, *El teatro en Iberoamérica* [1967], y los números especiales de *Texto Crítico*, 10 (1978), *Latin American Theatre Review*, 13:2 (1980), *Revista Canadiense de Estudios Hispánicos*, 7:1 (1982) y *Caravelle*, 40 (1983). Aspectos relacionados con el teatro de creación colectiva son abordados por Sejourné [1977] y Adler [1982] y en estudios compilados por Luzuriaga [1978] y Garzón [1978]. El teatro popular y sus implicaciones poéticas y políticas son considerados por Boal [1974, 1975] y Neglia [1981].

Antologías del teatro contemporáneo han sido preparadas por Alpern y Martel [1956], Knapp Jones [1959], y luego por Solórzano [1964], Dauster [1965, 1973], Rodríguez Sardiñas y Radillo [1971], Ripoll y Valdespino [1973], Luzuriaga y Reeve [1975], Casas [1975], y del teatro breve por Cantón [1967], Solórzano [1970] y Dauster y Lyday [1974]. Entre las bibliografías nacionales son contribuciones importantes las de Rela [1965, 1969, 1980], Durán [1962], de Chile; Arrom [1944], de Cuba; Monterde [1933] y Lamb [1962, 1975], de México; Rela [1965], de Uruguay; Orjuela [1974], de Colombia; Natella [1981], de Perú; Ramos Foster [1972], de Argentina. Estudios regionales de importancia son los del teatro mexicano de Lamb y Magaña Esquivel [1958], Magaña Esquivel [1964], Bellini [1959], Kuehne [1962] y Nomland [1967]; del teatro centroamericano y caribeño: Acuña [1975], de Guatemala; Linde [1966], de El Salvador; Arrom [1944] y González Freire [1961], de Cuba; Braschi [1970], de Puerto Rico; Suárez [1971], Monasterios [1975] y Castillo [1980], de Venezuela; de Ecuador, Descalzi [1968]; de Perú, Morris [1977]; Soria [1980], de Bolivia; de Chile, Latorre [1948], Brncic [1952], Durán [1959, 1962, 1970], Escudero [1967], Castedo-Ellerman [1982], Vidal [1982] y Fernández [1982]; de Argentina, Morales [1944], Castagnino [1950], Ordaz [1957, 1962] y Tschudi [1974]; de Uruguay, Legido [1968] y Rela [1969, 1980]. Entre las antologías nacionales del teatro contemporáneo generalmente indispensables para un acceso a las obras se recomiendan las de México, de Monterde [1956], Espina [1962], Basurto [1962] y Magaña [1965, 1967, 1970, 1971, 1973, 1974]; Martí de Cid [1959, 1962], del teatro cubano; de Arriví [1958 a 1970] del *Teatro puertorriqueño*, en una serie de tomos voluminosos con las obras de los festivales de 1958 a 1968; de Solórzano [1964], de Guatemala; de Suárez Radillo [1971], de Venezuela; de Miró Quesada [1948] y Hesse [1959], de Perú; de Durán [1970] y Morales [1966], de Chile; de Ordaz [1958, 1959, 1962-1965], de sainetes, el drama rural y el teatro, Berenguer Carisomo [1962] y Ghiano [1973], de Argentina; de Silva Valdés [1960], de Uruguay.

La crítica ha abordado en los años recientes la obra del dramaturgo y novelista argentino Roberto Arlt (1900-1942), nacido en Buenos Aires, el 2 de abril de 1900 y muerto el 26 de julio de 1942. Su obra dramática comprende *El humillado*, que pasó a formar parte del capítulo I de la novela *Los siete locos* (Rosso, Buenos Aires, 1929), *300 millones* (Raño, Buenos Aires, 1932), *El fabricante de fantasmas* (Futuro, Buenos Aires, 1950), *Saverio, el cruel* (Futuro, Buenos Aires, 1950; otra ed., EUDEBA, Buenos Aires, 1964), *La isla desierta* (Futuro, Buenos Aires, 1950; otra ed., EUDEBA, Buenos Aires, 1965), *África*, estrenada en 1938, *Separación feroz* (El Litoral, Santa Fe, 1938), *La fiesta del hierro*, estrenada en 1940, *Prueba de amor* (Raño, Buenos Aires, 1940; otra ed., Futuro, Buenos Aires, 1950), *El desierto entra a la ciudad* (Futuro, Buenos Aires, 1952), de edición y representación póstuma (1953), y *La cabeza separada del tronco*, estrenada en 1964. Ediciones de sus obras son el *Teatro completo* (Schapire, Buenos Aires, 1968, 2 vols.) y la edición de sus *Obras completas* (Carlos Lohlé, Buenos Aires, 1981, tomo 2). La bibliografía ha sido dispuesta por Becco y Massota [1959] y Becco [1971]. Varios libros abordan el estudio del conjunto de su obra: Larra [1962], Castagnino [1964, 1970], Massota [1965], González Lanuza [1971], Guerrero [1972], Pastor [1980], Giordano [1982] y Gnutzmann [1984]. Diversos aspectos de la producción de Arlt han preocupado a los especialistas. Sobre las huellas surrealistas escribe Gutiérrez de la Solana [1975]; las máscaras de la crueldad son consideradas por Luzuriaga [1978]; lo grotesco, por Troiano [1976]; el cervantismo en *Saverio, el cruel* y *El desierto entra en la ciudad*, Troiano [1978]. Giordano [1982] analiza *Trescientos millones* y *Saverio, el cruel*. Sobre *La isla desierta* hace Foster [1977] un análisis estructural. Rela [1980] discurre sobre los argumentos renovadores.

Conrado Nalé Roxlo (1898-1971) es autor de *La cola de la sirena* (Hachette, Buenos Aires, 1957; otras eds., Sudamericana, Buenos Aires, 1957; Huemul, Buenos Aires, 1973), *Una viuda difícil* (Poseidón, Buenos Aires, 1944; otra ed., Sudamericana, Buenos Aires, 1957), *El pacto de Cristina* (Huemul, Buenos Aires, 1973), *Judith y las rosas* (Sudamericana, Buenos Aires, 1957), *Teatro breve* (Huemul, Buenos Aires, 1964). Las bibliografías de Becco [1971], Neglia [1981] y Foster [1982], ordenan repertorios y referencias. Los estudios de conjunto pertenecen a Lacau [1954, 1976], especialmente, y en una puesta al día cuidadosa, a Rojo [1972] y Giordano [1982]. En la crítica de obras particulares, Guardia [1954] aborda *La cola de la sirena* y también Vidal [1975] y Giordano [1982]; *Judith y las rosas* es analizada por Tull [1972]; y *Una viuda difícil* por Guardia [1954], Gariano [1966], López [1975] y Giordano [1982]. El teatro breve ha sido abordado por Tull [1961].

Samuel Eichelbaum (1894-1967) nació en Domínguez, provincia de Entre Ríos, Argentina, el 14 de noviembre de 1894. Ya a los siete años escribe un sainete. Se inició en el teatro en 1919 con el estreno de *En la quietud del pueblo* por la compañía de Muiño y Alippi. A esta obra siguieron *La mala sed* (*La escena*, 126, 1920), *El dogma* (*Bambalinas*, 236,

1922), *El camino de fuego* (*Bambalinas*, 236, 1922), piezas en un acto. Obras en tres actos de importancia son *Un hogar* (Gleizer, Buenos Aires, 1923), *El ruedo de almas* (*La escena*, 259, 1923), *La hermana terca* (*Teatro nuevo*, I, s.f.), *El judío Aaron* (*Talía*, 32, 1927). En 1925, publica el volumen de cuentos *Un monstruo en libertad* (1925), seguido de otras narraciones, *Tormento de Dios* (1929) y *El viajero inmóvil* (1933). En 1929, estrena *Cuando tengas un hijo* (Editorial El Inca, Buenos Aires, 1931), y un año más tarde, *Señorita* (El Inca, Buenos Aires, 1931), en cinco actos. En 1930, año de la fundación del Teatro del Pueblo, Eichelbaum formó su propio conjunto, *La Mosca Blanca*, en respuesta a la misma necesidad de renovación del teatro. En 1932, estrena *Soledad es tu nombre* (Gleizer, Buenos Aires, 1932), a la que siguen, en una etapa de plenitud creadora, *En tu vida estoy yo* (Gleizer, Buenos Aires, 1934), *El gato y su selva* (Sudamericana, Buenos Aires, 1952), estrenada en 1936; *Tejido de madre* (El Carro de Tespis, Buenos Aires, 1956), *Pájaro de barro* (Sudamericana, Buenos Aires, 1952; otra ed., EUDEBA, Buenos Aires, 1965), estrenada en 1940. También de ese año es el estreno de su obra maestra *Un guapo del 900* (Tespis, Buenos Aires, 1940; otra ed., Sudamericana, Buenos Aires, 1952). En 1941, se estrenan *Divorcio nupcial* (Conducta, Buenos Aires, 1942), *Vergüenza de querer* (Conducta, Buenos Aires, 1942). De 1942 es el estreno de *Un tal Servando Gómez* (Conducta, Buenos Aires, 1942; otra ed., Losange, Buenos Aires, 1954), otro de sus notables dramas suburbanos. A estos años productivos siguen diez años de silencio. En 1952, estrena *Rostro perdido* (EUDEBA, Buenos Aires, 1966); en 1955, *Dos brasas* (Sudamericana, Buenos Aires, 1952), *Las aguas del mundo* (Carro de Tespis, Buenos Aires, 1959). Sus últimas obras son *Subsuelo* (EUDEBA, Buenos Aires, 1966), *Un cuervo sobre el imperio* (EUDEBA, Buenos Aires, 1966), *Gabriel el olvidado* (EUDEBA, Buenos Aires, 1966). A éstas hay que agregar varias obras en un acto y además un buen número de obras escritas en colaboración. En los últimos años de su vida ocupó el cargo de agregado cultural de la Embajada argentina en Montevideo. Murió en 1967. Su teatro es eminentemente teatro de introspección y autoanálisis, su aspecto más renovador, pero sus obras de mayor éxito fueron los llamados dramas suburbanos en que esos aspectos aparecen desplazados por las limitaciones culturales de los personajes de arrabal, *Un guapo del 900*, su obra más popular, y *Un tal Servando Gómez*.

La bibliografía de Eichelbaum ha sido ordenada por Cruz [1962], Karavellas [1976], Neglia [1981] y Foster [1982]. Cruz [1962] y Karavellas [1976] proveen sólidos estudios de conjunto en sus libros. Otras importantes contribuciones interpretativas pueden verse en Ordaz [1962], Rojo [1972] y Giordano [1982]. Este último analiza con profundidad *El gato y su selva*, *Dos brasas* y *Un guapo del 900*.

Rodolfo Usigli (1905-1979) nació en Ciudad de México, el 17 de noviembre de 1905. Mostró interés en el teatro desde niño. Hizo estudios primarios y de Comercio. En 1917, participa como figurante. En 1923, asiste a la Escuela Popular Nocturna de Música y Declamación. En 1925, determina dedicarse al teatro. En 1930, se vincula al grupo *Contemporáneos.* En 1936, disfruta de una beca Rockefeller junto con Xavier Villaurrutia. En 1938, es jefe de la sección de Teatro del Departamento de Bellas Artes de la Secretaría de Educación Pública. Catedrático de Historia y Técnica del Teatro en la Universidad de México. Crea el *Teatro de Medianoche*, en 1940. En 1944, inicia su carrera diplomática como secretario de la embajada mexicana en París. De 1958 a 1964 es ministro plenipotenciario de México en Líbano. Embajador en Oslo en 1967. Murió en 1979. Sus primeras obras comprenden lo que el autor llama «teatro a tientas»: *El apóstol*, escrita en 1931; *Falso drama* (1932), *Quatre chemins* (1932), en francés; y *Alcestes* (1936), «moraleja en tres actos» en que traspone al ambiente mexicano *Le misanthrope* de Molière. Siguen a éstas «tres comedias impolíticas», *Noche de estío*, *El presidente y el ideal* y *Estado de secreto*, escritas entre 1933 y 1935. De 1936, data la «farsa impolítica» *La última puerta. El niño y la niebla* (Imprenta Nuevo Mundo, México, 1951) da una nueva orientación a su teatro. A ésta siguen *Medio tono* (Dialéctica, México, 1938), *Mientras amemos*, *Aguas estancadas* y *Otra primavera.* De 1938 es *El gesticulador* (Editorial Letras, México, 1944; otra ed., 1947), estrenada en 1947, visión patética de las tensiones de autenticidad e inautenticidad que envuelven al individuo y a los herederos inmediatos de la revolución mexicana. Otra de sus obras maestras y fundamentales de 1947 es *Corona de sombra (Cuadernos Americanos*, 12, 1943; otra ed., 1947), interpretación original de Carlota y Maximiliano. Constituye el primer término de una trilogía de los mitos fundamentales de la vida mexicana, cuyos complementos son *Corona de fuego*, estrenada en 1961, sobre Cuauhtemoc, y *Corona de luz* (Fondo de Cultura Económica, México, 1965), estrenada en 1969, sobre la Virgen de Tepeyac. *Jano es una muchacha* (Imprenta Nuevo Mundo, México, 1952) y *Función de despedida* (Álvaro Arauz, Teatro Contemporáneo, México, 1953) continúan la fase interiorista y crítica en la representación de la sociedad y la existencia personal. En 1967, publica *Tres comedietas inéditas* (Ediciones Ecuador, México, 1967). En 1972, se publica su comedia *¡Buenos días, señor presidente!* (Joaquín Mortiz, México, 1972). Usigli es autor de numerosas obras en un acto y de epílogos y críticas, que a la manera de G. B. Shaw prolongan sus obras en duplicaciones referenciales que ironizan términos variables de la recepción o expectativas de la obra. Fue, además, un activo traductor, poeta, novelista y memorialista. Algunos de sus libros sobre el teatro mexicano deben ser consultados: *México en el teatro* (Mundial, México, 1932), *Caminos del teatro en México* (México, 1933), *Itinerario del autor dramático* (La Casa de España en México, México, 1940) y *Anatomía del teatro*

(Finisterre, México, 1966). Sus obras están recogidas en *Teatro completo* (Fondo de Cultura Económica, México, 1963-1966, 2 vols.).

La bibliografía de Usigli ha sido ordenada por Scott [1972], Foster [1981] y Neglia [1981]. Falta un estudio de conjunto de la obra de Usigli. Hay en cambio someros cuadros de la significación de su obra en los libros de Dauster [1973] y Williams [1981]. El autor mexicano parece haber intimidado a los críticos con su sapiencia y su agresividad características y el temple acerado de su personalidad. Sobre el concepto de arte dramático de Usigli, véanse Gates [1954], Tilles [1970], Savage [1971] y Petersen [1977-1978]. *El gesticulador* ha sido analizado por Shaw [1976] y Kronik [1977]; *Corona de sombra,* por Beardsdell [1976] y Perri [1981]; *Corona de fuego,* por Beardsdell [1980], Lomeli [1978] y Finch [1981] sobre toda la trilogía. *Los viejos* ha sido analizado por Labinger [1981] y Scott [1974].

Algunos estudios monográficos han sido dedicados a los mexicanos Xavier Villaurrutia, por Octavio Paz [1978], y Salvador Novo, por Muncy [1971, 1976]. En la segunda generación, vigente entre 1950-1965, Francisco Arriví (1915), ha sido abordado por Braschi [1970].

René Marqués (1919-1979), dramaturgo puertorriqueño y también narrador y ensayista, nació el 4 de octubre de 1919 en Arecibo. Agrónomo titulado en 1942 por el Colegio de Agricultura y Artes Mecánicas de Mayagüez. Trabaja durante dos años en el Departamento de Agricultura. En 1946, estudia Literatura en la Universidad Complutense de Madrid. Al cabo de un año regresa a su país. Colabora en *El Mundo* y en *Asomante* y funda Pro-Arte de Arecibo. En 1948, obtiene la beca de la Fundación Rockefeller. Estudia dramaturgia en la Columbia University en Nueva York, en 1949, y asiste al taller dramático de Piscator en Nueva York. Regresa a San Juan, en 1950. Trabaja como escritor en la división de Educación de la Comunidad en el Ministerio de Instrucción Pública. En 1951, funda el Teatro Experimental del Ateneo, que dirige hasta 1954. Ese año recibe una beca Guggenheim para escribir una novela. Se traslada a Nueva York para escribir *La víspera del hombre*. En 1957, viaja a Madrid para asistir al estreno español de *La carreta.* Funda, junto con otros, el Club del Libro de Puerto Rico, en 1959, y ocupa una cátedra de literatura en la Universidad de Puerto Rico. Murió en 1979. Su obra dramática comprende *El hombre y sus sueños* (1948), *El sol y los MacDonald* (1957), *La carreta* (1951), *Juan Bobo y la dama de occidente* (1956), *La muerte no entrará a palacio* (1959), *Los soles truncos* (1959), *Un niño azul para su sombra* (1959), *La casa sin reloj* (1962), *Carnaval adentro, carnaval afuera* (1971), *El apartamiento* (1964), *Mariana o el alba* (1965), *Sacrificio en el monte Moriah* (1969), *David y Jonatán* (1970) y *Tito y Berenice* (1970). Su obra dramática ha sido reunida en *Teatro* (Editorial Cultural, Río Piedras, 1970-1971, 2 vols.). Un estudio de conjunto se debe a Martin [1979]. Su obra ha sido analizada por Dauster [1964], Shaw [1968], Braschi [1970], Barrera [1974], Siemens [1974], Bravo-Elizondo [1975], Pilditch [1976] y Holzapfel [1969]. A Demetrio Aguilera Malta (1909) Luzuriaga [1971] le ha dedicado una monografía.

En la tercera generación contemporánea, Emilio Carballido (1925) es el autor más importante. Nació en Córdoba, Veracruz, México, el 22 de mayo de 1925. Al año siguiente la familia se traslada a Ciudad de México. Vuelve a Córdoba en 1939; descubrimiento del mar y de la selva. En 1940, está de vuelta en la capital. Estudios de Letras en la Universidad de México. A los veintiún años escribe su primera obra dramática. Dos años después publica su primera obra, con la que inicia una representación fantástica del mundo, *La zona intermedia* (*América*, 48, 1948), a la que siguieron sus primeras obras representadas, *La triple porfía* (*México en el arte*, 8, 1949), *El triángulo sutil* (1949), *Medalla al mérito* (*América*, 61, 1949). En 1950, se hacen las primeras producciones comerciales de *La zona intermedia* y *Escribir, por ejemplo*. Se inaugura la temporada internacional del INBA con *Rosalba y los llaveros*. Otra faceta de su obra queda marcada por esta comedia de costumbres que satiriza prejuicios sexuales en el ámbito provinciano mediante una representación irrealista, *Rosalba y los llaveros* (*Panorama del teatro mexicano*, 9, 1955), *Escribir, por ejemplo* (*Teatro mexicano contemporáneo*, Unión Nacional de Autores, México, 1951). En 1950, viaja a Nueva York con una beca Rockefeller. *El invisible* (1952), *Ermesinda* (1952), *El pozo* (1953), *El viaje de Nocresida* (1953). El fracaso de *La sinfonía doméstica*, de 1953, cede ante la consolidación de su obra. Subdirector de la Escuela de Teatro de la Universidad de Xalapa. Profesor de la Escuela de Arte Dramático del Instituto Nacional de Bellas Artes. En 1955 se estrena, con el título de *Palabras cruzadas, La danza que sueña la tortuga* (*Teatro mexicano del siglo XX*, vol. III, Fondo de Cultura Económica, México, 1956), *Felicidad* (*Concurso Nacional de teatro. Obras premiadas*, INBA, México, 1955). En 1956, se estrena *La hebra de oro* (Unión Nacional de Autores Mexicanos, México, 1957), otra de sus obras destacadas, esta vez por la inserción de mitos de renovación en la realidad representada. *El lugar y la hora* (en *La hebra de oro*, Unión Nacional de Autores Mexicanos, México, 1957). Estas dos obras, más *Escribir, por ejemplo*, se reúnen en *Trilogía de piezas en un acto* (Imp. Universidad, México, 1957). *Selaginela en D.F.* (Teatro Mexicano, México, 1957; Ficción, 10, Universidad Veracruzana, Xalapa, 1962[2]), contiene catorce piezas en un acto. Realiza un extenso viaje por Europa y Asia con el Ballet Nacional. Premio Juan Ruiz de Alarcón por el estreno de *Felicidad*. En su volumen de *Teatro* (Fondo de Cultura Económica, Letras Mexicanas, 57, México, 1960) se recogen *El relojero de Córdoba, Medusa, Rosalba y los llaveros* y *El día que se soltaron los leones*. En 1962, obtiene el Premio Casa de las Américas con su obra *Un pequeño día de ira* (Casa de las Américas, La

Habana, 1962). En 1963, hace su primer viaje a Cuba como jurado del premio Casa de las Américas. La pieza en un acto *Silencio, pollos pelones, ya les van a echar su maíz* (en *La palabra y el hombre*, 31, 1964; otra ed., *Teatro mexicano*, Aguilar, México, 1965), se representa en 1964, constituye una de las facetas complementarias del teatro de Carballido, con su dimensión social y edificante. En 1965, es profesor visitante en la Rutgers University. En 1966, se estrena una de sus obras maestras, ganadora del premio Juan Ruiz de Alarcón, la pieza en un acto *Yo también hablo de la rosa* (en *Teatro mexicano del siglo XX*, vol. II, Fondo de Cultura Económica, México, 1970), cuya particularidad reside en la interpretación y en su constante y sucesiva derogación. En 1967, estrena *Te juro, Juana...*, premio *El Heraldo.* Más recientes son *El almanaque de Juárez* y *Cartas de Mozart.* Durante 1968, viaja por España. Profesor visitante en la Universidad de Pittsburgh, en 1970. Estreno de *Un vals sin fin por el planeta.* En 1975, realiza una adaptación de la *Numancia* de Cervantes. En 1977, obtiene el premio de la Sociedad de Críticos y Cronistas. Es también autor de varias novelas y narraciones breves. Su obra ha sido traducida y representada en numerosos idiomas. Las ediciones que hacen asequible su obra son las de su *Teatro* (Fondo de Cultura Económica, Letras Mexicanas, 57, México, 1960) y las colecciones y publicaciones señaladas arriba. La crítica ha prestado cuidadosa atención al estudio de su dramaturgia. Peden [1967, 1976] ha hecho una cuidadosa ordenación de su producción dramática. Dos libros han sido dedicados a su obra: uno de Vásquez Amaral [1975] y otro de Peden [1980]. Visiones de conjunto hay en Kuehne [1962], Dauster [1975] y Skinner [1974, 1976]. Diversas obras en particular han atraído la atención: sobre *Un pequeño día de ira*, Bravo-Elizondo [1975]; López [1975], sobre *Rosalba y los llaveros*, Tilles [1972]; sobre *Yo también hablo de la rosa* escriben Vásquez Amaral [1975] y Kert [1978]; sobre *El almanaque de Juárez*, Villacrós [1979]; sobre *Medusa*, Holzapfel [1969]; sobre *El relojero de Córdoba*, Vélez [1973]. Sobre los *autos*, Skinner [1969], quien descubre las formas de los autos de juicio final, resurrección y del sacrificio en tres obras de Carballido; sobre la ironía existencial escribe Peterson [1977].

La crítica ha contribuido al estudio de otros autores de esta generación. Knowles [1980] dedica un libro a Luisa Josefina Hernández. Sobre el colombiano E. Buenaventura han escrito Wallace [1975], Díez [1981] y Watson-Espener [1976]. Egon Wolff (1926) ha sido abordado por Peden [1977], Vidal [1975], Chrzanowsky [1978], Bravo-Elizondo [1981], Piña [1981] y Carrasco [1982]. Jorge Díaz ha sido abordado por Woodyard [1976], Monleón [1967] y Piña [1981]. También han prestado atención preferente a la obra de Griselda Gámbaro (1928), Holzapfel [1971], en relación a su teatro del absurdo, Cypess [1975], Gerdes [1978] y Foster [1979, 1980]. Sobre *Los siameses* y sobre la estructura de la acción dramática, han escrito Picón Garfield [1980], Zalacaín [1980] y Podol [1981]. Hernández [1979] aborda el teatro de los venezolanos Chocrón y Chalbaud. José Triana (1932) concierta el interés de Dauster [1969, 1976], Murch [1973], Nigro [1977], Campa [1979], en su monografía, y O'Nan [1981]. Caballero [1975] dedica un libro al peruano Salazar Bondy. Cajiao [1970] analiza temas y símbolos en la obra de L. A. Heiremans.

Entre los escritores de la nueva generación, la crítica ha prestado atención al puertorriqueño Luis Rafael Sánchez (1936), autor, entre otras obras, de *Farsa del amor compadrito* (Editorial Cultural, Río Piedras, Puerto Rico, 1961), *O casi el alma* (1960), *La pasión según Antígona Pérez* (*Asomante*, 24:1, 1968; otras eds., Editorial Cultural, Río Piedras, Puerto Rico, 1968; 8.ª ed., 1983; Lugar, Barcelona, 1970), su obra de mayor resonancia. Es también cuentista y autor de una novela bien acogida, *La guaracha del macho Camacho* (Ediciones de la Flor, Buenos Aires, 1976). Estudios de conjunto le dedican Dauster [1969] y Morfi [1982]; Woodyard [1973] analiza en especial *La pasión según Antígona Pérez*. El chileno Juan Radrigán (1937) es autor de numerosas obras recogidas en sus libros *Hechos consumados* (Ediciones Minga, Santiago de Chile, 1982) y *Teatro (11 obras)* (Ceneca/Universidad de Minnesota, 1984). Sobre Mariela Romero (1949), de Venezuela, escribe Chrzanowsky [1982].

BIBLIOGRAFÍA

Acuña, René, «Una década de teatro guatemalteco, 1962-1973», *Latin American Theatre Review*, 8:2 (1975), pp. 59-73.

Adler, Heidrum, *Politisches Theater in Lateinamerika: Von der Mytologhie uber die Mission zur Kollektiven Identität*, Dietrich Reiner Verlag, Berlín, 1982.

Alpern, Hymen, y José Martel, eds., *Teatro hispanoamericano*, The Oddisey Press, Nueva York, 1956.

Anderson, Robert K., «*Los fantoches*, un drama expresionista de Carlos Solórzano», *Hispanic Journal*, 2:2 (1981), pp. 111-117.

Arriví, Francisco, ed., *Teatro puertorriqueño*, Instituto de Cultura Puertorriqueña, San Juan, 1959-1970, 11 vols.

Arrom, José Juan, *Historia de la literatura dramática cubana*, Yale University Press, New Haven, 1944.

—, «Perfil del teatro contemporáneo en Hispanoamérica», *Hispania*, 27:1 (1953).

Barrera, Ernesto M., «La voluntad rebelde en *Carnaval afuera, carnaval adentro* de René Marqués», *Latin American Theatre Review*, 8:1 (1974), pp. 11-19.

Basurto, Luis G., *Teatro mexicano*, Aguilar, México, 1959-1962, 2 vols.

Beardsdell, Peter R., «Insanity and poetic justice in Usigli's *Corona de sombra*», *Latin American Theatre Review*, 10:1 (1976), pp. 5-14.

—, «Usigli and the Search for Tragedy: *Corona de fuego*», en John England, ed.,

Hispanic Studies in Honor of Frank Pierce, University of Sheffield, 1980, pp. 1-15.

Becco, Horacio Jorge, «Bibliografía de don Conrado Nalé Roxlo», *Boletín de la Academia Argentina de Letras,* 141-142 (1971), pp. 262-268.

—, «Microbibliografía de Roberto Arlt», *Macedonio,* 11 (1971), pp. 75-80.

—, *Bibliografía general de las artes del espectáculo en América Latina,* UNESCO, París, 1977.

—, y Óscar Massota, *Roberto Arlt,* Universidad de Buenos Aires (Instituto de Literatura Argentina «Ricardo Rojas»), Buenos Aires, 1959.

Bellini, Giuseppe, ed., *Teatro messicano del novecento,* Istituto Editoriale Cisalpino, Milán, 1959.

Berenguer Carisomo, Arturo, ed., *Teatro argentino contemporáneo,* Aguilar, Madrid, 1962.

Bixler, Jacqueline Eyring, «Freedom and fantasy: a structural approach to the fantastic in Carballido's *Las cartas de Mozart*», *Latin American Theatre Review,* 14:1 (1980), pp. 15-23.

Boal, Augusto, *Teatro del oprimido y otras poéticas políticas,* Ediciones de la Flor, Buenos Aires, 1974.

—, *Técnicas latinoamericanas de teatro popular,* Corregidor, Buenos Aires, 1975.

Braschi, Wilfredo, *Apuntes sobre el teatro puertorriqueño,* Editorial Coquí, San Juan, 1970.

Bravo-Elizondo, Pedro, *Teatro hispanoamericano de crítica social,* Playor (Nova Scholar), Madrid, 1975.

—, «Reflexiones de Egon Wolff en torno al estreno de *José*», *Latin American Theatre Review,* 14:2 (1981), pp. 65-70.

Brncic, Zlatko, *Historia del teatro en Chile,* Imp. Universitaria, Santiago de Chile, 1952.

Caballero, Juan, *El teatro de Sebastián Salazar Bondy,* Editor García Ribeyro, Perú, 1975.

Cajiao Salas, Teresa, *Temas y símbolos en la obra de Luis Alberto Heiremans,* Santiago de Chile, 1970.

Callan, Richard J., «El misterio femenino en *Los perros* de Elena Garro», *Revista Iberoamericana,* 110-111 (1980), pp. 231-235.

Campa, Román V. de la, *José Triana: ritualización de la sociedad cubana,* Institute for the Study of Ideologies and Literature (Monograph Series), Madrid, 1979.

Cánepa Guzmán, Mario, *El teatro en Chile,* Arancibia Hnos., Santiago de Chile, 1966; otra ed., 1982.

Cantón, Wilberto, ed., *Doce obras en un acto,* Ediciones Ecuador, México, 1967.

Carpenter, Charles A., «Latin American Theatre Criticism, 1966-1974. Some addenda to Lyday and Woodyard», *Revista Interamericana de Bibliografía,* 30:3 (1980), pp. 246-253.

Carrasco, Iván, «*Flores de papel,* de Egon Wolff: la crisis de la identidad», *Revista Chilena de Literatura,* 20 (1982), pp. 113-132.

Casas, Myrna, ed., *Teatro de la vanguardia,* D.C. Heath and Co., Lexington, 1975.

Castagnino, Raúl, *Esquema de la literatura dramática argentina,* Instituto de Historia del Teatro Americano, Buenos Aires, 1950.

—, *Sociología del teatro argentino*, Nova, Buenos Aires, 1963.
—, *El teatro de Roberto Arlt,* Universidad Nacional de La Plata, Argentina, 1964; otra ed., Nova, Buenos Aires, 1970.
—, *Semiótica, ideología y teatro hispanoamericano contemporáneo*, Nova, Buenos Aires, 1974.
—, *Literatura dramática argentina, 1717-1967*, Pleamar, Buenos Aires, 1968.
Castedo-Ellerman, Elena, *El teatro chileno de mediados del siglo XX*, Editorial Andrés Bello, Santiago de Chile, 1982.
Castillo, Susana D., *El desarraigo en el teatro venezolano: marco histórico y manifestaciones modernas*, Editorial Ateneo de Caracas, Caracas, 1980.
Colón Zayas, Eliseo R., «René Marqués, 1919-1979», *Revista Iberoamericana,* 110-111 (1980), pp. 237-240.
Cruz, Jorge, *Samuel Eichelbaum*, Ediciones Culturales Argentinas, Buenos Aires, 1962.
Cypess, Sandra M., «Physical imagery in the works of Griselda Gámbaro», *Modern Drama*, 18:4 (1975), pp. 356-363.
Chrzanowsky, Joseph, «Theme, Characterization and Structure in *Los invasores*», *Latin American Theatre Review*, 11:2 (1978), pp. 5-10.
—, «El teatro de Mariela Romero», *Revista Canadiense de Estudios Hispánicos*, 7:1 (1982), pp. 205-211.
Dapaz Strout, Lilia, «Razón, mito e individualización en *La cola de la sirena* de Conrado Nalé Roxlo», *Atenea*, 3-4 (1978), p. 37-56.
Dauster, Frank, «The Theater of René Marqués», *Symposium* (primavera, 1964), pp. 35-45.
—, ed., *Teatro hispanoamericano. Tres piezas*, Harcourt, Brace & World, Nueva York, 1965.
—, *Historia del teatro hispanoamericano. Siglos XIX y XX*, De Andrea, México, 1966; 1973[2], muy ampliada.
—, «The game of chance: The Theatre of José Triana», *Latin American Theatre Review*, 3 (1969), pp. 3-8.
—, *Ensayos sobre teatro hispanoamericano*, Secretaría de Educación Pública (SepSetentas, 208), México, 1975.
—, «*La hija de Rappaccini*: dos visiones de la fantasía», *Revista Interamericana de Bibliografía*, 28:2 (1978), pp. 157-163.
—, y Leon F. Lyday, eds., *En un acto*, D. Van Nostrand, Nueva York, 1974; otra ed., Heinli and Heinli, Boston, 1983.
—, Leon F. Lyday, y George Woodyard, eds., *Nueve dramaturgos hispanoamericanos: antología del teatro del siglo XX*, Girol, Otawa, 1980, 3 vols.
—, *Tres dramaturgos argentinos*, Girol, Otawa, 1981.
Descalzi, Ricardo, *Historia crítica del teatro ecuatoriano*, Casa de la Cultura Ecuatoriana, Quito, 1968, 6 vols.
Dibarboure, José Alberto, *Proceso del teatro uruguayo, 1808-1938*, García, Montevideo, 1940.
Díez, Luis A., «Entrevista con Enrique Buenaventura», *Latin American Theatre Review*, 14:2 (1981), pp. 49-55.
Durán, Julio, *Panorama del teatro en Chile, 1842-1959*, Editorial del Pacífico, Santiago de Chile, 1959.

—, *Repertorio del teatro chileno*, Instituto de Literatura Chilena, Santiago de Chile, 1962.

—, ed., *Teatro chileno contemporáneo*, Aguilar, Madrid, 1970.

Escudero, Alfonso, *Apuntes sobre el teatro en Chile*, Ed. Salesiana, Santiago de Chile, 1967.

Espina, Antonio, ed., *Las mejores escenas del teatro español e hispanoamericano, desde sus orígenes hasta la época actual*, Aguilar, Madrid, 1959.

—, *Teatro mexicano contemporáneo*, Aguilar, México, 1959; 1962[2].

Fernández, Teodosio, *Teatro chileno contemporáneo, 1941-1973*, Playor (Nova Scholar), Madrid, 1982.

Finch, Mark S., «Rodolfo Usigli's *Corona de Sombra, Corona de Fuego, Corona de Luz*: The Mithopoesis of Antihistory», *Romance Notes*, 22:2 (1981), pp. 151-154.

Foster, David William, «Roberto Arlt's *La isla desierta*: a structural analysis», *Latin American Theatre Review*, 11:1 (1977), pp. 25-34.

—, «El lenguaje como vehículo espiritual en *Los siameses* de Griselda Gámbaro», *Escritura,* 4:8 (1979), pp. 241-257.

—, «The texture of dramatic action in the plays of Griselda Gámbaro», *Hispanic Journal*, 1:2 (1980), pp. 57-66.

—, *Mexican Literature: A Bibliography of Secondary Sources*, The Scarecrow Press, Metuchen, N.J., 1981.

—, *Argentine Literature: A Research Guide*, Garland Publishing Inc., Nueva York, 1982[2].

Gariano, Carmelo, «El cambio repentino y la busca de lo esencial en *Una viuda difícil* de Conrado Nalé Roxlo», en *El teatro en Iberoamérica*, Memoria del XI Congreso del Instituto Internacional de Literatura Iberoamericana, México, 1966.

Garzón Céspedes, Francisco, ed., *Recopilación de textos sobre el teatro latinoamericano de creación colectiva*, Casa de las Américas (Serie Valoración Múltiple), La Habana, 1978.

Gates, Eunice Joiner, «Usigli as Seen in his Prefaces and Epilogues», *Hispania,* 37:4 (1954), pp. 432-439.

Gerdes, Dick, «Recent Argentine vanguard theatre: Gámbaro's *Información para extranjeros*», *Latin American Theatre Review*, 11:2 (1978), pp. 11-16.

Ghiano, Juan Carlos, *Teatro argentino contemporáneo, 1949-1969*, Aguilar (Teatro contemporáneo), Madrid, 1973.

Giordano, Enrique, *La teatralización de la obra dramática, de Florencio Sánchez a Roberto Arlt*, Premiá Editores (La Red de Jonás), México, 1982.

Gnutzmann, Rita, *Roberto Arlt o el arte del calidoscopio,* Universidad del País Vasco, Bilbao, 1984.

González, Nilda, *Bibliografía del teatro puertorriqueño: siglos XIX y XX*, Universidad de Puerto Rico, Río Piedras, 1977.

González Freire, Natividad, *El teatro cubano, 1927-1962*, Ministerio de Relaciones Exteriores, La Habana, 1961.

González Lanuza, Eduardo, *Roberto Arlt*, CEAL, Buenos Aires, 1971.

Green, Joan Rea, «The Hero in Contemporary Spanish American Theatre», *Latin American Theatre Review*, 5:2 (1972), pp. 19-27.

—, «Character and Conflict in the Contemporary Central American Theatre»,

en Harvey L. Johnson, y Philip B. Taylor, eds., *Contemporary Latin American Literature*, University of Houston, Houston, 1973, pp. 103-108.
Guardia, Alfredo de la, «Raíz y espíritu del teatro de Eichelbaum», *Nosotros*, 2:25 (1938); reimpreso en *Imagen del drama*, Ed. Schapire, Buenos Aires, 1954.
Guerrero, Diana, *Roberto Arlt, el habitante solitario*, Granica, Buenos Aires, 1972.
Gutiérrez de la Solana, Alberto, «Huellas surrealistas en el teatro de Roberto Arlt», en IILI, *Surrealismo/Surrealismos*, 1975, pp. 99-107.
Hebblethwaite, Frank P., *A Bibliographical Guide to the Spanish American Theatre*, Pan American Union, Washington D.C., 1969.
Hernández, Gleider, *Tres dramaturgos venezolanos de hoy: R. Chalbaud, J. L. Cabrujas, I. Chocrón*, Ediciones El Nuevo Grupo (El Nuevo Grupo), Caracas, 1979.
Hesse, José, *Teatro peruano contemporáneo*, Aguilar, Madrid, 1959.
Holzapfel, Tamara, «A Mexican Medusa», *Modern Drama*, 12 (1969), pp. 231-237.
—, «Griselda Gámbaro's theatre of the absurd», *Latin American Theatre Review*, 4:1 (1971), pp. 5-11.
Jones, Willis Knapp, *Breve historia del teatro latinoamericano*, De Andrea (Manuales Studium, 5), México, 1956.
—, ed., *Antología del teatro hispanoamericano*, De Andrea, México, 1959.
—, *Behind Spanish American Footlights*, University of Texas Press, Austin, 1966.
Kaiser-Lenoir, Claudia, *El grotesco criollo: estilo teatral de una época*, Casa de las Américas, La Habana, 1977.
—, «*El avión negro*: de la realidad a la caricatura grotesca», *Revista Canadiense de Estudios Hispánicos*, 7:1 (1982), pp. 149-158.
Karavellas, Panos D., *La dramaturgia de Samuel Eichelbaum*, Ediciones Géminis, Montevideo, 1976.
Kert, R. A., «La función de la intermediaria en *Yo también hablo de la rosa*», *Latin American Theatre Review*, 12:1 (1978), pp. 51-80.
Knowles, John Kenneth, *Luisa Josefina Hernández: teoría y práctica del drama*, UNAM, México, 1980.
Kronik, John, «Usigli's *El gesticulador* and the Fiction of Truth», *Latin American Theatre Review*, 11:1 (1977), pp. 5-16.
Kuehne, Alyce de, *Teatro mexicano contemporáneo, 1940-1962*, México, 1962.
—, «La realidad existencial y la "realidad creada" en Pirandello y Salvador Novo», *Latin American Theatre Review*, 2:1 (1968), pp. 5-14.
Labinger, Andrea G., «Age, Alienation and the Artist in Usigli's *Los viejos*», *Latin American Theatre Review*, 14:2 (1981), pp. 41-47.
Lacau, María Hortensia, *El mundo poético de Conrado Nalé Roxlo*, Raigal, Buenos Aires, 1954.
—, *Tiempo y vida de Conrado Nalé Roxlo. Entre el ángel y el duende*, Plus Ultra, Buenos Aires, 1976.
Lamb, Ruth S., *Bibliografía del teatro mexicano del siglo XX*, De Andrea (Manuales Studium, 33), México, 1962.
—, *Mexican Theatre of the Twentieth Century. Bibliography and Study*, Ocelote Press, Claremont. California, 1975.

—, y Antonio Magaña Esquivel, *Breve historia del teatro mexicano*, De Andrea (Manuales Studium, 8), México, 1958.

Larra, Raúl, *Roberto Arlt, el torturado*, Quetzal, Buenos Aires, 1962.

Latorre, Mariano, «Apuntes sobre el teatro chileno contemporáneo», *Atenea*, 278 (1948), pp. 254-272, y 281-282 (1948), pp. 92-114.

Legido, Juan Carlos, *El teatro uruguayo*, Ediciones Tauro, Montevideo, 1968.

Linde, Jed, *La literatura dramática en El Salvador, Revista Interamericana de Bibliografía*, 18 (1966), pp. 258-279.

Lindstrom, Naomi Eva, «The world's illogic in two plays by Argentine expressionists», *Latin American Literary Review*, 4:8 (1976), pp. 83-88.

Lomeli, Francisco A., «Los mitos de la mexicanidad en la trilogía de Rodolfo Usigli», *Cuadernos Hispanoamericanos*, 333 (1978), pp. 466-477.

López, Daniel, «Characters and caricatures in Nalé Roxlo's *Una viuda difícil*», *Latin American Theatre Review*, 8:2 (1975), pp. 27-32.

Luzuriaga, Gerardo, *Del realismo al expresionismo: el teatro de Aguilera Malta*, Plaza Mayor, Madrid, 1971.

—, ed., *Popular Theatre for Social Change in Latin America: Essays in Spanish and English*, UCLA Latin American Center Publications (UCLA Latin American Studies, 41), Los Ángeles, 1978.

—, «Las máscaras de la crueldad en el teatro de Roberto Arlt», *Texto Crítico*, 10 (1978), pp. 95-103.

—, y Richard Reeve, eds., *Los clásicos del teatro hispanoamericano*, Fondo de Cultura Económica, México, 1975.

—, y Robert S. Rudder, eds., *The Orgy: Modern One-Act Plays from Latin America*, University of California, Los Ángeles, 1974.

Lyday, Leon F., «De rebelión a morbosidad: juegos interpersonales en tres dramas hispanoamericanos», *Actas del Sexto Congreso de la Asociación Internacional de Hispanistas*, Toronto, 1980, pp. 485-487.

—, y George W. Woodyard, eds., *A Bibliography of Latin American Theatre Criticism, 1940-1947*, University of Texas Press, Austin, 1976.

—, y George W. Woodyard, eds., *Dramatist in Revolt. The New Latin American Theatre*, University of Texas Press (The Texas Pan American Series), Austin, 1976.

Magaña Esquivel, Antonio, *Medio siglo de teatro mexicano, 1900-1961*, INBA, México, 1964.

—, ed., *Teatro mexicano*, Aguilar, México, 1965-1974, 5 vols.

—, *Teatro mexicano del siglo XX*, Fondo de Cultura Económica, México, 1970, 2 vols.

Martí de Cid, Dolores, ed., *Teatro cubano contemporáneo*, Aguilar, Madrid, 1959; otra ed., 1962.

Martin, Eleonor J., *René Marqués*, Twayne (TWAS), Boston, 1979.

Massota, Óscar, *Sexo y traición en Roberto Arlt*, Jorge Álvarez Editor, Buenos Aires, 1965.

McAleer, Janice K., «El campo de Griselda Gámbaro: una contradicción de mensajes», *Revista Canadiense de Estudios Hispánicos*, 7:1 (1982), pp. 159-171.

Miró Quesada, Aurelio, ed., *Teatro peruano contemporáneo*, Ed. Huascarán, Lima, 1948.

Monasterios, Rubén, *Un enfoque crítico del teatro venezolano*, Monte Ávila, Caracas, 1975.

Monleón, José, «Jorge Díaz, una versión de Latinoamérica», prólogo a J. Díaz, *La vigilia del degüello*, Taurus (Primer Acto, 7), Madrid, 1967.

—, *América Latina: teatro y revolución*, Editorial Ateneo de Caracas, Caracas, 1978.

Monterde, Francisco, *Bibliografía del teatro mexicano*, Imp. Secretaría de Relaciones Exteriores, México, 1933; otra ed., 1966.

—, ed., *Teatro mexicano del siglo XX*, Fondo de Cultura Económica, México, 1956, 3 vols.

Montes Huidobro, Matías, *Persona, vida y máscara en el teatro cubano*, Ediciones Universal, Miami, 1973.

Mora, Gabriela, «*Los perros* y *La mudanza* de Elena Garro: designio social y versatilidad feminista», *Latin American Theatre Review,* 8:2 (1975), pp. 5-14.

Morales, Ernesto, *Historia del teatro argentino*, Lautaro, Buenos Aires, 1944.

Morales, José Ricardo, ed., *Teatro chileno actual*, Zig-Zag, Santiago de Chile, 1966.

Moretta, Éugene, «Reflexiones sobre la tiranía: tres obras del teatro argentino contemporáneo», *Revista Canadiense de Estudios Hispánicos*, 7:1 (1982), pp. 141-147.

Morfi, Angelina, «El teatro de Luis Rafael Sánchez», *Revista Canadiense de Estudios Hispánicos*, 7:1 (1982), pp. 189-204.

Morris, Robert J., *The Contemporary Peruvian Theatre*, Texas Tech Press (Graduate Studies, Texas Tech University, 15), Lubbock, 1977.

Muncy, Michele, *Teatro de Salvador Novo*, Instituto Nacional de Bellas Artes, México, 1971; 1976².

Murch, Anne C., «Genet-Triana-Kopit: Ritual as *Danse Macabre*», *Modern Drama*, 15 (1973), pp. 369-381.

Natella, Arthur A., «Bibliography of the Peruvian Theatre, 1946-1970», *Hispanic Journal*, 2:2 (1981), pp. 141-147.

Neglia, Erminio G., «Temas y rumbos del teatro rural hispanoamericano del siglo XX», *Latin American Theatre Review*, 5:1 (1971), pp. 49-57.

—, «Una recapitulación de la renovación teatral en Hispanoamérica», *Latin American Theatre Review*, 8:1 (1974), pp. 57-66.

—, *Aspectos del teatro moderno hispanoamericano*, Editorial Stella, Bogotá, 1975.

—, «La escenificación del fluir psíquico en el teatro hispanoamericano», *Hispania,* 58:4 (1975), pp. 884-889.

—, «La *conscientização* de Paulo Freire y su aplicación al teatro», *Revista Canadiense de Estudios Hispánicos*, 5:23 (1981), pp. 157-166.

—, *The new theatre of Peru*, Senda Nueva de Ediciones, Montclair, N.J., 1984.

—, y Luis Ordaz, *Repertorio selecto del teatro hispanoamericano contemporáneo*, 2.ª ed. revisada y ampliada, Center for Latin American Studies, Arizona State University, Tempe, 1980.

Negri, Orbit E., y Ana María Lorenzo, *Aproximación semiótica a un texto dramático*, Editorial Plus Ultra, Buenos Aires, 1978.

Nigro, Kirsten F., «*La noche de los asesinos*: playscript and stage enactment», *Latin American Theatre Review*, 11:1 (1977), pp. 45-57.

Nomland, John B., *Teatro mexicano contemporáneo, 1900-1950*, INBA, Departamento de Literatura, México, 1967.

O'Nan, Martha, «The 1967 French Critical Reception of José Triana's *La noche de los asesinos*», en Alberto Gutiérrez de la Solana y Elio Alba Buffil, eds., *Festschrift José Cid Pérez*, Nueva York, 1981, pp. 119-124.

Obregón, Osvaldo, «Pervivencia de mitos griegos en obras dramáticas hispanoamericanas contemporáneas», en *Permanences, émergences et résurgences culturelles dans le monde ibérique et ibéro-américain*, Aix-en-Provence, 1981, pp. 205-221.

Oliver, William I., *Voices of Change in the Spanish American Theatre*, University of Texas Press, Austin, 1971.

Ordaz, Luis, *El teatro en el Río de la Plata*, Leviatán, Buenos Aires, 1957.

—, *Siete sainetes porteños*, Ediciones Losange, Buenos Aires, 1958.

—, *El drama rural*, Hachette, Buenos Aires, 1959.

—, ed., *Breve historia del teatro argentino*, Buenos Aires, 1962-1965, 5 vols.

—, y Erminio G. Neglia, *Repertorio selecto del teatro hispanoamericano contemporáneo*, Caracas, 1975; Center for Latin American Studies, Arizona State University, Tempe, 1980[2].

Orenstein, Gloria, *The Theater of the Marvellous*, New York University Press, Nueva York, 1975.

Orjuela, Héctor H., *Bibliografía del teatro colombiano*, Instituto Caro y Cuervo (Serie bibliográfica, 9), Bogotá, 1974.

Ortega, Julio, «*La noche de los asesinos*», *Cuadernos Americanos*, 3 (1969), pp. 262-269.

Ourster, Anna, *El drama mexicano desde la revolución hasta el año 1940*, UNAM, México, 1940; otra ed., Secretaría de Educación Pública, México, 1946.

Pastor, Beatriz, *Roberto Arlt y la rebelión alienada*, Hispamérica, Gaithersburg, 1980.

Paz, Octavio, *Xavier Villaurrutia*, Joaquín Mortiz, México, 1978.

Peden, Margaret Sayers, «Emilio Carballido: *curriculum operum*», *Latin American Theatre Review*, 1:1 (1967), pp. 38-49; reimpreso en *Texto Crítico*, 3 (1976), pp. 94-112.

—, «*Kindergarten*: a new play by Egon Wolff», *Latin American Theatre Review*, 10:2 (1977), pp. 5-10.

—, *Emilio Carballido*, Twayne (TWAS, 561), Boston, 1980.

Perri, Dennis, «The Artistic Unity of *Corona de Sombra*», *Latin American Theatre Review*, 15:1 (1981), pp. 13-19.

Petersen, Gerald W., «El mundo circular de Rodolfo Usigli», *Explicación de Textos Literarios*, 1 (1977-1978), pp. 105-108.

Peterson, Karen, «Essential irony in three Carballido plays», *Latin American Theatre Review*, 10:2 (1977), pp. 29-35.

Phillips, Jordan M., *Contemporary Puerto Rican Drama*, Playor, Madrid, 1973.

Picón Garfield, Evelyn, «Una dulce bondad que atempera las crueldades: el campo de Griselda Gámbaro», *Zona Franca*, 3:19 (1980), pp. 28-39.

Pignataro, Jorge, *El teatro independiente uruguayo*, Arca, Montevideo, 1968.

Pilditch, Charles, *René Marqués: a study of his fiction*, Plus Ultra, Nueva York, 1976.

Piña, Juan Andrés, «El retorno de Egon Wolff», *Latin American Theatre Review*, 14:2 (1981), pp. 61-64.
Podol, Peter L., «Reality Perception and Stage Setting in Griselda Gámbaro's *Las paredes* and Buero Vallejo's *La fundación*», *Modern Drama*, 24:1 (1981), pp. 44-53.
Quackenbush, L. Howard, «The *auto* in contemporary Mexican drama», *Kentucky Romance Quarterly*, 21:1 (1974), pp. 15-30.
—, «Theatre of the absurd, reality, and Carlos Maggi», *Journal of Spanish Studies*, 3:1 (1975), pp. 61-72.
—, «El antitradicionalismo religioso del teatro centroamericano actual», *Chasqui*, 9:2-3 (1980), pp. 13-22.
Ramos Foster, Virginia, «Contemporary Argentine Dramatists: A Bibliography», *Theatre Documentation*, 4:1 (1971-1972), pp. 13-20.
Rela, Walter, *Repertorio bibliográfico del teatro uruguayo, 1816-1964*, Editorial Síntesis, Montevideo, 1965.
—, *Breve historia del teatro uruguayo*, EUDEBA, Buenos Aires, 1966, 2 vols.
—, *Historia del teatro uruguayo, 1808-1968*, Ediciones de la Banda Oriental, Montevideo, 1969.
—, *Teatro uruguayo, 1907-1979*, Alianza Cultural, Montevideo, 1980.
—, «Argumentos renovadores de Roberto Arlt en el teatro argentino moderno», *Latin American Theatre Review*, 13:2 (1980), pp. 65-71.
Ripoll, Carlos, y Andrés Valdespino, eds., *Teatro hispanoamericano. Antología crítica*, Anaya, Nueva York, 1973.
Rodríguez Sardiñas, Orlando, y Carlos Manuel Suárez Radillo, eds., *Teatro selecto contemporáneo hispanoamericano*, Escelicer, Madrid, 1971, 3 vols.
Rojo, Grínor, *Orígenes del teatro hispanoamericano contemporáneo*, Ediciones Universitarias de Valparaíso (Colección Aula Abierta), Chile, 1972.
Savage, R. Vance, «Rodolfo Usigli's Idea of Mexican Theatre», *Latin American Theatre Review*, 4:2 (1971), pp. 13-20.
Saz, Agustín del, *Teatro hispanoamericano*, Editorial Vergara, Barcelona, 1963-1964, 2 vols.
—, *Teatro social hispanoamericano*, Labor, Barcelona, 1967.
Scott, Wilder P., «Rodolfo Usigli and Contemporary Dramatic Theory», *Romance Notes*, 11:3 (1971), pp. 526-530.
—, «Toward an Usigli Bibliography, 1931-1971», *Latin American Theatre Review*, 6:1 (1972), pp. 53-63.
—, «French Literature and the Theater of Rodolfo Usigli», *Romance Notes*, 16:1 (1974), pp. 228-231.
Schanzer, George O., «El teatro vanguardista de Eduardo Pavlovsky», *Latin American Theatre Review*, 13:1 (1979), pp. 5-13.
Sejourné, Laurette, *Teatro Escambray: una experiencia*, Editorial Ciencias Sociales, La Habana, 1977.
Shaw, Donald L., «René Marqués, *La muerte no entrará en palacio*: An Analysis», *Latin American Theatre Review*, 2:1 (1968), pp. 31-38.
—, «Dramatic Technique in Usigli's *El gesticulador*», *Theater Research International*, 1:2 (Glasgow, 1976), pp. 125-133; trad. cast., «La técnica dramática en *El gesticulador* de Rodolfo Usigli», *Texto Crítico*, 10 (1978), pp. 5-14.
Siemens, William L., «Assault on the schizoid wasteland: René Marqués'

El apartamiento», *Latin American Theatre Review*, 7:2 (1974), pp. 17-23.
Silva Cáceres, Raúl, *La dramaturgia de Armando Moock*, Editorial Universitaria, Santiago de Chile, 1963.
Silva Valdés, Fernán, *Teatro uruguayo contemporáneo*, Aguilar, Madrid, 1960.
Skinner, Eugene R., «Carballido: temática y forma de tres autos», *Latin American Theatre Review*, 3:1 (1969), pp. 37-47; trad. inglesa, «The Theatre of Emilio Carballido Spinning a Web», en L. F. Lyday, y G. W. Woodyard, eds., *Dramatist in Revolt. The New Latin American Theatre*, University of Texas Press, Austin, 1976, pp. 19-36.
—, «Research Guide to Post-Revolutionary Cuban Drama», *Latin American Theatre Review*, 7:2 (1974), pp. 59-68.
Solórzano, Carlos, *Teatro latinoamericano del siglo XX*, Nueva Visión, Buenos Aires, 1961.
—, *El teatro latinoamericano en el siglo XX*, Editorial Pormaca, México, 1964.
—, ed., *El teatro hispanoamericano contemporáneo*, Fondo de Cultura Económica, México, 1964, 2 vols.
—, ed., *Teatro guatemalteco*, Aguilar, Madrid, 1967.
—, ed., *Teatro breve hispanoamericano contemporáneo*, Aguilar, Madrid, 1970.
—, ed., *El teatro actual latinoamericano. Antología*, De Andrea, México, 1972.
Soria, Mario T., *Teatro boliviano en el siglo XX*, Editorial Casa Municipal de la Cultura Franz Tamayo (Biblioteca Paceña), La Paz, 1980.
Sterne, Richard C., «Hawthorne Transformed: Octavio Paz's *La hija de Rappaccini*», *Comparative Literature Studies*, 13:3 (1976), pp. 230-239.
Suárez Radillo, Carlos Miguel, ed., *Trece autores del nuevo teatro venezolano*, Caracas, 1971.
Tilles, Solomon H., «Rodolfo Usigli's Concept of Dramatic Art», *Latin American Theatre Review*, 3:2 (1970), pp. 31-38.
—, «An Experimental Approach to the Spanish American Theatre», *Modern Language Journal*, 56:5 (1972), pp. 304-305.
Troiano, James J., «Pirandellism in the theatre of Roberto Arlt», *Latin American Theatre Review*, 8:1 (1974), pp. 37-44.
—, «The Grotesque Tradition and the Interplay of fantasy and reality in the plays of Roberto Arlt», *Latin American Literary Review*, 4:8 (1976), pp. 7-14.
—, «The Grotesque Tradition in *Medusa* by Emilio Carballido», *Inti*, 5:6 (1977), pp. 151-156.
—, «Cervantism in two plays by Roberto Arlt: *Saverio, el cruel* and *El desierto entra en la ciudad*», *The American Hispanist*, 29 (1978), pp. 20-22.
Tschudi, Lilian, *Teatro argentino actual*, Fernando García Cambeiro (Colección Estudios Latinoamericanos, 10), Buenos Aires, 1974.
Tull, John F., «Unifying Characteristics in Nalé Roxlo's Theatre», *Hispania*, 44:4 (1961), pp. 643-646.
—, «Shifting dramatic perspectives in Nalé Roxlo's *Judith y las rosas*», *Hispania*, 55:1 (1972), pp. 55-59.
Usigli, Rodolfo, *Anatomía del teatro*, México-Ecuador, 1966.
Valenzuela, Víctor M., *Siete comediógrafas hispanoamericanas*, Lehigh University, Bethlehem, 1975.

Vásquez Amaral, Mary, *El teatro de Emilio Carballido, 1950-1965*, Costa-Amic, México, 1975.

Vélez, Joseph F., «Tres aspectos de *El relojero de Córdoba* de Emilio Carballido», *Explicación de Textos Literarios*, 1:2 (1973), pp. 151-159.

Vidal, Hernán, «*Los invasores*: Egon Wolff y la responsabilidad social del artista católico», *Hispamérica*, 55 (1975), pp. 87-97.

—, «*La cola de la sirena*: contradicción al surrealismo», *Thesaurus*, 30 (1975), pp. 169-174.

—, «*Deja que los perros ladren* de Sergio Vodanovic: desarrollismo, democracia cristiana, dictadura», *Revista Iberoamericana*, 114-115 (1981), pp. 313-335.

—, Carlos Ochsenius, y María de la Luz Hurtado, *Teatro chileno de la crisis institucional, 1973-1980. Antología crítica*, Minnesota Latin American Series/ CENECA, 1982.

Villacrós Stanton, Helena, «*El almanaque de Juárez* de Emilio Carballido y México en 1968», *Latin American Theatre Review*, 12:2 (1979), pp. 3-12.

Wallace, Penny, «Enrique Buenaventura's *Los papeles del infierno*», *Latin American Theatre Review*, 9:1 (1975), pp. 37-46.

Watson, Maida, «Enrique Buenaventura's theory of the committed theatre», *Latin American Theatre Review*, 9:2 (1976), pp. 43-47; trad. cast.: «La teoría literaria de E. Buenaventura: el problema del colonialismo cultural», en M. Horanyi, ed., *Actas del Simposio Internacional de Estudios Hispánicos*, Akadémiai Kiadó, Budapest, 1978, pp. 323-327.

—, «Observaciones sobre el teatro chicano, nueyorriqueño y cubano en los Estados Unidos», *Revista Nacional de Cultura*, 239 (1978), pp. 81-95.

—, y Carlos José Reyes, eds., *Materiales para una historia del teatro en Colombia*, Instituto Colombiano de Cultura, Bogotá, 1978.

Williams, Raymond L., *Teatro del siglo XX*, La Muralla (Literatura Hispanoamericana en Imágenes, 24), Madrid, 1981.

Woodyard, George W., «The Theatre of the Absurd in Spanish America», *Comparative Drama*, 3:3 (1969), pp. 183-192.

—, Studies on the Latin American Theatre, 1960-1969», *Theatre Documentation*, 2 (1969-1970), pp. 49-84.

—, ed., *The Modern Stage in Latin America: Six Plays*, E.P. Dutton, Nueva York, 1971.

—, «Toward a Radical Theatre in Spanish America», en Harvey L. Johnson, y Philip B. Taylor, *Contemporary Latin American Literature*, University of Houston, Houston, 1973, pp. 93-102.

—, «Jorge Díaz and the Liturgy of Violence», en *Dramatist in Revolt. The New Latin American Theatre*, University of Texas Press, Austin, 1976, pp. 59-76.

—, y Leon F. Lyday, *A Bibliography of Latin American theater criticism, 1940-1974*, University of Texas (Guides and Bibliographies series, 10), Austin, 1976.

Zalacaín, Daniel, «El personaje "fuera del juego" en el teatro de Griselda Gámbaro», *Revista de Estudios Hispánicos*, 14:2 (1980), pp. 39-71.

—, «Los recursos dramáticos en *Soluna*», *Latin American Theatre Review*, 14:2 (1981), pp. 19-25.

Enrique Giordano

UN GUAPO DEL 900 DE SAMUEL EICHELBAUM

Un guapo del 900 deja en evidencia el afán de Eichelbaum por lograr una síntesis entre los elementos todavía tradicionales con un nuevo estilo de componer, y ello hace que esta obra ofrezca una estructura menos compleja [que *El gato y su selva* o *Dos brasas*] y un cierto grado de linealidad. Pero, en esencia, esto no llega a traicionar sus conceptos de la estructura dramática.

El crimen cometido por Ecuménico provoca el pánico de don Alejo, quien lo hace encarcelar. [...] Si observamos tan sólo el segmento que corresponde al asesinato, vemos que la motivación va inscrita en el acto mismo y explicitada después, cuando ya se ha desvirtuado por completo: el crimen era absurdo y esto lo llega a reconocer el mismo Ecuménico. Antes de dicha acción no hay más que una nueva referencia a la *posible* infidelidad de Edelmira, lo que, pese al recalcitrante sentimiento de honra machista del personaje central, no llega a configurar un antecedente sólido. En otras palabras, no se configura la causa del primer efecto; apenas se la sugiere con antecedentes muy sutiles que se entregan en segmentos fragmentados y yuxtapuestos que van sugiriendo un mundo nunca del todo explícito, cuya comprensión se irá dando *a posteriori*. Asimismo, la insólita reacción final de Natividad al quebrarse su fortaleza monumental cuando ruega a su hijo que no la abandone por temor a la muerte en soledad. Para comprender todos estos segmentos, debemos remitirnos a los trazados superiores que no se registran a nivel de texto, reconociendo nuevamente una superestructura más compleja que obedece a la típica visión de mundo eichelbaumiana.

Enrique Giordano, *La teatralización de la obra dramática, de Florencio Sánchez a Roberto Arlt*, Premiá Editores (La Red de Jonás), México, 1982, pp. 149-152.

Esta ruptura de la linealidad hipotáctica que elimina la motivación expresa de las acciones y actitudes como elementos indispensables, implica el abandono de todo concepto determinista del mundo dramático. El movimiento no es nunca irreversible y los elementos no están preestablecidos de antemano. Esto hace que en *Un guapo del 900* las fluctuaciones del acaecer dramático estén manejadas por la voluntad individual de los personajes (errada o no), encontrándonos con acciones como el asesinato que a primera instancia resulta insólito, dado que era evitable y, más aún, poco concebible. El vuelco de Natividad y Ecuménico al final de la obra viene a reafirmar esto mismo y nos entrega, entonces, un mundo mutable en su raíz misma y no estático como en el naturalismo. Aunque la redención de los personajes está siempre desvirtuada, el cambio como tal se da a todos los niveles, incluso en *El gato y su selva*, donde la posibilidad de evolucionar existe, aun cuando, por su propia voluntad, el protagonista se niegue a asumirla. Eleuterio no estaba condenado al destino de la soledad; lo sigue por su propio afán negativo.

El juego de contradicciones constantes trae como resultado la entrega de un mundo ambiguo y esencialmente conflictivo, donde ningún valor prevalece: cada factor que se sugiere positivo es de inmediato anulado por otro factor negativo. [...] Por ende, las tensiones entre fuerzas opositoras se internaliza ofreciéndonos una conflictiva de carácter siempre intrínseco, donde la duda radical de los personajes configura, a diferencia de Florencio Sánchez, *un universo no-afirmativo*, porque nada subsiste en su integridad. La dinámica fundamental resulta ser el cuestionamiento constante de sí mismos, impidiendo que se establezcan valores absolutos e inamovibles. Así, el concepto de amor en *Dos brasas*, por ejemplo, nunca se mantiene idéntico y delimitado en una sola faz; se le relativiza por completo, en su asociación paradojal a la avidez de la avaricia y, en última instancia, a la muerte redentora. Esto se extiende a todos los niveles de la obra: si un personaje de Sánchez es siempre constante en su manera de ser, los de Eichelbaum en su incertidumbre llegan a ser inconsecuentes consigo mismos y con su escala de valores (Robert Morrison es un ejemplo perfecto). Este factor explica la relatividad, discontinuidad y complejidad de las motivaciones y obedece al enfoque central eichelbaumiano que se remite desde la interioridad misma.

El mundo representado se estructura a partir de un punto de vista diametralmente opuesto al naturalismo-regionalista. La sustancia no se define por su inscripción en el tiempo y en el espacio, sino que éstos quedan delimitados por ella; de aquí que la continuidad en los respectivos ámbitos se rompa, desatendiéndose a la necesidad de reproducir elementos reconocibles en la esfera cotidiana del espectador. Así, en lo que a espacio concierne, la escenografía puede ser simplemente funcional como la del primer acto en *Dos brasas* (aun cuando cumple de esta forma su función, creando un ambiente de impersonalidad) o del todo significante como en el resto de la misma obra. El espacio escénico está configurado desde el trasmundo interno de los personajes, y determinado en cuanto a lo que dicho trasmundo significa. Nunca es un marco cotidiano ni jamás el personaje aparece determinado por él. El contorno externo del naturalismo decimonónico se diluye por completo. Lo mismo sucede con el tiempo donde no se encadena según la lógica de los hechos, sino por la instancia significativa de la mutación de los personajes. Todo esto justifica el desarrollo considerable que observamos en las acotaciones de Eichelbaum, sin las cuales sería muy difícil, si no imposible, comprender el desarrollo dramático de la obra.

No encontramos, entonces, un «trozo de vida» enmarcado «desde fuera», sino fragmentos significativos que intentan representar un tiempo y un espacio internos que en su totalidad son imposibles de abarcar aunque intuyamos su existencia virtual última. De aquí que la obra de Sánchez agota en su contexto el mundo a representar, caso opuesto al de Eichelbaum donde cada segmento se presenta en apertura constante: en el primero, el universo es concluso; en el segundo, inconcluso. En Sánchez siempre hay respuesta para los actos realizados por los personajes, y el final se resuelve en síntesis. En cambio, para Eichelbaum, el sintagma completo constituye un complejo de interrogantes y la ansiada síntesis no se logra jamás dado que las fuerzas antagónicas subsisten en una oscilación insoluble que extiende su radio de acción aun fuera del contexto de la obra.

Puesto que, a diferencia de la generación del 12, en Eichelbaum el contenido excede a su continente, tendremos que reconocer en sus textos dramáticos un nuevo sistema de signos que, según se desprende de lo anterior, no podrán ser meros indicadores traslaticios. Los hay, por supuesto, de esta categoría, pero con mucho menor frecuencia y sólo cuando el ensamblaje requiere de ciertos elementos funcionales técnicos (el teléfono en la oficina de Byrton, las puertas practicables del Club del Progreso en el acto segundo de *El gato y su selva*, etc.). Lo que se da con mayor frecuencia es un grado más alto de autonomía y desarrollo de la significante. Ésta, en el naturalismo-regionalista, resultaba casi desapercibible como tal, puesto que el significado, por su carácter concluso, reproductivo y carente de gran complejidad, es fácilmente registrable en su presencia misma. El estrato representativo tiende entonces a transparentarse y diluirse como existencia autónoma para dar paso directo al estrato lógico, objetivo último del teatro ilusionista y caso opuesto a la tendencia que ya se configura en la generación de Eichelbaum. A partir de ésta, el proceso es a la inversa y, en consecuencia, los signos adquirirán un nivel considerablemente mayor de *intransitividad* —en términos de Todorov: mayor *literalidad*. Dada la complejidad del mundo significado, la transparencia no sólo es inadecuada, sino imposible, y el significante tendrá que desarrollarse a un nivel más consciente de sí mismo que le permita, dentro del trazado contextual, adquirir su pleno sentido.

GRÍNOR ROJO

EL PACTO DE CRISTINA DE CONRADO NALÉ-ROXLO

El pacto de Cristina es la mejor obra de Conrado Nalé-Roxlo. Premiada en 1945 como el estreno más distinguido del año en Buenos Aires, su título alude al trato que la doncella así llamada celebra con el demonio mediante la firma de un pliego en blanco, a cambio del amor del caballero Gerardo. En un ambiente medieval, en el que el milagro y la hechicería constituyen acontecimientos comunes, y en el que el juglar Rimbaldo, prototipo del poeta, [...] no hace sino narrar constantemente historias prodigiosas, Nalé ensaya ahora el viejo mito faustiano. Cristina firma por amor, pero su amor es tan puro, tan exento de sombras, que el demonio se declara impotente para aceptar su alma en cambio. Lo que hace entonces es asegurar el futuro, comprometer al hijo que nacerá de la unión entre Cristina y el caballero. Engañada así e incapaz de sobrellevar las consecuencias finales de su trato, Cristina, en el último cuadro de la pieza, se envenena. El problema de la pérdida de identidad, subyacente o correlativo a la negación de lo real o a la enajenación del ser en el sueño, está otra vez en el centro del drama. Para conseguir su amor, su aspiración, su sueño, Cristina

Grínor Rojo, *Orígenes del teatro hispanoamericano contemporáneo*, Ediciones Universitarias de Valparaíso (Colección Aula Abierta), Chile, 1972, pp. 80-83.

tuerce su propio destino y el de su amante, que por un momento parecen opuestos. El caballero conoce a Cristina en su camino a Jerusalén: la doncella le ama («... que Gerardo me dijera que me amaba y pensaba en mí, pero nunca, nunca podríamos volver a vernos, y fuera verdad. Eso me bastaría, eso es lo que pido ...»), pero Gerardo, a pesar de que secretamente corresponde a su amor, no puede expresarlo; antes que el amor están la ruta y su destino de cruzado. Por esto es que Cristina pacta con maese Jaime, el diablo, imagen de la perversión, entendida ésta como rompimiento del hombre consigo mismo, con su esencia, y por lo tanto, con el orden natural e inalienable del mundo. El resultado del pacto es un amor que se consigue, pero que la doncella sabe manchado. Es otra Cristina la que va al encuentro de Gerardo, y es otro Gerardo, con un destino trunco, [...] el que finalmente acude al matrimonio.

Es un hecho claro la consecuencia entre esta pieza y las dos anteriores de Nalé-Roxlo [*La cola de la sirena* y *Una viuda difícil*]. La misma aspiración enajenante, que no encuentra respuesta satisfactoria entre las posibilidades regulares ofrecidas por la realidad, sea ésta cualquiera, el orden del mar, como en el caso de Alga, o el de la tierra, como ocurre con Patricio, caracteriza también a Cristina. El sueño de Cristina lo constituye su amor, puro como el que más, y sin embargo, causa de su desgracia al igual que la de Gerardo. Al pactar con el diablo, Cristina transgrede un orden sagrado. Lo extraño, empero, es la peculiarísima forma con que la doncella debe pagar tal transgresión. En las obras anteriores, en especial en *La cola de la sirena*, en donde el castigo es un hecho efectivo, el rebelde mismo es el que paga. Paga Patricio o paga Alga. En *El pacto de Cristina*, el que ha de pagar es otro, es el hijo futuro, ese alguien que todavía no existe, pero cuya existencia sería el resultado directo del compromiso de la madre y el espíritu del mal.

Lo antedicho confirma en la obra una dimensión casi sorprendente: asumiendo como correlato objetivo la historia del nacimiento de Cristo, el dramaturgo especula, en rigor, con la posibilidad de un Anticristo, engendro del mal absoluto a partir de la enajenación del amor puro que Cristina (la coincidencia de nombre no parece casual) siente hacia Gerardo. Esto es lo que maese Jaime busca: «... quiero que haya uno de los míos, con un alma a mi imagen y semejanza, que nazca como el hijo de Él, de una madre pura, porque el misterio de la pureza no es otro que el amor perfecto ...». Obvio es que el demonio sustituye así la presencia del padre de la misma manera que la Divinidad desplaza a José en la leyenda cristiana. El hijo que ha de nacer será el azote de quienes le rodeen («... ¿Sabes quiénes pagarán? Cuantos se acerquen a él, cuantos lo amen, cuantos tengan fe en sus palabras. Ellos pagarán, pues todo el amor que vaya hacia tu hijo, al tocar su alma, que será semejante a la mía, se convertirá en llanto y tinieblas ...»). Las consecuencias de la rebeldía individual se ramifican de esta manera en el mal de los otros. El acto de un hombre compromete no sólo su propio destino, sino, también, el destino de los otros hombres. Los otros pagan la rebeldía de uno solo, puesto que la humanidad se concibe como solidaria tanto en el amor como en el dolor vivido por cada uno de sus miembros. El hijo de Cristina, hijo del mal, que no es más que un nombre que traduce la ruptura que la persona establece con su auténtico ser, es como un lazo tendido entre ese acto sacrílego y el dolor de todos. Una cadena de desgracias, tan infinita como los bienes que Cristo esparciera sobre la tierra, aguardaría al final, a no ser por el suicidio irremediable de la protagonista, la historia de *El pacto de Cristina.*

Creemos que el análisis anterior hace perceptible la nueva amplificación experimentada por el mundo teatral de Nalé en esta tercera pieza suya. Mediante la idea del hijo como prolongación del ser alienado en la desgracia de todos los hombres, el dramaturgo proyecta su tema básico de confrontación entre la realidad y el sueño en la dirección, primero, de un conflicto metafísico entre el orden natural del mundo y los anhelos rebeldes del individuo, y segundo, consistente con lo anterior, en el sentido de una reinterpretación sobremanera sagaz de la problemática del bien o del mal. La atalaya del juicio es aquí también, diría yo, similar a la de *La cola de la sirena*: aquella especie de panteísmo *sui generis* puesto en labios del capitán, que, según decía en la pieza de 1941, la cosa estaba «en poder sentir la fuerza del brazo de Dios dentro de la manga del más sucio y ladrón de los derviches».

DONALD L. SHAW

LA TÉCNICA DRAMÁTICA EN *EL GESTICULADOR* DE RODOLFO USIGLI

Al escribir *El gesticulador* (representado por primera vez en 1947) Usigli parece haber perseguido dos objetivos a la vez, de modo que la técnica de la obra muestra un compromiso entre dos propósitos hasta cierto punto antagónicos. El aspecto predominante en ella es la expresión de la protesta y la crítica política; el argumento gira en torno a la elección de un nuevo gobernador para un Estado del norte. Pero Usigli también describió el drama, en el año en que fue representado, como el primer intento serio de tragedia en el moderno teatro mexicano. En lo que sigue procuraremos investigar hasta qué punto ha sido posible conciliar la emoción trágica con la protesta.

Una característica de la estructura de la obra es que hasta el último acto, a nivel político, no hay desarrollo dramático de las fuerzas que se oponen al héroe, César. Es así entonces que la expresión de *El gesticulador* no presenta la verdadera lucha que conducirá al desenlace de la obra. En lugar de eso, la acción comienza con un conflicto familiar en el que se establecen muy eficazmente los caracteres de César y su familia a través de una especie de «juego de la verdad» que tiene lugar en un clima de tensión y cansancio. Este recurso proporciona la información necesaria para iniciar la obra e introduce el aspecto abstracto del tema: el conflicto entre verdad y mentira.

En una primera discusión con su hijo Miguel, César atribuye a su propio idealismo su fracaso en la búsqueda de una posición social decorosa en Ciudad de México. Se establece así un contraste entre la actitud del padre y la irreflexiva rebeldía del joven, contraste que, más adelante, es reforzado por el materialismo de Julia, la hija. Pero el diálogo con Miguel revela otra posibilidad; la de que César se haya trasladado con su familia a esa provincia para chantajear a los jefes políticos con el fin de lograr un trabajo bien remunerado. El hecho de que César aparezca como una figura ambigua desde el punto de vista moral es muy importante para su desarrollo posterior. Por el momento, sin embargo, el conflicto descansa en la

Donald L. Shaw, «La técnica dramática en *El gesticulador* de Rodolfo Usigli», *Texto Crítico*, 10 (1978), pp. 5-14 (5-11).

provocación de Miguel, al afirmar «quiero vivir la verdad, porque estoy harto de apariencias», o sea, al anunciar por primera vez el tema «verdad *versus* mentira». Es esa toma de posición lo que crea el contexto moral en el que se desarrollarán sucesivamente las acciones de César. Plantea también una de las interrogantes básicas de la obra: ¿hasta qué punto se puede justificar en última instancia el hecho de que César personifique a un héroe público muerto?

El término de la exposición está señalado por la primera de las tres coincidencias que se dan en la obra; es decir, la avería fortuita en el automóvil del profesor Bolton, que pone a César en contacto directo con él. La importancia de Bolton estriba en que él se revela como la única persona capaz de poner en marcha la representación de héroe revolucionario muerto por parte de su homónimo, César Rubio. La segunda coincidencia surge en el Acto II: César Rubio y el héroe muerto no sólo son homónimos, sino que nacieron en el mismo lugar hacia más o menos la misma fecha. La tercera es que Navarro, el antagonista de César en el Acto III (y su eventual asesino), había sido también el asesino del verdadero César Rubio, veinte años antes. Una coincidencia tal en cada acto resulta en realidad algo difícil de aceptar.

[La rigidez de Miguel y su inflexible insistencia en la búsqueda de la verdad a cualquier precio producen las palabras culminantes de la primera parte del Acto I: la promesa de César de no hacer nada que no sea honrado. La interpretación de la obra total plantea la cuestión de si esta promesa es o no mantenida.] El diálogo de Miguel con su padre antes de la segunda entrada de Bolton gira en torno a dos temas: verdad y honor. En él se enfrentan dos formas de conducta. La de Miguel es relacionada por César con la del joven que ha derrochado seis años como agitador estudiantil. Su pregunta «¿Qué frutos te ha dado hasta ahora?» queda sin respuesta. En lugar de contestar directamente, Miguel vuelve a afirmar que no está dispuesto a aceptar la vida de mentiras en la que su padre pretende involucrarle. Con esta indicación indirecta de que Miguel ha podido advertir un matiz de engaño madurando en la mente de su padre, los espectadores están prevenidos acerca de la posibilidad de un vuelco importante a corto plazo.

La primera parte de la escena principal entre César y Bolton que sigue al diálogo con Miguel, completa el *background* de los hechos históricos de los que va a brotar el fraude de César. La coincidencia de la avería en el auto de Bolton es subrayada por el hecho de que él ha llegado a México nada menos que para investigar el caso de la muerte del general César Rubio. Aprovechándose de este recurso, Usigli logra describir los acontecimientos que condujeron al asesinato del que fuera un héroe revolucionario, evitando al mismo tiempo que sea César quien dé los primeros pasos en la elaboración de las circunstancias que rodearán su personificación. Dos características de la técnica dramática en esta escena son dignas de ser destacadas. Una es el hecho de que la línea de acción de César no es la que él había enunciado originalmente, o sea, el chantaje a los jefes políticos locales. Desde el comienzo de ésta, la escena principal del Acto I, César está improvisando sin un plan definitivo. Está claro que este rasgo fue insertado deliberadamente para ilustrar la advertencia de César «En México empieza uno de nuevo todos los días», subrayando así una de las mayores críticas que Usigli hace del estilo de vida nacional. Otra característica es el uso experto que Usigli hace de las entradas y salidas silenciosas de Elena durante la conversación de su esposo con Bolton. Elena asume aquí, por primera vez, su rol en la obra como símbolo de la conciencia de César. Cada una de sus apariciones silenciosas sirve para destacar la vacilación de su marido en el intento de embaucar a Bolton. El engaño de fondo: la afirmación de que su homónimo, el héroe, está aún vivo, adquiere forma sólo después que César hace que su mujer abandone la pieza.

[Las pretensiones de *El gesticulador* de ser considerada como tragedia derivan de la situación humana de César frente a su familia, y del problema de su propia justificación moral. En este sentido no sólo el Acto I, sino la obra en su totalidad, está condicionada por la promesa de César a su hijo de que él no hará «nada que no sea honrado». Esta promesa convence a su esposa y a Miguel de que él no mentirá a Bolton. Pero de hecho es justamente lo que hace, en el clímax del Acto I, cuando asegura a su colega que el general revolucionario está aún vivo. El problema de Usigli en este momento es lograr que César realice su plan en forma tal que no disminuya demasiado su estatura moral ante los ojos de los espectadores. El problema se soluciona, tanto aquí como en el Acto II, haciendo que los interlocutores de César (Bolton y más tarde la delegación de políticos) tengan un poderoso interés creado en la sobrevivencia del general muerto.]

Revisando el Acto I, resulta técnicamente impresionante la forma en que las dimensiones morales y psicológicas de la obra están ligadas al enredo político emergente. En la escena final del acto, la obra parece alejarse del área de las diferencias familiares con las que el drama comienza, y asume un aspecto político-social totalmente nuevo. Pero las dos partes del acto quedan firmemente ligadas por la mentira de César. El Acto II contiene el desarrollo principal del carácter de César. En la primera parte de este acto el conflicto permanece centrado en su familia. En la segunda el suspenso aumenta notablemente a raíz de una situación de prueba. César se encuentra frente a una delegación de políticos locales ocupados en investigar las noticias que Bolton ha filtrado a la prensa. Es importante hacer notar que la delegación no está encabezada por el antagonista de César, como la lógica dramática nos llevaría a esperar. Posponiendo la entrada de Navarro, Usigli evita la confrontación entre los dos hombres, y lo que representan, hasta que César ha logrado, en el Acto III, la estatura necesaria para asegurar una victoria efectiva cuando por fin ocurra el choque de caracteres. La ventaja de este orden dramático, al dilatar la auténtica situación conflictiva al último acto, es que Usigli se asegura una fuente de tensión absolutamente nueva e inexplotada para sustentar el final de la obra. La desventaja es que, al postergar la presentación de Navarro hasta el final, Usigli tiene forzosamente que renunciar a un mayor desarrollo psicológico del personaje. Navarro emerge como un malvado al viejo estilo.

Es por eso que *El gesticulador* no convence totalmente como tragedia. Las fuerzas dramáticas en la obra no están, de ningún modo, equilibradas. César, cualesquiera que sean sus defectos, es, en el fondo, un idealista. Sus motivos, después de la primera escena, nunca son realmente viles o ruines, y a medida que avanza la obra, llegan a ser hasta cierto punto nobles. En el peor de los casos, él tiene la excusa de su preocupación por su familia. Navarro, por contraste, es un asesino sanguinario sin otra motivación que el deseo de conservar un cargo político para sus propios fines. No son, por tanto, dos visiones irreconciliables, pero igualmente justificadas, de la conducta política mexicana, las que se oponen al final de la obra. Al contrario, lo que vemos es el choque entre el celo patriótico —aunque basado en el engaño— y la más abyecta codicia. Ya que, con tal enfrentamiento, el apoyo de los espectadores está inclinado hacia una sola de las partes, el patetismo trágico queda inevitablemente disminuido.

[La segunda escena tiene un aspecto importante: ahora la cuestión moral es sacada a relucir otra vez cuando se revela que César ha aceptado una recompensa en dinero por su mentira.] Al verse acosado por las acusaciones de su esposa, su autodefensa vacila. Su aseveración «Yo no mentí ... Yo no afirmé nada» es evidentemente falsa; su excusa «He pensado en ellos (los hijos) y en ti todo el tiempo» es poco convincente. La posición de César en esta escena es la del hombre que se ha dejado vencer por la tentación y que está acosado por la vergüenza y la culpabilidad. El clímax de la escena está dado por la referencia a la promesa anterior de César a Miguel en el Acto I. Esto trae como consecuencia una airada réplica de César en el sentido de que él no ha roto su promesa. La réplica suena falsa. La posición de César es ahora otra vez moralmente ambigua. Desde el punto de vista del público su posición como héroe del drama está seriamente comprometida.

El intento de ampliar el debate a un nivel nacional —«Todo el mundo aquí vive de apariencias, de gestos»—, es la señal para que Miguel revele las noticias que Bolton ha publicado en el *New York Times*, basándose en lo que César le ha hecho creer. La reacción de César completa la evolución descendente de su carácter. Con pánico apenas contenido, acepta la sugerencia de Elena de que toda la familia debería huir a Estados Unidos inmediatamente. Es digno de ser destacado que el orden que Usigli ha seguido hasta aquí en este acto es el mismo que en el Acto I después de la entrada y salida de Bolton: primero, el problema de Julia; luego el enfrentamiento de Elena con su esposo, y finalmente la intervención de Miguel. En cada caso el clímax muestra dos modos de concebir la verdad y marca un momento crítico en la obra: la promesa de César en el Acto I, y ahora, al parecer, las consecuencias amenazadoras de su incapacidad de mantenerla.

La escena con la delegación de políticos del Acto II es uno de los ejemplos más impresionantes de habilidad teatral en el moderno teatro mexicano. La sorpresiva llegada de la delegación para comprobar el relato de Bolton, justo cuando César está a punto de escapar, produce un alto grado de tensión dramática. A partir de este instante el problema de Usigli es obtener que la delegación identifique a César con el general muerto sin que él les mienta directamente. Si ahora César fuese culpable de una mentira deliberada, la evolución ascendente de su carácter a la cúspide de la grandiosidad y aun del heroísmo que coincide con su salida final en el Acto III, estaría muy comprometida. Para resolver el problema, Usigli confía primero en la motivación de Estrella, el presunto líder de la delegación y representante del gobierno central. Su actitud es puramente oportunista. El partido necesita un candidato para eliminar a Navarro, cuyas trapacerías se han hecho demasiado descaradas. Si César parece llenar los requisitos de un candidato oficial, Estrella tomará su palabra sin exigir más pruebas. Garza espera la reacción de Estrella y Guzmán y luego sigue el ejemplo. No tanto Salinas y Treviño, los otros dos diputados locales. Ellos permanecen escépticos. La importancia del segundo recurso de Usigli, el número de la delegación, puede ahora apreciarse. Esto se escinde en dos a favor de César, dos contra él, y uno, Guzmán, que queda indeciso. Esta no es sólo una perfecta combinación dramática, sino también una combinación que le permite a César ganar tiempo y explotar las diferencias entre sus interlocutores. El tercer elemento en la estructura de esta escena fundamental, punto de equilibrio de la obra entera, es el reconocimiento espontáneo de César como el general muerto, primero por Guzmán y luego por un último testigo, Rocha. Cada uno de estos reconocimientos se realiza en momentos de gran tensión, al tiempo que Elena está próxima a revelar la verdadera identidad de su esposo.

FRANK DAUSTER

EL TEATRO DE RENÉ MARQUÉS

Entre los dramaturgos puertorriqueños contemporáneos, René Marqués tiene un lugar único. Aunque conocido generalmente por *La carreta*, su obra naturalista e intensamente nacionalista, se ha dedicado también sistemáticamente a la experimentación de técnicas dramáticas. *La carreta* y *Palm Sunday* son sus únicos dramas de estructura marcadamente naturalista. [...] Su producción se caracteriza por relaciones temporales cambiantes y el uso extremo de recursos tales como la retrospección, efectos fuera de escena, y el uso extenso de la iluminación con propósitos dramáticos. Esta orientación técnica característica es clara en su obra inicial en un acto *El hombre y sus sueños*, que lleva el subtítulo «Esbozo intrascendente para un drama trascendental». Un ataque algo difuso al materialismo y el rechazo de los ideales.

El hombre y sus sueños tiene lugar en un escenario desnudo excepto por un semicírculo de grandes columnas blancas contra una cámara negra; una plataforma de cuatro gradas en el centro sostiene una cama monumental sobre la cual yace la figura inmóvil de un hombre. Una serie de figuras entran en este escenario: los tres Amigos (Poeta, Político, Filósofo), el Hijo y su Madrastra, la Enfermera, la Criada y el Sacerdote. En diversas combinaciones los personajes representan sus minúsculos dramas de lujuria y codicia, solamente interrumpidos por las tres Sombras, Roja, Azul y Negra, que discuten el significado de la existencia del hombre moribundo. La obra es de menor importancia excepto por su anticipación de temas posteriores, particularmente de *La muerte no entrará en palacio*, y por la inclinación del autor por el uso de escenarios simbólicos en un tiempo en que el teatro en Puerto Rico era casi exclusivamente naturalista. [...]

La madurez dramática de Marqués comienza con *La carreta*, un retrato desenfadadamente naturalista del *via crucis* de una familia rural de Puerto Rico. La obra ha sido un éxito en varias ocasiones en Puerto Rico, y ha sido representada en Nueva York y en Madrid. Su recep-

Frank Dauster, «The Theater of René Marqués», *Symposium* (primavera, 1964), pp. 35-45 (35-38).

ción en San Juan ha sido poco menos que una apoteosis, y durante una reposición en el Cuarto Festival de Teatro, en mayo de 1961, se representó en salas llenas de entusiasmo exaltado en cada una de sus cinco funciones. Este éxito se debió a tres factores: ciertos valores dramáticos verdaderos de la obra; la actuación excepcional de Lucy Boscana en el papel principal; y a una definida identificación del público con la obra. Los tres actos o «estampas», como el autor las llama, corresponden a tres estaciones del calvario de la familia. En cada estación se hace moralmente más débil; en cada estación sufre y pierde uno de sus miembros. Al comienzo de la obra, doña Gabriela y sus tres hijos, Juanita, Luis y Chaguito, se preparan a dejar su granja de la montaña, movidos por los sueños de Luis de una rápida fortuna en la ciudad. Al final del primer acto, han partido en una carreta, de donde el título de la obra, dejando solamente al abuelo, don Chago, quien se niega a dejar la tierra que ama por un mundo que no acaba de entender: «Yo creo en la tierra. Enanteh creía en loh hombreh. Pero ya sólo creo en la tierra». El acto segundo tiene lugar en el infame arrabal La Perla de San Juan; los sueños de Luis se han evaporado. Sólo es capaz de encontrar trabajo ocasional. Chaguito ha llegado a ser un ladronzuelo. Juanita ha sido violada, y doña Gabriela vive en una pesadilla de fetidez, suciedad y podredumbre. Al terminar el acto, Juanita ha intentado suicidarse, Chaguito ha ido arrestado, pero Luis los empuja hacia la metrópolis, Nueva York. El acto tercero termina con la familia en el punto de partida, Luis, el apóstol de la máquina, muere en un accidente industrial, y Gabriela y Juanita se hacen promesas de volver a la isla, a trabajar la tierra y tratar de rehacer sus vidas. Esta es, por cierto, la clave de toda la obra. Luis, con su fe en el progreso y en la máquina, es el culpable; su fracaso como agricultor se debe menos a incompetencia que a la falta de amor por la tierra.

La orientación socioeconómica de la obra ha contribuido extensamente al éxito de *La carreta.* Es una canción de amor por la tierra, eminentemente comprensible en vista del pasado en las provincias del propio Marqués y de su preparación como agrónomo. Evoca el miedo de muchos puertorriqueños por el futuro de su isla en vista de una creciente industrialización que a muchos de ellos parece económicamente inadecuada. Sumado a su deseo de independencia política y a un considerable resentimiento por el papel de los Estados Unidos en la historia de Puerto Rico, esto ha incitado a muchos a considerar *La carreta* como un drama nacional, como un grito teatral de independencia.

Todo esto no niega, por supuesto, las excelencias teatrales de *La carreta*, que son muchas. Primeramente, un acto inicial brillantemente diseñado que refleja con exactitud y sin sentimentalismo las dudas de la familia ante la idea de abandonar su casa y su tradición. La inquietud de doña Gabriela, la resistencia de Chaguito a usar zapatos y su cómico intento de contrabandear su gallito regalón, los esfuerzos furtivos de Juanita para despedirse de un peón del lugar; todo refleja el deseo real de la familia de permanecer en el lugar. Pero son ganados por el sueño de Luis de la prosperidad que los espera. Sólo don Chago conserva su perspectiva, don Chago que representa la armonía del hombre con la naturaleza, contrapuesta a la fe ciega que domina progresivamente a Luis. La oscilación del estado de ánimo está bien manejada; hay un momento de profunda nostalgia por lo que cada personaje pierde al partir. El final del acto está dominado por el sonido distintivo de las ruedas de una carreta, que aumenta continuamente cuando el hechizo se rompe y los personajes se apresuran en preparar sus cosas. Sólo cuando se han ido conocemos la intención del viejo don Chago; es un hombre en desarmonía con su tiempo que se propone vivir lo que le queda de su vida en la tierra en que están sus raíces: «Cuando loh hombreh noh patean entoavía quea la tierra pa dejarse querel». Esta autenticidad de emoción dramática —los personajes fueron concebidos mientras Marqués filmaba en las montañas *Una voz en la montaña* en 1951— es realzada por una serie de sonidos fuera del escenario y por el uso de objetos concretos que sirven eficazmente de correlatos objetivos a la emoción de los personajes. La figura tallada de un santo que pertenece a doña Gabriela, y el modelo de una carreta de Juanita, son objetos concretos que encarnan su renuencia básica de partir, y son, a la vez, símbolos de la tradición que están abandonando. En oposición a ellas, está el sonido de las ruedas de la carreta, el inexorable movimiento del tiempo. Desafortunadamente, los últimos dos actos no son de la calidad del primero, aunque demuestran el uso efectivo de las mismas técnicas. El segundo acto se convierte casi en una serie de escenas de degradación, y en el tercer acto, el carácter episódico es más pronunciado aún. Vemos en éste la intrusión de una serie de personajes que representan lo que Marqués considera como elementos de la sociedad moderna perjudiciales a la tradición esencialmente católica, tropical y agrícola que representa la familia.

Eugene R. Skinner

EL DÍA QUE SE SOLTARON LOS LEONES DE EMILIO CARBALLIDO

El día que se soltaron los leones, aunque el autor la llama «farsa en tres jornadas», muestra muchos de los elementos temáticos y estructurales que se vienen encontrando en otras obras fantásticas. Esta pieza es esencialmente una variante del «misterio» del Sacrificio: Ana se sacrifica para asegurar la vivencia del aspecto irracional del hombre. La trama es bastante sencilla. Durante toda su vida, Ana, una vieja solterona sumisa, ha cuidado a una tía dominadora. Ésta hace que echen de la casa un gatito que Ana tenía escondido en la cocina. En el primer acto, Ana, rebelándose contra su tía, sale a buscar su gato. En el bosque de Chapultepec se encadena una serie de sucesos absurdos, y Ana queda desayunándose en la compañía del Hombre —un poeta vagabundo—, la Señora —una madre pobre dedicada a sus hijos—, y una pareja de leones sueltos. El segundo acto desarrolla la persecución de los leones y de sus tres cómplices, y termina con ellos retirándose a la isla en medio del lago. En el tercer acto, allí en la isla, Ana llega a una especie de anagnórisis y decide nunca volver a casa de su tía. Sigue la persecución por la policía; y Ana, para salvar los leones, los lleva a la jaula y se encierra con ellos. En el «Epílogo» Ana y los dos leones gritan para advertir a los jóvenes que el aspecto irracional del hombre, a que la sociedad intenta negar la existencia enjaulándolo, no deja de existir.

Otra vez el tema es la esencia dinámica del hombre como potencia. Aquí se ve que la sociedad colectiva, basada en una ideología racional, convierte al hombre en un objeto, un piñón en la gran máquina social, enajenándole de su aspecto irracional, y por lo tanto rompiendo el equilibrio dinámico que es el ser humano.

Eugene R. Skinner, «Carballido: temática y forma de tres autos», *Latin American Theatre Review*, 3:1 (1969), pp. 37-47 (43-47). El número de las páginas citado entre paréntesis corresponde a la edición de Fondo de Cultura Económica, México, 1960.

La estructura de la obra es casi musical: variaciones y repeticiones sobre un tema que se entretejen, realizándose mutuamente. La trama secundaria se introduce en el primer acto, cuando el joven Profesor del Instituto Militar «clasifica» a su alumno López Vélez:

> PROFESOR: Es usted un homo sapiens, mamífero, vertebrado. Sus datos particulares están en el registro civil y en el archivo de la escuela. Se encuentra en el período de la domesticación, y sería colocado en una jaula al menor síntoma de ferocidad. En la escuela, en los laboratorios o en las oficinas del gobierno sabemos todo cuanto puede saberse de usted, de sus semejantes o de los otros seres en la escala zoológica.
>
> LÓPEZ VÉLEZ: Mi papá me dijo que no se sabía nada de nada. Que todo es muy raro ... Mi papá me dice que no se sabe por qué. Y que no sería raro que en un momento nos volviéramos renacuajos, o leones, a que nacieran otras cosas en vez de niños.
>
> PROFESOR: Me hará el favor de decirle a su papá que son estupideces. (*Risitas.*) Todo está previsto y todo se sabe. Yo mismo podría explicarle todo ... (261-262).

Este mundo ordenado, donde todo se explica por la razón, se desvanece cuando López suelta los leones; y en el caos de la cacería del segundo acto, unos policías hieren a balazos mortalmente al Profesor. Frente a una muerte que anula todo su mundo basado en la razón, todo se le vuelve tan «raro» como al padre de López, y el Profesor dice: «No entiendo nada. Todo me parece muy extraño» (278), y se muere meciéndose en un columpio.

Este episodio es sólo una variación del tema principal. El Hombre lo explica en términos generales en el tercer acto, cuando habla con Ana allí en la isla. Ana ya ha decidido no volver a casa de su tía, y el Hombre comentando esta decisión reconoce que es difícil desobedecer —porque así uno se arriesga al castigo—, pero que mayor mal es siempre obedecer y así someterse voluntariamente a la amputación de una parte de esa esencia dinámica que es el hombre. Los cirujanos son las tías, los gobiernos, los jefes y las teorías (288). Es la sociedad que mutila al individuo, reprimiendo los aspectos del ser humano que no le son convenientes al desarrollo de su plan ideológico. La sociedad sujeta y utiliza al individuo por medio del castigo, o le hace sacrificar el presente con la promesa de una utopía futura.

La tía hacía lo mismo con Ana. La utilizaba, oponiéndose a que saliera con novios y hablándole de un «futuro cargado de promesas» (278). Pero Ana preguntaba «¿Y hoy, y hoy?» (278). Al principio, este deseo de vivir intensamente en el presente se proyectaba en el gato. En el primer acto, Ana le decía: «Tienes que crecer antes, ser un gatote que nadie pueda con él, y que le pegue a todos los gatos, y que no le quiten la novia» (254). Es un ejemplo clásico de la proyección psicológica: Ana era un ser sumiso que nunca había tenido novio. Para Ana, este gato crece, hasta confundirse con el león: «Virgen pura, que no me muerde ... Si era (su gato) un animalito muy bueno, muy dócil» (266).

Luego, Ana ya no es dócil; se identifica con los leones. Y para recalcar esta idea de vivir intensamente en el presente, característica de la *libido*, ella, en el tercer acto, afirma que los leones «... Sueñan la sensación del salto, la consistencia de la carne entre los dientes ... Él (su gato) pensaba impresiones muy fuertes, atracciones, repulsiones. Su modo de querer es como un gran calor» (279). El gato-león se vuelve símbolo de la *libido*, y Ana la defensora de este aspecto del ser humano a que la sociedad intenta negar la existencia, guardándolo en las jaulas. Pero, no por esto deja de existir, y como dice el Hombre: «Nunca se sabe cuándo van a soltarse los leones» (282).

El Profesor, que iba imponiendo un sistema autoritario basado en el aspecto racional del hombre, sirve de contrapunto para Ana que va librando el aspecto irracional y subjetivo del hombre. Los personajes también son variaciones del mismo tema: el Profesor y la Tía representan las fuerzas represivas —ésta por interés personal, aquél por la fe ciega en la razón—; López Vélez y Ana representan las fuerzas libertadoras; el Hombre representa el ser consciente de la dualidad humana, pero quien se vendió para llenarse el estómago. En el «Epílogo» se reúnen estas dos tramas cuando otro profesor del Instituto Militar entra con sus alumnos a visitar el zoológico. Allí en la jaula está Ana, gritándoles para que se den cuenta del aspecto irracional del hombre.

Este drama, como las otras obras fantásticas, rompe con la realidad cotidiana, exteriorizando el contenido de la mente humana en vez de reproducir la realidad exterior, para dar más relieve al conflicto esencial entre el aspecto racional e irracional dentro del hombre. Aquí, el autor se aprovecha del «misterio» del Sacrificio para dar más valor emotivo a la obra: Ana, por la rebeldía, por el sufrimiento —la persecución—, y al final por el sacrificio, se ha convertido en León, efectuando una verdadera interpenetración con esta fuerza irracional del hombre. Se ha vuelto Redentor de este aspecto del hombre, y grita a los niños del Instituto Militar:

EL HOMBRE: ¿Odia usted a los niños?
ANA: Son preciosos, los quiero mucho, me gustaría jugar con ellos. Pero les grito así para que aprendan. ¿Usted cree que entienden por qué les grito?
EL HOMBRE: Ahora no. Más tarde.
ANA: Mejor. ¡Brutos, feos, niños gusanos, niños imbéciles! (295).

[De *La zona intermedia*, *La hebra de oro* y *El día que se soltaron los leones*], esta última obra es la mejor estructuralmente, porque aquí se nos presenta un solo conflicto: el aspecto irracional y el aspecto racional del hombre. Pero en las tres obras se viene encontrando el mismo conflicto, y verificando que el autor aboga por un equilibrio dinámico de los dos aspectos. El autor valoriza más al aspecto irracional, por ser éste el aspecto más vital de los dos y usualmente el que se reprime dentro de la sociedad. Se nota que los personajes que encarnan el aspecto irracional se identifican con lo felino —simbólico de la *libido* en la obra de Carballido—: la Mujer de *La zona intermedia* tiene rasgos felinos hasta las garras, Leonor de *La hebra de oro* tiene un nombre que la liga con el león y es el personaje más vital al final de la obra, Ana en *El día que se soltaron los leones* se identifica con los leones y al final se vuelve Redentor del aspecto irracional que los leones representan. La obra de Carballido muestra que él reconoce la fuerza creadora de este aspecto del hombre: él aboga por la liberación de esta fuerza vital y se aprovecha de elementos de las formas tradicionales como el «misterio» para presentárnosla con mayor valor emotivo. No obstante, también reconoce la potencia del hombre por la creación espiritual desde la propia existencia: por medio del sufrimiento y el sacrificio el hombre puede trascender su propia existencia, luchando por un valor espiritual. Lo que se expresa en la obra de Carballido es la busca de un equilibrio dinámico entre los dos aspectos del hombre en que se pueda realizar totalmente la potencia del hombre.

Maida Watson

LA TEORÍA TEATRAL DE E. BUENAVENTURA: EL PROBLEMA DEL COLONIALISMO CULTURAL

Base fundamental del concepto de teatro de Buenaventura es su función social. La obra teatral debe servir como modo de confrontar al público para que se despierte de su indiferencia y tome parte en la lucha revolucionaria. Para llevar a cabo este propósito, Buenaventura adopta como base la ideología brechtiana, pero la cambia conforme a la realidad colombiana y a sus propios principios teóricos. Puntos principales de la estética de Buenaventura son: su preocupación por el problema de la dependencia cultural o colonialismo cultural, la obra teatral como montaje más que literatura, y una completa radicalización de la relación actor-director-dramaturgo que culmina en sus escritos sobre la creación colectiva. Estos conceptos se desarrollan en Buenaventura a través de dos momentos importantes en su carrera: su estadía en París de 1960 a 1962 y su ruptura con el gobierno colombiano, que se inicia con la presentación de su obra *La trampa* en 1966, y que culmina al ser despedido de su puesto de director del Teatro Escuela de Cali en 1969. La primera fecha marca su contacto inicial con la teoría teatral de Brecht, la segunda indicia el desarrollo de una enorme radicalización en su teatro, tanto en la temática como en la técnica creativa.

En la obra del dramaturgo la preocupación por la dependencia cultural se manifiesta a través de personajes que funcionan a la vez como víctima y verdugo, al formar parte de un conflicto básico entre ideales extranjeros coloniales y el deseo de autonomía. En las primeras obras del autor dos de sus personajes principales: El Rey Cristophe en *La tragedia del rey Cristophe* (1963) y el padre Las Casas en *Un réquiem por el padre Las Casas* (1963) no logran sus propósitos iniciales por culpa de la dependencia cultural. Buenaventura define esta situación de dependencia. «El ciudadano de un país colonial es un exiliado en su propio país, porque las formas predominantes de cultura han sido im-

Maida Watson, «La teoría literaria de E. Buenaventura: el problema del colonialismo cultural», en M. Horanyi, ed., *Actas del Simposio Internacional de Estudios Hispánicos*, Akadémiai Kiadó, Budapest, 1978, pp. 323-327.

portadas e impuestas y cuando han sido asimiladas se importan otras nuevas y se las impone.» Luego añade: «El teatro debe de servir como modo de analizar este fenómeno y a través de este análisis ofrecerle al latinoamericano una metodología para cambiar esta mentalidad» [*Teatro y cultura*, 1969]. El ejemplo de personajes históricos cuya lucha por la justicia social fracasa por esta razón forma parte del proceso de formación de una mentalidad no colonial. El Rey Cristophe fracasa en sus intentos de crear una nación de negros libres porque la mentalidad colonial que ha heredado del sistema social lo cambia de un líder idealista a un tirano vanidoso. Al vencer la lucha exterior contra los colonos franceses, Cristophe comienza una lucha interior que representa el conflicto entre la ideología de los poderes coloniales y la liberación del hombre. El hecho irónico de que Cristophe haya conquistado a los blancos en la guerra, pero que no pueda vencer la mentalidad que heredó del sistema colonial, se presenta a través de pequeñas escenas en las que paulatinamente Cristophe se vuelve más vanidoso y más alejado de las necesidades de su pueblo. El folklore haitiano funciona como reiteración de los antiguos ideales de Cristophe. Como en el teatro épico de Brecht, canciones, rituales y peleas de gallos dividen la obra en pequeñas escenas, recordando de este modo al público los inicios del movimiento de independencia haitiana y la ideología de la obra.

El conflicto dependencia cultural/liberación se desarrolla en *Un réquiem por el padre Las Casas* a través de la técnica de mostrar las diferencias entre el texto histórico de Las Casas y las falsas historias que escriben otros historiadores de la época. El propio Las Casas lo dice en la primera escena del primer acto: «Aquí no veréis otra cosa que mi crónica, caminando y hablando sobre el escenario» [*Teatro*, 1963]. El escenario de la obra se divide en tres esferas, una es América o la realidad de la conquista, otra, España o la intriga política de la corte y la tercera representa las ideas de Las Casas. Los esfuerzos de Las Casas para cambiar la estructura social de la colonia tienen lugar principalmente en la primera esfera y son casi inmediatamente contrarrestados en la segunda esfera. La mentalidad de los conquistadores españoles, de los campesinos que logra traer Las Casas al Nuevo Mundo para que cambien la estructura económica colonial, y de los oficiales de la Iglesia, todos denotan una actitud colonial hacia la interpretación de la naturaleza del indio. Los esfuerzos de Las Casas para mostrar la importancia de la cultura nativa son contrarrestados por los prejuicios y los modos de vivir explotativos que traen los españoles a América.

En 1968, con *Los papeles del Infierno*, Buenaventura aborda el problema de la dependencia colonial con una técnica expresionista. En *Teatro y cultura* dice que su propósito al escribir la obra es «mostrar las raíces de la violencia en Colombia que se pueden ver en el colonialismo cultural, la pobreza y el miedo». El autor opina que el juego escénico representa la ironía más efectiva en el montaje. Es, pues, a través de juegos escénicos como los de *La orgía*, *El entierro* y *El menú*, todas pequeñas obras que forman parte de *Los papeles del Infierno*, que el autor denuncia el colonialismo cultural. Vamos a examinar una sola de estas obras para ver más detalladamente el análisis del problema. En *La orgía* una vieja prostituta invita a los mendigos de la ciudad los treinta de cada mes para que se disfracen de sus antiguos amantes, coroneles militares y príncipes, y participen en una recreación de la época cuando ella era joven y bonita. La vieja, igual que algunos grupos de los países colonizados, se ha vendido siempre por dinero, de ahí el simbolismo del número treinta que recuerda las treinta monedas que recibió Judas por Jesús. Ahora la vieja sigue su tradición de compra y venta al comprar la presencia de los mendigos en una orgía. Éstos, que representan quizás las potencias extranjeras, quizás los políticos colombianos, ya no tienen alma ni ideales. Un diálogo entre dos de ellos verifica este concepto: «Mendigo 1: Mi alma es muy débil, señora. Mendigo 2: Yo me comí la mía hace tiempos».

La motivación inicial (nostalgia) de la vieja que quiere recrear su pasado ha sido la causa inicial para reunir dos fuerzas en pugna, la vieja y los mendigos. Pero éstos responden a otra motivación, la comida. La motivación básica de la obra tiene que ser un elemento que combine estas dos palabras, o sea, hambre; en el caso de la vieja, hambre de poder y prestigio, en el caso de los mendigos, hambre de comida. El dinero resuelve las dos hambres, la vieja compra la presencia de los mendigos en su orgía, los mendigos compran comida con ese mismo dinero. Con la muerte de la vieja a manos de los mendigos, se resuelve la pugna. Al proclamar el Mendigo número 2: «¡Se acabó la comedia! ¡Se acabó la comedia!», la violencia destruye el mundo de irrealidad que ha creado la mentalidad colonial de la vieja prostituta. Los mendigos ya no son el coronel Pardo ni Jacobo el príncipe heredero del trono de Inglaterra, sino seres hambrientos que resuelven a su manera el enigma de tener comida a mano y que no se les permita comerla.

La teoría teatral de Buenaventura existe fundamentalmente sobre el concepto de la obra teatral como montaje, no como obra meramente literaria. El texto le sirve como guía para la confrontación que lleva a cabo el actor con el problema social que se presenta. Esta teoría refleja la ideología de un hombre sumamente práctico cuya vida teatral ha incluido trabajo como actor, director y profesor de teatro. En esta perspectiva teatral hay una visión del teatro en el cual la obra no existe hasta que sea escenificada. En sus primeros ensayos teóricos Buenaventura expresa este concepto al opinar que la obra teatral cambia cada vez que se presenta. Pero no es sino en sus trabajos teóricos, *Apuntes para un método de creación colectiva*, escritos después del 69, que el autor desarrolla el concepto de una obra dinámica en la cual la improvisación de los actores continúa el proceso creativo del dramaturgo. En el método colectivo —lo dice el propio Buenaventura— los personajes «aunque parecen autónomos, aunque dan la impresión de crear la acción y la función (tal como ocurre con los sujetos de la vida real) nacen sujetos a acciones que no dependen de ellos, que no fueron generadas por ellos y responden a estas acciones y funciones con otras acciones y funciones». Los personajes, y la obra por implicación, no adquieren su fisonomía particular sino «cuando la obra está montada, y, a veces, para muchos actores, sólo aparecen después de varias representaciones».

Buenaventura radicaliza la tradicional relación de tipo jerárquico entre dramaturgo-director-actor a través de las técnicas creativas de su método de creación colectiva. Al momento de trabajo los actores actúan como autores, el grupo entero desempeña funciones a través de todo el proceso creativo que antes había desempeñado sólo el dramaturgo o el director. Carlos José Reyes [1974] ha descrito esta nueva estructura: «la creación colectiva se convierte en una especie de democracia representativa, donde se suman las opiniones de diferentes personas y se produce una sábana de retazos, con opiniones, con textos, con pedazos de discursos ... No desaparece el director pero adquiere una función, está encargado de coordinar la totalidad de la pieza». Se crea un nuevo tipo de dramaturgo, heredero de la antigua tradición griega de arreglador de texto, de adaptador, el cual forma parte íntegra del grupo. El dramaturgo que no forma parte del grupo de actores, el que escribe su obra aislado en su propia casa, pierde el derecho a ser autor de la pieza o que ésta se llame verdaderamente una obra teatral. Buenaventura resume esta precisa y delicada relación: «Si un narrador, un poeta asiste a ensayos o ve sus propias obras representadas, puede aprender mucho y enseñar mucho a los actores, pero será siempre un extraño, no tendrá una verdadera relación con el grupo. Es necesario que su trabajo se integre al trabajo del grupo, que se vuelva colectivo, para que él y el grupo resuelvan el problema de la dramaturgia como un problema específico de la creación teatral».

Para Buenaventura, el teatro representa un instrumento de cambio social cuya meta consiste en que el hispanoamericano logre su propia cultura y elimine las grandes diferencias sociales. Parte esencial de este cambio consiste en erradicar la dependencia cultural, o sea, el colonialismo cultural a través de obras teatrales que le revelen al hispanoamericano las raíces de este colonialismo. Este fin se logra no sólo por la temática de la obra sino por el cambio de relación director-autor-actor. Al eliminar la jerarquía tradicional del mundo teatral para reemplazarla con el orden de iguales del método colectivo, el autor postula que se puede llegar más efectivamente a eliminar la jerarquía en el mundo del público.

12. EL ENSAYO

Las tentativas de definición del ensayo resultan por lo general parciales e insatisfactorias; a riesgo de caer en las limitaciones criticadas nos atendremos a ciertas notas caracterizadoras que forman el código de este género del «*eidos* prosa», de que hablaba Sartre. En el ensayo el hablante es real y habla desde su punto de vista personal postulando una visión de las cosas, de la cual, en general, puede decirse que es verdadera o falsa y que despierta desde el inicio la actitud alerta del lector. Aunque el modo de la narración no le es enteramente ajeno, su modo distintivo es el del comentario. Su punto de vista propone una visión parcial recortada en el orden del saber de una disciplina particular —filosofía, teoría de las ciencias, psicología, psicoanálisis social, teoría del saber histórico, político o de la cultura, de la religión o del mito—, o de tendencias dentro de las diversas disciplinas —existencialismo, estructuralismo, etc. Quiere ser actual y originalmente novedoso, convincente y persuasivo sin mayores pruebas. Tiene en este sentido un carácter eminentemente afirmativo y en cierta medida dogmático. Espera ser aceptado sin previa o concluyente demostración. Como enfáticamente centrado en el hablante y su aptitud cognoscitiva y suasoria, tiene también un marcado carácter expresivo, una lengua, una retórica, una poética constantemente redefinidora del género que cultiva. Sus variedades pueden caracterizarse por el predominio de una figura argumental, épica, cómica, trágica o satírica, de correspondientes estrategias interpretativas idiográficas, organicistas, mecanicistas y contextualistas como cuando se aplican a la historia (según señala Hayden White), y de implicaciones ideológicas definidas. Puede relacionarse con modalidades discursivas y géneros académicos o bien entregarse a la «carnavalización» y al juego. Las formas de conocimiento que adopta pueden ser indiferentemente la conceptual y discursiva o la imaginística e intuitiva. Intelectual o poético el ensayo es por esto la forma más libre y variable dentro de los términos definidos de su situación comunicativa real. Entre las constantes que muestra el ensayo hispanoamericano de este período está la preocupación antropológico-cultural, psicológica y existencial por penetrar en el conocimiento del hombre y del mundo, por lo común con despiadada revelación de sus males, de la deformación social e individual y no pocas veces con pesimismo en la adivinación de su destino. Samuel Ramos (1897-1959) es uno de los iniciadores de una revisión del mexicano con una perspectiva psicológica que anticipa, con *El perfil del hombre y la cultura en México* (México, 1934), la obra de Octavio Paz. Benjamín Subercaseaux (1902-1972) realiza tarea comparable en *Chile, una loca geografía* (Ercilla, Santiago de Chile, 1940) y en *Tierra de océano* (Ercilla, Santiago de Chile, 1946). Mariano Picón Salas (1901-1965), en *Intuición de Chile* (Ercilla, Santiago de Chile, 1935), *Comprensión de Venezuela* (Ministerio de Educación Nacional, Caracas, 1949) y *Crisis, cambio, tradición: ensayo sobre la forma de nuestra cultura* (Caracas, 1956), intenta una búsqueda semejante. Clemente [1961], Núñez [1965], Schultz [1967], Mejía Sánchez [1970], Earle [1970], Gómez-Martínez [1976], Foster [1982], en una lectura semiótica, y Mignolo [1984], desde una tipología textual, discuten las posibilidades de definición del ensayo.

Al lado del ensayo comparten sus características generales otras modalidades del «*eidos* prosa», formas de la escritura y de la comunicación real, como la biografía, la autobiografía, las memorias y el diario, diferenciados por modos de configuración de su situación comunicativa en relación al narrador, al destinatario y al contexto y por los cronotopos, módulos o unidades de correspondencia de tiempo y espacio en la ordenación de lo representado. La autobiografía más resonante ha sido *Confieso que he vivido* (Seix Barral, Barcelona, 1974), de Pablo Neruda, y las páginas de sus *Viajes* (Nascimento, Santiago de Chile, 1947) y su más reciente compilación *Para nacer he nacido* (Seix Barral, Barcelona, 1978). Cierta velada intimidad cede el paso en Neruda a una actitud más bien externa y memorialista. Entre los autores de memorias, Victoria Ocampo (1890-1979), con las diez series de sus *Testimonios* (Revista de Occidente, Madrid, 1935; Sur, Buenos Aires, 1941, 1946, 1950, 1951, 1957, 1964, 1967, 1970, 1972, 1979). Su bibliografía ha sido organizada por Turinetti [1962] y Foster [1980, 1982]. Victoria [1963], Meyer [1979] y Omil [1980] le han dedicado sendos libros; Bastos [1980], un excelente estudio. Compilaciones y nuevos materiales proveen los números de *Sur*, 346 (1980), dedicado a su homenaje, y *Sur*, 347 (1980), a recoger su correspondencia. Otro memorialista destacado es Mariano Picón Salas (1901-1965), en un vasto ciclo de su obra que culmina con *Regreso de tres mundos* (Fondo de Cultura Económica, México, 1959). Su prosa autobiográfica ha sido abordada por Azzario [1980]. En la biografía destaca Emir Rodríguez Monegal (1921) con *El desterrado. Vida y obra de Horacio Quiroga* (Losada, Buenos Aires, 1968), *El otro Andrés Bello* (Monte Ávila, Caracas, 1969), *El viajero inmóvil: introducción a Pablo Neruda* (Losada, Buenos Aires, 1966; Monte Ávila, Caracas, 1974²), y *Jorge Luis Borges* (E. P. Dutton, Nueva York,

1978). El *Diario* del Che, de Ernesto Che Guevara (1928-1967), se convirtió por momentos en un acontecimiento de relieve que dio pábulo y sirvió de pretexto a algunas novelizaciones de los sucesos de Ñancahuazú. Sobre la literatura autobiográfica argentina ha escrito A. Prieto [1962], y Molloy [1984] sobre el discurso autobiográfico en Hispanoamérica.

Una bien clasificada bibliografía del ensayo hispanoamericano ha sido elaborada por Horl [1980]. Instrumento útil, aunque extremadamente amplio, es la bibliografía de las ideas latinoamericanas de Becco [1981]. Estudios de conjunto se deben a Vitier [1945], Crawford [1944, 1961], Zum Felde [1954], Mead [1956], Brown [1968] y Skirius [1981]. Algunos aspectos particulares son abordados por Stabb [1967, 1969], sobre la búsqueda de identidad; Marichal [1978], sobre constantes; Yamuni [1951], sobre conceptos e imágenes; Abellán [1972], sobre la idea de América, y Foster [1982] para una lectura semiótica. Una compilación de estudios reúnen Lévy y Ellis [1970]. Varias antologías ordenan lo más importante del ensayo y el pensamiento hispanoamericanos: Gaos [1944, 1945] y San Juan [1954], en el contexto hispánico; Ripoll [1966], Campa [1970], Mejía Sánchez [1971], Hamilton [1972], Molina [1974], Génevois y Le Gonidec [1974], y Zea y Villegas [1964] abordan el ensayo político. Estudios de conjunto regionales se deben a Díaz Seijas [1972], de Venezuela; Earle [1978] y Borello [1967], de Argentina. Antologías regionales son las de Martínez [1958], de México; Lisazo [1938], de Cuba; Ruiz y Cobo Borda [1975], de Colombia; Clemente [1961], de Argentina; Real de Azúa [1964], de Uruguay. Una revista, *Los ensayistas* (desde 1976), se ocupa especialmente del género.

José Carlos Mariátegui (1894-1930) nació en Moquegua, en el sur del Perú, el 14 de junio de 1894. Su infancia se vio limitada por una enfermedad que lo dejó lisiado de una pierna. Después de completar su educación primaria, empieza a trabajar en los talleres de *La Prensa* de Lima, en tareas auxiliares que gradualmente lo llevan al periodismo. Comienza a escribir artículos con el seudónimo *Juan Croniqueur*. Entra en la redacción de *El Tiempo* y *El Turf*. Se vincula al grupo *Colónida* de Abraham Valdelomar. En 1917, obtiene un premio por el artículo periodístico «La procesión tradicional». En 1918, funda la revista *Nuestro Tiempo* y al año siguiente el diario *La Razón*. El diario es clausurado por el gobierno del presidente Augusto B. Leguía. En 1919, Mariátegui se dirige a Europa enviado por el gobierno en una misión de propaganda. Reside en Italia por más de dos años. Trabaja como corresponsal del diario *El Tiempo* desde 1920 a 1923. En Italia, se produce su transformación intelectual en la cercanía de Benedetto Croce. Allí se casa y asume su ideología socialista. Viaja por Francia, Alemania, Austria y otros países. Conoce a Gobetti, Gramsci, Romain Rolland, Barbusse y Gorki. No llegó a viajar a la Unión Soviética impedido por su familia. Desde Europa se concierta con amigos peruanos para la acción socialista. Sus artículos de la época muestran las etapas de su evolución dentro del socialismo. En 1923, retorna al Perú y dedica sus últimos siete años de vida a la difusión de sus ideas socialistas y a encauzar la literatura peruana. Funda la revista *Amauta*, de gran importancia en la divulgación de sus ideas y en la difusión de la vanguardia literaria, que dirigirá entre 1926 y 1928. Trabaja en las Universidades Populares González Prada. Colabora en *El Obrero Textil*; dirige la revista *Claridad*, de la que se hace cargo cargo luego de que Víctor Raúl Haya de la Torre es deportado a Inglaterra por el gobierno; y funda la editorial Minerva. Vuelve a aquejarlo su antigua dolencia y pierde la pierna izquierda. Vive reducido a la silla de ruedas. Funda el periódico *Labor*. Cuando planeaba viajar a Buenos Aires para cuidar de su salud, falleció el 16 de abril de 1930. *Siete ensayos de interpretación de la realidad peruana* es su obra fundamental y la primera obra de importancia que utiliza la perspectiva marxista para la interpretación del mundo hispanoamericano. Su punto de vista es original y no una simple aplicación de esquemas conocidos. La discusión en torno a la ortodoxia marxista de Mariátegui continúa hasta nuestros días. Las fuentes de su pensamiento han preocupado a parte importante de sus estudiosos. Entre ellas principalmente el pensamiento de Sorel, de Pareto y de los teóricos marxistas italianos, principalmente de Gobetti. Después de la consideración social del indio por González Prada, Mariátegui es el primero en ver al indio en su situación socioeconómica y considerar las condiciones de su redención como mito histórico social. Las consecuencias de su pensamiento han determinado fundamentalmente la orientación del indigenismo en el Perú hasta nuestros días. Las ediciones de la obra presentan algunos problemas a partir de la eliminación del séptimo ensayo en la edición de Lima, de 1934. La obra publicada en vida del autor comprende *La escena contemporánea* (Lima, 1925), *Siete ensayos de interpretación de la realidad peruana* (Biblioteca Amauta, Lima, 1928; otra ed., Universitaria, Santiago de Chile, 1955), *Defensa del marxismo* (Lima, 1934), *El alma matinal y otras estaciones del hombre* (Lima, 1950), y el relato *La novela y la vida* (Lima, 1955). La edición, preparada por sus descendientes, de *Obras completas* (Amauta, Lima, 1959; otra ed., 1980) consta de diez volúmenes.

La bibliografía de Mariátegui ha sido ordenada por Rouillon [1952, 1963], Mead [1961] y Horl [1980]. Estudios de conjunto se deben a Bazán [1939, 1969], Wiesse [1945], Prado [1946], Carnero Checa [1964], Kossok [1967], Posada [1968], Paris [1968], Moretic [1970], Rouillon [1975], Vanden [1975, 1979], Carrión [1976], Melis [1976], Núñez [1978], Chavarría [1979] y Chang-Rodríguez [1983]. Entre las compilaciones de estudios se cuentan las de Paris [1973], Arico [1978] y Romero [1979]. Hay una antología de Carrión [1966]. Sobre *Siete ensayos* han escrito Schwartzmann [1953] y Quijano [1979]. Otros ensayistas peruanos de la generación de Mariátegui son Víctor Raúl Haya de la Torre (1895-1979), en el ensayo político, y Luis Alberto Sánchez (1900), en el ensayo literario y la biografía. Ambos colaboraron en *Amauta* y estuvieron amistosa o polémicamente vinculados a Mariátegui.

Argentina tiene en la generación del 27 un grupo excepcional de escritores y notables ensayistas, entre los que se cuentan Jorge Luis Borges (1899-1986), Ezequiel Martínez Estrada (1895-1964), Victoria Ocampo (1890-1979) y Eduardo Mallea (1903-1980), cultivadores de variadas formas del ensayo. Ezequiel Martínez Estrada (1895-1964) nació en San José de la Esquina, provincia de Santa Fe, Argentina, el 14 de septiembre de 1895 y murió en Bahía Blanca, el 4 de noviembre de 1964. En 1900, se establece en Buenos Aires donde se educa. A los 20 años ingresa al servicio de Correo Central. Inicia su producción poética en 1918 con *Oro y piedra.* En 1921, obtiene premios por poemas que se recogen al año siguiente en *Nefelibal.* En 1924, es designado profesor de Literatura en el Colegio Nacional, dependiente de la Universidad Nacional de La Plata. En 1927, viaja por Europa: Portugal, España, Francia e Italia. En 1929, encuentro con Waldo Frank, en Buenos Aires. En 1923, publica *Radiografía de la pampa*, ensayo por el que recibe un segundo Premio Nacional de Literatura. Entre 1933 y 1934, preside la Sociedad Argentina de Escritores. Lo mismo entre 1942 y 1946. Viaja a los Estados Unidos invitado, con otros intelectuales, por el Departamento de Estado. En 1946, ingresa en el comité de redacción de la revista *Sur.* Ese año se jubila del servicio de Correos. En 1948, recibe el Gran Premio de Honor de la Sociedad Argentina de Escritores. De 1951 a 1955, se ve postrado por una enfermedad en la piel. En 1956, retorna a la docencia en el Colegio Nacional, cargo que deja ese mismo año. En 1957, es nombrado Profesor Extraordinario de la Universidad Nacional del Sur. Viajes a Rumania y la Unión Soviética invitado por los gobiernos de esos países. Viaja a Chile, en 1959, y a México. En 1960, viaja a Cuba para recibir el Premio Casa de las Américas por su obra *Análisis funcional de la cultura.* Desde 1961, reside en Cuba por dos años trabajando en Casa de las Américas. En 1962, retorna a Buenos Aires y al año siguiente se traslada a Bahía Blanca. Allí muere el 4 de noviembre de 1964. Su obra ensayística destaca por excepcionales valores de honestidad intelectual y conocimiento de la realidad que une a una entrañable y dolorosa identificación personal con el mundo que descubre y castiga en ella. Con los métodos de la antropología cultural —Lévy-Bruhl, Boas, Malinowsky, Linton—, el psicoanálisis social y la sociología, aborda la realidad argentina y la existencia de Buenos Aires. Su interpretación del método de Sarmiento es una de las contribuciones de su pensamiento más clarividentes en la comprensión de las implicaciones de biografía e historia. Su visión de Martí como héroe de la voluntad es, por su parte, una de las construcciones histórico-biográficas más penetrantes y una pieza única de la literatura hispanoamericana contemporánea. Su obra ensayística comprende: *Radiografía de la pampa* (Babel, Buenos Aires, 1933; otra ed., Losada, Buenos Aires, 1942), *La cabeza de Goliat. Microscopía de Buenos Aires* (Club del Libro A.L.A., Buenos Aires, 1940; otras eds., Emecé, Buenos Aires, 1947; Nova, 1956; Revista de Occidente, Madrid, 1971), *Panorama de las literaturas* (Claridad, Buenos Aires, 1946), *Sarmiento* (Argos, Buenos Aires, 1946), *Las invariantes históricas en el Facundo* (Viau, Buenos Aires, 1947), *Nietzsche* (Emecé, Buenos Aires, 1947), *Muerte y transfiguración de Martín Fierro* (Fondo de Cultura Económica, México, 1948, 2 vols.), *El mundo maravilloso de Guillermo Enrique Hudson* (Fondo de Cultura Económica, Letras Hispánicas, México, 1951), *¿Qué es esto? Catilinaria* (Lautaro, Buenos Aires, 1956), *Cuadrante del pampero* (Deucalión, Buenos Aires, 1956), *El hermano Quiroga* (Ministerio de Instrucción Pública, Montevideo, 1957; otra ed., Arca, Montevideo, 1966), *Heraldos de la verdad: Montaigne, Balzac, Nietzsche* (Nova, Buenos Aires, 1958), *Análisis funcional de la cultura* (Casa de las Américas, La Habana, 1960), *Diferencias y semejanzas entre los países de la América Latina* (UNAM, México, 1962), *En Cuba y al servicio de la revolución cubana* (UNION, La Habana, 1963), *El Nuevo Mundo, la isla de Utopía y la isla de Cuba* (Cuadernos Americanos, México, 1963), *El verdadero cuento del Tío Sam* (Casa de las Américas, La Habana, 1963), *Realidad y fantasía en Balzac* (Universidad Nacional del Sur, Bahía Blanca, 1964), *Mi experiencia cubana* (El Siglo Ilustrado, Montevideo, 1965), *Martí, el héroe y su acción revolucionaria* (Siglo XXI, México, 1966), *La poesía afrocubana de Nicolás Guillén* (Arca, Montevideo, 1966), *En torno a Kafka y otros ensayos* (Seix Barral, Barcelona, 1967), *Martí, revolucionario* (Casa de las Américas, La Habana, 1967; 1974[2]), *Para una revisión de las letras argentinas* (Losada, Buenos Aires, 1967), *Leopoldo Lugones, retrato sin retocar* (Emecé, Buenos Aires, 1968), *Meditaciones sarmientinas* (Universitaria, Santiago de Chile, 1968) y *Leer y escribir* (Mortiz, México, 1969). Es autor de una novela, *Marta Riquelme. Examen sin conciencia* (Nova, Buenos Aires, 1956). Hay una *Antología* (Fondo de Cultura Económica, México, 1964); su *Poesía* (EUDEBA, Buenos Aires, 1966) ha sido editada por J. J. Hernández. Sus narraciones han sido compiladas en *La inundación y otros cuentos* (EUDEBA, Buenos Aires, 1965) por M. A. Lancelotti, *Cuatro novelas* (Arca, Montevideo, 1968) y *Cuentos completos* (Alianza, Madrid, 1975).

La bibliografía de Martínez Estrada ha sido ordenada por Prior [1965], por Adam [1968], en el más completo trabajo que reúne importantes documentos, Echeverría [1968], Earle [1971], Becco [1974], Flores [1975] y Foster [1982]. Los estudios de conjunto de Sebreli [1960], en el plan de la invectiva; Orgambide [1970], Earle [1971], Maharg [1977] y Morsella [1973] intentan abarcar los diversos aspectos de su obra. Las revistas *Sur*, 195 (1960) y *Casa de las Américas*, 33 (1965), dedican números en homenaje al escritor. Mosquera [1968] y otros compilan sus trabajos en *Homenaje a E. Martínez Estrada* (Universidad Nacional del Sur, Bahía Blanca, 1968), Adam [1968] reúne importantes documentos y compila numerosos textos de homenaje y Bietti [1978] completa esta serie de compilaciones. Diversos aspectos de su ensayo han sido abordados por Anderson Imbert [1965], Feustle [1970, 1972], Murena [1954], Pucciarelli [1965], González [1965], Stabb [1966], Prieto [1969] y Viñas [1971]. Sobre *Radiografía de la pampa*, escriben Canal Feijoo [1937], Tovar [1950] y Borello [1967]; sobre *Martín Fierro*, Cúneo [1964] y Rodríguez Monegal [1974]; sobre *Sarmiento*, Ayala [1947], Bataillon [1948], J. L. Romero [1947], Rest [1965], Feustle [1972] y Cvitanovic [1977]; sobre *Martí revolucionario*, Fernández Retamar [1965], Coleman [1975], en un excelente artículo, y Maharg [1977]. Sobre Martínez Estrada narrador, han escrito Ghiano [1968], Prieto [1969] y Orgambide [1970].

Eduardo Mallea (1903-1980) es uno de los ensayistas más originales en la configuración de un punto de hablada como conciencia de excepción de la realidad de su país. Su percepción de la Argentina visible y una Argentina invisible, la constante búsqueda de la autenticidad más allá del fasto y del poder, la perspectiva ético-moral, permean todo su pensamiento y su obra literaria. Su producción ensayística comprende *Conocimiento y expresión de la Argentina* (Sur, Buenos Aires, 1935), *Historia de una pasión argentina* (Sur, Buenos Aires, 1937), definido por Francisco Romero como un nuevo discurso del método, *El sayal y la púrpura* (Losada, Buenos Aires, 1941), *Notas de un novelista* (Emecé, Buenos Aires, 1954), *Poderío de la novela* (Aguilar, Madrid, 1965), *La vida blanca* (Sur, Buenos Aires, 1960), *La guerra interior* (Sur, Buenos Aires, 1963), y el género impar de sus *Travesías* (Sudamericana, Buenos Aires, 1961, vols. I y II), autobiografía, libro de viaje, meditación de paso, todo una cosa, como característica del *homo viator* que es todo hombre. La crítica del ensayo de Mallea ha sido abordada por Canal Feijoo [1937], Romero [1938], Soto [1938], Ferrándiz Albor [1961], Filer [1968], Marías [1970], Flint [1971], Ayala [1972] y Cvitanovic [1977].

Entre los ensayistas de esta generación destacan además el venezolano Mariano Picón Salas (1901-1965), importante por sus biografías y sus memorias, además de sus ensayos de interpretación histórica; el colombiano Germán Arciniegas (1900), también orientado principalmente a la interpretación de la historia y la cultura del mundo americano; el cubano Jorge Mañach (1898-1961), destacado por su *Indagación del choteo* (La Habana, 1927; otra ed., La Verónica, 1940), su biografía *Martí, el apóstol* (La Habana, 1933; otra ed., Espasa-Calpe, Buenos Aires, 1942) y *Examen del quijotismo* (1950).

La generación del 42 tiene entre sus ensayistas más destacados a Arturo Uslar Pietri (1906), Fernando Benítez (1912), Octavio Paz (1914), José

Lezama Lima (1910-1976), Ernesto Sábato (1911), Dardo Cúneo (1914), Julio Cortázar (1914-1984). Octavio Paz (1914), gran poeta mexicano (véase capítulo 4, en este volumen), surge como un ensayista de excepción en su libro *El laberinto de la soledad* (Cuadernos Americanos, México, 1950; otra ed., Fondo de Cultura Económica, México, 1959). En este libro de análisis de la realidad mexicana, Paz aborda el pasado histórico y el presente de México sometiéndolo a una suerte de psicoanálisis social. Analiza por igual las modalidades de superposición cultural que caracterizan al país y las peculiaridades del hablar que expresan los traumas primitivos del pueblo mexicano. Su obra ha tenido larga proyección sobre la dimensión interpretativa de varias obras importantes de la literatura mexicana. *El arco y la lira* (Fondo de Cultura Económica, Letras Hispánicas, México, 1956; otra ed., 1956) reúne sus ensayos en torno a la concepción de la poesía. Importantes ensayos que debaten cuestiones de arte y literatura llevan en el título un *adynaton*, la postulación de un imposible, que trasunta la intención del enfoque poético, como en *Las peras del olmo* (Fondo de Cultura Económica, México, 1957). Otros ensayos notables son *Tamayo en la pintura mexicana* (UNAM, México, 1959), *Los signos en rotación* (Sur, Buenos Aires, 1965; otra ed., Alianza, Madrid, 1971), *Cuadrivio* (Mortiz, México, 1965), *Puertas al campo* (UNAM, México, 1966). En *Claude Lévi-Strauss o el nuevo festín de Esopo* (Mortiz, México, 1967) expone los puntos de vista del estructuralismo. A estos ensayos siguen *Corriente alterna* (Siglo XXI, México, 1967), *Marcel Duchamp o el castillo de la pureza* (Mortiz, México, 1968), ampliada en *Apariencia desnuda* (1973), *Conjunciones y disyunciones* (Mortiz, México, 1969), *Postdata* (Siglo XXI, México, 1970), *Traducción: literatura y literalidad* (Tusquets, Cuadernos Marginales, 18, Barcelona, 1971), *El signo y el garabato* (1973), *Los hijos del limo* (Seix Barral, Barcelona, 1974), *El mono gramático* (Seix Barral, Barcelona, 1974), *La búsqueda del comienzo (Escritos sobre el surrealismo)* (Fundamentos, Colección Espiral, 53, Madrid, 1974; otra ed., 1980), *El ogro filantrópico* (Seix Barral, Barcelona, 1979), *In/mediaciones* (Seix Barral, Barcelona, 1979). Y su notable interpretación de la vida y obra de sor Juana Inés de la Cruz en el contexto histórico e ideológico de su tiempo, *Sor Juana o las trampas de la fe* (Seix Barral, Barcelona, 1982). Asuntos de actualidad política y social del Viejo y del Nuevo Mundo son abordados por Paz en *Sombra de obras* (Seix Barral, Barcelona, 1983), *Hombres en su siglo* (Seix Barral, Barcelona, 1984) y *Tiempo nublado* (Seix Barral, Biblioteca Breve, Barcelona, 1985).

El ensayo de Paz ha sido objeto de detenida consideración por la crítica. Xirau [1970], Lemaitre [1976], Perdigó [1975] y Aguilar Mora [1978] han dedicado sendos libros a su estudio. Rodríguez Monegal [1974], Palau [1970], Valdivieso [1977] y Schrader [1978] han abordado diversos aspectos de su producción. Una crítica negativa de *El laberinto de la soledad* se debe a Blanco Aguinaga [1975]. Hugo Verani ha presentado una compilación de entrevistas o diálogos de importancia para el conocimiento del autor en *Pasión crítica* (Seix Barral, Biblioteca Breve, Barcelona, 1985).

Los ensayistas de la generación del 57 más destacados son H. R. Murena (1923-1975), Carlos Fuentes (1928), José Donoso (1925) y Guillermo Cabrera Infante (1929). Cada uno de ellos ha impuesto al género una peculiaridad que enraiza, por una parte, en sus tradiciones nacionales —Murena, Fuentes— y, por otra, encuentra nuevas perspectivas en el pensamiento y los acontecimientos contemporáneos propuestos en su contexto. H. R. Murena (1923-1975) nació en Buenos Aires y falleció en su ciudad natal el 6 de mayo de 1975. Discípulo reconocido de Martínez Estrada, dueño de la misma independencia de espíritu y coraje intelectual, fue también el incitador del «parricidio» simbólico de las grandes figuras, del mismo Martínez Estrada, Borges, Mallea y Marechal, en la hora aspirante de su generación. Fue ensayista, poeta y novelista. El mismo Murena precisa la perspectiva teórica de sus ensayos definiéndolos como mitos destinados a explicar el juego de fuerzas humanas y sobrehumanas que mantienen en actividad el mundo americano, intuiciones más que mesurados raciocinios y como prácticas «para el ejercicio de la contradicción conmigo mismo». El desarraigo originario de los americanos, la ausencia de Dios, la ausencia de trascendencia, nostalgia del paraíso como esencia del arte, el silencio como la omniabarcante realidad, son motivos fundamentales de su obra ensayística. Existencialismo y filosofía hermética ocupan un lugar importante en su especulación. Como ensayista es autor de *El pecado original de América* (Sur, Buenos Aires, 1954), *Homo atomicus* (Sur, Buenos Aires, 1961), *Ensayos sobre subversión* (Buenos Aires, 1962), *La cárcel de la mente* (Buenos Aires, 1971) y *La metáfora y lo sagrado* (Buenos Aires, 1973) y de varias novelas. Su obra narrativa comprende novelas ordenadas en dos trilogías: *Historia de un día*, compuesta de *La fatalidad de los cuerpos* (Sur, Buenos Aires, 1955), *Las leyes de la noche* (Sur, Buenos Aires, 1958) y *Los herederos de la promesa* (Sur, Buenos Aires, 1965); y *El sueño de la razón*, formada por *Epitalámica* (Sur, Buenos Aires, 1969), *Polispuercón* (Buenos Aires, 1970) y *Caína noche* (Buenos Aires, 1971). Dos libros de cuentos completan esta dimensión de su obra, *Primer testamento* (Buenos Aires, 1946), su primer libro, y *El centro del infierno* (Buenos Aires, 1956). Su obra poética consta de siete volúmenes, *La vida nueva* (1951), *El círculo de los paraísos* (1958), *El escándalo y el fuego* (1959), *Relámpagos de la duración* (1962), *El demonio de la armonía* (1965), *F. G. Un bárbaro entre la belleza* (1972) y su libro póstumo *El águila que desaparece* (1975). El estudio de la obra y la significación de Murena ha sido abordado por Rodríguez Monegal [1956], Enguídanos [1959], Martínez Palacio [1968], Aínsa [1972], Ayerbe-Chaux [1973], Ayala [1975], Jiménez [1976] y Lida [1977].

Carlos Fuentes (1928) une a sus virtudes narrativas las del ensayista de un variado campo de asuntos, que se concentran en la literatura y el arte contemporáneos, pero no ignoran los grandes temas y autores del pasado. Diversas perspectivas teóricas cuentan en su visión de las cosas, entre ellas principalmente el existencialismo y el estructuralismo. Es el discípulo de Octavio Paz y el continuador de las inquisiciones en relación a México y al mundo americano. Como su narrativa, su ensayo muestra los rasgos poéticos de ordenaciones verbales enumerativas y paralelísticas y el metaforismo certero o el imaginismo de formulaciones en torno a la novela y sus formas, el arte y la historia. Su obra ensayística comprende: *La nueva novela hispanoamericana* (Mortiz, México, 1969), *Casa con dos puertas* (Mortiz, México, 1970), *Tiempo mexicano* (Mortiz, México, 1971), *Cervantes o la crítica de la lectura* (Mortiz, México, 1976).

José Donoso (1925), entre los escritores de su generación (véase el capítulo 9 de este volumen), destaca por su ensayo *Historia personal del «boom»* (Anagrama, Barcelona, 1972; Seix Barral, Barcelona, 1983²), fino e irónico tratamiento de la expansión literaria y editorial experimentada por la novela hispanoamericana de los años sesenta, entre el primer premio Seix Barral y el caso Heberto Padilla que pone fin a la primera etapa cultural de la revolución cubana, en 1971. En edición reciente ha agregado un apéndice que mira al desintegramiento de aquel fenómeno. La perspectiva del enfoque es intuitiva y tiene el carácter de memorias literarias adobadas de comentarios ironizantes y descreídos de la significación última de la manoseada noción explosiva. Cortázar, García Márquez, Carlos Fuentes y Vargas Llosa, son vistos como el *gratin*, centro selecto del *boom*, mientras otros escritores, Carpentier, Rulfo, Onetti y Lezama, formarían el *proto-boom*, que los anticipa; en un nivel diferente, el grueso formado por un número crecido de escritores, como Roa Bastos, Puig, Salvador Garmendia, David Viñas y otros; y el *boom junior* de Sarduy, Pacheco, Bryce-Echenique, Sainz, Néstor Sánchez, Skármeta y otros. El autor, por cierto, es testigo cercano y parte indudable del *gratin*. Joset [1982] ha analizado con inteligencia el alcance de esta comprensión y de sus clasificaciones.

Guillermo Cabrera Infante (véase el capítulo 9 de este volumen) es otro de los destacados novelistas de esta generación que cultiva el ensayo con desenfado verbal y humor no extraño al carácter de su famosa novela *Tres tristes tigres*. Sus ensayos comprenden la crítica de cine *Un oficio del siglo XX* (Revolución, La Habana, 1963) y *Arcadia todas las noches* (Seix Barral, Barcelona, 1978), y los lúdicos y fragmentarios *O* (Seix Barral, Barcelona, 1975) y *Ejercicios de esti(l)o* (Seix Barral, Barcelona, 1976), que juegan con humor e ingenio irónico con los fastos de la cultura y trazan con actitud autobiográfica o memorialística —real o ficticia— episodios, lecturas, hechos contemporáneos. El juego verbal ocupa un lugar relevante en sus páginas.

En la generación más joven destacan, otra vez, dos ensayistas que son notables narradores, Mario Vargas Llosa y Severo Sarduy (véase el capítulo 10 de este volumen). Los ensayos del primero se enderezan fundamentalmente a la novela en relación a cuyo arte narrativo ha puesto en circulación términos como *vasos comunicantes*, *cajas chinas*, *muda o salto cualitativo* y otros relacionados con la psicología de la creación, como las *obsesiones* y *demonios* del escritor, en la comprensión de las motivaciones personales, y la de *elemento añadido*, en el de la producción. Varios ensayos tratan de la concepción de la *novela total,* de la significación de la novela de caballerías y sobre todo de su expresión tardía —*Tirant lo Blanc* de Joan Martorell— como expresión de la fusión de lo fantástico con la realidad cotidiana, que para en la noción de *novela total.* Sus ensayos comprenden: *García Márquez: historia de un deicidio* (Seix Barral, Barcelona, 1971), *La historia secreta de una novela* (Tusquets, Barcelona, 1971), *La orgía perpetua* (Seix Barral, Barcelona, 1975), *Entre Sartre y Camus* (Huracán, San Juan, Puerto Rico, 1981), *Contra viento y marea, 1962-1982* (Seix Barral, Biblioteca Breve, 634, Barcelona, 1983). Sobre el ensayo de Vargas Llosa y sus nociones literarias ha escrito Pereira [1981] un libro ordenador y de cuidadoso análisis. Cordua [1982] analiza la opinión del autor sobre Sartre y Camus.

Severo Sarduy, el narrador cubano, es el más avezado ensayista en el manejo de las perspectivas analíticas del estructuralismo y del postestructuralismo. Discípulo de Roland Barthes, estudioso del arte, cine y literatura, ha abordado la expresión americana y oriental con igual destreza. Su noción del barroco y sus cosmologías, del barroco hispanoamericano y del neobarroco contemporáneo se afirman en un cotejo de las semejanzas de dos estilos en los cuales las visiones del mundo y los determinantes estilísticos son, a grandes rasgos, semejantes, pero extremadamente diferentes en concreto. Sus ensayos comprenden: *Escrito sobre un cuerpo* (Sudamericana, Buenos Aires, 1968), *Barroco* (Sudamericana, Buenos Aires, 1974), sobre el que escribe Romero [1980], y *La simulación* (Monte Ávila, Caracas, 1982).

BIBLIOGRAFÍA

Abellán, José L., *La idea de América: origen y evolución*, Ediciones Istmo, Madrid, 1972.

Adam, Carlos, *Bibliografía y documentos de Ezequiel Martínez Estrada*, Universidad Nacional de La Plata, La Plata, 1968.

Aguilar Mora, Jorge, *La divina pareja: historia y mito*, Ediciones Era, México, 1978.

Ainsa Amiguez, Fernando, «La tierra diabólica de H. A. Murena», *Revista Nacional de Cultura*, 262 (1972), pp. 10-18.

Alazraki, Jaime, «Tres formas del ensayo contemporáneo: Borges, Paz, Cortázar», *Revista Iberoamericana*, 118-119 (1982), pp. 9-20.

Álvarez, Nicolás E., *La obra literaria de Jorge Mañach*, The Catholic University of America (Studia Humanitatis), Washington, 1981.

Anderson Imbert, Enrique, «Martínez Estrada en 1926», *Sur*, 295 (1965), pp. 49-54; reimpreso en *Estudios sobre letras hispánicas*, Libros de México, México, 1974, pp. 397-402.

Ara, Guillermo, «Martínez Estrada: intuición y riesgo», *Atenea*, 411 (1966), pp. 115-123.

Arico, J., ed., *Mariátegui y los orígenes del marxismo latinoamericano*, Siglo XXI, México, 1978.

Ayala, Francisco, «La nación argentina de Eduardo Mallea», *Histrionismo y representación*, Sudamericana, Buenos Aires, 1944, pp. 213-226; reimpreso en *Confrontaciones*, Seix Barral, Barcelona, 1972, pp. 298-306.

—, «Ezequiel Martínez Estrada. *Sarmiento*», *Sur*, 150 (1947), pp. 72-74; reimpreso como «El *Sarmiento* de Martínez Estrada», *Confrontaciones,* Seix Barral, Barcelona, 1972, pp. 307-310.

—, «Murena», *Ínsula*, 346 (1975), p. 7.

Ayerbe-Chaux, Reinaldo, «Aspectos de la temática de Héctor A. Murena», *Symposium,* 27 (1973), pp. 293-302.

Azzario, Esther, *La prosa autobiográfica de Mariano Picón Salas*, Equinoccio, Ediciones de la Universidad Simón Bolívar (Colección Rescate), Caracas, 1980.

Baines, John W., *Revolution in Peru: Mariátegui and the Myth*, University of Alabama Press, 1972.

Bastos, María Luisa, «Escrituras ajenas, expresión propia: *Sur* y los *Testimonios* de Victoria Ocampo», *Revista Iberoamericana,* 110-111 (1980), pp. 123-137.

Bataillon, Marcel, «Sur l'essence de l'Argentine», *Annales*, 3 (1948), pp. 439-531.

Bazán, Armando, *Biografía de José Carlos Mariátegui*, Zig-Zag, Santiago de Chile, 1939.

—, *Mariátegui y su tiempo*, Amauta, Lima, 1969.

Becco, Horacio Jorge, «Cronología y bibliografía de Ezequiel Martínez Estrada», en E. Martínez Estrada, *Las invariantes históricas en el Facundo*, Casa Pardo, Buenos Aires, 1974, pp. 83-90.

—, *Contribución para una bibliografía de las ideas latinoamericanas*, UNESCO, París, 1981.

Bietti, Óscar, «Prólogo» a *Ezequiel Martínez Estrada*, Ediciones Culturales Argentinas, Buenos Aires, 1978, pp. 9-58.

Blanco Aguinaga, Carlos, «El laberinto fabricado por Octavio Paz», *De mitólogos y novelistas*, Turner, Madrid, 1975, pp. 5-25.

Borello, Rodolfo A., «El ensayo moderno: Martínez Estrada», *La historia de la literatura argentina*, CEAL, Buenos Aires, 1967-1968, capítulo 44.

Brown, Gerardo, *Introducción al ensayo hispanoamericano*, Nueva York, 1968.

Campa, Ricardo, *Antologia del pensiero politico latino-americano dalla colonia alla seconda guerra mondiale*, Laterza, Bari, 1970.

Canal Feijoo, Bernardo, «Radiografías fatídicas», *Sur*, 37 (1937), pp. 63-77.

Carballo, Emmanuel, «Tres radiografías de Martínez Estrada», *Casa de las Américas*, 33 (1965), pp. 38-49.

Carnero Checa, Genaro, *La acción escrita: José Carlos Mariátegui, periodista. Ensayo*, Lima, 1964.
Carrión, Benjamín, «Prólogo» a J. C. Mariátegui, *Antología*, Costa-Amic, México, 1966.
—, *José Carlos Mariátegui: el precursor, el anticipador, el suscitador*, México, 1976.
Clemente, José Edmundo, *El ensayo*, Ediciones Culturales Argentinas (Colección Antologías), Buenos Aires, 1961.
Coleman, Alexander, «Martí y Martínez Estrada: historia de una simbiosis espiritual», *Revista Iberoamericana*, 92-93 (1975), pp. 629-645.
Cordua, Carla, «Sartre y Camus en la opinión de Vargas Llosa», *Sin Nombre*, 7:4 (1982), pp. 72-78.
Crawford, William R., *A Century of Latin American Thought*, Harvard University Press, Cambridge, 1961; 1944[1].
Cúneo, Dardo, «Martínez Estrada, *Martín Fierro* y la Argentina», *Cuadernos Americanos*, 8:4 (1949), pp. 210-217; reimpreso en *Aventura y letra de América latina*, Ministerio de Cultura y Educación, Buenos Aires, 1964.
Cvitanovic, Dinko, «Las formulaciones dualistas en el ensayo argentino: Sarmiento, Martínez Estrada, Mallea», *Criterio* (1977), pp. 326-333.
Chang-Rodríguez, E., *Poética e ideología en José Carlos Mariátegui*, Cultura Hispánica, ICI, Madrid, 1983.
Chavarría, Jesús, *José Carlos Mariátegui and the rise of modern Peru, 1890-1930*, University of New Mexico Press, Albuquerque, 1979.
Davis, Harold E., *Latin American Thought. A Historical Introduction*, Baton Rouge, 1972.
Díaz Seijas, Pedro, *La novela y el ensayo en Venezuela*, Caracas, 1972.
Earle, Peter G., «El ensayo hispanoamericano como experiencia literaria», en Kurt L. Levy y Keith Ellis, *El ensayo y la crítica literaria en Iberoamérica*, Universidad de Toronto, Toronto, 1970, pp. 23-32.
—, *Prophet in the Wilderness. The Works of Ezequiel Martínez Estrada*, University of Texas Press, Austin/Londres, 1971.
—, «On the Contemporary Displacement of the Hispanic American Essay», *Hispanic Review*, 44:2 (1978), pp. 329-341.
—, y R. G. Mead Jr., eds., *Historia del ensayo hispanoamericano*, De Andrea, México, 1973.
Echeverría, Israel, «Don Ezequiel Martínez Estrada en Cuba: contribución a su biobibliografía», *Revista de la Biblioteca Nacional*, 10:2 (La Habana, 1968), pp. 113-165.
Enguídanos, Miguel, «La voz de H. A. Murena», *Revista Hispánica Moderna*, 25 (1959), pp. 329-331.
Feijoo, Samuel, «Para un epistolario cubano de don Ezequiel Martínez Estrada», *Islas*, 7:2 (1965), pp. 69-83.
Fernández Moreno, César, «Martínez Estrada frente a la Argentina», *Mundo Nuevo*, 1 (1966), pp. 37-47.
Fernández Retamar, Roberto, «Martínez Estrada: razón de homenaje», *Casa de las Américas*, 33 (1965), pp. 5-14; reimpreso en *Ensayo de otro mundo*, Universitaria, Santiago de Chile, 1969, pp. 93-109.

Ferrándiz Albor, Francisco. «*Historia de una pasión argentina*», *Cuadernos Americanos* (1961), pp. 231-248.
Feustle, Jr., J. A., «El concepto del tiempo en el ensayo de Ezequiel Martínez Estrada», *Cuadernos Hispanoamericanos*, 261 (1972), pp. 583-591.
—, «Sarmiento and Martínez Estrada: a concept of Argentine history», *Hispania*, 55 (1972), pp. 446-455.
Filer, Malva E., «Eduardo Mallea y Miguel de Unamuno», *Cuadernos Hispanoamericanos*, 221 (1968), pp. 369-382.
Finlayson, Clarence, «El ensayo en Hispanoamérica», *Repertorio Americano*, 10 (1945).
Flint, J. M., «A basic concept in the ideology of Eduardo Mallea», *Iberoromania*, 3 (1971), pp. 341-347.
Flores, Ángel, *Bibliografía de escritores hispanoamericanos, 1609-1974*, Las Américas, Nueva York, 1975.
Foster, David William, «Bibliography of the writings by and about Victoria Ocampo (1890-1979)», *Revista Interamericana de Bibliografía*, 30:1 (1980), pp. 51-58.
—, *Para una lectura semiótica del ensayo latinoamericano*, The Catholic University of America (Studia Humanitatis), Washington, 1982.
Gaos, José, «Significación filosófica del pensamiento hispanoamericano», *Cuadernos Americanos*, 1 (1943), pp. 63-86.
—, *El pensamiento hispanoamericano*, El Colegio de México, México, 1944.
—, *Antología del pensamiento en lengua española en la edad contemporánea*, México, 1945.
Génevois, Danièle, y B. Le Gonidec, *Aspects de la pensée hispano-américaine, 1898-1930*, Centre d'Études Hispaniques et Hispano-Américaines, Rennes, 1974.
Ghiano, Juan Carlos, *Relecturas argentinas*, Mar de Solís, Buenos Aires, 1968.
Gómez Martínez, José Luis, «El ensayo como género literario: estudio de sus características», *Ábside* (1976), pp. 3-39.
González, Manuel Pedro, «Reflexiones en torno a Ezequiel Martínez Estrada», *Casa de las Américas*, 33 (1965), pp. 55-62.
González Lanuza, Eduardo, «Octavio Paz, ensayista», *Revista de Occidente*, 88 (1970), pp. 100-112.
Hamilton, Carlos D., *El ensayo hispanoamericano*, Ediciones Iberoamericanas, Madrid, 1972.
Horl, Sabine, *Der Essay als literarische Gattung in Lateinamerika. Eine Bibliographie*, Verlag Peter D. Lang, Frankfurt del Main, 1980.
Jiménez, José Olivio, «H. A. Murena (1923-1975): necrología», *Revista Iberoamericana*, 95 (1976), pp. 275-284.
Joset, Jacques, «El imposible *boom* de José Donoso», *Revista Iberoamericana*, 118-119 (1982), pp. 91-101.
King, Lloyd, «The mystical connotations of *la otredad* in the essays of Octavio Paz», *Romance Notes*, 12 (1970), pp. 45-49.
Kossok, Manfred, *José Carlos Mariátegui y el desarrollo del pensamiento marxista en el Perú*, Ediciones Ensayos, Lima, 1967.
Latcham, Ricardo A., *et al.*, *El criollismo*, Universitaria, Santiago de Chile, 1956.
Lemaitre, Monique J., *Octavio Paz: poesía y poética*, UNAM, México, 1976.

Levy, Kurt L., y Keith Ellis, eds., *El ensayo y la crítica literaria en Iberoamérica*, Universidad de Toronto, Toronto, 1970.
Lida, Raimundo, «Dos o tres Murenas: cartas, recuerdos, relecturas», *Eco*, 183 (1977), pp. 24-32.
Lisazo, Félix, *Ensayistas contemporáneos, 1900-1920*, Editorial Trópico, La Habana, 1938.
Maharg, James, *A Call to Authenticity: The Essays of Ezequiel Martínez Estrada*, 1977.
Marías, Julián, «Eduardo Mallea y la literatura hispanoamericana», *Ínsula*, 286 (1970), p. 1.
Marichal, Juan A., *Cuatro fases de la historia intelectual latinoamericana, 1810-1970*, Fundación Juan March/Cátedra, Madrid, 1978.
Martínez, José Luis, ed., *El ensayo mexicano moderno*, Fondo de Cultura Económica (Letras Mexicanas, 39 y 40), México, 1958, 2 vols.
Martínez Palacio, Javier, «La obra del argentino H. A. Murena», *Ínsula*, 226 (1968), pp. 4, 10.
Mead, Robert G., *Breve historia del ensayo hispanoamericano*, De Andrea, México, 1956.
—, «Bibliografía crítica de J. C. Mariátegui», *Revista Hispánica Moderna*, 27:1 (1961), pp. 138-142.
Mejía Sánchez, Ernesto, «El ensayo sobre el ensayo hispanoamericano», en Kurt L. Levy, y Keith Ellis, *El ensayo y la crítica literaria en Iberoamérica*, Universidad de Toronto, Toronto, 1970, pp. 17-22.
—, y P. Guillén, eds., *El ensayo actual latinoamericano*, México, 1971.
Melis, Antonio, «El debate sobre Mariátegui: resultados y problemas», *Revista de Crítica Literaria Latinoamericana*, 2:4 (1976), pp. 123-132.
Meseguer Illán, Diego, *José Carlos Mariátegui y su pensamiento revolucionario*, Instituto de Estudios Peruanos, Lima, 1974.
Meyer, Doris, *Victoria Ocampo against the wind and the tide*, George Braziller, Nueva York, 1979.
Mignolo, Walter D., «Discurso ensayístico y tipología textual», *Textos, modelos y metáforas*, Universidad Veracruzana (Cuadernos del Centro de Investigaciones Lingüístico-Literarias, 16), Xalapa, 1984, pp. 209-222.
Molina, Alfonso, ed., *Antología del ensayo revolucionario de América Latina*, Nueva York, 1974.
Moretic, Yerko, *José Carlos Mariátegui: su vida e ideario, su concepción del realismo*, Universidad Técnica del Estado, Santiago de Chile, 1970.
Morsella, Astur, *Martínez Estrada*, Plus Ultra, Buenos Aires, 1973.
Mosquera, Ricardo, «Martínez Estrada en la lucha por una Argentina contemporánea», en *Homenaje a Ezequiel Martínez Estrada*, Universidad Nacional del Sur, Bahía Blanca, 1968, pp. 5-19.
Murena, Héctor A., «La lección de los desposeídos», en *El pecado original de América*, Sur, Buenos Aires, 1954, pp. 105-129.
Núñez, Estuardo, «Proceso y teoría del ensayo», *Revista Hispánica Moderna*, 31:1-4 (1965), pp. 357-364.
—, *La experiencia europea de José Carlos Mariátegui y otros ensayos*, Amauta, Lima, 1978.
Omil, Alba, *Frente y perfil de Victoria Ocampo*, Sur, Buenos Aires, 1980.

Orgambide, Pedro, *Radiografía de Martínez Estrada*, CEAL (La historia popular/ Vida y milagros de nuestro pueblo, 7), Buenos Aires, 1970.

Palau, Joseph, «El espacio como preocupación trascendental y artística en el ensayo de Paz y la narrativa de Cortázar», en K. L. Levy, y K. Ellis, eds., *El ensayo y la crítica en Iberoamérica*, Universidad de Toronto, Toronto, 1970, pp. 131-136.

Paris, Robert, «Introduction» a J. C. Mariátegui, *Sept essais d'interprétation de la réalité péruvienne*, París, 1968.

—, *et al.*, *El marxismo latinoamericano de Mariátegui*, Ediciones de Crisis, Buenos Aires, 1973.

Perdigó, Luisa M., *La estética de Octavio Paz*, Playor, Madrid, 1975.

Pereira, Armando, *La concepción literaria de Mario Vargas Llosa*, UNAM, México, 1981.

Posada Zárate, Francisco, *Los orígenes del pensamiento marxista en Latinoamérica: política y cultura en José Carlos Mariátegui*, Editorial Ciencia Nueva, Madrid, 1968.

Prado, Jorge del, *Mariátegui y su obra*, Nuevo Horizonte, Lima, 1946.

Prieto, Adolfo, *La literatura autobiográfica argentina*, Jorge Álvarez, Buenos Aires, 1962.

—, «Martínez Estrada. El narrador y el lenguaje del mito», *Estudios de literatura argentina*, Galerna, Buenos Aires, 1969, pp. 131-156.

Prior, Aldo, «Después de Martínez Estrada», *Sur*, 293 (1965), pp. 32-43.

—, «Bibliografía de Martínez Estrada», *Sur*, 295 (1965), pp. 73-78.

Pucciarelli, Eugenio, «La imagen de la Argentina en la obra de Martínez Estrada», *Sur*, 295 (1965), pp. 34-48.

Quijano, Aníbal, «Prólogo» a J. C. Mariátegui, *Siete ensayos de interpretación de la realidad peruana*, Ayacucho (Biblioteca Ayacucho, 69), Caracas, 1979.

Real de Azúa, Carlos, *Antología del ensayo uruguayo contemporáneo*, Universidad de la República (Letras Nacionales, 5), Montevideo, 1964.

Rest, Jaime, «El *Sarmiento* de Martínez Estrada: un ensayo de autobiografía», *Sur*, 295 (1965), pp. 60-72.

Ripoll, Carlos, ed., *Conciencia intelectual de América: Antología del ensayo hispanoamericano*, Eliseo Torres, Nueva York, 1974.

Rodríguez Monegal, E., *El juicio de los parricidas*, Deucalión, Buenos Aires, 1956.

—, *Literatura uruguaya del medio siglo*, Alfa, Montevideo, 1966.

—, «El *Martín Fierro* en Borges y Martínez Estrada», *Revista Iberoamericana*, 87-88 (1974), pp. 287-302.

—, «Borges and Paz: toward a dialogue of critical texts», en I. Ivask, ed., *The Perpetual Present. The Poetry and Prose of Octavio Paz*, University of Oklahoma Press, Norman, 1973, pp. 45-52; reimpreso en «Borges y Paz: un diálogo de textos críticos», *Revista Iberoamericana*, 89 (1974), pp. 567-593.

Romanell, Patrick, *Making of the Mexican Mind: a Study in Recent Mexican Thought*, Lincoln, Nebraska, 1952.

Romero, Armando, «Hacia una lectura de *Barroco*, de Severo Sarduy», *Revista Iberoamericana*, 112-113 (1980), pp. 563-569.

Romero, Emilio, *et al.*, *7 ensayos: 50 años en la historia*, Amauta, Lima, 1979.

Romero, Francisco, «Eduardo Mallea: nuevo discurso del método», en E. Mallea, *Historia de una pasión argentina*, Sur, Buenos Aires, 1937; otra ed., Editorial Sudamericana, Buenos Aires, 1981, pp. 7-12; reimpreso en *El hombre y la cultura*, Espasa-Calpe, Buenos Aires, 1950, pp. 113-119.

Romero, José Luis, «Martínez Estrada, un renovador de la exégesis sarmientina», *Cuadernos Americanos*, 33:3 (1947), pp. 197-204.

Rouillon, Guillermo, «Biobibliografía de Juan Carlos Mariátegui», *Boletín Bibliográfico. Universidad Mayor de San Marcos*, 25 (1952), pp. 102-112.

—, *Biobibliografía de José Carlos Mariátegui*, Librería Mejía, Lima, 1963.

—, *La creación heroica de José Carlos Mariátegui*. I: *La edad de piedra, 1894-1919*, Ediciones Arica, Lima, 1975.

Ruiz, Jorge E., y J. G. Cobo Borda, *Ensayistas colombianos del siglo XX*, Bogotá, 1975.

Sacoto, Antonio, *El indio en el ensayo de la América Española*, Nueva York, 1971; 1967[1]; otra ed., Casa de la Cultura Ecuatoriana, Quito, 1981.

San Juan, Pilar A., *El ensayo hispánico. Estudio y antología*, Gredos, Madrid, 1954.

Schrader, Ludwig, «Reconquista del pasado: el ensayo de Octavio Paz sobre Sor Juana Inés de la Cruz», *Iberoromania*, 7 (1978), pp. 44-49.

Schultz de Mantovani, Fryda, *Ensayo sobre el ensayo*, Universidad Nacional del Sur, Bahía Blanca, 1967.

Schwartzmann, Félix, *El sentimiento de lo humano en América*, Universidad de Chile, Santiago de Chile, 1953, 2 vols.

Sebreli, Juan José, *Martínez Estrada: una rebelión inútil*, Palestra (Colección Agramante), Buenos Aires, 1960.

Skirius, J., ed., *El ensayo hispanoamericano del siglo XX*, Fondo de Cultura Económica, México, 1981.

Soto, Luis Emilio, «Eduardo Mallea y su visión de la Argentina invisible», *Crítica y estimación*, Sur, Buenos Aires, 1938, pp. 81-93.

Stabb, Martin S., «Martínez Estrada frente a la crítica», *Revista Iberoamericana*, 61 (1966), pp. 77-84.

—, «Martínez Estrada: the formative writings», *Hispania*, 49:1 (1966), pp. 54-60.

—, *In quest of identity: Patterns in the Spanish American Essay of Ideas, 1890-1960*, Chapel Hill, 1967; trad. cast., *América Latina en busca de su identidad*, Monte Ávila, Caracas, 1969.

Sucre, Guillermo, «Lezama Lima: el logos de la imaginación», *Revista Iberoamericana*, 92-93 (1975), pp. 493-495.

Torre, Guillermo de, «El ensayo americano y algunos ensayistas», *Tres conceptos de la literatura hispanoamericana*, Losada, Buenos Aires, 1963.

Tovar, Antonio, «Interpretación de la Argentina en el escritor Martínez Estrada», *Revista de Estudios Políticos*, 49 (1950), pp. 219-253.

Turinetti, Beatriz T., *Contribución a la bibliografía de Victoria Ocampo*, Universidad de Buenos Aires, Buenos Aires, 1962.

Valdivieso, Jorge H., «El ensayo de Octavio Paz y la generación del 98», *Los ensayistas*, 2:3 (1977), pp. 21-25.

Vanden, Harry E., *Mariátegui. Influencias en su formación ideológica*, Amauta, Lima, 1975.

—, «Mariátegui: marxism, comunism and other bibliographic notes», *Latin American Research Review*, 14:3 (1979), pp. 61-86.
Vásquez, Alberto M., ed., *El ensayo en Hispanoamérica*, Nueva Orleans, 1972.
Victoria, Marcos, *Un coloquio sobre Victoria Ocampo*, Futura, Buenos Aires, 1934; Fariña, Buenos Aires, 1963[2].
Villegas, Abelardo, *Panorama de la filosofía iberoamericana actual*, Buenos Aires, 1963.
Viñas, David, *Literatura argentina y realidad política: de Sarmiento a Cortázar*, Siglo Veinte, Buenos Aires, 1971.
Vitier, Medardo, *Del ensayo hispanoamericano*, Fondo de Cultura Económica (Tierra Firme), México, 1945.
Wiesse, María, *Juan Carlos Mariátegui: etapas de su vida*, Lima, 1945.
Xirau, Ramón, *El sentido de la palabra*, Mortiz, México, 1970.
Yamuni Tabush, Vera, *Conceptos e imágenes de pensadores en lengua española*, UNAM, México, 1951.
Zea, Leopoldo, *América en su historia*, UNAM, México, 1967.
—, *Dependencia y liberación en la cultura latinoamericana*, Joaquín Mortiz, México, 1974.
—, *El pensamiento latinoamericano*, Ariel, México, 1976.
—, y A. Villegas, eds., *Antología del pensamiento social y político de América Latina*, Unión Panamericana, Washington, 1964.
Zum Felde, Alberto, *Índice crítico de la literatura hispanoamericana*. I: *Los ensayistas*, Guarania, México, 1954.

Félix Schwartzmann

LA IDEA DE ACCIÓN EN MARIÁTEGUI

Evoquemos la imagen de José Carlos Mariátegui, cuya voluntad revolucionaria se caracterizó por un querer interiorizar la acción y por la «religiosidad» propia de su manera de concebirla. Digamos, deteniéndonos en lo positivo, cómo no es un azar que uno de los hombres que más hondamente percibió el designio cultural revolucionario que alienta en el americano —y ello en gran medida como marxista—, haya librado tan fervorosa lucha contra la exterioridad del hacer. [...]

No vamos a discutir aquí la objetividad de sus fervores; nos importa, en cambio, comprender cómo siempre concebía y experimentaba la acción revolucionaria como religiosidad de lo humano. Podría decirse que en su obra se interfieren dos direcciones teóricas: la que proviene del marxismo, cerrada, sistemática, y la que estimula retrospectivamente la mística milenaria del hombre del ayllu. Mas, no es sólo eso: junto a su esquematismo conceptual se esfuerza por destacar el hecho del curso viviente de lo íntimo que corre animando los actos. Su concepción —difusamente expresada— de lo religioso, nos informa acerca de un aspecto de la aparente duplicidad de las conexiones de sentido por él establecidas; aparente, porque es el amor al hombre la disposición básica que verdaderamente crea su perspectiva sistemática, y no a la inversa. «La revolución más que una idea —dice— es un sentimiento, más que un concepto es una pasión. Para comprenderla se necesita una espontánea actitud espiritual, una especial capacidad psicológica». Y, más adelante, se pregunta: «¿Acaso la emoción revo-

Félix Schwartzmann, *El sentimiento de lo humano en América*, Universidad de Chile, Santiago de Chile, 1953, vol. II, pp. 200-207.

lucionaria no es una emoción religiosa?». Es, pues, la afirmación del valor humano en sí mismo lo que opera aquí la aparente duplicidad entre determinaciones impersonales y un imperativo de plenitud individual; y haríamos mal viendo una pura metáfora en la asimilación de lo revolucionario a lo religioso que Mariátegui hace explícitamente.

Él piensa, por tanto, que se han superado los tiempos de la estéril crítica librepensadora de lo religioso, ejercitada en favor de lo laico y racionalista. Por eso, al analizar dicho problema en el Perú, sostiene: «El concepto de religión ha crecido en extensión y profundidad. No reduce ya la religión a una iglesia y a un rito. Y reconoce a las instituciones y sentimientos religiosos una significación muy diversa de la que ingenuamente le atribuían, con radicalismo incandescente, gentes que identificaban religiosidad y oscurantismo». Pero, la ampliación del concepto de lo religioso no le impide ver en la trayectoria de la religiosidad incaica justamente un proceso de decadencia de la forma íntima de su contenido, desprovista ya de poder espiritual para resistir el evangelio. La identificación de lo social y religioso confiere a lo inca su peculiar destino. Con el debilitamiento del estado incaico muere el espíritu religioso, pues éste constituía una disciplina colectiva antes que una forma de personal autodominio. Por lo que Mariátegui concluye que el mismo golpe hiere de muerte a la teogonía y la teocracia, no conservándose más que los ritos agrarios y el sentir panteísta. Orientada la religiosidad hacia el estado, la salvación individual marcha unida al mantenimiento de las organizaciones colectivas, y la disolución de la experiencia religiosa presenta entonces síntomas típicos.

El análisis del proceso «natural» de interior aniquilamiento de la religiosidad del indio peruano lleva a Mariátegui a concluir que «la evangelización, la catequización, nunca llegaron a consumarse en su sentido profundo, por esta misma falta de resistencia indígena». Así, también, resulta que la «pasividad con que los indios se dejaron catequizar, sin comprender el catecismo, enflaqueció espiritualmente al catolicismo en el Perú». Por otra parte, el «mimetismo», la facultad de adaptación, la transigencia del indio, le parece que encarnan su fuerza y su debilidad. Porque a su juicio —como para Unamuno a quien José Carlos cita en este mismo sentido— el espíritu religioso adquiere su temple en el combate y la agonía.

Las consideraciones precedentes, que sólo nos interesan en cuanto permiten penetrar en el pensamiento religioso de Mariátegui, pueden contribuir también a la comprensión del orden de experiencia íntima en que se fundaba su idea de lo mítico concebido como fuerza revolucionaria o de la revolución como mito. Dice, a este respecto: «El pensamiento racionalista del siglo XIX pretendía resolver la religión en la filosofía. Más realista el pragmatismo ha sabido reconocer al sentimiento religioso el lugar del cual la filosofía ochocentista se imaginaba vanidosamente desalojarlo. Y, como lo anuncia Sorel, la experiencia histórica de los últimos lustros ha comprobado que los actuales mitos revolucionarios o sociales pueden ocupar la conciencia profunda de los hombres con la misma plenitud que los antiguos mitos religiosos».

Sin ahondar en la estirpe soreliana de sus reflexiones, ensayemos una fugaz indagación en torno a la idea del hombre que anima sus consideraciones sobre el problema del indio, las cuales, por otra parte, son ajenas por entero al llamado «populismo» ruso, ideología que se caracterizó por la esperanza de un socialismo realizado prescindiendo del proletariado y bajo la dirección de los intelectuales y la comunidad campesina. Juzgar las interpretaciones de Mariátegui como extravíos doctrinarios es empobrecer y velar aquello que las hace valiosas. Su peculiaridad de revolucionario americano se manifiesta justamente en la original integración de elementos teóricos y sentimientos en apariencia cualitativamente disímiles. Considerar como desviaciones lo que hace de Mariátegui un revolucionario singular, vale tanto como no comprender su significado en la historia americana y, particularmente, el sentido de su ideal de lo humano. Pues podemos hablar de su ideal del hombre, aun cuando él rechace cualquier «solución pedagógica» del problema; pedagógica, humanitarista o racial. En efecto, a pesar de proclamar su fervorosa admiración por el padre Las Casas, declara superados los puntos de vista humanitarios, filantrópicos o étnicos, a favor del planteamiento económico. Junto al derecho a la educación, la cultura, el amor y el cielo —piensa— debe reivindicarse el derecho del indio a la tierra. Ahora, sin sutilezas, descubrimos un punto por donde la referencia a ciertas «experiencias humanas» nos deja ver un criterio muy significativo, tocante a la historicidad de lo humano. [...]

En cuanto el relativismo histórico de Mariátegui se fundamenta en el análisis de la legitimidad de ciertas experiencias humanas en las que se revelan sentimientos correlativos de libertad, lleva implícita una idea del hombre que, de alguna manera, durante un corto trecho, es paralela a nuestra búsqueda orientada hacia el conocimiento de cómo vive el americano la libertad. Pero, sobre todo, el reducir la rica variedad de formas de libertad a la dependencia de un núcleo de experiencias íntimas, es lo característico del nivel espiritual de interiorización propio de la idea de la acción en Mariátegui. Juzgamos, pues, necesario recordar el texto correspondiente: «El comunismo moderno es una cosa distinta del comunismo incaico. Esto es lo primero que necesita aprender y entender el hombre de estudio que explora el Tawantinsuyo. Uno y otro comunismo son un producto de diferentes experiencias humanas. Pertenecen a distintas épocas históricas. Constituyen la elaboración de disímiles civilizaciones. La de los incas fue una civilización agraria. La de Marx y Sorel es una civilización industrial. En aquélla, el hombre se sometía a la naturaleza. En ésta, la naturaleza se somete a veces al hombre. Es absurdo, por ende, confrontar las formas y las instituciones de uno y otro comunismo. Lo único que puede confrontarse es su incorpórea semejanza esencial, dentro de la diferencia esencial y material de tiempo y de espacio. Y para esta confrontación hace falta un poco de relativismo histórico» [*Siete ensayos*, «El problema de la tierra»].

Fiel a su criterio hermenéutico, considera la libertad individual un fenómeno propio del liberalismo o una adquisición del espíritu de la edad moderna y de nuestra civilización. El hombre del Tawantinsuyo o, si se quiere, la vida incaica, no experimentaba la necesidad de libertad individual: «Si el espíritu de la libertad —escribe— se reveló al quechua fue sin duda en una fórmula o, más bien, en una emoción diferente de la fórmula liberal, jacobina e individualista de la libertad. La revelación de la libertad, como la revelación de Dios, varía con las edades, los pueblos y los climas. Consustanciar la idea abstracta de la libertad con las imágenes concretas de una libertad con gorro frigio —hija del protestantismo y del renacimiento y de la revolución francesa— es dejarse coger por una ilusión que depende tal vez de un mero, aunque no desinteresado, astigmatismo filosófico de la burguesía y su democracia». Y siguiendo la huella de las cambiantes experiencias de lo individual, sostiene que no debe identificarse históricamente el comunismo con la libertad personal y las distintas formas en que encarnan los ideales democráticos, ya que no siempre en el pasado fueron antagónicos autocracia y comunismo.

La unidad de teocracia y despotismo júzgala, además, como una característica común a las sociedades antiguas, que también se manifestó en el mundo inca como unidad originada en un peculiar sentimiento religioso. Por eso, para Mariátegui, la separación entre el poder temporal y el espiritual constituye una nueva forma de tensión colectiva. Todo lo cual le hace aparecer como necesario singularizar los rasgos propios de las distintas tiranías rehuyendo, al hacerlo, toda referencia a ellas puramente abstracta, y tendiendo, más bien, a destacar su carácter concreto, aquello que al aherrojar la voluntad de un pueblo e inhibir sus impulsos vitales las caracteriza como tales tiranías: «Muchas veces, en la antigüedad, un régimen absolutista y teocrático ha encarnado y representado, por el contrario, esa voluntad y ese impulso. Este parece haber sido el caso del imperio incaico. No creo en la obra taumatúrgica de los incas. Juzgo evidente su capacidad política; pero juzgo no menos evidente que su obra consistió en construir el Imperio con los materiales humanos y los elementos morales allegados por los siglos. El ayllu —la comunidad— fue la célula del Imperio. Los incas hicieron la unidad, inventaron el Imperio; pero no crearon la célula».

Resultaría estéril toda digresión en torno a si las anteriores consideraciones de Mariátegui concuerdan o no con el marxismo ortodoxo. [Al describir las formas del «actuar» del americano —siempre correlativas a un determinado sentimiento de la libertad— encontramos en ellas dos rasgos característicos: peculiaridades del obrar engendradas en un particular sentimiento de lo humano y el comportamiento designado como exterioridad de la acción.] Creemos ver manifestarse en Mariátegui un poderoso impulso y anhelo de condicionar los cambios sociales a nuestra verdadera experiencia de la libertad. Su penetrante intuición del alma indígena, al captarla en sí misma, en su íntima racionalidad, le llevó a comprender que «el indio no se ha sentido nunca menos libre que cuando se ha sentido solo». Y no es lícito ver en ello *simpatía* que suponga o encubra un descenso a una afirmación de muerta autoctonía, sino, cabalmente, la certera observación de un hecho. (Desde luego tampoco cae Mariátegui en romántico indigenismo al analizar lo peruano en Garcilaso.) Por eso, en el hecho de experimentar la revolución como *mito*, alienta una referencia hacia sentimientos humanos que, por velar un deseo de identificarse con el todo, poseen un contenido «religioso». La fuerza que mueve las revoluciones «es una fuerza religiosa, mística, espiritual», dirá Mariátegui.

La idea de la individualidad implica, pues, en él, la conquista del temple personal en la subordinación creadora a la comunidad. Lo cual aparece muy claramente en su interpretación de la poesía de César Vallejo. Cree ver en el poeta de *Los heraldos negros* una actitud de tristeza, nostalgia y pesimismo animados de ternura y caridad, cree ver que su angustia no es personal, sino la congoja de «todos los hombres». Columbra en este arte una nueva sensibilidad, donde la queja narcisista es apagada por una piedad humana que hace al poeta sentirse responsable del dolor de los otros. Mariátegui rastrea dicha austeridad hasta en la forma, en cierto ascetismo estilístico. Y, en fin, por todos estos signos, presiente que nuestra literatura se universaliza, pero a través de una creciente aproximación a nosotros mismos. Es decir, a favor de la interiorización del obrar y de una poesía que expresa una experiencia universal del amor, ve el anuncio de la nueva revelación.

Alexander Coleman

MARTÍ Y MARTÍNEZ ESTRADA

El Martí visto y sentido por Martínez Estrada reúne los hechos cotidianos inseparados de una alegoría ucrónica, presentado todo en una estructura biográfica única. Esta biografía se convierte así en un esfuerzo que, paradójicamente, eleva la figura de Martí a cimas nuevas de significación y sentido, pero que, al mismo tiempo, nos presenta a un Martí incrustado en su sórdida, degradante y opresiva circunstancia económica, sobre todo durante sus años de exilio en Nueva York. El hilo conductor que une los hechos con la alegoría es, claramente, la penetrante visión de Martínez Estrada con respecto al sentimiento de misión prometeica de Martí, misión de una idea política por la cual supo abandonarlo todo —inclusive esposa e hijo— con tal de llevarla a su consecución. A pesar de que su visión de idólatra martiano presenta a Martí muy favorablemente, no podemos dejar de ser impresionados por lo que dicha obsesión lleva implícito: el precio psíquico y humano pagado por Martí durante toda su vida con tal de realizar, lograr, las metas revolucionarias de su misión. Así, lo que es biografía en esta obra desaparece, o cuando más, pasa a un segundo plano, y se convierte en historia de Cuba; la personalidad martiana pasa a ser el principio vivo, activo, de revolución y rebelión hacia el logro de la justicia social. La subliminación del principio ególatra es una caracterís-

Alexander Coleman, «Martí y Martínez Estrada: historia de una simbiosis espiritual», *Revista Iberoamericana*, 92-93 (1975), pp. 629-645 (638-642).

tica esencial que se reitera constantemente a través de las 617 páginas del primer tomo. Martínez Estrada observa en Martí un sentido de disociación para con su yo, y esto le parece parte integral de la grandeza del héroe. Este aspecto se describe magistralmente en la siguiente cita, de *Martí revolucionario*:

«Aquellos soñadores de realidades venideras, constructores de una nueva sociedad sobre las ruinas de una sociedad decrépita ... renunciaban a la familia y a cuantos bienes se ofrecen ... Para ellos la felicidad únicamente existe en nosotros, y para sí escogen la senda de pedregal y fango, y esto con una voluntad inquebrantable ... para Martí la vida fue agonía y deber, y el precio que tuvo que pagar por esa elección del camino del Calvario fue la totalidad de los bienes materiales que se le ofrecía como tentación: el hogar con la familia, la paz burguesa, la gloria literaria y el respeto de los que a su vez son respetados».

Masoquismo a gran escala, ciertamente, pero de carácter fundamental tanto para Martí como para su biógrafo: de ahí se desarrollará toda una teoría, coherente y secular, de un exaltado *ágape* hacia la humanidad, en juego con un ocultado sentimiento erótico, íntimo y a la vez mundano. Don Ezequiel, para cimentar su ponencia, cita a Holderlin; el tema: la santificación del hombre, del ser humano: «Ese ha de destruir su propia casa y destrozar, como si fuera enemigo, lo que le es más querido; y ha de ver sepultados en sus escombros a su propio padre y a sus propios hijos; si no, nunca será como los dioses, nunca se verá nimbado de su luz».

Creo que aquí reside el eje central del libro, el *primum mobile* de Martí, según la visión de Martínez Estrada. Finalmente, debido a la voluntad de acero de Martí, la figura del hombre resultará por siempre enigmática, no sólo para los lectores de esta biografía, sino también para su autor mismo. Es por la exaltación abstracta de la humanidad —«afectuosidad generosa y dadivosa, de entrega de sí como obsequio y prueba de mutuo ligamen, como hubo de ser el amor entre los cristianos primitivos»—, que advierte Martínez Estrada en Martí el corolario inevitable de ese impulso abstracto: «el amor sexual fue débil en Martí, comparado con el Eros cosmogónico o ecuménico del que su culto a la familia y la amistad eran reflejos». Explicar lo anterior le resulta difícil a Martínez Estrada. A pesar de que fue —por inclinación y entrenamiento— una suerte de seguidor de las ideas de Hipólito Taine en lo tocante a la crítica literaria y al género biográfico con sus imperativos de raza, ambiente y momento histórico —Martínez Estrada no puede indicar cómo estos elementos entran en la formación del carácter de Martí en su infancia o en su adolescencia— se queda el biógrafo confundido por la característica *ex-nihilo* de los impulsos del prócer: «La formación de esta extraordinaria personalidad, aparte las cualidades innatas del genio, que lo fue por igual en los tres dominios de la inteligencia, del sentimiento y de la voluntad, es de por sí un enigma, pues ni los antecedentes de familia ni los de educación y de experiencia ... concurren a modelarla y robustecerla, ni halló coyunturas propicias para su desarrollo primario y su natural madurez. Todo lo que fue lo debe a su extraordinaria fuerza de voluntad, a sus sobrenaturales dotes humanas nativas, a su heroico y estoico designio de ser lo que sentía que era, y de hacer lo que, en razón de eso que auténticamente era, tenía el deber de hacer».

La metáfora más adecuada para representar esa obligación final es la de un dios-hecho-hombre crucificado; curiosamente, fue la madre de Martí quien humilde y emocionadamente recrimina en vano a su obsesionado hijo. Al recriminarlo nos está indicando cabalmente el ideal de la vida de Martí. En carta de 19 de agosto de 1881, le dice: «Te acordarás de lo que desde niño te estoy diciendo, que todo el que se mete a redentor sale crucificado, y que los peores enemigos son los de su misma raza, y te lo vuelvo a decir; mientras tú no puedas alejarte de todo lo que sea política y periodismo, no tendrás un día de tranquilidad».

Martínez Estrada nos presenta un Martí cuya vida es un símbolo del apátrida, un Martí que renuncia voluntariamente a todo aquello que amaba íntimamente, un Martí que se niega aun las ínfimas necesidades de la vida; un Martí, en conjunto, enclavado revolucionario, vidente político, profeta en el erial del periodismo, exiliado en un mundo de salteadores de camino y *robber barons*, redentor que no pudo redimirse sin quedar aniquilado en el proceso. Aunque la idolatría de Martínez Estrada no deja lugar a la crítica, a través de toda la obra hay, a pesar de su partidarismo, momentos en que el biógrafo se detiene a reflexionar sobre este lado oscuro de Martí y, a veces, preguntas retóricas le detienen momentáneamente en el panegírico de las caracterizaciones que hace del héroe. En un momento dado, Martínez Estrada inquiere un poco plañideramente: «¿Cuándo encontramos en Martí efusiones de gozo? ¿Cuándo la alegría de sentirse libre, ligero, luminoso, sino cuando está en marcha al suplicio? Toda su obra trasciende una pena secreta que en las crisis agudas se exhala en ayes de soledad y cansancio, una íntima y recóndita angustia que anubla su mirada, presentándole el mundo como un lugar de penitencia, trabajo, ingratitud, incomprensión y enfermedades».

Tratando de iluminar un poco la cita anterior, me parece que Martínez Estrada está sugiriendo —si bien no explícitamente, claro— algún trauma de la niñez, algún daño psíquico que, aunque cauterizado luego durante su adolescencia y madurez, dejó en el Martí hombre algo muerto, quizás todo un campo de comunicación erótica, total y definitivamente excluido de su vida. En realidad, Martí casi dijo esto en una carta de 1894, y bien pudiéramos considerar sus palabras como su declaración al respecto: «El hombre íntimo está muerto y fuera de toda resurrección, lo que sería el hogar franco y para mí imposible, adonde está la única dicha humana, o la raíz de todas las dichas. Pero, el hombre vigilante y compasivo está aún vivo en mí, como un esqueleto que se hubiese salido de la sepultura».

Así, en la búsqueda del verdadero Martí, Martínez Estrada llega a la conclusión de que *ese* Martí es casi inaccesible, perdido para todos, menos para los sujetos individuales; las cartas de Martí están llenas de sugerencias y ecos solamente, fueron escritas en un código que edifica una pared defensiva alrededor de su alma. Sin embargo, en su búsqueda, Martínez Estrada logra cuajar una manera única de reevaluación y esto lo consigue a través del *Diario de campaña* de Martí. Esta obra, donde residen las fuerzas telúricas revivificadas en Martí con su regreso a Cuba, le parece a Martínez Estrada «la imagen ... más fiel que ninguna otra ... el resto es biografía, historia, cultural y moral, política y arte: esto (el *Diario de campaña*) es Martí».

Este Martí verdadero, «real», puede redescubrirse, pero tan sólo a través de las fuerzas telúricas que desvela Martínez Estrada desde el alma del prócer. Anteo moderno, Martí se realiza en Martí tan sólo en las páginas últimas de su *Diario de campaña* y en su otro diario guatemalteco, anterior a éste. Y surge aquí un nuevo aspecto de la relación espiritual entre Martínez Estrada y Martí; o sea, el de la tendencia telúrica-heroica-pastoril, que destila a través de las páginas de la biografía de Martí, principalmente en las secciones tituladas «Sentido Telúrico de la Tierra», y «La Madre Tierra y el Hijo Pródigo». En el mundo-creación de Dios, todos los seres son maravillosos y admirables: «No hay aquí jerarquías, ordenaciones artificiales, hechas conforme a las pautas de la clasificación y valoración por su utilidad, o prestancia, o belleza; es la naturaleza sin privilegios ni preferencias, la madre universal ecuánime ... el amor a Cuba, a su naturaleza virginal y a sus gentes incontaminadas, es la contraparte al rechazo de la civilización fabril y mercantil norteamericana».

Este sentir un mundo primario despierta en Martínez Estrada la más extraordinaria concatenación asociativa: Martí, bucólico con ecos de Virgilio y Hesíodo; Martí, dentro del Nirvana budista; Martí, iniciado en los ritos de Deméter y Perséfone; Martí, Colón descubridor de una utopía americana de carácter paradisíaco; Martí, acólito de Tolstoi. Esta última caracterización de Martí la propongo yo porque las descripciones y pinturas del guajiro cubano parecen salidas de un lienzo tolstoiano, copia de la alabanza exagerada del sencillo poder espiritual de los *mujics* rusos: «Estos guajiros, hombres y mujeres ocupados en las tareas comunes de prepararse el sustento en los trabajos cotidianos de vivir ganándose su pan con las manos que escarban la tierra, y sufriendo cada cual su suerte sin blasfemar y sin quejarse; estos hombres y estos niños hablan una lengua rústica pero que suele expresar las más altas ideas de la filosofía sapiencial, de la experiencia y del saber de cosas, tal como brotan en su alma para hablar o para cantar».

El impulso hacia una Arcadia, o el ímpetu utópico en Martínez Estrada y en Martí, nos guiará hacia el problema total de la insistencia, por parte de don Ezequiel, en la intemporalidad de la figura de Martí, en su compulsión mitificadora y arcaizante del héroe «sobreviviente» —nos lo asegura el biógrafo— «de una Edad de Oro en la Edad del Hierro, como un caballero de la corte de Arturo en el *bric-à-brac* de los Estados Unidos: Odiseo u Orestes que reencarna después de treinta siglos, ... discípulo de Platón y Jenofonte, de la galería de Tucídides, Plutarco y Carlyle». Este extraordinario panteón se edifica sólo para elevar a Martí y situarlo fuera del campo de sus escritos; separarlo, alejar su figura heroica de aquellas presiones naturales a cualquier biografía minuciosa y anexarlo a los llamados «hombres representativos», que tanto Emerson como Carlyle señalaron durante el siglo XIX como paradigmas de humanidad heroica y autosacrificada. Queda así Martí convertido en un principio abstracto, un ente dominado por su visión de poseso. Como conclusión final, Martínez Estrada afirma que «efectivamente la clave para interpretar la grandeza humana de Martí es el mito» y, ciertamente, no hay otra manera de acercarse a la lectura de este esfuerzo gigantesco de simbiosis espiritual y unión psíquica si no es desde el punto de vista del mito, viendo cómo los hechos concretos son elevados consistente y sistemáticamente al campo de la alegoría y la ejemplaridad abstracta.

FRANCISCO ROMERO

EDUARDO MALLEA: NUEVO DISCURSO DEL MÉTODO

No sé si alguien ha reparado en la similitud entre la *Historia de una pasión argentina* y el *Discurso del método*. Sin dejarme arrastrar

Francisco Romero, «Eduardo Mallea: un nuevo discurso del método», prólogo a Eduardo Mallea, *Historia de una pasión argentina*, Sudamericana, Buenos Aires, 1981, pp. 7-12 (7, 9-12).

a una aproximación que exagere el paralelismo, quiero indicar en una recorrida sucinta los puntos que sucesivamente van jalonando un andar acorde.

El tratado cartesiano y el libro de Mallea son ambos, esencialmente, la persecución de un método. Uno y otro indagan un camino, buscan la dirección de una marcha sin extravío. Pero, antes que un camino, ambos aspiran a descubrir algunas evidencias primeras, capaces de otorgar sentido, desde luego, y para siempre a la progresión; una segura estación de partida tal, que, por ser la que verdaderamente es arranque y comienzo, defina por sí el camino o los caminos válidos. [...]

Descartes busca recaudos que le justifiquen un cabal conocimiento de la realidad total y le convenzan sin posibilidad de duda de que la realidad así conocida es, existe con absoluta existencia. Mallea emprende una indagación pareja, pero enderezada a un saber de la realidad argentina capaz de configurar en él el rostro cierto de su pueblo. Puntualicemos aquí una separación. El ansia de eternidades del francés desprecia cualquier informe que no se refiere a lo que es sin tiempo, a las determinaciones abstractas o aprehensibles por la razón. El argentino, por inclinación y por su tema, se vuelve hacia temporalidades, hacia hombres y cosas cordiales; no se imagine, sin embargo, que se da en él con menor energía el ansia de eternidad. Lo que busca no son sin duda valores en sí, ni puras formas inteligibles aisladas en un mundo espectral; va tras valores hechos carne, corporizados en «sentido»; tras ideales acogidos con fervor en almas de hombres y mujeres, y fluyendo en historia por obra de las inteligencias, de los corazones, de las manos. Son dos maneras de apuntar a lo mismo, que responden a dos métodos distintos: el método de la razón y el método del amor. Mallea no sólo aplica el segundo método, sino que lo confiesa: «Y esto es todo en la Tierra: amor o desamor». Y no se crea que hay metáfora al hablar del amor como método, como modo o posibilidad de conocimiento en lo humano; muy profundas averiguaciones de Scheler están consagradas a este punto y aun constituyen uno de los métodos centrales de su filosofía. Mallea acierta con el método adecuado: luego veremos cómo lo conduce directamente a su propósito.

Con la linterna de su método racional, avanza Descartes a través de la realidad falaz de la apariencia hacia el mundo de lo en sí, de lo que realmente existe. Lo que lograba prestigio en la vida diaria, lo que nos aportan los sentidos, descubre su no-ser, y una realidad invisible antes se recorta en la sombra, cobra cuerpo y dimensión. La razón, ante la ficción sensible, dice *no*, y la consistencia de las cosas aparentes se trueca en una vaguedad de nube; pronuncia luego un sí evocador, y el ser se yergue duro y cristalino como un diamante. También Mallea porta una luz que cambia radicalmente la acostumbrada perspectiva. Cierta realidad cotidiana y visible, reputada acaso la única por su presencia continua y resonante, se revela pura apariencia, desfile de sombras; y otra realidad sustancial, oculta, se perfila, se define densa de silenciosa vida. La semejanza del procedimiento de Mallea con el cartesiano es patente. Ambos son métodos de conocimiento esencial, caminos que se abren paso entre las cosas que ven los ojos de la cara, para arribar a otra realidad que sólo es capaz de percibir el espíritu.

El filósofo francés y el meditador argentino dibujan ante nosotros con rasgos inolvidables el contorno de sus hallazgos respectivos: el ser de las cosas el primero, la substancia de la argentinidad el segundo. Ni uno ni otro nos presenta dogmáticamente lo que encontró. Ambos nos comunican sus métodos, nos invitan a comprobar la verdad del resultado contándonos cómo lo obtuvieron. Trabajan, por decirlo así, bajo nuestra mirada. Antes de ser los descubridores de ciertas realidades, han sido los forjadores de sus propios métodos, y aun en este punto se guardan de exponernos sin más ni más lo que reputan verdadero: también nos dan las razones de sus razones, las raíces vivas de sus convicciones metódicas, las meditaciones que precedieron a la decisión de avanzar en una dirección determinada. Y aun antes de esto nos refieren la soledad y apartamiento en que se recluyeron al ponerse a la tarea. Condición inexcusable de todo firme avance parece ser el recogimiento inicial, el retraerse al recinto propio y hacerse cada uno dueño de sí mismo y de sus propias evidencias, antes de intentar cualquier otra apropiación. Tan universal es esta imposición, que hasta está en el origen del método vital, del que todos espontáneamente usamos en nuestra existencia. El niño va de acá para allá como perdido en la vida: la crisis de la adolescencia no significa sino el adueñamiento del propio yo, la toma de posesión de nuestra individualidad en vísperas de ir en demanda de otras adquisiciones. Sin tal actitud previa, la marcha a través de los seres y los objetos es un andar extraviado entre ellos, el inútil hallazgo de infinitas cosas por quien no se tiene a sí, el torpe tanteo de una mano que lo toca todo sin aptitud para asir nada. Pero esta soledad, en la que el método vital se engendra, nos la depara a todos la vida, bien en diferentes maneras, que van desde la residencia de una oquedad sin resonancias hasta el doloroso alumbramiento de oscuras riquezas íntimas. De la clausura impuesta a su tiempo por la ley de nuestro desarrollo psíquico, difiere la que nos imponemos para afrontar futuras expediciones: la que Mallea se construye en medio del tumulto de la ciudad enorme, como tres siglos antes el pensador de las *Meditaciones* entre el ajetreo de un campamento.

Descartes, dispuesto a asegurarse un saber cuyas mayores precisiones recaerían sobre el mundo de las cosas físicas, atendía sobre todo a separar la facultad de conocimiento cierto de estas cosas, de los recursos cognoscitivos cuya información le parecía engañosa: la razón estricta por un lado, la aprehensión sensible por el otro. Mallea, por su parte, ha discernido con acierto la vía justa para llegar al fondo de su problema, evitando dos sendas erradas que han tentado a otros. Para los hombres y las cosas del hombre, no hay ciencia sin amor: hasta que los hombres del Romanticismo no se volvieron hacia el acontecer humano con ojos enamorados, nadie comprendió cabalmente la historia. El pecado de desamor es visible en algunas interpretaciones de la realidad nuestra; la crítica, lúcida a veces en extremo en el diagnóstico de lo censurable, es ciega para los núcleos que la resisten, para la sustancia que, lejos de disolverse por la acción del reactivo, queda después de su intervención más limpia y reluciente. Pero tan peligroso como el desamor es en estos asuntos el amor fácil, el cómodo amor sin discernimiento; el amor que se derrama por igual sobre lo valioso y lo que no vale, y que no es como todo acendrado amor, mezcla de gozo y de sufrimiento, sino complacencia superficial. Lo decisivo en el libro de Mallea es la intensidad del amor; de esta intensidad proviene su peculiar calidad, la capacidad discriminadora, el subrayado poderoso de las instancias positivas y negativas. Y sobre todo la potencia evocadora, creadora; el imperioso llamamiento para que la presencia descubierta se afiance y consolide, cobre vigor y se imponga. El ímpetu cordial, sin más que ir adelante cambia de sentido. Primero es averiguación y saber; luego se infunde en la realidad conocida y procura en ella una íntima animación al traspasarle el saber adquirido, al robustecerla con una más elevada conciencia de sí. Las palabras revisten en este punto su eficiencia máxima: porque cuando se pronuncian según una absoluta necesidad, cuando son las inevitables, las palabras son mucho más que expresión, comunicación; parecen en algunos casos sortilegio.

He aquí, pues, en lo que atañe al hombre, como Mallea ha visto bien y ya antes de esta ocasión, ver y conocer se funden y unifican.

También el desear, cuando es voluntad resuelta, es modo capital de ser, porque no es sino la decisión de ser de cierta manera; las precisas reflexiones de Ortega sobre este tema están o deben estar en la mente de todos. En la *Historia de una pasión argentina* una conciencia singular, en una especie de identificación mística, se sume en la realidad espiritual de su país, y tras ahondar en ella, la incita a empresas acordes con su índole, a revelar su norma secreta y proyectarla en lejanías de futuro. No se trata sólo de un libro más, ni de un buen libro, ni siquiera de un libro excelente. Es más bien un haz de palabras vivas, verídicas y emocionadas, rebeldes a la esclavitud del papel y de la letra, y cuyo eco ha de extenderse y prolongarse a lo largo de los años.

DAVID W. FOSTER

LA ESCRITURA DEL ENMASCARAMIENTO EN *EL LABERINTO DE LA SOLEDAD* DE OCTAVIO PAZ

Paz observa cómo «La Independencia hispanoamericana, como la historia entera de nuestros pueblos, es un hecho ambiguo y de difícil interpretación porque, una vez más, las ideas enmascaran a la realidad en lugar de desnudarla o expresarla». La amplia enumeración a lo largo de *El laberinto de la soledad* en cuanto a la ambigüedad, las contradicciones, la dialéctica que es la configuración de las oposiciones, se transforma para Paz en la imagen del «texto cultural» que le toca desvelar. Esta circunstancia convida más a la recreación de una realidad que a su mera interpretación hermenéutica:

> Por primera vez al mexicano se le plantean vida e historia como algo que hay que inventar de pies a cabeza. En la imposibilidad de hacerlo, nuestra cultura y nuestra política social han vacilado entre diversos extremos. Incapaces de realizar una síntesis, hemos terminado por aceptar una serie de compromisos, tanto en la esfera de la educación como en la de los problemas sociales.

David William Foster, *Para una lectura semiótica del ensayo latinoamericano*, The Catholic University of America (Studia Humanitatis), Washington, 1982, pp. 123-126.

La pregunta anterior entraña una idea acerca del carácter distintivo de la mexicanidad, segundo de los temas de esa proyectada filosofía mexicana. Los mexicanos no hemos creado una Forma que nos exprese. Por lo tanto, la mexicanidad no se puede identificar con ninguna forma o tendencia concreta: es una oscilación entre varios proyectos universales, sucesivamente transplantados o impuestos y todos hoy inservibles ... Una filosofía mexicana tendrá que afrontar la ambigüedad de nuestra tradición y de nuestra voluntad misma de ser, que si exige una plena originalidad nacional no se satisface con algo que no implique una solución universal.

En el capítulo sobre los hijos de la Malinche, Paz comienza hablando de cómo «el contenido concreto de estas representaciones depende de cada espectador. Pero todos coinciden en hacerse de nosotros una imagen ambigua ...». A cada espectador le toca hacer su propia interpretación. Pero la interpretación que todos hacemos es ambigua, y debido a ello, Paz pasa a hablar de la mujer mexicana, del fenómeno de la Malinche y (en otro contexto) de Coatlicue en términos de diadas antilógicas: la imagen de la mujer es fecundidad, pero al mismo tiempo muerte, creación y destrucción, pasividad-agresividad y así sucesivamente. Estas diadas antilógicas, contradictorias, son parte del proceso de la ambigüedad dominante. El conocimiento que no poseeremos nunca, la suma de nuestra definitiva ignorancia, el misterio supremo y la mujer que encarna el enigma de esas contradicciones, se vuelven para el ensayista símbolo de ese misterio supremo irreducible a una interpretación definitiva.

La importancia que tiene la palabra *chingar* para Paz encierra dos aspectos o niveles. Primero habla de la importancia del vocablo para sintetizar la agresión del fenómeno Malinche y la conquista de México como una violación sexual. Pero más importante para Paz es el hecho de que *chingar* es una palabra mágica, y en este sentido, su significado no está fijo: *chingar* podría asentarse en un glosario con un significado de violación agresiva, con una serie de sinónimos entre eufemísticos y gráficos, para así dar constancia de cómo cubre un vasto sector semántico plurivalente. De ahí que la palabra señale para Paz el significado enigmático de la madre vaga:

Con ese grito, que es de rigor gritar (¡Viva México, hijos de la Chingada!) cada 15 de septiembre, aniversario de la Independencia, nos afirmamos a nuestra patria, frente, contra y a pesar de los demás. ¿Y quiénes son los demás? Los demás son los «hijos de la chingada»: los extranjeros, los malos mexicanos, nuestros enemigos, nuestros rivales. En todo caso, los «otros». Esto es, todos aquellos que no son lo que nosotros somos. Y los otros no se definen sino en cuanto hijos de una madre tan indeterminada y vaga como ellos mismos.

En el fondo, Paz no estudia la palabra *chingar* porque sea simbólica, ni porque sea un detalle costumbrista, folklórico de lo mexicano. Se enfoca en ella porque es una de las palabras mágicas, uno de los gestos indiciales que nos llevan al significado subyacente, y es la misma ambigüedad o vaguedad del campo semántico de la palabra la que testimonia la naturaleza contradictoria, enigmática de ese significado subyacente que alcanzamos a través de ella o que ella vehiculiza:

Lo chingado es lo pasivo, lo inerte y abierto, por oposición a lo que chinga, que es activo, agresivo y cerrado. El chingón es el macho, el que abre. La chingada, la hembra, la pasividad pura, inerme ante el exterior. La relación entre ambos es violenta, determinada por el poder cínico del primero y la impotencia de la otra. La idea de violación rige oscuramente todos los significados. La dialéctica de «lo cerrado» y «lo abierto» se cumple así con precisión casi feroz.

El segmento sobre los hijos de la Malinche es el más significativo de *Laberinto* en revelar el proceso discursivo de Paz, pues lo vemos subrayar una y otra vez detalles conocidos por todos y extensamente comentados, con la finalidad de utilizar aspectos tan familiares como puntos neurálgicos de un significado subyacente notablemente problemático por su densidad enigmática: «Nuestro grito popular nos desnuda y revela cuál es esa llaga que alternativamente mostramos o escondemos, pero no nos indica cuáles fueron las causas de esa separación y negación de la Madre, ni cuándo se realizó la ruptura». De esta manera, *Laberinto* apunta a su vez hacia algo que es infinitamente más problemático y paradójico del fenómeno superficial en sí: la inapelable ambigüedad de la realidad del pueblo mexicano. *Laberinto* quita la máscara no para asentar el significado subyacente de la experiencia nacional, sino para dejar formulado el imperativo rector de formular algo que pueda conjugar todas las contradicciones de que su escrito toma nota, en una identidad válida.

Guillermo Sucre

LEZAMA LIMA: EL LOGOS DE LA IMAGINACIÓN

En uno de sus ensayos [*Tratados en La Habana*, 1958], Lezama Lima aborda el tema de la oposición entre *letra* y *espíritu*. El escriba moderno, dice, acogiéndose a la frase de las Escrituras: la letra mata, ha querido resucitar esa oposición como obstáculo para toda empresa creadora. Pero esa oposición, observa Lezama, no es sólo una inconsecuencia ética o un signo de la crisis germinativa de nuestro tiempo; se funda, sobre todo, en un malentendido. La letra mata al espíritu cuando ya éste se ha extinguido. Cuando faltare la visión, el pueblo será disipado —recuerda Lezama recordando el «Libro de los Proverbios». Y, con una idea que sin duda es central en toda su obra, concluía ese ensayo afirmando: «Vivimos ya un momento en que la cultura es también una segunda naturaleza, tan *naturans* como la primera; el conocimiento es tan operante como un dato primario. El extremo refinamiento del verbo poético se vuelve tan primigenio como los conjuros tribales».

Esta idea es central no sólo por lo que ella en sí misma encierra: vale decir, la visión afirmativa que Lezama tiene de la literatura. Lo es, sobre todo, por la *desmesura* de esa visión. Se trata, en efecto, de algo más que del mero derecho de existencia de la literatura. Lo que quiere formular Lezama, en verdad, es un sistema poético del mundo, y aun de la historia.

La literatura es una *segunda naturaleza* no porque ella represente o presente lo real, lo cual sería, para Lezama, recaer en un realismo ya insano. Si ella es representación de algo lo es de sus propios poderes; su verdadero carácter es lo *incondicionado*: un germinar que es una continua opción (o viceversa, que es igual para Lezama) y lo *hipertélico*: siempre va más allá de sus propios fines. Como Pascal, Lezama cree que la naturaleza se ha perdido y que todo puede reemplazarla. «Hay inclusive —dice— como la obligación de devolver la naturaleza

Guillermo Sucre, «Lezama Lima: el logos de la imaginación», *Revista Iberoamericana*, 92-93 (1975), pp. 493-495.

perdida. De fabricar naturaleza, no de recibirla como algo dado». La literatura es más bien, pues, *sobrenaturaleza*: la imagen penetra en la naturaleza y la sustituye; así, frente al determinismo de lo real el hombre responde con el total arbitrio de la imagen. En efecto, ¿qué es la obra de Lezama si no uno de los más fabulosos intentos por encarnar esa sustitución, por ser ella misma *naturaleza*? No sólo por sus vastos desenvolvimientos, o por el carácter absoluto que adquieren sus imágenes, o por ese orden a la vez fijo y vertiginoso que subyace en toda ella, lo que, a su vez, se traduce en el movimiento de la dispersión y el reencuentro: un signo que oscuramente se pone en marcha, luego de una travesía imprevisible es rescatado e iluminado por otro signo; o, como diría Lezama, la obra sometida a la «ley de los torbellinos». La impresión de ser *naturaleza* la suscita también ese carácter suyo de cuerpo o materia que se va expandiendo —y concentrando, endureciéndose— con sucesivas acumulaciones y sedimentaciones. De ahí el poder que Lezama reconoce en el poema: el de crear «un cuerpo, una sustancia resistente enclavada entre una metáfora, que avanza creando infinitas conexiones, y una imagen final que asegura la pervivencia de esa sustancia, de esa *poiesis*». En un poema, que de manera significativa se titula *La sustancia adherente*, Lezama nos da esta visión:

> «Si dejásemos nuestros brazos por un bienio dentro del mar se apuntalaría la dureza de la piel hasta frisar con el más grande y noble de los animales y con el monstruo que acude a sopa y a pan ... Al pasar los años, el brazo sumergido no se convierte en árbol marino; por el contrario devuelve una estatua mayor, de improbable cuerpo tocable, cuerpo semejante para ese brazo sumergido. Lentísimo como de la vida al sueño; como del sueño a la vida, blanquísimo».

Como ese brazo sumergido en el mar, el lenguaje de Lezama parece germinar recubriéndose con su propia sustancia y sólo se somete al dinamismo de esa misma germinación. Es posible que la metáfora de Lezama evoque la que empleaba Stendhal para ilustrar su teoría del amor como «cristalización»: la ramita sumergida en las minas de sal de Salzburgo, que se iba cubriendo de cristales. Pero no sólo se diferencian por su punto de partida sino también por su teleología. En efecto, Stendhal parte de un hecho observable para ilustrar un proceso psicológico o espiritual; Lezama parte de un hecho sólo posible imaginariamente y que no puede servir de ilustración sino de sí mismo. Así, el brazo sumergido no cristaliza sino en un «cuerpo semejante»: no se convierte en «árbol marino» sino en estatua de «improbable cuerpo tocable». Es significativo, por cierto, que esta última fórmula resulte reversible. Si dijéramos: «probable cuerpo intocable», el cambio de estructura no se resuelve en una transferencia de sentido: aun invertida, la fórmula se refleja y sólo puede reflejarse a sí misma.

Desde la perspectiva que antes hemos resumido, es obvio que la obra erige su total autonomía frente a lo real. Pero si esa autonomía es la ruptura de la causalidad realista, el hecho es que por efecto de lo que Lezama llama *la vivencia oblicua* la obra penetra en «la causalidad de las excepciones»: entonces su irrealidad comienza a cobrar existencia, no porque se mimetice a lo real, sino por las transfiguraciones inesperadas de su irrealidad misma. La obra, así, no nos regresa al mundo, nos lo inventa: «todo está dispuesto —anota Lezama— para un nacimiento, no para una repetición». Pero inventar el mundo consiste en devolverle su *originalidad*, una originalidad, por cierto, muy singular: su tiempo es simultáneamente el pasado y el futuro. La misión de la literatura —de la poesía, dice Lezama— es «empatar o zurcir el espacio de la caída». Cerrar las fisuras de ese espacio es ya saltar hacia la imagen venidera y última: lo que Lezama define como «el éxtasis en lo homogéneo». ¿No es, en cierto modo, lo que proponía Baudelaire: el progreso reside en «la diminution des traces du péché originel»?

«Mejor que sustituir, restituir», dirá, por ello, Lezama en un poema. Restituir, claro, no tiene una connotación realista; en el contexto de la obra de Lezama, es evidente que alude a la naturaleza perdida. ¿Cómo, entonces, restituir lo perdido sin apelar a las sustituciones y, en consecuencia, cómo practicar estas sustituciones sin aventurarse en lo imaginario? Restituimos algo, por tanto, creándolo —«invencionándolo», como diría Lezama. Sólo que esa invención se ve regida por una *ley* que el propio Lezama formula: encontrar las coordenadas entre lo imaginario y lo necesario («entre su absurdo y su gravitación», dice él), entre el *súbito* de la imagen y la *extensión* que ella despliega. Esas coordenadas se inscriben, a su vez, en un movimiento más amplio, con el cual Lezama define el acto poético: toda realidad poética (o teocéntrica) suscita una reacción de irrealidad que, por su parte, quiere encarnar en aquella realidad. La imagen para Lezama, sabemos, nunca es un doble, ni siquiera una sustitución. La imagen es «la realidad del mundo invisible», la resistencia final en que el poema toma cuerpo. Pero, no olvidemos, un cuerpo —como señala Lezama, con palabras de Dante— «adquirido por la sombra de los fantasmas». También en uno de sus poemas, él dice: «Respiro la niebla / de deshojar fantasmas». Un cuerpo, pues, igualmente irreal, un cuerpo que «se sabe imagen», pero que se intuye también necesario, gravitante, susceptible de engendrar por sí mismo nuevas gravitaciones.

Así, lo que intenta en el fondo Lezama, creo, es ejercer la autonomía verbal dentro de un verdadero sistema poético del mundo. Un sistema que abarcaría las dos fórmulas propuestas por Novalis: la poesía como lo real absoluto y la filosofía como la operación absoluta. Sólo tal sistema podría reemplazar a la religión (¿no se ha perdido la religión como se ha perdido la naturaleza?) en la medida, explica Lezama, en que sería «la más segura marcha hacia la religiosidad de un cuerpo que se restituye y se abandona a su misterio».

JOSÉ OLIVIO JIMÉNEZ

LOS ENSAYOS DE H. A. MURENA

Leerlo, oír hablar a Murena, eran actos que constituían siempre una turbadora experiencia que no sabíamos nunca muy bien a qué atribuir. Uno de sus más próximos amigos, Francisco Ayala, redactó en ocasión de su muerte una breve nota donde se nos da una de las claves para explicarnos esa curiosa sensación. Los escritos de Murena, cuanto pensó e imaginó, dice Ayala [1975], «expresaron el sentimiento de su destierro terrenal, son un puro clamor por el paraíso perdido». Y tratando de hacerse entender él mismo porque necesitó del adjetivo *puro* en relación al amigo muerto, añade: «Una especie de insensata inocencia que para muchos resulta insultante le hacía ofrecer al mundo, indefensa, su desnuda autenticidad, esa pureza suya impecable ...». Y ese clamor por el paraíso perdido nos provee de la otra clave, consecuente y paralela, que nos encamina hacia el centro de su espíritu complejo y diáfano: su apetito de trascendencia, su constante urgencia de mirar más allá de *esta* realidad, a la cual sin embargo, y aquí el eje de la complejidad de su espíritu, tampoco desatendía. Vocación de pureza y pasión trascendente: sólo a la luz de estas nobles ambiciones, autoimpuestas fatalmente como destino, pueden entenderse la escritura y la vida misma de H. A. Murena.

José Olivio Jiménez, «H. A. Murena (1923-1975): necrología», *Revista Iberoamericana*, 95 (1976), pp. 275-284 (275-278).

Los que más justicieramente han comentado su obra y su pensamiento —muchos lo hicieron también con saña y mala fe— acumulan términos como éstos: contienda, lucha, desesperación, desmesurada angustia, temple unamuniano. Todos ellos remiten, en una primera referencia, a ese común fermento de agonismo existencial de nuestro siglo. Pero sus amigos también nos cuentan de su interés creciente en la astrología, en el mundo hermético, en doctrinas esotéricas tradicionales; y acreditan esa «presencia de la muerte» que junto a él se sentía. La relación es obvia: vivir fue para Murena un estar ante la muerte. Más: pensar y escribir tenían que ser una fructífera preparación para ese inexorable final, al que tampoco podía ver como un término absoluto. Algunos de esos amigos documentan incluso que pasó sus últimos años obsesionado con la certeza de que «todos los signos y señales horoscópicos indicaban que había alcanzado la edad de morir». No se equivocaba.

Aun sin esos testimonios inmediatos, la obra de Murena es la más fiel verificación de aquella mirada trascendente que le acompañó desde su juventud, y que los años no hicieron sino agudizar hasta la clarividencia. Sabido es que la fama de su nombre descansó mayormente en su labor ensayística: *El pecado original de América* (1954), *Homo atomicus* (1961), *Ensayos sobre subversión* (1962), *La cárcel de la mente* (1971), *La metáfora y lo sagrado* (1973). Sin negar la virtualidad sugerente —atracción y rechazo simultáneos— que encierran esos libros, hay que decir que, racionalmente objetivadas, sus cogitaciones resultan con frecuencia vulnerables. Pero no es ésa la situación ideal para acercarnos a ellas, Murena mismo calificaba sus ensayos como *mitos* que se forjaba para explicarse «el juego de las fuerzas humanas y sobrehumanas que hacen que este trozo de orbe llamado América milagrosamente ande». Eso, en el prólogo de su libro de orientación aparentemente más objetiva: *El pecado original de América.* Y allí también los veía «más como intuiciones que como mesurados raciocinios» y aun como prácticas «para el ejercicio de la contradicción conmigo mismo». ¿Cómo esperar, entonces, una objetividad irrebatible? Serían cuando más, en un lector de buena disposición, un estímulo para el diálogo —pero la capacidad para el diálogo no es virtud entre los hispanoamericanos. En la introducción que compuso para la segunda salida de ese mismo libro, en 1965, apunta abiertamente al motivo que le animara a componerlo: buscar las *razones metafísicas* que yacen bajo la superficie social, y esas razones no pueden encontrarse sino mediante el buceo en el *misterio* y una indispensable *pulsación religiosa.* Y las palabras subrayadas son las que expresamente escribiera Murena.

Tal fue su propósito central, y de ahí nacieron sus hábitos y métodos de pensar. Aun cuando el tema que trate —por ejemplo, el del ensayo que da título a dicho libro— fuese el de la interpretación de la realidad americana, y éste se prestase no forzadamente a una indagación sociopolítica o al menos no la excluyese, él rechaza y condena abiertamente la sociología (puesto que ésta sólo «consolida el ambiente espiritualmente más negativo que se haya conocido desde hace largo tiempo»), y se inmerge en especulaciones donde se habla de lo absoluto, del misterio, de Dios, de la fe, de la transobjetividad del mundo. Tales brechas no significaban para él una desviación de los rectos caminos, sino los que únicamente podían conducir a la verdad total: «¿No era acaso la plenitud de lo humano —en su sabida reverencia o no a los poderes divinos— la meta de todo hombre?». Otro caso serían los resultados a que llega en su esclarecimiento de la alienación que impera en «la opaca, insustancial, opresiva vida contemporánea», tarea que emprende en otro ensayo suyo, «El espíritu hacia las catacumbas». Lo que entonces descubre, bajo la epidermis de la enajenadora vida cotidiana, es «*la ausencia de Dios* (el subrayado es suyo), la falta de ese espíritu a través del cual Dios puede tornarse presente. Lo que trasciende en lo habitual es la incapacidad de trascender, la ausencia de trascendencia». Y si ello ocurre en piezas de tales motivaciones, ¿qué aguardar cuando el ensayo fuese, como ocurre progresivamente en su obra, más derechamente dirigido a temas de intrínseca espiritualidad?

Así, frente a la sostenida acusación que recibiese por su actitud pesimista, Murena responde en «El ultranihilista», recogido en *Homo atomicus* y en *La cárcel de la mente*, ofreciéndonos su versión de la posible (y para él única) rendición del pesimismo por el espíritu. Allí nos dibuja la imagen del *ultranihilista*, quien «por la posición en que se halla, está en la mayor cercanía que se puede alcanzar respecto de lo sacro, a la *latens Deitas* que circunda a la sociedad que la expulsó y que empero agoniza sin ella». (¿Y no parece ser esta agonía la misma que de modo arquetípico sufrió el hombre Murena, y sugerida casi con las mismas palabras como nos lo presentaba Ayala?) Y en otro ensayo posterior, «El Arte como Mediador entre Este Mundo y el Otro», que puede leerse en *La cárcel de la mente*, comienza glosando un verso de Gotfried Benn («Melancolía: que a la poesía conduce») para concluir que «*la esencia del arte es la nostalgia por el otro mun-*

do», y es otra vez el autor quien subraya. Llegados a este nivel, y al margen de toda aquiescencia o divergencia posible, no cabe sino admirar la nitidez con que supo trazar las líneas de su mundo espiritual y de su concepción de la realidad y del arte.

Cuando descendió a terrenos más críticos, más inmediatos, los movimientos polares de su mente se resolvían a veces en dialécticas difícilmente reconciliables, y aun rozaban la arbitrariedad. Se reconoció discípulo de Ezequiel Martínez Estrada y, a un tiempo, incitaba al parricidio de los mayores de su generación (el mismo Martínez Estrada, Borges, Mallea, Marechal). En sus comienzos propició un arte verdaderamente nacional, que pudiese hacer sensible y transmitir la vivencia del presente. La libertad —dijo al final de su polémico «El acoso de la soledad»— sólo puede ser ganada «frente al obstáculo vivo del presente». Y en nombre de ese arte condenó la supuesta poesía «pasatista» del martinfierrismo, ejemplificándola unilateralmente en ciertos aspectos de la poesía primera de Borges. ¿Y no concluyó sosteniendo, en *Ensayos sobre subversión*, que, «el hombre de letras, si desea ser contemporáneo, debe comenzar por ser anacrónico», para llegar a afirmar rotundamente que «la entrega total al presente es una entrega parcial; la contemporaneidad inmediata es una atemporaneidad»? Y en definitiva eso fue: un anacrónico, como también, por heroica decisión, un hombre que frente a la comodidad protectora que otorga cualquier filiación partidista, escogió la senda mucho más espinosa de la marginación.

Por ello, con la perspectiva de los años y vistos en el conjunto de su obra, sus ensayos, independientemente de la discutibilidad de sus afirmaciones factuales, contienen un encanto virgen que les concederá una segura vigencia. No es otro que el de brindar, con rara lucidez, el más pulcro despliegue de un mundo en sí poético, dominado por el principio de religar el destino del hombre con su proyección trascendente.

ADICIONES

Ad 1. *Temas y problemas de la literatura contemporánea*

Aínsa, Fernando, *Identidad cultural de Iberoamérica en su narrativa*, Gredos, Madrid, 1986.

Bayón, Damián, ed., *Arte moderno en América Latina*, Taurus, Madrid, 1985.

Beyhaut, Gustavo y Helene, *América Latina*, III: *De la independencia a la segunda guerra mundial*, Siglo XXI (Historia Universal Siglo XXI, 23), Madrid, 1986.

Cándido, Antonio, Rafael Gutiérrez Girardot, José L. Martínez, *et al.*, *La literatura latinoamericana como proceso*, CEAL, Buenos Aires, 1985..

Chevalier, François, *América Latina de la independencia a nuestros días*, Editorial Labor, Barcelona, 1983.

Giordano, Jaime, *La edad de la náusea: sobre narrativa hispanoamericana contemporánea*, Ediciones del Maitén, Nueva York, 1985.

González-Echeverría, Roberto, *The Voice of the Masters. Writing and Authority in Modern Latin American Literature*, University of Texas Press, Austin, 1985.

Mac Adam, Alfred J., *Textual Confrontations, Comparative Readings in Latin American Literature*, The University of Chicago Press, Chicago, 1987.

McMurray, George R., *Spanish American Writing since 1941. A critical survey*, Ungar, Nueva York, 1987.

Morales Padrón, Francisco, *América Hispana. Las nuevas naciones*, Gredos (Historia de España, 15), Madrid, 1986.

Picón Garfield, Evelyn, *Women Voices from Latin America*, Wayne State University Press, Detroit, 1987.

Paoli, Roberto, *Estudios sobre literatura peruana contemporánea*, Stamperia Editoriale Parenti, Florencia, 1985.

Rela, Walter, *Guía bibliográfica de la literatura hispanoamericana. Biblio-*

grafía selecta/Spanish American Literature: a selected bibliography, 1970-1980, Michigan State University, East Lansing, 1982.

Siebenmann, Gustav, y Donatella Casetti, *Bibliographie der aus dem Spanischen, Portugiesischen und Katalanischen ins Deutsche ubersetzten Literatur, 1945-1983*, Niemeyer, Tubinga, 1985.

Verdevoye, Paul, ed., *Identidad y literatura en los países hispanoamericanos*, Ediciones Solar, Buenos Aires, 1984.

Virgilio, Carmelo, y Naomi Lindstrom, eds., *Woman as Myth and Metaphor in Latin American Literature*, University of Missouri Press, Columbia, 1985.

Williams, Raymond L., ed., *Ensayos de literatura colombiana. Primer encuentro de colombianistas norteamericanos*, Plaza y Janés, Bogotá, 1985.

Zelaya de Kolker, Marielena, *Testimonios americanos de los escritores españoles trasterrados de 1939*, Instituto de Cooperación Iberoamericana, Ediciones Cultura Hispánica, Madrid, 1985.

Ad 2. *Vicente Huidobro, César Vallejo y la poesía contemporánea*

Bary, David, *Nuevos estudios sobre Huidobro y Larrea*, Pre-Textos, Valencia, 1984.

Charry Lara, Fernando, «Los poetas de *Los Nuevos*», *Revista Iberoamericana*, 128-129 (1984), pp. 633-681.

Noriega, Teobaldo A., «*España aparta de mí este cáliz*: comunicación poética de un conflicto», *Revista Canadiense de Estudios Hispánicos*, 9:1 (1984), pp. 45-66.

Osorio Tejada, Nelson, *La formación de la vanguardia literaria en Venezuela (Antecedentes y documentos)*, Academia de la Historia, Caracas, 1985.

Podestá, Guido, *César Vallejo: su estética teatral*, Institute for the Study of Ideologies & Literature/Universidad Nacional Mayor de San Marcos, Minneapolis-Valencia-Lima, 1985.

Rodríguez Padrón, Jorge, *Antología de la poesía hispanoamericana (1915-1980)*, Espasa-Calpe, Madrid, 1984.

Salvador, Nélida, y Elena Ardissone, *Bibliografía de tres revistas de vanguardia*, Universidad de Buenos Aires (Guías bibliográficas, 12), Buenos Aires, 1983.

Urrutia, Jorge, «Introducción» a la edición facsímil de *Favorables, París, Poema*, César Viguera Editor, Barcelona, 1982.

Verani, Hugo J., *Las vanguardias literarias en Hispanoamérica (Manifiestos, proclamas y otros escritos)*, Bulzoni Editore, Roma, 1986.

Ad 3. *Pablo Neruda (1904-1973)*

López de Abiada, Jon Manuel, «Notas sobre *Caballo verde para la poesía*», *Cuadernos Hispanoamericanos*, 430 (1986), pp. 141-163.
Osuna, Rafael, *Pablo Neruda y Nancy Cunard*, Editorial Orígenes, Madrid, 1987.
Puccini, Darío, «*Residencia en la Tierra*: algunas variantes», *Revista Iberoamericana*, 135-136 (1986), pp. 509-519.

Ad 4. *Octavio Paz, Nicanor Parra, Surrealismo y antipoesía*

Giordano, Enrique, *Poesía y poética de Gonzalo Rojas*, Instituto Profesional del Pacífico (Monografías del Maitén, 6), Santiago de Chile, 1987.
Rojas, Nelson, *Estudios sobre la poesía de Gonzalo Rojas*, Playor (Nova Scholar), Madrid, 1984.
Schopf, Federico, «La antipoesía y el vanguardismo», *Acta Literaria*, 10-11 (Concepción, Chile, 1985-1986), pp. 33-76.
Slade Pascoe, Muriel, *La poesía de Alberto Girri*, Sudamericana, Buenos Aires, 1986.
Vizcaíno, Cristina, y Eugenio Suárez Galbán, eds., *Coloquio Internacional sobre la obra de José Lezama Lima, Universidad de Poitiers*, Fundamentos, Madrid, 1985, 2 vols.

Ad 5. *Belli, Cardenal, Juarroz, Lihn y la poesía de hoy*

Cabrera, Miguel, «La pasión de la totalidad: poesía y/o prosa vertical», *Cuadernos Americanos*, 6 (1984), pp. 182-189.
Campos, Javier, *La joven poesía chilena en el período 1961-1973*, Literatura Americana Reunida/Ideology & Literature, Minneapolis, 1987.
Cánepa, Mario, *Lenguaje en conflicto: la poesía de Carlos Germán Belli*, Orígenes, Madrid, 1987.
Cánovas, Rodrigo, *Lihn, Zurita, Ictus, Radrigán: literatura chilena y experiencia autoritaria*, Flacso, Santiago de Chile, 1986.
Carranza, María Mercedes, «Poesía post-nadaísta», *Revista Iberoamericana*, 128:19 (1984), pp. 799-819.
Daydí-Tolson, Santiago, «Ernesto Cardenal: resonancia e ideología en el discurso lírico contemporáneo», *Revista Canadiense de Estudios Hispánicos*, 9:1 (1984), pp. 17-30.

Graziano, Frank, *Alejandra Pizarnik: A Profile*, Logbridge-Rhodes, Durango, Colorado, 1987.

Jaramillo Agudelo, Darío, «La poesía nadaísta», *Revista Iberoamericana*, 128-129 (1984), pp. 757-798.

Romero, Armando, «Los poetas de *Mito*», *Revista Iberoamericana*, 128-129 (1984), pp. 689-755.

Zimmerman, Marc, «Ernesto Cardenal after the Revolution», introducción a E. Cardenal, *Vuelos de Victoria/Flights of Victory*, Orbis Books, Maryknoll, Nueva York, 1985, pp. ix-xxxii.

Ad 6. *Jorge Luis Borges (1899-1986)*

Agheana, Ion T., *The Prose of Jorge Luis Borges: Existentialism and the Dynamics of Surprise*, Lang, Nueva York, 1984.

Aizenberg, Edna, *The Aleph Weaver: Biblical, Kabbalistic and Judaic Elements in Borges*, Potomac (Scripta Humanistica), Maryland, 1984.

Alazraki, Jaime, ed., *Critical Essays on Jorge Luis Borges*, G. K. Hall & Co., Boston, 1987.

Balderston, Daniel, *El precursor velado: R. L. Stevenson en la obra de Borges*, Sudamericana, Buenos Aires, 1985.

Flores, Ángel, ed., *Expliquémonos a Borges como poeta*, Siglo XXI, México, 1984.

Meneses, Carlos, *Un epistolario inédito de Borges*, Orígenes, Madrid, 1987.

Nuño, Juan, *La filosofía de Borges*, Fondo de Cultura Económica, México, 1986.

Pérez, Alberto Julián, *Poética de la prosa de J. L. Borges. Hacia una crítica bakhtiniana de la literatura*, Gredos, Madrid, 1986.

Ad 7. *Asturias, Carpentier, Mallea, Yáñez y la novela contemporánea*

Antúnez, Rocío, *Felisberto Hernández: el discurso humano*, Katún, México, 1985.

Arlt, Mirta, y Omar Borré, *Para leer a Roberto Arlt*, Torres Agüero, Buenos Aires, 1984.

Barrenecha, Ana María, «Auto-bio-grafía y auto-texto-grafía: "La cara de Ana"», *Escritura*, 7:13-14 (1982).

Borinsky, Alicia, *Macedonio Fernández y la teoría crítica: una evaluación*, Corregidor, Buenos Aires, 1987.

Himmelblau, Jack «Tohil and the President: The Hunters and the Hunted

in the *Popol Vuh* and *El señor Presidente*», *Kentucky Romance Quarterly*, 31:4 (1984), pp. 437-450.
König, Irmtrud, *La formación de la narrativa fantástica hispanoamericana*, Verlag Peter Lang (Hispanistische Studien, 15), Frankfurt, 1984.
Leland, Christopher Towne, *The Generation of 1922. Fiction and the Argentine Reality*, Syracuse University Press, Syracuse, 1986.
Mora, Gabriela, *En torno al cuento: de la teoría general y de su práctica en Hispanoamérica*, José Porrúa Turanzas, Madrid, 1985.
Pezzoni, Enrique, *El texto y sus voces*, Sudamericana, Buenos Aires, 1986.

Ad 8. *Cortázar, Lezama, Onetti, Rulfo, Sábato y la nueva novela*

Alazraki, Jaime, «Los últimos cuentos de Julio Cortázar», *Revista Iberoamericana*, 130-131 (1985), pp. 21-46.
Calvino Iglesias, Julio, *La novela del dictador en Hispanoamérica*, Cultura Hispánica, Madrid, 1985.
Cornejo Polar, Antonio, «La narrativa de Ciro Alegría: diseño general», en L. Schwartz Lerner e I. Lerner, eds., *Homenaje a Ana María Barrenechea*, Castalia, Madrid, 1984, pp. 373-383.
—, *Vigencia y universalidad de José María Arguedas*, Horizonte, Lima, 1984.
Curia, Beatriz, *La concepción del cuento en Adolfo Bioy Casares*, Universidad Nacional de Cuyo, Mendoza, 1986, 2 vols.
Curiel, Fernando, *Onetti: calculado infortunio*, Premiá Editora (La Red de Jonás), México, 1984.
Maturo, Graciela, *et al.*, *Ernesto Sábato en la crisis de la modernidad*, Fernando García Cambeiro, Buenos Aires, 1985.
Millington, Mark, *Reading Onetti*, Francis Cairns (Liverpool Monographs in Hispanic Studies, 5), Liverpool, 1985.
Molina, Juan Manuel, *La dialéctica de la identidad en la obra de J. C. Onetti*, Verlag Peter Lang, Frankfurt, 1982.
Morello-Frosch, Marta, «"La Banda de los Otros": política fantástica en un cuento de Julio Cortázar», en L. Schwartz Lerner e I. Lerner, eds., *Homenaje a Ana María Barrenechea*, Castalia, Madrid, 1984, pp. 497-503.
Moreno Turner, F., ed., «La obra de Augusto Roa Bastos», *Revista de Crítica Literaria Latinoamericana*, 19 (1984).
Noriega, Teobaldo A., *La novelística de Carlos Droguett: aventura y compromiso*, Pliegos (Pliegos de Ensayos), Madrid, 1983.
Ortega, Julio, *Texto, comunicación y cultura: Los ríos profundos de José María Arguedas*, CEDEP, Lima, 1982.
Paoletti, Mario, *Sábato oral*, Cultura Hispánica, Madrid, 1984.

Rodríguez Garrido, José Antonio, «Las variantes textuales de *Yawar Fiesta* de José María Arguedas», *Lexis*, 8:1 (1984), pp. 1-93; *Lexis*, 8:2 (1984), pp. 175-225.
Schrader, Ludwig, ed., *Augusto Roa Bastos. Actas del Coloquio franco-alemán, Dusseldorf, 1-3 de junio 1982*, Niemeyer, Tubinga, 1984.
Verani, Hugo, ed., *Onetti*, Taurus (El Escritor y la Crítica), Madrid, 1987.

Ad 9. *García Márquez, Fuentes, Donoso, Cabrera Infante, Puig*

Campos, René Alberto, *Espejos: la textura cinemática en «La traición de Rita Hayworth»*, Editorial Pliegos, Madrid, 1985.
Echavarren, Roberto, y Enrique Giordano, *Manuel Puig: montaje, alteridad del sujeto*, Ediciones del Maitén, Nueva York, 1986.
Farías, Víctor, *Los manuscritos de Melquíades*, Verlag Klaus Dieter Vervuert (Editionen der Iberoamericana, III, 5), Frankfurt, 1981.
Feijoo, Gladys, *Lo fantástico en los relatos de Carlos Fuentes: aproximación teórica*, Senda Nueva de Ediciones, Nueva York, 1985.
Gilard, Jacques, *et al.*, «Homenaje a Gabriel García Márquez», *Revista Iberoamericana*, 128-129 (1984), pp. 903-1.091.
González Vigil, Ricardo, «La narrativa peruana después de 1950», *Lexis*, 8:2 (1984), pp. 227-248.
Gabriel García Márquez, Latin American Literary Review, 25 (1985). Número especial.
Kadir, Djelal, *Questing Fictions. Latin American Family Romance*, The University of Minnesota Press, Minneapolis, 1986.
Rodríguez Rea, Miguel Ángel, «El cuento peruano contemporáneo: índice bibliográfico. II, 1931-1945», *Lexis*, 8:2 (1984), pp. 249-273.
Speratti Piñero, Emma Susana, «De las fuentes y su utilización en "El ahogado más hermoso del mundo"», en L. Schwartz Lerner e I. Lerner, eds., *Homenaje a Ana María Barrenechea*, Castalia, Madrid, 1984, pp. 549-555.

Ad 10. *Mario Vargas Llosa y la narrativa reciente*

Duncan, J. Ann, *Voices, Visions, and a New Reality. Mexican Fiction since 1970*, University of Pittsburgh Press, Pittsburgh, 1986.
Henderson, Carlos, «Lectura crítica de *La guerra del fin del mundo*», *Cuadernos Americanos*, 6 (1984), pp. 216-221.
Marcos, Juan Manuel, *De García Márquez al post-boom*, Orígenes, Madrid, 1986.

Méndez Rodenas, Adriana, *Severo Sarduy: El neobarroco de la trasgresión*, UNAM, México, 1983.
Pachón Padilla, Eduardo, «El nuevo cuento colombiano», *Revista Iberoamericana*, 128-129 (1984), pp. 883-901.
Urquidi Illanes, Julia, *Lo que Varguitas no dijo*, Editorial Khana Cruz (Biblioteca Popular Boliviana de Última Hora), La Paz, Bolivia, 1983.
Volek, Emil, «La carnavalización y la alegoría en *El mundo alucinante*, de Reinaldo Arenas», *Revista Iberoamericana*, 130-131 (1985), pp. 125-148.
Williams, Raymond Leslie, *Mario Vargas Llosa*, The Ungar Publishing Co., Nueva York, 1986.

Ad 11. *El teatro*

Barradas, Efraín, *Para leer en puertorriqueño: acercamiento a la obra de Luis Rafael Sánchez*, Editorial Cultural, Río Piedras, Puerto Rico, 1981.
Bravo-Elizondo, Pedro, *Cultura y teatro obreros en Chile, 1900-1930 (Norte Grande*), Michay, Madrid, 1986.
Colón Zayas, Eliseo R., *El teatro de Luis Rafael Sánchez. Códigos, ideología y lenguaje*, Playor, Madrid, 1985.
Eidelberg, Nora, *Teatro experimental hispanoamericano, 1960-1980: la realidad social como manipulación*, Institute for the Study of Ideology and Literature, Minnesota, 1985.
Foster, David William, *Estudios de teatro mexicano contemporáneo. Semiología de la competencia teatral*, Peter Lang, Nueva York, 1984.
Latin American Theatre Review, 18:2 (primavera de 1984). Número especial sobre el teatro mexicano moderno.

Ad 12. *El ensayo*

Matamoro, Blas, *Genio y figura de Victoria Ocampo*, EUDEBA, Buenos Aires, 1986.
Orgambide, Pedro, *Genio y figura de Ezequiel Martínez Estrada*, EUDEBA, Buenos Aires, 1985.
Rey de Guido, Clara, *Contribución al estudio del ensayo en Hispanoamérica*, Biblioteca de la Academia Nacional de Historia, Caracas, 1985.
Roggiano, Alfredo A., «Emir Rodríguez Monegal o el crítico necesario», *Revista Iberoamericana*, 135-136 (1986), pp. 623-630.

ÍNDICE ALFABÉTICO

ÍNDICE